यशदेव शल्य समग्र

मानवीय सर्जना की तत्त्वमीमांसा

यशदेव शल्य

यशदेव शल्य समग्र

मानवीय सर्जना की तत्त्वमीमांसा

खण्ड दो

चित् और मूल्य

सम्पादक

अम्बिकादत्त शर्मा

प्रस्तावना

मुकुन्द लाठ

DK PRINTWORLD

Publishers of Indian Traditions

Cataloging in Publication Data — DK
[Courtesy: D.K. Agencies (P) Ltd. <docinfo@dkagencies.com>]

Śalya, Yaśadeva, 1928- **author.**
[Works]
Yaśadeva Śalya samagra : mānavīya sarjanā kī tattva-mīmāṁsā / sampādaka, Ambikādatta Śarmā ; prastāvanā, Mukunda Lāṭha.
volumes cm.
In Hindi.
On Indic philosophy.
ISBN: 9788124608791
Contents: khaṇḍa eka – Jñāna aura sat, khaṇḍa do – Cit aura mūlya, khaṇḍa tīna – Samāja aura saṁskṛti, khaṇḍa cāra – Dārśanika itihāsa dṛṣṭi.

1. Philosophy, Indic. I. Śarmā, Ambikādatta, editor. II. Title

B5131.S25 2016 DDC 181.4 23

ISBN: 978-81-246-0879-1 (set); 978-81-246-0881-4 (vol. 2)
प्रथम संस्करण 2017

मुद्रक एवं प्रकाशक
डी॰के॰ प्रिण्टवर्ल्ड (प्रा॰) लि॰
पंजीकृत कार्यालय : *वेदश्री*, एफ-395, सुदर्शन पार्क
(मेट्रो स्टेशन : रमेश नगर) नई दिल्ली - 110 015
फोन : (011) 2545 3975, 2546 6019
ई-मेल : indology@dkprintworld.com
वेब : www.dkprintworld.com

समर्पण

मुकुंद जी (डॉ. मुकुंद लाठ) के प्रति
अत्यन्त आदर और स्नेहपूर्वक।

विषय–सूची

चार खण्डों में सम्पादित कर प्रकाशित करने का प्रयास किया है। इस सम्पादन में उनकी रचनाओं को रचना-काल-क्रम में सम्पादित नहीं किया गया है बल्कि वैचारिक और सम्प्रत्ययात्मक संगति को ध्यान में रखते हुए उन्हें चार खण्डों (ज्ञान और सत्, चित् और मूल्य, समाज और संस्कृति, और दार्शनिक इतिहास-दृष्टि) में इस तरह संकलित किया गया है ताकि उनके चिन्तन के विकासक्रम और सोपान अधिक से अधिक स्पष्ट हो सकें। साथ ही साथ मानवीय सर्जना की तत्त्वमीमांसा के रूप में उनके चिद्द्वैतवाद को एक स्वतंत्र और सम्पूर्ण दर्शन-व्यवस्था के रूप में प्रस्तुत किया जा सके।

शल्यजी ने मेरी ओर से प्रस्तावित इस कार्ययोजना को अपनी स्वीकृति प्रदान कर मुझ पर बड़ा उपकार किया है। मुकुन्द लाठ जी ने मेरे अनुरोध पर इसकी विस्तृत प्रस्तावना लिखकर मानों इस सम्पादन कार्य को अलंकृत ही कर दिया है। मुकुन्द जी की लेखनी जब कभी शल्यजी के दार्शनिक अध्यवसाय को उजागर करने के लिए प्रवृत्त होती है तो वह सहसा अलंकार भाष्य के स्वरूप को अख्तियार कर लेती है। डी.के. प्रिन्टवर्ल्ड के प्रोपराइटर श्री सुशील मित्तल जी इतने बड़े कार्य को प्रकाशित करने के लिए सहर्ष तैयार हुए, इसके लिए वे मेरी ओर से कोटिशः धन्यवाद के पात्र हैं। मित्तल जी एक पारखी प्रकाशक हैं। वे मूल्यवान ज्ञान को केवल समझते ही नहीं, बल्कि प्रकाशित करते हुए उसका यथोचित शृंगार करना भी अपना प्रकाशकीय स्वधर्म मानते हैं। विशाल कम्प्यूटर्स (जयपुर) मनोयोग के साथ निष्ठापूर्वक टंकण कार्य के लिए भूरिशः सराहना और साधुवाद के पात्र हैं। आशा है कि 'यशदेव शल्य समग्र' के प्रकाशन से शल्यजी की चिद्द्वैतवादी विचार-साधना को लेकर एक समग्र समझ विकसित हो सकेगी। यशदेव शल्य के दर्शन की समग्र समझ अपने आप में एक ओर सृजनात्मकता का दर्शन है तो दूसरी ओर दर्शन की सृजनात्मकता का आह्वान भी है। अतः उसे दीर्घायुष्य और उत्तरजीविता प्रदान करना हम सभी का कर्त्तव्य है।

आमुख

यशदेव शल्य के चिद्‌द्वैतवाद में चित् की वैश्वयोजना अथवा उसके विश्वोन्मुखी प्रवर्तन की न केवल तत्त्वमीमांसा प्रस्तुत की गई है बल्कि साथ ही साथ मानवीय सर्जना के सभी प्रारूपों और आयामों की चिद्‌द्वैतवादी व्याख्या भी हुई है। शल्यजी चित् के आत्मव्यवधान की निवारक साधना के रूप में जब धर्म, दर्शन, नीति, साहित्य, संस्कृति, इतिहास, कला और यहाँ तक कि वैज्ञानिक प्रवृत्तियों की व्याख्या करते हैं तो मनुष्य के ऐसे सभी साभ्यतिक–सांस्कृतिक उपक्रम आत्मचेतन चित् की पुरुषार्थ–साधना के विभिन्न कल्प बन जाते हैं। इस पुरुषार्थ–साधना के अवधारणात्मक इतिवृत्त को उन्होंने 'संस्कृति : मानव कर्तृत्व की व्याख्या,' 'समाज : दार्शनिक परिशीलन,' 'काव्य–विमर्श' और 'चित् की आत्मगवेषणा' नामक कृतियों में विशेष रूप से उद्‌घाटित किया है।

समाज और संस्कृति विषयक शल्यजी के विचार–वितान प्रचलित नृतत्त्वविद्या और समाज–विज्ञान के वैज्ञानिकतावाद और उस पर आधारित संस्कृति की समझ से नितान्त भिन्न प्रकार की है। उनके अनुसार समाज और संस्कृति के सम्बन्ध में तीन प्रकार से विचार किया जा सकता है। प्रथमतः उसे बाह्यतः देखकर विवरणात्मक रूप से, द्वितीयतः उसे बाह्यतः देखकर उसके तात्त्विक–सैद्धान्तिक रूप में, और तृतीयतः चेतना की उन वृत्तियों के अवलोकन–परिशीलन द्वारा जो व्यक्तियों को समाज के रूप में धारण करती है। इसमें पहले के दोनों प्रकारों में समाज और संस्कृति विषयक नृतत्त्वशास्त्रीय और समाजवैज्ञानिक दृष्टिकोणों का समावेश हो जाता है। परन्तु चेतना की वृत्तियों के रूप में मनुष्य की सामाजिकता और सांस्कृतिक निर्मितियों को समझना एक मूलगामी विचार है। इस दृष्टि से समाज और संस्कृति के सामान्य–लक्षण और विशेष–लक्षण को निर्धारित करने का प्रयास किया जाये तो कहा जा सकता है कि संस्कृति अपने सारभूत अर्थ में चैत स्तर का अस्तित्व है और उसका व्यक्तित्व जातीय किस्म का होता है। इसका अधिष्ठान, वास्तव में, भौगोलिक क्षेत्र न होकर लोकमानस होता है। ऐसा होने से ही संस्कृति को मनोमयसत्ता के रूप में समाज की अन्तरात्मा से अभिहित किया जा सकता है। यही संस्कृतात्मा जब देहधारी व्यक्ति–समूह को अपने में अधिष्ठित कर उसके द्वारा एक भौतिक आयाम में अपने को प्रकट करती है तो संस्कृति के विशिष्ट–विशिष्ट रूप अस्तित्व में आते हैं।

आश्चर्य है कि विचारों के इतने मूलगामी और व्यापक आयामों को समेटे हुए उनके चिन्तन में मूलभूत दृष्टि से भटकाव और स्खलन नहीं देखने को मिलता। उनके चिन्तन में व्याप्त सघन और गहन अन्विति से उस मूलभूत दृष्टि की विदग्धता और व्यापकता का सहज ही अनुमान लगाया जा सकता है। अन्यथा, अर्द्ध शताब्दी से भी अधिक की अनवरत अनुसन्धान यात्रा में अद्यतन अन्विति को बनाए रखना सम्भव नहीं होता। 'चिद्–विमर्श' पुस्तक के 'मनुष्य, इतिहास तथा समाज विषयक वैदान्तिक अवधारणा' नामक अध्याय में शल्यजी ने किसी भी दर्शन–प्रणाली के संतोषप्रद हो सकने के लिए तीन कसौटियाँ बताई हैं। सर्वप्रथम तो यही कि वह अनुभव के निकट हो, दूसरे, वह अनुभव के विविध आयामों को किसी एक आयाम में अपचयित किये बिना व्याख्यायित कर सके और तीसरे यह कि ऐसा करने के लिए उसे तदर्थ अवधारणाओं का सहारा लेने की जरूरत न हो। देखा जाय तो शल्यजी स्वयं अपने चिन्तन, मनन और लेखन में इन तीनों कसौटियों के प्रति बहुत ही सजग रहे हैं। इसीलिए यह तीनों कसौटियाँ उनकी दर्शन–साधना में पूरे तौर से चरितार्थ हुई हैं। उनके चिन्तन में इसी कारण एक अप्रतिहत अन्विति, संगति और संसक्तता दिखाई पड़ती है। 'यशदेव शल्य समग्र' शीर्षक से उनकी सभी मौलिक कृतियों को एक साथ प्रकाशित करने का हेतु और औचित्य यही है। शल्यजी अनवरत लिखते रहे और निरन्तर उनका यत्र–तत्र प्रकाशन भी होता रहा। परन्तु इस प्रक्रिया में उनके चिन्तन को लेकर एक ठोस समझ के बदले आधी–अधूरी समझ की सम्भावना से इनकार नहीं किया जा सकता। न्यूनाधिक रूप से शल्यजी के साथ वस्तुतः हुआ भी ऐसा ही है। स्वातंत्र्योत्तर भारत में जबकि दर्शन के नाम पर हमारे पास कुछ दिखाने लायक है और जिस पर कोई भी बौद्धिक परम्परा गर्व कर सकती है तो वह यशदेव शल्य का ही दार्शनिक चिन्तन है। अतः समकालीन दार्शनिक परिदृश्य में यशदेव शल्य के सम्पूर्ण दार्शनिक चिन्तन को एक साथ प्रस्तुत और प्रकाशित करने का एक दार्शनिक औचित्य भी है। वास्तव में इसी उद्‌देश्य को आत्मसात् कर हमने उनकी समस्त मौलिक रचनाओं को

मनुष्य के अतिरिक्त किसी अन्य सत्त्व में यह जिज्ञासा प्रकट नहीं होती, मानो मनुष्य के माध्यम से सत्ता स्वयं ही प्रश्न उठाती है कि सत्ता क्या है? शल्यजी के अनुसार इसका उत्स जगद्भाव में चेतना का अपने आप को आत्म-अभावापन्न, आत्म-अपर्याप्त अथवा आत्मनिर्वासित पाना है। तत्त्वमीमांसीय गति और प्रवृत्ति इसी मूल अभाव और अपर्याप्तता के स्रोत की खोज है। इस स्रोत की खोज में जगद्भावापन्न चैतन्य (मनुष्य) अपार अर्थ-राशि का सृजन, अवगाहन और उसका अतिक्रमण करते हुए अपने मूल स्वरूप की ओर द्वितीयावर्तन करता है। यह द्वितीयावर्तन वास्तव में सत्कार्यात्मक नहीं बल्कि असत्कार्यात्मक अर्थ में आत्मोन्मुख निवर्तन है, जो चेतना के प्रत्यङ्मुख व्यापार में घटित होता है। सृष्टि के इतिहास में चेतना की प्रत्यङ्मुखता, जो मानवीय स्थिति की विलक्षण विशिष्टता है, एक मौलिक रूप से नव्य परिच्छेद है।

इस नव्य परिच्छेद की सर्वाधिक महत्त्वपूर्ण विशेषता 'अतिक्रमणशीलता', अर्थात् अपने प्राप्त रूप का निषेध और आदर्श-पर्येष्य रूप का आक्षेप है। इसी के चलते मनुष्य सदैव अपने आदर्श से परिभाषित अस्तित्व बना रहता है। शल्यजी के अनुसार 'मैं हूँ' यह अस्तित्व की ही आद्य और अधिष्ठानभूत घोषणा नहीं है बल्कि अधिक मौलिक रूप से यह अपनी भाव्यता की भी घोषणा है। यहाँ से ही सृजन की, आरोहण की, अनात्म से मुक्ति की, आत्मव्यवधान के निवारण की और अपने मूल स्वरूप की सिद्धि की यात्रा आरम्भ होती है। वस्तुतः शल्यजी के चिन्तन में प्रत्यङ्मुख चेतना की जैसी गम्भीर और गहन विवेचना हुई है वैसी अन्यत्र दुर्लभ है। ऐसा प्रतीत होता है कि उनका सम्पूर्ण दर्शन प्रत्यङ्मुख चेतना के भाष्य, वार्त्तिक और अलंकार रूप विवेचना में ही फलित और प्रमाणित होता है। चैतन्य की मानुषी स्थिति में पराङ्मुख और प्रत्यङ्मुख नामक दो विपरीत दिशाओं में गति देखी जाती है। विषयोन्मुख इन्द्रिय-वृत्ति में चेतना का अपने विषयों में निःशेष हो जाना, उसको समर्पित हो जाना, यह पराङ्मुखता की पराकाष्ठा है। इसके विपरीत प्रत्यङ्मुखता आत्मोन्मुख अतिक्रमण के रूप में एक पूर्णतः मूलगामी घटना है। शल्यजी की सत्ताविषयक अन्वीक्षा में यह मूलगामी आत्मोन्मुख अतिक्रमण विषय से उसकी मूलाग्र अवधारणाओं में, अवधारणाओं से उनकी मूलाग्र चिद्वृत्तियों में और इन चिद्वृत्तियों से निरूपाधिक चैतन्य में अपनी पर्यन्तता को अधिगत करता है।

इस प्रकार यशदेव शल्य के लिए अपनी दर्शन-व्यवस्था में यह देख पाना सुकर हो जाता है कि यह चित् ही है जो दैहिक, ऐन्द्रिक, मानसिक, बौद्धिक और यहाँ तक कि अतिबौद्धिक प्रज्ञात्मक चेतना-वृत्तियों के रूप में प्रवर्तित होकर अपने लिए अर्थों (विषयों) को प्रस्तुत करता है, और जो अर्थ उसे परतया प्राप्त होते हैं। अर्थों की यह परता वास्तव में चित् की स्वकीय परता ही होती है। यह ज्ञान में उनकी अपूर्ण या सदोष ग्राह्यता तथा इष्टता-अनिष्टता से सिद्ध होता है। यह और भी स्पष्ट चेतना के आत्मचेतन रूप से होता है, जिसमें यह स्वयं आत्म को विषय रूप में असम्यक्तः ज्ञेय और अवांछित चित्तवृत्तियों के रूप में दुस्साध्य पाता है। आत्मा को 'जानने' और चित्तवृत्तियों का निरोध करने के यावत् परामर्श इसके प्रमाण हैं। अतएव हमारी सम्पूर्ण ज्ञान-साधना और पुरुषार्थ-साधना चित् के इस आत्मव्यवधान के निराकरण के, चित् की आत्मगवेषणा के प्रयत्न ही कहे जा सकते हैं। चित् का यह आत्म-व्यवहितत्व, उसका यह आत्मगत-आत्मेतरत्व कितना इतर, कितना मलों-कर्दमों से आलिप्त और भ्रान्तियों-भटकाओं का हेतु होता है, यह हम अपने सुदीर्घ पाशव इतिहास से लेकर मानव-सभ्यताओं के इतिहास तक देख सकते हैं। इसी के अन्तराल में चेतना क्रमशः जड़ से वानस्पतिक, वानस्पतिक से पाशव और पाशव से मानव के सोपान तक उठती और मनुष्य में सांस्कृतिक, नैतिक, आध्यात्मिक और सृजनात्मक तथा अनुसन्धानात्मक शिखरों की ओर पुरुषार्थ-साधना में प्रवृत्त दिखाई पड़ती है। चेतना का यह विकास वास्तव में उसका अपना ही आत्मविस्तार और सृजन है जो चेतना के इतिहास में स्वकीय आत्मव्यवधान के निवारण की दुस्साध्य और अन्तहीन साधना है। इस साधना की दुस्साध्यता और अन्तहीन होना ही चेतना के इतिहास का प्रकट रहस्य है। यशदेव शल्य के दर्शन में चेतना द्वारा इस साधना की दुस्साध्यता की आत्मचेतन आत्मगवेषणा ही उनके 'चिद्द्वैतवाद' का पार्यन्तिक स्वरूप है।

आविर्भाव' कहने का तात्पर्य यह है कि अस्तित्व सत्ता की पूर्णता के लिए अनिवार्य नहीं है। यह सत्ता के इतिहास में एक अनादि व्यवधान है। यही व्यवधान चैतन्य के जगद्विवर्त का निमित्त भी है। इसलिए अस्तित्व के सत्य होने के लिए यह अनिवार्य है कि वह सत्ता में अधिष्ठित हो, किन्तु सत्ता की पूर्णता के लिए यह आवश्यक नहीं है कि वह अस्तित्व की कोटियों में अभिव्यक्त भी हो। प्रपंच विषयक श्रुतियों की व्याख्या में शंकराचार्य भी "न हि सृष्ट्यादि प्रपञ्चो विवक्षितः" कहते हुए ब्रह्म के लिए सृष्टि-प्रपंच को आवश्यक नहीं पाते हैं। शल्यजी की व्याख्या भी कुछ इसी प्रकार की है जब वे कहते हैं कि 'ईश्वर का अस्तित्व है' का अर्थ यह नहीं है कि "जगत् की वस्तुओं और जीवों का अस्तित्व है" बल्कि यह ईश्वर के अपने अस्तित्व का ही कथन है, जिस प्रकार किसी कलाकार के अस्तित्व के सम्बन्ध में कथन का यह अर्थ नहीं है कि उसकी कृतियों का भी अस्तित्व है।

इसलिए अस्तित्व मात्र की आगन्तुकता अथवा अपर्याप्तता, जिसे शल्यजी सत्ता में आक्षिप्त एक व्यवधान के रूप में देखते हैं, उनकी सम्पूर्ण विचार-व्यवस्था में नाभिक जैसा है। अपनी रचनाओं में उन्होंने इसकी व्याख्या तत्त्वमीमांसीय, ज्ञानमीमांसीय, मूल्यमीमांसीय एवं प्रयोजनात्मक दृष्टि से बड़े विस्तारपूर्वक की है। यह उनके चिन्तन का सर्वाधिक अर्थ-गर्भ पक्ष है। इसके गूढ़ार्थ को उनके ही शब्दों में प्रस्तुत करते हुए कहा जा सकता है कि "वह सब कुछ जो है, आगन्तुक स्वभाव है और यह एक ही बात इसे सत्ता के लिए अपर्याप्त बना देती है। उदाहरण के लिए 'यह घट' देश, काल एवं अन्य वस्तु आदि-आदि सब में असत् से परिवेष्ठित है। किन्तु यह केवल इसी कारण से आगन्तुक नहीं है बल्कि इसलिए भी आगन्तुक है क्योंकि यह अपने प्रत्यय में ही आगुन्तक है। उदाहरणतः यदि जगत् न केवल देश और काल में ही सर्वत्र आपूरित हो बल्कि अपने अस्तित्व मात्र का भी समावेश करता हो, तो भी यह अनिवार्य नहीं होगा, क्योंकि इसका अन्यथात्व कल्पनीय है, अर्थात् यह अपने प्रत्यय के लिए पर्याप्त नहीं है। इसी प्रकार आहंकारिक चैतन्य, जो 'मैं' पद का वाच्य है, वह भी अनिवार्य नहीं है। यह केवल देश और काल में ही परिसीमित और व्यक्ति के रूप में अन्य व्यक्तियों से व्यावृत्त नहीं है बल्कि अपने प्रत्यय में भी घट और जगत् के समान ही आत्म-अपर्याप्त है।"

यशदेव शल्य के अनुसार मनुष्य, पशु और भौतिक वस्तुओं को अस्तित्व के इतिहास में क्रमशः जगद्भावापन्न चैतन्य, चित् और अचित् कहा जा सकता है। इसमें भौतिक अस्तित्व भीतर-बाहर उभयतः बंद है और पाशव अस्तित्व भीतर से बंद और बाहर से इतरोन्मुख रहता है। यह केवल मानवीय अस्तित्व ही है जो भीतर और बाहर दोनों ओर खुला रहता है। इस प्रकार खुले होने से उसमें अपर्याप्तता वास्तव में आत्म-अपर्याप्तता का रूप ले लेती है। इस आत्म-अपर्याप्तता के बोध में उस पर्याप्तता की स्मृति या आभास भी अन्तर्निहित होता है जिससे वह वियुक्त है। मानवीय चेतना में एक मूलगामी आत्म-अतिक्रामिता में, उसके आत्म-संशोधनात्मक सभी प्रयत्नों में यह सब कुछ भली-भाँति देखा जा सकता है। शल्यजी के अनुसार आहंकारिक चैतन्य की आत्म-अपर्याप्तता दूसरे अस्तित्वों से इस अर्थ में गम्भीर एवं तीव्र है कि इसका प्रत्यय आत्म-बाह्य नहीं हो कर आत्मप्रकाशित होता है। अर्थात् यह केवल अन्य-व्यावृत्त नहीं हो कर आत्म-व्यावृत्त या आत्मनिर्वासित भी होता है। यह अपने भीतर अपने अभाव से, अपने वैपरीत्य से, अनात्म से दंशित है। यह परिस्थिति इसे एक-दूसरा ही आयाम प्रदान करती है। अर्थात् इसे अपने से अतिक्रामी सत्त्व दे देती है। यही वह अतिक्रमण है जो प्लेटो द्वारा श्रेयस् को ज्ञान और सत् से ऊपर अतिसत् के रूप में रखने में अभिप्रेत है और जो 'तत्त्वमसि श्वेतकेतो!' में श्वेतकेतु का सत्त्व श्वेतकेतु से ऊपर ब्रह्म में स्थापित करने को सार्थकता देता है। इसलिए मानवीय चैतन्य की विशिष्टता उसकी आत्मप्रकाशित आत्म-अपर्याप्तता का बोध है जो स्वयं व्यक्ति में अपने भाव से ऊपर उठने के अतिक्रान्त संकल्प के रूप में दृष्टिगत होता है। मानो अस्तित्व के इतिहास में मानव इसी संकल्प के साथ अपनी आँखें खोलता है।

मनुष्य का एक अतिक्रामी संकल्प को लिए हुए अपनी आँखें खोलने का तात्पर्य यह है कि चेतना मनुष्य के माध्यम से पहली बार आत्मचेतन होती है और सत् के अन्वेषण में प्रवृत्त होती है। मनुष्य की यह अनुसन्धित्सा अपने होने के अर्थ, उसके आधार और गन्तव्य की जिज्ञासा के रूप में होती है। इस सृष्टि में

सकेगी और तब परिभाषा स्वयं में एक प्रकार से 'व्यत्ययदोष' से ग्रसित हो जायेगी। इसलिए यह सदैव अनिधार्य, निरुपाधिक और अतलान्त गहन ही बनी रहती है।

इस तरह देखा जाय तो यशदेव शल्य के दार्शनिक चिन्तन की विकासात्मक यात्रा में सोपान क्रम से 'चित्सत्तावाद' (सत्ता को चिन्मय मानना) का ही बहुविध रूप से प्रतिपादन हुआ है। इनके चित्सत्तावाद में पारम्परिक दृष्टि से बुद्धिवाद और अध्यात्मवाद का समन्वय देखने के बजाय चेतना की विमर्शात्मकता के वाचक बुद्धिवाद और इस विमर्श के आत्मस्रोतान्वेषण के वाचक अध्यात्मवाद का यौगपद्य देखा जाना अधिक उपयुक्त है। यही कारण है कि यशदेव शल्य के दर्शन में तार्किक अनुभववाद और तर्कीय प्रत्यक्षवाद के तत्त्वमीमांसा प्रत्याख्यानवादी अभियान को एक जबरदस्त भारतीय प्रत्युत्तर प्राप्त हुआ है। यह उनके दर्शन की अति महत्त्वपूर्ण दार्शनिक पुनर्रचना है जिसे उनके चिन्तन में 1970 के बाद प्रकट रूप से देखा जा सकता है। यह किसी को प्रतीत हो सकता है कि यशदेव शल्य की दर्शन-साधना का प्रारम्भ तत्त्वदर्शन-विरोधी बौद्धिक परम्परा के अन्दर हुआ, परन्तु वास्तविकता यह है कि उनके चिन्तन का प्रौढ़ पक्ष तत्त्वमीमांसा के औचित्य प्रतिपादन में ही चरितार्थ हुआ है। यशदेव शल्य के अनुसार यूरोप में जन्मे ज्ञान की अधिकांश विधाओं का अगुआ, यहाँ तक कि उनका सांस्कृतिक नेता विज्ञान ही रहा है। विज्ञान के लिए जगत् की यथातथ्य प्रदत्तता ही उसका अन्तिम सत्य है। इस दृष्टि से सत् उनके लिए जगत्पर्यन्त ही है लेकिन ध्यातव्य यह है कि मनुष्य की कल्पना जगत्पर्यवसायी (जगत् तक ही सीमित होना) नहीं है। अतः सत् को जगत्पर्यन्त मानने वाली दार्शनिक प्रवृत्ति क्या इस प्रश्न पर कभी विचार कर सकती है कि जब मानवीय कल्पना जगत्पर्यवसायी नहीं तो उसका सत् किस प्रकार केवल जगत्पर्यन्त ही हो सकता है? ऐसा पूर्वाग्रह न तो सम्पूर्ण मानवीय पर्येषणाओं के साथ न्याय कर सकता है और न ही इस मर्म की समुचित व्याख्या कर सकता है कि मानवीय कल्पना क्यों जगत्पर्यवसायिता का अतिक्रमण करती है। वस्तुतः इसी अतिक्रमणशीलता में मनुष्य की विशिष्टता और सत्ता का मानो रहस्य छिपा हुआ है। मनुष्य के क्रिया-कलापों में प्राप्त स्थिति से उबरने और उससे आगे अपने को प्रतिष्ठित करने की प्रवृत्ति इसी बात का संकेत करती है, मानो उसका कोई गन्तव्य है जिसके सापेक्ष वह अपने को न्यून पाता है। यदि इस बात को स्वीकार किया जाय तो तत्त्वमीमांसा के गहरे पानी में गोता लगाना ही होगा और सत्ता की अन्वीक्षा उस रूप में करनी होगी ताकि मानवीय पर्येषणा की उत्तरोत्तरगामिता की समुचित व्याख्या की जा सके। यशदेव शल्य की सत्ताविषयक अन्वीक्षा में तत्त्वमीमांसा का जैसा प्रस्ताव हुआ है वह 'तत्त्वमीमांसा क्यों' और फिर 'तत्त्वमीमांसा कैसी' दोनों का समुचित उत्तर प्रदान करता है। इन दोनों को अपने में समाविष्ट करता हुआ उनका 'चिद्द्वैतवाद' सृजनशीलता का दर्शन और दर्शन की सृजनशीलता के रूप में सामने आता है।

शल्यजी अपने 'चिद्द्वैतवाद' में सत्ताविषयक एक व्यापक अवधारणा को सामने लाने का वरेण्य प्रयास करते हैं। उनका चिन्तन एक ऐसे अखण्ड सत्य का अन्वेषण है जो समस्त खण्ड सत्यों को अन्तर्निहित करता हुआ उनका अपनी भूमा में अतिक्रमण करता है। इसीलिए उन्होंने 'सत्ता' को 'अस्तित्व' और 'वस्तुतता' की कोटियों से हटाकर 'भाव्य-भाव' की कोटि में अवधारित किया है। उनके अनुसार अकेला 'भाव्य' कहने में यह दोष है कि तब सत् स्वरूपतः अपूर्ण हो जायेगा और केवल 'भाव' कहने से न अनिष्ट, अव्यवस्था और न्यूनता का कोई अर्थ रहेगा और न मूल्यपर्येषणा का। एक ओर सत्ता की गरिमा के लिए यह आवश्यक है कि वह भाव्य हो और दूसरी ओर भाव्य के सत् होने के लिए यह आवश्यक है कि वह निरपेक्ष पूर्ण भाव हो। यह अन्तर्विरोध ही सत्ता की विपुल पूर्णता का रहस्य है।

इस प्रकार सत्ता को उसकी विपुलता एवं पूर्णता में अवधारित करते हुए शल्यजी अस्तित्व एवं वस्तुता की कोटियों से उसे सर्वथा बहिष्कृत नहीं कर देते हैं बल्कि सत्ता को अस्तित्व और वस्तुता के आदिम स्रोत के रूप में ही देखते हैं। उनके ही शब्दों में "अस्तित्व को मैंने सत्ता के जीवन में एक आगन्तुक आविर्भाव के रूप में देखा है, उसे एक आयाम या घटक के रूप में नहीं।" पुनः 'अस्तित्व' मेरी विचार-व्यवस्था में सांवृतिक चेतना, वेदना, अन्नमय-प्राणमय-मनोमय कोश, ऐन्द्रिक-दैहिक-आविर्भाव है। सत्ता के संदर्भ में अस्तित्व को 'आगन्तुक

इससे एक ओर प्रत्येक चैतसिक स्तर के समानान्तर विषय की परिकल्पना करने से अनावश्यक विषयों को मानना पड़ता है तो दूसरी ओर उन्हें एक सूत्र में बाँधने की समस्या खड़ी होती है ताकि योजनाबद्ध क्रिया की व्याख्या की जा सके। इस प्रकार अनुभववाद अपने विकसित प्रारूप में भी संवेदन-प्रदत्त और वस्तु के बीच की खाई को नहीं पाट पाता है। अतः यशदेव शल्य एक प्रकार से 'सावधान अनुभववाद' को ध्यान में रखते हुए 'अवधारणा-सापेक्षतावाद' (वस्तु का स्वरूप अवधारणामूलक मानना) की ओर उन्मुख होते हैं, और इसका प्रतिपादन उन्होंने 'ज्ञान और सत्' (1967) नामक पुस्तक में किया है। परन्तु यह दृष्टि भी उनके लिए अधिक समय तक सन्तोषप्रद नहीं बनी रह सकी। स्वयं उन्होंने यह स्वीकार किया है कि बाह्य विषय के सम्बन्ध में अवधारणा-सापेक्षता की बात फिर भी किसी तरह चल सकती है किन्तु कर्त्तव्य, आत्मा आदि विषयों के सन्दर्भ में कैसे चल सकती है। अपनी इस दृष्टि का पल्लवन उन्होंने 'संस्कृति : मानव कर्तृत्व की व्याख्या' (1969) नामक पुस्तक में किया है। इस तरह यशदेव शल्य अपने ही अवधारणा-सापेक्षतावाद से उत्तीर्ण होकर अपने चिन्तन के दूसरे महत्त्वपूर्ण सोपान पर पहुँचते हैं जिसे चैत्त-सापेक्षतावाद (वस्तु को चित्-सापेक्ष मानना) से निरपेक्ष चैतन्य में उत्क्रमण के रूप में समझा जा सकता है। इन दोनों ही विचार-ध्रुवों के मध्य दोलायमान उनके चिन्तन को 'विषय एवं आत्म' (1972) नामक पुस्तक में देखा जा सकता है। इस पुस्तक में उन्होंने एक ओर बाह्य विषय को सापेक्षता से मुक्त कर उसे उसका वस्तुगत आधार लौटाने का प्रयास किया तो दूसरी ओर आत्मा को सापेक्ष विषयिता से मुक्त कर आत्मसत्ता में प्रतिष्ठित करने का एक विलक्षण प्रत्ययवादी प्रयत्न किया है। अपने दार्शनिक अध्यवसाय में लगभग डेढ़ दशक तक इस सोपान पर स्थित यशदेव शल्य को बाद में यह भान होता हुआ प्रतीत होता है कि वे अपने प्रयत्न में पूर्णतः सफल नहीं हो सके थे। उन्होंने स्वयं स्वीकार किया है कि मैं विषय की बाह्यता के चिद्गत स्रोतों एवं आत्मा की ऐसी तात्त्विकता की खोज में था जो वस्तुरूप न होकर भाव्यात्मक हो। उनके ही शब्दों में "अब 'विषय और आत्म' में जबकि मैं विषय के चिद्गत स्रोतों को देख पाया, स्वयं चेतना अथवा आत्मा के उस स्वरूप को नहीं देख पाया जिससे ये स्रोत उद्गत होते हैं।" (चिद्-विमर्श, प्राक्कथन, पृ. 2) इस प्रकार चेतना अथवा आत्मा के उस स्वरूप का सन्धान जिससे अनन्त विषयों के स्रोत उद्गत होते हैं, यशदेव शल्य के दार्शनिक चिन्तन का तृतीय और अन्तिम प्रस्थान है। उनकी इस गम्भीर दृष्टि का विकास 'चिद्-विमर्श' (1978) नामक ग्रन्थ में हुआ है। यहाँ वे विषय-जगत् और अर्थ-लोक की चिद्गत संरचनाओं की प्रतिष्ठा चेतना की आत्मगत प्राकृतिकता से आत्मोन्मुख निवर्तन में देखते हैं। चेतना का आत्मोन्मुख निवर्तन उसका प्रत्यङ्मुख अभिसरण है और इसी प्रत्यङ्मुख चेतना (चेतना की अन्तरोन्मुखता) का महाभाष्य करते हुए उन्होंने आत्मचेतन चेतना के ज्ञानात्मक, संकल्पात्मक और भावनात्मक तीनों ही अभिवृत्तियों एवं मानव पर्येषणा के समस्त पक्षों, यथा समाज, संस्कृति, सौन्दर्य, कला, साहित्य, भाषा, विज्ञान और इतिहास-दर्शन तथा मनुष्य के समस्त मूल्यात्मक अभिनिवेशों की मौलिक व्याख्या की है। यही यशदेव शल्य के दर्शन का चरम चिद्द्वैती प्रस्थान है जिसका बहुआयामी पल्लवन उनके परवर्ती ग्रन्थों, जैसे – सत्ताविषयक अन्वीक्षा (1987), समाज : दार्शनिक परिशीलन (1992), मूल्यतत्त्व मीमांसा (1994), तत्त्व चिन्तन (2003) और 'चित् की आत्मगवेषणा' (2009) में हुआ है।

यहाँ अवधेय है कि शल्यजी के चिन्तन के विभिन्न सोपानों में उन्हें 'पहले' और 'बाद' के शल्यजी में विभाजित नहीं किया जा सकता। उनके चिन्तन के विभिन्न सोपान एक-दूसरे से अनन्वित नहीं बल्कि पूर्णतया अन्वित हैं। यहाँ तक कि ये सोपान एक ही मूल के विभिन्न कल्प और उसी से अनुप्राणित भी कहे जा सकते हैं। वह मूल एक ऐसी चेतना है जो अपने में जगद्भाव का आक्षेप करती है और पुनः आत्मोन्मुख निवर्तन में अपने भाव्य स्वरूप का साक्षात्कार करती है। शल्यजी इस मूल चैतन्य को सर्वथा अपरिभाषेय बताते हैं। अपरिभाषेय इसलिए कि यह सब कुछ का पूर्ववर्ती है। यह पूर्ववर्तिता वास्तव में सब कुछ होने की पूर्वापेक्षा है। यदि चैतन्य को कम से कम 'पूर्वापेक्षा' के रूप में ही परिभाषित किया जाय तो यहाँ पूर्वापेक्षा भी अवधारणात्मक रूप से गृहीत हो

मनुष्य न तो अर्थलोक की सृष्टि कर सकता है और न ही उसका अवगाहन। ऐसे यशदेव शल्य का जन्म 26 जून, 1928 को फरीदकोट (पंजाब) में हुआ। अपनी प्रारम्भिक शिक्षा की शुरुआत उन्होंने फरीदकोट के ही एक प्राइमरी स्कूल से की और तत्पश्चात् रायकोट (लुधियाना) में स्थित एक गुरुकुल में सातवीं कक्षा तक पढ़ाई की। वहीं रहकर उन्होंने संस्कृत कॉलेज, जयपुर की 'साहित्योपाध्याय' और पंजाब विश्वविद्यालय की 'प्रभाकर' परीक्षाएँ किसी तरह से उत्तीर्ण कीं। इसके अनन्तर अपने घर पर ही रहकर उन्होंने अंग्रेजी की मैट्रिक और इण्टरमीडिएट की परीक्षाओं को उत्तीर्ण कर संस्थागत पठन-पाठन से अपने को मुक्त कर लिया और स्वतन्त्र अध्ययन की ओर प्रवृत्त हो गये। स्वतन्त्र अध्ययन के मार्ग पर चलते हुए प्रथमतया वे साहित्य की आलोचनात्मक विधा तथा कविता लेखन की ओर उन्मुख हुए और 1951 में किताब महल, इलाहाबाद से 'पन्त का काव्य और युग' शीर्षक से अपनी पहली पुस्तक को प्रकाशित किया। साहित्य के क्षेत्र में उनकी दूसरी पुस्तक 'काव्य-विमर्श' शीर्षक से 2003 में प्रकाशित हुई है। एक साहित्यकार के मानस में दर्शन का बीज कैसे अंकुरित हुआ, यह कहना तो कठिन है लेकिन 1952 में 'प्रतीक' पत्रिका के एक अंक में उन्होंने 'व्यष्टि और समष्टि' शीर्षक से एक लेख प्रकाशित किया। पुनः अचानक दर्शन के लिए इतना बड़ा कृत्यानुष्ठान कि 1954 में उन्होंने 'अखिल भारतीय दर्शन परिषद्' की स्थापना की और साथ ही साथ 'दार्शनिक त्रैमासिक' पत्रिका का प्रकाशन भी आरंभ किया। इस प्रकार 1954 से अद्यतन उनका जीवन भारत में दार्शनिक उन्नयन और अपने दार्शनिक चिन्तन को आकार देने में समर्पित रहा है। अनवरत् चिन्तन-मनन में निरत रहते हुए उन्होंने लगभग डेढ़ दर्जन मौलिक पुस्तकों का प्रणयन और आधे दर्जन से अधिक पुस्तकों का संपादन किया है। शल्यजी की मौलिक कृतियों के विचार-वितान और भाषा की संरचना बहुत ही नवोन्मेषी है। संपादित कृतियाँ अधिकांशतः समकालीन पाश्चात्य दर्शन और उसकी आलोचना से संबंधित हैं। इसके पीछे उनकी दृष्टि पाश्चात्य दर्शन के प्रति अन्ध श्रद्धा की गतानुगतिक रूप से पुनरावृत्ति करना नहीं, बल्कि उसके प्रति अविचारित मोह का भंजन कर भारतीय दर्शन के प्रति निष्ठा को बढ़ाना रहा है। उनकी रचनाओं को सर्वत्र सम्मान भी मिला और अपने समय के मूर्धन्य विद्वानों ने उन पर समीक्षाएँ लिखीं। उन्हें हिन्दी समिति उत्तर-प्रदेश द्वारा डॉ. भगवानदास पुरस्कार (1962), अखिल भारतीय दर्शन परिषद् द्वारा स्वामी प्रणवानन्द दर्शन पुरस्कार (1988), बिड़ला फाउण्डेशन द्वारा शंकर पुरस्कार (1995), हिन्दी साहित्य सम्मेलन, प्रयाग द्वारा मंगला प्रसाद पुरस्कार (2002), भारतीय ज्ञानपीठ द्वारा मूर्तिदेवी पुरस्कार (2004) और मध्य-प्रदेश राष्ट्रभाषा प्रचार समिति द्वारा नरेश मेहता स्मृति वाङ्मय पुरस्कार (2002) से सम्मानित भी किया गया है। वे दार्शनिक त्रैमासिक, दर्शन समीक्षा, तत्त्वचिन्तन और उन्मीलन जैसी पत्रिकाओं के संस्थापक सम्पादक भी रहे। विश्वविद्यालयीय व्यवस्था से किसी प्रकार की उच्च उपाधि से विमुक्त रहने के बावजूद भारतीय दार्शनिक अनुसन्धा''न परिषद् एवं भारतीय समाज विज्ञान अनुसन्धान परिषद् उन्हें अपना वरिष्ठ फैलो बनाकर अपने को सम्मानित किया है। इस प्रकार राष्ट्रभाषा 'हिन्दी' के माध्यम से इन्होंने दार्शनिक चिन्तन को जैसा उत्कर्ष प्रदान किया है वह विचार को उसका पुरुषार्थ प्रदान करने जैसा है। एक दार्शनिक के रूप में यशदेव शल्य भारत की उस गौरवशाली परम्परा के अंगभूत माने जा सकते हैं जिसके लिए 'मुनिनां उत्तरोत्तर प्रामाण्यम्' कहा जाता है।

यशदेव शल्य का अर्द्धशताब्दी से अधिक का अविचल चिन्तन ने अपने आप में एक सम्पूर्ण दार्शनिक तंत्र का रूप ले लिया है। यद्यपि उनका चिन्तन सर्वथा मौलिक है तथापि एक प्रकार से वे अद्वैत वेदान्त की परम्परा में आते हैं, किन्तु यह परम्परा उनके चिन्तन में आधारभूत रूप से नवीनीकृत हुई है। यशदेव शल्य ने स्वयं ही अपने दार्शनिक प्रस्थान को 'चिद्द्वैतवाद' (चेतनामूलक अद्वैतवाद) कह कर अपना आत्म-प्रकाशन किया है। ('सत् की चिन्मयता' नामक आलेख, उन्मीलन, वर्ष-15, अंक-1, 2001) सत्ता की चिद्द्वैतवादी अनुसंधित्सा में यशदेव शल्य की दार्शनिक यात्रा का आरम्भ आधुनिक पाश्चात्य अनुभववादी-तार्किक प्रत्यक्षवादी परम्परा के अन्तर्गत-चिन्तन के साथ हुआ और उन्होंने इसमें 'दार्शनिक विश्लेषण' (1961) नामक पुस्तक लिखी। किन्तु उन्हें अनुभववादियों की अनुभव की अवधारणा में कोई युक्तियुक्तता नहीं दिखाई दी। अनुभववाद में सबसे बड़ा दोष यह है कि यह परम्परा विषय को मात्र संवेदन प्रदत्त के रूप में स्वीकार करती है।

आमुख

अम्बिकादत्त शर्मा

'दर्शन' पद के साथ 'भारतीय' विशेषण भौगोलिकता का वाचक न होकर विचार की एक विशिष्ट गोत्र और परम्परा का द्योतक है। इस दृष्टि से श्रीअरविन्द के बाद इस देश में दार्शनिक गतिविधियों से सरोकार रखने वाले बहुतेरे महत्त्वपूर्ण व्यक्तियों को 'भारत का दार्शनिक' तो कहा जा सकता है, लेकिन एक 'संस्थापक भारतीय दार्शनिक' की पदवी से केवल यशदेव शल्य (जन्म 1928) ही अभिहित किये जा सकते हैं। भारत के वैचारिक स्वराज और राष्ट्रभाषा हिन्दी के राजपथ पर अपने चिन्तन को पुरोगामी रूप से अग्रसारित करते हुए उन्होंने जो दार्शनिक स्थापनाएँ प्रस्तुत की हैं, वह स्वातंत्र्योत्तर भारत की एक महत्त्वपूर्ण दार्शनिक उपलब्धि है। यह एक ऐसी दार्शनिक उपलब्धि है जो 'समकालीन भारतीय दर्शन' को सार्थक बनाने वाले सभी दार्शनिक प्रयासों को पीछे छोड़ते हुए अकेले दम पर उसे सार्थकता प्रदान करने का सामर्थ्य रखता है। इसलिए उनके दार्शनिक सृजन परिवेश को पाश्चात्य विचारों के अंतराय से सींचीं हुई समसामयिक औपनिवेशिक भारतीयता का अपवाद कहना सर्वथा उचित होगा। उनके लिए 'दर्शन' तमाम ज्ञान-विधाओं की तरह कोई विषयमूलक-व्यवस्था नहीं बल्कि ज्ञान का एक आत्मोन्मुख व्यापार है जो निरन्तर अपने आरम्भ बिन्दु से प्रारम्भ कर उसी पर लौटता है। दर्शन के स्वरूप विषयक इस व्यावर्त्तक अन्तर्दृष्टि को आत्मसात् करते हुए मानवी स्तर पर आत्मचेतन हुई चेतना को अपने दार्शनिक अध्यवसाय का प्रस्थान-बिन्दु बनाकर उन्होंने 'मनुष्य के जगद्भाव' की जैसी तत्त्वमीमांसा प्रस्तुत की है, उससे मानवीय सर्जना के सभी पक्षों की व्याख्या एक चकित कर देने वाली मौलिकता के साथ सम्भव हुई है। यदि उनकी तुलना भारतीय परम्परा के किसी दर्शन से की जाये तो उनका चिंतन अद्वैत वेदान्त के गोत्र का प्रतीत होता है। यद्यपि वह भी एक अपूर्व मौलिकता के साथ कायाकल्प करते हुए आकार ग्रहण किया है। पुनः उनकी तुलना किसी पाश्चात्य दार्शनिक से की जाये तो वे हुस्सर्ल और हायडेगर के समकक्ष ही ठहरते हैं। यह बात अलग है कि भारत का दार्शनिक जगत् उनके दार्शनिक अध्यवसाय से पूरे तौर से परिचित नहीं हो सका है। इसका एक मात्र कारण भाषा है, क्योंकि भीष्म संकल्प के साथ उन्होंने बहुत लिखा लेकिन सब कुछ हिन्दी में लिखा है। यद्यपि अंग्रेजी जानते हुए सब कुछ हिन्दी में लिखने के पीछे भी शल्यजी की एक मूलगामी दृष्टि रही है। वह यह कि भाषा मानवीय सर्जना का एक रूप ही नहीं बल्कि आधारभूत आयाम भी है। अतः आत्मचेतन चेतना से परिभाषित 'मनुष्य' होने का अर्थ भाषा में होना है और निज भाषा में होने का औचित्य अपने को अपने सांस्कृतिक विश्व में पाना है। वह जो अपनी भाषा में नहीं, अपने ही घर से बेघर है। इस दृष्टि से शल्यजी की दर्शन-साधना वैचारिक स्वराज के भाषायी राजपथ को उद्घाटित और प्रशस्त करने की साधना भी कही जा सकती है।

यशदेव शल्य के अकादमिक जीवन-वृत्त पर दृष्टिपात करने से विदित होता है कि दार्शनिक अध्ययन और लेखन उनके लिए कभी विद्वता लाभ और पाण्डित्य प्रदर्शन का साधन नहीं होकर आत्मचरितार्थन और आत्मसर्जन का कर्म रहा है। वस्तुतः यह उनकी एक दार्शनिक स्थापना भी है कि मनुष्य के कर्म मात्र का औचित्य भी यही है कि वह आत्मचेतन पूर्वक किये गये अपने समस्त कर्मों के द्वारा अपना आत्मक्रियान्वयन ही करता है। यही आत्मक्रियान्वयन क्रिया और कर्म का भेदक और मानवी-प्रस्थिति की व्यावर्त्तक विशेषता है। अन्यथा

प्रश्नमय ही नहीं, प्रत्यङ्मुख होता है : अपने पीछे हट कर अपने को देखता–परखता चलता है। अपने परे से प्रेरणा भी पाता है।

विचार की यह प्रवृत्ति दर्शन में पूरा जागरूक रूप लेती है – कह सकते हैं कि यही प्रवृत्ति दर्शन का मूल भी है। और यह प्रवृत्ति मूलगत, तात्त्विक, प्रश्नों की ओर सहज ही मुड़ती है : सत् क्या, जगत् क्या, मनुष्य क्या, मनुष्य का श्रेय, उसका सत्य क्या, मनुष्य होने का अर्थ क्या? इन बातों का ज्ञान क्या, ज्ञान की प्रमाणिकता क्या? ये प्रश्न मनुष्य में सहज हैं, मनुष्य की जिज्ञासा को, अर्थ–संधान को ही नहीं, उसकी सिसाधयिषा को केन्द्र में रखते हैं। दर्शन में ये आत्मचेतना की अगाध प्रत्यङ्मुखता पा लेते हैं। विचार के अथाह में उतरता, प्रमाण का सतत संधान करता, अपने को अपने ही ईक्षण के माध्यम से जानता–परखता मनुष्य यहां सत्य–जिज्ञासु होता हुआ आत्मजिज्ञासु होता है। सत्य की जिज्ञासा उसे सहज ही आत्मतत्त्व के गभीरतम अवगाहन की ओर ले जाती है; तभी जो मूलग्राही प्रश्न हमें सदा सताता है, वह है : हमारा स्वरूप क्या? साध्य क्या? श्रेय क्या? उसका हमारे सत्य से संबंध क्या? जगत् से संबंध क्या?, दर्शन में ये प्रश्न स्फुटतम आत्म–बोध, आत्मपरीक्षा के साथ जागते हैं, जगत् और आत्म विषयक दृष्टियों में रूप लेते हैं; इन दृष्टियों को प्रौढ़, परीक्षित – प्रामाणिक – रूप देने की गहनतम ललक पालते हैं। दर्शन जगत्–विषयक और उससे संश्लिष्ट मनुष्य–विषयक दृष्टियों का आकलन करता है, उनको उभारता है, उनकी सम्भावनाओं को युक्त विस्तार देता है। आज दर्शन की गरिमा क्षीण है, दर्शन का प्रत्याख्यान, उसके सत्य और श्रेय से किसी सार्थक सबंध का निषेध 'दार्शनिकों' में आम है। तत्व क्या? वस्तु क्या? सत्य क्या? श्रेय क्या? ऐसे प्रश्नों को आज बड़े बड़े दार्शनिक असमाधेय ही नहीं, अप्रश्न मानते हैं, बुद्धि के मोह की उपज मानते हैं। सत्य का संबंध विज्ञान से जोड़ा जाता है आज। विज्ञान जड़–भौतिक को ही सत्य मानता है। अचंभा नहीं कि श्रेय फिर संस्कार या इच्छा की बात ठहर जाता है। पर सत्य और श्रेय की जिज्ञासा ऐसी सामयिक श्रद्धा से, विचार की प्रथा विशेष से क्षणप्रलुब्ध, क्षणभ्रांत या विचलित भले ही हो जाये, चुप नहीं हो जाती। आज की परिस्थिति को एक आगंतुक–से चलन की, आये–गये प्रवाह की बात ही समझना चाहिये। यों भी, दर्शन का प्रत्याख्यान कोई नई बात नहीं। आज से भी गहरे प्रत्याख्यान किये गये हैं दर्शन के; धर्म के और अध्यात्म के नाम पर ऐसा किया ही जाता रहा है। सत्य की उपलब्धि 'खटदर्शन में नाहीं', यह चली हुई उक्ति है ही अपने यहां। पर सच यह है कि विचार का प्रत्याख्यान किया नहीं जा सकता : यह हमारे अपने स्वरूप का ही प्रत्याख्यान होगा। और विचार में दर्शन की ओर उन्मुखता स्वरूपेण बनी रहती है। दर्शन में हमारी गभीरतम तत्त्व–जिज्ञासा आत्मचेतन रूप लेती है। हमारी आत्मचेतना स्वभावेन इस जिज्ञासा की ओर मुड़ती है। जिज्ञासा हममें सहज है और सहज ही एक विश्वदृष्टि, आत्मदृष्टि की ओर ले जाती है। दर्शन में यह युक्त, उदार, व्यापक, आत्म–स्वच्छ, पारदर्शी हो जाती है। हमारी सारी जिज्ञासाओं, सारे संधानों के अर्थ को एक सर्वतोग्राही, सर्वतोभद्र सूत्र में पिरो सकता है दर्शन।

हम थोड़ा भी आत्मद्रष्टा भाव रखें तो पाते हैं कि हमारे सारे प्रश्न, हमारी खोज, हमारी सत्य का संधान करती आत्मसाध्यता में, हमारी स्वरूप–निहित सिसाधयिषा में, जड़ करते हैं। हम अपनी सारी वृत्तियों–प्रवृत्तियों में अपने को साधते चलते हैं। तत्त्व–जिज्ञासा हमारी गहरी से गहरी प्रवृत्तियों में है। विचार में रूप लेती है। हां, विचार युक्ति का मार्ग है। खंडन–मंडन से चलता है। विप्रतिपत्ति, आत्मप्रत्याख्यान उसकी सहज प्रवृत्ति है। पर इससे विचार का ही प्रत्याख्यान नहीं हो जाता। यह संभव ही नहीं, क्योंकि विचार ही यह प्रत्याख्यान करता है। दर्शन खंडन–मंडन का ही नहीं, दृष्टि का माध्यम होता है। आत्मसाक्षात्कार का माध्यम होता है। हमारी तत्त्व–दृष्टि या तत्त्व–साक्षात्कार हमारे आत्मसाक्षात्कार के अभिन्न अंग हैं। खंडन–मंडन इसी व्यापार के अंग होकर सार्थक होते हैं। आवश्यक यह है कि दर्शन की सार्थक साधना बनाये रखी जाये।

पर सार्थकता सिसृक्षा की मांग करती है। स्वतंत्र सिसृक्षा की।

जो शल्य जी में है। शल्य जी एक सर्वतोग्राही व्यापक तत्त्व–दृष्टि की ओर आगे बढ़ते हैं, उसे समर्थ रूप देते हैं। कहना न होगा कि वे तत्त्व–दर्शन के निषेध की प्रवृत्ति का तीखा प्रत्याख्यान करते हैं।

प्रस्तावना

मुकुन्द लाठ

संस्कृति स्वातंत्र्य चाहती है, और इसके लिये वह निरंतर जागरूक आत्मचेतन आत्मविमर्श की अपेक्षा रखती है। स्वतंत्र विचार इसी का लक्षण होता है। विचार के स्वप्रतिष्ठ स्वातंत्र्य के बिना संस्कृति के अपनेपन की नींव दृढ़ नहीं होती। उसकी विभिन्न प्रवृत्तियां, परंपराएँ, व्यवस्थाएँ, अन्य संस्कृतियों से संबंध, उन्हें अपना पाना – ये जिस सिसृक्षा में रूप लेते हैं, वह आत्मस्थ आत्मदृष्टि का फल होता है, विचार में अपने को प्रकट करता है।

आज हममें, पराक्रांति के बाद भी, सिसृक्षा का स्वातंत्र्य है। प्रकट दिखता है। हम अपनी गहरी प्रवृत्तियों में : साहित्य में, कलाओं में, धर्म में, अध्यात्म में, अपने को स्वतंत्र और आत्मस्थित पाते हैं। पर एक विचित्र वैषम्य के साथ। क्योंकि हम अपने को उतने ही गहरे में परमुखापेक्षी भी पाते हैं। जिस विचार में हम आत्मावलोकन करते हैं, अपनी सिसृक्षा को आत्ममंथन का विमर्श और दृष्टि देते हैं, वह परापेक्षी है। यह बात विचित्र और विषम इसलिये भी है कि विचार की – स्वतंत्र, समृद्ध बहुमुखी विचार की – हमारी परंपरा पुरानी है। पर वह मानो हमारे लिये प्रासंगिक ही नहीं रही है। अपनी सिसृक्षा खो बैठी है। इतिहास की-सी बात हो गई है।

विचार कला या साहित्य की तरह ही – संस्कृति के किसी भी सार्थक अंग की तरह – सार्वभौमिक होता हुआ भी संस्कृति-विशेष का प्रतीक और वाहन भी होता है। विचार में आत्मविमर्श स्वभाव-निहित होता है। उसमें आत्मालोचन के साथ सिसृक्षा की गति भी स्वभाव-निष्ठ होती है – अगर हम उसे जगाये रखें। पर विचार की अपनी परंपराएँ भी होती हैं। विचार भाषा में होता है। भाषा संस्कृति-विशेष को सहज कुक्षिगत रखती है। विचार इसके प्रति आत्मचेतन रहता है; वह सार्वभौम होता है, भाषा-सीमित नहीं होता, पर भाषा विशेष के प्रवाह के भीतर रहता हुआ ही सार्वभौम होता है। हम आज अपने प्रवाह से च्युत-से हैं। हमने आज मान-सा लिया है कि विचार के लिये तो पश्चिम ही शरण है; और इससे भी बढ़ कर यह कि विचार अंग्रेज़ी में ही हो सकता है। बल्कि यों कहना चाहिये कि हमारी यह अनकही, निर्विचार निष्ठा बन गई है कि आज का सार्थक, प्रासंगिक, 'युगानुकूल', 'आधुनिक', विचार बाहर ही होता है, वहीं से आ ही नहीं सकता, वहीं की भाषा में हो सकता है। इसलिये हम अपनी भाषा में भी विचार करते हैं तो अनुवाद की एक ऐसी बोली अपनाते हुए करते हैं जहां विचार के प्रत्ययों और उनके संदर्भ को समझने के लिये पश्चिम का विचार-संभार ही नहीं, पश्चिम की भाषा (हमारे लिये अंग्रेज़ी) ऊह्य (पूर्वगृहीत) रहती है। हमारा अपना स्वतंत्र अधुनातन विचार-संस्कार रूप नहीं ले पाया है, या क्षीण है। इससे हम अवगत भी हैं। श्री कृष्णचंद्र भट्टाचार्य ने बरसों पहले विचार के स्वराज की बात की थी, जो हमें चुभती है। पर अब यह भी लगने लगा है कि बात बात-सी ही रह गई है।

पर इसका अर्थ यह नहीं कि हम अपनी परंपरा में ही आरूढ़ हो लें। पिष्टपेषण करें। गतानुगतिक बने रहें। सिसृक्षा का यह मार्ग नहीं। सिसृक्षा रूढ़ि-मुक्त होती है। परंपरा में रूप लेती हो, पर उससे बँधती नहीं है; बल्कि उसे रूप देती है, बनाती है, नया उन्मेष दे कर उसे स्फूर्त, जीवंत रखती है। परंपरा बनती ही सिसृक्षा की नई प्रतिभा से है। सृजन का यह विरोधाभास विदित ही है, वह परंपरा में जन्म लेता हुआ भी परंपरा से ऊपर उठ कर, निर्बंध होकर ही स्फुरित होता है। विचार में यह तत्त्व आत्मप्रकट रहता है। विचार स्वभाव से अपने ही आगे बढ़ने की ओर उन्मुख रहता है : अपने आग्रहों पर, अपने मूल पर प्रश्न उठाते चलना उसका स्वधर्म है। वह स्वभाव से

प्रस्तावना

हम पाते हैं कि 'क्या है', और इसी से युगनद्ध, 'क्या होना चाहिये' की जिज्ञासा हमारे भीतर अपने आप दृष्टियों में रूप लेती है। अनिवार्यतः लेती है। हमारे भाषा-प्रयोग में, हमारे व्यवहार में ऊह्य रहती है - कितनी ही अस्पष्ट, अविचारित क्यों न हो। हर संस्कृति की भाषा – या भाषाओं में – इस ऊह्य जगत्-बोध और मनुष्य-बोध की पहचान देखी जा सकती है। यों, सत्य का, तत्त्व का ऊह हममें सहज है। दर्शन में यह ऊह अपने प्रति प्रबुद्ध हो जाता है। प्रमाण और युक्ति का मार्ग अपनाता है; आत्मपरीक्षण के प्रकाश में आगे बढ़ने की लौ पालता है। नये मार्ग, नई गंभीरतर, व्यापकतर दृष्टियों की ओर आत्मचेतन विमर्श के साथ बढ़ सकता है।

युक्ति का मार्ग स्वरूपेण विचार के स्वातंत्र्य की और तन्निहित सिसृक्षा की मांग करता है। हमने अपने यहां विचार में स्वतंत्र सिसृक्षा के अभाव की बात की। आज इस सिसृक्षा में हमारे यहां पश्चिम ही नहीं, परंपरा भी बाधक दिखती है। परंपरा कहती है कि नया हो ही नहीं सकता। पुराने का ही पिष्टपेषण चाहती है, करती है। पर बड़ा चेष्टा-साध्य होता है यह पिष्टपेषण भी। लकीरें बनाई रखनी पड़ती हैं। क्योंकि सच यह है कि हम सचमुच विचार करें, होते आये विचार के प्रतिपादन, प्रस्तुति, निरूपण, या उसके ईक्षण या सर्वेक्षण या इतिहास मात्र से उबर कर अपनी प्रेरणा से, ललक से, सहज स्वातंत्र्य से, विचार कर्म में अभिनिविष्ट हों तो नूतन का द्वार स्वतः खुल जाता है – आगे विचार-दृष्टि का उन्मेष जितनी दूर ले जाये। हो-चुके, होते-आ-रहे विचार की ईक्षा और पुनःप्रस्तुति कितनी ही विमर्शमयी क्यों न हो, होती रूढ़िस्पृष्ट ही है। प्रज्ञा का नवोन्मेष रूढ़ि से निकल कर ही लौ लेता है। बात वैसी ही है जैसे कविता में होती है। कविता का इतिहास या काव्यालोचन, अपने आप में कितने ही महिम क्यों न हों, कविता नहीं हैं। काव्य-सृजन की प्रेरणा और ही होती है। एक भाव-दृष्टि की मांग करती है, जिसे बिंबों में, रूपक-उत्प्रेक्षा में, भाषा की शतवर्ण ध्वनियों में अभिव्यंजित करती है। राग-संगीत में यह बात और भी प्रकट है – राग स्वतंत्र आलाप के बिना बनता ही नहीं, अपने स्वरूप में ही स्वतंत्र रागदृष्टि की मांग करता है। दर्शन भी विचार का उन्मुक्त आलाप चाहता है, पर इसके मूल में रूढ़िमुक्त स्वतंत्र अंतर्दृष्टि की अपेक्षा होती है। दृष्टि जितनी विराट हो, दर्शन उतना ही महत् होता है। दर्शन दृष्टि को प्रत्ययों में, युक्ति के रास्ते रूप देता है; इसके लिये समुचित भाषा भी साधता है, पर यह भाषा ध्वनि या व्यंजना के वक्र मार्ग से हट कर प्रत्यय की आत्मप्रकट स्पष्टता स्वच्छता-पारदर्शिता की ओर उन्मुख रहती है। समुचित भाषा की साधना कवि भी करता ही है। दार्शनिक अपनी तरह से, एक भिन्न मार्ग से करता है। यहां लक्ष्य है कि शल्यजी हिंदी में स्वतंत्र चिंतन करने लगे तो उन्हें अपने अनुकूल भाषा भी साधनी पड़ी।

शल्यजी हिंदी में ही नहीं, दर्शन परंपरा में ही रूढ़ि-मुक्त स्वातंत्र्य के विलक्षण उदाहरण हैं। उनका दर्शन भारतीय भी है और अपनी सिसृक्षा में अभिनव भी – आधुनिक भी। वे लिखने बैठे तो अनायास ही अपनी भाषा हिंदी को अपनाया। उन्हें सूझा तक नहीं, उनके मन में खटका तक न हुआ कि हिंदी तो दर्शन की भाषा ही नहीं है! दर्शन में उनकी रुचि पश्चिम के विचारों से ही जागी। इसके लिये उन्हें अंग्रेज़ी का अभ्यास करना पड़ा। बर्गसाँ और रसेल (एवं अन्य पश्चिमी वैज्ञानिक और दार्शनिक ग्रंथों को) पढ़ने के लिये उन्होंने अंग्रेज़ी में प्रवेश किया, कोशों की सहायता से उसमें समझ और पकड़ के साथ उतरे। पर स्वयं लिखने बैठे तो अंग्रेज़ी में लिखने की कभी न सोची। जैसे पश्चिम के विद्वान संस्कृत या यहां की दूसरी भाषाएँ गहराई से सीखते समझते रहे हैं (और अब भी ऐसा करते हैं), पर सोचते-लिखते स्वभावतः ही अपनी भाषा में ही हैं – अपने विचार अपनी ही भाषा में प्रस्तुत करते हैं, अपने प्रत्ययों में करते हैं, और अपने लोगों के लिये करते हैं – यहां के लोगों के लिये नहीं (यह बात और है कि हम भी अपने को उन्हीं की पंगत में रखने लगे हों)। हमारे यहां आधुनिक साहित्य में भी यही प्रवृत्ति रही है। बाहर का असर आया, गहरा आया, पर उसे हमने अपनी भाषा में ग्रहण करते हुए अपना बना कर आत्मभाव के साथ अपनाया। कहना न होगा कि हम आत्मस्थ हों तो यही सहज भी है। पर दर्शन में ऐसा नहीं हुआ। वहां हम अपना आपा पर को दे बैठे हैं।

कहना न होगा कि आज हमारे यहां जो पश्चिमी विचार की ईक्षा और प्रस्तुति का साम्राज्य है, उसे हम चाहे आधुनिकता का नाम दे लें उसे नया नहीं कहा जा सकता है। वह रूढ़ि-ग्रस्त ही है। हां, रूढ़ि हमारी नहीं

पश्चिम की है। पर रूढ़ि की गडार अंग्रेज़ी में ही नहीं, हिंदी में (और अपनी दूसरी भाषाओं में) भी देखी जा सकती है, जहां दर्शन अपने ही यहां के पुराने की पुनःप्रस्तुति को अपना धर्म समझता है। नये से उसे विराग है। उसे देखें तो उभरता यह है कि 'भारतीय' – या हमारा अपना विचार – हमारे लिये विगत-में-हो-चुका विचार ही है और वही हो सकता है। उसे हम आज के संदर्भ में आज के अनुकूल रूप देते हुए नये मुहावरों में सामने तो रख सकते हैं, पर उसमें सचमुच नये का कोई अवकाश नहीं है।

नई तरह से इस पुराने को सामने रखने का काम अंग्रेज़ी में भी प्रचुर होता रहा है। वहां यह देखने-दिखाने का प्रयास भी गहराई से जड़ करता है कि, देखो, पश्चिम में जो सोचा गया है हमारे यहां वह और पहले सोचा जा चुका है! अंग्रेज़ी में लिखनेवाले या तो यहां के पुराने विचार का इतिहास लिखते हैं, या पश्चिम के दार्शनिक मुहावरों में पुराने का निरूपण, मीमांसा, अपनी तरह से पुनर्विमर्श... करते हैं। तुलनात्मक विमर्श करते भी दिखते हैं, पर यहां भी पश्चिम को प्रदत्त प्रतिमान मान कर भारत के दर्शन को उसी के आदर्श पर समझने-समझाने का मार्ग लेते देखे जा सकते हैं। लेखन के पीछे आशय यह झलकता है कि हम आज अपने से ऐसे अपरिचित हो गये हैं कि पराये परिचित (पश्चिम) के घेर में आकर ही अपना परिचय पा सकते हैं : उनकी पंगत में बैठ कर ही अपने को पहचान सकते हैं।

संस्कृत में भी हमारे यहां दर्शन की परंपरा बची है। हालांकि बिलकुल ही हाशिये पर डाल दी गई है : शक्ति, प्रतिपत्ति, प्रचार, साधन, सामग्री, ये अंग्रेज़ी के हाथों में है – राज ही अंग्रेज़ीवालों का है और अंग्रेज़ी की महिमा बढ़ती जा रही है। पर यहां देखने-सोचने की बात यह है कि संस्कृत में विचार करनेवालों की जो परंपरा बची है वह चाहे उपेक्षित हो, नितांत अवहेलना की शिकार हो, पर निष्प्राण नहीं हुई है। यह ठीक है कि वह परंपरा पर चले-आते दर्शन की विचार-शैली, विचार-यात्रा, संप्रदायों के पिष्टपेषित रास्तों में ही बहुत कुछ अटकी रहती है, उन रास्तों पर चलना ही अपना मार्ग समझती है, पर उसमें विचार का स्वातंत्र्य हमारे यहां होते अंग्रेज़ी-लेखन से कहीं अधिक है और सहज-स्फूर्त है। उनके अपने चले-आते प्रश्न और वाद-विवाद हैं जिनके भीतर उनकी चिंतन-धारा आगे बढ़ती रही है। आज भी उसी रास्ते चलती है। पर चलती है। आज परिस्थितिवश ठिठक गई हो, रुकी नहीं है। यह बात मैं अपने अनुभव से कह रहा हूं। कुछ साल हुए, पूना के प्रोफ़ेसर रेगे और जयपुर के प्रोफ़ेसर दयाकृष्ण ने पारंपरिक संस्कृत में लिखने-सोचनेवाले दार्शनिकों का और अग्रेज़ीवालों का संवाद करवाया था, जहां दर्शन के एक आधुनिक रसेल-प्रचारित भाषा और वस्तु संबंधी अभ्युगम – प्रोपोज़िशन – को लेकर लंबी चर्चा-गोष्ठी रखी गई थी।[1] मुझे भी वहां होने का अवसर मिला था। चर्चा के विस्तार में जाने का यहां प्रयोजन नहीं, पर स्पष्ट था, सभी उपस्थित विचारकों के मन में यह बोध था कि संस्कृत के दार्शनिक किसी अर्थ में कम नहीं, अधिक ही ठहरते हैं। अभ्युपगम उनके लिये पराया था, पर भाषा पर और उसके वस्तु-संबंध पर हमारे यहां विचार पुराना है। गहरा है। संस्कृत के विचारकों को नये अभ्युपगम में प्रवेश करते देर नहीं लगी। उसको उन्होंने अपनी तरह से समझा ही नहीं, उनकी दार्शनिक सूझ, उनकी अग्रया बुद्धि, विचार-प्रज्ञा, अंग्रेज़ीवालों से कहीं खुली थी, कहीं सक्षम उन्मेषवती थी। यों, आज हमारी यह परंपरा किसी तरह जी तो रही है, पर हम इसे सचमुच जीवन देना नहीं चाहते, दूर ही रखना चाहते हैं, और दूरतर करते जा रहे हैं; यहां तक कि हम इसे जीवित तक नहीं मानना चाहते! इसमें सचमुच प्राण तभी प्रतिष्ठित हो सकता है जब यह हमारे सजीव विचार का सार्थक अंग बने। दया जी की चेष्टा के बाद इस के प्रति जागरूक जिज्ञासा के कुछ अंकुर जागे थे, पर अब बात कुतूहल-भर की रह गई लगती है। पर दया जी की चेष्टा के पीछे भाव यह भी था कि *अंग्रेज़ी में सोचने-समझनेवाले इधर ध्यान दें*, विचार की इस उपेक्षित पर प्रवहमान परंपरा में उतर कर इसे अपने अंग्रेज़ी-निष्ठ विचार में स्फोट दें। दया जी के मन में यह गहरा विश्वास था कि अब हमारे विचार की 'मुख्यधारा' तो अंग्रेज़ी में ही प्रवाहित है, और उसी प्रवाह को हमें उन्मेष देना है; हममें आज अंग्रेज़ी के प्रभुत्व का जो भी कारण हो – चाहे वह आगन्तुक और

1. आप चर्चा के विस्तार में जाना चाहें तो देखें, *संवाद : ए डॉयलौग बिट्वीन टू फ़िलसॉफ़िकल ट्रैडिशन्स,* प्रकाशक : भारतीय दार्शनिक अनुसंधान परिषद् और मौतीलाल बनारसीदास पब्लिशर्स प्राइवेट लिमिटेड, दिल्ली, 1991

अयुक्त ही क्यों न हो, पर उससे हम इनकार नहीं कर सकते, इनकार करना भी नहीं चाहिये : अंग्रेज़ी ही अब हमारी विचार की भाषा है, और रहनी चाहिये, हमें अपने पुराने चिंतन को आज के संदर्भ में जगाना हो तो उसी में जगाना होगा। अपनी चली-आती गहरी परंपरा को आज के संदर्भ में हम गतिशील रखना चाहें तो उसमें वैसे ही उतरना होगा जैसे हम राग-संगीत की परंपरा में गुरुमुखी शिक्षा के माध्यम से उतरते हैं और फिर अपने अनुभव से, अपनी परख और दृष्टि से, अपनी गायकी उभारते हैं। पर यह काम होना अंग्रेज़ी में चाहिये। यह विश्वास अकेले दया जी का ही नहीं है। फैला हुआ है।

हां, यह भी कह सकते हैं कि गहरा दार्शनिक चिंतन, स्वतंत्र चिंतन, अंग्रेज़ी में भी हुआ है। श्री अरविंद इसके महिम उदाहरण हैं। पर उन्हें अपवाद ही समझना चाहिये। उनसे यह नहीं निकलता कि हम अंग्रेज़ी को समर्पित हो जाएँ। यह भी युक्ति इस संदर्भ में दी जाती है कि हमारी अपनी भाषाएँ चिंतन-क्षम नहीं हैं। उनमें चिंतन की कोई समर्थ परंपरा नहीं। पर इस युक्ति में कोई सार नहीं। परंपराएँ बनती हैं। बनाई जाती हैं। अंग्रेज़ी में भी यही हुआ है। अपने यहां के आज के साहित्य को ही देख लें, जहां हमने नई परंपरा को आत्मस्थ रूप दिया है। सच पूछिये तो हमारे लिये हमारी अपनी भाषाएँ ही अधुनातम और व्यापकतम विचार का समीचीन माध्यम हो सकती हैं, क्योंकि ये बाहर-भीतर दोनों ओर खुली हैं। दोनों ओर उन्मुख हैं : हमारी भाषाएँ एक ओर जहां संस्कृत की समृद्ध दार्शनिक परंपरा में जड़ रखती हैं, वहीं बाहर को आत्मसात् करने में भी सशक्त हैं। साहित्य में हम यह देखते ही हैं।

और फिर ऐसा भी नहीं है कि हिंदी में (और हमारी अन्य भाषाओं में) दार्शनिक लेखन का अभाव हो। भाषाओं में लिखनेवाले ऐसे विद्वान कम नहीं हैं जो संस्कृत की परंपरा से घनिष्ठ हैं – भीतर से इसे जानते हैं – और इसे अपनी तरह से प्रस्तुत करते हैं। यह बात और है कि उनमें विद्वत्ता ही अधिक दिखती है, विचार का स्वतंत्र उन्मेष नहीं। पर यह बात तो अंग्रेज़ी के साथ भी उतनी ही सच है। बस प्रभुत्व का पलड़ा उधर झुकता है आज। पर प्रभुत्व का पलड़ा यादृच्छिक होता है। उसे प्रमाण नहीं माना जा सकता। काल किधर ले जायेगा हम जानते ही कितना हैं! पर उसी में हम अपनी स्वतंत्र यात्रा भी साधते ही हैं। कहना न होगा कि इस यात्रा का आधार युक्ति और विवेक होना चाहिये, इतिहास की यदृच्छा-जन्य परिस्थिति के आगे अवनति नहीं। कृष्णचन्द्र भट्टाचार्य ने जो विचार के स्वराज की बात की है, उसमें स्पष्ट ही अपनी भाषा की ओर इंगित है : स्वराज स्वभाव और स्वधर्म के अनुकूल ही हो सकता है; अंग्रेज़ी को अपनाना – और वह भी विचार में, जहां हम अपनी गहरी से गहरी आत्मनिष्ठ प्रेरणा को रूप देते हैं – यह परधर्म ही है।

अपनी भाषा में लिखनेवाले विद्वानों के कारण ही हिंदी में पुराना संस्कृत में किया हुआ विचार प्रचुर उपलब्ध है। रस-अलंकार परंपरा का पठन-पाठन तो जम कर होता रहा है। अलंकार और रस-परंपरा के कई ग्रंथों के अनुवाद और व्याख्याएँ की गई हैं। यहां तक कह सकते हैं कि इस परंपरा के ग्रंथों के अनुवाद और इनकी परंपरा-निष्ठ मीमांसा-व्याख्या ही विशेष प्रचार में है। पर अलंकार-दर्शन के ही नहीं, अन्य दर्शनों के – जिसे दर्शन का राजमार्ग कह सकते हैं – उसके भी बहुसंख्यक ग्रंथ हिंदी-लेखन की इस आधुनिक परंपरा में उपलब्ध हैं। पर यह परंपरा अपनी तरह की विद्वत्ता की ही परंपरा है, वैसे ही जैसे अंग्रेज़ी की भी सदृश और अपनी तरह से परंपरा को प्रस्तुत करती समतुल्य प्रथा है। यहां स्वतंत्र विचार की चेष्टा नहीं। विचार का कोई स्वतंत्र उभार यहां नहीं दिखता, जो संस्कृत की अवशिष्ट परंपरा में फिर भी प्रवाहित है। पर इस परंपरा की संभावना पर दृष्टि रखें। इसे अपनी भाषा में स्वच्छंद विचार के द्वार के रूप में भी देखा जा सकता है। इस उपलब्ध संभावना को हम उन्मीलित कर सकते हैं, उसे स्वातंत्र्य के साथ नये रूपों में ढाल सकते हैं। हिंदी की यह प्रतिष्ठित परंपरा नई सिसृक्षा को सहज ही सहारा दे सकती है।

मूल अवरोध यह है कि हमारा मानस ही मानो बन गया है कि हमारे यहां तो विचार जो होना था हो चुका है। वह विशद है, गंभीर है, व्यापक है, पर साथ ही परिपूर्ण और परिसिद्ध है, उसमें नया कुछ नहीं जुड़ सकता; नया उसको विकृत ही कर सकता है, उन्मिषित नहीं। वह बहुमूल्य है, पर है विगत की ही बात। आज उसे हम समझने-समझाने की ही बुद्धि पाल सकते हैं – उसे *आगे बढ़ाने* का कोई अर्थ नहीं बनता। उसमें नये का

अवकाश नहीं। आज का सार्थक 'साम्प्रतिक' 'आधुनिक' विचार हमें चाहिये तो वह पश्चिम से ही आ सकता है – वही *आज* 'विश्वजनीन' ही नहीं है, 'प्रासंगिक' है। प्रकट ही यह आत्महीनता का लक्षण है। विचार सब समय, सर्वत्र, विश्वजनीन ही होता है, जैसे कला, साहित्य... विश्वजनीन होते हैं। कला, साहित्य की तरह ही विचार भी देश-काल-पात्र के अपनेपन से उपरंजित होता है, पर यह विश्वजनीनता का भूषण ही होता है, दूषण नहीं। इसके बिना विश्वजनीनता रूप ही नहीं ले सकती। पर हम किसी संस्कृति विशेष को ही विश्वजनीन मान बैठें, जैसा हमारा पश्चिम के प्रति भाव है, तो अपनी विश्वजनीनता तो हमने मूल में ही अन्य-समर्पित कर दी! लेकिन भूलना न चाहिये कि हम अपनी ओर कभी भी मुड़ सकते हैं। इसका अर्थ अन्य की उपेक्षा, अनदेखी नहीं होती। आत्मोन्मेष की लौ होती है।

हमारी किसी भी प्रवृत्ति की तरह चिंतन सिसृक्षा और नूतन की एषणा पालता है। पर इस एषणा में एक विरोध जैसा भी है, जिसे हम जानते ही हैं : यह परिस्थिति से, परंपरा की गतानुगतिकता से, ऊपर उठ कर ही फलवती होती है। परिस्थिति अनुकूल हो तो इसे प्रश्रय मिल सकता है; पर होती यह कारण-मुक्त ही है। परिस्थिति, परंपरा में रहते हुए हम इसके लिये एक चेष्टा पालते हैं – पर जानते हैं कि इसका अपना स्फोट है, अपना अद्भुत स्वातंत्र्य है, जो हमारी चेष्टाओं से अछूता रहता है। स्वातंत्र्य की *बात* और स्वातंत्र्य का *होना* दोनों में तात्त्विक भेद है। शल्य जी के आत्मनिष्ठ स्वातंत्र्य की विलक्षणता इसी *होने* में है। यह भी ध्येय है कि शल्य जी के तत्त्वदर्शन का मर्म भी सृजन की धारणा में है (जैसा हम अभी आगे देखेंगे)।

शल्यजी की दर्शन के प्रति प्रेरणा पश्चिम के विचार से ही जागी। उन्होंने बर्गसाँ का *क्रिएटिव इवोल्यूशन* पढ़ा। और दर्शन की ओर मुड़ गये। एक ग्रंथ भी लिखा, *मनस्तत्त्व*, जिसे शल्यजी अपनी 'तुतलाहट' की रचना बताते हैं। फिर रसेल के अनुभववाद में रुचि हुई। इस दर्शन को अपनी तरह से प्रतिपादित करते हुए आप ने 1959-60 में *दार्शनिक विश्लेषण* की रचना की। अब तुतलाहट नहीं रही थी। भाषा पर अच्छा अधिकार हो गया था। ग्रंथ की दार्शनिकों में अच्छी सराहना भी हुई। पुरस्कार भी मिला।

बर्गसाँ और रसेल (एवं अन्य पश्चिमी वैज्ञानिक और दार्शनिक ग्रंथों को) पढ़ने के लिये शल्य जी ने अंग्रेज़ी में प्रवेश किया, कोशों की सहायता से उसमें समझ और पकड़ के साथ उतरे, पर उसमें लिखने की कभी न सोची। वैसे ही जैसे पश्चिम के विद्वान संस्कृत या यहां की दूसरी भाषाएँ गहराई से सीखते समझते रहे हैं (और अब भी ऐसा करते हैं), पर लिखते अपनी भाषा में ही हैं – अपने विचार की अभिव्यक्ति अपनी ही भाषा में, अपने प्रत्ययों में करते हैं, और अपने लोगों के लिये करते हैं – यहां के लोगों के लिये नहीं (यह बात और है कि हम भी अपने को उन्हीं की पंगत में रखने लगे हों)। कहना न होगा कि हम आत्मस्थ हों तो वही सहज है जो शल्य जी ने किया (हमारे साहित्य में यही हुआ ही है), पर हम अपना आपा ही किसी और को दे बैठें तो बात और हो जाती है।

पर अनुभववाद से शल्यजी की तत्त्व-जिज्ञासा को, उनकी दार्शनिक मनीषा को तुष्टि नहीं मिली। कुछ गहरे प्रश्न तो *दार्शनिक विश्लेषण* लिखते समय ही जाग उठे थे (और पुस्तक के अंत में उठाये गये हैं), पर आगे चल कर आत्म और जगत् को समझने में इस दृष्टि की 'विपन्नता' का बोध बढ़ता गया (मनुष्य की साध्यता, उसके श्रेय बोध के प्रति तो यह दृष्टि अंधवत् है)। शल्यजी आदर्शवाद – या कहिये, प्रत्ययवाद – की ओर झुके और उनका प्रौढ दर्शन वेदान्त से उभरी एक स्वतंत्र दृष्टि में बसा है जहां प्रत्ययवाद एक अभिनव सृजनात्मक रूप लेता है। 'प्रत्यय' शल्यजी में प्लेटो की तरह जगत् से विच्छिन्न, अछूता, विचार के अपने किसी ऊर्ध्व-लोक में – व्योम में – बसता हुआ पदार्थ नहीं है, जगत् जिसकी मिथ्या छायामात्र है। प्रत्यय जगत् में – प्रत्यक्ष जगत् में – रूप लेता है। यह हम अपने सृजन के अनुभव में देख सकते हैं। घट को ही लीजिये जो जगत् में स्वतः प्राप्त-प्रदत्त वस्तुओं के लिये दार्शनिकों का मूर्धन्य-सा उदाहरण है। थोड़ा भी सोचें तो यह तत्त्व जाग उठता है कि घट प्रदत्त नहीं, सृष्ट है। मनुष्य-सृष्ट। और इस सृष्टि के मूल में प्रत्यय है – ऊह है, या कल्पना कहिये, ऐसी कल्पना जिसे

'घटत्व' का नाम दिया जा सकता है, जो भौतिक उपादान के माध्यम से घट का रूप लेती है। स्पष्ट ही, घट-कल्पना के बिना घट संभव नहीं। यह कल्पना किसी घट विशेष की नहीं होती है, घटत्व का सामान्य प्रत्ययमय अरूप बोध ही जागता है इसमें। संभावना के रूप में एक आदर्शबोध के साथ जागता है। घटत्व प्रत्यय के साथ जागता आदर्श-बोध एक निरवद्य-भाव पालता उभरता है, जिसे प्लेटो से जोड़ा जा सकता है : प्लेटो के प्रत्यय में सत् से ही नहीं, शिव से अनुप्राणित एक निरवद्य, निर्दोषता का भाव है जो *वस्तु*-सृष्टि का रूप नहीं लेता पर रूप का उत्स कहा जा सकता है। शल्यजी के लिये प्रत्यय सृष्टि का बीज है। वह सृजन के आरंभ में ही निर्दोष आदर्श का भाव पालता हुआ असीम संभावनामय होता हुआ जागता है। हम अपने सृजन-व्यापार में इसका अनुभव करते ही हैं। हम पाते ही हैं कि सृजन-कल्पना-जन्य रूपों में एक ओर जहां उत्कर्ष-अपकर्ष का बोध सहज होता है, वहीं संभावना के असंख्य द्वार भी खुले दिखते हैं। अनुभव को आगे रखें तो सहज ही देख सकते हैं कि हमारी सृजन-कल्पना में एक नहीं अनेक रूपों की उन्मुखता सहज होती है। हर रूप में सृजन निरवद्य की ओर बढ़ने की ललक पालता दिखता है, जिसे हमारी प्रत्ययमयी सृजन-कल्पना की आदर्शमयता का प्रकट लक्षण कह सकते हैं। पर प्रत्यय में रूप लेती कल्पना अपने आप में कोई रूप नहीं रखती, सर्वथा अरूप होती है। रूप की जनक होती है पर स्वयं इसका कोई रूप नहीं होता। इसे निराकार चिन्मय प्रतिमान कहा जा सकता है। तभी संभावना का आनन्त्य पाल सकती है। निरवद्यता का आदर्श पाल सकती है। घट को ही लीजिये। उसकी संभावनाएँ सहज कल्पनीय हैं, और दिखता ही है कि कुछ ही भौतिक रूप ले पाती हैं – इन रूपों के नेपथ्य में ही नहीं, इन रूपों के भीतर ही, संभावना का निस्सीम भी बसा रहता है। और हर संभावना को रूप देनें में हम दोष-हीनता सहज ही साधते हैं : यह भी बोध में जागता रहता है। प्रकट ही घट-प्रत्यय की अपनी सत्ता है जो देश-काल से परे है, जिसका सत्, जिसका अपना 'होना' हमारी सृजन-कल्पना को प्रेरित करता हुआ साक्षात् रूप लेता है; तभी इसके बिना देशकालगत 'भौतिक' घट अकल्पनीय है। अपने ही सृजन-व्यापार पर थोड़ा भी मनन करें तो दिख जाता है कि जिस कल्पना को हम रूप देना चाहते हैं, उसका कोई रूप नहीं होता, पर वही रूप का उत्स होती है, यों मानो कि वह *है*, संभावनामयी, आदर्शमयी *है*, पर सिद्ध नहीं, साध्य स्वरूप है।

एक मूलगत प्रश्न यहां सहज ही उठता देखा जा सकता है जिसे शल्य जी के चिंतन, उनकी तत्त्व-दृष्टि के मर्म में रखा जा सकता है : घट का – किसी निर्मित या सृष्ट वस्तु का – अगर कोई निरवद्य रूप होता है तो होता कहां है, उसके *होने* का अर्थ ही क्या? स्पष्ट ही वह किसी प्रदत्त मान-चित्र जैसा कुछ नहीं हो सकता, अपने सृजन में हम जिसकी प्रतिकृति साधते हों। हम अपने सृजन-कर्म के प्रति थोड़े भी आत्मचेतन हों तो देख सकते हैं कि ऐसा कुछ नहीं होता। घट की संभावनाएँ, उसका निरवद्य रूप, हमारी कल्पना को अनुप्राणित करता है, पर सिद्ध-प्रदत्त कुछ नहीं होता, वह स्वरूपेण निराकार ही नहीं, स्वरूपेण साध्य बना रहता है। सच यह है कि उसके बारे में 'होने' की बात ही अटपटी है। किसी भी अर्थ में उसे 'है' कहना बनता नहीं है : यों उसे किसी भी तरह 'वस्तु' की संज्ञा दी ही नहीं जा सकती। वह अवस्तु ही होता है। पर एक अद्भुत विरोधाभास के साथ वस्तु-गर्भ भी होता है। वस्तु की अनंत संभावनाओं का उत्स होता है। उनके निरवद्य रूप का प्रतिमान होता है।

लक्ष्य है कि यह बात शल्यजी को प्लेटो से बहुत दूर कर देती है : प्लेटो में प्रत्यय निरवद्य होता हुआ एक अतिभौतिक प्रत्यय-लोक में 'रहता' है। वह अवस्तु नहीं होता, उलटे वही वस्तु होता है; प्राप्त रूप जो उसकी छाया है, प्रतीति के रूप में उपलब्ध है, उसे अवस्तु कहा जा सकता है पर प्रत्यय को नहीं। प्लेटो का पश्चिम के दर्शन पर गहनतम प्रभाव विदित ही है। यह भी विदित है कि भौतिक-लोक के प्रतिमान पर प्रतिपादित प्रत्यय-लोक जैसी अनहोनी 'कल्पनाओं' ने आज प्रत्यय-वाद को ही नहीं, दर्शन मात्र को खामखयाल की कोटि में रखने की दिशा ली है। शल्यजी तत्त्वैषणा की इन्द्रिय-गम्यता से ऊपर उठी विचार-गम्य की अगाधता को पूरा स्वीकार करते हैं, पर प्रत्यय-लोक जैसे किसी भौतिक-सदृश अतिभौतिक लोक के अस्तित्व से सर्वथा इनकार करते हैं। उनका प्रत्ययवाद उनके अपने स्वतंत्र वेदान्त-चिन्तन में निष्ठ चित्-सत्वाद से घनिष्ठ है, सत् जहां चित् का आत्मसर्जन है।

आगे की चर्चा में हम इस बात का कुछ विस्तार करेंगे।

पर यहां यह भी देखते चलिये। घट के विषय में पुरानी और बड़ी मान्य-सी उक्ति है कि सत् घट नहीं मिट्टी सत् है, घट तो मिट्टी का विकार मात्र है, कल्पना है, नाम-रूप है ('कल्पना' यहां मिथ्या का पर्याय है)। पर फिर यह सोचिये कि मिट्टी तो घट के लिये उपादान मात्र है; उपादान दूसरा भी हो सकता है – लोहा, पीतल, पत्थर, काँच...। घट घटत्व प्रत्यय के बिना संभव नहीं : उसका *घट*-रूप होना, घटत्व प्रत्यय की अनिवार्य अपेक्षा रखता है। उसके होने का मर्म उसके प्रत्यय में ही है। और घटत्व-प्रत्यय आदर्शमयता के साथ बहु-संभावनामयता भी पालता दिखता ही है : हमारा अनुभव साक्षी है कि घट कई रूप लेता है, और हर रूप में हमारा रूपायण-कर्म निरवद्यता की ओर उन्मुख रहता है।

प्रत्यय के सत्य से इनकार दर्शन में साधारण सी बात है; नई बात भी नहीं। दार्शनिक इन्द्रिय-प्रदत्त, देशकाल-गत भौतिक, स्थूल, दृश्य-स्पृश्य जगत् को ही वास्तव मानने की ओर झुकते रहे हैं। शल्यजी कांट से एक पते का उदाहरण देते हैं। कांट कहता है कि कौन नहीं जानता कि जेब में रखा रुपया ही सच है, विचार में, कल्पना में आया रुपया जो रुपये का प्रत्यय मात्र होता है, वह सच नहीं! पर सोचिये। रुपये के प्रत्यय बिना जेब का रुपया रुपया ही नहीं हो सकता! और रुपया ही क्यों, हमारे बैंक, हमारी सरकारें, हमारी सारी रहनी – हमारा व्यवहार, हमारे संबंध, हमारा जीवन ही – प्रत्यय के बिना अकल्पनीय है। (इससे यह भी उभर आता है कि प्रत्यय – सृजन-कल्पना-मूल प्रत्यय – सामान्य तो होता है, पर सामान्य-मात्र नहीं होता, क्योंकि सामान्य तो प्रदत्त के सादृश्य को आधार बना कर बुद्धि का उद्ग्रहण (ऐब्स्ट्रैक्ट) भी हो सकता है, जैसे कीचड़-त्व)। हम रहते ही प्रत्यय-निर्मित जगत् में हैं पर यह नहीं देख पाते कि निर्मित-वस्तु और प्रकृति-प्रदत्त वस्तु में तात्त्विक भेद होता है। प्रत्यय के बिना निर्मित वस्तु की कल्पना नहीं की जा सकती। इस *तत्त्व* की ओर दार्शनिकों ने ध्यान नहीं दिया है : निर्मिति और प्रदत्त को एक ही कोटि में रख देने की प्रवृत्ति विचार-परंपरा में प्रकट है। शल्य जी ने इस भेद को बड़ी सूझ और गहराई के साथ उभारा है।

पर विचार यह दिशा ले तो उसके व्यापकतर आशय की ओर भी लक्ष्य किया जा सकता है। हम प्रकृति में भी प्रत्यय-सृष्टि को उपलब्ध करने की दिशा में सहज ही बढ़ सकते हैं। जीव-जातियां को तो सहज ही प्रत्यय-सृष्ट देखा जा सकता है : हर जाति की संभावनाओं को, उनमें होते उत्कर्ष-अपकर्ष के भाव को ही देखें! हमारी अपनी प्रत्यय-प्रसूत सृष्टि की तरह ही हर जाति में ही उत्कर्ष-अपकर्ष का बोध अनायास है। जीव-जातियों के विकास-क्रम में यह बोध स्फुटतर है। क्रम की धुरी पर मनुष्य है, जिसमें आत्मचेतना सृजन के एक नये, सर्वथा अपूर्व स्फोट की तरह रूप लेती उभरती है। जगत् हमारी सृष्टि नहीं, पर हम अपने भीतर उभरते सृष्टि-तत्त्व के प्रति आत्मचेतन हों तो अपने भीतर सृष्टि के स्वरूप की व्यंजना पा सकते हैं, अपने सृजन व्यापार को उसके प्रतीक के रूप में देख सकते हैं।

यह भी देखिये कि अपनी निर्मितियों को, सृष्टियों को, हम आत्मसृष्ट होते हुए रूप देते हैं। सर्जक आत्मसृष्ट होता हुआ सृष्टि करता है। तभी हम अपनी निर्मितियों में रहते ही नहीं, बड़े मर्म-गत अर्थ में हम *वही होते* हैं। अपने को बनाते हुए अपनी निर्मितियों को बनाते हैं हम। हम संस्कृति में रहते हैं : अपने आत्मनिर्मित जगत् में। संस्कृति को हम ही रूप देते हैं। यह 'दिया-जाता रूप' हमारे भीतर ही उभरता हुआ बाहर प्रकट होता है, बल्कि, यह 'भीतर-बाहर' एक ही व्यापार का अभिन्न युगनद्ध अंग होता है – जहां हम अपने को बनाते हुए, अपना संसार बनाते हैं। तभी हम पाते हैं कि हम ही संस्कृति को रूप नहीं देते, संस्कृति भी हमें रूप देती है। पर इससे यह भी व्यंजित है कि हमारा आत्मसर्जन हमारे स्वरूप पर व्याप्त है, तलस्पर्शी है; उसे हमारे होने का मर्म कहा जा सकता है। ज्ञान, कर्म, भाव, हमारी सभी वृत्तियों में आत्मसर्जन देखा जा सकता है। इन्हीं का व्यापार हमें रूप देता है, अर्थ देता है (संस्कृति इसका प्रतीक है)। हमारा ज्ञान, हमारा भावन, हमारा संकल्प, इन्हीं में हम होते हैं, इन्हें रूप देते हुए इनमें होते हैं। प्रत्यय की धारणा को सहज ही व्यापक करते हुए देखा सकता है कि यह सारा व्यापार प्रत्यय-मूलक व्यापार है। हमारी प्रत्यय-चेतना व्यापक है। हमारे सम्पूर्ण पर, ज्ञान, भाव, कर्म, सब पर व्याप्त है।

प्रस्तावना

ज्ञान को लीजिये, जहां हम विषय को सिद्ध-प्रदत्त, ' यथातथ' – जैसा वह अपने आप में है वैसा ही उसे 'जानने' की ओर मुड़ते हैं। पर ज्ञान की बात विचार के बिना बेमानी है। यह कथन अयुक्त लग सकता है; इसमें यह वैषम्य तो अनायास ही देखा जा सकता है कि विचार विषयिनिष्ठ होता है, जबकि विषय का याथातथ्य विषय-निष्ठ होता है। उस याथातथ्य का निर्विकार ग्रहण ही उसका सम्यक् ज्ञान कहला सकता है; विचार ऐसा करने में समर्थ नहीं, वह सामान्य विकल्पों में – प्रत्ययों में – होता है, उसका प्रदत्त से कोई प्रत्यक्ष सन्निकर्ष नहीं होता। वह गृहीत पर सहज ही संशय कर सकता है। स्वरूप से ही संशय-प्राण है विचार, अपने पर भी संशय कर सकता है, करता रहता है। अपना ही अलग संसार गढ़ता है। एक नहीं, अनेक संसार गढ़ता है – उसका व्यापार स्वभाव से ही विप्रतिपत्ति-ग्रस्त होता है। उसे यथातथ ज्ञान का साधन कहा ही नहीं जा सकता। पर फिर यह सोचिये। ऐसी बात हम इन्द्रिय-ज्ञान को ज्ञान का प्रमाण मान कर करते हैं। इस मानने के पीछे यह ऊह्य रहता है कि विषय विषयी से सर्वथा अस्पृष्ट, सर्वथा पृथक् कुछ होता है और इन्द्रिय ही स्वभावेन विषयोन्मुख रहती हुई उसका यथातथ ग्रहण कर सकती है : उसके ग्रहण का स्वरूप ही ऐसा है कि विषय उस पर स्वतः, स्वरूपेण उभर आता है। विचार के लिये यह बिलकुल संभव नहीं। स्पष्ट ही, उसका विषय से कोई संस्पर्श नहीं होता। उलटे, विचार का व्यापार जितना आगे बढ़ता है, विषय से दूरतर होता चला जाता है, अपने ही भीतर व्यस्त होता जाता है।

पर विचार कीजिये। हम पाते यह हैं कि इन्द्रिय-सन्निकर्ष विषय का *संकेत* करता है, उसका *ज्ञान* नहीं देता – ज्ञान इन्द्रियों को नहीं होता। ज्ञान विषय के अध्यवसाय की अपेक्षा रखता है। अध्यवसाय के बिना वह 'जानने' की कोटि में ही नहीं आ सकता। अब, अध्यवसाय, स्पष्ट ही, विचार-चेतना का अंग होता है। जो चेतना विचार-क्षम नहीं होती, जैसे पशु-चेतना, उस चेतना में विषय-*ज्ञान* की बात ही नहीं की जा सकती, विषय वहां स्वतंत्र विषयत्वेन जागता ही नहीं है, क्योंकि इसके लिये विषयी का विषय से तटस्थ हो पाना आवश्यक है, और यह ताटस्थ्य विचार-चेतना की अपेक्षा रखता है, उसी चेतना में बनता है। पशु-चेतना का विषयी विषय-सात् होता है। विषयी से भिन्न विषय की अपनी स्वतंत्र सत्ता वहां रूप नहीं लेती। वहां 'ज्ञान' की बात ही कोई अर्थ नहीं रखती। सच यह है कि विषयी विषय से अपने को अलग न कर पाये तो 'ज्ञान' की कोटि ही नहीं बनती। यह कोटि बनती ही उस आत्मचेतना में है जो विचार-क्षम होती है, प्रत्ययों के माध्यम से देखती है। ज्ञान के लिये जो ताटस्थ्य अनिवार्य है, वह उभरता ही *नाम* में, प्रत्यय में, और यों विचार-चेतन चेतना में है। नाम को – और यों अध्यवसाय को – विचार की पहली सीढ़ी भी कह सकते हैं। नाम सामान्य होता है : प्रत्यय होता है, या विकल्प कहिये। उसके साथ ही प्रश्न, संशय, विमर्श, मीमांसा... प्रत्यय-चेतना का यह विचार-संसार खुल जाता है। यह ज्ञान का ही अंग है। प्रत्यय-व्यापार को ज्ञान से निकाल दीजिये, तो फिर बचता ही क्या है! ज्ञान होता ही विकल्पों में है और प्रत्यय-दृष्टि – या जिसे विकल्प-दृष्टि कहा गया है – उस दृष्टि के बिना इन्द्रिय-लब्ध 'ज्ञान' की भी बात नहीं हो सकती। हां, यह ठीक है कि बाह्य-जगत् के लिये इन्द्रिय का 'प्रमाण' आवश्यक है। पर दुहराना न होगा कि इन्द्रिय-प्रदत्त *वस्तु* क्या है इस ज्ञान रूपी अध्यवसाय के लिये इन्द्रिय संकेत-मात्र ही होती है। ज्ञान में हम रूप को नाम देते हैं, जो विचार-चेतना का – या कहिये, विकल्प-चेतना का – काम है। विकल्प-ज्ञान ही *प्रमाण* का अपेक्षी हो सकता है। इन्द्रिय को हम 'प्रमाण' कहते हैं। पर उसका प्रमाणत्व विकल्प-चेतना के लिये ही होता है। प्रमाण स्वप्रमाण का अपेक्षी रहता है, और यों प्रमाण की कोटि बनती ही इन्द्रिय से ऊपर उठ कर है : विषयी के उस स्वातंत्र्य की अपेक्षा रखती है जो विचार-चेतना में विषय-ताटस्थ्य के साथ जागता है। प्रमाण विमर्श का विषय होता है, और विमर्श विषयी में स्वातंत्र्य के साथ उस आत्मचेतन प्रत्यङ्मुखता की अपेक्षा रखता है जो विषय से तटस्थ हो, 'क्या है, है या नहीं है' इसे जाँचने-परखने में आत्मतंत्र हो। आत्मपरीक्षा में समर्थ हो। प्रत्ययों में जागती विचार-चेतना के बिना यह संभव नहीं। यह विचार-चेतना हममें आत्मचेतना के साथ जागती है। आत्मचेतन विषयी स्वरूपेण प्रत्यङ्मुख होता है; वह अपने आप को भी – अपने विषयी-भाव को भी – विषय बनाता हुआ अपने द्रष्ट-भाव में अपने पीछे हटता चला जाता है। उसकी यही वृत्ति विचार में प्रकट होती है। इस वृत्ति में ही चेतना की उस तटस्थता का, उसके प्रमाण-उन्मुख स्वातंत्र्य का मर्म है जो ज्ञान में ऊह्य है। विचार-चेतना में आत्मचेतन विषयी ही विषयिता के विषय-सात् भाव से ऊपर उठ कर विषय को स्वतंत्र विषय-रूपेण

देख-जान सकता है; विषयों के संबंधों को देख-परख सकता है, जो ज्ञान का अभिन्न अंग होते हैं। विषयसात् चेतना हम पशु में ही नहीं, अपने राग-द्वेष में, भोग-चेतना में भी पाते ही हैं । हम यह जानते भी हैं ही कि विषय के विषयत्व को जानने के लिये इस विषयसात् चेतना से हटना अनिवार्य है। इन्द्रिय में यह सामर्थ्य नहीं। मनुष्य की पशु-भिन्न आत्मचेतना ही विषयी को इसके लिये समर्थ बनाती है। आत्मचेतना स्वरूपेण भाषा और तन्नद्ध विचार से युगनद्ध होती है। विषय को विषय-रूपेण *जानने* की यह आधारगत अपेक्षा है।

'जानना' – ज्ञान – विषय के *अर्थ* का जानना होता है। विचार-चेतना विषय को – इन्द्रिय-दत्त विषय को भी – प्रत्ययार्थ के रूप में सृष्ट करती है। प्रत्ययों में होता 'ज्ञान' सहज ही एक प्रत्यय-तंत्र बुनता चलता है, उसे बढ़ाता है, विराट से विराटतर बनाता है। विविक्त विषय का ज्ञान भी ऐसे तंत्र के भीतर ही उभरता है, और जितना प्रत्यय-सात् होता जाता है, उतना ही स्फुटतर, सार्थकतर होता चलता है। संबंधों को आधार बनाकर एक बुनावट बुनता चलता है ज्ञान, जो बुनावट स्वरूपेण एक विचार-तंत्र का रूप लेती है। यह तंत्र अपना स्वतंत्र अवयवित्व पालता है, एक बहुस्यूत अवयवी खड़ा करने की ओर स्वरूपेण उन्मुख रहता है। यह अवयवी संभावनामय होता है, कई रूप ले सकता है (लेता ही है) और सत्य का निरवद्य आदर्श पालता है। इस व्यापार को सृजन के रूप में देखना सहज ही सार्थक ठहरता है। कल्पना की भूमा, उसकी प्रसृत दृष्टि इस व्यापार में ऊह्य है।

इसे विषय के विषयि-सात् होने का व्यापार भी कह सकते हैं। पर इसे किसी भी हेय अर्थ में विषयि*तंत्र* - या पुरुष*तंत्र* - व्यापार का नाम देना सर्वथा अनुचित, अयुक्त होगा। क्योंकि यह सारा व्यापार प्रमाण-तंत्र होता है। तभी हम इसे *ज्ञान* व्यापार कहते हैं। और तभी इसमें भ्रम की संभावना बनी रहती है। फिर हम यह भी पाते हैं कि विषय जितना विषयी की प्रत्यङ्मुख विचार-चेतना में समाता चलता है, उसका 'अपना' होता चलता है, विषय का अपना स्वतंत्र रूप उतना ही उज्ज्वलतर होता चलता है। या यों कहिये कि विषय जितना बुद्धि का – विचार-चेतना का – और यों विषयी की अपनी पकड़ का विषय बनता है उतना ही उसका स्वरूप प्रकट होता उभरता है।

यों इस सृजन-व्यापार को विषयी के उस परत्व की ओर बढ़ता भी देखा जा सकता है, जहां चेतना के परम सामान्य का, चित् का, संकेत मिलता है। इसमें हम चित् से सत् के उत्सृष्ट होने की व्यंजना भी पा सकते हैं।

पर, हां, पूर्वपक्ष लेते हुए हम कह सकते हैं, कि यह व्यापार, इसे जितने भी वितत रूप में क्यों न देखें, यह सृजन का नहीं, अव्यक्त के व्यक्त होने का व्यापार है – अन्यथा सत्य की बात नहीं की जा सकती। सत्य सृष्ट नहीं होता। हमारे जानने पर निर्भर नहीं करता, अपने आप में होता है, स्वप्रतिष्ठ होता है। नहीं तो सत्य नहीं होगा। तभी सत्य के 'आविष्कार' की बात की जाती है। उसके अनावृत से आवृत होने की बात की जाती है। यही उचित है। लेकिन सोचिये। अव्यक्त - या आवृत - क्या है, यह व्यक्त होने पर ही उभरता है। उसका अपने आप में होना क्या है, यह चेतना के जिस व्यापार के भीतर से उभरता है, उसमें हमने देखा कि हम सृजन-धर्म का साक्षात् कर सकते हैं। ज्ञान का व्यापार है ही अर्थ के साक्षात्कार का व्यापार है। इस व्यापार में अर्थ – या कहिये, सत्य – का साक्षात्कार और उसका उन्मिषित-उन्मीलित होना, ये दोनों एक ही प्रक्रिया के अविनाभूत, अन्योन्य-संश्लिष्ट पक्ष के रूप में उभरते हैं।

अर्थ के सृजन-गर्भ साक्षात्कार का व्यापार 'ज्ञान' तक सीमित नहीं। भावन और कर्म भी इसके अंग होते हैं। घट को ही फिर से लीजिये। घट का अर्थ उसके ज्ञान-विषय होने तक सीमित नहीं रहता। घटार्थ के स्पष्ट ही दूसरे आयाम होते हैं जो अर्थ की अभिधा को सहज ही व्यंजना की ओर मोड़ देते हैं, भावन के क्षेत्र में ले जाते हैं : 'घट घट में है राम समाना, कटुक वचन मत बोल रे'। इस विख्यात और गभीर उक्ति में अर्थ का भाव और कर्म दोनों ओर प्रकट इंगित है। यहां हम सहज ही विचार-चेतना को – या कहिये बुद्धि को – व्यापक अर्थ में ले सकते हैं, उसे आत्मचेतन प्रवृत्ति मात्र पर प्रसृत देख सकते हैं। हम भाव और कर्म के भी सत्य की बात कर सकते हैं। विचार-चेतना का इन्द्रियार्थ की बाह्यता से मुक्त अपना अंतः स्वातंत्र्य भी यहां प्रकटतर देखा जा सकता है। फिर यह भी है कि यहां, ऐसे उदाहरणों में, अर्थ के साक्षात्कार और उसके सृजन का युगनद्ध होना भी अधिक स्फुट उभर कर आगे आता है : व्यंजना-व्यापार में अर्थ का सृजन उसके साक्षात्कार का अनुषंगी होता ही है।

सृजन और साक्षात्कार के अन्योन्य-भाव को यहां *भावित, अनुभूत* किया जा सकता है। आपत्ति हो सकती है कि यह सारा व्यापार नितांत स्पष्ट भाव से विषयिनिष्ठ है, विषयि *तंत्र* है, विषयतंत्रता से कोसों दूर है, यहां सत्य की बात करना उचित नहीं; सत्य विषयनिष्ठ होता है। पर ऐसा कहते हुए हम विषय को इन्द्रियार्थ में अपचित कर लेना चाहते हैं। लेकिन भाव और कर्म के अपने विषय होते हैं। इनके सत्य की जिज्ञासा हममें बाह्य-विषयों के सत्य से गहरी और तीखी भी होती। और फिर स्पष्ट ही जिस विचार-चेतना की हम बात कर रहे हैं वह किसी विषयी की स्वगत, स्वसीमित चेतना नहीं, सामान्य-चेतना होती है। नहीं तो अर्थ-चेतना ही नहीं होगी। अर्थ-चेतना का व्यापार, किसी भी क्षेत्र में हो, प्रमाण-बोध को साथ रखता है। इसमें भ्रम की संभावना बनी रहती है। यों बात यहां किसी विषयी-विशेष-सीमित विषयिनिष्ठता की कदापि नहीं है, जैसा कि किसी अविचारित-से प्रतिपक्ष की दृष्टि से सोचा जा सकता है। बात यहां उसी सामान्य-चेतना की है जो ज्ञान में होती है।

हां, ज्ञान में हम विषयनिष्ठता की बात का सहज स्वीकार कर लेते है, नहीं तो उसे 'ज्ञान' की संज्ञा ही नहीं देंगे। पर विषयनिष्ठता वहां भी होती विषयी की ही है। कहना न होगा कि ज्ञान होता तो विषयी को ही है, विषय को नहीं। विषयनिष्ठता, स्पष्ट ही, विषयिता का ही धर्म है – पर, हां, यह विषयिता जिस चेतना में घर करती है उसमें द्रष्टृत्व का ताटस्थ्य आवश्यक होता है, सामान्यता आवश्यक होती है, वह 'मेरी' या 'आपकी' नहीं होती। तभी हम उसका संबंध सत्य से जोड़ते हैं। यहां विज्ञान को ही लें, जिस ज्ञान को आज विषयनिष्ठता में मूर्धन्य ज्ञान माना जाता है; बल्कि, विषयनिष्ठता का प्रतिमान ही माना जाता है आज उसे। अब, विज्ञान के 'ज्ञान' को थोड़ा भीतर उतर कर देखें। हमारी बात आगे उभर कर आती दिखेगी। प्रतिपक्ष के आशय का यहां सहज ही अनुमान किया जा सकता है : 'इन्द्रिय-लब्ध ज्ञान ही विषय-निष्ठ होता है और विज्ञान ऐसी विषयनिष्ठता का परम दृष्टांत है क्योंकि विज्ञान में ज्ञान का आधार ही नहीं, प्रमाण की परीक्षक भी (प्रयोगशाला में) इन्द्रियां ही होती हैं। अब, यह तो कहना ही न होगा कि विज्ञान जिस जगत् को – भौतिक-जगत् को – जानना चाहता है उसे मानता ही इन्द्रिय-लब्ध है। पर उसकी जिज्ञासा इन्द्रिय-लब्ध जगत् के *स्वरूप* की होती है। संबंधों में बुना गया यह स्वरूप, इन्द्रिय-लब्ध नहीं होता, हो ही नहीं सकता है। विज्ञान का जिज्ञास्य, 'भौतिक क्या है', यह संधान भौतिक के स्वरूप का संधान होता हुआ उस स्वरूप के अर्थ का ही संधान हो सकता है। पर भौतिकार्थ इन्द्रिय-गम्य नहीं, प्रत्यय-गम्य होता है। अचंभा नहीं कि हम पाते ही हैं कि विज्ञान का 'ज्ञान' विचार-चेतना के भीतर ही जागता है, और उस चेतना की अपनी बुनावट का अंग बन कर सिद्धांतों में रूप लेता है। अपनी अर्थ जिज्ञासा में यह जितना गहराता है, फैलता है, उतना ही इन्द्रिय से दूर होता जाता है। यह स्वभाविक भी है, क्योंकि विषय का *ज्ञान* – किसी भी वस्तु का *विषय-रूपेण ज्ञान* ही कह लीजिये – चाहे वह इन्द्रियगम्य हो या न हो, वह एक ज्ञान-तंत्र के अंतर्गत ही अर्थमय होता है, उसी संदर्भ में 'ज्ञान' का रूप लेता है। विज्ञान में तो यह बात बहुत ही उभर कर आगे आती दिखती है। विज्ञान के ज्ञान में विषय का इन्द्रिय-विषयत्व आद्य आधार हो, पर जितना विषय के स्वरूप-ग्रहण में वह ज्ञान अग्रसर होता है, उतना ही इन्द्रिय को पीछे छोड़ता हुआ विचार के अपने लोक में समाता चला जाता है। यहां तक कह सकते हैं कि विज्ञान के भूत-जगत् का इन्द्रिय-विषयत्व तो सिद्धांत-चेतना के भीतर एक ऊह्य सी – पर साथ ही अपेक्षया गौण सी – मांग रह जाती है (और अब तो प्रयोग द्वारा परीक्षा की बात भी गौण से गौणतर हो गई है)। यों भी, साधारण प्रत्यक्ष में भी (जैसा हम कह ही चुके हैं) इन्द्रिय की *लब्धि* अध्यवसाय की अपेक्षी होती है। हम इन्द्रिय से संकेत ग्रहण कर, 'इन्द्रिय-प्रत्यक्ष क्या है' का अध्यवसाय करते हैं। यों यह आद्य 'ज्ञान' भी इन्द्रिय के *अर्थ* का ही ज्ञान होता है। और जब इन्द्रिय-विषय का *अर्थ* साधारण व्यवहार के अध्यवसाय मात्र से ऊपर उठ कर एक पूरे विचार-तंत्र के अंतर्गत आ समाये, तो स्पष्ट ही 'इन्द्रिय क्या संकेत दे रही है', यह निर्णय भी अधिकाधिक इन्द्रियेण अप्रत्यक्ष विचार-निर्भर होता चला जाता है।

यह भी स्पष्ट है कि ज्ञान यहां किसी त्याज्य अर्थ में 'विषयि-निष्ठ' और यों ज्ञान की कोटि के बाहर नहीं हो जाता। हम जिस 'ज्ञान' को विषयि-निष्ठ कह कर उसका प्रत्याख्यान करते हैं, वहां विषयी स्व-सीमित होता है। पर यहां ऐसा बिलकुल नहीं है। विषयी यहां किसी स्व द्वारा परिभाषित नहीं होता, वह व्यक्ति-निष्ठता के वलय से उठा हुआ, विश्वजनीन होता है। बल्कि जितना स्व के संकोच से मुक्त हो पाता है उतना ही अर्थ-ग्रहण में समर्थ

हो पाता है। पर अर्थ को अब विषयी की परमता की – या कहिये चित् की – उत्सृष्टि के रूप में भी अनायास देखा जा सकता है। अर्थ के साक्षात्कार को अर्थ-सृष्टि के पर्याय के रूप में उपलब्ध किया जा सकता है।

यह बात भाव और कर्म के बारे में भी कही जा सकती है। हमारी संवेदना, हमारा संकल्प, ये भी सामान्य-शायी होते हैं। इनका सत्य भी स्व से ऊपर उठ कर ही बनता है। यहां अर्थ की सृष्टि और साक्षात्कार के सहकार को और स्पष्ट प्रतीत किया जा सकता है।

संकल्प को लीजिये। यह श्रेय-बोध की अपेक्षा रखता है और 'श्रेय क्या' यह प्रश्न हमारे लिये गहरे से गहरा प्रश्न होता है। बड़ा 'आत्मनिष्ठ' भी होता है। *आत्म* निष्ठ इस अर्थ में कि श्रेय स्व की या स्वार्थ की बात नहीं होती; ऐसा ही होता तो धर्म-संकट का बोध ही बेमानी होता। श्रेय का सत्य जिस आत्मचेतना का जिज्ञास्य होता है, वह उतनी ही विषय-निष्ठ – या कहिये *वस्तु*-निष्ठ होती है, जितनी कि ज्ञान-चेतना। उतनी ही, बल्कि उससे अधिक व्याकुल-भाव से, प्रमाण-कामी भी होती है। प्रमाण यहां आत्म होता है। वही आत्म जो ज्ञान में प्रवृत्त होता है, उसीमें श्रेयबोध जागता है और श्रेय-प्रेरित हो वही अपने सत्य की तलाश करता है। स्पष्ट ही वह आत्म 'मेरा' नहीं, सामान्य होता है। हां, यह ज़रूर कहा जा सकता है कि बाह्य-विषय के ज्ञान में, जिसे हम सहज ही ज्ञान का प्रतिमान मानते हैं, वहां इन्द्रिय जैसा एक ऐसा आधार होता है जो स्वभावेन सामान्य होता है, जहां विषयी का स्व, उसका व्यक्ति-निष्ठ संकीर्ण विषयित्व, सहज ही सर्वजनीन होता है; तभी यह ज्ञान व्यवहार का आश्रय बनता है। श्रेय-बोध में ऐसा नहीं होता। वहां तो 'व्यवहार क्या हो' यह भी प्रश्न ही बना रहता है – निरंतर जागता प्रश्न। श्रेय और ज्ञान के बीच का यह अंतर हम पर प्रकट ही रहता है : हम श्रेय-बोध की सामान्यता का अनुभव करते हुए भी यह जानते रहते हैं कि श्रेय का इन्द्रिय जैसा कोई सहज-सिद्ध सा सामान्य आधार नहीं। सुव्यक्त ही है कि इन्द्रिय के 'क्या है' के ज्ञान में, 'क्या होना चाहिये' का कोई इंगित नहीं होता।

पर यह भी व्यक्त ही है कि आत्मचेतन विषयी (मनुष्य) के श्रेयबोध की सार्वजनीनता ही उसके विशिष्ट मनुष्य-सुलभ व्यवहार को आधार देती है। हममें श्रेयबोध के साथ विवेक जागता है, परार्थ भाव जागता है, जो हमारे जीवन को ही पशु के जीवन से सर्वथा अलग कर देता है पर जिसके बिना हमारी रहनी अकल्पनीय है। श्रेयबोध ही मनुष्य के *समाज* को संभव करता है। कहना न होगा कि समाज अन्य में – पर में – आत्म-बोध की उपलब्धि का सापेक्ष होता है। पर में आत्मबोध हमारी भाषा-चेतना में, जिस चेतना के साथ ही हम *मनुष्य* होते हैं, वहीं स्वरूपेण निहित रहता है। भाषा इस बोध की सदा साक्षी है। शल्य जी भाषा के इस साक्ष्य को उभारते हुए यह तथ्य सामने लाते हैं कि अस्मिता के लिये प्रयुक्त 'मैं' शब्द ही एक सामान्य प्रत्यय है : *मैं* अन्य या पर को भी 'मैं' के रूप पाता हूं। वह मेरे लिये विषय ही नहीं विषयी होता है, उसे मैं बाह्य-वस्तु के रूप में नहीं, आत्मसम आंतर वस्तु के रूप में पाता हूं, सहज ही पाता हूं। उसमें अपना ही जैसा अंतः ही नहीं पाता, उसके अंतः में मैं उतर भी सकता हूं : तभी उसका अभिनय कर सकता हूं। उसके मैं से तादात्म्य होता हुआ उसकी कहानी कह सकता हूं : उसकी कहानी को 'रामकहानी' – 'आत्मकथा' – का रूप दे सकता हूं।

श्रेय-बोध की सामान्यता में 'पर' – या कहिये 'अन्य' – हमारे लिये आत्मसम ही नहीं, आत्मवत् होता है। तभी परार्थ-भाव रूप लेता है। और हमारे कर्म में उचित-अनुचित की कोटि आ बसती है। धर्म-बोध जाग उठता है। हमारी प्रवृत्ति संकल्प-प्राण हो जाती है, उसमें विवेक घर कर लेता है। संकल्प ही हमें व्यक्ति बनाता है, पर वह आत्मचेतना की सामान्यता और स्वातंत्र्य की अपेक्षा रखता है। हम समाज के भीतर ही व्यक्ति होते हैं। पर होते *व्यक्ति* हैं : अपने में अपना स्वातंत्र्य पालते हैं। हमारा स्वतंत्र व्यक्तित्व रूप ही ऐसे स्वतंत्र संकल्प के साथ लेता है जो समाज-निमज्जित नहीं होता। पर 'मेरे' संकल्प का स्वातंत्र्य उभरता उस चेतना में है जो मेरे अहं से उठकर रूप लेती है, जहां मैं अपने अहं का द्रष्टा, शास्ता हो पाने की क्षमता पालता हूं। आत्मचेतना की ज्ञान और संकल्प, इन दो वृत्तियों में यहां हम एक समान्तर-भाव देख सकते हैं। आत्मचेतना के साथ जहां हममें ज्ञान की स्वतंत्र जिज्ञासा जागती है जो कि प्रामाण्य को और अपनी तरह के विवेक को आधार बनाती है, वहीं हममें और भी गहराई से, एक दूसरा, संकल्प का विवेक जाग उठता है। बड़े अपूर्व-भाव से जागता है हममें श्रेय-प्राण,

श्रेय-काम संकल्प-बोध। हममें जागता हुआ यह अभूतपूर्व बोध प्राणि-जीवन में ही, चेतना में ही, एक नई क्रांति का लक्षण प्रकट करता है। उचित-अनुचित की कोटियां उभरती हैं, और पशु की करनी में जो प्रकृति-तंत्र क्रिया मात्र थी, वह 'कर्म' का रूप ले लेती है। उसमें स्वातंत्र्य आ समाता है। कारण यह है कि पशु के अनात्मचेतन अहं में श्रेय जैसा कोई बोध ही नहीं होता। इस बोध का आविर्भाव अहं-चेतन आत्मचेतना का अपेक्षी होता है। यह अहं में अस्मिताबोध के साथ रूप लेता है और अहं को पर और अवर – या कहिये, प्रत्यक् और अर्वाक् – के द्वित्व में पिरोता हुआ, मनुष्य को अपने अहं के सीमित वलय से निकल पाने में समर्थ बनाता है। तभी उसमें ज्ञान, भाव, कर्म की स्वतंत्र, प्रमाण-तंत्र वृत्तियां जाग पाती हैं। ये उस सामान्यता के साथ हैं जागती हैं, जहां अन्य आत्म-स्थानीय हो जाता है (तभी बाह्यज्ञान में भी अन्य प्रमाण होता है : मुझे कुछ प्रत्यक्ष हो पर अन्य को न हो तो मेरा प्रत्यक्ष मेरे लिये ही संदिग्ध बन जाता है)। यह अन्य-सामान्यता श्रेय-बोध में निविड़तम, आत्मीयतम होती है और इसके साथ ही हममें 'उचित क्या – धर्म क्या', यह प्रश्न – दूसरे शब्दों में 'क्या होना चाहिये' का प्रश्न – चुभता हुआ सर उठाता है। यहां यह भी लक्ष्य है कि आत्मचेतन बुद्धि में 'क्या *है*' का प्रश्न भी यथातथ सत्य की जिज्ञासा के रूप में आत्म-परीक्ष्य प्रमाण-बोध की अपेक्षा के साथ ही जागता है। पर प्रमाण-बुद्धि को – इस बुद्धि में निष्ठ अनुमान-बोध को – पशु में भी देखा ही जा सकता है। लेकिन पशु में जिसका अभाव ही सामने आता है वह है धर्म-बोध। तभी मनु ने (अरस्तू की तरह) युक्तिबुद्धि को नहीं, धर्म को ही मनुष्य का व्यावर्तक लक्षण कहा है – *धर्मो हि तेषां (मनुष्याणां) अधिको विशेषः*। शल्य जी मनु की इस उक्ति का बहुधा उल्लेख करते हैं। व्यवस्था और योजना-बुद्धि तो हम चींटियों, मधुमक्खियों जैसे पशु समाजों में बड़ी प्रखरता के साथ पाते हैं, पर ये काम और अर्थ को ही लक्ष्य रखते हैं। कह सकते हैं कि जिजीविषा ही – प्राणिमात्र की जिजीविषा ही – स्वरूपेण काम और अर्थ सापेक्ष होती है। पर मनुष्य जीवन ऐसी जिजीविषा से ऊपर उठ कर ही बनता है। मनुष्य धर्म के बिना अकल्पनीय है। मनुष्य का समाज धर्म से ही *मनुष्य*-समाज बनता है। धर्म मनुष्य की जिजीविषा को ही नई दिशा देता उभरता है। कह सकते हैं कि धर्म इस उदात्ततर जिजीविषा का लक्षण है, या, कहिये कि वह मनुष्य की नितांत अहं-सीमित प्रवृत्ति के श्रेयार्थोन्मुख हो जाने का प्रतीक है। श्रेयबोध मनुष्य चेतना पर ऐसा व्यापक होता है कि मनुष्य-समाज को ही आधार नहीं देता, हमारी सारी प्रवृत्तियों को अपने वलय में समेट लेता है। ज्ञान के लिये, भाव के लिये, हम पूछ सकते हैं, पूछते ही हैं कि क्या ज्ञान की, या भाव की, यह दिशा उचित है, धर्म्य है, क्या इसमें हमारा श्रेय है? कहना न होगा कि यहां यह संकेत भी स्फुट उभरता है कि श्रेय क्या, यह वस्तु-निष्ठ प्रश्न है – हां, यह वस्तु बाह्य-वस्तु नहीं है; पर विषयीगत आवेग-संवेग मात्र भी नहीं है, भावगत नहीं है, क्योंकि किसी भी भाव के बारे में हम पूछ सकते हैं कि क्या है उचित है, श्रेय है। शल्य जी कहते नहीं थकते कि हमारी सामान्य-चेतना में अनथक जागता यह प्रश्न कि 'श्रेय क्या', यह *तात्त्विक* प्रश्न है। श्रेय *वस्तु* है, कितनी ही दुरवगाह क्यों न हो। श्रेय को विषयी के स्व में अपचित कर देने का या संस्कृति-समाज-सापेक्ष कह देने का मार्ग उसके वस्तुसत्य से इनकार का मार्ग है – भूलना न चाहिये कि समाज क्या रूप ले, संस्कृति किधर प्रवृत्त हो, ये भी श्रेय के प्रश्न हैं। शल्य जी श्रेय के इन प्रश्नों की गहरी चर्चा करते हैं।

श्रेय क्या, इसका उत्तर हमें आत्म की ओर ही ले जाता है, और आत्म क्या, यह हमारे लिये निगूढ़तम प्रश्न है। पर यह आत्म की साध्यता का भी इंगित है। श्रेयबोध के साथ हम पाते हैं कि हमारा उपलब्ध आत्म वस्तु आत्म नहीं है। वह आत्म प्राप्त नहीं प्राप्य है। नितांत हमारा, 'अपने से अपना' होते हुए भी नितांत 'पर' है। पराया ही नहीं, अनजान, बेगाना है। निकटतम होते हुए भी सुदूरतम है। पर श्रेय का वही उत्स भी है। श्रेय का ठिकाना कहीं बाहर नहीं मिलता (*धर्मस्य तत्त्वं निहितं गुहायाम्*), पर परेशानी यह होती है कि यह उस 'भीतर' भी नहीं मिलता, जिस 'भीतर' को हम अपने अंतः के रूप में जानते हैं! हमारे परिचित विषयित्व से, जिसे हम अपना प्रस्तुत-प्रदत्त आत्म पाते हैं, उससे वह परे ही खड़ा प्रतीत होता रहता है। पर श्रेय का प्रश्न सहज ही आत्म क्या, इस निगूढ़ पर कचोटते हुए प्रश्न की लौ हमारे समूचे आपे में जगा देता है; आत्म के अपने तत्त्व की जिज्ञासा की ओर बरबस खींच ले जाता है।

आत्म क्या, यह प्रश्न हमारा प्रस्तुत आत्म, व्यवहार-लब्ध आत्म ही करता है। पर अपनी गहराई में, अपने अनुभूत मर्म में, प्रश्न उठता इसलिये है कि वह अपने को अनात्म पाता है। अपने प्रस्तुत आत्म के बारे में यह बोध हममें बार बार उभरता है कि 'यह मैं नहीं हूं'। हमारी श्रेयवृत्ति को साक्षी रखते हुए उभरता है यह प्रश्न, तभी अपने को श्रेय-च्युत पाने की अवस्था में प्रश्न की अनी तीक्ष्णतम होती है, और हम अपने को बड़े निबिड़ भाव से अनात्म पाते हैं। बड़े तीखे आत्मद्वैध के साथ ऐसा पाते हैं कि हम जिस आत्म में हैं वह हमारा वस्तु-आत्म नहीं है, हमारा स्वरूप, हमारा सत्य नहीं है। अचंभा नहीं कि 'आत्मानं विद्धि', यह जिज्ञासा हमारी गहरी से गहरी जिज्ञासा होती है। हम क्या हैं? यह जिज्ञासा एक अद्भुत वैषम्य जगाती हुई हमारे अपनेपन को ही अपने से परे किसी अगाध अज्ञात की ओर ले जाती है, क्योंकि अपने होने को, अपनी प्रस्तुत अस्मिता के सत्य को हम नितांत साध्य पाते हैं। आत्म क्या, यह प्रश्न हमारे लिये ऐसा प्रश्न होता है जो हमारे समूचे होने पर व्याप्त होता है; हमारे लिये घनिष्ठतम, आत्मीयतम प्रश्न होता है यह। दर्शन के मर्म में भी यह प्रश्न जागता देखा जा सकता है। सुकरात की विचार-प्रेरणा का यह उत्स था ही। शल्य जी के दर्शन के मर्म में भी बड़े आत्मचेतन भाव से जागता है यह प्रश्न।

यह प्रश्न हम करते ही इसलिये हैं कि हम आत्मचेतन हैं। मनुष्य में प्रत्यय-चेतना ही आत्मचेतन चेतना के साथ जागती है। पशु में नहीं जागता यह प्रश्न। क्योंकि पशुओं में आत्मचेतना हो भी तो अत्यंत क्षीण है। नहीं जैसी है। प्रत्यय-चेतना का अभाव इसका प्रकट इंगित है। शल्यजी का दर्शन आत्मचेतना को केन्द्र में रखता है – और यों मनुष्य को, उसके आत्मसृष्ट जगत् को, उसके आत्मसंधान को केन्द्र में रखता है।

हमारी आत्मचेतना एक गहरे आत्म-द्वैत के साथ आत्मचेतन होती है। हममें अस्मिता के साथ ही आत्मबोध रूप लेता उभरता है : हम अपने को कर्ता और ज्ञाता के रूप में पाते हैं। हम अपनी अस्मिता को संकल्प के स्वातंत्र्यबोध के साथ पाते हैं। पर यह भी पाते हैं कि हमारी अस्मिता अहं के द्वैत में प्रतिष्ठित है। यही हमारी अस्मिता का आधार है। अहं का द्वैत, या कहिये हमारे आत्म के भीतर उभरता अहं का दोहरापन, हमारी आत्मचेतना का प्रकट लक्षण है। *आत्म*चेतन हो पाने के लिये यह अनिवार्य भी है (अहं/अहं यह आत्मगत द्वित्व न हो तो आत्म*चेतन* कैसे होंगे हम?)। इस आत्मगत द्वित्व का स्वरूप यह है कि हमारा विषयी अपने को विषय बना सकता है। पर यह कोई इकहरा व्यापार नहीं, एक अनंत प्रत्यङ्मुख व्यापार है : या कहिये वृत्ति है। इस अथाह आनंत्य के बिना यह हो भी नहीं सकता – एक चरण में, एक ही कक्षा में सीमित, एक परत का व्यापार हो तो जिसे हम आत्मचेतना कहते हैं, जहां अपने वस्तु आत्म को अपने से परे ही पाते रहते हैं, यह होता नहीं। पर आत्मचेतना उभरती ही इस असीम, अथाह प्रत्यङ्मुखता के भीतर है। अंतहीन होती है हमारी प्रत्यङ्मुखता। अपने परे ही जाती रहती है। हमारा विषयिभाव स्वभावेन प्रत्यङ्मुख हो कर ही अपने को देखने की ओर उन्मुख होता है। एक निस्सीम-सा सोपान चढ़ती चली जा सकती है प्रत्यङ्मुखता : अपने को अपना विषय बनाती हुई, अपने ही ऊपर उठने में समर्थ होती है। इस प्रत्यङ्मुखता के साथ, जिसमें हम अपने को अपने से परे पाते हैं, इसके साथ ही हममें श्रेयबोध आविर्भूत होता है। हमारा आत्म अपने स्वरूपगत आत्मसंश्लिष्ट द्वित्व में अपने को अवर और पर आत्म के रूप में पाता है। हम अपने को अपना द्रष्टा पाते हैं तो साथ ही अपना शास्ता-नियंता भी पाते हैं। अपने स्रष्टा हो पाते हैं।

विषयित्व की निरंत प्रत्यङ्मुखता का, स्पष्ट ही, आत्म के परम परत्व की ओर भी इंगित है। यह बात नई नहीं; दर्शन में चर्चा का विषय रही ही है। इसका अर्थ क्या, तत्त्व क्या, इसको लेकर विमर्श, विप्रतिपत्तियां भी रही ही हैं। शल्य जी यहां एक बड़ी सूझ की, गहरी पते की बात उभारते हैं, जो नई है। जिस पर हम आगे आएँगे।

पर यहां शल्य जी की एक और गहरी सूझ की चर्चा करना चाहता हूं। आत्मचेतना का द्वित्व विषयि-विषय का ही द्वैत नहीं होता, विषयि-विषयी का भी द्वैत होता है। यह बात भावन के क्षेत्र में देखी जा सकती है। कला की निर्मिति में, साधना में, बड़ी स्पष्ट उभर कर आती है। कला विषयित्व में रहते हुए विषयी-स्वरूप के अर्थ का अवगाहन करती है, उसकी अभिव्यक्ति साधती है। कला की निर्मितियों को ऐसे प्रत्ययों के रूप में देखना

चाहिये जो विषयिभाव के स्वरूप को, उसकी संभावनाओं को – या कहिये उसके अर्थ को, सत्य को – सामान्य रूप देते हैं। प्रत्ययों को हम आम तौर पर भाषागत ही समझते हैं। संगीत चित्र वास्तु जैसी कलाओं में शब्दमयी भाषा माध्यम नहीं होती। वहां प्रत्यय की बात असमंजस-सी लग सकती है। पर कला का प्रेषकत्व, उसका सामान्य कल्पनागर्भ होना स्फुट है। तो, यहां युक्त निष्कर्ष यही उपपन्न होता है कि भाषा शब्दगत ही नहीं होती, उसके और भी माध्यम हैं : संगीत में स्वर; चित्र में वर्ण, रेखा; वास्तु और भास्कर्य में सघन द्रव्य – ये शब्दों की तरह ही प्रतीक-व्यवस्था बनाते हैं, उसमें बसे होते हैं। इन्हें 'भाषा' के रूप में ही देखना उचित है। इनके 'व्याकरण' की भी बात की जा सकती है, की ही जाती है। ये शब्दभिन्न कलाएँ, (संगीत में) काल का और (वास्तु, भास्कर्य में) देश का विन्यास करते हुए जो रूप साधती हैं, वे हमारी सामान्य अर्थग्राही प्रत्यङ्मुख चेतना को उद्दिष्ट होते हैं। यों, इनकी निर्मितियों को सामान्य प्रत्ययों के रूप में ही समझना चाहिये। पर प्रत्यय का उद्देश्य और अर्थ यहां – चाहे वह काव्य की तरह भाषा में ही क्यों न हो – अभिधा का नहीं, व्यंजना का सहारा लेता है। यहां विषयी विषयित्व में रहते हुए ही अपने विषयिभाव के अर्थ का ग्रहण करता है, विषयित्व के सत्य का साक्षात् करता है। या यों कहिये कि कला में हम अपने अनुभव के भोक्ता रहते हुए ही उसके द्रष्टा हो पाने में समर्थ होते हैं। विषयित्व के स्वरूप को, अर्थ को, विषय-रूप में भी हम देखते-आँकते-परखते ही हैं (जैसा कि मनोविज्ञान आदि में होता है)। पर वहां अर्थ *अभिहित* होता है। लेकिन कला में विषयित्व के अर्थ की प्रस्तुति विषय-रूप में नहीं होती। इसलिये वहां अध्यवसाय का (कुछ अपने आप में है, ऐसे ज्ञान का) भी अभाव होता है। वहां विषयित्व का सत्य, उसका स्वभाव, विषयित्व पर ही खुलता है। विषयभाव का अभाव वहां अर्थ-प्रस्तुति के प्रकार को नया रूप देता है – अभिधा नहीं, व्यंजना साधता है, जहां भाव भाव-चित्त पर ही प्रकट होता है, बुद्धि पर नहीं। तभी हम वहां अर्थ के ग्रहण को 'संवेदना' का अलग नाम भी देते हैं। वहां विषयित्व के भीतर ही हम एक विषय-विषयि-भाव से भिन्न आत्मचेतन द्वैत उभरता पाते हैं, प्रत्यङ्मुख हो कर विषयित्व में रहते हुए ही विषयित्व का स्वतंत्र अवगाहन करने में सक्षम हो पाते है, विषयित्व के स्वरूप को ही नहीं, उसकी संभावनाओं को, कल्पनाओं को प्रत्यय-चेतन रूप दे पाते हैं।

कला को यों देखना उसके तत्त्व की बड़ी गहरी पकड़ है। हमारे यहां काव्य (साहित्य) के संदर्भ में व्यंजना की बात की गई है। रस को व्यंजित कहा गया है, अभिहित नहीं। यह भी कहा गया है कि व्यंजित अर्थ ही होता है। सामान्य होता है। उसे साधारणीकृत कहा ही गया है। पर शल्य जी कहते हैं कि साधारणीकृत कह देने मात्र से यहां बात नहीं बनती, क्योंकि साधारणीकृत तो अर्थ मात्र होता है। व्यंजित ही नहीं अभिहित अर्थ भी साधारणीकृत ही होता है। पर कला का साधारणीकरण उसका अपना होता है, जिसे विषयित्व के भीतर ही विषयि-विषयी के आत्मचेतन, आत्मावगाही, आत्मार्थसंधानी द्वंद्व के रूप में समझना अधिक सार्थक है।

पर कला के संदर्भ में यह भी ध्येय है कि यहां हम सहज ही, और मानो अनुभव के भीतर से ही, देख पाते पाते हैं कि अर्थ का साक्षात्कार और अर्थ का सृजन, ये एक ही तत्त्व के दो युगनद्ध, अयुतसिद्ध पक्ष हैं।

ऊपर की चर्चा में यह भी ध्वनित है कि आत्मचेतना का प्रत्यङ्मुख व्यापार चेतना के प्रसार का व्यापार है। चेतना का यह प्रत्यङ्मुख व्यापार आत्मचेतना में ही संभव है। हम आत्मचेतना का अनुभव स्वसंवेद के रूप में करते हैं, और इस अनुभव के आधार पर आत्मचेतना को अपनी स्व चेतना का धर्म मानते हैं। यह भी मान लेते हैं कि यह अन्य में भी होती है (अन्य *मनुष्य* में तो होती ही है), पर उसे मनुष्यमात्र में मानते हुए भी हम उसे व्यक्तिगत धर्म मानने की ओर ही प्रवण रहते हैं : 'वह सबमें होती है, पर हरेक की अपनी होती है'। व्यक्ति (या कहिये, मनुष्य-व्यक्ति) न हो तो उसके होने की कल्पना नहीं की जा सकती; वह अपने आप में कुछ नहीं होती। इसके पीछे यह भी भाव रहता है कि मनुष्य में वह जीव-विकास की उपज है, और इस विकास को प्राकृतिक कारणों का फल कहा जा सकता है, या इसे यादृच्छिक कहा जा सकता है (सच पूछिये तो यादृच्छिकता का सिद्धांत विज्ञान में ऊह्य-सा उभरता है, क्योंकि विज्ञान 'प्रयोजन' या 'लक्ष्य' के प्रत्यय को अपने विचार-तंत्र से बहिष्कृत ही रखता है)। पर, ऊपर की चर्चा से स्फुट है कि आत्मचेतना चेतना का अपना धर्म है, यह चेतना परम

सामान्य होती है, व्यक्ति में इसका आविर्भाव होता है, या अवतरण कहिये, लेकिन इसे व्यक्तिनिष्ठ धर्म के रूप में देखना भ्रांति है। हां, यह पशुओं में अनुपलब्ध है। इसके मनुष्य में आ उतरने में विकास–व्यापार का इंगित है। पर इस विकास को जड़ का नहीं चेतना का – या कहिये चित् का – व्यापार ही समझना चाहिये (शल्य जी इसे कैसे देखते हैं, इस पर हम अभी आयेंगे)। अन्यथा यह निष्प्रयोजन ही नहीं, निरर्थक ठहरता है। फिर, अगर यह जड़ का व्यापार है तो किसी भी कुछ को किसी भी तरह 'समझने' का ही कोई अर्थ नहीं बनता : क्योंकि चेतना के स्वातंत्र्य के बिना प्रमाण–व्यापार ही संभव नहीं। ज्ञान ही नहीं, भावन और कर्म, ये सभी फिर बेमानी हैं, इनमें जो अर्थ–संधान का संसार रूप लेता है वह फिर यादृच्छिक है, मिथ्या है, भ्रांति है, किसी अर्थ में हो भी तो निरर्थक है।

आत्मचेतना की प्रत्यङ्मुखता को एक बड़े सीधे–सपाट अपने ही पीछे हटती जाती रेखा के रूप में भी देखा–समझा गया है। जैसे बात इतनी सी ही हो कि द्रष्टा अपनी ओर देखते हुए एक सीढ़ी से दूसरी सीढ़ी चढ़ते चला जाता है। बात कुछ वैसी ही सी है जैसी हम तब पाते हैं जब हम दो आमने–सामने रखे दर्पणों के बीच खड़े हों और हमारा बिंब एक–के–पीछे–दूसरा उभरता चला जाता हो, और इस क्रम का कहीं अंत न दिखता हो। पर बात इतनी सी नहीं हैं। बात चेतना के विस्तार की है। हम अपनी ही आत्मचेतना के भीतर थोड़ा भी झाँक कर देखें तो पाते हैं कि चेतना जितनी प्रत्यङ्मुख होती है, स्व के अहंभाव से मुक्त हो कर सामान्यता को विस्तार देती भूमा की ओर बढ़ती जाती है। उसमें अपना और अपने फैलते विषयलोक का साक्षात् गहराता जाता है। वह अपने दृश्य के अर्थ में, उसकी संभावनाओं में, साध्यता में और पैठ बना पाती है। इस व्यापार का संकेत हम बाह्य विषयबोध के स्तर पर ही अनायास पाते हैं। विषय को हम सामान्यता की सीढ़ी चढ़ता पाते ही हैं। वह एक आरोह के साथ संकुचित सामान्य से प्रसृततर सामान्य में खुलता चला जाता है – प्याला–त्व बरतन–त्व में, बरतनत्व निर्मित–वस्तु–त्व में, निर्मितत्व वस्तुत्व मात्र में ... और अंततः यह आरोह–व्यापार सत्ता के अव्याकृत असीम की ओर ले जाता है, जहां से हम विशेष सामान्यों को उभरता देख सकते हैं, इस अवरोह की संभावनामयता, और यों इसके समझने–आंकने–परखने की साध्यता को भी भाँप सकते हैं, क्योंकि इस व्यापार में यह उभरता रहता है कि व्याकृति भिन्न मार्ग ले सकती है, लेती ही है। कौन सा मार्ग 'सत्य' के साक्षात्कार के लिये सार्थकतर है, यह भी साध्य रहता है।

प्रत्यङ्मुखता के व्यापार में यह भी साक्षात् किया जा सकता है कि यह विषयी–उन्मुख ही नहीं, मानो विषयी का ही व्यापार होता है। विषयी–परक होता उभरता है यह। इसमें विषय को विषयी के कुक्षिगत ही नहीं देखा जा सकता, उसे विषयी से उत्कीर्ण होता भाँपा जा सकता है। यह बात प्रत्यङ्मुखता का स्वभाव ही प्रतीत होती है। पर इसे विचार की प्रत्यङ्मुखता में स्फुटतम देखा जा सकता है। विचार जितना अपने को विषय बनाता अपनी ओर बढ़ता है, उतना ही विचार–विषय और विचार–विषयी का भेद क्षीण होता अनुभूत होता है। विचार्य (विषय) और विचार के बीच एक भेदाभेद उभर आता है, जहां एक दूसरे के बीच की दरार सिकुड़ती चली जाती अनुभूत होती है। विषय को अपने भीतर समोये विषयी अपने पीछे, अपने परे, जाता हुआ चेतना की उस परम सामान्यता की ओर बढ़ता लगता है जहां दोनों एक अद्वय चेतना के – चित् के – दो पक्षों की तरह उभरते जान पड़ते हैं। ज्ञान, भाव, कर्म, सबमें हम विषय–विषयी के इस भेदाभेदमय 'अद्वय' का, विषयकी विषयी से उत्कीर्ण सी होती आत्मोद्भूति का अनुभव कर सकते हैं। इस व्यापार को आत्म या (चित्) के आत्मसृजन के रूप में देखने की दृष्टि इस व्यापार के भीतर से ही सहज व्यंजित होती है : यहां सत् को हम मानो चित् से उत्सृष्ट होता देख पाते हैं।

कहना न होगा कि सृष्टि एक परम गुह्य, अगाध रहस्यमय व्यापार है। विचार से – विचार की किसी अनुमानमयी उत्प्लुति से – उस तक पहुँचना संभव नहीं। पर विचार अपने से परे की ललक छोड़ता नहीं है। दृष्टियां रूप लेती हैं। बड़ी गहन, बड़ी अर्थमयी दृष्टियां रूप लेती हैं, (शल्य जी की दृष्टि का संकेत हम ऊपर की चर्चा में पा सकते हैं)। यह भी यहां अनुध्येय है कि शल्य जी का चिंतन सृजन को ही मूल में रखता है। फिर, ऊपर की चर्चा में यह भी उभरा है कि सृजन आत्मसृजन का स्वरूपतः अपेक्षी होता है।

प्रस्तावना

हमारे प्रस्तुत, अनुभूत आत्म में शल्य जी परम चित् का प्रतीक पाते हैं और आत्म के प्रत्यङ्मुख सृर्जन-मर्म में चित् के स्वरूप की व्यंजना। चित् उनके लिये आत्मसृष्ट है और यह आत्मसर्जन सृष्टि का मूल है।

हम आत्मचेतना में चेतना को प्रत्यङ्मुख होता पाते हैं। यह भी पाते हैं कि आत्मचेतना अहं/अहं के द्वैध में रूप लेती है। इसी द्वैध के साथ हममें आत्मसृजन रूप लेता है। आत्मसृजन के लिये यह द्वैध आवश्यक भी है : अपने से अलग हो कर ही मैं अपने को बना सकता हूं। शल्य जी आत्मचेतना में चित् के स्वरूप का प्रतीक देखते हुए उसके सृजन-व्यापार को समझने-आँकने में इस द्वैधभाव को आधारगत रखते हैं।

शल्य जी का चिंतन वेदांत-प्रभावित है, पर उनकी दृष्टि एक गहरी पैठ के साथ अपनी है, स्वतंत्र ही नहीं, नितांत अभिनव है, चले आते वेदांत के प्रसिद्ध दर्शनों से तत्त्वतः पृथक् है। वे चित्-सत् के वेदान्ती अद्वैत को मानते हैं, पर उनका यह अद्वैत एक सर्वथा नये, और साथ ही सर्वथा मूलगत द्वैतबोध में बसा है जिसका इंगित वे अनुभूत आत्मचेतना और उसके आत्मसंधान में पाते हैं। यों उनकी तत्त्व-दृष्टि वेदान्त-प्रभावित होते हुए भी नितांत उनकी अपनी है, नितांत आधुनिक है। सत् उनके लिये माया या मिथ्या या चिद्भिन्न नहीं है, पर चित् उनके लिये आत्मसृजन-व्यापार के भीतर ही सत् का उत्स बनता है, और इसी व्यापार में अनिवार्यतः आत्मभिन्न - आत्मविच्छिन्न - हो जाता है। यों वह स्वरूपेण भाव से भाव्य हो जाता है : अपने से अलग हो कर अपना ही साध्य, गवेष्य हो जाता है। सिद्ध वह कभी होता ही नहीं, साध्य - आत्मसाध्य - ही रहता है। सृजन के साथ ही उसका गवेष्य आत्मस्वरूप सृजन के साध्य निरवद्य प्रतिमान की तरह अवस्तु रूप हो जाता है। यों उसके आत्मस्वरूप के *होने* की बात ही नहीं की जा सकती। उसका स्वरूप, जो उसका निरवद्य *होना* है, साध्य ही रहता है। आत्मसाध्य।

बात विस्तार चाहती है।

शल्य जी के वेदान्त को उपनिषद्गर्भ कह सकते हैं। शल्य जी *उपनिषद्* के प्रातिभ अर्थगर्भ मार्मिक कथनों को अपनी तरह से समझते हुए और अपने विचार-तंत्र में समोते हुए, उन्हें अपनी सृजन-मीमांसा का आधार बनाते हैं। *तैत्तिरीय उपनिषद्* की एक उक्ति है : *असत् वै इदम् अग्र आसीत्। ततः वै सत् अजायत। तद् आत्मानं स्वयमकरुत।* (*तैत्तिरीय, ब्रह्मानन्दवल्ली, सप्तम अनुवाक*)। शल्य जी का अनुवाद है : 'आरंभ में असत् ही था। उससे सत् की उत्पत्ति हुई। और उसने अपने को स्वयं रचा'।

उक्ति में पैनी अंतर्दृष्टि है। सृजन आत्मसृजन ही हो सकता है, तभी आत्मतंत्र हो सकता है, किसी भी पर से अछूता, नहीं तो *सृजन* नहीं होगा, कार्य-कारण-शृंखला-भुक्त होगा। यों सृजन असत् को, सर्वथा न-होने को, ऊह्य रखता है। और तभी सृजन की संभावनाएँ अनंत होती हैं : कुछ नहीं अगर कुछ होने को प्रवृत्त हो तो कुछ भी हो सकता है – कुछ भी होने को स्वतंत्र, निर्बंध होता है। असत् के भीतर सत् की संभावनाओं को सीमित नहीं किया जा सकता : किस बिना पर सीमा उकेरेंगे हम! हमारी सृजनशील चेतना की ओर झांके तो सहज ही इस बात को ताड़ सकते हैं : हम अपनी सृजन-प्रवृत्ति में संभावना के निस्सीम की जीवंत, स्फूर्त झलक पाते ही हैं। और यह संभावनामयता सृज्य कृति के रूप लेने में भी बनी रहती है। कृति स्वरूपेण साध्य हो तो यह अनिवार्य है (कृति सचमुच सृज्य हो तो किसी सिद्ध-प्रदत्त प्रतिमान की अनुकृति नहीं हो सकती, ऐसी अनुकृति में कोई सृजन नहीं होता, तो संभावनामयता भी नहीं होती; पर प्रतिमान अरूप हो - अवस्तु हो - तो संभावना का आकाश खुला रहता है – हम ऐसा पाते ही हैं)। पर कृति रूप ले तो अनंत संभावनाओं में से एक को ही रूप दे सकती है, उसका रूप रूप-विशेष ही हो सकता है : एक विशेष अंतःसंगत आकृति के साथ एक विशेष विधान में ढला, एक विशेष ऋत में निष्ठ, जो सृजन के आद्य क्षण में ही उभर आता है; पर साध्य भी रहता है। सृजन के संभावनामय होने के कारण इस विशेष में भी 'हो सकने' का आनंत्य निगूढ़ रहता है। इसे सृजन मे निहित गहरा विरोध - या विरोधाभास – भी कह सकते हैं। या असत् से सत् के होने का अनिर्वाच्य रहस्य कहिये।

पर यह भी देखिये। जैसा हम कह आये हैं, आत्मसृजन एक अगाध आत्मद्वैध को ऊह्य रखता है। हम अपने से हट कर, अपने से अलग होकर, और यों आत्मभिन्न हो कर ही – या शल्य जी के शब्दों में कहिये, अपने से व्यवहित हो कर ही – अपना सृजन कर सकते हैं। इसे रहस्य ही कह लीजिये, पर यह *है* – तभी सृष्टि है। यों सृजन में जहां एक ओर चित् अपने को सृष्ट करता है, वहीं, उसी व्यापार में, अपने आप से अलग, विच्छिन्न ही नहीं हो जाता, विच्छिन्न रहने को बाध्य हो जाता है। नहीं तो सृष्टि का नैरंतर्य नहीं बना रह सकता। चित् अपने स्वरूप का सर्जन चाहता है, पर उसका आत्मसर्जन-व्यापार उसे स्वरूपेण अपने लिये ही सदा साध्य, गवेषणीय बना देता है (हम पाते हैं कि हममें भी आत्मसृजन का बीज अस्मि/अस्मि के आत्मविच्छेद को ऊह्य रखता है, जहां साध्य आत्म 'पर' ही नहीं, परे ही बना रहता है)। अपने से व्यवहित, विच्छिन्न चित् अपने स्वरूप को साकार करने की ओर उन्मुख होता है, अपने ही साध्य स्वरूप को सिद्ध करने की साधना करता है। यही सृष्टि है। पर चित् का आत्म-व्यवधान व्यवधान बना रहता है। चित् जब अपना इतर हो जाता है तो इतर ही रहने को बाध्य भी हो जाता है। वह अपने अवस्तुभूत व्यवहित आत्म की प्रतिकृति ही साध सकता है, साधता चला जा सकता है, उसे पा नहीं सकता, क्योंकि उसके व्यवहित अवस्तु स्वरूप की कोई प्रतिकृति वस्तुतः संभव नहीं। पर इसीलिये उसकी प्रतिकृति-साधना अब अरूप प्रतिमान की प्रतिकृतियों की तरह अनंत रूपों का उत्स हो जाती है।

चित् का आत्म-इतरत्व अमिट रहता है। आत्मेतर हुआ चित् अपने किसी सृष्ट रूप को इतर जान कर अपने 'सच्चे' आपे की ओर मुड़ना चाहे तो इस गति में वह इतर का इतर ही हो सकता है – उसका इतरत्व मिट नहीं सकता। पर उसकी यह आत्मप्रतिकृति-साधना की गति ही जगत् को अर्थ-विस्तार देती चलती है, अर्थ की नई नई संभावनाओं में फलवती होती है। और क्योंकि यह चित् की गति है, गति एक अपना अंतःविधान बनाये रखती है (इसके बिना अर्थ को *रूप* देना उसकी सार्थक *सृष्टि* संभव नहीं)। पर यह सब हो इसलिये पाता है क्योंकि आत्मव्यवहित चित् स्वरूपेण साध्य ही रहता है। चित् का आत्मस्वरूप, जो सृष्टि के साथ ही आत्मव्यहित हो गया है, वह अब आप्तव्य नहीं हो सकता, पर वही सारी आप्तियों का उत्स होता है। उसका न होना ही होने की योनि होता है। उसकी आत्मप्राप्ति की साधना ही जगत् को रूप देती है। गति देती है : क्योंकि चित् का आत्मसर्जन एक निरंतर व्यापार है, यह न हो तो 'जगत्' ही न रहे।

सृष्टि के अर्थ-विस्तार को चित् के आत्मज्ञान का व्यापार भी कह सकते हैं। इसे लक्ष्य में रखते हुए शल्य जी एक और उपनिषद् वाक्य आगे रखते हैं : *आत्मा वा इदमेव अग्र आसीत् नान्यत् किञ्चन मिषत्। स ऐक्षत लोकान्नु सृजा इति* – 'एक आत्मा ही आरंभ में था, ऐसा और कुछ नहीं था, जो देख रहा हो। उसने ईक्षण किया, 'लोकों की सृष्टि करूं'। (*ऐतरेय उपनिषद्*, 1,1)। आत्म-व्यवहित हो कर ही चित् आत्म-वीक्षण कर सकता है, अन्यथा यह संभव नहीं। पर आत्मवीक्षण का निमित्त आत्मज्ञान होता है। अपने को देखता चित् अपने को जानना चाहता है, अन्यथा देखने का अर्थ क्या? यों चित् का अर्थसृजनमय लोकावतरण उसका अपने को जानने का भी प्रयास कहा जा सकता है। अर्थ का ज्ञान या साक्षात्कार और उसका सृजन एक ही चेष्टा के दो अभिन्न पक्ष हैं। और यों सृष्टि ज्ञानोन्मुख व्यापार है तो प्रमाण-व्यापार भी है। यह निरी मिथ्या कल्पना नहीं। इसे स्वप्न से नहीं मिलाया जा सकता जो कि परतंत्र होता है। न इसे माया या वासना-दिग्ध विकल्प-सृष्टि कह सकते हैं, जो अनात्म होती है। और यह भी है कि सृष्टि-व्यापार के प्रमाणधर्मी होने के कारण भ्रांति की, दोष की संभावना भी इसमें घर करती है। चित् की आत्मगवेष्यता इसका लक्षण है। हम देखते हैं कि श्रेयबोध के साथ वह अपने ही पूर्ववर्ती रूप को त्याज्य पाता है।

उपनिषद् की उक्ति को ध्यान में रखते हुए चित् के लोकावतरण को लोक-विस्तार की एषणा के रूप में भी समझा जा सकता है (*लोकान्नु सृजा*)। कहा जा सकता कि सृष्टि मूल में आत्मा (चित्) की एषणा एक से अनेक होने की अभीप्सा है। लेकिन तो भी, इस चेष्टा में भी, चित् आत्मव्यवहित हो कर ही प्रवृत्त हो सकता है। सृष्टि का मर्म वही आत्मगवेष्य आत्मसाध्यता रहता है।

आपत्ति की जा सकती है कि ज्ञान और सृजन परस्पर विरोधी धरणाएँ हैं : सृजन कल्पना-मूलक होता है, और ज्ञान याथातथ्य का ग्रहण। पर सोचिये। अपने ही ज्ञान-व्यापार की थाह लेकर देखिये। ज्ञान-व्यापार भी सृजन-कल्पना के बिना संभव नहीं। हम अपने को अर्थ की सृष्टि करते हुए ज्ञानोन्मुख पाते हैं। और ज्ञान-व्यापार को हम सृजन-कल्पना में निष्ठ पाते हैं। विज्ञान इन्द्रिय-लब्ध रूपों को भूत-जगत् के रूप में *कल्पित* कर एक प्रत्यय-जगत् का विस्तार करता है। भौतिक क्या है? इस आत्म-उपस्थापित *तत्त्व* को *जानने* के लिये विज्ञान के सिद्धांत-तंत्र का विस्तार होता है। इसमें ज्ञान-व्यापार कल्पनापेक्षी होता हुआ सिद्धांत-तंत्रों की रचना करता है। पर यह कल्पना-व्यापार निरी कपोल-कल्पना का मिथ्या-व्यापार नहीं होता, क्योंकि प्रमाण-बोध में निष्ठ होता है, और इसमें भ्रम की संभावना बीजभूत रहती है। पर विज्ञान को ही क्यों (जिसे हम ज्ञान मानते ही हैं), कला को लीजिये। वहां सृजन-कर्म में कल्पना की उपलब्धि अनायास होती है। कला हमारे अनुभूत विषयित्व का, या कहिये भाव-जगत् का, व्यंजना की अनंत संभावनाओं के माध्यम से अपनी तरह सृजन-प्रसार करती है। पर यहां भी कल्पना थोथी कपोल कल्पना नहीं होती। संगति की, प्रमाण की अपनी मांग यहां भी बनी रहती है – नहीं तो किसी कलाकृति की सदोषता की, साध्यता की, त्याज्यता की बात ही नहीं की जा सकती। दर्शन को देखें तो वहां भी हम यही देख पाते हैं – वहां तो उभरती दृष्टियां अपना विषय और अपनी प्रत्यय-निष्ठ विषयिता – या कहिये ज्ञान और ज्ञेय – दोनों को स्वातंत्र्येण सृष्ट करती देखी जा सकती हैं; पर प्रमाण-व्यापार वहां युक्ति-उपपत्ति की कठिन मांग करता भी देखा जा सकता है। श्रेयबोध जो आत्मचेतना के और तद्गत ज्ञान-व्यापार के साथ ही उभरता है वह तो एक स्वतंत्र ही नहीं अभूतपूर्व जगत् की सृष्टि करता उभरता है। इसे चित् की आत्मगवेषणा के ही एक नये पर्व के रूप में देखा जा सकता है। शल्य जी मनुष्य में ही नहीं, चित् में भी इसे आत्मचेतना के साथ ही एक उत्क्रांत स्फोट के रूप में देखते हैं। मनुष्य में इसे *प्रतिफलित* पाते हैं। इस प्रतिफलन को हम नये प्रत्ययों के रूप में भी देख सकते हैं : जैसे मानव-समाज का, तन्नद्ध संस्कृतियों का उदय, जो श्रेयबोध के बिना संभव नहीं। व्यक्तिभाव का भी उदय इस उत्क्रांति का फल है। व्यक्तिभाव संकल्प का अपेक्षी होता है जो श्रेयबोध की अपेक्षा रखता है। व्यक्ति और समाज में नई संभावनाएँ, साध्यताएँ रूप लेती हैं, जो अब तक अनहोनी थीं। संस्कृति के साथ चेतना ही एक प्रकृति से ऊर्ध्व स्वतंत्र धरातल पर आ जाती है। व्यक्ति में उतरती है, जहां श्रेयबोध बड़े नये उन्मुक्त रूप लेता दिखता है। व्यक्ति संस्कारों से उठ कर संस्कृति को नये रूप देने की प्रेरणा, व्रत, भी पालता है। ऐसी प्रधानतः व्यक्तिनिष्ठ प्रेरणा अध्यात्म में, विचार में, दर्शन में विशेष फलवती होती देखी जा सकती है।

अब तक चेतना पराङ्मुख थी, अपने अर्थ को अपने बाहर देख और पा रही थी, पर अब अपनी ओर मुड़ती है, प्रत्यङ्मुख होती है तो अर्थ का एक नया आयाम, नया संसार प्रकट होता है। सच पूछिये तो उसकी आत्मार्थ गवेषणा का आरंभ ही अब होता है। श्रेयबोध के जागने को इस नये आयाम का हृदय कह सकते हैं, पर इसमें यह भी व्यंजित है कि चेतना अब अपने पूर्ववर्ती रूप को हेय, सदोष समझती है।

श्रेय की कोटि रूप लेती है तो नये प्रत्ययों में रूप लेती दिखती है। इसका मार्मिक लक्षण अहिंसा के प्रत्यय में देखा जा सकता है। प्रकृति में हम 'जीवो जीवस्य भोजनम्' को जीवन का तत्त्व पाते हैं, अहिंसा का प्रकृति में कोई अर्थ ही नहीं। पर मनुष्य की अहिंसाबोध के बिना कल्पना नहीं की जा सकती। अहिंसा परार्थ भाव की सूचना है जो मनुष्य के व्यवहार का ही मूल है। अहिंसा में 'आत्मवत् सर्वभूतेषु' का स्फुट इंगित है। परार्थ-बोध के साथ ही सर उठाता अहिंसा का श्रेयत्व मनुष्य में (भाषा ही की तरह) आत्मचेतना के आविर्भाव के साथ ही रूप लेता दिखता है। मैत्री, प्रेम, करुणा, परदुःखदुःखित्व... ही नहीं, न्यायबोध, गृध्नुता की त्याज्यता, अस्तेय... इसी भाव की अभिव्यक्ति हैं। ये प्रत्यय हैं, अभूतपूर्व प्रत्यय : इनमें साध्यता, संभावनामयता प्रकट है।

मनुष्य में परार्थ-तत्त्व को रूप देने की साधना कई रूप लेती दिखती है। यह तत्त्व समाज-चेतना के धर्म-शासित होने के मूल में ही निहित है। इसमें नृशंस्यता की हेयता का बोध भी स्वरूप-निहित है। तभी सतयुग जैसी कल्पनाएँ रूप लेती हैं। व्यक्तियों में अहिंसा की साधना व्यापक से व्यापकतर रूप लेती दिखती है (और इस

माध्यम से कुछ अध्यात्मपंथों, समुदायों में)। तीर्थंकरों को देखें, या उन वायुभुक् मुनियों को जो साधना के पाक से साथ पेड़ों से गिरे सूखे पत्ते भी नहीं खाते थे। पर अहिंसा साध्य ही बनी रहती भी दिखती है। समाजों में क्षीण ही रहती है। समाज, राज्य, समूह-समुदाय, इस स्तर पर युद्ध जैसा परस्पर-संघर्ष तो मनुष्य का स्वभाव ही प्रतीत होता है। हां, कभी अहिंसा-बोध हमें इससे कदाचित् विमुख करता भी दिख जाता है, जैसे अशोक में, पर यह विरल अपवाद ही कहला सकता है। पर इसकी साध्य संभावना का भव्य समाजगत रूप भी हो सकता, यह गाँधी के जीवन में, उनकी साधना में देखिये। गाँधी ने अहिंसा को सत्य (मनुष्य का वास्तव स्वरूप) कहते हुए उसे समाज के, राज्य के, मनुष्यमात्र के सार्वजनीन स्तर पर साकार करने का महत् प्रयत्न किया। प्रयत्न क्षणिक-सीमित ही रूप ले पाया हो, पर रूप लेने की अद्भुत अविशस्य शक्ति थी उसमें।

श्रेय का स्रोत और प्रमाण आत्मा ही होती है। तभी श्रेयबोध में हम चित् को अपनी ओर उन्मुख हो कर अपने स्वरूप को पाने के लिये व्यग्र देख पाते हैं। पर अपने पूर्वरूप को इतर पाकर वह अब जिधर बढ़ता है, वह नये अर्थों का विस्तार तो होता है, पर चित् की आत्मेतरत्व से मुक्ति नहीं!

तो सृष्टि का प्रश्न फिर सता सकता है : चित् सृजन-प्रवृत्त होता ही क्यों है? अपने को अपने से खोने के लिए! नहीं भी तो हो सकता था! सच यह है कि सृष्टि का होना एक उलटबाँसी ही बना रह सकता है। अनबूझ पहेली ही है सृष्टि, चाहे उसका स्रोत और स्वरूप (विज्ञान की तरह) जड़ में देखें या (वेदान्त की तरह) चित् में। हां, जड़ को आधारभूत रखें तो सृष्टि का कोई अर्थ नहीं रहता। हम, हमारी समझ, सब जड़ हो जाते हैं। समझ स्वातंत्र्य की मांग करती है, जड़ में स्वातंत्र्य की बात ही बेमानी है। और समझ जड़ हो तो वह प्रमाण-बुद्धि जो जड़ को ही सर्वस्व ठहराती है, वह भी फिर जड़ ही ठहरती है।

सांख्य जो सृष्टि को – विषय मात्र को – जड़ ठहराता है, वह भी विषयी को स्वतंत्र रखता है। उसे सृष्टि के मूल में रखता है : उसके सन्निकर्ष के बिना जड़ प्रकृति अव्यक्त ही रहती है, सृजन-प्रवृत्त नहीं होती। और प्रवृत्त होती है तो उसकी प्रवृत्ति का प्रयोजन ही चिन्मय पुरुष होता है। वह पुरुष-लक्षी ही नहीं होती, पुरुष-गर्भ होती हुई पुरुष-लक्षी होती है। सांख्य में बुद्धि का विशेष स्थान है, बोध या ज्ञान उसीको होता है। इन्द्रिय, मन, अहंकार, ये सभी वृत्तियां बुद्धि के करण हैं – ये 'द्वार' हैं, बुद्धि 'द्वारी' है। विषय का अवगाहन करती बुद्धि ही पुरुष के लिये भोग और मोक्ष, ये दोनों पुरुषार्थ साधती है (*सर्वं प्रत्युपभोगं यस्मात् पुरुषस्य साधयति बुद्धिः / सैव च विशिनष्टि पुनः प्रधानपुरुषान्तरं सूक्ष्मम् // सांख्यकारिका,* 37)। पर यह पुरुषार्थ व्यापार प्रवृत्त ही इसलिये होता क्योंकि पुरुष बुद्धिगत होता है; अन्यथा न यह संभव है, और न इसका कोई अर्थ है। लेकिन पुरुषार्थ साधना के केन्द्र में होते हुए भी बुद्धि सांख्य में तत्त्वतः जड़ है, स्वतंत्र नहीं है। और पुरुष (चित्) स्वतंत्र होते हुए भी तत्त्वतः अव्यापृत रहता है। सृष्टि उसके कारण होती है, पर सृजन उसका किया नहीं होता, हो नहीं सकता। जगत् को माया या प्रतीत्यसमुत्पन्न या विकल्पमात्र कहते दर्शनों में भी बुद्धि, या कहिये मनुष्य की आत्मचेतना, किसी भी रूप में स्वातंत्र्य का – और यों प्रमाण-व्यापार का – अधिष्ठान बनती नहीं दीखती, यों सत्य-साधना का आधार नहीं हो सकती। पर प्राचीन वेदान्त में (उपनिषद् वेदान्त में, जो कि सभी परवर्ती वेदान्त दर्शनों का मूल है), वहां ऐसा नहीं है – जैसा कि ऊपर के उन उद्धरणों से स्फुट है, जिनसे शल्य जी का सृष्टि-चिंतन प्रेरित है।

सृष्टि हो ही क्यों, इस निगूढ़ प्रश्न पर विचार हमारे यहां उपनिषद् से भी पुराना है। *ऋग्वेद* का विख्यात 'नासदीय' सूक्त सृष्टि को ऐसी कूटतम प्रहेलिका के रूप में आँकता जिसका कोई उत्तर संभव नहीं : क्योंकि जो उत्तर दे सकते हैं, देते हैं, वे भी सृष्ट ही हैं। पर एक और बात भी इस सूक्त में लक्ष्य है। सूक्त सृष्टि की मूल प्रेरणा की भी बात करता है। नासदीय सूक्त का ऋषि सृष्टि को असत् से विसृष्ट देखता है। सृष्टि की प्रेरणा *काम* में देखता है। कहता है : '(सृष्टि के पूर्व) तम में निगूढ तम ही था; यह सब कुछ निश्चिह्न, अप्रतर्क्य सलिल था, तुच्छता से आवृत। तब तपस् की महिमा से (उस) *एक* ने जन्म लिया। *काम* प्रवृत्त हुआ जो कि मन का प्रथम रेतस् (आदि वीर्य) था। अपनी मनीषा से अपने हृदय में (क्रांतदर्शी) कवि इसे (काम को) असत् में (जागती) सत् की ग्रंथि के

रूप में जानते हैं।'[1] स्पष्ट ही, काम को यहां व्यापकतम अर्थ में लिया गया है। सृजन-प्रवृत्ति ही काम है। या कहिये सृजन-व्यापार ही काम है।

पर जिस व्यापार की हम बात कर रहे हैं, वह काल में नहीं होता, काल तो उसके होने पर रूप लेता है (इसके देश में होने का तो प्रश्न ही नहीं)। व्यापार तात्त्विक है। यह गणित या विचार की तरह भी नहीं, जो अदेशकालिक होते हुए भी देशकाल में संवेद्य होते हैं। विचार में यह व्यापार संकेत्य ही हो सकता है – अध्यात्मानुभव में भी ऐसे संकेत की बात की जा सकती है। लेकिन भूलना न चाहिये कि यह व्यापार है, होता है, इसीलिये जगत् व्यापार है, और होता रहता है।

ऊपर हमने जीवसृष्टि और आत्मचेतना के उदय की बात की। पर सृष्टि की ओर देखते हैं तो चित् को नहीं हम अचित्, जड़ – भौतिक – को ही सर्वत्र प्रसृत पाते हैं। जीव का होना तो क्षुद्र सी घटना दिखती है। यह ठीक है, लेकिन परिमाण को युक्ति के रूप में नहीं लिया जा सकता। प्रश्न यह है कि भौतिक को हम तत्त्वरूपेण समझें कैसे? उसका चित् के आत्मसृजन व्यापार में क्या स्थान?

हम भौतिक का आकलन विज्ञान से करने के आदी हैं आज, और भौतिक में साध्यता का निषेध विज्ञान की स्वनियत दृष्टि है। पर यह पूर्वग्रह ही है, या जानबूझ कर अपनाया हुआ पूर्वाग्रह कहिये। भौतिक को प्रसुप्त चित् के रूप में सहज ही देखा जा सकता है, जैसा कि शल्य जी देखते हैं : चित् के जगद्भाव की गर्भावस्था के रूप में। अगर भौतिक को यों न देखें तो फिर भौतिक विशुद्ध इन्द्रय-विषय रह जाता है। और विशुद्ध इन्द्रियविषय क्या है, इसका ग्रहण इन्द्रिय नहीं कर सकती, यह विचार में ही संभव है। विचार इसे बौद्धों की तरह स्वलक्षण के रूप में उपपादित कर सकता है, या कांट की तरह स्वरूपतः अविज्ञेय कह दे सकता है। पर स्वलक्षण अनिर्वाच्य है, उसके बुद्धलक्षण होने में क्या उज्र हो सकता है, और जो अविज्ञेय है वह स्वरूपेण शिवमय भी हो ही सकता है। भौतिक को विशुद्ध उपादान के रूप में भी देखा जा सकता है – हमारा व्यवहार, और उस व्यवहार के विस्तार के रूप में विज्ञान भी, इसका इसी रूप में ग्रहण करता है। प्रयोग करता है।

भौतिक से हम वानस्पतिक का विकास देखते हैं – इसे जीवत्व और भौतिकत्व के बीच की कोटि कहा जा सकता है : यहां प्राण है, पर इन्द्रियां नहीं हैं – पर उस ओर उन्मुख प्रवणता इसमें पाई जा सकती है। चेतना इससे ऊपर उठ कर ही स्फुट रूप लेती है। चित् के जगद्भाव का चेतन प्रसार मनुष्य से पहले पाशव सृष्टि में ही पाते हैं हम। पशु में इन्द्रियाँ रूप लेती हैं, विकसित होती हैं, एक भोगमय विषयित्व उभरता-बढ़ता देखा जा सकता है। शल्य जी इसे चेतना के वासनात्मक प्रवर्तन के रूप में देखते हैं। विषय यहां भोग्यार्थ ही होता है, और विषयी तत्तसात् या तन्निमज्जित। उसके लिये विषय की अपनी सत्ता कुछ नहीं होती। यहां भी विषय ज्ञानेन्द्रियगम्य और कर्मेन्द्रियसाध्य ही होते हैं, पर विषयी के लिये उनकी सत्ता की कोई स्वतंत्र बाह्यजगत्-स्थित अवगति नहीं होती। हां, विषय की स्वगत सत्ता का इतना सा परिचय यहां पाया जा सकता है कि पशु के लिये विषय भोग्य ही नहीं, भोग-बाधक भी होता है।

विषयी के (मनुष्य में) आत्मचेतन होने पर (विषयी के अपने आप को विषय बना पाने पर ही), बाह्य जगत् की स्वस्थित बाह्यता, विषय का स्वस्थित विषयत्व और उसकी भौतिकता, ये गृहीत होते हैं। पर प्रत्यङ्मुखता में घर करती हुई आत्मचेतना बाह्योन्मुखता से, विषयोन्मुखता से निवृत्त हो कर ही, या कहिये आत्मोन्मुख हो कर ही, विषय-चेतन होती है। विषय से निवृत्त हो कर ही विषय को विषय की स्थिति देती है चेतना। इससे जिस अर्थ-सृष्टि का विस्तार होता है, उसकी चर्चा हम कर आये हैं। पर आत्मोन्मुख हो कर चेतना इस विषय-संसार

1. तम आसीत्तमसा गूळ्हमग्रेऽप्रकेतं सलिलं सर्वमा इदम्।
तुच्छ्येनाभ्वपिहितं यदासीत्तपसस्तन्महिनाजायतैकम्।।
कामस्तदग्रे समवर्तताधि मनसो रेत: प्रथमं यदासीत्।
सतो बन्धुमसति निरविन्दन् हृदि प्रतीष्या कवयो मनीषा।। — *ऋग्वेद*, 10, 129,3-4

को अनात्म भी पाती है। जगत्गत अर्थ–संसार को वितत से विततर करते हुए भी इस संसार में अपने को 'परदेशिनी' पाती है। यहीं श्रेयबोध के जन्म का बीज भी देखा जा सकता है। और इस बोध के साथ चेतना अपनी ही पूर्व वासनार्थ या भोगार्थ प्रवृत्ति को ही हेय नहीं पाती, अपनी आत्मचेतन अर्थ–सृष्टि से भी विमुख होती दिखती है।

तभी श्रेयबोध का तीव्रतम संवेग आध्यात्म में देखा जा सकता है, जहां परदेशिनी को घर लौटने के लिये उत्कंठ पाते हैं हम। शल्य जी ने *छांदोग्य उपनिषद्* में आये नारद–सनत्कुमार वार्ता का एकाधिक बार उल्लेख करते हैं। वार्ता में नारद सनत्कुमार से आत्मज्ञान की प्रार्थना करते हैं। नारद *ज्ञान*–कहलाते ज्ञान के सभी उपलब्ध रूपों में प्रवीण थे – इतिहास, पुराण, व्याकरण, कल्प, गणित, तर्क, नीति, नृत्य–संगीत...। पर इन्हें वे अनात्म पाते हैं। इनसे उस आत्म का ज्ञान नहीं मिलता जो अमृत है, सुख है, भूमा है, हमारा सत्य–स्वरूप है। ये ज्ञान अल्प हैं, इनमें भूमा नहीं, अमृत नहीं। ये आत्म से इतर हैं। उसकी ओर नहीं ले जा सकते।

पर शल्य जी के लिये अध्यात्म भी अर्थों का विस्तार ही है। अध्यात्म में अर्थ के नये शिखर खुलते देखते हैं। अर्थों का पूरा एक तुंगतम विभु–लोक खुल जाता है यहां। इस लोक की बड़ी उदात्त, बड़ी अपार–अगाध संभावनाएँ हैं, पर आत्म का आत्मेतरत्व यहां भी बना रहता है। अपने से तत्त्वतः आत्मव्यवहित चित्, अपने से एकात्म हो नहीं सकता, अपने को स्वरूपतः *पा* नहीं सकता। इस पाने की खोज में अर्थ का विस्तार ही करता चला जा सकता है। हम कल्पना कर सकते हैं – युक्तितः कर सकते हैं – कि उसकी आत्मोन्मुख यात्रा के और भी पर्व उभरेंगे – मनुष्य में और मनुष्य के आगे। पर यह यात्रा यात्रा ही बनी रह सकती है।

यहां शल्य जी की दृष्टि में एक अनाप्ति की, अकृतार्थता की – या कहिये नित्य विरह की – वेदना देखी जा सकती है, जिसे वे अपनी तरह से ध्वनित भी करते हैं : अपने अंतिम लेखन में।

ऊपर मैंने यथासंक्षेप शल्य जी और उनकी तत्त्व–दृष्टि का एक अपना–सा चित्र उकेरने की चेष्टा की है। पर कविता की तरह ही दार्शनिक विचार का अंतःस्पंद किसी निरूपण में नहीं समा सकता। मेरा आशय यह रहा है कि आप के भीतर उनके लेखन में उतरने की जिज्ञासा को कुछ लौ दे सकूं।

किसी भी गहरी और व्यापक तत्व–दृष्टि में मनुष्य के विभिन्न पक्षों को अपनी तरह से आँकने–समझने की आँख होती है, शक्ति होती है। शल्य जी ने स्वयं ही अपनी दृष्टि को यह फैलाव दिया है। मनुष्य के सर्वस्व को विस्तार से समझा–आँका है उन्होंने। संस्कृति, समाज पर उनकी स्वतंत्र पुस्तकें हैं; धर्मनीति, इतिहास, विज्ञान, काव्य... पर प्रसृत लेखन है। अन्य दार्शनिकों और दर्शनों पर भी शल्य जी ने बड़ी सूक्ष्म पैठ और पैनी सूझ के साथ लिखा है। तुलनात्मक दर्शन पर उनका लेखन मननीय है।

हर्ष का विषय है कि यह सारा कुछ यहां उनके इस दार्शनिक–रचना–संग्रह में संकलित है।

मेरा ध्यान शल्य जी के प्रौढ़ चिंतन पर रहा है। पर उनकी विचार–यात्रा लंबी है और उसमें स्फुट सोपान उभरते देखे जा सकते हैं। उनकी यात्रा के पड़ावों को देखने–जानने के लिये और उनके जीवन और लेखन–समग्र के समर्थ सांगोपांग और घनिष्ठतर परिचय के लिये प्रो. अम्बिकादत्त शर्मा का आमुख देखें।

1

चिद्-विमर्श

प्राक्कथन

इस पुस्तक के अधिकांश अध्याय 1978–80 के बीच लिखे गए थे और इसका तथाकथित प्रकाशन 1986 में **मनुष्य और जगत्** नाम से हुआ था। यह इसके एक अध्याय का शीर्षक था किन्तु पुस्तक को यह नाम प्रकाशकों के लिए इसकी अग्राह्यता कम करने के विचार से दिया गया था। अब इसके नाम को यथागुण बनाया जा रहा है। प्रथम प्रकाशन के अध्याय–क्रम को भी यहाँ बदला जा रहा है। वह क्रम युक्ति–संगत नहीं था, उसे और अधिक युक्तिसंगत मुद्रक और प्रकाशक के प्रमाद ने बना दिया था। वास्तव में प्रकाशक ने इसके प्रकाशन में सब तरह से उपेक्षा बरती जिसके कारण इसका मुद्रण भी बहुत अशुद्ध हुआ। जहाँ तक मेरी जानकारी है, वह इसका विक्रय भी नहीं कर पाया। इसी से इसके प्रथम प्रकाशन को 'तथाकथित' ही कहा जा सकता है। किन्तु यह पुस्तक मेरे लिए इस दृष्टि से विशेष महत्त्वपूर्ण थी कि यह मेरी अनुसन्धान–यात्रा के तृतीय और अन्तिम मोड़ की प्रथम कृति थी। इसलिए मैं इसका पुन: प्रकाशन चाहता था। किन्तु एक बार प्रकाशित पुस्तक को कोई दूसरा प्रकाशक प्रकाशन के लिए स्वीकार करे, वह भी दर्शन विषयक पुस्तक को, यह अकल्पनीय बात थी। किन्तु इस अकल्पनीय बात को मित्रवर डॉ. मुकुंद लाठ ने सम्भव कर दिया। एक दिन इस सम्बन्ध में प्रसगत: बात होने पर उन्होंने इसके लिए लाठ सर्वोदय ट्रस्ट से वित्त उपलब्ध कराने का आश्वासन दिया और प्रकाशन 'दर्शन–प्रतिष्ठान' से करने का सुझाव दिया। इस प्रकार इस पुस्तक के उद्धार का यह अवसर उपस्थित हो सका।

ऊपर मैंने अपने लेखन को 'अनुसन्धान–यात्रा' कहा 'जिसमें तीन मोड़ आये'। दार्शनिक अध्ययन और लेखन मेरे लिए कभी विद्वत्ता–लाभ और विद्वत्ता–प्रदर्शन का साधन नहीं हो कर आत्म–चरितार्थन और आत्मसर्जन का कर्म ही रहा है। आरम्भिक शिक्षा एक गुरुकुल में हुई जहाँ 'वेद सब सत्य–विद्याओं की पुस्तक है' वाक्य मन्त्र–वत् रटाया जाता था। किन्तु मैं कभी इस वाक्य को सत्य नहीं मान पाया। उसके उपरान्त कैशोर्य में तिलक का **गीता भाष्य,** कुछ **उपनिषद्** और कुछ भारतीय दर्शन का इतिहास अपनी जिज्ञासा से ही पढ़े। किन्तु 1952 में अकस्मात् हाथ लगी हेनरी बर्गसाँ की पुस्तक **क्रियेटिव एवोल्यूशन** ने मुझे पहली बार दर्शन के विद्यार्थी के रूप में उपनीत किया। इंगलिश भाषा से प्राय: अनभिज्ञ होते हुए भी मैंने यह पुस्तक अंग्रेज़ी–हिन्दी शब्दकोश की सहायता से पढ़ी। तब उसके प्रतिपादनों की सत्यता को जानने के लिए जीवविज्ञान और प्राणि–मनोविज्ञान के कुछ उच्च स्तरीय ग्रन्थ पढ़े––यह समझे बिना कि वैज्ञानिक ग्रन्थ भी पूर्वाग्रहग्रस्त हो सकते हैं। आंग्ल–अमरीकी वैज्ञानिकों द्वारा लिखे इन ग्रन्थों ने मुझे बर्गसाँ से ठीक विपरीत दिशा दिखायी। इसी क्रम में जेम्स जींस और ऑर्थर एडिंग्टन के भौतिक विज्ञान के दर्शन विषय ग्रन्थों से और अनन्तर बर्ट्रण्ड रसल से परिचय हुआ। जबकि बचपन में वेद की आप्तता मुझे कभी विश्वसनीय नहीं लगी, यौवन में बर्ट्रण्ड रसल की आप्तता मुझे सन्देहोपरि जान पड़ी। दर्शन विषयक मेरी पहली पुस्तक **मनस्तत्त्व** (1957) तुतलाहट की अवस्था की कृति थी। किन्तु 1959–60 में लिखी **दार्शनिक विश्लेषण** तक मैंने न केवल बोलना सीख लिया था बल्कि स्वतन्त्र 'वाक्य–निर्माण' और बहुत सीमा तक 'शब्द–निर्माण' की सामर्थ्य भी विकसित कर ली थी। इस पुस्तक में पाश्चात्य अनुभववादी दर्शन से व्यापक परिचय के आधार पर उस सम्प्रदाय के अनुसार ही दार्शनिक समस्याओं पर विचार किया गया था। किन्तु इसके अन्तिम अध्याय 'दार्शनिक विश्लेषण और अनुभववाद' में मैंने स्वयं अनुभववाद की अनुभव के स्वरूप विषयक मान्यता को पूर्वाग्रहग्रस्त घोषित किया। इस पुस्तक की प्रतिष्ठित दार्शनिकों ने अपनी समीक्षाओं में भरपूर प्रशंसा की किन्तु आश्चर्य की बात है कि उन्होंने अन्तिम अध्याय में अनुभववाद के पूर्वाग्रह पर उठाये गए इस आक्षेप के सम्बन्ध में कुछ नहीं कहा। अनुभववाद की संकुचितता के इस अस्वीकार के परिणामस्वरूप मेरी दृष्टि में क्रमश: आमूल परिवर्तन हुआ और इसके सात वर्ष बाद प्रकाशित पुस्तक **ज्ञान और सत्** में सत् की ज्ञापकता मैंने ऐन्द्रिक अनुभव, अथवा किसी भी अनुभव में नहीं देख कर बौद्धिक अवधारणा या प्रत्यय में देखी और सत् को इस अवधारणा में ही अन्तर्भूत कर दिया। इस प्रकार अब सत् मेरे लिए संवेद–प्रदत्त तथा शेष विकल्प–मात्र नहीं रहा बल्कि विकल्प–प्रदत्त तथा अवधारणा–सापेक्ष हो गया। इस सिद्धान्त का उदाहरणीकरण इसके तुरन्त बाद लिखी गई पुस्तक **संस्कृति : मानव–कर्त्तृत्व की व्याख्या** (1969) में हुआ। मेरी इस दृष्टि के विकास में अमरीकी दार्शनिक विलर्ड वान ओर्मान क्वाईन तथा जर्मन

दार्शनिक अन्स्र्ट कासीरर एक सीमा तक सहायक हुए। किन्तु सत् की अवधारणा–सापेक्षता की यह दृष्टि मेरे लिए अधिक देर तक सन्तोषप्रद नहीं बनी रह सकी। ज्ञान अपने विषय को स्वतन्त्र सत् में प्रतिष्ठित देखने की अपेक्षा करता है जो प्रतिष्ठा उसे देनी आवश्यक है। इसके अतिरिक्त अस्तित्व के अनेक रूप और आयाम हैं जिनका आकलन इस व्यवस्था में यद्यपि अनुभववाद की तुलना में अधिक युक्त रूप से हो सकता था किन्तु तब भी उतना युक्त रूप से नहीं जितना निरन्तर आलोचक बुद्धि के लिए सन्तोषप्रद हो सकता। बाह्य विषय के सम्बन्ध में अवधारणा–सापेक्षता की बात फिर भी किसी प्रकार चल सकती है किन्तु 'कर्त्तव्य', 'आत्मा' आदि विषयों के सम्बन्ध में कैसे चल सकती है? फिर 'बाह्य विषय' का क्या अर्थ है? विषय तो सभी बाह्य होते हैं। यदि अभिप्राय भौतिक विषय से है, जैसाकि दार्शनिकों द्वारा दिये गए उदाहरणों से प्रकट होता है, तो इस बाह्यता का क्या अर्थ है? **विषय और आत्म** पुस्तक के 'विषय' अध्याय से मैंने 'बाह्यता' के इस अर्थ को समझने का प्रयत्न किया और विषय को सापेक्षता से मुक्त उसे उसका वस्तुगत आधार लौटाने का प्रयत्न किया। किन्तु यह आधार मुझे किसी तथाकथित भौतिकता में उपलब्ध नहीं होकर चेतना के अपने ही अन्तर्गत उपलब्ध हुआ। इसी प्रकार इसके 'आत्म' अध्याय में मैंने आत्मा को **ज्ञान और सत्** के 'मानव–प्रतिमा' अध्याय में उद्भावित सापेक्ष विषयता से मुक्त कर आत्म–सत्ता में प्रतिष्ठित करने का प्रयत्न किया। मेरे ये दोनों प्रयत्न चैत्त सापेक्षतावाद से निरपेक्ष चैतन्य में उत्क्रमण के प्रयत्न कहे जा सकते हैं। किन्तु यहाँ मैं इस प्रयत्न में पूर्णतः सफल हो पाया ऐसा नहीं कहा जा सकता।

इस पुस्तक की समीक्षा में प्रोफेसर गोविन्दचन्द्र जी पाण्डे ने मेरे विषय–स्वरूप–विवेचन को बहुत उत्कृष्ट (मास्टर पीस) कहते हुए भी उसकी आलोचना में लिखा था कि मैंने विषय को एक हाथ से बाह्यता और स्वतन्त्रता दे कर दूसरे से वह वापिस ले ली है। इसी प्रकार आत्म के सम्बन्ध में उन्होंने लिखा कि मैं इसके विषयात्मक और मूल्यात्मक दो विपरीत रूपों के बीच दोलायमान हूँ। (द्रष्टव्य **इण्डियन रिव्यू ऑफ फिलोसोफ़ी**, जन.–अक्टू. 1973) उनकी यह आलोचना बहुत सही थी किन्तु मेरे इस दोलन का कारण यह था कि मैं विषय की बाह्यता के चिद्गत स्रोतों की खोज में था और आत्मा की ऐसी तात्त्विकता की खोज में जो भूत–वस्तुरूप नहीं होकर भव्यात्मक है। अब, **विषय और आत्म** में जबकि मैं विषय के उद्गत स्रोतों को देख पाया स्वयं चेतना के उस स्वरूप को नहीं देख पाया जिससे ये स्रोत उद्भूत होते हैं। यही उस प्रतीयमान दोलन का कारण था। विषय की बाह्यता की प्रतिष्ठा किसी भौतिक उपादान या प्रकृति–तत्त्व में खोजने का अभियान सफल नहीं हो सकता क्योंकि बाह्यता की अपेक्षा तो ज्ञान ही में होती है न कि विषय में। इस बाह्यता को भौतिक प्रकृति में खोजने के डेकार्ट और कांट के प्रयत्नों की विफलता सर्वविदित है। साँख्य इसका दूसरा उपाय करता है—ज्ञान, अपेक्षा और विषय तीनों को प्रकृति में अधिष्ठित करके। किन्तु यह उपाय इन तीनों को चित्त में अधिष्ठित करने से कहीं अधिक असुष्ठु और निष्फल है। अन्त में प्रस्तुत पुस्तक में मैंने विषय की चिद्गत संरचनाओं की प्रतिष्ठा चेतना की आत्मगत प्राकृतिकता से आत्मोन्मुख निवृत्ति में देखी। यद्यपि यह दृष्टि **विषय और आत्म** पुस्तक में प्रकट हो चुकी थी, किन्तु बहुत अस्पष्ट रूप में। अपनी पूर्ण स्फुटता के साथ यह दृष्टि इस पुस्तक में ही विकसित हुई। यह दृष्टि न केवल युक्त दृष्टि है बल्कि अथाह गाम्भीर्य और अनन्त विस्तारात्मक भी है जिसके अवगाहन के प्रयत्न में मैंने इस पुस्तक के अनन्तर तीन और पुस्तकें—**सत्ताविषयक अन्वीक्षा, समाज : दार्शनिक परिशीलन** और और **मूल्यतत्त्व–मीमांसा** लिखीं।

इस पुस्तक को न पूरी तरह एक ग्रन्थ कहा जा सकता है और न लेख–संकलन मात्र ही। इसमें 'कला–सर्जन' अध्याय तक एक ही विचार का उसके विभिन्न आयामों में विवेचन हुआ है और इनमें एक–सूत्रता जैसी है, किन्तु शेष अध्याय इस प्रकार सूत्रित नहीं हैं। किन्तु तब भी ये उस दृष्टि से असम्बन्धित नहीं हैं।

जैसा मैंने ऊपर लिखा, इस पुस्तक के उद्धार का सम्पूर्ण श्रेय मित्रवर डॉ. मुकुंद लाठ को है और यह मेरे लिए विशेष सन्तोष की बात है कि उनके समान सुधी व्यक्ति को यह उद्धार योग्य लगी।

— यशदेव शल्य

दर्शन का आरम्भ-बिन्दु : प्रत्यङ्मुख चैतन्य[1]

दार्शनिक आरम्भ-बिन्दु का प्रश्न स्वयं भी एक दार्शनिक प्रश्न है और इस कारण इसका उत्तर विभिन्न दार्शनिकों के आरम्भ-बिन्दुओं के सर्वेक्षण से नहीं दिया जा सकता। यह तथ्य कि यह प्रश्न दर्शन से उसकी सीमाओं में रहते हुए ही किया जा सकता है, स्वयं में दर्शन के आरम्भ-बिन्दु की ओर, उसके मूल की ओर, एक महत्त्वपूर्ण संकेत है। यह प्रश्न उत्पन्न ही क्यों होता है, यह कैसे एक उचित जिज्ञास्य है, ये दूसरे महत्त्वपूर्ण प्रश्न हैं जो स्वयं इस प्रश्न के अपने आरम्भ, अपने आधार, की परिपृच्छा करते हैं। यह प्रश्न अन्य किसी ज्ञान-व्यवस्था से, उस व्यवस्था के अन्तर्गत, नहीं किया जा सकता। यह तथ्य दर्शन को अन्य ज्ञान-विधाओं से मौलिक रूप में पृथक् करता है और इसे एक मूलगामी, अपने ही आधार की ओर उन्मुख, ज्ञान-विधा के रूप में प्रकट करता है। इस प्रकार वास्तव में दर्शन स्वरूपतः एक मूलगामी : प्रत्यङ्मुख : ज्ञान-विधा है और अपनी प्रत्येक गति में यह अपने मूल की ओर, अपने आरम्भ की ओर, अतिक्रमण करता है। कोई विज्ञान या शास्त्र अपने मूल के सम्बन्ध में, अपनी व्यवस्था में रहते हुए, प्रश्न इसलिए नहीं कर सकता क्योंकि वे ज्ञान-व्यवस्थाएँ विषयोन्मुख हैं और अपने विषय के रूप और आकार से निर्धारित होती हैं। इनके विपरीत दर्शन यह प्रश्न उन व्यवस्थाओं से उनके आरम्भ-बिन्दु के सम्बन्ध में ही नहीं, अपने से अपने आरम्भ-बिन्दु के सम्बन्ध में भी कर सकता है; इतना ही नहीं, वह स्वयं इस प्रश्न के उत्स के सम्बन्ध में भी प्रश्न कर सकता है। इसका अर्थ यह है कि यह विषयमूलक व्यवस्था है ही नहीं, यह ज्ञान का आत्मोन्मुख व्यापार है जो निरन्तर अपने आरम्भ-बिन्दु से आरम्भ कर उसी पर लौटता है।

किन्तु यहाँ प्रश्न हो सकता है कि क्या ज्ञान आत्मोन्मुख : प्रत्यङ्मुख : हो सकता है? क्या ज्ञान के लिए यह स्वरूपतः असम्भव नहीं है कि वह निर्विषय हो सके? शंकर तक कहते हैं कि "यह आत्मा भी अत्यन्त अविषय नहीं है, यह भी अहं-प्रत्यय-गोचर है।"[2] इस दृष्टि से हुस्सर्ल (और उससे पूर्व ब्रेंटानो भी) अधिक निश्चित है : वे चेतना को स्वरूपतः विषयापेक्षी (इंटेंशनल) मानते हैं। चेतना की इस विषयापेक्षा का आशय ठीक से समझने के लिए यहाँ एक उद्धरण देना उपयोगी होगा, जिसमें लेखक ने सार्त्र द्वारा हुस्सर्ल के मत के समर्थन की व्याख्या दी है। उसके अनुसार सार्त्र के लिए हुस्सर्ल के विषयापेक्षा-सिद्धान्त का मुख्य आकर्षण विषयि-निष्ठतावाद (सब्जेक्टिविज़्म) से मुक्ति दिलाने में ही है।...इस सिद्धान्त में विषयापेक्षा विषयिमूलक ध्रुव (सब्जेक्टिव पोल) का फलन नहीं है बल्कि यह विषयभाव (नोएमा) है। चेतना हमें वस्तु-सत् के सम्मुख प्रस्तुत करती है और उसी के माध्यम से अहं (इगो) का उद्भव होता है। इस प्रकार अहं विषयसमवर्ती है, यदि इसे अनुवर्ती नहीं भी कहें तो। सार्त्र हुस्सर्ल की चैतन्य की इस अवधारणा का रूपान्तरण कर अहं के असत्त्व (नान्बींग) को आदिम प्रदत्त (डाटम) का पद दे देता है। हुस्सर्ल का चैतन्य की निरहंता का सिद्धान्त (नान् इगोलोज़ीकल थीयरी) अस्तित्व-निषेध (निहिलेशन) के दर्शन के रूप में रूपान्तरित हो जाता है।[3] किन्तु द्रष्टव्य है कि हुस्सर्ल विषय का स्थगन (सस्पेंशन) सम्भव मानता है, यद्यपि यह स्थगन विषय से विमुखता नहीं देता, केवल एक दूसरे स्तर की विषयता देता है।[4] तब क्या दर्शन भी वास्तव में एक विज्ञान ही नहीं है जिसका कार्य

---

1. मैंने पंजाब विश्वविद्यालय, चण्डीगढ़ के दर्शन विभाग में अतिथि-अध्यापक के रूप में रहते हुए कुछ व्याख्यान दिये थे, जिनमें यह प्रथम व्याख्यान का विषय था। इस व्याख्यान के और अन्य व्याख्यानों के क्रम में मेरे प्रतिपादनों की प्रतिक्रिया में उपस्थित अध्यापकों में से कुछ ने, मुख्यतः डॉ. धर्मेन्द्र गोयल ने, कुछ प्रश्न उठाये जिनके परिणामस्वरूप वहाँ हुए विचार-विमर्श का प्रतिफल यह लेख है। डॉ. गोयल के आक्षेप और उनके संक्षिप्त उत्तर लेख के अन्त में पृथक् भी दिये जा रहे हैं। लेखक डॉ. गोयल के प्रति, और अन्य उपस्थित अध्यापकों के प्रति इस सहयोग और विचारोद्दीपन के लिए आभारी है।

2. नायमात्मा अत्यन्तेनाविषयः, अहम्प्रत्ययगोचरत्वात्। (ब्रह्मसूत्र, भाष्य 1,1)

3. मॉरिस नटांशन का लेख 'फिनोमिनलोज़ी एण्ड एग्ज़िस्टेंश्यलिज़्म', जोसेफ जे. कोक्कलमान द्वारा सम्पादित पुस्तक **फिनोमिनलोज़ी** (एंकर बुक्स) में संकलित।

4. वही।

अन्य विज्ञानों के समान अपने विषय के रूप और आकार को समझना ही है? पश्चिम के दार्शनिकों का यही प्रयत्न रहा है कि दर्शन को भी विज्ञान के समान निश्चित आधार दिया जा सके। हुस्सर्ल इसके सम्बन्ध में सर्वाधिक प्रयत्नशील रहे हैं। वहाँ के जिन दार्शनिकों ने यह समझा कि यह सम्भव नहीं है उन्होंने दर्शन को ज्ञान का स्वतन्त्र क्षेत्र ही नहीं माना और इसे उन विधाओं का अनुषंगी मात्र माना जो विधाएँ उनके अनुसार ज्ञान-विषयक हैं : धार्मिक दार्शनिकों ने सन्त को ज्ञान का अधिकारी माना तो ऐन्द्रिक प्रत्यक्षवादियों (पॉज़िटिविट्स) ने वैज्ञानिकों को, और कुछ अन्यों ने लोक-संज्ञान (कॉमन सेंस) को। इनके लिए दर्शन का कार्य इनके साक्षात्कारात्मक अथवा सहज ज्ञान का बौद्धिक विधा में अनुवाद-विमर्श मात्र है। दर्शन को ज्ञान का स्वतन्त्र क्षेत्र केवल उन्होंने माना जिनके अनुसार बुद्धि सत् की एकमात्र अथवा सर्वाधिक महत्त्वपूर्ण ज्ञापक है। किन्तु यहाँ हमारा उद्देश्य सत् के स्वरूप का विवेचन नहीं है, केवल दर्शन के आरम्भ-बिन्दु पर विचार करना है। सत् का प्रसंग यहाँ अनुषंगत: ही उठा है और आगे भी उठेगा, किन्तु केवल अनुषंगत: ही यहाँ प्रासंगिक है। मूल प्रसंग यहाँ आरम्भ-बिन्दु का है, जो अपने स्वरूप से ही अन्ततः आरम्भ-बिन्दु के आरम्भ-बिन्दु का प्रश्न हो जाता है, और यदि आरम्भ-बिन्दु का प्रश्न अपने आरम्भ-बिन्दु की परिपृच्छा करता है तो इस गति का कहीं अवसान नहीं हो सकता। अपने मूल की ओर उन्मुखता बुद्धि का एक गुण है, चेतना की अन्य सब वृत्तियाँ केवल विषयोन्मुख ही रहती हैं। निश्चय ही कला में व्यक्त चिद्वृत्ति इन दोनों से भिन्न होती है, किन्तु जैसाकि हम आगे देखेंगे, वह भी बुद्धि का ही प्रकारान्तर है। साँख्य के अनुसार जगद्भाव के प्रसार और उपसंहार का मूल बुद्धि का ही प्रकारान्तर है। साँख्य के अनुसार जगद्भाव के प्रसार और उपसंहार का मूल बुद्धि को ही कहा है, किन्तु उसकी उपसंहारात्मक वृत्ति को विवेक में पर्यवसायिनी माना है। किन्तु क्या आरम्भ-बिन्दु की परिपृच्छा का स्वरूप उपसंहारात्मक है? क्या यह परिपृच्छा पर्यवसायिनी है?

साँख्यीय विवेक बुद्धि-वृत्ति द्वारा अपने स्वरूप की सीमाओं का अवगाहन और अवलोकन है, जिसका अर्थ है कि उसके अनुसार बुद्धि अपने आरम्भ-बिन्दु तक पहुँच सकती है और तब अपना अतिक्रमण कर सकती है। सिद्धान्तत: यह बात सम्भव प्रतीत नहीं होती, क्योंकि यदि यह सम्भव हो तो आत्मोन्मुख निवर्तन की पहली ही क्रिया के साथ निवर्तन का पर्यवसान हो जाना चाहिए, तब आरम्भ-बिन्दु के आरम्भ और इस आरम्भ के मूल की परिपृच्छा की कोई सम्भावना या आवश्यकता नहीं होनी चाहिए। किन्तु वस्तुस्थिति यह है कि प्रत्येक बौद्धिक परिपृच्छा निवर्तनोन्मुख क्रम में अपने विषय के अतिक्रमण के साथ अपना विषयकरण करती है और इसके साथ पुन: विषयि-विषय-सम्बन्ध में अवस्थित हो जाती है। प्लेटो और डेकार्ट ने चैतन्य को बुद्धि-स्वरूप मानते हुए इस तथ्य को नहीं देखा। प्लेटो ने बुद्धि को प्रत्ययरूप सत् की साक्षात्कारिणी और डेकार्ट ने किसी भी विचार-क्रिया में आत्म-साक्षात्कार के साथ पर्यवसायिनी के रूप में देखा। किन्तु प्रथम तो बुद्धि किसी भी प्रत्यय का ग्रहण उसके अन्य के साथ भेद-विनिश्चय के बिना नहीं कर सकती, जिसका अर्थ है कि उसका विषय भाव और अभाव के द्वन्द्वों से निर्धारित होता है और परिणामत: अव्यवहित प्रदत्त नहीं होता। दूसरे, वस्तु (प्रत्यय) का ग्रहण बुद्धि की अद्वितीय विशेषता नहीं है। इसकी अद्वितीय विशेषता इसकी प्रत्यङ्मुख होने की सामर्थ्य है। प्लेटो केवल बुद्धि-विषय (प्रत्यय) के स्वरूप की उदात्तता, आदर्शरूपता और अद्भुत स्फुटता से अभिभूत रहा और उसने इस विषय को ही सत् मान कर बुद्धि को आत्मगत सत् मान लिया। अवश्य डेकार्ट ने बुद्धि के आत्मोन्मुख अभिक्रम को उसके स्वभाव के रूप में देखा, किन्तु इस अभिक्रम को अपने प्रथम चरण में ही अपने मूल के साक्षात्कार के साथ पर्यवसायी माना। किन्तु प्रथम तो यह बुद्धि का स्वभाव ही नहीं है कि वह निवर्तनोन्मुखता में आत्म-साक्षात्कार के साथ पर्यवसायिनी हो, क्योंकि बौद्धिक आत्म-दर्शन में दर्शक आत्म का विषयकरण कर अपनी ओर और पीछे लौटता है : वस्तु-दर्शन यदि इस दर्शन-क्रिया के साथ पर्यवसित नहीं होकर 'मैं देख रहा हूँ'—बोध की ओर उन्मुख होता है तो यह उन्मुखता 'मैं देख रहा हूँ' का विषयकरण कर और पीछे लौटती है। इसलिए या तो आत्म को बुद्धि की सीमाओं से बाहर रखा जाये और तब उसे सन्देह-क्रिया के आधार के रूप में देखा जाये, जैसाकि शंकर ने देखा, अन्यथा इस आत्मोन्मुख क्रिया को अपर्यवसायिनी माना जाये, जोकि वास्तव में यह है। किन्तु डेकार्ट बुद्धि को उसकी सीमाओं में रखते हुए ही उसका पर्यवसान देखना चाहता है, दूसरे शब्दों में उसे यह आत्म-पर्यवासायिनी देखना चाहता है, जो सम्भव प्रतीत नहीं होता। वास्तव में डेकार्ट विचार-क्रिया के

अव्यवहितत्व : विचारता हूँ, इस प्रकार मैं हूँ : में और उसकी अन्तर्वस्तु (कांटेंट) की स्पष्ट प्रदत्तता (डिस्टिंक्ट गिवननेस) में भी भेद करता प्रतीत नहीं होता। इसकी पुष्टि दो बातों से होती है—एक तो इससे कि वह शुद्ध विचार के विषय : विविक्त प्रत्यय : को असन्दिग्ध प्रदत्त मानता है, और दूसरे, यह भी कहता है कि 'मैं हूँ' के रूप में उन्मीलन या अव्यवहितत्व वास्तव में 'मैं अपूर्ण हूँ' का उन्मीलन या अव्यवहितत्व होता है। किन्तु तब आत्म विचार-क्रिया की प्रत्यङ्मुखता नहीं होकर आत्म-प्रत्यय : विचार-प्रदत्त विषय : ही हो सकता है। इस प्रकार प्रत्यङ्मुख : आत्मोन्मुख : विचार-क्रिया का अवसान आत्म के अव्यवहितत्व (इमीडियेसी ऑफ सेल्फ) में देखने का डेकार्ट का प्रयत्न सफल नहीं कहा जा सकता। यह असफलता तब और भी स्पष्ट हो जाती है जब वह प्रत्यय के सत्य को बाह्य सत् का अनुषंगी देखता है।[1] तब विस्तारवादी प्रत्यय : अवधारणा : की सत्यता भौतिक द्रव्य के और आत्म-ग्राही प्रत्यय की सत्यता ईश्वर के अधीन हो जाती है।

प्लेटो की बात दूसरी है, वह बुद्धि का दर्शन-व्यापार आत्मोन्मुख नहीं देख कर बहिर्मुख ही देखता है (यद्यपि यह एक रोचक बात है कि वह भी गुफा में छायाएँ देखने की अनुरूपता में ज्ञान का स्वरूप विषय से निवर्तन में ही देखता प्रतीत होता है। किन्तु वास्तव में यह निवर्तन एक भिन्न स्तरीय विषयोन्मुख प्रवर्तन ही है) और दर्शन का आरम्भ-बिन्दु परिपृच्छा में नहीं देख कर जिज्ञासा में देखता है, जिसका अर्थ है कि वह बुद्धि-व्यापार को वस्तु-साक्षात्कार में पर्यवसायी मानता है। किन्तु बुद्धि बहिर्मुख वृत्ति में भी, अपने धर्म में रहते हुए, अपने व्यापार का पर्यवसान देख सकती है या नहीं, यह एक विचारणीय बात है। हमने पीछे देखा कि बुद्धि विकल्पात्मक-द्वन्द्वात्मक है, तब यह किस प्रकार सम्भव है कि वह : बुद्धि : अखण्ड सत् : दि गुड (परम शिव) : का साक्षात्कार कर सके?

वास्तव में प्लेटो बुद्धि को द्वन्द्वात्मक नहीं देख कर ऐन्द्रिय विषयों को सापेक्ष और इस प्रकार द्वन्द्वात्मक देखता है और उनके विपरीत बुद्धि-विषयों को निरपेक्ष और निरस्त-द्वन्द्व सत्ताओं के रूप में देखता है। **पार्मेनिडीज़ संवाद** में वह कहता है कि मेरा निर्धारण 'एक' और 'अनेक' दोनों प्रकार से किया जा सकता है : अंगों के संघात के रूप में या दैहिक सम्बन्धों के प्रसंग में मैं 'अनेक हूँ' और यहाँ बैठे सात व्यक्तियों में से 'एक' के रूप में 'एक' हूँ। किन्तु यदि कोई 'अनुरूपता', 'भिन्नता' आदि प्रत्ययगम्य वस्तुओं (आइडियाज़) के सम्बन्ध में यह कहे कि ये भी द्वन्द्वात्मक या सापेक्ष वस्तुएँ हैं, तो आश्चर्य होना स्वाभाविक है। इसी प्रकार, वह सुन्दर वस्तु (विषय) और सौन्दर्य-तत्त्व (आइडिया ऑफ ब्यूटी) में, अथवा लम्बे और नाटे व्यक्तियों तथा लम्बाई और नाटेपन के तत्त्व (वस्तु) में भेद करता है, और प्रथम को सापेक्ष या द्वन्द्वात्मक अवधारणाएँ और दूसरे को निरपेक्ष वस्तुएँ या सत्ताएँ कहता है। इसी प्रकार **सोफिस्ट** संवाद में वह कहता है कि सत् (बींग) अपने को सत् और असत् (नान-बींग) दोनों में घटित करता है, किन्तु जो इस प्रकार दोनों में घटित होता है वह सत् और असत् दोनों से विलक्षण है। बुद्धि के सम्बन्ध में यह मत स्पष्टत: बौद्ध मत से मूलत: विपरीत है, जिसके अनुसार बुद्धि ऐन्द्रिक अथवा अतीन्द्रिय प्रत्यक्ष द्वारा ग्राह्य विषयों का साक्षात् नहीं कर विकल्प-द्वन्द्वों : सापेक्षताओं : की सृष्टि करती है और उनका सत् पर आरोप करती है। यह मत दार्शनिकों में किसी-न-किसी प्रकार बहुत व्यापक रूप से स्वीकृत है। किन्तु यदि यह सही है तो दर्शन के लिए, उसके बुद्धिमूलक होने से, कोई अवकाश नहीं रह जाता, अथवा केवल आत्म-निराकरण ही एकमात्र कर्त्तव्य रह जाता है, जैसाकि साँख्य और विट्गिंस्टाईन (ट्रक्टेटस में) अपने-अपने ढंग से प्रतिपादित भी करते हैं, नागार्जुन के **मध्यमक शास्त्र** और **विग्रह-व्यावर्तनी** का तो यह एकमात्र प्रतिपाद्य है ही। किन्तु यदि चैतन्य अपनी सभी विधाओं में विषयोन्मुख ही है, जैसाकि फिनोमिलोज़ीवादी दार्शनिक मानते हैं, तब भी दर्शन के लिए कोई उचित अवकाश नहीं रह जाता, क्योंकि विषय की व्यवस्था देना विज्ञान का कार्य है। डेकार्टीय आत्मोन्मुखता में भी दर्शन के लिए अधिक अवकाश नहीं है, क्योंकि उसका बौद्धिक चैतन्य अधिक-से-अधिक मनुष्य की व्यक्तिगत सत्ता का प्रापक ही हो सकता है, वह भी आत्मोन्मुख

---

1. डेकार्ट — **फिलॉसफीकल राइटिंग्ज़,** पृ. 230, सं. तथा अंग्रेजी अनुवाद, नार्मन केंपस्मिथ, मॉडर्न लाइब्रेरी, न्यूयार्क, 1958.

वृत्ति के बहिर्मुख पुन: प्रवर्तन में ही, और इस प्रवर्तन के साथ ही वह एक ओर अपने विस्तार-धर्मी प्रत्ययों की व्याख्या के लिए ज्यामिति के पक्ष में दर्शन को छोड़ने के लिए बाध्य है और दूसरी ओर अपूर्णता के प्रत्यय की, जोकि उसके आत्म-साक्षात्कार का अन्तर्गत प्रत्यय है, व्याख्या के लिए उसे ईश्वर-विज्ञान (थियोलोज़ी) के पक्ष में छोड़ने को बाध्य है। किन्तु बुद्धि के स्वरूप के सम्बन्ध में ये तीनों प्रकार की अवधारणाएँ युक्त नहीं हैं।

चैतन्य की आत्मोन्मुखता

चैतन्य में वास्तव में विषयोन्मुख और आत्मोन्मुख दो विपरीत दिशाओं में गति देखी जा सकती है। विषयोन्मुखता की पराकाष्ठा इन्द्रिय-वृत्ति में मिलती है, जिसमें विषय और विषयी के बीच अव्यवहितत्व रहता है। इसमें चैतन्य अपने विषय का अपनी वृत्ति के अनुसार आक्षेप कर उससे अवियोज्य रूप से सम्बद्ध हो जाता है। पाशव स्तर पर चैतन्य इसी अवस्था में मिलता है, यद्यपि इसमें भी चैतन्य द्वारा विषय से विमुख होने का प्रयत्न जैविक विकास-क्रम के रूप में देखा जा सकता है। बौद्धों या अनुभववादियों का निर्विकल्पक प्रत्यक्ष जिस स्वलक्षण का साक्षात्कार करता है वह वास्तव में विषय से पूर्णत: वियुक्त बौद्धिक चैतन्य द्वारा वस्तु-निर्धारण है, चैतन्य और विषय : वस्तु : का अव्यवहित संयोग नहीं है, जैसाकि हम आगे देखेंगे। मनुष्य के स्तर पर विषय और विषयी के बीच सम्बन्ध व्यवहित हो जाता है। यह व्यवधान विकल्पात्मक नहीं है, जैसाकि बौद्ध, अनुभववादी या कांट प्रभृति दार्शनिक समझते हैं, बल्कि यह चैतन्य की आत्मोन्मुख वृत्ति द्वारा अपने भीतर घटित विस्फोट-जन्य है, जिससे यह अपने को विषय से विच्छिन्न कर उसे प्रेक्षणीय और अपने को प्रेक्षक रूप में स्थापित करता है। इस विच्छेद के साथ इन्द्रिय-विषय विकल्प-विषय से भी व्यवहित हो जाता है, जो पुन: विषय ही है। किन्तु यह विषय बुद्धि-गोचर है और इसकी विषयता इन्द्रिय-विषय की विषयता से सर्वथा भिन्न प्रकार की होती है। किन्तु इसका अर्थ यह नहीं है कि इन्द्रिय-विषय वस्तुमूलक और बौद्धिक विषय काल्पनिक होता है, जैसाकि दिङ्नाग, कांट और अनुभववादी समझते हैं। सच बात यह है कि दिङ्नाग आदि जिसे निर्विकल्पक प्रतिभास कहते हैं वह इन्द्रिय-विषय नहीं है, जैसाकि हमने अभी देखा है।[1] इसके विपरीत वह प्रत्यङ्मुख चैतन्य के प्रेक्षक-भाव की पराकाष्ठा की शुद्धता में अवस्थित होता है। किन्तु इन्द्रिय-विषय की शुद्ध प्रेक्षणीयता न केवल ऐन्द्रिक चैतन्यमूलक नहीं होती अपितु वह इस अर्थ में निर्विकल्पक भी नहीं होती कि उसे बुद्धि-अतीत चैतन्य की विषयता कहा जाये, वह केवल इस अर्थ में निर्विकल्पक होती है कि उसमें बुद्धि चैतन्य के आत्मोन्मुख अभिक्रम में अपने विकल्पों का भी अवलोकन कर उनके परे देखती है। और इसी कारण शुद्ध विषयता की यह दृष्टि दर्शन के ही अन्तर्गत है, यद्यपि विषय की इस शुद्धता की दृष्टि को अधिगत करने में निहित प्रयत्न योग है जो दर्शन का अनुसरण करता है और अनुक्रमश: दर्शन का सहायक होता है।

यह निर्विकल्पक विषय ऐन्द्रिक नहीं होता, यह इस बात से देखा जा सकता है कि यह संवेद से, जोकि इसका मूल ग्राहक : विषयी : है, और काल से, जोकि संवेद का अनिवार्य धर्म है, मुक्त होकर निरालम्ब सत् में प्रतिष्ठित होता है। अवश्य बौद्धों ने इसे काल-धर्म से मुक्त नहीं किया, किन्तु तब उन्होंने निर्विकल्पक प्रेक्षक को भी उसी काल में स्थापित कर उसे कालातीत बना दिया। इस विषय और विषयी दोनों का काल उनके अनुसार नितान्त क्षणिक : सद्य: उत्पन्न-विनष्ट : है, इससे इसका और समर्थन होता है।

किन्तु निर्विकल्पकता की यह साधना केवल इन्द्रिय-विषय का परमार्थ स्वरूप अधिगत करने के लिए ही प्रयोजनीय नहीं होती, वास्तव में यह सिद्धि अपने आपमें कुछ सिद्ध भी नहीं कर सकती। यह साधना वास्तव में चैतन्य के उस आत्मोन्मुख निवर्तन के अन्तर्गत ही प्रयोजनीय होती है जो ऐन्द्रिय के ऊपर बौद्धिक विकल्पों का साक्षात्कार करती है। ऐन्द्रिय विषयों के समान बौद्धिक विकल्प भी विषय ही होते हैं और चेतना को उसी प्रकार पराङ्मुख रखते और बाँधते हैं जिस प्रकार ऐन्द्रिय विषय, किन्तु ये अपने अर्थों में जटिल और गम्भीर होते हैं।

1. इस पर विशेष के लिए द्रष्टव्य यशदेव शल्य — **ज्ञान और सत्,** अ. 2, (राजकमल प्रकाशन, दिल्ली, 1967)।

और बुद्धि का उन्मेष चैतन्य की निवर्तनोन्मुख वृत्ति के क्रम में होने के कारण इनमें प्रेक्षणीयता की न्यूनाधिक शुद्धता स्वरूपत: रहती है, जिसका अर्थ है कि इनके विषयी : बुद्धि : में प्रेक्षकत्व की न्यूनाधिक शुद्धता रहती है जो इन्द्रिय-विषयों में स्वरूपत: अनुपस्थित होती है। किन्तु विषय के रूप में इनकी : बुद्धि-विषयों की : विशेषता इनकी प्रेक्ष्यता, पारदर्शिता-द्वन्द्वात्मकता, विमृश्यता, अदेश-कालिकता और मननीयता होती है। इनमें से कोई भी लक्षण इन्द्रिय-विषय में नहीं रहता। उसमें इनमें से कोई भी लक्षण होने का अर्थ है कि वह विकल्प से अनुप्रविष्ट है। इस प्रकार निर्विकल्पक ऐन्द्रिय प्रत्यक्ष : संवेद-प्रदत्त : में कम-से-कम तीन लक्षण विकल्पमूलक रहते हैं—द्वन्द्वात्मकता, प्रेक्ष्यता और अकालिकता। कांट ने तो अदैशिकता को भी स्वलक्षण का धर्म माना है, किन्तु दिङ्नाग ने ऐसा नहीं माना है।

यहाँ इन लक्षणों की व्याख्या देना उचित होगा—

1. द्वन्द्वात्मकता का अर्थ भाव और अभाव दोनों से युगपत् परिभाषित होना है। इस प्रकार बुद्धि अपने किसी भी विषय का विनिश्चय भाव और अभाव दोनों से एक-साथ करती है। यहाँ द्रष्टव्य है कि शान्तरक्षित ने स्वलक्षण को सर्वतोव्यावृत्त : अर्थात् ऐसा भाव जो अन्य सबमें अभाव रूप से उपपन्न है : कहा है। किन्तु वास्तव में यह परिभाषा बौद्धों के अनुसार किसी भी शब्द-वाच्य विषय की है, स्वलक्षण की ही नहीं। इनमें भेद इस प्रकार किया जा सकता है कि द्वन्द्वात्मकता स्वप्रकाशित अन्यव्यावृत्ति है जो केवल विकल्प-विषय में ही सम्भव है, स्वलक्षण में अन्यव्यावृत्ति अप्रकाशित रहती है, क्योंकि स्वलक्षण में अन्य का कोई प्रसंग नहीं रह सकता। अन्य का या अन्य से व्यावर्तन का प्रकाशन केवल वहीं हो सकता है जहाँ विषय का ग्रहण अन्यापेक्षापूर्वक हो। अन्य-व्यावृत्ति का कारण ग्रहण की औपाधिकता है, उपहित चैतन्य अनिवार्यत: बाँट कर ग्रहण करता है। इस प्रकार रूप का ग्रहण रूप-विशेष का ग्रहण ही हो सकता है : नील वर्ण प्रकाश किरणों का एक विशेष तरंग-दैर्ध्य में ग्रहण है, अविभक्त तरंगता का ग्रहण नहीं है। कोई भी ग्रहण उपाधि के बिना सम्भव नहीं है। किन्तु यह औपाधिकता केवल बौद्धिक ग्रहण में ही आत्म-प्रकाशित होकर द्वन्द्वात्मकता का रूप लेती है : 'वह राम है' में 'यह' का, 'अ-राम' का और 'था' तथा 'होगा' का व्यावर्तन उद्घोषित रहता है। और भाव तथा अभाव के द्वन्द्व का यह स्वप्रकाशन एक ओर अविभक्त को विभक्त कर नवीन तथा अतर्क्य अर्थों के वैभव को उत्सृष्ट करता है और दूसरी ओर इन अर्थों की औपाधिकता को देख कर अखण्ड : निरुपाधिक : में अपना अतिक्रमण करता है। 'एकोऽहं बहु स्याम' अथवा 'पुरुष विमोक्ष निमित्तं प्रवृत्ति: प्रधानस्य'[1] का यही अर्थ है। इसे उदाहरण द्वारा स्पष्ट करना उपयुक्त होगा—रसना भूत तत्त्व की पाँच में से एक उपाधि का विषयाक्षेप और विषयावधारण करती है, किन्तु इन्द्रिय-वृत्तिक चैतन्य का यह अवधारण : ग्रहण : अपनी औपाधिकता का ग्रहण नहीं कर सकता। बुद्धि इस ऐन्द्रिक ग्रहण को स्वप्रकाशित विकल्प-द्वन्द्वों में विभक्त कर पाकशास्त्र के रूप में विभाजन : विमर्श : के एक-दूसरे आयाम की सृष्टि करती है जो एक ओर रस-ग्रहण में निहित अनुद्भिन्न अर्थों को उद्भिन्न करता है और दूसरी ओर इन असंख्य उपाधियों का एक व्यवस्था में समाहार कर इनके परे रस की सर्वसमावेशी अखण्ड एकता का आभास देखता है। यही विमर्श है। यहाँ यह स्पष्ट कर देना आवश्यक है कि विकल्प-ग्राह्य ये अर्थ उतने ही 'वस्तुगत' होते हैं जितना संवेदग्राह्य अर्थ : रस : है।

2. बौद्धिक प्रत्यय अदेश-कालिक होते हैं, यह सम्भवत: विवाद-विषय नहीं होगा, किन्तु इसके स्वरूपकी व्याख्या यहाँ प्रासंगिक होगी। सर्वप्रथम, 'कोई विषय अदेश-कालिक है' इसे स्वीकार करने का अर्थ है यह स्वीकार करना कि देश-काल अस्तित्व के लिए अनिवार्य नहीं हैं। किन्तु इसी आधार पर यह भी कहा जा सकता है कि जो विषय देश-काल, अथवा देश या काल में नहीं हैं वे अस्तित्ववान् नहीं हैं। वास्तव में यह दूसरा मत ही लोक-प्रसिद्ध है और विज्ञान-सम्मत मत है। जाति (सामान्य) की सत्ता की अस्वीकृति के मूल में भी वास्तव में यही धारणा है। किन्तु किसी प्रज्ञप्ति (प्रेपोज़ीशन) को लें, जैसे 'देश भौतिक वस्तु का अनिवार्य घटक

1. ईश्वरकृष्ण — **सांख्यकारिका,** 57.

है।' इस का विज्ञाप्य या विषय देश या काल में नहीं है। इसी प्रकार, 'प्रत्येक वस्तु भाव और अभाव दोनों से एक-साथ निर्धारित होती है' का विषय भी अदेश-कालिक है। अब यह कहना कि इन प्रज्ञप्तों का अस्तित्व नहीं है, 'अस्तित्व' को देश-काल से परिभाषित करना ही होगा, यह दिखाना नहीं कि अस्तित्व के लिए देश-काल अनिवार्य हैं। वास्तव में प्लेटो के नीलिमा, लम्बाई आदि प्रत्यय-विषयों (आइडिया) को भी इसी अर्थ में समझना चाहिए, न्याय दर्शन की जातियों के अर्थ में नहीं, जो विशेष वस्तुओं में रहती हैं। ये प्रत्यय वास्तव में गोचर विषयों के आधार और लक्ष्य : भाव और भाव्य : दोनों हैं, इनसे और इनमें निर्धार्य नहीं हैं। किन्तु यहाँ कहा जा सकता है कि विषय होना एक बात है और अस्तित्ववान् होना दूसरी बात, इस प्रकार, प्रत्यय : बुद्धि-विषय और प्रज्ञप्तियाँ : विषय हो सकती हैं, किन्तु इसका अर्थ यह नहीं है कि इनका अस्तित्व भी माना जाये। किन्तु यदि यह प्रस्ताव स्वीकार किया जाता है तो एक ऐसी कोटि माननी होगी जो दैशिक-कालिक विषयों और अदैशिक-अकालिक विषयों दोनों का समावेश करे। 'सत्' ऐसी कोटि हो सकती है। स्वभावत: इस प्रस्ताव को स्वीकार करने में हमें कोई आपत्ति नहीं होगी। किन्तु यदि कोई यह कहता है कि प्रत्यय-विषय विषयिनिष्ठ कल्पनाएँ हैं तो उसका उत्तर यह है कि यदि ऐसा हो तो प्रत्यय-विषय के सम्बन्ध में सहमति और मतभेद नहीं हो सकते और न उनका ग्रहण पर्याप्त-अपर्याप्त अथवा न्यूनाधिक पूर्ण होने की बात कही जा सकती है। किन्तु प्रत्यय-विषयों के सम्बन्ध में ही यह वस्तुस्थिति है कि उनका अवगाहन करने के क्रम में सन्ततियों और सम्प्रदायों का निर्माण होता है।

इस प्रकार अदेश-कालिक वस्तुओं की सत्ता स्वीकार करने में कोई कठिनाई नहीं होनी चाहिए। और एक बार यह देख लेने पर यह देखने में भी कोई बाधा नहीं रहती कि बौद्धिक चैतन्य : बुद्धि-रूप उपाधि में व्यक्त चैतन्य : के लिए व्यक्ति-रूप उपाधि अनिवार्य नहीं है। वैसे तो बुद्धि-विषय : प्रत्यय : की उपर्युक्त अनवगाह्यता इस बात की द्योतक होनी चाहिए कि इसकी ग्राहक व्यक्ति-चेतना में ही वैयक्तिक अहंकारोपाधि की सीमाओं का अतिक्रमण विद्यमान रहता है, किन्तु अतिवैयक्तिक बुद्धि की विद्यमानता इससे स्वतन्त्र देखी जा सकती है—प्रतीक-व्यवस्था के रूप में और प्रतीक-व्यवस्था के आधार के रूप में। वास्तव में इन दोनों में तब कोई भेद नहीं रह जाता यदि इनके अणुओं : शब्दों या वाक्यों : को आकुंचन द्वारा उस अर्थ की अभिव्यक्ति करते देखें जो इनमें अभिव्यक्त होने के साथ ही इनके किनारों से उत्प्लवित हो जाते हैं। इतर-व्यावृत्ति वास्तव में इस आकुंचन और उत्प्लवन के तथ्य की ही द्योतक है। 'यह घट है' वाक्य घटसामान्य, भौतिक वस्तुत्व, वस्तुत्वसामान्य, अवस्तुत्वसामान्य, इस लघु देश-विस्तार से भिन्न सम्पूर्ण देश, इस काल-क्षण से इतर सम्पूर्ण काल इस सबका व्यावर्तन कर एक वाच्य अर्थ का बोध कराता है। किन्तु यह व्यावर्तन-क्रिया अपने इस कर्म के बोध से उद्भासित होती है और इस प्रकार यह वाक्य उस भाषा का अविभाज्य अंग बनता है जो उन सब वाक्यों को धारण करती है जो इससे व्यावृत्त होते हैं। यहाँ 'काल', 'वस्तुत्व' आदि पद भाषा-कल्पित रूपों में ही अभिप्रेत हैं। यहाँ प्रसंगत: यह कहना भी उपयुक्त होगा कि स्वयं एक भाषा भी वाक्-तत्त्व का आकुंचन है, उपाधि है, और वास्तव में यह अभिव्यक्ति मात्र का स्वरूप है कि वह अकुंचित : निरुपाधिक : में आकुंचन द्वारा उत्पन्न होती है। यह केवल एक रहस्यात्मक कल्पना नहीं है, यह एक भाषा से दूसरी भाषा में अनुवाद की सम्भावना से भी सिद्ध है। एक प्रतीक-व्यवस्था के रूप में एक भाषा अपने-आप में एक अपूर्ण गत्यात्मक वृत्त होती है जिसके भीतर के सभी अंश उस वृत्त की गतिमान वर्तुलता से अन्त:प्रविष्ट रहते हैं। इस कारण किन्हीं भी दो स्वतन्त्र भाषाओं के वाच्य समान नहीं हो सकते। किन्तु तब भी एक भाषा से दूसरी भाषा में अनुवाद सम्भव है। कुछ विचारक अवश्य अनुवाद को सम्भव नहीं मानते,[1] किन्तु यदि अनुवाद को पूर्णत: सम्भव नहीं भी मानें तो भी यह बहुत सीमा तक तो सम्भव होता ही है। किन्तु आधार-भाषा (डीप ग्रामर), जो परावाक् में अपने आधार का संकेत करती है, के अस्तित्व को सिद्ध करने के लिए अनुवाद की सम्भावना को स्वीकार करना भी आवश्यक नहीं है। यह अस्तित्व उस विचारक के अस्तित्व से ही सिद्ध होता है जो दो भाषाओं को देख कर उनमें परस्पर अनुवाद की असम्भावना

1. ली ह्वोर और विल्लर्ड वान् ओर्मान् क्वाइन इस मत के प्रमुख प्रतिपादक हैं। ओस्वाल्ड स्पेंग्लर दो संस्कृतियों को भी सर्वथा पृथक् वृत्तों के रूप में देखता है, जिनके सम्पूर्ण ग्रहण, चिन्तन और कल्पना-विधाएँ ही सर्वथा भिन्न और परस्पर असंवादी होती हैं।

देखता है, क्योंकि वह उन भाषाओं की उपाधियों के रूप और उन उपाधियों में संकुचित अर्थों में उन विशिष्ट वाच्य-रूपों का उत्प्लवन करने की असामर्थ्य को देखता है और इस प्रकार उस मूल अर्थ का भावन करता है जो इन आकुंचनों में आकर भाषा का रूप लेता है। इस प्रकार भाषा तीन स्तरयी अस्तित्व को, दूसरे शब्दों में भिन्न-भिन्न स्तरों के तीन अस्तित्वों : वैयक्तिक अहंकारोपाधिमूलक प्रतीकव्यवस्था, निर्वैयक्तिक अहंकारोपाधिमूलक प्रतीकव्यवस्था और निरहंकार बुद्ध्युपाधिमूलक वाक्-तत्त्व[1] को प्रकट करती है। किन्तु यदि इस तीसरे स्तर को छोड़ भी दें तो भी वास्तविक भाषाओं के रूप में व्यक्त्युत्तर बुद्धि का अस्तित्व असन्दिग्ध है, ठीक इसी प्रकार कला-रूपों, दर्शन-व्यवस्थाओं, संस्कृतियों आदि के रूप में अन्य प्रकारक व्यक्त्युत्तर उपाधियों का अस्तित्व भी असन्दिग्ध है। यहाँ प्रश्न हो सकता है कि इनका अदेश-कालिकता से क्या सम्बन्ध है? क्योंकि देश और काल दोनों इनके अस्तित्व के घटक होते हैं। किन्तु यह सही नहीं है। उदाहरण के रूप में भाषा को ही लें—किसी भाषा का देश और काल त्रिकाल में और सर्वत्र बोले और लिखे गए वाक्यों में विद्यमान कहा जा सकता है। किन्तु ये भाषा के 'संसारावतरण' के लिए अनिवार्य होने पर भी उसके स्वरूप से अभिन्न नहीं हैं, जैसाकि इस बात से देखा जा सकता है कि बोले और लिखे वाक्यों की संख्या और काल-विस्तार किसी परिमाण को तो बताते हैं किन्तु भाषा के परिमाण को नहीं बताते, क्योंकि 'भाषा का परिमाण' इस पद का कोई संगत अर्थ ही नहीं हो सकता।

यहाँ यह उल्लेखनीय है कि चैतन्य के ये अतिवैयक्तिक स्तर चैतन्य के आत्मोन्मुख निवर्तन के उस प्रथम चरण में ही आविर्भूत हो जाते हैं जिसमें वह विषय को प्रेक्ष्य रूप में अपने से पृथक् स्थापित कर देता है। अब, वह अपने ग्रहण या अपने विषयावधारण में ही अतिवैयक्तिक नहीं होता बल्कि इसके अनुरूप इसके विषय भी अतिवैयक्तिक या सामान्य होते हैं। इसके विपरीत विषयाविष्ट (पाशव) चैतन्य के विषय वैयक्तिक ही नहीं आणविक भी होते हैं। इसलिए उसे सामान्य विषय तो गम्य होते ही नहीं उसके लिए ऐन्द्रिक विषयों का विस्तार भी सद्य: प्रदत्त से आगे नहीं होता। ये प्रस्तुत प्रदत्त में ही निश्शेष हो जाते हैं। इसके विपरीत मानवीय चैतन्य : आत्मचेतन चेतना : को प्रस्तुत ऐन्द्रिय विषय भी परिप्रेक्ष्यात्मक होते हैं, अर्थात् प्रस्तुत प्रदत्त इन विषयों के एक पक्ष के रूप में असंख्य पक्षों की सापेक्षता में अवस्थित होता है और ये अन्य पक्ष वास्तव या सम्भाव्य अन्य द्रष्टाओं के समाज का आक्षेप करते हैं। इस प्रकार इन विषयों की विषयिता या सामान्यविषयिनिष्ठता विषय के निरपेक्ष वस्तुत्व का चैतन्य में निर्भासन नहीं है बल्कि यह स्वयं चैतन्य का आत्मोन्मुख निवर्तन में विषय-ग्रहण है, जो विषय-पक्ष में विषय-निष्ठता को और विषयि-पक्ष में अतिवैयक्तिकता : सार्वजनीनता : को आविर्भूत करता है। निवर्तित चैतन्य के इसी स्तर पर भाषा, विज्ञान, कला, धर्म, नीति आदि का आविर्भाव होता है। ये आत्मोन्मुख निवर्तन के और आगे के चरण हैं जिनमें विषयावधारण के विषयी : भाषा, विज्ञान, कला, धर्म-व्यवस्था नीति-व्यवस्था आदि : विषय बनते हैं और व्यापकतर विषय-दृष्टि को प्रस्तुत होते हैं। ये विषयभूत विषयी कम विषयनिष्ठ नहीं होते बल्कि अधिक विषयनिष्ठ होते हैं, क्योंकि जैसा हमने पीछे देखा है, विषयता : विषय-तत्त्व : का आविर्भाव ही चैतन्य के विषय से निवर्तन के साथ होता है। परिणामस्वरूप चैतन्य जितना ही आत्मोन्मुख निवर्तित होता है उतना ही उसके विषयों का तत्त्व : तथता : परिशुद्ध होता है।

3. पारदर्शिता—इससे अभिप्राय है आकार और अन्तर्वस्तु की अन्योन्यात्मकता और परस्पर प्रकाशकता। भाषात्मक अभिव्यक्ति में यही विश्लेषणात्मक वाक्य का रूप ले लेता है। जिस सीमा तक कोई विषय अविश्लेषणात्मक है उसी सीमा तक वह अपारदर्शी है और परिणामत: उसी सीमा तक उसमें निवर्तनोन्मुखता के अन्य लक्षणों : विषयनिष्ठता आदि : का अभाव रहता है। 'यह मेज़ है' वाक्य में 'यह' और 'मेज़' का सम्बन्ध आगन्तुक है, 'यह' और 'मेज़' परस्पर प्रकाशक नहीं हैं, जबकि 'मेज़ देश-कालात्मक है' में 'मेज़' और

---

1. 'परावाक्' भर्तृहरि का पद है, जो शब्द-ब्रह्म को सृष्टि का मूल मानते हैं। मैं यहाँ भर्तृहरि का समर्थन नहीं कर रहा हूँ, क्योंकि मैं सब चिद्वृत्तियों को 'बौद्धिक' में अध्याहार्य नहीं मानता हूँ, और परावाक् को मैं पराबुद्धि : महत : का ही पर्याय मानना उचित समझता हूँ। सम्भव है भर्तृहरि के सम्बन्ध में कहा जाय कि उनका 'वाक्' शब्द परा-बुद्धि का पर्याय नहीं है, किन्तु तब मेरा प्रयोग भर्तृहरि के प्रयोग से भिन्न है, क्योंकि मैं इसका प्रयोग पराबुद्धि के अर्थ में ही कर रहा हूँ जो वाक् की मूल है।

'देशकालात्मक' में अन्योन्यात्मकता और परस्पर प्रकाशकता है और इस कारण यह विश्लेषणात्मक है। इसमें अपारदर्शिता इसके संवेदात्मक घटक के कारण है और इसी में इसकी विषयिनिष्ठता भी है। उदाहरणत: इसमें वाक्य की प्रमाणीकरणीयता का स्वरूप देखें—'यह अपेक्षित संवेदों के घटित होने के द्वारा प्रमाणीकरणीय है।' यह कथन एक पक्ष में विश्लेषणात्मक और दूसरे में संश्लेषणात्मक है। इसकी विश्लेषणात्मकता इसके आत्मोन्मुख पक्ष में है और संश्लेषणात्मकता बहिर्मुख पक्ष में है। अर्थात्, परिभाषा के रूप में यह विश्लेषणात्मक है और संवेदों के द्वारा प्रमाणता में संश्लेषणात्मक। प्रमाणापेक्षा का यह वास्तव संतोषन स्पष्टत: विषयिनिष्ठ भी है और अपारदर्शी भी, यह सन्दर्भ विषयनिष्ठ प्रामाणिकता का प्रकाश इस प्रज्ञप्ति के अन्तरोन्मुख अन्तर्भुक्त होकर ही प्राप्त करता है—संवेद प्रमाण का रूप परिभाषा के द्वारा ही प्राप्त करते हैं।

4. मननीयता—मनन का सन्दर्भ चैतन्य के ज्ञान-पक्ष में न होकर इच्छा-पक्ष में है। ज्ञान और इच्छा-पक्षों में भेद-ग्रहण भी वास्तव में चैतन्य की आत्मोन्मुख वृत्ति में ही होता है, विषय-वृत्तिक : विषयाविष्ट : चैतन्य समग्रत: विषय को समर्पित होता है। यह भी कहा जा सकता है कि चैतन्य का विषयोन्मुख सभी प्रकार का प्रवर्तन आत्म-सम्बद्ध अभाव की पूर्ति के प्रसंग में ही होता है, जगत् का मूल आविर्भाव अविद्या में देखने का सम्भवत: यही अर्थ है। किन्तु यहाँ यह प्रसंग विचार्य नहीं है। उदाहरणत: ज्ञान-पक्ष में रसना वस्तु का विनिश्चय मधुर के रूप में और इच्छा-पक्ष में सन्तोषक के रूप में करती है। किन्तु निवर्तित चैतन्य जब इस अभाव और इसकी पूर्ति के स्वरूप को विमर्श का विषय बनाता है तब वह मननात्मक होता है। इस प्रकार मननीय विषय इच्छित विषय नहीं बल्कि विषय से परिभाषित होता है : मननीय विषय भोजन नहीं, भोजन की आकांक्षा होती है : और क्योंकि इच्छा आत्म-सम्बद्ध अभाव है इसलिए अन्ततः आत्मा ही मनन का विषय होता है। इस प्रकार इच्छा मनन का विषय केवल निवर्तित चैतन्य के लिए ही बनती है। दूसरे शब्दों में, निवर्तित चैतन्य की विषयभूत इच्छा आत्म-सम्बद्ध अभाव के रूप में मननीय विषय होती है। किन्तु इच्छा ज्ञान का विषय भी बन सकती है और इसी प्रकार ज्ञान भी मनन का विषय बन सकता है, इसलिए इसमें 'मनन' का अर्थ स्पष्ट नहीं होता। वास्तव में, किसी भी वृत्ति के मनन का विषय होने के लिए उसका ज्ञान का विषय होना आवश्यक है, यही विषय आत्म-सम्बद्ध होकर मनन का विषय बनता है। यह बात ज्ञान की मननीयता का आशय समझ लेने पर और स्पष्ट होती है : ज्ञान आत्मोन्मुख निवर्तन में अपना विषयकरण करता है, किन्तु यही ज्ञान आत्म-सम्बद्ध रूप में : अन्वेष्य रूप में : मननीय विषय होता है। यहाँ यह उल्लेखनीय है कि मननविषयभूत ज्ञान अपने आकार से नहीं बल्कि अपने विषय से परिभाषित होता है। अर्थात् ज्ञान जब अन्तरोन्मुख वृत्ति में नहीं रहकर अपने विषय के साथ मनन के लिए प्रस्तुत होता है : क्या ज्ञातव्य है, यह प्रश्न मननीय होता है। यहाँ अन्तरोन्मुखता की वृत्ति मननात्मक होती है।

यहाँ 'आत्म-सम्बद्ध' पद में 'आत्म' का क्या अर्थ है? आत्म का यहाँ वही अर्थ है जो शंकर के 'मैं सन्देह करता हूँ' में 'मैं' का है। अर्थात् यह अहं-प्रत्यय है। किन्तु यह अहं-प्रत्यय तब मूलत: रूपान्तरित हो जाता है जब यह मननीय होता है। क्योंकि अब यह ज्ञान की अन्तरोन्मुख वृत्ति को विषय-रूप में प्रस्तुत अपना ही इतर और विषयि रूप में मात्र आकार नहीं रहता, बल्कि अब यह अपनी सभी वृत्तियों की अन्तर्वस्तु से परिभाषित होता हुआ इनसे अपने सम्बन्ध का विमर्श करता है। इस स्वरूप की प्रखरतम अभिव्यक्ति ऐसे पदों में होती है 'मो सम कौन कुटिल खल कामी', अथवा 'जानामि धर्मं न च मे प्रवृत्तिः, जानामि पापं न च मे निवृत्तिः', अथवा 'येनाहं नामृता स्याम, किमहं तेन कुर्याम्' आदि। जैसाकि देखा जा सकता है, इनमें आत्म उन अन्तर्वस्तुओं के साथ : इच्छाओं, कार्यों, अन्वेषणों के साथ : परिभाषित होता है जो ज्ञान में तटस्थ प्रेक्ष्य-विषय होती हैं। मनन को प्रदत्त इस विषय में भी द्वन्द्वात्मकता का स्वरूप भिन्न प्रकार का होता है। यह द्वन्द्व प्राप्त और अन्वेष्य, सिद्ध और साध्य तथा हेय और उपादेय रूप होता है। जो भी विषय इस द्वन्द्वात्मकता के साथ प्रस्तुत होते हैं वे सब आत्म-सम्बद्ध अभाव के बोध में जन्म लेते हैं और चैतन्य की मननात्मक प्रत्यङ्मुखता को प्रस्तुत होते हैं। किन्तु क्योंकि यह प्रस्तुति ज्ञानवृत्तिक चैतन्य को नहीं होती इसलिए यह प्रेक्षण-प्रेक्ष्यात्मक, अथवा विषयि-विषय-रूप भी नहीं होती। किन्तु इसका यह अर्थ नहीं कि यह विषयिनिष्ठ होती है। वास्तव में 'विषयनिष्ठता-विषयिनिष्ठता'

आदि पदों का प्रयोग प्राय: अविचारपूर्वक ही होता है। जैसाकि हमने पीछे देखा, विषयनिष्ठता वास्तव में विषय-मुक्त अन्तरोन्मुख चैतन्य के विषयकरण-व्यापार का फल होती है और विषय की सार्वजनीनता : सामान्यता : इस वृत्ति को प्राप्त चैतन्य द्वारा आणविक-वैयक्तिक उपाधियों के अतिक्रमण का फल होती है, जबकि इच्छा व्यक्तिनिष्ठ : विषयिनिष्ठ : होती है। किन्तु संवेद उससे भी अधिक विषयिनिष्ठ होता है। परिणामत: गोचर घट गोचरता की सम्भावनाओं का अधिष्ठानभूत सार्वजनीन घट नहीं होता। इसके विपरीत वास्तव में गोचर घट अन्तरोन्मुख चैतन्य के माध्यम से द्रष्टा के लिए सार्वजनीन घट-विषयक संकेत बनता है। लोक-बुद्धि गोचरता को सत् से अभिन्न नहीं तो सत् की कसौटी तो मानती ही है, उसी के अनुसरण में बहुत-से दार्शनिक बुद्धिगम्य और विवेकगम्य विषयों को विकल्पमात्र और इन्द्रियगम्य विषयों को सद्वस्तु मानते हैं। इस सम्बन्ध में हम अभी विचार करेंगे, किन्तु यह तो कोई भी अस्वीकार नहीं करना चाहेगा कि 'यह घट है' प्रज्ञप्ति से '2+2=4' प्रज्ञप्ति अधिक विषयनिष्ठ और इस प्रकार सार्वजनीन है। इस प्रकार 'विषयनिष्ठता' और 'गोचरता' पर्यायवाची तो नहीं ही हैं।

यहाँ यह स्मरणीय है कि 'विषयिनिष्ठता' और 'विषयनिष्ठता' पद यद्यपि विपरीतार्थक हैं किन्तु 'अविषयिनिष्ठता' पद 'विषयनिष्ठता' का समानार्थक नहीं है, जैसाकि हमारे उपर्युक्त विवेचन से स्पष्ट होना चाहिए, क्योंकि 'विषयनिष्ठता' केवल ज्ञानात्मक वृत्ति है। किन्तु मननात्मक वृत्ति के ज्ञानात्मक नहीं होने से इसके बोध विषयनिष्ठ नहीं होते, किन्तु अविषयिनिष्ठ : सार्वजनीन : होते हैं। इसके स्पष्टीकरण के लिए चैतन्य के व्यापार की एक अन्य विधा को यहाँ हम संक्षेपत: देखेंगे, जो विषयिता में अधिष्ठित होकर भी विषयिनिष्ठ नहीं होती, यद्यपि यह विषयनिष्ठ भी नहीं होती। यह विधा काव्य-कलाओं में व्यक्त होती है। इस विधा में चैतन्य आत्मोन्मुख वृत्ति में विषयनिष्ठ वृत्तियों : इच्छा, उद्वेग, उत्कण्ठा आदि : का विषयिनिष्ठ-सामान्य के रूप में अवबोधन करता है और इसी रूप में उसे ऐन्द्रिक माध्यम से अभिव्यक्ति देता है। इसी से कविता, चित्र, गान आदि प्रज्ञप्त्यात्मक (प्रेपोज़ीश्नल) नहीं होते किन्तु तब भी वे चीत्कार-रूप या आह-रूप, अर्थात् व्यक्तिनिष्ठ-आणविक, भी नहीं होते, बल्कि वे अन्त:प्रगल्भ-अभिव्यंजनात्मक आकृति-रूप होते हैं।

किन्तु मनन या मूल्य-विमर्श विषयिनिष्ठ का सामान्यात्मक अवगमन भी नहीं होता, जैसाकि वह विषयनिष्ठ का सामान्यात्मक अवगमन नहीं होता। इस बोध में एषणाएँ : ऐन्द्रिक और मानसिक आकांक्षाएँ : न तो ज्ञान-विषय के रूप में अवधार्य होती हैं, जैसी वे मनोविज्ञान में होती हैं, और न विषयिनिष्ठ-सामान्यों के रूप में अबोध्य, जैसी वे काव्य-कलाओं में होती हैं; बल्कि आत्म-सम्बद्ध अर्थों के संकेतों के रूप में मननीय होती हैं। क्योंकि इच्छाएँ-एषणाएँ अभाव की संकेत और पूर्ति के लिए प्रेरक-रूप होती हैं इसलिए मनन सिद्ध-साध्य का सन्दर्भ होता है, वस्तु-अवस्तु का नहीं।

यहाँ 'आत्म-सम्बद्ध' पद से व्यक्तिनिष्ठता को उपपन्न मानकर आपत्ति की जा सकती है कि नैतिक मूल्य अनिवार्यत: सामाजिक : परम्परा और विधानमूलक : और अन्य- व्यक्तिविषयक होते हैं, तब उपर्युक्त विवेचन इन मूल्यों का आकलन किस प्रकार करेगा? किन्तु यह आपत्ति नैतिक मूल्य और समाज दोनों के सम्बन्ध में भ्रान्ति पर आधारित है। नैतिकता अपने कर्म के प्रति अपने हृदय की शुद्धता में निहित होती है, फिर चाहे उसका विषय अन्य व्यक्ति या व्यक्ति-समुदाय हो अथवा कर्त्ता का अपना नितान्त निजी प्रसंग। इससे परम्परा या विधानमूलकता के सिद्धान्त का भी निषेध हो जाता है। उदाहरणत: अन्य व्यक्ति द्वारा कर्त्ता के प्रति अत्याचार होने पर उसे उसके प्रति कैसा व्यवहार करना चाहिए यह न तो सामाजिक विधि-विधान के नियमों से जाना जा सकता है और न इस बात से कि इससे सामाजिक व्यवस्था पर क्या प्रभाव पड़ेगा। यह जानने के लिए कर्त्ता का केवल यह देखना ही अपेक्षित होता है कि वह स्वार्थ और काम-क्रोधादि आवेगों से मुक्त होकर कार्य कर रहा है या नहीं? इस प्रकार आत्मा ही नैतिक कर्म के लिए प्रमाण होता है। स्पष्टत: यह आत्मा अहंपरक-स्वमूलक नहीं होता, क्योंकि इसमें इसीसे मुक्ति अपेक्षित होती है, और न यह उपर्युक्त अर्थ में समाजपरक होता है।

इस प्रकार यहाँ 'आत्म-सम्बद्धता' का अर्थ 'व्यक्तिपरकता' नहीं है, इसमें व्यक्ति-समाज ये कोटियाँ ही अप्रासंगिक हैं। यहाँ 'आत्म' का अर्थ व्यक्ति-स्वयं नहीं है, इसी से समाज का भी यहाँ कोई प्रसंग नहीं है। चैतन्य

का आत्मोन्मुख किसी भी प्रकार का प्रवर्तन : वह ज्ञानात्मक हो, कलात्मक हो, या मननात्मक हो : आणविकता का अतिक्रमण करता है : ज्ञान में विषयिनिष्ठता का, कला में वैयक्तिक विषयिता का और मनन में एषणाओं का। इसी से जो लोग आध्यात्मिक मूल्यान्वेषण : जैसे भक्ति या साधना : को व्यक्तिपरक समझते हैं वे 'आत्म' और 'व्यक्ति' को एक समझने की भूल करते हैं। वास्तव में भक्ति ईश्वर में, मोक्ष निरुपाधिक चैतन्य में और नीति समाज में वैयक्तिक अहंकार के अतिक्रमण की साधना है, ठीक उसी प्रकार जिस प्रकार ज्ञान वस्तु-तत्त्व में वैयक्तिक अहंकार के अतिक्रमण की साधना है।

किन्तु चैतन्य की इन आत्मोन्मुख विधाओं में से एक : ज्ञानात्मक : अन्य दो से मौलिक रूप से भिन्न कही जा सकती है। इसमें जबकि चैतन्य सत् के प्रकाशन द्वारा अपनी सिद्धि पाता है : सत्य बनता है : शेष दो में वह अपने ही निहितार्थों का व्याख्यान करता है। किन्तु यहाँ विचारणीय है कि 'ज्ञान द्वारा सत् के प्रकाशन' का क्या अर्थ है? क्या ज्ञान सत् नहीं है? यदि वह सत् नहीं है तो फिर वह प्रकाशन कैसे करेगा? तब क्या यह नहीं कहना चाहिए कि केवल सत् ही है और प्रकाशन उसके लिए अप्रासांगिक है? भौतिकवाद इसी प्रस्थापना का नामान्तर है। इसके अनुसार, प्रकाशकत्व का सत् ही में से, प्रकाश-निरपेक्ष प्रक्रियाओं के द्वारा ही, आविर्भाव होता है। किन्तु यदि यह मान भी लें तो भी आविर्भाव के पश्चात् तो यह प्रकाश ही होता है, अप्रकाशात्मक सत् नहीं है। भौतिकवादी इस प्रकाश को भी स्वरूपत: अप्रकाशात्म ही बताते हैं, जैसे रासायनिक क्रियाओं से उत्पन्न रासायनिक गुण को। किन्तु यह एक मौलिक दृष्टि-दोष है, क्योंकि यह प्रकाश 'सत्' से प्रतिमुख होकर उसे (सत् को) स्वरूपस्थित से प्रस्तुत और जिज्ञास्य बना देता है। इतना ही नहीं, इसके भीतर-बाहर 'असत्' को उत्पन्न कर इसकी अभेद्यता को खोखला बना देता है, वह इसे एक सम्भावना, सत्यापनीय वस्तु-कल्प, उससे भी आगे व्यंग्यार्थ-उत्प्रेक्षात्मक का रूप दे देता है। इसलिए इसे रासायनिक गुण कहना इसके स्वरूप को समझने में असमर्थता प्रकट करना है। और यदि इसके स्वरूप का विवेक कर लिया जाये तो इससे कोई अन्तर नहीं पड़ता कि इसकी उत्पत्ति कब हुई—पहले अप्रकाशत्म सत् उत्पन्न हुआ या कि प्रकाश उत्पन्न हुआ? ये 'कब' और 'अब' काल-वाचक पद हैं जो सत् से सम्बद्ध नहीं हो सकते और प्रकाश के लिए ये केवल निर्धारक और उपाधि हैं।

किन्तु 'सत्' और 'प्रति-सत्' इन को दो मानने पर सर्वप्रथम समस्या इनके सम्बन्ध की होगी—क्या वे एक-दूसरे से सर्वथा निरपेक्ष हैं? या कि एक और दूसरा सापेक्ष हैं, या दोनों परस्पर सापेक्ष हैं? दर्शन के इतिहास में कोई योगदान नहीं करेंगे अपितु हम केवल इस द्वैत की स्वीकृति से सम्बन्धित एक दूसरी समस्या की ओर संकेत करेंगे। समस्या यह है कि हम सत् को कोई भी नाम कैसे दे सकते हैं? इसे 'भौतिक' कहना इन्द्रियोपाधि को मानदण्ड बनाना है और प्रत्यय-विषय कहना बुद्ध्युपाधि को। किन्तु हम इस निर्धारण पर विचार करते हैं तब पाते हैं कि ये दोनों विषयता के दो रूप मात्र हैं, और विषय उसी सीमा तक अपने स्वरूप की उत्तानता पाता है जिस सीमा तक चैतन्य आत्मोन्मुख निवर्तन में उसे आत्मसात् कर पाता है। यह विज्ञान के इतिहास से देखा जा सकता है। विज्ञान की यात्रा निरन्तर संश्लेष्णात्मक : आगन्तुक और बाह्यत: निर्धार्य : से विश्लेषणात्मक, अर्थात् अनिवार्य और अन्त:सम्बन्ध को सिद्ध करने की ओर रही है। इसी से विज्ञान का आदर्श भौतिक विज्ञान रहा है, जो अपने विषय को उन सभी निर्धारणों से अधिकाधिक मुक्त करने में सफल हो चुका है जो प्रत्यय की पारदर्शी विश्लेषणात्मकता और अनिवार्यता में अन्तर्भूत नहीं किये जा सकते। इसी से मनोविज्ञान, वनस्पतिविज्ञान और प्राणिविज्ञान केवल इस अर्थ में ही विज्ञान हैं कि ये भी उसी आदर्श को लेकर अग्रसर हैं और अपनी विषय-वस्तु को इस प्रकार निर्धारित करने का प्रयत्न करते हैं कि वह उस आदर्श की कसौटी पर यथासम्भव पूरी उतर सके। **किन्तु विज्ञान में चैतन्य की यह आत्मोन्मुखता आत्मार्थ नहीं होकर परार्थ : विषयार्थ : होती है, दूसरे शब्दों में, विज्ञान में ज्ञान अपना अतिक्रमण विषय में करता है जबकि दर्शन में ज्ञान अपना अतिक्रमण अपनी आत्मोन्मुख गति में ही करता है। इस प्रकार वह विज्ञान के विपरीत विषय को उसकी मूलाग्र अवधारणाओं में, अवधारणाओं को उनकी मूलाग्र चिद्वृत्तियों : चित् की उपाधियों : में, और इन**

उपाधियों को उनके मूलाग्र निरुपाधिक चैतन्य में आविर्भूत होते देखता है। इस प्रकार दर्शन इस आरम्भ–बिन्दु पर प्रतिष्ठित होकर सब लोकों : गोचर–लोक, प्रत्यय–लोक, भावना–लोक और मनन–लोक : की सृष्टि होते देखता है और उसका विमर्श तथा मनन करता है।

ऐसा नहीं है कि सभी दार्शनिकों में दर्शन के स्वरूप के सम्बन्ध में यह बोध समान–रूप से स्पष्ट रहा है। भारत में उपनिषदों और औपनिषद दर्शनों, वेदान्त, साँख्य, प्रत्यभिज्ञा, शून्यवाद और विज्ञानवाद में तथा पश्चिम में सर्वाधिक प्रखर रूप में प्लेटो, डेकार्ट, स्पिनोज़ा, कांट, शिलर, फ़िख़्ते, हेगल और हुस्सर्ल आदि में, और वस्तुवादी प्रवृत्तियों के बावजूद अरस्तू में, दिखायी देता है। भारत में न्याय, वैशेषिक और मीमांसा तथा पश्चिम में भौतिकवादी, ऐन्द्रिक प्रत्यक्षवादी (पॉज़िटिविस्ट्स) और अनुभववादी दर्शन–सम्प्रदाय दर्शन के वास्तविक स्वरूप और प्रयोजन से अनभिज्ञ दिखायी देते हैं, (यद्यपि प्रत्ययवादी दार्शनिक भी बुद्ध्युपाधि को ही चित् का स्वरूप मानकर इस उपाधि के स्वरूप को देखने में असमर्थ रहते हैं।) किन्तु पूर्वोक्त ऐन्द्रिकतावादी सम्प्रदाय भी नीति, धर्म, कला सबके सम्बन्ध में प्रश्नों का उत्तर देने को, अपनी व्यवस्था में इनका आकलन करने को अपना कर्त्तव्य स्वीकार करेंगे, वह उत्तर चाहे किसी भी प्रकार का हो। यह तथ्य दर्शन के सम्बन्ध में हमारी उपर्युक्त स्थापना की पुष्टि करता है। दर्शन के विपरीत विज्ञान अपने नियत विषय के निर्धारण के बाहर नहीं जा सकता, क्योंकि विज्ञान का सम्बन्ध ज्ञान के मूल से नहीं होकर ज्ञान–विषय से होता है।

व्याख्यान पर हुए प्रश्नोत्तरों का विवरण

डॉ. धर्मेन्द्र गोयल ने मेरे व्याख्यानों के क्रम में जो आपत्तियाँ उठाईं उनमें से निम्नलिखित तीन मुख्य थीं—

1. "आपने चैतन्य की ही बात की है, जबकि इसकी उत्पत्ति भौतिक तत्त्व में से बहुत पीछे हुई। मनुष्य की उत्पत्ति तो अभी बहुत थोड़ा समय पहले हुई। इसके अतिरिक्त, आपने मूर और रसल द्वारा प्रत्ययवाद के खण्डन में दी गई प्रबल युक्तियों का भी उत्तर नहीं दिया है।"

उत्तर—वास्तव में मैं प्रत्ययवादी नहीं हूँ, जैसाकि ऊपर के विवेचन से स्पष्ट होना चाहिए। जहाँ तक भूत–तत्त्व और उसमें से चेतना के उत्पन्न होने का प्रश्न है, उसका कुछ और स्पष्टीकरण यहाँ प्रासंगिक होगा—पहले केवल भूत–तत्त्व था और अब भी उसी का व्यापकतर साम्राज्य है कि यह मेरा दायाँ हाथ है, यह बायाँ, दाएँ हाथ में पैन है आदि, इस सब का कौन निषेध करता है? किन्तु यदि इसको ही स्वीकार करने की बात है तब और कोई बात ही क्या रह जाती है और दर्शन के लिए अवकाश कहाँ रह जाता है? किन्तु तब भी दार्शनिक चिन्तन की प्रवृत्ति का अस्तित्व है। वह क्या है? मैं कुछ दार्शनिकों के समान इसका औचित्य यह कह कर नहीं दूँगा कि दर्शन का कार्य इनके ज्ञान का प्रामाण्य देखना है, इसलिए दर्शन का विचार्य विषय चेतना है। स्वयं मूर और रसल भी दर्शन का कार्य यही मानते हैं। किन्तु यदि हाथ है, और पैन है, और इनका हमें ज्ञान है, तब इनके प्रामाण्य में क्या दिक्कत है? इस प्रामाण्य की न हाथ को अपेक्षा है और न ज्ञान को। अत: दर्शन का यह भी कार्य नहीं है। वस्तु में और उसके ज्ञान में प्रामाण्य का व्यवधान उत्पन्न करने में ही क्या दार्शनिक उपलब्धि है? वास्तव में न दर्शन का कार्य भूत–तत्त्व की व्याख्या करना है और न इसके ज्ञान के प्रामाण्य में सन्देह करना। जब शंकर ने कहा कि केवल ब्रह्म ही सत् है, तब उसे इसमें कोई सन्देह नहीं था कि घट और पट संसार में हैं। कम–से–कम मुझे इसमें कोई सन्देह नहीं है। किन्तु तब इस असन्दिग्धता का कोई अर्थ और महत्त्व भी नहीं है।

इसके स्पष्टीकरण में यहाँ एक उदाहरण देना चाहूँगा—नीत्शे ने डारविन के विकासवाद के सिद्धान्त को अस्वीकार करते हुए तर्क दिया था कि बन्दर और मनुष्य के बीच कोई तारतम्य नहीं है। मनुष्य का तत्त्व अपना अतिक्रमण करने (सेल्फ ओवरकमिंग) में है, जबकि पशु अपनी प्रकृति में बन्दी है। किन्तु साथ ही उसने कहा कि पुच्छ–विषाणहीन सब प्राणी मनुष्य नहीं हैं, ये सब बन्दर ही हैं, मनुष्य केवल वही है जो अपनी प्रकृति का अतिक्रमण करता है, जो अतिक्रमण पशु की परम्परा में असम्भव है।

स्पष्टत: नीत्शे यहाँ घटना-क्रम की बात नहीं कर रहा है, अर्थ की बात कर रहा है। यह अर्थ ही यहाँ दर्शन के लिए जिज्ञास्य है : प्रकृति-निबद्ध और प्रकृति का अतिक्रमण करने वाले के बीच अर्थत: कोई तारतम्य नहीं हो सकता। इसी अन्तर को मैंने दूसरे ढंग से कहा है। मैंने कहा—'पाशव चेतना विषयाविष्ट है, मानव-चेतना विषय-निवर्तित।' डारविन घटना-क्रम का विवरण दे रहा था, नीत्शे का और मेरा प्रतिपादन चैतन्य की रचना का आशय उद्घाटित करने के प्रयत्न से है। यह दूसरा प्रयत्न दर्शन का कार्य है, प्रथम का सत्यासत्य इसके कार्यक्षेत्र के अन्तर्गत नहीं है। प्राणियों में भी कृमि-कीटों में और गाय, बन्दर आदि में अन्तर दिखायी देता है जिसे हमने 'चैतन्य की विषय से मुक्ति के प्रयत्न के चरण' कहा है। यह प्रतिपादन घटना-क्रम का विवरण नहीं देकर अर्थ की व्याख्या करने का प्रयत्न करता है। यही दर्शन का क्षेत्र है।

अब हम डॉ. गोयल की आपत्ति के इस घटनामूलक रूप का अर्थमूलक रूपान्तरण कर इसे थोड़ा गहराई से समझने का प्रयत्न करेंगे। यह रूपान्तरण इस प्रकार हो सकता है—

'इन्द्रिय-गम्य विषय विषयि-निरपेक्ष वस्तुसत्-मूलक है और विषयी आगन्तुक और इस पर आश्रित है। किन्तु आप विषयी को मौलिक और विषयमूलक वस्तुसत् को आगन्तुक तथा आश्रित बना रहे हैं।'

यहाँ यह द्रष्टव्य है कि मूर इन्द्रिय-विषय को ही वस्तुसत् और विषयिनिरपेक्ष मानते हैं। डॉ. गोयल इस सम्बन्ध में पूर्णत: निश्चित नहीं हैं, उनके मूल प्रश्न में वस्तुसत् : भूत तत्त्व : को विषय के आधार के रूप में स्वीकार किया गया प्रतीत होता है।

मेरा निवेदन है कि मैं किसी भी विषय को विषयि-सापेक्ष नहीं मानता हूँ, जैसाकि लेख में स्पष्ट प्रतिपादित देखा जा सकता है। मैं विषयी का अतिक्रमण विषय के स्वरूप में मौलिक मानता हूँ। किन्तु वस्तुसत् इन्द्रियोपाधि-निरपेक्ष भी होगा और वैसा होने से वह रूप-देश-काल आदि से भी विशेष्य नहीं हो सकता। वास्तव में भौतिक विज्ञान भी जिस तत्त्व का निर्धारण करता है वह रूप-विरहित है, यद्यपि देश-काल-विरहित नहीं है। किन्तु तब भी वह उस सीमा तक विषयि-सापेक्ष भी है, केवल यह विषयी अब इन्द्रियौपाधिक मात्र नहीं होकर बुद्ध्यौपाधिक भी है। मैं सब उपाधियों को आगन्तुक मानता हूँ और इस प्रकार केवल व्यक्ति को, बल्कि व्यक्त्युत्तर औपाधिकता को भी, आगन्तुक मानता हूँ, जैसाकि ऊपर लेख में स्पष्ट है।

2. दूसरी आपत्ति थी कि "आप 'चैतन्य' शब्द का प्रयोग वस्तु-नाम के रूप में कर रहे हैं, किन्तु चेतना कोई वस्तु नहीं है, यह मात्र एक प्रकार्य (फंक्शन) है।"

मेरा उत्तर था कि "मैं 'चैतन्य' शब्द का प्रयोग इस प्रकार नहीं कर रहा हूँ, किन्तु तब मैं इसका प्रयोग प्रकार्य के अर्थ में भी नहीं कर रहा हूँ। 'प्रकार्य', 'प्रक्रिया', 'फलन' आदि शब्द आज के आंग्ल-अमरीकी दर्शन के फैशन हैं, जबकि वस्तूकरण भाषा का साधारण पूर्वाग्रह है। यह आंग्ल-अमरीकी फैशन विज्ञान के आधुनिक विकास से प्रभावित है। किन्तु स्वयं आप 'मेज़', 'कुर्सी' आदि का प्रयोग वस्तु-नामों के रूप में कर रहे हैं।"

3. मूल्यों सम्बन्धी चर्चा के प्रसंग में डॉ. गोयल ने कहा, "आप मूल्यों को मेज़, कुर्सी आदि के समान विषयनिष्ठ सत्ताएँ मान रहे हैं, जबकि ये विषयिनिष्ठ धारणाएँ मात्र हैं।"

इस आक्षेप का उत्तर लेख में विस्तार से दिया गया है। किन्तु चर्चा के प्रसंग में मैंने कहा था कि यदि कोई कांट और कबीर को जनसाधारण की तुलना में उत्कृष्ट देख सकने में असमर्थ हो और उनके दुबलेपन को दयनीय मान रहा हो तब उसे उसका भ्रम दिखाने का कोई उपाय नहीं है, किन्तु इससे कांट और कबीर की उत्कृष्टता आग्रहमूलक नहीं हो जाती। डॉ. गोयल ने यह युक्ति स्वीकार नहीं की।

इसके आगे नैतिक मूल्यों के सम्बन्ध में चर्चा के प्रसंग में डॉ. गोयल और डॉ. सत्यपाल गौतम ने जो कहा वह एक पुस्तक 'दि इमेर्जेंस ऑफ नार्म्स' के विज्ञापन में बहुत स्पष्ट ढंग से कहा गया है, अत: यहाँ उसे ही उद्धृत करूँगा। इसके अनुसार 'तर्क-युक्ति का अनुसरण करने वाले (रेश्नल) प्राणियों के लिए कुछ विशिष्ट प्रकार की

सामाजिक स्थितियों के निर्वाह के लिए कुछ विशिष्ट प्रकार के नियमों को स्वीकार करना आवश्यक होता है।' डॉ. गोयल और डॉ. गौतम के अनुसार, नैतिक मूल्य ऐसे नियमों का मनोनिवेश (इंटर्नलाइज़ेशन) मात्र होते हैं।

इसके विपरीत मेरा कहना है कि नैतिक मूल्यों का मूल नैतिक बोध में होता है, जिस बोध के स्वरूप का विवेचन पीछे मैंने 'मनन' के प्रसंग में किया है। 'सत्य बोलना चाहिए' इसमें 'चाहिए' को इस बोध से कोई पृथक् अर्थ नहीं दिया जा सकता। इस पर डॉ. गौतम ने कहा—नहीं, सत्य बोलना भाषा के सफल व्यवहार के लिए अनिवार्य है, क्योंकि असत्य भाषण कथन से कथ्य को हटा देना है। इसके उत्तर में मैंने कहा कि यदि मैं दूसरों को अपने कथन की सत्यता में आश्वस्त रख सकता हूँ और दूसरों को सत्य बोलने के लिए प्रेरित कर सकता हूँ तब भाषा के सफल निर्वाह में कोई कठिनाई नहीं आती। और जहाँ तक वाक्य विशेष का सम्बन्ध है, उसमें मेरा प्रयोजन ही यह है कि सुनने वाला मेरे कथन को असत्य होने पर भी सत्य समझे। कांट के नैतिक नियम की सार्वभौमता, जिस पर उपर्युक्त तर्क प्रतिष्ठित है, इस बात की परीक्षा के लिए है कि मेरा निर्णय नैतिक है या नहीं, किन्तु इस परीक्षा के झंझट में तो मैं तभी पड़ूँगा न यदि मेरी नैतिकता के प्रति कोई आस्था होगी।

पीछे इसमें संशोधन करते हुए डॉ. गोयल ने कहा कि "मूल्य मानव के सर्जन होते हैं, किन्तु उनमें इस रूप में विषयनिष्ठता होती है कि किसी मूल्य को एक बार स्वीकार कर लेने पर हम उसे तोड़ने के लिए स्वतन्त्र नहीं होते।" उनके इस कथन में एक सीमा तक राल्स की पुस्तक **थीयरी ऑफ जस्टिस** में प्रतिपादित आद्य सामाजिक समझौते के सिद्धान्त की ध्वनि सुनाई पड़ती है। किन्तु यहाँ द्रष्टव्य है कि 'मनुष्य' से क्या अभिप्राय है? यह वस्तुवाचक पद है या कि प्रकार्य वाचक? डॉ. गोयल अतार्किक रूप से मनुष्य को देह से अभिन्न मानते हुए उसे वस्तु-नाम देने में सम्भवत: कोई दोष नहीं देखते। किन्तु यदि वस्तूकरण (री-इफिकेशन) चैतन्य के लिए अयुक्त है तो यह इन्द्रिय-गोचर के लिए और भी अधिक अयुक्त है। यहाँ मैं केवल बौद्धों के सर्वग्रासी नैरात्म्यवाद की ओर संकेत ही करूँगा। इसके अतिरिक्त, मूल्य-सर्जन से डॉ. गोयल का क्या अभिप्राय है, यह स्पष्ट नहीं है। इसके अतिरिक्त, 'सृष्ट-मूल्य' पद 'व्यवहार-कौशल के नियम' का पर्यायवाचक नहीं है। इसके अतिरिक्त 'सृष्ट-मूल्य' और 'प्रतिबद्धता' में क्या सम्बन्ध है? निश्चय ही राल्स के समझौता-सिद्धान्त पर आरूढ़ प्रतिबद्धता 'मूल्य-सर्जन' के साथ सम्बन्धित नहीं की जा सकती। वास्तव में 'प्रतिबद्धता' स्वयं मूल्य-चेतना-मूलक है, और इस प्रकार 'एक बार मूल्य-सर्जन कर लेने पर उसके प्रति प्रतिबद्धता' इस कथन का कोई संगत अर्थ नहीं बनता। वास्तव में यह तो कहा जा सकता है कि 'एक बार किसी समाज की सदस्यता स्वीकार कर लेने पर उसके नियमों के प्रति प्रतिबद्धता आवश्यक है' क्योंकि 'सामाजिक नियम' जबकि मूल्यात्मक पद नहीं है उसे मूल्य-सम्बद्ध करने के लिए 'प्रतिबद्धता' से सम्बन्धित करना युक्तिसंगत है, किन्तु मूल्य-सर्जन से नहीं, जो स्वयं प्रतिबद्धता का आधार है।

मनुष्य और जगत्

'मनुष्य क्या है' इस प्रश्न के उतने ही उत्तर दिये गये हैं जितने 'सत् क्या है' इसके दिये गए हैं। इसका कारण यह है कि दर्शन का वास्तव में परम ज्ञेय, परम प्रमेय अन्त में मनुष्य ही है। ऐसा कहना तो सम्भवत: ठीक नहीं होगा कि सभी दर्शन-सम्प्रदाय अपनी जाँच और मीमांसा मनुष्य से ही आरम्भ करते हैं, किन्तु यह सही है कि अपनी जाँच के परिणामस्वरूप वे सत्ता का जितना भी विस्तार पाते हैं मनुष्य उन्हें उससे विस्तृततर ही मिलता है, और इस प्रकार उनके सामने वह अपने शेष अंश के अवगमन की, व्याख्या की, समस्या उत्पन्न करता है। उदाहरण के लिए, यदि सत्ता केवल भौतिक है तो मनुष्य में चेतना उससे अतिरिक्त है, यदि सत्ता मात्र चैतन्य है, तो मनुष्य में भौतिकता का अंश भी है, यदि वह दोनों है तो मनुष्य में ये दोनों अलग-अलग नहीं होकर संयुक्त मिलते हैं और इस प्रकार इस संयोग की व्याख्या की अपेक्षा करते हैं। इसी प्रकार यदि सत्ता विषयापेक्षी चैतन्य-रूप है, तो मनुष्य में विषयता से मुक्ति की, अतिक्रमण की, आकांक्षा भी है, और यदि सत्ता निरपेक्ष चैतन्य है तो मनुष्य में विषयापेक्षा भी है। यदि सत्ता नित्य है, तो मनुष्य में ऐतिहासिकता और भाव्यता भी है, और यदि सत्ता क्षणिक है, तो वह स्मृति और अपेक्षा के द्वारा एक ओर, और बोध के द्वारा दूसरी ओर अपनी स्थायिता और कालातीतता की स्थापना करता है। वास्तव में मनुष्य के स्वरूप की अनवगाह्यता और अनाकलनीयता ही दार्शनिक सिद्धान्तों की अनेकता की कारण है, क्योंकि इसप्रकार वह विभिन्न ही नहीं, आपस में बहुत विरोधी सिद्धान्तों को भी आधार दे सकता है। दर्शन विज्ञान से इसी बात में भिन्न है कि विज्ञान संकुचित प्रयोजन से संकुचित विषय का ही चुनाव करता है, जबकि दर्शन पूर्ण को, जो उसको स्वयं को भी सम्मिलित करता है, अपना अन्वेष्य बनाता है, जिसके लिए उसके पास विचार का उपकरण कभी पर्याप्त हो ही नहीं सकता।

पर तब भी, यह अनवगाह्य मनुष्य ऐसा विषय है जो और सब विषयों की तुलना में हमारे समीपतर है, बल्कि कहें, हमारे से इसकी दूरी केवल जानने की अपेक्षा से आरोपित दूरी ही है, अन्यथा वह हमसे अभिन्न है।

किन्तु यह भी एक विचित्र तथ्य है, अत्यधिक रहस्यपूर्ण, कि जबकि मनुष्य, अथवा कहें मानव-चेतना, अपने को सबसे अधिक समीपता से और प्रामाणिकता से जान सकती है, वह सबसे कम अपने को ही जानती है। उसे सबसे अधिक अनुपलब्ध यदि कुछ रहता है तो वह उसका अपना स्वरूप ही है। ऐसा चेतना के इस स्वभाव के कारण है कि वह सहज रूप में विषय की ओर उन्मुख रहती है। इसी से अधिकांश दार्शनिक ज्ञान को अनिवार्यत: विषयमूलक ही मानते हैं, और कुछ ऐसे दार्शनिक भी हैं जो चेतना का ही स्वभाव विषयोन्मुखता को मानते हैं, अर्थात् उनके अनुसार चेतना ज्ञानात्मक वृत्ति में ही नहीं, सभी वृत्तियों में विषयोन्मुख रहती है। चेतना को स्वभावत: विषयोन्मुख मानने वाले दार्शनिक माइनोंग, हुस्सर्ल और उनके अनुयायी हैं। किन्तु इनके विपरीत कुछ भारतीय दर्शन-सम्प्रदाय हैं : अद्वैतवेदान्ती, साँख्य, बौद्ध और प्रत्यभिज्ञावादी : जो चैतन्य को स्वरूपत: आत्म-विश्रान्त मानते हैं और विषयोन्मुखता को चैतन्य का आत्म-प्रवास—आत्म-वैमुख्य—मानते हैं, यद्यपि ये दार्शनिक भी चैतन्य को इसके प्राप्त रूप में तो विषयोन्मुख ही मानते हैं। इनके अनुसार चैतन्य की यह विषयोन्मुखता ही इसके जगत् से सम्पर्क की आधार होती है। इन दो प्रकार के दार्शनिकों के अतिरिक्त अन्य दार्शनिकों ने वास्तव में चैतन्य के स्वरूप पर, अथवा कहें चैतन्य और जगत् के सम्बन्ध पर, इस प्रकार विचार ही नहीं किया। किन्तु मनुष्य और जगत् के सम्बन्ध पर विचार तो वास्तव में दर्शन के लिए मौलिक समस्या के रूप में ही प्रस्तुत होना चाहिए, क्योंकि इस मूल प्रश्न को ध्यान में रखे बिना ज्ञानमीमांसा एवं नीतिमीमांसा विषयक प्रश्नों पर विचार कभी मूलग्राही नहीं हो सकता। उदाहरण के लिए, प्रत्यक्ष-ज्ञान के प्रश्न पर विचार तब तक कैसे मूलग्राही हो सकता है जब तक वह मनुष्य और जगत् के सम्बन्ध में समग्र प्रश्न के अंग के रूप में नहीं देखा जाता?

तब इस सम्बन्ध का स्वरूप क्या है?

वास्तव में यह सम्बन्ध हमें प्रथमत: सहज और स्पष्ट प्रतीत होता है—मेरे आगे-पीछे वस्तुओं को धारण करता हुआ और उनसे आगे अनन्त में फैलता हुआ देश का विस्तार है और इसी प्रकार अतीत में मेरी स्मृति के विषयों को और अनागत में मेरी आशा की अपेक्षा के विषयों को धारण करते हुए अनादि-अनन्त में विलीन होता हुआ काल का विस्तार है। यह जगत् है। और देश के विस्तार में बिन्दु-रूप केन्द्र पर, और काल के विस्तार में रेखारूप केन्द्र पर अवस्थित मैं मनुष्य हूँ। दैशिक विस्तार से मेरे सम्बन्ध की माध्यम मेरी ज्ञानेन्द्रियाँ और कर्मेन्द्रियाँ हैं और कालिक विस्तार से मेरे सम्बन्ध का माध्यम अन्तःकरण है, और परिणामत: जगत् से सम्बन्ध की दृष्टि से मैं : मनुष्य : इन्द्रिय और अन्त:करणमूलक चेतना हूँ।

वास्तव में यह चित्र इतना सहज है कि साधारण रूप में हम इसके आगे सोचने की आवश्यकता ही अनुभव नहीं करते। किन्तु यह चित्र मनुष्य और जगत् के स्वरूप और सम्बन्ध की गहराई को बहुत ऊपरी रूप से ही अंकित करता है। वास्तव में जगत् की सत्ता इन दो आयामों में ही नहीं है, इसकी सत्ता के और भी बहुत-से आयाम हैं। इसी प्रकार जगत् से मेरा सम्बन्ध केवल विषयि-विषयरूप ही नहीं है, यह सम्बन्ध बहुत गहरा और बहुत विभिन्न प्रकारों का है। उदाहरण के लिए देशगत विषयों को ही लें। इनमें पत्थर, फूल, बर्तन, पुस्तक, गाय और मनुष्य हैं किन्तु ये छ: विषय एक-दूसरे से सर्वथा भिन्न प्रकार के हैं। कह सकते हैं कि ये एक-दूसरे से मौलिक रूप से भिन्न प्रकार के हैं। पत्थर में जबकि इन्द्रियगम्य विषयता की पराकाष्ठा है, फूल में रूप और गठन उसमें एक अन्तर्गत प्राणतत्त्व के प्रस्फुटन हैं। पत्थर के समान फूल इन्द्रियगम्य विषयता का उदाहरण मात्र नहीं है, बल्कि स्वगत आकार : प्रत्यय, जाति : की अभिव्यक्ति का विशिष्ट प्रयत्न भी है। इसी से कुछ ही फूल पूर्ण स्वस्थ रूप में खिलते हैं, शेष खिलने के अनेक प्रकार के अधूरेपन को प्रकट करते हैं। इन दोनों के विपरीत, बर्तन मानवीय प्रयोजन-प्रत्यय का आश्रय है, जो प्रयोजन-प्रत्यय स्वयं इन्द्रियगम्य विषय नहीं है। गाय एक विकसित प्राणी और उपयोग-प्रत्यय का आश्रय दोनों है। प्राणी होने से वह विषयी भी है। पुस्तक का भौतिक पक्ष उतना भी प्रासंगिक नहीं होता जितना मनुष्य का होता है। उसके कागज का रूप और आकर तथा अक्षरों का विशिष्ट रूप और आकार पुस्तकत्व के आश्रय नहीं होते, अक्षर ध्वनियों के संकेत, ध्वनियाँ शब्दों की अवयव, और शब्द वाक्यों के अवयव होते हैं, और वाक्य अनुक्रमश: उस सम्पूर्ण वाक्य-योजना के अवयव होते हैं जो विषय विशेष : प्रत्ययसंस्थान : की व्यंजक होती है। यह पुस्तक पूर्णत: विषय ही होती है, किन्तु भौतिक विषय नहीं होकर बुद्धि-विषय होती है। इन विषयों में सबसे पृथक् मनुष्य है, जिसमें इन्द्रयगम्य पक्ष हमारे समकक्ष विषयी के लिए संकेतमात्र होता है। वास्तव में अन्य मनुष्य एकमात्र ऐसा विषय है जो वस्तुता और प्रतीति दोनों प्रकार से विषयी है। उसका इन्द्रयगम्य रूप भी विषयता का नहीं, विषयिता का ही होता है। उचित रूप से कहें तो मनुष्य प्रस्तुत (विषय) रूप में विषयिता की पराकाष्ठा है। इस प्रकार यह देश-कालगत जगत् भी साधारण अर्थ में जगत् नहीं है, जैसा सामान्यत: हम समझते हैं। देशकालमूलक हमारा यह जगत् मुख्य रूप से, बल्कि कहें प्राय: सर्वांशत:, ऐसे ही विषयों से संरचित है जो इन्द्रियार्थक नहीं होकर या तो प्रत्ययार्थक हैं, अथवा इन्द्रियार्थ और प्रत्ययार्थ : इन्द्रिय-विषय : भी इन्द्रियों के अव्यवहित अर्थ नहीं होकर : नाम : भाषा से व्यवहित होते हैं और इस प्रकार प्रत्ययमूलक हो जाते हैं। वास्तव में इस प्रत्ययमूलकता के कारण ही ये घटत्व और मूर्ति आदि प्रत्ययों के देहावतरण के लिए उपादान बनते हैं। अथवा कहें, अब वे स्वरूप-विश्रान्त बाह्य इन्द्रियविषय नहीं रहकर प्रयोजन-प्रत्यय में रूपान्तरित हो जाते हैं।

किन्तु हमारे जगत् का विस्तार केवल यहीं तक नहीं है, इसके इन अर्थों से कहीं अधिक महत्त्वपूर्ण घटक भाषा, विज्ञान, कला, दर्शन आदि हैं। ये सब ऐसे विषय हैं जो मानव-जगत् के अधिकांश विस्तार को व्याप्त करते हैं, साथ ही हमारी विषय-सत्ता और विषयि-सत्ता का निर्धारण करते हैं। इनके बाद जगत् का व्यापकतम और अत्यधिक जटिल घटक समाज है, जो अपनी असंख्य संस्थाओं और उसके नियमों तथा विधि-निषेधों के द्वारा हमारी कल्पना को आच्छादित किये रहता है। इस प्रकार, यदि हम जगत् को देशात्मक लोक के रूप में ही नहीं

देखकर अनेक लोकों की स्तर-रचना के रूप में देखें तो हमें मनुष्य और जगत् का सम्बन्ध उससे बिल्कुल भिन्न रूप में प्रकट होगा जैसा हमें जगत् को केवल देशात्मक लोक के रूप में देखने पर होता है, और मुझे इसका कोई औचित्य दिखायी नहीं देता कि क्यों जगत् को केवल देश और काल के विस्तार में विजड़ित उदासीन : नितान्त बाह्य : विषयों के रूप में ही देखा जाये।

वास्तव में जगत् को इस संकुचित अर्थ में देखने के पीछे जगत्-तत्त्व विषयक और मानव के उससे सम्बन्ध विषयक एक पूर्वगृहीत धारणा है जिसका स्पष्टीकरण करके ही इस दृष्टिकोण की भ्रान्तता को और इसका विस्तार करने के हमारे प्रस्ताव के औचित्य को समझा जा सकता है। यह भ्रान्त धारणा यह है कि जगत् प्रस्तुति है, और प्रस्तुति का अर्थ है चेतना का प्रतिरोधक भौतिक तत्त्व। यह धारणा क्योंकि पूर्वगृहीत है इसलिए साँख्य और वेदान्त जैसे दर्शन-सम्प्रदाय भी जगत् को इस प्रकार की प्रस्तुति के रूप में ही देखते हैं, जबकि उनके लिए इसे इस रूप में देखना तर्कसंगत नहीं है। उदाहरण के लिए साँख्य ने तीन प्रकार के प्रमाण : प्रमाकरण : माने हैं—प्रत्यक्ष, अनुमान और आप्तवचन। इन में अनुमान प्रत्यक्षमूलक होता ही है, जहाँ तक आप्त वचन का सम्बन्ध है, वह एक अन्य स्तरीय प्रत्यक्ष ही है। इसके विषय स्वयं इन्द्रियाँ और महत् आदि हैं, जो ऐन्द्रिय प्रत्यक्ष के लिए अगम्य हैं। किन्तु मेरा निवेदन है कि मानव-व्यक्ति, और उसके आगे 'पिता', 'पुत्र' आदि तो बहुत दूर की बात है घट, गृह आदि भी इन्द्रियगम्य विषयमात्र नहीं हैं, क्योंकि घट मिट्टी नहीं है बल्कि प्रत्यय है जो मिट्टी, कांस्य या स्वर्ण किसी में भी देह धारण कर लेता है।

घट उस सीमा तक ही देशात्मक लोक का सदस्य है जिस सीमा तक यह भौतिक सत्यापन के नियमों के अधीन है, किन्तु उसमें यह मेज़, दीवार और पत्थर से अभिन्न है, घट यह कर्त्तृमूलक प्रत्ययविशेष के सन्निवेश के कारण है। यह बात 'पुत्र' आदि से और स्पष्ट हो जाती है। 'पुत्र' सम्बन्ध विशेष से लक्षित मानव-व्यक्ति है। किन्तु यह सम्बन्ध देश या कालमूलक नहीं होकर समाजमूलक है। तब समाज क्या है? यहाँ इस प्रश्न पर विचार सम्भव नहीं है, किन्तु इतना स्पष्टीकरण आवश्यक है कि यह व्यक्तियों के बीच बाह्य सम्बन्ध-जनित (समूह) नहीं है, जैसाकि सामान्यत: समझा जाता है, यह व्यक्ति-सम्बन्धों को धारण करने वाला 'आलय-विज्ञान' है।[1] इस प्रकार 'पुत्र' शब्द दो व्यक्तियों के बीच बाह्य सम्बन्ध का वाचक नहीं होकर उस आलय-विज्ञान की वृत्ति का वाचक है कि 'पुत्र' इन्द्रियग्राह्य सम्बन्ध या प्रत्यय नहीं है, और न यह अवस्तु ही है। यह मिट्टी और घटमूलक लोकों से भिन्न एक तीसरे लोक की वस्तु है।

अब, इस विविध लोकात्मक जगत् से मनुष्य का क्या सम्बन्ध है? किन्तु 'क्या सम्बन्ध है' इस पर विचार करने से पहले यह विचार करना उपयुक्त होगा कि यह सम्बन्ध है ही क्यों, अथवा क्या कोई सम्बन्ध है भी? यह अन्तिम प्रश्न उपहासास्पद प्रतीत हो सकता है, किन्तु थोड़ा गहराई से देखने पर यह वैसा प्रतीत नहीं होगा। उदाहरण के लिए डेकार्ट के दर्शन में 'मनस्' का भौतिक के साथ कोई सम्बन्ध नहीं है, लाइब्नीज़ के दर्शन में 'व्यष्टियों' का परस्पर कोई सम्बन्ध नहीं है, और उस दर्शन में जगत् वास्तव में एक व्यष्टि-समुदाय ही है। पाश्चात्य संस्कृति में साधारण रूप से जगत् को मनुष्य के लिए प्रतिरोधक और शत्रु रूप में देखा गया है, इसीलिए 'मनुष्य की प्रकृति पर विजय' तथा 'अस्तित्व के लिए संघर्ष' ये उस संस्कृति में मूल्य हैं। भारत में मनुष्य और जगत् के सम्बन्ध को लेकर दो धाराएँ रही हैं—एक विरोधमूलक और दूसरी सामरस्यमूलक। बौद्ध और जैन दर्शनों में यह सम्बन्ध विरोधात्मक देखा गया है जबकि वेद और उपनिषद् में सामरस्यात्मक। ऐतरेयोपनिषद् में जगत् का जो वर्णन है उसके अनुसार एक ही तत्त्व आदित्य में और चक्षु में, अग्नि में और वाक् में, आकाश में और श्रोत्र में है, और यह सब तत्त्व-वैविध्य जिस आनन्द की अभिव्यक्ति का प्रतिफल है वह आनन्द समान रूप से आत्म और परमात्म तत्त्व है। किन्तु जैन और बौद्ध दर्शनों में विरोध का स्वरूप पाश्चात्य विचार से बहुत भिन्न

1. इस पर हमारे विचार के लिए द्रष्टव्य **संस्कृति : मानव कर्त्तृत्व की व्याख्या** में अ. 2. प्रकाशक राजस्थान हिन्दी ग्रन्थ अकादमी, जयपुर 1969 तथा **समाज : दार्शनिक परिशीलन** में अ. 1, रावत पब्लिकेशंस, जयपुर, दिल्ली 1992.

है। इनमें वास्तव में 'जगत्' व्यक्ति के अपने से बाहर अवरोधक वस्तु-विस्तार और घातक व्यक्ति-समवाय नहीं होकर उसका अपना ही अहंकार है जिसके कारण यह वस्तु-विस्तार और व्यक्ति-समवाय बाधक-साधक और मित्र-शत्रु रूप में विभक्त है। सो, इनके अनुसार यह अहंकार ही जगत् है जो अवांछनीय और निवारणीय है, इसके निवारण के अनन्तर जगत् में कुछ बाधक-साधक नहीं है। बौद्धों में 'संघं शरणम्' और 'करुणा' की अवधारणाएँ मनुष्य और जगत् के बीच मूल मैत्रीभाव की द्योतक हैं। यहाँ इन विभिन्न मतों, अथवा कहें अभिवृत्तियों, के उल्लेख का प्रयोजन यह दिखाना है कि मनुष्य और जगत् का सम्बन्ध कोई स्वत:सिद्ध तथ्य नहीं है, और न मनुष्य और जगत् का स्वरूप ही कोई स्वत:सिद्ध तथ्य है। इनके स्वरूप और सम्बन्ध को समझने के लिए साधारण चित्र के उपर्युक्त संशोधित रूप के आधार पर आगे बढ़ना उपयुक्त होगा। इस संशोधित चित्र के जगत् को हम अनेक स्तरीय सम्भावनात्मक अस्तित्व या विद्यमानता कह सकते हैं। तब मनुष्य क्या है? जिस चित्र से हमने आरम्भ किया था और जिस पर संशोधन के उपरान्त हम पहुँचे उसमें इस सम्बन्ध के दूसरे छोर पर 'मनुष्य' के स्थान पर हमने द्रष्टा, कर्त्ता और भोक्ता के रूप में 'अपने' को रखा और अन्य व्यक्ति जगत् के अवयव के रूप में रखे गये। यदि चित्र-रचना के इस दृष्टि-बिन्दु को स्वीकार किया जाये तो दो प्रकार के परिप्रेक्ष्य प्रस्तुत होते हैं—एक परिप्रेक्ष्य में विषयी रूप में 'मैं' और केवल 'मैं' इस सम्बन्ध का एक अस्थानान्तरणीय पद है, दूसरा पद विषय-समग्र के रूप में जगत् है। किन्तु दूसरा परिप्रेक्ष्य भी हो सकता है जिसमें 'मैं' पद अविशिष्ट रूप से विषयी मात्र का वाचक हो सकता है। इन दो परिप्रेक्ष्यों में दो महत्त्वपूर्ण अन्तर हैं। एक यह कि यदि 'मैं' एक अस्थानान्तरणीय विषयी है तो 'मनुष्य और जगत्' केवल एक वास्तव अस्तित्वात्मक सम्बन्ध ही हो सकता है जो मेरे अस्तित्व की समाप्ति के साथ समाप्त हो जाता है, जबकि दूसरे परिप्रेक्ष्य में 'मैं' केवल एक पूर्वापेक्षा का वाचक है, जिसका वास्तव में अस्तित्व दूसरे पद (जगत्) के अस्तित्व के लिए अनिवार्य नहीं है, यद्यपि उस अस्तित्व की जगद्रूपता के लिए यह अनिवार्य है। अर्थात् उस अस्तित्व (निरपेक्ष तत्) का जगद्रूप में आविर्भाव किसी विषयी की अपेक्षा से ही हो सकता है। दूसरे शब्दों में, विषय के रूप में जगत् किसी विषयी का अपेक्षी है और परिणामत: वास्तव विषयी के बिना उसका यह रूप सम्भव नहीं हो सकता, किन्तु अविषय रूप में यह विषयी के अभाव में भी रह सकता है। दूसरा अन्तर यह है कि इस चित्र में 'विषयी' भी एक सापेक्ष पद है और यह सापेक्षता दो प्रकार की है, एक यह कि मैं केवल जगत् की सापेक्षता में ही विषयी हूँ, विषयिभाव मेरा कोई अनिवार्य धर्म नहीं है, और दूसरे यह कि मैं विषयी रहते हुए भी अपना ही विषय भी हो सकता हूँ।

किन्तु यदि प्रथम परिप्रेक्ष्य को, जिसमें 'मैं' अस्थानान्तरणीय विषयी है, स्वीकार किया जाय तो 'मनुष्य' पद का कोई अर्थ नहीं रह जाता, तब 'मैं' पद एक विलक्षण विषयी का वाचक हो जाता है, जबकि मनुष्य विषय-विषयि-भाव की एक जटिल संरचना है। और यह सही चित्र भी नहीं है, जैसाकि कुछ सीमा तक 'जगत्' के ऊपर निरूपित स्वरूप से भी, जिसके अनुसार जगत् विषयतामात्र नहीं होकर विषयता के न्यूनाधिक्य की अनेक-स्तरीय विद्यमानता है, उपपन्न होता है। दूसरा परिप्रेक्ष्य भी इस सम्बन्ध की व्यापकता और गहराई का आकलन करने में एकदम अपर्याप्त है, किन्तु यह परिप्रेक्ष्य युक्त चित्र के एक अवयव के रूप में युक्त हो सकता है। युक्त चित्र से हमारा अभिप्राय एक पूर्णत: निर्विशिष्ट सार्वभौम चित्र से है। उपर्युक्त दूसरा परिप्रेक्ष्य भी एकदेशीय होने से इस युक्त परिप्रेक्ष्य से मूलत: भिन्न है, किन्तु तब भी इसकी एकदेशयीता (प्रतिव्यक्तिमूलकता) अविशिष्ट, सामान्य, होने के कारण युक्त चित्र की सार्वदैशिकता की ओर उन्मुख है, बल्कि कहें, उसकी अनिवार्य अपेक्षी भी है।

वास्तव में मानव-चैतन्य में एकदेशीयता (अहंकार) एक ऐसी अवांछनीय उपाधि है जो उसका पाशव उत्तराधिकार है, और जिसका अतिक्रमण उसमें एक सीमा तक सहज है और शेष प्रयत्नसाध्य है। मानव-चैतन्य के स्वरूप की इस प्रकारता के कारण ही जगत् से उसका सम्बन्ध अनेक आयात्मक और अत्यन्त जटिल है। इनके इस सम्बन्ध का मूलभूत लक्षण जगत् की विषयपक्ष में और मनुष्य की विषयिपक्ष में अतिक्रान्तता है, किन्तु इनमें कोई पक्ष दूसरे को पूर्णत: निश्शेष नहीं करता। रूप, आकार, आकर्षकता-विकर्षकता आदि से समन्वित सद्य: प्रदत्त विषय पूर्णत: अहंकारोपहित विषयी का विषय है, और इस वस्तुस्थिति में विषयी और विषय दोनों

ग्राह्य-ग्राहक भाव के रूप में परस्पर में पूर्णत: निश्शेष रहते हैं, किन्तु 'यह घट है' इसमें 'यह' अंश कालिक अहंकार का अतिक्रमण करता हुआ प्रस्तुत होता है, और इस अतिक्रमण के द्वारा यह उस सीमा तक अहंकार को भी विस्तार देता है : 'यह घट है' द्वारा अभिहित विषय मेरे ग्रहण का विशेषाधिकार नहीं है। इतना ही नहीं, इसके लिए यह भी आगन्तुक है कि यह किसी का विषय हो ही, यद्यपि उपयुक्त परिस्थितियों में विशेष प्रकार से ग्राह्य होना इसकी अनिवार्य अपेक्षा है, और यह मनुष्य के विषय-ग्रहण की विशेषता है कि उसके समक्ष विषय इस अतिक्रामी रूप में प्रस्तुत होता है और इस प्रकार मनुष्य में अहंकार के अतिक्रमण की सूचना देता है।

किन्तु जैसाकि हमने पीछे देखा है, जगत् केवल घट-पट रूप विषयों का ही समवाय नहीं है, इसके घटकों में सर्वथा अनिन्द्रिय-ग्राह्य विषयों की भी विद्यमानता है। इनमें दो-एक ऐसे विषयों का विवेचन विषयी मनुष्य के स्वरूप को समझने में उपयोगी होगा। एक ऐसा विषय भी हो सकता है 'यह कार्य मनुष्योचित नहीं है।' जैसाकि हम जानते हैं, इस प्रकार के तथ्यों को प्राय: किसी दार्शनिक ने तथ्य या विषय स्वीकार नहीं किया है, क्योंकि उनके सामने निदर्श इन्द्रिय-ग्राह्यता का ही रहा है। किन्तु जैसाकि हमने पिछले अध्याय में भी देखा है यह निदर्श नितान्त भ्रामक है। यहाँ हम इस पर विशेष रूप से विचार करेंगे। निश्चय ही इस विषय : अनुचित कर्म : का एक अंश इन्द्रियग्राह्य है। यह अंश है, मानव-देह के किसी अंग का चलन। इस चलन के 'कर्म' के रूप में ग्राह्य होने के लिए इसका 'चालन' के रूप में, देह का मानवीय चेतना के देहावतरण के रूप में, और चेतना का विवेक और संकल्प-समर्थ द्रष्टा और कर्त्ता के रूप में ग्रहण आवश्यक है। स्वभावत: यहाँ कहा जायगा कि यह सब विकल्पमूलक और परिणामत: उपचार (आरोप) है। किन्तु ऐसा केवल इस वस्तुस्थिति को, इसके ग्रहण या अवगमन की संरचना को, पूर्वाग्रहग्रस्त दृष्टि से देखने के कारण ही कहा जाता है। उदाहरण के लिए, यदि इस मूल्यांकित कर्म का कर्त्ता मैं हूँ, तब इसका इन्द्रियगम्य पक्ष सम्पूर्ण व्यापार की प्रथम कड़ी नहीं रहकर अन्तिम कड़ी हो जाता है और मूल्यांकन वास्तव में इस कड़ी का नहीं बल्कि उस भाव, धारणा, या संकल्प का होता है जो इस अंग-चलन में पर्यवसित हुआ है। वास्तव में इसमें अंग-चलन घटना की दृष्टि से महत्त्वपूर्ण नहीं होकर मेरे संकल्प और विवेक के अधिष्ठातृत्व की दृष्टि से ही महत्त्वपूर्ण है, "भाव की क्रिया में निष्पत्ति होने तक की प्रक्रिया में अवरोध के कई अवसर थे, और मैं इन सब अवसरों पर अवरोध करने में समर्थ था, किन्तु मैंने इस सामर्थ्य का उपयोग नहीं किया।" इस प्रकार यह तथ्य है, जिस तथ्य का विस्तार मेरे अतिक्रामी स्वरूप (प्रस्तुत प्रसंग में भाव की क्रिया में निष्पत्ति होने को रोकने की सामर्थ्य) से लेकर इस स्वरूप (सामर्थ्य) की असफलता तक है। इसी से यदि मैं चोरी करने जाता हूँ किन्तु आगे सिपाही को देखकर लौट आता हूँ, तब कर्म के अवरुद्ध हो जाने पर भी मेरे मूल्यांकन में कोई अन्तर नहीं पड़ता। और यह मूल्यांकनात्मक ग्रहण : पश्चात्ताप : अव्यवहित बोध है और इस प्रकार अमूर्त्त प्रत्यय नहीं होकर विशिष्ट अनुभव और अनुभूत विषय है। यहाँ कुछ दार्शनिक कहेंगे कि यह भी सहज नहीं है, इसमें केवल कार्य-प्रवृत्ति का संवेदन सहजगम्य है, मूल्यात्मक ग्रहण सहजगम्य नहीं है, यह संस्कारमूलक है, क्योंकि यदि बच्चा अन्य की वस्तु उठा लेता है तो वह अपने इस कर्म और उसकी प्रवृत्ति को अमनुष्योचित रूप में नहीं देखेगा, क्योंकि उसमें स्वामित्व आदि का बोध ही नहीं होता। अवश्य ये बोध संस्कार-जन्य होते हैं, किन्तु यह संस्कार चेतना की उस सामर्थ्य या स्वरूप में मूलित है जो अन्यत्व, स्वामित्व आदि सम्बन्धों को जन्म देती है। बच्चा आत्म और पर का भेद ग्रहण नहीं करता, क्योंकि उसमें चेतना की इस ग्रहण के लिए अपेक्षित सामर्थ्य सिद्ध नहीं हुई रहती। दूसरे शब्दों में 'मेरा यह कर्म अमनुष्योचित है' प्रतिज्ञप्ति में व्यक्त यह एक जटिल अनुभव है। यह जटिलता केवल चेतना की जटिल अनुभव में स्फुटित होने की योग्यता को सूचित करती है। यहाँ यह आपत्ति भी उचित नहीं होगी कि ऐसा अनुभव सबको नहीं होता, क्योंकि इस आपत्ति के आधार में यह धारणा है कि यह अनुभव वस्तु-विषयक नहीं है, जिस प्रकार 'यह घट है' अनुभव वस्तु-विषयक है।

जैसाकि हमने ऊपर देखा 'यह घट है' भी उस अर्थ में वस्तु-विषयक नहीं है जिस अर्थ में इस आपत्ति में 'वस्तु-विषयकता' कल्पित है, किन्तु यह एक अन्य अर्थ में निश्चय ही वस्तु-विषयक ही है, और उस अर्थ में कार्य का मूल्यांकन और भी अधिक ठोस रूप से वस्तु-विषयक है। जैसाकि हमने पीछे कहा, घट प्रयोजन-

प्रत्यय-मूलक वस्तु है, जिसका अर्थ है कि इसका इन्द्रियगम्य रूप : पिण्ड : प्रयोजन-प्रत्यय के साक्षात्कार का माध्यम मात्र है, स्वयं यह प्रत्यय नहीं है। इस प्रत्यय का साक्षात्कार मैं इस पिण्ड से पानी लाने या पानी निकालने के अवसरों पर, अथवा इन क्रियाओं की सामर्थ्य के अधिष्ठान के रूप में इसका ग्रहण करते हुए करता हूँ। यहाँ आपत्ति होगी कि मैं घटत्व-जाति को घट-व्यक्ति से व्यामिश्रित कर रहा हूँ और जाति को वस्तुत्व दे रहा हूँ। यहाँ यह द्रष्टव्य है कि इस प्रत्यय के सन्निवेश के बिना घट-व्यक्ति और घटत्व जाति दोनों का कहीं अस्तित्व नहीं होता, क्योंकि इसके बिना दो घट एक ही मिट्टी होते हैं, पिण्ड-भेद इन्हें व्यक्ति (व्यष्टि) नहीं बना सकता, इनकी तथाकथित वस्तुता नितान्त सामान्यात्मक होती है—'नितान्त सामान्यात्मक' से हमारा अभिप्राय है, जिसमें व्यष्टि-भेद घटित भी नहीं हो सकता, अर्थात् घट-अनेकत्व जिसमें अकल्पनीय है। किन्तु प्रत्यय-सन्निविष्ट वस्तु, अथवा कहें देहावतरित प्रत्यय : घट : अस्तित्व में मूलत: व्यष्टि है, क्योंकि इसकी परिधि उसके अस्तित्व की अनिवार्य सीमा है। किन्तु तब इसकी वस्तुता इसका पिण्ड मात्र नहीं होकर इसके निमित्त-भूत प्रत्यय तक विस्तृत है, जिसके बिना यह मात्र मिट्टी है। यहाँ यह कहा जा सकता है कि प्रत्यय के लिए घट-विशेष आनुषंगिक है और इस प्रकार मुख्य वस्तुता प्रत्यय की होती है। यह सही है, किन्तु वास्तव में यह इस प्रत्यय का ही धर्म है कि वह मिट्टी के माध्यम से, उसे उपादान बनाकर, विशेषात्मक अस्तित्व ग्रहण करता है। इस प्रकार घट-प्रत्यय के लिए मिट्टी में अवतरण और विशेषात्मकता अनिवार्य है, यद्यपि घट-विशेष उसके लिए आगन्तुक है। किन्तु मूल्यात्मक कर्म की वस्तुता इससे भिन्न प्रकार की होती है। इसका निमित्त भोक्तृ-प्रत्यय और उपादान मनोवृत्ति होती है, जिसका : मनोवृत्ति का : विस्तार अंग-क्रिया तक होता है। मूल्यात्मकता भोक्तृ-प्रत्यय का अन्तर्गत धर्म है। यहाँ यह स्पष्टीकरण आवश्यक है कि भोक्तृत्व और भोक्तृ-प्रत्यय एक ही बात नहीं है। भोक्तृत्व मनोवृत्तिमूलक होता है जबकि भोक्तृ-प्रत्यय भोक्तृत्व की आत्मोन्मुखता : पुरुषोल्लेखिता : मूलक होता है। इस प्रत्यय : आत्मोल्लेखन : के बिना कोई क्रिया या मनोवृत्ति कर्म नहीं बनती, केवल क्रिया रहती है। कुत्ता कभी चोरी नहीं करता, उस अवस्था में मैं भी नहीं करता यदि वह आत्म-पर का भेद करता हो। यहाँ द्रष्टव्य है कि भोक्तृ-प्रत्यय और उपयोग-प्रत्यय में उपादान-भेद का कारण इनमें उन्मुखता-भेद ही है, अन्यथा भोक्तृ-प्रत्यय का उपादान भी मनोवृत्ति नहीं होती। इन दोनों प्रत्ययों में कर्त्तृकता सामान्य धर्म है, यही धर्म कला-कर्म में भी है। किन्तु उपयोग-प्रत्यय जबकि उपादानोन्मुख होता है भोक्तृ-प्रत्यय पुरुषोन्मुख होता है, इन दोनों से भिन्न कला-कर्म : कलात्मक प्रत्यय : स्वोन्मुख रहता है। इसी से इसमें उपादान रंग (चित्र में), ध्वनि (संगीत में) और अंग-चालन (नृत्य में) आदि होने पर भी ये इसके सम्पूर्ण उपादान नहीं हैं, ये उपादान मन: पर्यन्त (अनुभूतिपर्यन्त) होते हैं और प्रत्यय अपने अर्थ का उल्लेखी होता है। वास्तव में इसी कारण 'घट' को वस्तु और कलाकृति तथा पश्चात्ताप को अवस्तुपरक विषयिमूलक मान लिया जाता है। किन्तु यह उचित नहीं है। विषयिमूलकता का क्षेत्र इससे भिन्न है, जैसाकि हम आगे देखेंगे।

पश्चात्ताप को वस्तुपरक मानने के विरुद्ध आपत्ति यह है कि इसका विषय, यदि उसे उचित रूप से विषय कहा जा सकता है तो, सबके लिए समान रूप से गम्य नहीं होता, जैसे घट होता है। वस्तुत्व के न्यूनतम दो अनिवार्य लक्षण कहे जा सकते हैं, सर्वगम्यता और विषयि-निरपेक्षता। जहाँ तक पहला लक्षण दूसरे का अंग है वहीं तक वह वस्तुत्व के लिए प्रासंगिक भी है। यह लक्षण, वास्तव में पहला लक्षण भी, पश्चात्ताप-विषय में नहीं होता, इसलिए इसे भाव-सत् तो कह सकते हैं किन्तु वस्तु-सत् नहीं कह सकते। किन्तु यहाँ यह ज्ञातव्य है कि विषयि-निरपेक्षता का क्या अर्थ है?

जैसाकि हमने पीछे देखा, जगत् के सन्दर्भ में निरपेक्षता का सामान्यत: गृहीत अर्थ देश में, अथवा दैशिक रूप में, द्रष्टा से स्वतन्त्र विद्यमानता है। प्रस्तुत आपत्ति (विषयिनिष्ठता की) के मूल में भी यही धारणा है। किन्तु इस पर विचार के प्रसंग में हमने देखा कि देशावस्थिति तो घट की भी केवल गौणत: ही है, मुख्यत: यह अवस्थिति तो केवल महाभूतों की ही है। यहाँ हम पूर्वपक्ष से यह प्रश्न करना चाहेंगे कि द्रष्टा की सत्ता कहाँ है? देश में या अ-देश में? पूर्व पक्ष इसका उत्तर दे सकता है कि देश में। दैशिक वस्तु और उसका द्रष्टा दोनों 'मैं' और 'पर' के रूप

में देश के ही दो बिन्दुओं पर स्थिति होते हैं। किन्तु यह द्रष्टव्य है कि स्वप्न-विषय और कल्पना-विषय भी देश में ही होते हैं और उसी प्रकार उनका द्रष्टा भी, किन्तु यहाँ देश का स्वरूप बहुत भिन्न प्रकार का होता है—यह देश क्रियात्मक प्रकार का होता है और इसकी स्थिति द्रष्टा में ही होती है। इसके विपरीत जागृति में प्रत्यक्षगत विषयों का देश मुख्यत: अधिष्ठानात्मक प्रकार का होता है। और जिस सीमा तक यह अधिष्ठानात्मक प्रकार का होता है उसी सीमा तक इसका विषय निरपेक्ष-देशावस्थित वस्तु होती है। किन्तु जागृति में भी देश का यह प्रकार शुद्ध नहीं होता, यह केवल संस्कार-साध्य देश होता है। सहज में प्रत्यक्ष-विषय भी स्वप्नानुरूप क्रियात्मक देश में ही होता है। इनके विपरीत चित्र का देश पूर्णत: अधिष्ठानात्मक प्रकार का होता है। क्रियात्मक देश द्रष्टा-दृश्य के बीच अभियोजनात्मक (मैनीपुलेश्नल) तनावों से उपलक्षित होता है जबकि अधिष्ठानात्मक देश निवृत्त द्रष्टा का प्रेक्ष्य होता है जो प्रत्यक्ष के विपरीत अध्यवसाय का विषय होता है। परिणामत: हमारे सभी प्रत्यक्षमूलक अध्यवसायों में देश क्रियात्मक और अधिष्ठानात्मक दोनों प्रकारों का सम्मिश्रण होता है। इस प्रकार क्रियात्मक देश में द्रष्टा अभियोजनात्मक : नियोजित करने वाले : केन्द्र के रूप में और अधिष्ठानात्मक देश में द्रष्टा विषय के परिप्रेक्ष्य पर एक दृष्टि-बिन्दु के रूप में दृश्य के देश में ही अवस्थित होता है। इस प्रकार देश दैशिक प्रकार के विषयों और उनके द्रष्टा के बीच सम्बन्ध से व्युत्पन्न स्थिति विशेष होता है।[1] इसका अर्थ यह नहीं है कि हम विषयों को विषयि-सापेक्ष सिद्ध कर रहे हैं बल्कि यह है कि हम विषय और विषयी के बीच उस विच्छेद को आरोपण मानते हैं जो वस्तु-सद्-विषयक उपर्युक्त पूर्व पक्ष के आधार में है।

किन्तु यदि पूर्वपक्ष की धारणा के निदर्श को भी मान लें तो भी वास्तव में कठिनाई इस धारणा की ही बढ़ती है न कि हमारे मत की। क्योंकि यदि वस्तु की सत्ता के लिए दैशिक अवस्थान-रूप निरपेक्षता अनिवार्य पूर्वापेक्षा है तो द्रष्टा की सत्ता का क्या होगा? यह सत् है या असत्? उसे असत् कहने का कोई अर्थ नहीं है। और यदि वह सत् है तो प्रश्न होगा कि यह जागतिक सत् है या जगद्बाह्य सत्? वास्तव में इस आपत्ति में निहित धारणा यह है कि वह सत् जगद्बाह्य है और इस प्रकार हमारे भावादि भी जगद्बाह्य सत् हैं, वस्तु-सत् नहीं। भाव, अनुभूति और अध्यवसाय आदि को अवास्तविक विषयिनिष्ठिता या विकल्प आदि कहने का यही अर्थ हो सकता है। किन्तु यह सब बहुत घपला है, निरपेक्ष सद्विषयक सारी चर्चा बहुत बड़े अविचार पर आधारित है जिसकी ओर यहाँ हम केवल संकेत कर सकते हैं—रागवश मेरा यह कहना कि 'अमुक अच्छा है' विषयिनिष्ठ है और राग विषयिगत है, किन्तु अनन्तर मेरा यह निर्णय करना कि 'मैंने जो अमुक को अच्छा कहा था वह रागाधीन होकर कहा था, यद्यपि वास्तव में भी वह अच्छा है', उस 'अमुक' के अच्छेपन और मेरे राग दोनों की ही वस्तुता-विषयक कथन है। इसी प्रकार, दृष्टिकोण विशेष से गम्य इन्द्रिय-विषय के रूप और आकार का कथन विषयिनिष्ठ कथन है और उस दृष्टिकोण विशेष से गम्य रूप और आकार से संकेतित निरपेक्ष रूपाकार का परोक्ष ग्रहण वस्तुनिष्ठ ग्रहण है। किन्तु चित्रकार द्वारा दृष्टिकोण विशेष से ग्रहण का चित्रांकन निरपेक्ष वस्तुनिष्ठ ग्रहण है, यह विषयिभाव के, द्रष्टा के, वस्तुत्व का ग्रहण होता है। इस प्रकार वस्तुनिष्ठता की स्थिति दो ओर उन्मुख अतिक्रमण में होती है : 'द्रष्टामुखीन अतिक्रमण निरहंकारता में होता है और विषयमुखीन अतिक्रमण वस्तु की द्रष्टृ-निरपेक्ष अवधारणा में, जिसके लिए निरहंकारता अनिवार्य पूर्वापेक्षा है, और इस निरहंकार द्रष्टा द्वारा उल्लेखित सभी विषय वस्तु-सत् होते हैं'[2]—'अच्छा है' के रूप में मूल्यांकित 'अमुक व्यक्ति' भी, उसका रागात्मक मूल्यांकन भी, और अपना रागात्मक 'साहंकार' भाव भी। और इन तीन वस्तुओं में से जितना निश्चित निरहंकार द्रष्टा इस तीसरी वस्तु : रागात्मक भाव : के सम्बन्ध में हो सकता है, उतना प्रथम दो के सम्बन्ध में नहीं हो सकता। इस प्रकार निरपेक्ष वस्तुता का आधार वास्तव में द्रष्टा-पक्ष में अहंकार का अतिक्रमण है न कि विषय-पक्ष में विषयी से निरपेक्ष दैशिकता।

1. द्रष्टव्य यशदेव शल्य **विषय और आत्म** अध्याय 2, अखिल भारतीय दर्शन परिषद्, 1072.

2. यहाँ यह संकेत करना अस्थाने नहीं होगा कि व्यष्टित्व मात्र का मूल अहंकार में है और इस प्रकार ऐन्द्रिय प्रत्यक्ष और अध्यवसाय मात्र अहंकारोपहित है। इस सम्बन्ध में आगे द्रष्टव्य 'आत्म और अनात्म' अध्याय।

किन्तु वास्तव में मनुष्य शुद्ध, पूर्णत: निरहंकार द्रष्टा या भोक्ता नहीं है, वह जगद्भावापन्न चेतना है। दूसरे शब्दों में, वह जगत् के प्रति राग-वृत्ति के अधीन साहंकार चेतना है, यद्यपि इस भाव में भी वह निश्शेषत: नहीं होता है। इसी से मनुष्य में मनुष्यता के असंख्य स्तर हैं। जो भी हो, मनुष्य का जगत् मनुष्य के जगद्भाव और शेषभाव की संश्लिष्ट सृष्टि है। शुद्ध जगद्भाव में वह सद्य:प्रदत्त विषयता से आगे नहीं जा सकता था। यह जगद्भाव से उसके किंचित् व्यवच्छेद का ही फल है कि उसे विषय प्रदत्त रूप में नहीं बल्कि सम्भावनात्मक रूप में प्रस्तुत होते हैं। विषयों का यह सम्भावनात्मक रूप उनके ग्रहण की प्रकारता के अनुसार शास्त्रों, विज्ञानों और कलाओं को सम्भव करता है। जगद्भाव से व्यवच्छेद की योग्यता मानव-स्तरीय चेतना में सहज है, किन्तु इस योग्यता के विकास के लिए भाषा के आश्रय की अपेक्षा होती है। भाषा की सत्ता अतिवैयक्तिक बुद्धि की अभिव्यक्त सत्ता है। **वाक्यपदीय** के शब्दों में, इसे परावाक् का विवर्त कहना अधिक उपयुक्त होगा। मनुष्य का अविच्छिन्न जगद्भाव प्रथमत: इस सत्ता से ही व्यवहित होता है, यद्यपि अनन्तर कर्तृ, भोक्तृ बुद्धि की साधना से यह भाव इस व्यवधान का लय खोजता है। यह पाशव-चेतना से, जिसमें व्यवधान का आविर्भाव ही नहीं होता, ठीक उल्टा है। द्रष्टव्य है कि चित्सत्ता के अतिवैयक्तिक आविर्भाव पाशव स्तर पर भी उपलब्ध होते हैं : मधुमक्खियों का छत्ता और चींटियों की बस्तियाँ इसी प्रकार के आविर्भाव हैं, और बाह्यत: अप्रकट रूप में तो पशुओं में सहज प्रवृत्तियाँ (इंस्टिंक्ट) भी चेतना की अतिवैयक्तिक सत्ताएँ ही हैं। किन्तु वैयक्तिक वैशिष्ट्य का अर्थ वासना, उद्वेग आदि में व्यक्ति-भेद नहीं है, जैसाकि अस्तित्ववादियों, विशेषत: सार्त्र, ने समझा है। उस प्रकार का भेद पशुओं और पौधों में भी मिलता है। सहज प्रवृत्ति इस प्रकार के भेद को समाप्त नहीं करती : कोई दो कुत्ते एक जैसे नहीं भौंकते। किन्तु इनमें ये असमानताएँ या वैशिष्ट्य सामान्य आधार : शारीरिकी (फिज़ियालोज़ी) : के सामान्य नियम के अपूर्ण उदाहरण-रूप होती हैं वैयक्तिकतामूलक नहीं। वैयक्तिक वैशिष्ट्य का अर्थ निरहंकारता की सिद्धि में स्तरभेद है। वास्तव में मानव-चेतना को उपलब्ध विकल्प-बुद्धिमूलक व्यवधान ही इस वैशिष्ट्य का आधार है। इस वैशिष्ट्य के अनुसार ही अत्यन्त वैविध्यपूर्ण जगत् की भी सृष्टि होती है। यह जगत् अब केवल रागात्मक विषय-जगत् नहीं रह कर रागात्मक, विरागात्मक और उभयात्मक वृत्तियों से सृष्ट वस्तु-जगत् के रूप में आविर्भूत होता है। पक्षि-जगत् में तिनका और घोंसला दोनों समान रूप से जगत् की घटक वस्तुएँ हैं, इसी प्रकार मनुष्य-जगत् में मिट्टी, घट, फैक्ट्री, बैंक, पुत्र, कलत्र, मित्र, शत्रु, कर्म और तन्मूलक खेद, पश्चात्ताप और विरक्ति सब वस्तुएँ हैं जो असंख्य स्तरीय मानव-जगत् की सृष्टि में अवयव बनती हैं। इस जगत् से मनुष्य का सम्बन्ध पार्थक्य और विरोध-वाचक 'अचैत्त' का ही नहीं होता, यद्यपि इस प्रकार का भी होता है। पक्षी का तिनके, घोंसले, बच्चों और काम-सखा से सम्बन्ध पार्थक्य या विरोध का नहीं होता, वह मूलत: भिन्न प्रकार का होता है। उसे (प्रथम प्रकारक सम्बन्ध को) वास्तव में 'सम्बन्ध' नहीं कहकर आत्माभिव्यक्ति का कर्म ही कहना चाहिए। रागात्मिका वृत्ति में मनुष्य के जगत् से सम्बन्ध बहुत कुछ इन्हीं दो प्रकारों के होते हैं—आत्माभिव्यक्तिपरक और विरोधपरक। सार्त्र मनुष्य में भी जगत् से केवल रागात्मक सम्बन्ध को ही देखता है और इसमें भी केवल विरोधात्मक प्रकार के, अर्थात् आशंका, भय, असुरक्षितता और प्रतिरोधपरकता का सम्बन्ध ही उसका ध्यान आकृष्ट करते हैं। किन्तु जैसाकि हमने पीछे देखा, मनुष्य का जगत् से सम्बन्ध रागात्मक ही नहीं, विरागात्मक और राग-विरागात्मक प्रकार का भी होता है और इस सम्बन्ध में मूलित जगत् को, जिसकी प्रतिष्ठा अहंकारातिक्रमण और पुरुषोल्लेखिता में है, विरोध और प्रेम से परे सर्वथा आत्मसर्जन का क्रम कहा जा सकता है।

आत्म और अनात्म

हम जगद्भाव को प्राप्त चैतन्य हैं, किन्तु यह भाव चेतना के लिए अनिवार्य नहीं है। यदि यह अनिवार्य होता तो जगद्-विचार जगत् के अभाव की तथा अन्यथाभाव की सम्भावना से ही आरम्भ होता है। निवार्य होने पर भी यह भाव चेतना के लिए सहज और दुर्निवार्य है। किन्तु यह भी कल्पनीय है कि जगद्भाव चैतन्य की निरवधिक सत्ता में मात्र एक आगन्तुक घटना है, जो घटित होने पर चैतन्य के लिए सहज और अनिवार्य प्रतीत होती है किन्तु वस्तुत: यह नितान्त आगन्तुक है। किन्तु यदि जगद्भाव सहज भी हो तो भी इसकी निवार्यता इसकी आगन्तुकता को तो प्रकट करती ही है।

जगद्भाव का मुख्य माध्यम देह और इन्द्रियाँ हैं, अथवा कहें, चेतना इस भाव को आपन्न होने पर देहेन्द्रियाधिष्ठित होती है। किन्तु अन्तःकरण और बुद्धि भी इस भाव के साधक बनते हैं। उदाहरण के लिए देहेन्द्रिय स्तर पर भूख, रसना और भोजन परस्परापेक्षी हैं किन्तु बौद्धिक स्तर पर रसना विश्लिष्ट प्रत्यय के रूप में गृहीत होकर भूख से निरपेक्ष असीम अतृप्ति की कारक बनती है। इस प्रकार जगदुन्मुख अन्तःकरण और बुद्धि जगद्भाव का अनेकधा संवर्धन कर देते हैं।

जगत् का मूल अहंकार को कहा गया है जो ठीक ही है, क्योंकि जगद्भाव सीमित विषयों के माध्यम से ही अपने को सिद्ध करता है और सीमित विषयों की सृष्टि विषयी की सीमितता के बिना नहीं हो सकती। संवेद्य विषयों की सिद्धि के लिए उनका परिप्रेक्ष्यात्मक होना आवश्यक है जो हमारे देश में बिन्दु विशेष पर स्थित हुए बिना सम्भव नहीं है। इस प्रकार वर्ण की सम्भावना के लिए विशेष किरण-दैर्ध्य से उनका अवलोकन आवश्यक है, अन्यथा सब किरण-दैर्ध्यों से एक-साथ देखने पर वर्ण सम्भव नहीं हो सकता। इसी प्रकार विचार के लिए भी : प्रत्येक विचार एक व्यवस्था का अंग होता है और यह व्यवस्था अन्य समकक्षी व्यवस्थाओं का निषेध करती है। इसी से प्रत्येक प्रतिज्ञप्ति के साथ उसकी प्रतिषेधक प्रतिज्ञप्तियों का एक क्षेत्र रहता है। यही बुद्धि का अहंकार है कि वह सब पक्षों से एक-साथ विचार नहीं कर सकती। विचार, भाव, और संवेद सब चेतना के अहंकारमूलक अवगुण्ठन के प्रतिफल हैं। निरहंकार चैतन्य के लिए तन्मूलक विषयी और विषय की उपलब्धि सम्भव नहीं है।

संवेद का अनुभूति में ग्रहण और अनुभूति तथा संवेद पर विचार तत्तवस्थाओं का अतिक्रमण है, विचार पर विचार प्रथम का दूसरे में अतिक्रमण है। ये सब अहंकार के क्रमिक अतिक्रमण होने पर भी अहंकार के अन्तर्गत ही स्तर-भेद हैं। और जैसाकि हमने कहा, इनकी उन्मुखता विषयपरक होने पर ये निम्नतर अवस्थाओं की पुष्टि ही करते हैं।

यह उन्मुखता जगदुन्मुखता है जिसे ही हमने चेतना का जगद्भाव कहा है। किन्तु अहंकार और जगदुन्मुखता पर विचार, इन विषयक होने पर भी, इनसे पराङ्मुखता है—प्रयोज्य-मात्र पर सन्देह कि इनका मैं क्या करूँ—किमहं तेन कुर्याम्—आनुभूतिक और बौद्धिक स्फुरण होने पर भी जगन्निवर्तक हैं। और यह जगत्पराङ्मुखता और निवृत्ति उतने ही तथ्य हैं जितना जगद्भाव तथ्य है। जगद्भाव चैतन्य की जागतिकता को प्रकट करता है और जगन्निवृत्ति आत्म की जगद्बाह्यता की प्रकाशक बनती है। दोनों भाव चैतन्य के ही भाव हैं। किन्तु आत्म की जगद्बाह्यता का अर्थ है कि जगद्भाव आत्म-भाव नहीं है। किन्तु जगद्भाव में स्पष्टत: आत्म-भाव भी रहता है : 'मैं' के बोध के रूप में नहीं, जैसाकि प्राय: समझा जाता है, अपितु अतिक्रामी भोक्ता के रूप में। अधिक उपयुक्त पदावली में कहें, विषयों के विनियोजक के रूप में। उदाहरणत: सम्मुख स्थित मेज़ की देशावस्थिति आत्मा की विषय-वृत्तिकता का—विषयाभिमुखता—का व्यापार है और उसके वर्णादि देहेन्द्रियाधिष्ठान के। यह विनियोजक आत्म कांट के अतिक्रामी आकारों का समकक्षी नहीं है, यह जगद्भावापन्न आत्म है जो इस भाव से निवृत्त भी हो

सकता है। किन्तु जगद्भाव में आत्म प्रकट नहीं रहता, यह विषय-विनियुक्त रहता है। विचार, भाव और वस्तुएँ इसे तन्नियुक्त और आत्म-बहिष्कृत रखती हैं। पाशव-स्तर पर तो यह आत्म मुख्यत: देहेन्द्रियाधिष्ठित ही रहता है और इस प्रकार केवल सांवेदनिक भाव को ही प्राप्त रहता है। परिणामत: इसमें अपनी ओर अतिक्रमण का कोई आभास नहीं रहता। किन्तु यदि विकासवाद या भोग-योनियों का अभ्युपगम सही हो तो यह अभ्युपगम भी सही प्रतीत होता है कि इन स्तरों पर भी इस अतिक्रमण का प्रयत्न रहता है जो इनमें स्तर-भेद के क्रम से मनुष्य-योनि में प्रतिफलित होता है। किन्तु इस पर ह्यूमीय प्रकार की आपत्ति उठायी जा सकती है और कहा जा सकता है कि आत्म-संज्ञक कोई वस्तु है ही नहीं, केवल विषयच्छटा ही है, और एक मनोवैज्ञानिक भाव है जो 'मैं' पद-वाच्य है। किन्तु यह आपत्ति पूर्णत: निरर्थक है, क्योंकि ह्यूम आत्म को पीत, कठोर आदि के समान स्तर के एक विषय के रूप में खोजते हैं जो ग्राम्यजन भी नहीं करते, और तब उसे नहीं पाकर उसे कल्पना घोषित करते हैं। ह्यूम के समान ही बौद्धों ने भी आत्मा को कल्पना कहा है—उनके अनुसार यह संस्कार-प्रवाह मात्र है। किन्तु यह भी केवल विषयात्मक का, मनोवैज्ञानिक अहंबोध का, निरूपण है जिस पर किसी को आपत्ति नहीं हो सकती। किन्तु आत्मा न संवेद्य विषयों में एक विषय के रूप में अभिप्रेत है, न मनोवैज्ञानिक स्तर के अहंपरक अनुभव के रूप में, न संस्कार-प्रवाह के संयोजन के रूप में ही अभिप्रेत है। जगद्भाव की अवस्था में यह आहंकारिक उपाधियों के रूप में अभिप्रेत है जो सब आगन्तुकताओं का अतिक्रमण कर उन्हें नाम से अभिहित करती है। अथवा कहें, यह उस बोध के लक्ष्य के रूप में अभिप्रेत है जो आहंकारिक उपाधियों की अनात्मता को प्रकट करता है। इस बोध को मनोवैज्ञानिक कहना युक्त नहीं है, क्योंकि ऐसा कहने का अर्थ केवल यही होगा कि इस बोध का उपादान प्राकृतिक है। अब, यदि यह मान भी लिया जाये कि इस बोध का उपादान प्राकृतिक है, तो भी इसका स्वरूप क्या है, संकेत क्या है, अभिप्राय क्या है, यह इससे द्योतित नहीं होता। भोजन की इच्छा, शेर से भय और इस इच्छा का निरोध तथा निर्भयता की सिद्धि चारों मनोवैज्ञानिक हैं, किन्तु इनके स्वरूप मूलत: भिन्न हैं। निरोध के प्रयत्न भाग की भी मनोवैज्ञानिक व्याख्या सम्भव है, किन्तु इस प्रयत्न के अर्थ या प्रयोजन की मनोवैज्ञानिक व्याख्या सम्भव नहीं होगी। यह प्रयत्न विषयोत्तरपरक है और इस विषयोत्तरता में ही मूलित है। जगद्भाव की सार्थकता में सन्देह और जगन्निवृत्ति की सिद्धि आत्मा की जगद्‌बाह्यता की सूचक है। इस प्रकार जगत् भी आत्मा की ही आत्मपराङ्मुख वृत्ति के रूप में प्राप्त होता है।

× × ×

उपर्युक्त विवेचन के अनुसार जगत्प्रवृत्ति और जगन्निवृत्ति दोनों आत्मा के सहज व्यापार हैं यद्यपि जगत्प्रवृत्ति की अवस्था में निवृत्ति का प्रवर्तन एक प्रयत्न-साध्य व्यापार है। किन्तु जगत्प्रवृत्ति सहज होने पर भी आत्मा की स्वरूप-भ्रष्टता है। क्योंकि जगत् विषय के रूप में, और जगद्भाव के रूप में भी, आगन्तुक और सन्दिग्ध है। इसकी आगन्तुकता इस बात से सिद्ध है कि इसके अन्तर्गत विशिष्ट वस्तुएँ ही नहीं, जगत् अपनी समग्रता में भी उससे अन्यथा होना सम्भव है जो यह है। इतना ही नहीं, इसका अभाव होना भी सम्भव है। और जब मैं जगत् के संधारक के रूप में, विनियोजक के रूप में, अपने ही अस्तित्व को आगन्तुक पाता हूँ तब इसका छूंछापन, असद्रूपता रेत के घरौंदे की असद्रूपता से भी अधिक मुखरता के साथ प्रकट हो जाती है। आगन्तुकता जगत् के और मेरी जागतिकता के असद्भाव को प्रकट करती है। यहाँ आपत्ति हो सकती है कि मेरा इस समय देश-विशेष में होना आगन्तुक है, किन्तु इससे यह सिद्ध नहीं होता कि मैं इस समय देश-विशेष में नहीं हूँ। यह सही है, किन्तु मेरे यहाँ नहीं होने की सम्भावना से यह आपादित होता है कि यहाँ पर होना मेरा स्वरूप-धर्म नहीं है। इस प्रकार मेरे तथा जगत् के नहीं होने की सम्भावना जगत् की और मेरी नितान्त आगन्तुकता को और इस प्रकार नि:स्वभावता को प्रकट करती है।

इससे जगद्भाव की निरर्थकता प्रकट होती है; किन्तु यह निरर्थकता इससे अधिक प्रत्यक्ष रूप में भी प्रकट होती है : जगत् की सार्थकता हमारी एषणाओं के रूप में प्राप्त होती है। इस प्रकार अधिकार, काम, रसेच्छा आदि जगत् की सार्थकता के विधायक होते हैं। इनकी तृप्ति की खोज हम अपनी-पूर्ति के रूप में करते हैं, किन्तु इनकी

तृप्ति हो जाने पर जबकि एक सुख मिलता है, मनन से आत्म पूर्ति के रूप में इस अन्वेषण की भ्रामकता प्रकट होती है। एषणाएँ आत्मा में अभाव के रूप में ही प्रकट होती हैं, किन्तु इनकी तृप्ति हो जाने पर आत्मा को कोई भी अभिवृद्धि नहीं हुई होने का बोध इस तृप्ति के लिए अनुधावन को अनात्म के अनुसरण के रूप में प्रकट करता है जिससे खेद और क्लान्ति उत्पन्न होती है। मनुष्य ने इस तृप्ति की आत्म-तृप्ति के रूप में निरर्थकता को, अथवा कहें इसकी अनात्मता को, प्राय: अपने शैशव में ही देख लिया था, क्योंकि हम आदिमतम अवस्थाओं के मानव-समाजों में भी देहेन्द्रिय स्तर की पूर्तियों की अनात्मता का बोध पाते हैं, यह बोध कितना भी अपरिष्कृत चाहे क्यों नहीं हो। नैतिक बोध का आधार यह बोध ही है। यद्यपि यह स्तर बहुत स्थूल है, किन्तु मुख्य बात इस दृष्टि के आविर्भाव की है जो नैतिक बोध के रूप में मनुष्य में सर्वत्र उपलब्ध होती है। नैतिकता का मूल देहेन्द्रियमूलक एषणाओं की निग्रहोचितता का बोध है। इस पर आपत्ति हो सकती है कि इस बोध की युक्तता का क्या प्रमाण है? इसकी अभ्रान्तता कैसे सिद्ध है? यह आपत्ति भी नवीन नहीं है, किन्तु यह इस भ्रान्ति पर प्रतिष्ठित है कि बोध तर्कपूर्वक होता है, जबकि वस्तुत: तर्क बोधपूर्वक होता है।

एषणाएँ आत्मा के देहेन्द्रियाधिष्ठापन की परिणाम होती हैं, अर्थात् इनका अनुभव मेरी देहाकांक्षा और इन्द्रियाकांक्षा के रूप में नहीं होकर आत्माकांक्षा के रूप में होता है—मैं भोजन और रस के लिए व्याकुल होता हूँ परिणामत: इनकी पूर्ति मुझे पूरित करती है। इस प्रकार इन एषणाओं की निग्रहोचितता का बोध आत्मा की निग्रहोचितता का बोध होगा, जोकि वदतोव्याघात है, क्योंकि आत्मा का निग्रह किस सिद्धि के प्रयोजन से हो सकता है? इस प्रकार निग्रहोचितता का यह बोध इस आत्मा की औपाधिकता को प्रकट करता है, क्योंकि किसी एषणा की निग्रहोचितता का अर्थ है उसके अभाव और उस अभाव की पूर्ति का असत् होना, अर्थात् इसका केवल प्रातीतिक होना कि यह अभाव आत्मपरक था और इसकी पूर्ति आत्मपूरक होगी। इससे देहात्म और इन्द्रियात्म आदि की औपाधिकता या अनात्मता प्रकट होती है, जोकि चैतन्य के जगद्भाव में व्यतिक्रम घटित होने की सूचक होती है।

× × ×

मनुष्य की स्थिति दो विरोधी आकर्षणों के मध्य-बिन्दु पर है। पाशव चेतना पूर्णत: बाह्योन्मुख चेतना है। बाह्योन्मुख चेतना देहेन्द्रियाधिष्ठित होकर इनके विषयों को समर्पित रहती है। बाह्योन्मुख प्रवृत्ति इस स्तर पर इतनी प्रबल रहती है कि अन्त:करण और बुद्धि या तो अंकुरित ही नहीं हो पाते या जहाँ अंकुरित होते भी हैं वहाँ ये पूर्णत: विषय के परतन्त्र ही रहते हैं। किन्तु मनुष्य में इस वृत्ति का व्यतिक्रम भी दिखायी देता है। इसमें बुद्धि विषयों में एक आन्तर विस्फोट घटित कर इन्हें घटना और अन्तर्वस्तु के रूप में विभक्त कर देती है और अन्तर्वस्तु के रूप में विषय एक ओर कालातीत स्मृति को और दूसरी ओर निरवधिक धर्मता को समर्पित हो जाता है। विषय का घटनात्मक पक्ष, जोकि देहेन्द्रियमूलक होता है, इस विश्लेषण से नितान्त अग्राह्य और गौण हो जाता है। स्मृति में विषयों का कालातीत संग्रह काल के एक दूसरे आयाम को सम्भव करता है। यह काल का मूल्यात्मक आयाम है। मूल्य उत्कर्ष-साधना का प्रयत्न है, जो पूर्ति के कारण-कार्यात्मक से भिन्न परिष्कारात्मक-संशोधनात्मक सन्दर्भ को जन्म देता है। परिष्कार विषय-सम्बद्ध और आत्म-सम्बद्ध दोनों प्रकार का हो सकता है किन्तु वास्तव में सब परिष्कार अन्ततः आत्म-सम्बद्ध ही होता है, क्योंकि सब परिष्कार्य विषय बुद्धि-ग्राह्य विषयों (धर्मों) की देहेन्द्रिय-ग्राह्य विषयों में पुनारचना के प्रयत्न होते हैं।[1] यह व्यापार एक प्रकार से चेतना के संसारावतरण के अनुरूप होता है। दोनों व्यापार चेतना के अपने को अन्य माध्यम से पुनरधिगत करने के व्यापार हैं। सब परिष्कार पुनरधिगमन का ही क्रम होता है, जो बाह्य विषयों में प्रत्यय की स्वरूप-सिद्धि को प्रतिफलित करता है।

जैसाकि हमने ऊपर कहा, विषय-परिष्कार परोक्षत: आत्म-परिष्कार ही है, किन्तु आत्म-परिष्कार के प्रत्यक्ष प्रसंग पश्चात्ताप, खेद और क्लान्तिजनक अनुभव के अवसरों पर प्रस्तुत होते हैं। पश्चात्ताप आत्मा के

1. यहाँ 'बुद्धि' शब्द का प्रयोग हम व्यापकतर अर्थ में कर रहे हैं।

अन्यथाभाव पर मनन के परिणामस्वरूप होता है और अपने सम्मुख अपनी स्वरूपभ्रष्टता को प्रकट करता है। पश्चात्ताप आत्मा का आत्म-निराकरण, आत्म-प्रतिषेध है। यह निराकृत और प्रतिषिद्ध होकर भी आत्मा ही होता है, क्योंकि यह आत्मा होने से ही पश्चात्ताप का स्रोत होता है। किन्तु तब भी यह आत्मा नहीं है, क्योंकि यह आत्म-रूप में ही निषिद्ध होता है। यह आत्मा के अन्यथात्व का, उसकी अन्तर्गत निराकरणीयता का, अन्तर्गत विसंगति और वैपरीत्य का, बोध है। पश्चात्ताप और खेद मेरे वह होने पर होता है जोकि मैं नहीं हूँ। यह उसकी निराकरणीयता का बोध है जो आत्मा के अन्तर्गत उसका बाधक है, जो मद्गत आत्म-विसंगत है। हमारी यह स्वरूपगत आत्म-विसंगति पदे-पदे प्रकट होती है और हममें खेद और क्लान्ति को उत्पन्न करती है—अजीर्ण मेरी रस-लिप्सा की और पराजय अधिकार और प्रभुता की एषणाओं की व्यर्थता को सहज में प्रकट कर देते हैं, यद्यपि तृप्ति और विजय पर मनन भी इनके अनुसरण की व्यर्थता को उतना ही प्रकट करता है। केवल तृप्ति और विजय मनन को सहज रूप में प्रवर्तित नहीं करते। ये सब आत्म-बोध के और अनात्म-विवेक से ही प्रवर्तित होते हैं। इन पर मनन जगद्भाव मात्र की आगन्तुकता, निरर्थकता, निवारणीयता और इस प्रकार अनात्मता को प्रकट करता है।

× × ×

निवारणीय आत्म अनात्म है। इस प्रकार अनात्म आत्मगत दोष है, जिसका निवारण आत्म-प्रापक होता है। दोष का बोध अदुष्टता के बोधपूर्वक होता है जिससे आत्मा की स्वरूपगत अदुष्टता सिद्ध होती है, किन्तु आत्मगत दोष का बोध वास्तव और भाव्य के बीच तनाव का बोध है, यह अदुष्ट के भाव या वास्तवता का बोध नहीं है। अदुष्ट यदि भाव या वास्तव हो तो दोष की सम्भावना नहीं रहेगी और इस प्रकार निवारण का प्रयत्न, प्रश्चाताप और खेद अस्थाने होगा। किन्तु हमारी प्राप्त स्थिति आत्मा और अनात्म के बीच, दोष और अदुष्ट के बीच तनाव की है—अदुष्ट हमारा परमार्थ है और इस प्रकार परमार्थत: स्वरूप-सत् है, किन्तु यह भाव्य और साध्य है, यह सिद्ध नहीं है। अनात्म भाव और सिद्ध है, किन्तु निवारणीय है और अतएव असत् है। दूसरे शब्दों में, अनात्म भाव है, किन्तु असत् है, जबकि आत्म अभाव और सत् है। इसे एक सदोष कला-कृति के उदाहरण से समझने में सरलता होगी। कला-कृति में दोष का बोध उसके अदुष्ट रूप का आक्षेप करता है। दोष कृति की आत्मा में अनात्म की, एक अन्तर्गत विदेशी तत्त्व की, विद्यमानता है। दोष वास्तव है, क्योंकि यदि वह वास्तव नहीं होता तो कृति अदुष्ट होती, किन्तु यह उसकी आत्मा नहीं है, क्योंकि यदि यह आत्मा होता तो इसके दोष होने का कोई अर्थ नहीं होता। इस प्रकार कृति स्वरूपत: भाव्य है और भावत: स्वरूपभ्रष्ट है। भाव और भाव्य के बीच सब तनावों का अन्तिम अधिष्ठान आत्मा और अनात्म के बीच तनाव में है, क्योंकि सब अपूर्णताएँ आत्मलक्षी होती हैं।

इस पर आक्षेप किया जा सकता है कि भाव्य पूर्णता स्वरूपसिद्ध पूर्णता नहीं है, यह आक्षिप्त पूर्णता है जो वस्तुता में सापेक्ष है, इसकी अपनी कोई अन्तर्वस्तु भी नहीं हो सकती, इसकी अन्तर्वस्तु केवल अनात्म-निषेध ही हो सकती है—यह निषेध पर आश्रित और उसी से आपूर्ण हो सकती है। किन्तु यह आपत्ति सही नहीं है। दोष का बोध अदुष्ट का आक्षेपक नहीं होता, वह अदुष्टतापूर्वक होता है। अदुष्ट के अभावरूप होने से वह अधिगत नहीं रहता, क्योंकि यदि यह अधिगत हो तो वह भावरूप ही होगा, भाव्य नहीं होगा। किन्तु यह दोष का निरूपक, उसका अभिधायक होता है, यह उसका नामकरण कर उसका निराकरण करता है। इस प्रकार दोष अदूष्यपूर्वक होता है। किन्तु अदूष्य की पूर्वता कालात्मक नहीं है, यह सत्तात्मक पूर्वता है—आत्मा भाव्य सत् है। यह ऐसा सत् है जो अवस्तु-सिद्ध है।

जगद्-वासना

सोऽकामयत। बहुस्यां प्रजायेयेति। स तपोऽतप्यत। स तपस्तप्त्वा इदं सर्वमसृजत यदिदं किंच। तत्सृष्ट्वा तदेवानुप्राविशत्। तदनुप्रविश्य सच्च तयच्चाभवत्। निरुक्तं चानिरुक्तं च। निलयनं चानिलयनं च, विज्ञानं चाविज्ञानं च सत्यं चानृतं च सत्याभवत् यदिदं किंच।[1]

पिछले अध्याय में हम जिस निष्कर्ष पर पहुँचे उसे एक वाक्य में कहें तो कहा जायगा कि 'जगत् मनुष्य का जगद्भाव है।' किन्तु उस अध्याय में हमने जगत्-पक्ष को ही मुख्य रूप से देखा था, मनुष्य-पक्ष या भाव (जगद्-भाव) पक्ष को नहीं। वह हम इस अध्याय में देखेंगे। 'मनुष्य' शब्द इस वाक्य में देखने वाले का, विषयी का वाचक है, 'भाव' शब्द विषयी के विषय के साथ सम्बन्ध का। 'जगत्' शब्द वहाँ सामान्य रूप से 'विषय' का वाचक है, किन्तु विषयी वह है जो तत्काल विषय के ग्रहण की प्रक्रिया में है। उसी प्रकार, विषय वह है जो विषयी के ग्रहण में अव्यवहित रूप से गृहीत होता है। किन्तु ग्रहण की अव्यवहितता में न 'मनुष्य' होता है और न 'जगत्', इसमें देखने की एक क्रिया होती है जिसको दो पक्षों में बाँट कर हम विषय और विषयी कह देते हैं। उदाहरण के लिए 'मैं पुस्तक देख रहा हूँ' में 'देखना' क्रिया है, जिसके एक पक्ष में आँख (चक्षु-इन्द्रिय) और दूसरे पक्ष में कोई रंग और आकार है। पर वास्तव में तो न कोई देखना केवल रंग-विशेष का होता है और न देखने वाली मात्र चक्षु-इन्द्रिय होती है। देखने वाला 'मैं' (अस्मिताभाव-युक्त व्यक्ति) होता है जिसमें चक्षु-इन्द्रिय केवल एक अंग होती है और देखा जाने वाला विषय एक वस्तु होती है, जिसमें रंग-विशेष केवल एक घटक होता है। रंग का आधार एक वस्तु होती है जो जब भी चाहे देखी जा सकती है, और जिसका यह रंग है। और वस्तु तथा इस रंग में कोई अनिवार्य सम्बन्ध नहीं है। इसी प्रकार 'मैं' एक दूसरी ऐसी वस्तु है जो जब देखती है तब वह चक्षु-इन्द्रिय के अतिरिक्त छू सकने, सूँघ सकने और सुन सकने की योग्यता रखती है, और ये योग्यताएँ उसमें विशेष काल में क्रिया में आ जाने की तैयारी में विद्यमान होती हैं। वास्तव में 'मैं' इससे भी बहुत अधिक जटिल होता है, और इसी प्रकार पुस्तक भी होती है, और देखने की क्रिया के उस काल में ये दोनों पक्ष अपनी पूरी जटिलता के साथ विद्यमान होते हैं। 'मैं' इसी जटिल विषयी का और 'पुस्तक' इस जटिल विषय का वाचक है। कुछ दार्शनिक लोग इन जटिलताओं को हटा कर इस क्रिया के तात्कालिक क्षण में उसी एक क्रिया को और उसके विषय को पकड़ने का प्रयत्न करते हैं और इन्हीं को वस्तु-सत् का वास्तविक ज्ञान कहते हैं। दिङ्नाग के शब्दों में—"यह स्वलक्षण वस्तु का निर्विकल्पक प्रत्यक्ष है,"[2] और इंग्लैण्ड के अनुभववादियों के शब्दों में संवेद-प्रदत्तों का संवेदन है।[3] किन्तु जैसाकि हमने पीछे अध्याय 2 में देखा है, विषय-रूप में प्रस्तुत पुस्तक वास्तव में पुस्तकत्व से युक्त है, उसके अतिरिक्त यह भौतिकता से युक्त है, और इसे इन दो प्रकारताओं से पृथक् नहीं किया जा सकता। किन्तु पुस्तकत्व का विकल्पित प्रत्यय से पहले और पृथक् कोई अस्तित्व नहीं होता। इसी कारण दिङ्नाग और अनुभववादी इसे विकल्प कहते हैं, जिससे उनका आशय है कि यह असत् है। जो बात वे जिस आधार पर पुस्तक के लिए कहते हैं वही बात और उसी आधार पर वे 'मैं' के लिए भी कहते हैं। किन्तु

---

1. उस परमात्मा ने कामना की कि मैं बहुत हो जाऊँ—अनेक हो जाऊँ, इसलिए उसने तप करके, यह जो कुछ है, उस सबकी रचना की। इसे रचकर वह इसी में अनुप्रविष्ट हो गया। इसमें अनुप्रवेश कर वह सत्य-स्वरूप परमात्मा मूर्त-अमूर्त, वाच्य-अवाच्य, आश्रय-अनाश्रय, चेतन-अचेतन एवं सत्य रूप हो गया। यह जो कुछ है उसे ब्रह्मवेत्ता लोग 'सत्य' इस नाम से पुकारते हैं। **(तैत्तिरीयोपनिषद् — 2.6)**।

2. द्रष्टव्य धर्मकीर्ति विरचित **'अपोहसिद्धि के अनुवाद एवं व्याख्या'** में डॉ. गोविन्दचन्द्र पाण्डे लिखित विमर्श (अखिल भारतीय दर्शन परिषद्)।

3. जी.ई. मूर — **फिलॉसफीकल स्टडीज़,** अ. 5. (रुतलज एण्ड केगन पॉल, लंदन, 922 तथा बी. रसल — **ऑवर नोलेज़ ऑफ दि एक्स्टर्लन वर्ल्ड,** ज्योर्ज एलन उण्ड अन्विल, लंदन) 1914.

हमारे इस तथाकथित निर्विकल्पक प्रत्यक्ष में भी एक विकल्प रहता है और वह यह कि जिस वस्तु को हम आँख से रंग के रूप में देखते हैं उसी का स्पर्श ठण्डे-गर्म आदि के रूप में ग्रहण करते हैं। यह तथ्य ऐन्द्रिक विकल्पकता का द्योतक है।

दिङ्नाग और कांट के 'निर्विकल्पक प्रत्यक्ष' (प्रतिभास) में यह एक अन्तर्निहित कठिनाई है। इससे बचने के उपाय के रूप में स्वलक्षण वस्तु को छोड़ा जा सकता है। वसुबन्धु और बर्कले की व्यवस्थाओं में यही किया गया है। किन्तु इससे कठिनाई का समाधान नहीं होता, क्योंकि वर्ण-प्रतिभास और ध्वनि-प्रतिभास में मौलिक भेद है, और भेद के विषय-पक्ष में एक आश्रय को यदि आप हटा भी दें तो विषयि-पक्ष में वही कठिनाई आ जायगी, अर्थात् विभिन्न प्रतिभास एक विज्ञान की विभिन्न उपाधियाँ हो जायेंगे। इस प्रकार, वसुबन्धु जब कहता है कि "सत् केवल विज्ञप्ति-मात्र है, उसमें अवभासित अर्थ (वस्तुएँ) असत् हैं"[1] तब या तो प्रत्येक अवभास को अलग सत् मानना पड़ेगा नहीं तो वही कठिनाई होगी। वसुबन्धु और दूसरे बौद्ध यही मान लेते हैं, उनके लिए सत् क्षणिक है।

अब यहाँ दो बातें देखने की हैं। एक तो यह कि जब हम 'मैं' और 'पुस्तक' के सरल और सत् आधारों को खोजने चले तब सब छोड़ देने पर अन्त में जो बचा वह 'मैं' पक्ष का क्षण ही है, 'पुस्तक' पक्ष का क्षण नहीं। पर कुछ दार्शनिक पुस्तक-पक्ष का क्षण भी रखना चाहते हैं। वह चाहे रखा ही जाये, पर 'मैं' पक्ष का क्षण तब भी मूल आधार रहता है। 'पुस्तक' पक्ष के क्षण को भी जो रखना आवश्यक समझते हैं वह इसलिए कि जिससे 'मैं' पक्ष अधिक सुदृढ़ रहे। उदाहरण के लिए कांट स्वलक्षण वस्तु को मानने के लिए तर्क देते हैं कि 'प्रतीति' के लिए यह आवश्यक है कि कोई प्रतीत होने वाली वस्तु भी हो।[2] वे ऐसा नहीं कहते कि वस्तु के लिए यह आवश्यक है कि कोई उसकी प्रतीति भी हो। अर्थात् प्रतीति तो है ही, उसके लिए कोई प्रमाण अपेक्षित नहीं है। पर वस्तु के लिए प्रमाण की आवश्यकता है, और इस प्रकार वस्तु परोक्ष हो जाती है। दूसरे शब्दों में, चैतन्य अपरोक्ष, आदि सत् है। जो कुछ भी है वह चेतनापूर्वक है।

पर यह चैतन्य क्या है? इसका पहला उत्तर तो होगा कि यदि चैतन्य अपरोक्ष है तो यह प्रश्न उसके बारे में नहीं किया जा सकता, क्योंकि इस प्रश्न में यह निहित है कि वह अपरोक्ष नहीं है, उसका परिभाषा से इस या उस प्रकार निर्धारण किया जा सकता है।

यह आपत्ति सही है, क्योंकि इस प्रकार चैतन्य और नहीं तो शब्द से तो व्यवहित हो ही जाता है। किन्तु इसके उत्तर में कहा जा सकता है कि शब्द व्यवधान नहीं है, झरोखा है, क्योंकि शब्द अवधारणा का स्थानीय है और अवधारणा स्वयं चैतन्य है। जैसाकि हम जानते हैं, बहुत-से दार्शनिक हैं जो अवधारणा को उपाधि, विकल्प या आरोप मानते हैं, और इस प्रकार झरोखा ही नहीं, कारण या साधन भी नहीं मानते, बल्कि व्यवधान मानते हैं।

भारत में इस विचार के दार्शनिकों की बहुत बड़ी संख्या है और पश्चिम में भी काफी हैं। पर जैसाकि हमने ऊपर कहा, जो बात अवधारणा के लिए कही जा सकती है वह इन्द्रिय-विज्ञान के लिए भी कही जा सकती है, और वही अनुभूति तथा सहज प्रवृत्ति (इंस्टिंक्ट) आदि के लिए भी कही जा सकती है। सबसे बड़ी बात यह है कि दर्शन अवधारणाओं का ही क्षेत्र है, फिर चाहे वे वसुबन्धु हों, बर्गसाँ हों, या दिङ्नाग हों, ये भी अवधारणाओं को ही आश्रित करते हैं। जब दिङ्नाग कहते हैं कि 'शब्द विकल्प-योनि है'[3] तब वे विकल्प ही को आश्रित कर इस सत्य का कथन करते हैं। ऐसा कैसे होता है कि अवधारणा को व्यवधान मानने वाले दार्शनिक अवधारणा के माध्यम से ही अवधारणा के सम्बन्ध में ऐसा कह पाते हैं और इन्द्रिय-विज्ञान या अनुभूति आदि के सम्बन्ध में भी कह पाते हैं?

---

1. वसुबन्धु — **विज्ञप्तिमात्रतासिद्धि,** विंशति कारिका-वृत्ति, कारिका 1; 'विज्ञप्तिमात्रमेवेदमसदर्थावभानसनात्।'
2. कांट — **क्रिटीक ऑफ प्योर रीज़न,** द्वितीय संस्करण की भूमिका, bxxvi-bxxvii.
3. विकल्पयोनयः शब्दाः विकल्पाः शब्दयोनयः।

ऐसा इस कारण होता है क्योंकि अवधारणा, इन्द्रिय-विज्ञान और अनुभूति आदि सब चैतन्य की ही विधाएँ हैं और ये जब-जब अपने को ज्ञापित करती हैं तब यह चैतन्य ही है जो ज्ञापित होता है। किन्तु चैतन्य विषय-ज्ञापक भी होता है, और कुछ लोगों का तो मत है कि वह स्वभाव से विषय-ज्ञापक ही होता है, आत्म-ज्ञापक वह होता ही नहीं। अवश्य यह विषय-ज्ञापक भी होता है, यह भी सही है कि सहज रूप में चैतन्य विषय-ज्ञापक ही होता है, यहाँ तक कि ज्ञानेन्द्रियों ने तो शरीर में बाहर की ओर अपने द्वार ही बना लिये हैं और अन्तःकरण भी ज्ञानेन्द्रियों से ही अपने को सम्बन्धित रखता है। किन्तु वह आत्म-ज्ञापक भी हो सकता है, कम-से-कम विचार-समर्थ प्राणी में वह आत्म-ज्ञापक भी होता ही है। यही कारण है कि हम विषय के साथ दृष्टि की, अन्य के साथ आत्म की, बात करते हैं और इन दोनों पक्षों को पहचानते हैं।

अब तक हमने देखा है कि दृष्टि-पक्ष : विषयिता : की बहुत-सी विधाएँ हैं। इन्हें 'विधाएँ' कहने का अर्थ है कि हम इनके परे किसी एक वस्तु की विद्यमानता स्वीकार करते हैं जो इन विधाओं में बँटती और आकार लेती है। विभिन्न विधाओं में विभक्त इस 'एक' को हम जीव कह सकते हैं। किन्तु यदि इस 'एक' को हम 'जीव' कहते हैं तब दुबारा वही विभाजन है, क्योंकि यह 'एक' अन्य से भिन्न और अन्य से परिसीमित है। यह आवश्यक नहीं है कि अन्य इस 'एक' के समान जीव ही हों, इस 'अन्य' में जीव भी हैं और अजीव भी हैं। किन्तु परिसीमितता जीव को अजीव से उसी प्रकार विभक्त करती है जिस प्रकार जीवों में परिसीमितता बनाती है। यदि मैं ब्रह्माण्ड में एक अकेला देखने वाला हूँ और शेष सब दिखायी देने वाला अजीव-समुदाय ही है तो भी मैं अपने को विभक्त और परिसीमित देखता हूँ, क्योंकि इस ओर मुझे यह मेज़ परिसीमित करता है और उस ओर वह कुर्सी परिसीमित करती है। किन्तु यह आवश्यक नहीं है कि इस परिसीमन को द्रष्टा जानता ही हो। यदि वह प्रस्तुत विषय में अपने को खो देता है तो वह इस सीमा को नहीं देख सकता। किन्तु यदि वह सदेह है तो वह देश में परिसीमित है ही, और यदि वह देखता भी है तो यह 'एक' का घटित होना है और यह घटना उसे काल में भी परिसीमित करती है। ये दोनों सीमाएँ ही उसे जीव बनाती हैं। चैतन्य में यह एक दूसरे प्रकार की विधा है जिसे हम अहंकार कह सकते हैं। 'अहंकार' का अर्थ अन्य से पृथक् अपना अपनेपन के रूप में ज्ञान या बोध नहीं है, अपनेपन का यह बोध अहंकार का विषय के रूप में बोध है जिसे हम 'अस्मिता' कह सकते हैं। स्वयं 'अहंकार' का अर्थ चैतन्य में अस्तित्व की सीमितता मात्र है। इस प्रकार जीव में देह का होना और ज्ञान तथा क्रिया में ज्ञानेन्द्रियों और कर्मेन्द्रियों का होना ही विभाजन होना और इस प्रकार सीमाओं का होना है, और यह सब अहंकार है। यहाँ यह स्पष्टीकरण आवश्यक है कि मेज़ भी कुर्सी से और कुर्सी मेज़ से पृथक् है, और ये सीमाएँ ही इन्हें 'मेज़' और 'कुर्सी' बनाती हैं। पर ये सीमाएँ वस्तुगत नहीं हैं। मेज़ और कुर्सी ये अपनी वस्तुता में सीमाएँ नहीं हैं, ये सीमाएँ तो नाम के द्वारा बनी हुई हैं और इस प्रकार प्रत्ययमूलक हैं, और इस नाम-भेद के बिना ये चैतन्य की देह-विधा और इन्द्रिय-विधा से उत्पन्न होती हैं। इस प्रकार ये सब विषयगत भेद या सीमाएँ भी चेतनामूलक और इस प्रकार अहंकारमूलक हैं। इस प्रकार अस्मिता और अहंकार में अन्तर है। अहंकार चैतन्य का परिसीमन है, अस्मिता अहंकारोपहित चैतन्य का अपनी ओर लौट कर आत्म-दर्शन है, यह अपनी सीमितता का, आहंकारिकता का बोध है, क्योंकि 'आत्म' का ग्रहण 'मैं हूँ' इस बोध के साथ ही अन्य से भिन्न और अन्य से परिसीमित होने का बोध भी है। दूसरे शब्दों में, यह अपनी ओर लौट कर अपना सीमित विषय के रूप में दर्शन है।

अस्मिता, या आत्मा के रूप में अपना ग्रहण, यह उस चैतन्य की विशेषता है जो अवधारणा करने में, विचार करने में समर्थ है, जो विकल्पात्मक है। यह चैतन्य द्वारा अपनी ज्ञान-क्रिया या दूसरी किसी क्रिया में अपना ग्रहण है। यह विकल्प अपने विषय का ग्रहण सम्भावना के रूप में अन्य विषयों के निषेध के साथ करता है। यही स्थिति अस्मिता के अपने ग्रहण में भी होती है, विषय के रूप में वह भी सम्भावनात्मक ही होता है। इस प्रकार अस्मिता आत्मोन्मुख विकल्प द्वारा सृष्ट विषय है, और यही उसकी परिसीमितता का भी कारण है। किन्तु विकल्प, जोकि अस्मिता का सर्जक और ग्राहक है, स्वयं अतिक्रामी अहंकार में उत्पन्न होता है, जिस कारण वह स्वयं भी अपने आधार में, अपने स्वरूप में, परिसीमित होता है। वास्तव में जितनी भी विषय-सृष्टि है वह इसी

प्रकार विविध, परस्पर व्यावृत्त और सम्भावनात्मक है, अर्थात् यह जैसी है उससे अन्यथा हुए होने की सम्भावना से युक्त है।

सीमित वस्तु काल में भी सीमित होती है, अर्थात् उसका आविर्भाव और तिरोभाव होता है। जैसाकि हमने ऊपर देखा, सीमितता का हेतु अहंकार है, नहीं तो विषय में सीमितता और वैविध्य नहीं हो सकता। साँख्य ने प्रकृति को स्वयं में जो सामान्य कहा है उसमें यही युक्ति है।[1] अहंकार भी यद्यपि प्रकृतिमूलक ही है किन्तु प्रकृति अपने आपसे अहंकारात्मक नहीं हो सकती, अहंकार का आविर्भाव चैतन्य के प्रसंग से ही होता है। इस प्रकार अहंकार वास्तव में चैतन्यपरक ही है, और यह सीमाओं का हेतु होने के साथ-साथ स्वयं भी सीमित है। अब, अहंकार का, और इस प्रकार विषय-वैविध्य का, हेतु क्या है? अहंकार के विषय का हेतु होने से अहंकार का हेतु विषय-प्रवर्तन की वासना को कहा जा सकता है। इससे हमारा अभिप्राय यह नहीं है कि इस प्रवर्तन का कोई कर्त्ता भी है, क्योंकि कर्तृत्व अहंकारमूलक होता है और इस प्रकार अहंकार का हेतु भी अहंकार हो जाता है, किन्तु यह मानना युक्त प्रतीत नहीं होता। इसकी अयुक्तता इस बात में नहीं है कि इसमें अनवस्था दोष है, बल्कि इस बात में है कि सीमित का अन्तिम आधार सीमित को मानने का अर्थ होगा सीमित को अपने स्वयं का आधार मानना। यह वदतोव्याघात है। इसलिए अहंकार का हेतु विषय-प्रवर्तन की निरहंकार वासना को कहा जा सकता है, यह विषय-प्रवर्तन-वासना स्वयं में सविषया नहीं है, यह विषय की अपेक्षी है, जो अहंकार और विषयों के आविर्भाव की हेतु है—'सोऽकामयत, एकोऽहं बहु स्याम प्रजायेयेति।'

यह वासना अनादि है, इसे सादि मानने का अर्थ होगा इसे सीमित और साहंकार मानना और इस प्रकार इसके अन्य आधार की अपेक्षा करना। वासना का आधार वासना-शून्य चित् को मानने में वासना की उत्पत्ति का हेतु कोई नहीं रहेगा। उपर्युक्त उपनिषद्-मन्त्र में ऐसा ही कहा गया है, जैसे मानो वासना की उत्पत्ति अहैतुक है। किन्तु वासना को अनादि मानने का यह भी अर्थ होगा कि यही आदि हेतु है। इससे 'चित्' और 'वासना' पर्यायवाचक हो जाएंगे। इस प्रकार वासना को आदि हेतु, अपना आधार आप, नहीं माना जाना चाहिए। किन्तु ये दोनों विकल्प स्वीकार्य नहीं हो सकते। इसी से वेदान्त ने वासना को अनादि मानते हुए भी असत् माना है और चित् को सत् और वासना-शून्य माना है। यही साँख्य और बौद्धों का भी समाधान है।

इसका क्या अर्थ है? यह समाधान सचमुच विचार की साधारण कोटियों का अतिक्रमण करता है। किन्तु इसमें कुछ तथ्य है। प्राचीन आचार्यों ने वासना को असत् सिद्ध करने के लिए यह सिद्ध करने का प्रयत्न किया कि विषय-जगत् असत् या मिथ्या है और इसके प्रमाण के रूप में उन्होंने साधारण भ्रम, स्वप्न और विभ्रम (हैल्यूसीनेशन) आदि के उदाहरण दिये। श्री अरविन्द ने इसके विपरीत यह दिखाने का प्रयत्न किया कि विशेष सत्-प्रतीतियों के असत् होने सम्बन्धी ये उदाहरण सत्-प्रतीति मात्र के विषयों की असत्ता सिद्ध नहीं कर सकते।[2] ठीक यही तर्क पश्चिम में भौतिक विषयों को वास्तव में संवेद-प्रदत्तों से रचनाएँ सिद्ध करने वाले दर्शनिकों के विरुद्ध लोक-बुद्धि-प्रमाणवादियों ने दिया है।[3] तर्क यह है कि रस्सी में सर्प का भ्रम सर्प को पहले देखे बिना नहीं हो सकता। पहले साँप देखा होता है तभी रस्सी पर उसका आरोप होता है, और रस्सी यहाँ सत् होती है, साँप 'वहाँ' सत् होता है। इस पर बहुत लम्बा वाद-विवाद है और स्वयं शंकर ने भी इस आपत्ति पर विचार किया है।[4] किन्तु वास्तव में यह प्रश्न ही यहाँ प्रासंगिक नहीं है, प्रश्न वास्तव में यह है कि यदि यह मान भी लें कि भौतिक विषय संवेद-प्रदत्तों से रचनाएँ हैं, अथवा जगत् रस्सी में सर्प के या शुक्ति में रजत के आरोप के समान ही है, तब प्रश्न यह होगा कि इस रचना-वृत्ति या अध्यास का हेतु क्या है? यह हेतु, जिसे अनादि अविद्या या अनादि वासना

1. ईश्वरकृष्ण — **सांख्यकारिका,** 11.
2. श्री अरविन्द — **दि लाइफ डिवाइन,** पुस्तक 2, भा. 1, अ. 5.
3. जे.एल. ऑस्टिन — **सेंस एण्ड सेंसिबिलिया,** ऑक्सफोर्ड पेपर बैक्स, 1982.
4. शंकर — **ब्रह्मसूत्र भाष्य,** प्रथमाध्याय, प्रथन पाद।

कहा गया है, यह सत् है या असत् है? मैं स्वप्न में वस्तुओं को देखता हूँ। साधारण रूप में ये वस्तुएँ असत् होती हैं। श्री अरविन्द ने यह सिद्ध करने का प्रयत्न किया है कि इनमें एक असाधारण सत्य रहता है। जागृति, स्वप्न और निद्रा चैतन्य की मुक्तावस्था (तुरीयावस्था) के समान ही तीन अवस्थाएँ हैं और ये अपने-अपने स्तर पर अपनी-अपनी विधा के अनुसार सत्य को प्रकट करती हैं। किन्तु इन्हें वासनामूलक कहने से ये सब तब तक मिथ्या सिद्ध नहीं होतीं जब तक वासना ही असत् सिद्ध नहीं होती। पीछे 'मनुष्य और जगत्' अध्याय में हमने देखा कि घट-पट आदि वस्तुएँ और उनके उपादान कारण सब प्रत्ययात्मक हैं। किन्तु इससे उन विषयों की असत्ता सिद्ध नहीं होती, क्योंकि प्रत्यय और उसका आधार चित् यदि सत् हैं तो ये विषय-वस्तुएँ भी सत् हैं। किन्तु प्रश्न यह है कि इस रचना-वृत्ति का क्या स्वरूप और स्थान है? दूसरे शब्दों में, क्या चित् ही विषय-वृत्तिक है और इस प्रकार जगद्-वासना अपना आधार स्वयं है, याकि विषय-वृत्ति उसी प्रकार इतर है और अध्यास है जिस प्रकार अहंकार है? इसका एक उत्तर है कि यह आरोप है,[1] स्वरूप चैतन्य निर्विषय है। दूसरा उत्तर है कि यदि सविषयता चैतन्यमूलक नहीं है तब सविषयता को कैसे समझा जायेगा? तब क्या यह असत् ही अपना आधार स्वयं नहीं हो जायेगा?

स्वरूप-चैतन्य को सविषय मानने में कठिनाई यह है कि उसे अपेक्षात्मक, दूसरे शब्दों में, स्वरूपतः अपूर्ण और आत्म-बहिष्कृत, मानना होगा। हम जगत् में इसी रूप में हैं, निरन्तर विषयाकृष्ट, जगद्भाव को प्राप्त; पर यह चैतन्य का स्वरूप है, ऐसा कहने का अर्थ होगा कि विभाग, अहंकार और अपूर्णता पारमार्थिक है। तब वास्तव में 'विभाग' और 'अहंकार' का भी कोई अर्थ नहीं होगा, क्योंकि ये दोनों शब्द आधार में अखण्डता और निरहंकारता को पूर्वकल्पित करते हैं और इस आधार से निरपेक्ष इनका कोई अर्थ नहीं बनता। इसके बिना चैतन्य में व्यष्टिता, दैशिकता और कालिकता को आत्यन्तिक और पारमार्थिक मानना होगा। पर ऐसा मानना अतर्कोचित ही नहीं, स्वयं हमारे अनुभव के विरुद्ध भी है, यह हमारे उपर्युक्त विवेचन से स्पष्ट है।[2] मानव-चेतना विकल्पात्मक और विवेकात्मक है। इस चेतना की यह विशेषता है कि यह अहंकार का अतिक्रमण करती है, काल में रहते हुए भी काल से ऊपर देखती है, देश में रहते हुए भी देश की सीमाओं का अतिक्रमण करती है। वास्तव में अहंकार का अतिक्रमण और देश-काल का अतिक्रमण यह एक ही बात का दो प्रकार से कथन है, पहला आत्म-पक्ष में है और दूसरा जगत्-पक्ष में। जगत्-पक्ष में काल का अतिक्रमण इन्द्रिय और अन्तःकरण के स्तर पर स्मृति के रूप में होता है और बौद्धिक विषय स्वरूपतः ही देश और कालपरक नहीं होते हैं। बर्गसाँ ने इस स्मृति को चित् और सत् के बीच व्यवधान के रूप में देखा है।[3] यह उसकी चित् और सत् विषयक ऐसी अवधारणा के कारण है जिसमें चित् विषय में अपने को खोने के द्वारा ही सत् का साक्षात्कार करता है। यह उसका दृष्टि-दोष है, क्योंकि इसमें चैतन्य आत्म-बहिष्कृत और परतन्त्र रहता है। किन्तु बर्गसाँ ने मानव-स्मृति में जो काल का अतिक्रमण देखा है उसमें उसकी सूझ महत्त्वपूर्ण है, यद्यपि नकारात्मक रूप से। (नकारात्मक रूप से इसलिए क्योंकि वह इस अतिक्रमण को व्यवधान या आरोप के रूप में देखता है।) इसी प्रकार अतिक्रमण देश में भी होता है : हम विषय के देश में ग्रहण को सम्पूर्ण के एक पक्ष-विशेष का ग्रहण मानते हैं और इस प्रकार उसके शेष को इस पक्ष के आधार के रूप में ग्रहण करते हैं। इन अतिक्रमणों में विषय-पक्ष में अहंकार का अतिक्रमण होता है। किन्तु अहंकार का मौलिक अतिक्रमण विषयि-पक्ष में होता है। विषयि-पक्ष में अतिक्रमण की मौलिकता मनोवैज्ञानिक नहीं होकर तात्त्विक और मूल्यात्मक है। मनोवैज्ञानिक रूप से वास्तव में विषयि-पक्षीय अतिक्रमण विषय-पक्षीय अतिक्रमण पर आश्रित होता है, जैसाकि कांट ने ठीक ही दिखाया है। उसके अनुसार, "दृष्टि की विषयगत एकता

---

1. वसुबन्धु — **विज्ञप्तिमात्रतासिद्धिः, त्रिंशिकाविज्ञप्तिभाष्यम्** — आत्मधर्मोपचारो हि विविधः यः प्रवर्तते।
2. वास्तव में अतर्कोचित होना कोई मूलगामी दोष नहीं है, क्योंकि तर्क भी औपाधिक और सापेक्ष होता है। इसलिए यह वहीं तक युक्त माना जाना चाहिए जहाँ तक यह अपने से परे वस्तु-स्वरूप को संकेतित कर सकता हो।
3. हेनरी बर्गसाँ — **मेटर एण्ड मैमरी,** ज्योर्ज एलन एण्ड अन्विन, 1911.

ही वास्तव में विषयिगत एकता को सम्भव करती है।"[1] किन्तु विषयि-पक्ष में अहंकार का अधिक आधारभूत अतिक्रमण विकल्पात्मक चैतन्य द्वारा अन्तरोन्मुख वृत्ति में अपने अन्तरोन्मुख आक्षेप के द्वारा होता है। फ़िख़्ते के शब्दों में, "अन्तरोन्मुख क्रिया (अस्मिता, विषयिता) विकल्पात्मक चैतन्य का स्वभाव है। अपने को आक्षिप्त करना (अपने बारे में मनन करना) इस क्रिया का एक कर्म है। यह विकल्पात्मक चैतन्य इस क्रिया के द्वारा अपने आपका आक्षेप करता है। सब मनन किसी का विषय के रूप में ही मनन करता है। अब, मनन के इस विषय को किस प्रकार का विषय होना चाहिए? इस मनन में विकल्पात्मक सत्त्व अपना विषय के रूप में आक्षेप करता है, वह अपना स्वयं विषय होता है, किन्तु इस विषय का स्वरूप अन्तरोन्मुख क्रिया-प्रवृत्ति होता है। इस प्रकार अन्तरोन्मुख क्रिया के अन्तिम उच्चतम विषय को स्वयं भी अन्तरोन्मुख क्रिया ही होना चाहिए।"[2] किन्तु यदि यह क्रिया इस आक्षेप में आक्षिप्त से ऊपर अपना निर्विषय रूप में ग्रहण नहीं करे तो विषय रूप में उसका यह आत्म-आक्षेप केवल अहंकार का ही तात्त्विक प्रतिष्ठापन होगा। उपर्युक्त उद्धरण के अन्तिम वाक्य में यद्यपि ऐसा प्रतीत होता है जैसे फ़िख़्ते इसी अहंकारातिक्रमण की बात कर रहा हो, किन्तु वह वास्तव में वैसा नहीं कर रहा है। क्योंकि आगे वह इसी क्रिया द्वारा अन्य व्यक्तियों और विषयों को भी आक्षिप्त देखता है।[3] किन्तु जैसाकि हमने पीछे देखा है, अपने अन्तरोन्मुख अतिक्रमण में अहंकार का भी अतिक्रमण अपेक्षित होता है। वास्तव में वैदान्तिक ब्रह्म और बौद्ध शून्य की अवधारणाओं में तो यह दृष्टि पूर्णत: स्पष्ट ही है, ईश्वर की अवधारणा में भी मूलत: यही दृष्टि है, क्योंकि भगवान् को भक्ति के विषय के रूप में कल्पित किया जाता है, जिसके सामने भक्त अपने को नितान्त अकिंचन अनुभव करता हुआ उसमें भाव की तन्मयता प्राप्त करना चाहता है। इस प्रकार न सविषयता चैतन्य का स्वरूप है, और न यह अपना आधार ही है।

सविषयता की निराधारता इस अतिक्रमण से ही नहीं उसके अपने अन्तर्गत स्वरूप से भी सिद्ध है, यद्यपि इसके इस स्वरूप का उद्घाटन इस अतिक्रमण से ही होता है। जैसाकि हमने ऊपर देखा, अहंकार विषय और विषयी की सीमितता का ही नामान्तर है। यह सीमितता ज्ञान और मूल्य में भ्रम की हेतु होती है : हम रस्सी में साँप देखते हैं और इसी प्रकार उन वस्तुओं में सन्तोष-प्रदत्तता देखते हैं जिनमें कोई सन्तोष-प्रदत्तता नहीं होती। यद्यपि रस्सी की उपलब्धि से सर्प-भ्रम का निवारण हो जाता है किन्तु इस भ्रम के हेतु की विद्यमानता साहंकार ग्रहण में मौलिक है, क्योंकि प्रत्यक्ष विषय की ग्राहकता अपने ग्राह्य की तुलना में अत्यधिक संकुचित होती है और परिणामत: यह नहीं कहा जा सकता कि उपलब्ध रज्जु भी भ्रममूलक नहीं है। इसी प्रकार हम उपलब्ध वस्तु में सन्तोष-प्रदत्तता का अभाव पा कर दूसरी अनुपलब्ध वस्तुओं का अन्वेषण करते हैं, किन्तु उन्हें पाकर पुन: देखते हैं कि इनमें भी सन्तोष-प्रदत्तता नहीं है, और तब दूसरी और वस्तुओं की आकांक्षा करते हैं। यह तथ्य आहंकारिक अन्वेषणों की मौलिक भ्रमात्मकता का द्योतक है। भ्रम असत् है, किन्तु भ्रम में क्या असत् है? सन्तोषप्रद वस्तु या कि सन्तोष अथवा उसकी अभिलाषा? अन्वेषण के स्वरूप पर विचार करने पर हम पाते हैं कि अन्वेषण में भ्रम अन्वेषण के अपने भीतर निहित है, क्योंकि इसका मूल अन्वेषक की अपूर्णता में है। पूर्ण में न तो खोज हो सकती है और न सन्तोषजनक वस्तुविषयक भ्रम ही हो सकता है। इसी से यह अन्वेषण सब उपलब्धियों को अन्त में व्यर्थ पाता है। वास्तव में सन्तोष-प्रदत्तता के भाव और अभाव दोनों का अधिष्ठान असन्तोष में ही है जो चित्त में अभाव का द्योतक है। किन्तु अभाव की विद्यमानता, अर्थात् भाव, वदतोव्याघात है। इसी प्रकार ज्ञानात्मक भ्रम के सम्बन्ध में भी मानना चाहिए : रज्जु में अध्यस्त सर्प सत् नहीं है किन्तु अधिष्ठान रज्जु और अध्यस्त सर्प में स्वरूपत: कोई भी भेद नहीं है। फलत: यह कहा जायगा कि एक का अस्तित्व है और दूसरे का नहीं है, यही भेद है। किन्तु कांट ने यह दिखाने का प्रयत्न किया है कि 'अस्तित्व' विधेय नहीं है, अर्थात् अस्तित्व

---

1. कांट — **क्रिटीक ऑफ प्योर रीज़न,** ए 105, 104, बी 137.
2. फ़िख़्ते — **दि साइंस ऑफ राइट्स,** पृ. 31–33, रुटलज एण्ड केगन पॉल, 1889.
3. वही, पृ. 31–33.

नामक कोई गुण नहीं है, यह केवल ऐन्द्रिय संवेदों में वस्तु का आरोप है।[1] किन्तु यह आरोप तो रज्जु और सर्प में समान है। तब एक भ्रम और दूसरा सत्य किस आधार पर है? इसका आधार कालान्तर में बाधितता-अबाधितता है। अब, यदि यह मान भी लें कि रज्जु सत् है और सर्प असत्, तो भी बाधितता की सम्भावना उतनी ही रज्जु में भी है जितनी सर्प में। वास्तव में सर्प का अध्यास ही रज्जु को बाधित करके होता है, जिस प्रकार रज्जु का प्रत्यक्ष सर्प को बाधित करके होता है। इस प्रकार रज्जु और सर्प दोनों ग्रहण में समान हैं। इस प्रकार मूल्य और ज्ञान दोनों प्रकार के असत्त्व वास्तव में चेतनामूलक हैं नकि विषयमूलक। सत् और असत् को परिभाषित करते हुए फ़िख़्ते कहते हैं, "जो कुछ अपने-आप में और अपने ही द्वारा है, वही वास्तव में है और पूर्ण है—सदा और सब प्रकार से अस्तित्वमय, बाधा-रहित और किसी भी प्रकार की वृद्धि-ह्रास की सम्भावना से रहित।"[2] किन्तु अज्ञान या भ्रम भी जगत् में है, बल्कि कहें यही जगत् में हैं, और परिणामत: जगत् और वह वासना जो इसकी मूल है, भ्रम और असत् हैं। किन्तु 'असत् है' इसका क्या अर्थ है? 'असत्' के साथ 'है' का प्रयोग स्पष्टत: वदतोव्याघात है। तब इसे कैसे समझा जाये?

इसका एक समाधान हो सकता है कि आकांक्षा, वासना और अपूर्णता असत् नहीं हैं। वास्तव में अपूर्णता या अभाव यही चित् का भाव है, स्वरूप है। दूसरे शब्दों में, चित् भावाभाव है, भावमात्रता जड़ का लक्षण है, इसलिए अभाव असत् नहीं है, यह चित् का स्वरूप है।[3] और वास्तव में जिस प्रकार हम जीव रूप में हैं, उसका यही सही निरूपण है। हम हैं और हमारे अस्तित्व का यह स्वरूप है कि हम अपूर्ण हैं, किन्तु इस अपूर्णता या भावाभाव के सम्बन्ध में एक अत्यन्त विस्मयजनक बात यह है कि यह अपूर्णता पूर्णन् के लिए व्याकुलता से युक्त है, यह एक नितान्त अविज्ञेय-अबूझ परिस्थिति है कि अपूर्णता केवल तर्कत: ही पूर्णता की अपेक्षी नहीं है बल्कि वास्तव में भी है। वास्तव में वासना का यह भी लक्षण कहा जा सकता है कि यह पूर्णता के लिए व्याकुल अपूर्णता है। यह भी कहा जा सकता है कि इस व्याकुल अपूर्णता के सिवाय और कोई अपूर्णता है ही नहीं : यह घट अपूर्ण है क्योंकि यह पट और पुस्तक में अविद्यमान है। किन्तु यह अपूर्णता वास्तविक नहीं है, यह केवल द्रष्टा के भेद-ग्रह की अपेक्षा से है, नहीं तो अपने उपादान में दोनों अभिन्न हैं। इस प्रकार सार्त्र का यह कथन एक प्रकार से सही है कि केवल जड़ पूर्ण है, और द्रष्टा का भेद-ग्रह उसकी अपनी अपूर्णता के कारण है। किन्तु यह निरूपण केवल अंशत: ही सही है, क्योंकि चेतना में अपूर्णता की अनुभूति है और पूर्णता के लिए व्याकुलता ज्ञानात्मक के अतिरिक्त मनोदैहिक प्रकार की भी है। किन्तु जबकि दैहिक अपूर्णता में पूर्णन् के लिए स्वभावत: व्याकुलता है और जीव में मौलिक भव्यता का प्रकार मुख्यत: यही है तब उसमें ज्ञानात्मक अपूर्णता भी है। किन्तु इस अपूर्णता में सर्वत्र पूर्णन् की व्याकुलता नहीं है। यह केवल उस जीव के स्तर पर ही है जो ज्ञान को भी जानता है, जो ज्ञान में अन्तरोन्मुख भी है। किन्तु ज्ञान की अपूर्णता का ज्ञान मनोदैहिक अपूर्णता के अनुभव से इस बात में मौलिक रूप में भिन्न है कि प्रथम इस अपूर्णता का अतिक्रमण भी करता है, यद्यपि वह पूर्णता का ग्रहण भी करता है या कर सकता है यह नहीं कहा जा सकता। मनोदैहिक अपूर्णता में पूर्णता के लिए व्याकुलता है, किन्तु इसमें इसका अतिक्रमण नहीं है, यद्यपि अपूर्णता की पूर्ति है। इसके विपरीत अन्तरोन्मुख चेतना में अपना अतिक्रमण उसका स्वरूप-लक्षण है, और वास्तव में यह अतिक्रमण ही मूल्य और ज्ञान के स्तर पर भ्रम का और उसके निराकरण का आधार होता है, क्योंकि इस अतिक्रमण के द्वारा ही वह विषय-पक्ष में अपनी अपूर्णता को प्रकाशित करता है। इस प्रकार अभाव, वासना या अपेक्षा को चैतन्य का स्वरूप नहीं कहा जा सकता, ये चैतन्य में स्वरूपगत पूर्णता की अपेक्षा से ही हो सकते हैं, अन्यथा नहीं। इस प्रकार जगत्-चैतन्य अभाव-व्यवहित भाव है, किन्तु यह पूर्ण भाव में प्रतिष्ठित है। अभाव से व्यवहित होना इस पूर्ण की चैतन्य-स्वरूपता का लक्षण है। इस व्यवधान के बिना

---

1. **क्रिटीक ऑफ प्योर रीज़न,** ए 593, 596, बी 621, 623.
2. पापुलर राइटिंग्ज, पृ. 393, टब्नर कं., लंदन।
3. यहाँ सार्त्र की **बींग एण्ड नथिंगनेस** का उल्लेख उपयुक्त होगा। वह स्वरूपगत पूर्णता केवल जड़ तत्त्व (बींग इन इट्सेल्फ) को ही मानता है और चैतन्य को अभाव से ही (बींग फॉर इट्सेल्फ) परिभाषित करता है।

भाव जड़ है, जैसे भौतिक द्रव्य, क्योंकि यह पत्थर और यह जल अपनी भौतिकता में अखण्ड भाव में प्रतिष्ठित हैं, अपने-आप में यह भूत द्रव्य न उद्देश्य है और न विधेय, यह उद्देश्य-विधेयता से अस्पृश्य भावमात्रता है।

इसके विपरीत विश्लेषणात्मक प्रतिज्ञप्ति उद्देश्य-विधेय में विभक्त अखण्ड भाव है। यही शुद्ध चैतन्य के आत्म-व्यवहितत्व का स्वरूप है। इसका अर्थ यह नहीं है कि कोई चैतन्य शुद्ध भी है। चैतन्य का अप्रत्यङ्मुख भाव ही उसका अशुद्ध भाव है, जिसमें वह इस आत्मकृत व्यवधान को वास्तविक रूप में ग्रहण कर उसमें आत्म-विस्मृत रहता है। उसका मनोदैहिक स्तर इसी आत्म-विस्मृति का स्तर है। किन्तु जब वह इस स्तर के अस्तित्व या भाव का आत्म-स्मृति में मनन करता है तब वह अपने शुद्धस्वरूप में स्थित होता है।[1] यह उसका आत्म-व्यवहित पूर्णभाव है। जहाँ तक जड़ तत्त्व का प्रश्न है, वह वास्तव में कोई भाव नहीं है।

1. श्री अरविन्द ने **दि लाइफ डिवाइन** के उपर्युक्त अध्याय में, जिसका शीर्षक है 'दि कॉस्मिक इल्यूज़न, माइंड, ड्रीम एण्ड हैल्यूसीनेशन', स्वप्न की व्याख्या करते हुए कहा है कि शंकर आदि ने जो अविद्या की उपमा स्वप्न और विभ्रम से दी है, वह उपयुक्त नहीं है। उनके अनुसार स्वप्न और विभ्रम चेतना के सत् के साथ सम्पर्क के जागृति से भिन्न माध्यम के कारण हैं। किन्तु यदि यह मान भी लें तो उन्हें केवल गुह्य संकेतों के रूप में ही माध्यम कहा जा सकता है, जिन्हें कि स्वप्नगत चेतना स्वयं नहीं ग्रहण करती। स्वप्नगत चेतना अपने प्रस्तुत विषयों में सत्यता की धारणा के साथ ही व्यवहार करती है, जिस धारणा का जागृति में बाध होता है। शंकर आदि ने इसी धारणा की ओर संकेत कर जागृति-गत चेतना की धारणाओं को अविद्यामूलक कहा है।

जगच्चैतन्य : चैतन्य का जगद्विवर्त

चैतन्य को परिभाषित नहीं किया जा सकता, क्योंकि परिभाषा अवधारणामूलक होती है और अवधारणा चैतन्य की पूर्वापेक्षी होती है। अथवा, चैतन्य को 'पूर्वापेक्षा' से भी परिभाषित किया जा सकता है, अर्थात् जो कुछ भी है सब चैतन्य का पूर्वापेक्षी है, चैतन्यपूर्वक है। किन्तु इसे परिभाषा नहीं कहना चाहिए, क्योंकि यदि यहाँ 'पूर्वापेक्षा' को अवधारणा के रूप में समझा जायगा तो यह व्यत्यय-दोष होगा, अर्थात् उलट करने का दोष। क्योंकि इसे परिभाषा मानने पर अवधारणा की पूर्वापेक्षा को भी अवधारणा ही मानना होगा। किन्तु विचारने चलेंगे तो अवधारणा तो आधार बनेगी ही, इससे कैसे बचेंगे, और जब विचार होगा, अवधारणा होगी, तब चैतन्य भी होगा ही, इसके आधार के रूप में, दूसरे शब्दों में इसके आकार या वृत्ति में। किन्तु 'विचार के आकार में चैतन्य' और 'विचार के आधार के रूप में चैतन्य' यह क्या एक ही बात है? यहाँ हम 'आधार' शब्द का प्रयोग जिस अर्थ में कर रहे हैं उसके अनुसार यह एक ही बात है, क्योंकि यहाँ 'आधार' का प्रयोग 'उपादान' के अर्थ में किया जा रहा है। इस प्रकार विचार चैतन्य का एक आकार है, दूसरे शब्दों में, विचार विचार-चैतन्य है। किन्तु यह केवल चैतन्य का एक आकार या वृत्ति है। उसके और आकार भी हैं, और यदि उसके कुछ आकार हैं तो इससे यह अनिवार्यतः उपपन्न नहीं होता कि वह निराकार नहीं हो सकता, न यही अनिवार्यतः उपपन्न होता है कि आकारों के आधार में कोई निराकार चैतन्य होगा ही। हो सकता है कि वह निराकार कभी नहीं होता हो, यह भी हो सकता है कि वह कभी निराकार हो ही नहीं सकता हो। जो एक से अधिक आकारों में आकारित होता है वह निराकार भी हो सकता है। यदि चैतन्य यह नहीं हो सकता है तो यह उसकी विशेषता ही होगी जिस पर पृथक् विचार की आवश्यकता है। किन्तु अभी हम इस प्रश्न को आगे के लिए स्थगित रखेंगे। चैतन्य की अपरिभाष्यता देखने के लिए इतना ही देखना पर्याप्त है कि विचार इसका केवल एक आकार है और विचार में चैतन्य के उपादान होने से विचार इसे अपने आकार में आकलित नहीं कर सकता, न वह अपने से अन्य आकारों का ही आकलन कर सकता है।

यहाँ हमने परिभाषा की असम्भावना के दो हेतु एक-साथ कह दिये, किन्तु ये दो परस्पर बहुत भिन्न हैं। अब, यदि पहले हेतु को उचित स्वीकार किया जाय तो विचार केवल अपने ही आकार में निरूपित को परिभाषित कर सकता है, वह न अपने उपादान को परिभाषित कर सकता है और न वह अन्य आकारों को ही परिभाषित कर सकता है। इस प्रकार चैतन्य के विचारेतर आकार, जैसे ऐन्द्रिय प्रत्यक्ष और अनुभूति भी, परिभाष्य नहीं हो सकते। किन्तु इन्हें हम परिभाषित करते हैं। तब यह कैसे सम्भव होता है? यह दो प्रकार से सम्भव हो सकता है—एक तो तब यदि विचार का आकार अन्य आकारों को बिना रूपान्तरण के ग्रहण करने में समर्थ हो, अथवा यदि वह अन्य आकारों का अपने आकार में रूपान्तरण कर सके। वास्तव में परिभाषा में यह दूसरी बात ही होती है, पहली बात सम्भव भी नहीं है। इसलिए यह कहा जा सकता है कि एक प्रकार से परिभाषा में चैतन्य का विचार-रूप ही प्रकट होता है, अन्य रूप अपरिभाष्य रहते हैं।

जहाँ तक दूसरे हेतु का सम्बन्ध है, यह विचारणीय है कि विचार और उसके उपादान का परस्पर क्या सम्बन्ध है? किन्तु इसमें यह कठिनाई है कि उपादान का ग्रहण कैसे होगा? क्योंकि ग्रहण केवल विचाराकार में, अथवा कम-से-कम किसी आकार में, ही हो सकता है। किन्तु तब वह उपादान नहीं रहता। स्पष्टतः विचारोपादान विचारणीय नहीं हो सकता, जैसे प्रत्यक्षोपादान प्रत्यक्षगम्य नहीं हो सकता। प्रत्यक्ष में रूप प्रत्यक्षगम्य होता है, और उपादान-चैतन्य इन्द्रिय विशेष के आकार में प्रत्यक्ष और रूप की उत्पत्ति का हेतु होता है। इसी प्रकार विचार में विचार-विषय : प्रत्यक्ष : विचारणीय होता है, विचारोपादान विचार के आकार में उस विचार और प्रत्यय की

उत्पत्ति के लिए हेतु होता है। इस प्रकार चैतन्य की अपरिभाष्यता उसके भाषा या विचार का आधार होने के कारण है। इसी प्रकार उसकी अगोचरता और असंवेदनीयता भी है।

संवेद में यद्यपि विचार के समान ग्राह्य-ग्राहक-भेद नहीं रहता, यह भेद संवेद के स्मृति के माध्यम से उसका प्रत्यय रूप में अवधारण होने पर ही उत्पन्न होता है, किन्तु संवेद में उपादान और आकार का भेद रहता है, अर्थात् संवेद चैतन्य का संवेदाकार में आविर्भाव है। यदि ऐसा नहीं माना जाय तो संवेद और चैतन्य को अभिन्न मानना होगा, किन्तु ऐसा माना नहीं जा सकता। क्योंकि तब या तो अन्य आकारों को चैतन्यपूर्वक नहीं माना जा सकेगा, अथवा यह मानना होगा कि इन आकारों में भी संवेद रहता है और वही उपादान-चैतन्य है।

निश्चय ही जीवमूलक[1] विचार, प्रत्यक्ष, वासना आदि में संवेद भी रहता है। जीव-स्तर पर इनका घटित होना इनका संवेदन होना भी है। किन्तु चैतन्य जीवन से, और इस प्रकार संवेद से भी, पूर्व है; संवेद उसका उसी प्रकार एक आकार है जिस प्रकार विचार है। पहला वेदनाकार है और दूसरा बुद्ध्याकार। जीव को चैतन्य का संवेदाकार भी कह सकते हैं। अन्य आकार भी उसमें न्यूनाधिक मात्रा में प्रकट होते हैं, किन्तु संवेदाकार उसमें आद्य और मौलिक होता है, और उसमें सब आकारों के साथ संयुक्त रहता है। जैसे प्रत्यक्ष, विचार, वासना आदि कुछ भी, जब जीव में घटित होते हैं तब संवेदपूर्वक ही घटित होते हैं। संवेद और अन्य आकारों में एक मौलिक भेद है—संवेद के अतिरिक्त अन्य सब आकार विषयोन्मुख होते हैं, संवेद निर्विषय होता है। किन्तु इस दृष्टि से विचार का भी अन्य आकारों से एक मौलिक भेद है, और वह यह कि यह विषयोन्मुख भी हो सकता है और आत्मोन्मुख भी। किन्तु यह संवेद के समान निरुन्मुख नहीं रह सकता। किन्तु किसी जीव में, सुषुप्ति के सिवाय, कभी शुद्ध संवेद की स्थिति भी रहती है यह सन्देहास्पद है। कुछ लोग शुद्ध सुषुप्ति की अवस्था भी स्वीकार नहीं करते हैं। किन्तु ऐसा सम्भवत: केवल मनुष्य के लिए ही कहा जा सकता है, अन्य जीवों के लिए नहीं। जीवों में शीत-निद्रा (हिबर्नेशन) की अवस्था निर्विषय संवेद की अवस्था ही है, जो कठोपनिषद् में वर्णित तृतीयावस्था है, और जिसे वेदान्त में भ्रामक रूप से तुरीयावस्था के निकटतम माना गया है।[2] विकास-क्रम में अवरतम जीवों में, और वनस्पतियों में जागृति की अवस्था में भी, सविषयता अनुपस्थित रहती है, किन्तु तब भी वह शुद्ध संवेद की स्थिति नहीं होती, उस स्तर पर भी संवेद के अतिरिक्त वासना भी रहती है जिसे निर्विषय अपेक्षात्मकता (इंटेंशनेलिटी) की अवस्था कहा जा सकता। वासना चैतन्य को विषय से सम्बद्ध करती है, किन्तु वह सदैव सविषया ही हो, यह आवश्यक नहीं है; उसका विशिष्ट लक्षण अपेक्षा मात्रता ही है। किन्तु विषय-बोध अवश्य अनिवार्यत: वासनामूलक (अपेक्षामूलक) होता है, जीव में वह सदैव संवेदमूलक भी होता है, क्योंकि संवेद आद्यतम जीव-धर्म है। प्रत्यक्ष और विचार चैतन्य के विषयात्मक व्यापार हैं, यह इनका विशिष्ट लक्षण है, यद्यपि इनके विषय भिन्न-भिन्न प्रकार के होते हैं। विषय की परिभाषा अभी तात्कालिक रूप से 'प्रस्तुत विशेष' यह दी जा सकती है। 'विशेष' शब्द यहाँ 'सामान्य' का विपरीतार्थक नहीं होकर व्यावतर्कता का ही सूचक है, अन्यथा विचार-विषय तो सामान्य ही होते हैं। इस प्रकार 'गोत्व' भी इस अर्थ में विशेष है, क्योंकि इसमें 'अश्वत्वादि' का व्यावर्तन है। 'प्रस्तुत' शब्द में चैतन्य की निवर्तकता अभिप्रेत है, अर्थात् चैतन्य इसमें अपनी पर्यन्तता और अपने से इतरता देखता है। किन्तु यह द्रष्टव्य है कि प्रस्तुति की स्फुटता प्रत्यक्ष में उपलब्ध नहीं होती, यद्यपि बौद्धों ने केवल प्रत्यक्ष में ही स्फुटता देखी है। किन्तु वसुबन्धु इसमें ग्राह्य-ग्राहक-भाव की अनुपस्थिति देखते हैं,[3] जोकि

1. 'जीव' शब्द का प्रयोग हम 'प्राणी' के अर्थ में कर रहे हैं, 'आत्मा' या 'उपहित आत्मा' के अर्थ में नहीं।

2. यहाँ यह स्पष्टीकरण आवश्यक है कि वेदान्त में निद्रा को आनन्दावस्था (मुक्तावस्था) से सम्बन्धित किया गया है, इसलिए उसमें इसकी अवधारणा स्वभावत: इससे सर्वथा भिन्न है जो हम प्रस्तुत कर रहे हैं। किन्तु हमारे विचार में इसे 'निद्रावस्था' नहीं कहना चाहिए। वेदान्त से हमारे प्रतिपादन में भेद का कारण यह है कि वेदान्त के आचार्य पारमार्थिक अनुभव से आरम्भ करते हैं और उसी को केन्द्र में रखते हैं जबकि हम लोक-साधारण अनुभव से आरम्भ करते हैं।

3. वसुबन्धु — **विज्ञप्तिमात्रतासिद्धि:,** विंशतिका, प्रकरण 1। वास्तव में वसुबन्धु मूलचैतन्य को विज्ञप्तिमात्र मानते हैं, जिसमें अर्थावभासन (ग्राह्य-ग्राहक-भाव) असत् है, किन्तु उससे रहित ऐन्द्रियविज्ञान सत् है।

शुद्ध विषयभाव के लिए अनिवार्य है। इस प्रकार वसुबन्धु के अनुसार, उपर्युक्त अर्थ में विषयभाव (विशेष प्रस्तुति) केवल विकल्प-ग्राह्य है, प्रत्यक्ष-ग्राह्य नहीं। प्रकट रूप से दिङ्नाग का प्रतिपादन उसके विपरीत होने पर भी यह स्वीकार किया जा सकता है कि उसका भी वास्तविक अभिमत यही है। तो भी प्रत्यक्ष को विषयात्मक कहना ही उचित है, क्योंकि अध्यवसाय जिस विषय को निश्चित करता है वह प्रत्यक्षात्मक ही होता है। अध्यवसाय का करण बुद्धि है, प्रत्यक्ष का करण इन्द्रिय है और संवेद का करण देह। इन्द्रियमूलक अध्यवसाय को शुद्ध विचार से पृथक् करने के लिए हम इसके करण को अन्तःकरण कह सकते हैं। चैतन्य की ये तीनों वृत्तियाँ विषयात्मक होती हैं।

साधारणतः चैतन्य के ये चारों आकार परस्पर सहयोग में रहते हैं। इन्द्रिय-विषय अन्तःकरण के सहयोग से निश्चित और स्थिर होता है, वासना चैतन्य को विषयोन्मुखता में प्रवर्तित करती है, और संवेद विषय को विज्ञापित करता है। इस प्रकार जीव में चैतन्य, निद्रावस्था के सिवाय, विषयोन्मुख प्रवृत्त और विषय से नियन्त्रित रहता है। केवल शुद्ध विचार की स्थिति इनसे भिन्न है। उसके विषय धर्म या तत्त्व होते हैं और इतर का व्यावर्तन प्रस्तुत में अप्रस्तुत का संग्राहक होता है। इस प्रकार विचार-विषय गोत्व अगोत्व का व्यावर्तक और सन्निवेशक होता है। दृष्ट रूप : वर्ण-आकार : अन्तःकरण द्वारा 'यह गाय है' के रूप में अगाय की व्यावृत्ति के साथ निश्चित होता है, वही विचार में अगोत्व के सहित समग्रता के आलोक से आलोकित होता है। अर्थात् शुद्ध विचार गोत्व का ग्रहण अगोत्व की व्यावृत्ति के रूप में नहीं बल्कि गोत्व में अगोत्व को व्यावृत्ति के द्वारा उपलक्षण बनाकर इस द्वन्द्वात्मकता में समग्रता का ग्रहण करता है। किन्तु यह विचार भी विषयात्मक ही होता है, यद्यपि यह विषय नितान्त भिन्न प्रकार का होता है, जिसके स्वरूप पर हम आगे विचार करेंगे। किन्तु यहाँ यह द्रष्टव्य है कि निद्रा में चैतन्य का निर्विषय संवेदन-भाव चैतन्य में सविषयता की आगन्तुकता का द्योतक है। किन्तु निद्रा में वासना और विषयोन्मुखता निष्क्रिय स्थिति में रहते हैं और इनकी सक्रियता, दूसरे शब्दों में क्रिया-प्रवृत्ति, निद्रा की समाप्ति के लिए हेतु होती है, अन्यथा एक बार निद्रा की स्थिति उत्पन्न हो जाने पर उसकी समाप्ति नहीं होनी चाहिए। किन्तु चैतन्य की दो अन्य अवस्थाएँ भी हैं, जो इस अवस्था से, और परस्पर भी, भिन्न हैं। इसमें एक अवस्था संवेद-रहित शुद्ध रचनात्मक वासना की है और दूसरी रचनात्मक वासना से निवर्तन के प्रयत्न की। इनमें प्रथम प्रकारक अवस्था एक ओर जगत्-रचना में और दूसरी ओर सांस्कृतिक रचनाओं में दृष्टिगोचर होती है और दूसरी मनुष्य के मूल्यान्वेषण और आत्म-अनात्म-विवेक में। जगत्-रचना को बहुतों ने ईश्वरीय कर्त्तृत्व के रूप में देखा है, यहाँ हमारा वह अभिमत नहीं है, क्योंकि कर्त्तृत्व में एक प्रकार के व्यक्तित्व या अस्मिता-बोध : अभिमान : की अपेक्षा होती है जो जगद्-रचना में दिखायी नहीं देती। वास्तव में अस्मिता का आविर्भाव जीव के माध्यम से ही होता है जो मनुष्य के स्तर पर प्रत्यङ्मुख होता है और व्यक्तित्व का आधार बनता है। ईश्वरीय चैतन्य केवल इस प्रत्यङ्मुखता की पराकाष्ठा ही हो सकता है, जो इस पराकाष्ठा के साथ ही निरहंकारता और इस प्रकार अकर्त्तृकता भी है। बौद्ध शून्यता, वेदान्तिक ब्रह्म, और साँख्यीय पुरुष ये अत्यन्त प्रत्यङ्मुख और निरहंकार चैतन्य हैं। किन्तु जगद्-रचना में व्यक्त चैतन्य कर्त्तत्व-रहित : निरहंकार : रचनात्मक वासना है जिसका स्वरूप बौद्धिक है। जगद्-रचना में दो स्तर या प्रकार दृष्टिगोचर होते हैं, एक स्तर जीवभाव-मात्रता का है और दूसरा जैविक मनोरचना का, जो सहज जैव प्रवृत्ति (इंस्टिंक्ट) के रूप में व्यक्त होता है। इनमें प्रथम आद्यतम है जो एक ओर विभिन्न जाति-प्रत्ययों (फोर्म्स) के रूप में और दूसरी ओर साहंकार वासना-विकल देहों के रूप में व्यक्त होता है।

सहज जैव प्रवृत्ति में प्राणि-व्यवहार प्रयोजनानुरूप व्यवस्थित होता है। यह पक्षियों के घोंसला-निर्माण और प्रवास-यात्राओं में, तथा मधुमक्खियों की समष्टि-व्यवस्था : छत्ता-व्यवस्था : में अपने प्रकृष्टतम रूप में दिखायी देता है। इसमें एक सुनियोजित-सुविचारित कुशल कार्य-व्यवस्था दिखायी देती है जिसका कर्त्तृत्व व्यष्टि में परिलक्षित नहीं होता। मनुष्य में इस प्रकार की क्रिया व्यक्तिपरक अभिमान : कर्त्तृत्वाभिमान और ज्ञातृत्वाभिमान : मूलक होती है : इंजीनियर गृह-निर्माण के प्रयोजन और उसके संस्थान और रूप-रचना को कल्पित करता है और इस कर्त्तृत्व की कल्पना और कर्त्तृत्व के प्रति अभिज्ञ होता है, किन्तु पक्षी घोंसला सहज रूप से बनाता है

और उस घोंसले की कल्पना और कर्त्तृत्व का अधिष्ठातृत्व उसमें नहीं होता। दूसरे शब्दों में, उसका देहाहंकार और कर्त्तृत्वाभिमान एकदेशीय नहीं होते, इसमें पक्षी यन्त्रवत् नियुक्त व्यवहार करता है। दूसरे शब्दों में, वह कर्मेन्द्रियरूप होता है। किन्तु इस व्यवहार में एक कल्पना और कौशल है, यह स्पष्ट है। इसका अधिष्ठान व्यक्ति-मनस् नहीं होने की अवस्था में अतिव्यक्ति-मनस् ही हो सकता है। किन्तु यह अतिव्यक्ति-मनस् संवेदात्मक नहीं हो सकता, यह संवेद-रहित, देह-रहित मनस् ही हो सकता है, यह स्पष्ट है।

यहाँ यह कहा जा सकता है कि घोंसला व्यष्टि-पक्षी ही बनाता है, तब सहज क्रिया का अधिष्ठान भी व्यष्टि-पक्षी के मनस् को ही क्यों नहीं माना जाय? इसका उत्तर यह है कि 'सहज क्रिया' केअर्थ में ही अधिष्ठान की व्यष्टि-मनस्-मूलकता का निषेध निहित है। मनस् की व्यष्ट्युपाधि का अधिष्ठान अस्मिता-बोध है जो क्रिया, कल्पना, ऐन्द्रिय ग्रहण और वैचारिक ग्रहण आदि को इतर-व्यावृत्त अहंता के देश में प्राप्त करता है। मनुष्य से अवरतर जीवों में यह बोध अवरता के क्रम में क्षीण से क्षीणतर होता है और उसी मात्रा में उनमें वैयष्टिक मनस् भी क्षीण होता है। यह द्रष्टव्य है कि कुछ जीवों में, जैसे मधुमक्खियों, चींटियों और पक्षियों में, मनोव्यापार पर्याप्त प्रखर और विकसित है किन्तु मानसिक वैयष्टिकता अनुपस्थित है, जबकि दूसरे बहुत-से जीवों में, जैसे केंचुए आदि में, और वनस्पतियों में, मनोव्यापार ही क्षीण है। इस वैयक्तिकता-रहित मनोव्यापार का अधिष्ठान व्यष्ट्युपाधि-रहित-वेदना-रहित अतिमनस् में ही मानना युक्त है। इसी प्रकार प्राणि-देह के अस्तित्व के दो स्तर हैं, एक स्तर संवेद, इन्द्रिय और मनस् का आश्रय-भूत है, यह स्तर देहाहंकार का है : दो व्यक्ति एक-साथ संवेदन और एक-साथ स्पर्शानुभव या दर्शन-श्रवणादि नहीं करते; दूसरा स्तर जाति-प्रत्यय का व्यंजक, अथवा धारक है, जैसे गो-देह गोत्व का और श्वान-देह श्वानत्व का। जिस अर्थ में यहाँ हम इन जाति-प्रत्ययों को देख रहे हैं वे न तो बौद्धों के अर्थ में विकल्प हैं और न नैयायिकों के अर्थ में जातियाँ हैं। ये ऐसे वास्तविक प्रत्यय हैं जो व्यष्टि-देहों को आकार देते और उनके माध्यम से न्यूनाधिक पूर्णता के साथ व्यक्त होते हैं। इन प्रत्ययों की अनुरूपता हम मानव-बुद्धि द्वारा साक्षात्कृत उन प्रत्ययों में भी देखते हैं जो मानवकृत रचनाओं में व्यक्त होते हैं, जैसे घटादि में एक प्रकार से और प्रतीक-रचनाओं में दूसरे प्रकार से। उदाहरणत: घट-प्रत्यय अनिवार्यत: घट-व्यष्टि रूप में ही व्यक्त हो सकता है, इस प्रकार यह जलत्व, प्रस्तरत्व आदि सामान्यों से भिन्न प्रकार का सामान्य है। इसी प्रकार गोत्व आदि हैं : प्रत्येक गाय-देह में सबलता-दुर्बलता, लघुता-दीर्घता, पृथुलता-कृशता आदि गुण व्यष्टिमूलक हैं किन्तु गोत्वमूलक एक आकार है जो उसमें न्यूनाधिक स्फुटता से व्यक्त होता है, जैसे दो घटों के वर्ण, आयतन आदि से अतिरिक्त उनमें घटत्व होता है। इस प्रकार ये प्रत्यय बौद्धों के अर्थ में विकल्प नहीं हैं किन्तु तब भी ये इस अर्थ में विकल्प हैं कि ये रूप या प्रतिभास नहीं हैं, ये बौद्धिक हैं : घटत्वादि मानव-बुद्धिमूलक और गोत्वादि अतिव्यष्टि-अतिमनस्-बुद्धिमूलक। अतिवैयष्टिक बुद्धि और वैयष्टिक बुद्धि में यही अन्तर है कि द्वितीय अस्मिता-युक्त और विदित (संवेदनमूलक) होती है, जबकि प्रथम इन दोनों से रहित होती है।

जैव सृष्टि के समान ही भौतिक सृष्टि भी बौद्धिक चैतन्य की ही अभिव्यंजक होती है किन्तु इनके सर्जक प्रत्ययों के स्वरूप में मौलिक अन्तर है। जैव सृष्टि व्यष्टि-आकृतियों के रूप में होती है जबकि भौतिक सृष्टि निराकार प्रत्यय को व्यक्त करती है। इसी से गाय या श्वान का ग्रहण हम ऐसे विषयों के रूप में करते हैं जो एकसाथ सामान्य और विशिष्ट होते हैं, और दोनों रूपों में ये हमारी विषयता का अतिक्रमण करते हैं जबकि भौतिक जगत् का ग्रहण अविशिष्ट सामान्य विषय के रूप में ही होता है। भौतिक विषय के ग्रहण के दो स्तर हैं—ऐन्द्रिक और बौद्धिक। ऐन्द्रिक स्तर पर भौतिक जगत् किसी स्वतन्त्र प्रत्यय या आकार को व्यक्त नहीं करता, उस स्तर पर यह विशिष्ट प्रदत्तों के रूप में सामान्य विषय होता है : इसमें वस्तु और प्रतिभास में अभेद होता है। अवश्य यहाँ भी एक भेद प्रदर्शित होता है, कि हम ग्राह्य रूप का ग्रहण उस ग्रहण से स्वतन्त्र सत् में अधिष्ठित के रूप में करते हैं। किन्तु यह वस्तुता या सत्ता भी एक सामान्य-स्वरूपात्मक ही होती है, यह विशिष्ट प्रतिभासों में विशिष्ट सत्ता के रूप में गृहीत नहीं होती; और सामान्य वस्तुता के रूप में यह केवल एक आत्म-विश्रान्त भावरूप

(बींग-इन-इट्सेल्फ) होती है, जो ग्राहक चित्त का प्रतिक्षेप मात्र : निराकार-अरूप चित्त का निराकार-अरूप प्रतिबिम्ब मात्र : होती है। विषय रूप में यह अन्त:करणमूलक अध्यवसाय का अध्यवसेय होती है, जो उतनी ही स्फुट होती है जितना स्फुट सत्ता का प्रत्यय होता है। किन्तु विषय का एक दूसरा स्तर बुद्धि-ग्राह्य प्रत्यय है जो भौतिक नियम के रूप में ग्राह्य होता है। यह नियम भौतिक विज्ञान में स्फुट विषयता प्राप्त करता है। किन्तु इस नियम को कांट के समान मानव-बुद्धि का अतिक्रामी आक्षेप मानने के बजाय अतिमानवीय बुद्धि के प्रत्यय के रूप में देखना अधिक युक्त प्रतीत होता है। अवश्य भौतिक नियम के अत्यन्त सामान्य होने के कारण इसे मानुषिक बुद्धि के आकारों के आक्षेप के रूप में भी देखा जा सकता है, किन्तु मानुषिक बुद्धि के आकारों के स्वयं अतिक्रामी होने से इनकी अयादृच्छिक सत्ता तो स्वीकार करनी ही होगी। कांट और दिङ्नाग इन्हें विकल्प कह कर समझ लेते हैं कि उन्होंने इनकी व्याख्या कर दी : कि ये वस्तु-सत् पर असत् आरोप मात्र हैं। इसके पीछे उनकी यह अतर्कित धारणा है कि यद्यपि चित् और सत् दो हैं किन्तु चित् स्वायत्तरूप से असद्वत् है : वह या तो सत् को यथार्थत: प्रतिबिम्बित करता है अथवा उसके अयथार्थ रूपों की सृष्टि कर उनमें व्यस्त रहता है। किन्तु जैसाकि प्रथम दो अध्यायों में हमने देखा, जगत् चिन्मूलक सृष्टि है और यह चित् इस सर्जन के क्रम में रूप, वेदना, अन्तःकरण और बुद्धि के रूप में आविर्भूत होता है।

यह चित्-सृष्टि चैतन्य का विषयोन्मुख प्रवर्तन है। किन्तु इसके समानान्तर एक और क्रम दृष्टिगोचर होता है जिसे चैतन्य के विषय-भाव से निवर्तन का क्रम कह सकते हैं। यह चित्-सृष्टि का एक नितान्त भिन्न आयाम है जिसके स्पष्ट लक्षण केवल मानुषिक स्तर पर प्रकट होते हैं। किन्तु इसके प्रयत्न की यात्रा का इतिहास उस विकास-क्रम के रूप में देखा जा सकता है जिसे जीव-विज्ञान जैव विकास के रूप में देखता है। जैव विकास का इतिहास वास्तव में मस्तिष्क-यन्त्र के विकास का इतिहास है, किन्तु यह चैतन्य के विषय के बन्धन से मुक्त होने के प्रयत्न के जैविक मार्ग के रूप में भी देखा जा सकता है, क्योंकि ये दोनों उसी प्रकार सम्बन्धित दिखायी देते हैं जिस प्रकार चक्षुरिन्द्रिय और चक्षु-गोलक, या श्रवणेन्द्रिय और कर्ण सम्बन्धित दिखायी देते हैं। विषय से मुक्ति का यह प्रयत्न अपनी प्रथम सफलता उस आन्तर उद्भिन्नता के रूप में प्राप्त करता है जिसमें चेतना प्रेक्षक-प्रेक्ष्य रूप में विभक्त हो कर प्रेक्ष्य को विषय के रूप में पृथक् स्थापित कर देती है और प्रेक्षक रूप में आत्म-निरीक्षण में प्रवृत्त होने का सामर्थ्य प्राप्त कर लेती है। मनुष्य से अवर जीवों में चैतन्य केवल संवेदन के माध्यम से प्रकाशित होता है और वासना रूप में नितान्त विषयोन्मुख (परोन्मुख) प्रवर्तित रहता है। इसमें इस दृष्टि से एक अद्वयता रहती है कि इसमें यह (चैतन्य) आपादमस्तक विषय-निमग्न रहता है और उसी से निर्धारित और निरूपित होता है, और इस प्रकार इसमें ग्राहक-ग्राह्य-भाव का द्वैत स्फुट नहीं रहता। इसके विपरीत मानुषिक स्तर पर चैतन्य ग्राह्य-ग्राहक रूप में उद्भिन्न होकर अपना विषय से पृथक् आत्म-रूप में और विषय का पर-रूप में ग्रहण करने में समर्थ हो जाता है। ये दोनों निर्धारण अत्यन्त प्रयत्न-साध्य हैं, और मनुष्य में भी साधारणत: अत्यन्त अस्पष्ट : परस्पर व्यामिश्रित : रहते हैं। इस निर्धारण के प्रयत्न की सफलता का मनुष्य में भी स्तर-भेद वास्तव में उसे पाशव स्तर से तारतम्यत: जोड़ता है। इसी के अनुसार जीवों में वरता-अवरता की कोटि भी बनायी जा सकती है। इस तारतम्य अथवा कोटि-क्रम को जैव विकास के विपरीत चिद्विकास का इतिहास, अधिक उपयुक्त शब्दों में, चेतना की विषय से विमुक्ति के प्रयत्न की सफलता का इतिहास, कहा जा सकता है।

किन्तु यदि चैतन्य के इस प्रयत्न का लक्ष्य उसका विषय की ग्रन्थि से अपना मुक्ति-लाभ करना है तब ज्ञान का साध्य विषय नहीं हो कर विषयी का, चैतन्य का, आत्म-स्वरूप-विमर्श ही हो सकता है। अन्यथा चैतन्य को तो विषय सहज ही सिद्ध होता है, वह तो उसे आत्मसात् ही किये रहता है, उससे आगे उसमें क्या अन्वेष्य रहता है? जैसाकि बर्गसाँ और सौत्रान्तिक बौद्धों ने ठीक ही देखा, विकल्प (इंटलेक्ट) तो विषय से विषयी को व्यवहित ही करता है। जिसे हम विषयनिष्ठता कहते हैं वह वास्तव में विषयी के उस वासना के आरोप से मुक्त होने के रूप में सिद्ध होती है जो उसे विषयोन्मुख रखती है। इसी से ज्ञान का विस्तार मनुष्य में विषयों की संख्या-वृद्धि के रूप में नहीं होकर प्रतीक-व्यवस्था के परिष्कार के रूप में होता है। यहाँ यह द्रष्टव्य

है कि यह प्रतीक-व्यवस्था व्यक्ति-मनस् से अतिक्रामी अवेदनात्मक बौद्धिक चित् का विमर्श है जिस प्रकार जीव-सृष्टि अवेदनात्मक निर्वैयक्तिक बौद्धिक चित् की व्यवस्था है, किन्तु इस अन्तर के साथ कि द्वितीय अनात्मोन्मुख विषय-सृष्टि की वासना से प्रवृत्त है और प्रथम आत्मोन्मुख स्वरूप-विमर्श के मूल्य-बोध से।

यहाँ यह देखना भी महत्त्वपूर्ण होगा कि मानवीय चेतना के स्तर पर यह अवेदनात्मक अतिवैयक्तिक प्रतीक-सृष्टि स्वयं उस अहंकार के अतिक्रमण के द्वारा होती है जो अहंकार पाशव चेतना में मौलिक है और उसके धर्मरूप में रहता है, किन्तु जो उसके अस्तित्व और बोध का अतिक्रमण करता है। मनुष्य में जबकि अहंकार एक ओर पशु के समान ही उसके अस्तित्व और बोध के अतिक्रामी नियामक के रूप में उसके देह, इन्द्रिय और मनस् को धारण करता है, दूसरी ओर उसकी आत्म-चेतन चेतना में स्वयं विषय हो कर अपने अतिक्रमण को भी सम्भव करता है। यह अतिक्रमण अस्तित्व के रूप में प्रतीक-व्यवस्था में और मूल्य के रूप में सत्यान्वेषण में सिद्धि पाता है। प्रतीक-व्यवस्था अहंकार और अहंकारातिक्रमण का विचित्र सम्मिश्रण है। प्रतीक-व्यवस्था अनेक आयामात्मक है। कलाएँ, विज्ञान, धर्म, तन्त्र, भाषा आदि इसके विभिन्न आयाम हैं। यह वैभिन्य, तथा रूप और अर्थ का वह आकुंचन जो प्रत्येक प्रतीक-व्यवस्था के बाह्य और आन्तर अस्तित्व को पार्थक्य में धारण करता है, अहंकारमूलक है। 'प्रतीक-व्यवस्था' को 'भाव (बींग) के बौद्धिक अवधारण', दूसरे शब्दों में 'विकल्पात्मक विमर्श' के रूप में परिभाषित किया जा सकता है। इस विमर्श का यह स्वभाव है कि यह विमृश्य भाव की अखण्डता का ग्रहण खण्डश: (विभक्तिपूर्वक) करता है, किन्तु यह विभाजन ही इसे उस अखण्ड भाव के आन्तर तत्त्व के वैभव-दर्शन में समर्थ भी बनाता है। एक गीत-रचना या काव्य-रचना इसके सहज ग्राह्य उदाहरण हैं, जिनमें एक भाव भाव्यत: विभक्त होता है और यह वैभिन्य उस भाव की एकता में धारित होता है। किन्तु यह उतना ही भाषा के लिए भी सही है, जिसे बौद्धों ने इसी कारण अर्थ : वस्तु : के आवरक के रूप में देखा था। अपोहवाद के अनुसार शब्द या वाक्य अपने अर्थ का अभिधान अतद्-व्यावृत्ति के रूप में करता है, अर्थात् 'गो' शब्द का वाच्य 'अगो नहीं है' यह है, और इस प्रकार इनके अनुसार, प्रत्यक्ष-विषय गो 'गो' शब्द द्वारा परोक्षत: ज्ञापित होता है। किन्तु उन्होंने यह नहीं देखा कि वास्तव में यह भाव की अखण्डता में निगूढ़ अर्थ-वैभव के उद्घाटन की एक विधि है जो भाषा को एक प्रतीक-व्यवस्था बनाती है। प्रत्यक्ष में संज्ञापित एक रूप जिस भाव में गृहीत होता है वह अध्यवसाय के द्वारा अन्यान्य सम्भाव्य रूपों के अधिष्ठान के रूप में एक समृद्धतर भाव में परिणत हो जाता है, किन्तु भाषा में वह अप्रस्तुत रूपों : सम्भाव्य प्रत्यक्षों : और अप्रस्तुत अध्यवसायों : 'अगो' द्वारा संकेतित : के स्थान में अवयवभूत होकर ऐसे अखण्ड भाव में संस्थित हो जाता है जिसका वैभव अद्भुत और अपार है।

मूल्य के रूप में अन्वेष्य सत्य बाह्यत: निर्धारित सत् की चिदुन्मुख विकास-यात्रा है। 'सत्य' का साधारण अर्थ चित् का सत् से साक्षात्कार है। यह सत्य क्या है? सत् का भौतिक तत्त्व के रूप में निर्धारण आधुनिक यूरोप का पूर्वाग्रह है, कुछ अन्य संस्कृतियों ने इसको ऐसी समग्रता के रूप में देखा है जो स्वयं द्रष्टा का भी समावेश करती है, और तब उन्होंने इसमें वैयक्तिक अहंकार के समर्पण को ही सत्य की परम सिद्धि माना है। इस समग्रता की आत्यन्तिकता और परमता को सब प्रकार से अपरिभाष्य : अनिरूप्य : कहने के लिए उपनिषद्कार ने इसे असत् तक कहा है,[1] प्लेटो ने इसके उत्कर्ष से विभोर होकर इसे सर्वसमावेशी अद्वय शिवभाव कहा है। यह द्रष्टव्य है कि जिन्होंने जगत् को ईश्वरीय रचना के रूप में देखा है और ईश्वर को इसके सर्जक अधिष्ठाता के रूप में, वे ज्ञान की सिद्धि उसकी इस सृष्टि के ज्ञान में नहीं स्वयं ईश्वर के ज्ञान में देखते हैं, और यह ज्ञान प्रेक्षणात्मक नहीं होकर आत्म-समर्पणात्मक, सायुज्य-लाभात्मक, प्रकार का है। जहाँ सत् को अद्वय रूप में देखा गया है और ज्ञान को प्रेक्षक-भाव के रूप में, वहाँ यह प्रेक्षक में प्रेक्ष्य की और प्रेक्ष्य में प्रेक्षक की सिद्धि के रूप में : लय के रूप में : देखा गया है : 'यो वै भूमा तत्सुखम्, नाल्पे सुखमस्ति।...स: (भूमा) कस्मिन् प्रतिष्ठित अति? स्वे महिम्नि

1. 'असद्वा इदमग्र आसीत्। ततो वै सदजायत' तैत्तिरीय उपनिषद्, वल्ली 2, अनुवाक 7.

यदि वा न महिम्नि इति।...स एवाधस्तात् स उपरिष्टात्स पश्चात्स पुरस्तात्स दक्षिणत:, स उत्तरत:, स एवेदं सर्वमस्ति। अथातोऽहंकारादेश एवाहमेवाधस्तादहमुपरिष्टादहं पुरस्तादहं दक्षिणतोऽहमुत्तरतोऽहमेवेदं सर्वमस्ति।'[1] यहाँ साँख्यीय दृष्टि का उल्लेख उपकारक होगा, जहाँ चित् से इतर का निर्धारण सत् के बजाय विषय के रूप में किया गया है। चित् से इतर रूप में विषय जड़-सत् है। किन्तु इस विषय-भाव के लिए विषय की चित् से पृथक् सत् के रूप में स्थापना न केवल अनावश्यक है बल्कि समस्यात्मक भी है। वेदान्त ने इसे चित् के ही आत्म-प्रवास के रूप में, आत्मेतरत्व के रूप में, देखा है। विषय की स्वतन्त्र सत् के रूप में स्थापना की कठिनाई डेकार्टीय सन्देह से स्पष्ट है। किन्तु यदि विषय को ही सत् और उसे भौतिक मान लिया जाय तब मनुष्य का सम्पूर्ण मूल्यान्वेषण, दूसरे शब्दों में सम्पूर्ण सांस्कृतिक प्रयत्न, व्यर्थ हो जायेगा।

विषय क्या है? इसकी एक परिभाषा हम पीछे देख चुके हैं, जिसे हमने सान्दर्भिक कहा था। वह परिभाषा चैतन्य के औपाधिक प्रेक्षकभाव की अपेक्षा से निर्धारित की गई थी। 'प्रस्तुत विशिष्ट' में प्रस्तुति प्रेक्ष्यभाव है और 'विशेष' अहंकारोपाधिमूलक। इस प्रकार भौतिक विषय इन्द्रियोपाधिमूलक प्रेक्ष्यभाव है। इसी प्रकार संख्या, सामान्य, नियम, धर्म (एस्सेंसिस) आदि अभौतिक प्रेक्ष्यभाव हैं, और परिणामत: अभौतिक विषय हैं, इनके प्रेक्ष्यभाव की उपाधि विकल्प-बुद्धि है। विषय को प्रेक्ष्यभाव कहने का यह अर्थ नहीं है कि वह असत् है, किन्तु उसका सत् प्रेक्षकभाव की अपेक्षावृत्ति में है। उदाहरणत: भौतिक विषय का सत्त्व क्या है? प्रथमत: यह प्रस्तुत वस्तु पृथुल, कठोर, मटियाले रंग की आकृति विशेष है, जिसे हम 'पत्थर' कहते हैं। दिङ्नाग और कांट इसे वस्तु-प्रतिभासमूलक विकल्प मानते हैं, अर्थात् इसके प्रथम क्षण को वस्तुसम्बद्ध : तत्सत्-सम्बद्ध : मानते हैं। किन्तु यह द्रष्टव्य है कि यहाँ विषय-सत् के रूप में निश्चित जो कुछ है वह सब विकल्पात्मक है, प्रतिभास न विषय है और न निश्चायक भाव। किन्तु दिङ्नाग और कांट का यह विचार है कि अध्यवसायात्मक विकल्प परोक्षत: स्वलक्षण सत् से सम्बन्धित होता है। जो भी हो, वह सत् से सम्बद्ध हो या नहीं हो उसमें यह अपेक्षा अवश्य रहती है कि वह तद्-रूप में : स्वलक्षण रूप में : विद्यमान हो और चित् में यथार्थत: आभासित हो। किन्तु यह अपेक्षा प्रेक्षकभाव की ही है, प्रेक्ष्यभाव की : विषय की : यह अपेक्षा नहीं है। यह अपेक्षा चित् को प्रेक्ष्यभाव में : विषय में : आत्म-बहिष्कृत करती है : इस भाव में चैतन्य आत्म-प्रवासित होता है। किन्तु मानुष-चैतन्य आत्मोन्मुख दिशा में अग्रसर होने की सामर्थ्य भी रखता है और तब स्वयं प्रेक्षकत्व ही प्रेक्ष्य होता है, जो आत्मप्रवास के बोध को उजागर करता है। यह स्थिति बहुत दुर्लभ है, इसकी सम्भावना मानुष-चैतन्य में प्रतिफलित उस उद्विग्नता में ही विद्यमान है जो प्रेक्ष्य को उस भाव में : प्रेक्ष्य भाव में : अध्यवसित करती और अपना अस्मिता में भावन करती है। जैसाकि हमने कहा, यह प्रयत्नसाध्य है, क्योंकि यदि यह सहज होता तब विषय-भाव ही नहीं होता, किन्तु यदि प्रत्यग्भाव भी सहज अन्वेष्य नहीं होता तब इस प्रयत्न का भी प्रवर्तन नहीं होता। जैसाकि हम देखते हैं, यह प्रत्यग्भाव चैतन्य में आत्मप्रवास का दु:ख और इस दु:ख से मुक्ति की उत्कण्ठा उत्पन्न करता है, जो धार्मिक भावना में तो परिलक्षित होती ही है, संगीत, काव्य, विज्ञान और तत्त्वमीमांसा आदि में भी परिलक्षित होती है—यहाँ यह उत्कण्ठा और त्रास के रूप में नहीं बल्कि प्रेक्ष्य से विपरीत प्रेक्षकत्व के आत्मविमर्श के रूप में परिलक्षित होती है। आत्मोन्मुख प्रेक्षकत्व प्रेक्ष्यत्व मात्र की आगन्तुकता, उसके अन्यथाभाव और असद्भाव की सम्भावना के बोध के द्वारा और प्रवास-दु:ख जगन्मूलक अन्वेषणों की व्यर्थता के बोध के द्वारा उद्भासित होता है। कुछ लोग समझते हैं कि प्रवास-दु:ख-बोध संस्कृति विशेष के पूर्वाग्रहों से उत्पन्न विभ्रम है। किन्तु ऐसा नहीं है। सभी संस्कृतियों में यह बोध विद्यमान है। अन्तर केवल इस बोध के रूप और स्तर में है। और इस तथ्य से कि यह बोध व्यक्ति संस्कृति से ग्रहण करता है इसकी यथार्थता क्षीण नहीं होती, क्योंकि संस्कृति मानव-चैतन्य का ही एक आयाम है जिसे प्रतीक-व्यवस्था के माध्यम में व्यक्त वेदना और

---

1. केवल असीम में ही सुख है, न्यून में सुख नहीं है—यह असीम किसमें प्रतिष्ठित है? यह अपनी महिमा में ही प्रतिष्ठित है, अथवा यह उससे भी महत्तर है और इस प्रकार उससे भी धारणीय नहीं है। वही नीचे है, वही पीछे और आगे, दाएँ और बाएँ, सर्वत्र है। अब इसी बाह्यत: संकेतित सत् का अन्तरत: संकेतित सत् के रूप में आख्यान किया जाता है—मैं ही नीचे हूँ, मैं ही ऊपर हूँ, मैं ही पीछे हूँ और मैं ही आगे हूँ, मैं ही दक्षिण में हूँ और मैं ही उत्तर में हूँ। मैं ही सर्वत्र हूँ। (छान्दोग्योपनिषद् 7.23-24-25).

वासना से रहित बुद्धि का आत्मविमर्श (प्रकृतिमूलक बुद्धि के विषय-विमर्श के विपरीत) और स्वयं आत्मचैतन्य का ही आत्म-अभिज्ञान कहा जा सकता है। इस प्रकार संस्कृति और उसके विभिन्न पक्षों का आविर्भाव चैतन्य के आत्मोन्मुख अन्वेषण की यात्रा के क्रम में ही होता है—काव्य, कलाएँ, शास्त्र, विज्ञान और दर्शन इसके बौद्धिक आत्मविमर्श को तथा धर्म और धर्ममूलक तत्त्वमीमांसा प्रवास-बोध-जन्य उत्कण्ठा और आत्म-साक्षात्कार की अभीप्सा को व्यक्त करते हैं।

ऊपर के विवेचन से दो महत्त्वपूर्ण प्रश्न उत्पन्न होते हैं—(1) चैतन्य के लिए कोई आकार विशेष अनिवार्य नहीं है—वसुबन्धु, दिङ्नाग और बर्कले के लिए रूपात्मक आभास या ज्ञप्ति, नैयायिकों के लिए प्रतिविषयाध्वसाय (अर्थात् वेदना, रूप, और अध्यवसाय संयुक्त रूप से), फिनोमिनलोजी दार्शनिकों के लिए विषयोन्मुख वृत्ति चेतना के अनिवार्य आकार हैं। कांट यद्यपि चैतन्य के निराकार : स्वलक्षण : स्वरूप को स्वीकार करता है किन्तु वास्तव में चैतन्य उसमें अनुपलभ्य ही रहता है, क्योंकि एक ओर उसमें वैयक्तिक अहंकार चैतन्य के स्वलक्षण स्वरूप में भी मौलिक है, यद्यपि उसके स्वरूप में मौलिक नहीं हैं, बल्कि उसके स्वरूप में बाधक हैं। उसमें स्वरूप और अस्तित्व का यह द्वैत एक विचित्र तत्त्वमीमांसीय समस्या उत्पन्न करता है जिससे कांट तत्त्वमीमांसा को वर्जित क्षेत्र घोषित करके ही बचता है। इसके विपरीत हमने चैतन्य के लिए वेदना, रूप, अध्यवसाय, वैयक्तिक अहंकार सबको, तार्किक सम्भावना के रूप में ही नहीं, वास्तव अस्तित्व में भी, आगन्तुक पाया है। किन्तु इन सब की आगन्तुकता से यह सिद्ध नहीं होता कि चैतन्य इनमें से किसी भी आकार से विरहित रूप में : निराकार रूप में : रह सकता है।

वास्तव में तार्किक दृष्टि से आकार-विशेषों की चैतन्य के स्वरूप में आगन्तुकता उसके निराकार स्वरूप को आपादित करती है, किन्तु तार्किक आपादन केवल अवधारणाओं और उनके सम्बन्धों का द्योतक होता है, इसलिए यह आद्य चैतन्यगत वस्तुस्थिति का प्रापक नहीं हो सकता। यदि वस्तुस्थिति की कल्पना इस आपादन के अनुसार की जाये तब इसका अर्थ होगा कि आरम्भ में निराकार चैतन्य में आकारों का आविर्भाव हुआ और तब यह सृष्टि-क्रम आरम्भ हुआ—सोऽकामयत, बहुस्याम प्रजायेयेति।[1] किन्तु 'आविर्भाव' काल को पूर्वकल्पित करता है, और इस प्रकार आरम्भ को तार्किक आपादन के अनुसार वास्तविक मानने पर काल चैतन्य का अन्तर्गत धर्म अथवा उसके भी पूर्व हो जाता है। किन्तु यह स्वीकार नहीं किया जा सकता। तार्किक आपादन को अस्तित्वात्मक वस्तुस्थिति-द्योतक अर्थ में नहीं ले कर यदि स्वरूपगत वस्तुस्थिति-द्योतक अर्थ में लिया जाये तो इसका अर्थ होगा कि, क्योंकि आकार चैतन्य के लिए आगन्तुक है इसलिए चैतन्य स्वरूपतः निराकार है, और आकारमूलक होने से ये आगन्तुक धर्म : सर्जन, ग्रहण आदि : जब उसमें रहते हैं तब चाहे अनादित : रहते हों किन्तु चैतन्य इनसे परे है। किन्तु यह 'स्वरूप' अवधारणा का विषय है, अतः स्वयं आकारमूलक है। इसलिए या तो यह स्वीकार करना होगा कि यह आकार (अवधारणा) अपने से परे अनवधार्य को देख सकता है अथवा यह स्वीकार करना होगा कि स्वरूप की चर्चा वदतोव्याघात है। हमारे विचार में, इसमें प्रथम विकल्प उचित जान पड़ता है—जैसाकि हमने देखा, मानव-स्तरीय चेतना में आत्मोन्मुख अतिक्रमण परिलक्षित होता है, अवधारण आत्मविमर्श की प्रक्रिया में इस अतिक्रमण की एक अवस्था है, यद्यपि विषयोन्मुख विमर्श में यही (अवधारण) विषय-सर्जन का रूप ले लेता है—प्रकृति, संस्कृति और व्यक्ति सभी स्तरों पर। इस प्रकार तार्किक आपादन तार्किक आकार में तो स्वरूप-द्योतक नहीं हो सकता, किन्तु इस आकार में अपने से परे स्थित स्वरूप को लक्षित कर सकता है, और यह संकेतन उस आलोक से प्रमाणित भी होता है जिसका आभास मानव-चेतना अन्तरोन्मुख वृत्ति में स्थित हो कर पाती है। इस प्रकार अवधारणाएँ और उनके सम्बन्ध चैतन्य की अभिव्यक्ति : औपाधिक अभिव्यक्ति : होने पर भी, चैतन्य के स्वरूप के स्वतः ज्ञापक नहीं हो सकते, किन्तु चेतना की अन्तर्मुखीन वृत्ति में संकेत बन कर उसके उद्भासक हो सकते हैं। किन्तु यह उद्भासन स्वरूप-चैतन्य की आद्य अवस्था का, जो

1. तैत्तिरीय उपनिषद्, 2/6.

अवस्था विभिन्न आकारों के रूप में प्रवर्तित होती है, नहीं होकर उस प्रत्यङ्मुख अवस्था का होता है जो इस वैविध्य को देखते हुए उसे अपने में उपसंहृत करती है। यह उपसंहरण जब सभी वृत्तियों का एक-साथ होता है तब जो ऐश्वर्य प्रकाशित होता है उसका आभास हम बुद्ध की उस करुणा में पाते हैं जो प्राणिमात्र की अविद्या के प्रति द्रवित है और इस प्रकार जो प्राणियों का और अविद्या का अतिक्रमण करती है, अथवा उस औपनिषद ऋषि के आनन्दभाव में पाते हैं जो आकारों और रूपों के मूल स्रोत में प्रतिष्ठित होकर इनके आविर्भाव का साक्षात्कार स्वच्छन्द प्रजनन-कामना के रूप में करता है। इसके विपरीत, जब चैतन्य स्वयं इन आकारों में विमर्श करता है तब विभिन्न कलाओं और शास्त्रों का जन्म होता है। वास्तव में जगत्-सर्जन को भी चैतन्य का वृत्ति-विमर्श ही कहा जा सकता है, किन्तु इस अन्तर के साथ कि उसमें इस विमर्श का बोध नहीं होता, केवल विमर्श-क्रिया होती है। विमर्श-बोध विमृश्य के विषय-रूप में उपस्थापन और विमर्श-क्रिया के आत्म-ज्ञापन के रूप में होता है। यह चैतन्य के प्रत्यङ्मुख आत्मदर्शन का दूसरा चरण है। अन्तिम चरण वृत्तियों और क्रियाओं का आत्म-साक्षात्कार में उपसंहरण और इनका अधिष्ठातृत्वपूर्वक विजृम्भण है। बौद्धों में इसे गौतम बुद्ध की काया को 'निर्माण-काय' कह कर व्यक्त किया गया है।

कला-सर्जन

कला सर्जन के अनेक प्रकारों में से एक है, यद्यपि बहुत बार एकमात्र कला को ही सृजनात्मक कर्म मान लिया जाता है। 'सर्जन' का एक व्यापक अर्थ हो सकता है, जिसके अनुसार चित् का विषयोन्मुख प्रवर्तन मात्र सर्जन है, और विषयोन्मुख प्रवर्तन चित् द्वारा सत् में अपने प्रयोजन का निरूपण है। किन्तु इसका संकुचित अर्थ भी हो सकता है, जिसके अनुसार प्रयोजन के केवल आत्म-बोध-पूर्वक निरूपण को ही सर्जन कहा जा सकता है। इनमें दूसरा अर्थ स्वीकार करने पर न केवल मानव-चेतना का अध्यवसायात्मक प्रवर्तन ही, जिसे अधिकांश दर्शन-सम्प्रदाय अनादि वासनामूलक विकल्प कहते हैं, अतिक्रामी[1] होने के कारण सर्जन के क्षेत्र से बाहर हो जायगा बल्कि स्वप्न, जो आत्मबोध-रहित प्रवर्तन है, और क्रीड़ावश बालक द्वारा रेतीले घरौंदों का निर्माण, जो आत्मबोध-रहित और निष्प्रयोजन प्रवर्तन है, भी इसके क्षेत्र से बाहर हो जायेंगे। किन्तु, पहला अर्थ स्वीकार करने पर पाशव प्रवृत्ति भी सर्जन के क्षेत्र में सम्मिलित हो जायेगी। इतना होने पर भी सम्भवत: इनमें से व्यापकतर अर्थ ही अधिक युक्त है, क्योंकि अध्यवसाय, स्वप्न और क्रीड़ा के सर्जन के क्षेत्र से बाहर हो जाने पर न केवल सर्जन का अर्थ ही क्षीण हो जाता है बल्कि इन तीन अभिनिवेशों का स्वरूप भी अग्राह्य हो जाता है। किन्तु 'सर्जन' में 'पाशव क्रिया' का समावेश उपयुक्त प्रतीत नहीं होता, क्योंकि वह या तो आवेगात्मक उद्वेलन होता है अथवा बाह्यत: नियोजित प्रवर्तन—कम-से-कम ऐसा हम उसे समझते हैं। सर्जन के लिए चित् का स्वातन्त्र्य, स्वत:जात स्फुरण, और उसके द्वारा सत् के रूप अथवा तन्त्र का उत्कीर्णन, ये दो तत्त्व होना अनिवार्य है। दूसरे शब्दों में, सर्जन चित् द्वारा सत् में स्वातन्त्र्य का निरूपण है। सत् को चित् से पृथक् कहने का अर्थ यह नहीं है कि यह द्वैत पारमार्थिक है, बल्कि यह कहना अधिक समीचीन है कि सत् और चित् का द्वैत स्वयं चित् के ही अतिक्रामी प्रवर्तन का आक्षेप है, आद्य तत्त्व इस द्वैत से रहित है। सम्भवत: इस आद्य तत्त्व की आत्यन्तिक अनुद्भिन्नता को प्रकट करने के लिए ही तैत्तिरीय उपनिषद् ने इसे असत् कहा है।[2] और ऋग्वेद में इसे असत् और सत् से प्राक् कहा गया है।[3] सर्जन में चित् का स्फुरण और द्वैत का आविर्भाव, यह युगपद् होना अनिवार्य है। किन्तु द्वैत के आविर्भाव के साथ ही चित् (चेतना) का स्वातन्त्र्य सत् (विषय) से प्रतिबन्धित हो जाता है और जितना ही सत् चित् से पृथक् अपनी स्थिति बना लेता है चित् के लिए उसमें आत्म-निरूपण उतना ही प्रयत्न-साध्य हो जाता है। वास्तव में चित् और सत् का यह द्वैत मानवीय चेतना में ही स्फुट होता है और इस चेतना में पृथक्भूत सत् की बाधा स्वप्न में न्यूनतम होती है, क्योंकि इसमें सत् भौतिक नहीं होकर तान्मात्रिक होता है। उससे कुछ अधिक, किन्तु तब भी अत्यन्त न्यून, बाधा पौराणिक मनस् और क्रीड़ारत बाल-मनस् में होती है, क्योंकि इन दोनों में ही सत् का भौतिक पक्ष : उसके देश-काल के नियम, रूपरेखाओं की सम्यक्ता और संगति तथा सन्तुलन की अपेक्षाएँ : उपेक्षित रहता है और आन्तर प्रेरणामूलक साक्षात्कार से नियन्त्रित होता है। किन्तु द्वैत की सृष्टि, प्रतिबिम्बन अथवा प्रत्यंकन के लिए इतर का आक्षेप और उसका आत्मानुरूप रूपान्तरण, यह सर्जन का मूल है जो मानवीय चेतना के उपर्युक्त सभी प्रवर्तनों में मिलता है। इन सब में निरवयव और निराकार प्रकाश सावयव आकारों में विमर्श रूप में उद्भिन्न होकर विविध और विपुल बनता है।

ईश्वरीय सृष्टि के सम्बन्ध में समझा जाता है कि वह पूर्णत: निर्बाध है, जिसका अर्थ है कि इसमें सृजन-वासना, कल्पना और क्रियान्वयन तीनों एकान्वित रहते हैं। ऐसी अवस्था में ईश्वरीय सर्जन सर्जन की उपर्युक्त

---

1. 'अतिक्रामी' का अर्थ है जो व्यक्ति के ज्ञान या इच्छा के अधीन नहीं होकर इनसे तत्त्वत: प्राक् और इनके स्वरूप का निर्धारक है।
2. 'असद् वा इदमग्र आसीत्, ततो वै सदजायत' 7.
3. 'नासदासीन्नो सदासीत् तदानीम्।' **ऋग्वेद संहिता,** 8.7.17.

परिभाषा की पूर्ति नहीं करता। इसी कारण पाशव निर्माण भी सर्जन नहीं है, क्योंकि उसमें चित् विषय से तदात्म और इस प्रकार स्वातन्त्र्य-रहित रहता है। इनसे भिन्न मानव-स्तरीय चित् विषयि-विषय-रूप द्वित्व में विभक्त होकर विषयि-पक्ष में अपने तन्त्र का विकास करता है और उसके माध्यम से विषय-पक्ष का ग्रहण करता है। भाषा आदि प्रतीक-रचनाएँ विषयी के विषय-ग्रहणमूलक इस आत्मतन्त्र के ही रूप हैं। मनुष्य के ज्ञान को व्यवहित कहने का भी यही औचित्य है। विषय-ग्रहणात्मक विषयिमूलक तन्त्र चित् के स्वतन्त्र सर्जन होते हैं किन्तु सृष्टि होने के साथ ही ये विषय (सत्) रूप में उसके नियामक हो जाते हैं। उदाहरण के लिए भाषा चित् की स्वतन्त्र सृष्टि है जो उसके द्वारा विषयावधारण के तन्त्र के रूप में उत्सृष्ट होती है, किन्तु अपनी सृष्टि के साथ ही वह मानव-चित् को उस सीमा तक अपनी रचना की व्यवस्था से उपहित कर देती है जिस सीमा तक वह इस तन्त्र को अपनी सृजन-वासना की अभिव्यक्ति से पृथक् अस्तित्व दे देती है। भाषा के इस स्वरूप के कारण ही बौद्ध और वेदान्ती दार्शनिक भाषा को विक्षेप और परमार्थ को अनभिलाप्य कहते हैं। यही बात अन्य प्रतीक-रचनाओं, जैसे विज्ञान, नीति, धर्म, कला आदि के सम्बन्ध में भी कही जा सकती है। ये सब चित् के स्वतन्त्र प्रवर्तन के आयाम हैं जो उसके आत्म-निरूपण के क्रम में उद्भूत होते हैं, और इस रूप में देखे जाने पर इन्हें चैतन्य में निमीलित वैभव का उन्मीलन कहा जा सकता है। उपनिषद् में सृष्टि का तत्त्व आनन्द को कहने का यही औचित्य हो सकता है।[1] किन्तु ये ही विषय-रूप में चित् से पृथक् साध्य बन कर उसकी उपाधि और पारतन्त्र्य बनते हैं। चित् के ये सब निरूपण या विमर्श प्रेक्षणात्मक होते हैं, इनमें चित् आत्म-निरूपण के लिए प्रेक्षक विषयी और प्रेक्ष्य विषय के रूप में उद्भिन्न होता है। इस उद्भिन्नता में जब उसकी वृत्ति विषयोन्मुख (विषयतन्त्र) होती है तब वह रचनात्मक होने पर भी सर्जनात्मक नहीं होता। किन्तु जब वह विषय को स्थगित कर अपने में अपना विमर्श करता है तब वह विषय को स्वातन्त्र्य के चरितार्थन के लिए साधन बनाता है। यहाँ यह ध्यान रखना आवश्यक है कि वह विमर्श केवल विषयि-विषय-रूप में उद्भिन्न चित् के लिए ही सम्भव है, क्योंकि केवल इस प्रकार उद्भिन्न चित् ही विषय-पक्ष के स्थगन के द्वारा विषयी रूप में आत्म-विमर्श कर सकता है। विज्ञान, उपयोगात्मक निर्माण और लोक-व्यवहार साधारणत: विषयाधीन रचनात्मकता के वर्ग में रखे जा सकते हैं और नीति तथा कलाएँ आत्मविमर्श के वर्ग में। दर्शन की स्थिति उभयत: रहती है, क्योंकि यह एक ओर बौद्धिक प्रत्ययों का विषयनिष्ठ विवेचन करता है औ दूसरी ओर ये प्रत्यय विषयोन्मुख नहीं होकर प्रत्यङ्मुख होते हैं।[2] किन्तु तब भी दर्शन का विमृश्य विषयी नहीं होकर तटस्थ प्रत्यय ही होता है जो अपने ताटस्थ्य में विषयवत् ही होता है। कला और नीति दोनों के विषयिमूलक होने पर भी इनमें गम्भीर अन्तर है : यह अन्तर इनके विमृश्य के स्वरूप में निहित है। कला का विमृश्य भावनात्मक विषयी द्वारा अपनी विषयिमूलक भावना ही होती है जबकि नीति का विमृश्य कर्म-प्रवृत्ति की विषयिता की तथता होती है। भावना स्वरूपत: विषयिनिष्ठ और विशिष्ट होती है, किन्तु ज्ञान-ग्राह्य होने के लिए इसका विषयकरण और सामान्यीकरण अनिवार्य होता है। किन्तु तब यह मनोविज्ञान के लिए विमृश्य होती है। किन्तु कला भावना के विषयि-परक रूप में ही उसे अहंकारोपाधि से मुक्त कर प्रेक्षण के लिए उपलब्ध करती है। उचित रूप से कहें तो वासनामूलक विषयिगत भावना का वासना-मुक्त विषयिगत भावना के रूप में उपभोग और इस भोगित्व का आत्म-विमर्श ही कलात्मक विमर्श है। इसका वासना-मुक्त (अहंकारोपाधिमुक्त) होना इसके प्रेक्ष्य होने की अनिवार्य पूर्वापेक्षा है, और प्रेक्ष्य का भोगित्वमूलक होना इसकी रसात्मकता की। इस प्रकार यह कला की ही विशेषता है कि इसमें व्यक्ति-विषयिनिष्ठ भाव विषयरूप में विजड़ित हुए बिना अहंकारोपाधि से मुक्त हो पाता है। इसके विपरीत कर्म-प्रवृत्ति में चित् मूलत: ही निर्वैयक्तिक होता है यद्यपि विमृश्य विषयरूपेण प्रस्तुत विषयिनिष्ठ प्रवृत्ति ही होती है।

कला-सर्जन कला-बोधपूर्वक होता है, जिसका अर्थ है कि भाव-विमर्शोन्मुख चैतन्य आत्म-निरूपण के, अथवा कहें आत्म-क्रियान्वयन के क्रम में किसी उपादान को आधार बना कर उसे आविष्ट करता है। जैसाकि

1. 'यद्वै तत्सुकृतं, रसो वै स:, रस ह्येवायं लब्ध्वानन्दी भवति।' **तैत्तिरीय उपनिषद्,** वल्ली 2, अनुवाक 7, 'आनन्दो ब्रह्मेति व्यजानात.।' वही, वल्ली 3, अनुवाक 6.

2. द्रष्टव्य पीछे — अध्याय 1.

हमने पीछे अध्याय 1 में देखा, विमर्श चित् का बौद्धिक आकार में उन्मीलन है। अब यह अनिवार्य वस्तुस्थिति है कि कोई उन्मीलन इस आकार तक सीमित नहीं रहता : जाग्रदवस्था में चित् का उन्मीलन महाभूत-पर्यन्त प्रसरित होता है और स्वप्न में तन्मात्र पर्यन्त। परिणामत: कलात्मक विमर्श भी शब्द, स्पर्श, रूप, रस, गन्ध आदि में से किसी उपादान का उपयोग अपने क्रियान्वयन के क्रम में करता है। विमर्श का इन उपादानों में निरूपण ही सर्जन है।

विमर्श में चित् का उन्मीलन दो निमित्तों से होता है, बाह्योद्दीपन से और स्वत:। आद्य उन्मीलन स्वत: ही होता है, जो आद्य अनुद्भिन्न चित् में अस्मिता और जगत् : अस्मत्-युष्मत् इस प्रत्यय-युगल : के रूप में प्रस्फुटित होता है। ग्राह्य-ग्राहक, अथवा उद्दीपक-उद्दीप्य (मानव-स्तरीय विमर्श) में भी अनेक बार विमर्श का स्रोत अनुद्दीप्त या स्वतन्त्र चित् में ही होता है। दर्शन और कला में ऐसा बहुधा होता है। महान् रचनाएँ इसी स्तर के विमर्शों की फल होती हैं। किन्तु उन्मीलन का स्रोत चाहे जो भी हो, उसकी अभिव्यक्ति, दूसरे शब्दों में उपादान में अवतरण, सदैव न्यूनाधिक दुस्साध्य और औपाधिक ही होता है। इसका कारण है : हम स्वयं चित् का ग्रहण उसके तान्मात्रिक या भौतिक स्तर पर अवतीर्ण होने पर ही करते हैं—अधिकांश में भाषा के रूप में, अथवा वर्ण-योजना, स्वर-ग्राम आदि के रूप में। किन्तु स्वयं न तो पद या वाक्य-रूप में स्फुटित अर्थ तान्मात्रिक या भौतिक होते हैं और न ध्वनियों के लय, ताल और आरोहावरोह की व्यवस्था अथवा रेखाओं के भंग तथा वर्णों की योजना में व्यंग्य अर्थ तान्मात्रिक या भौतिक होता है, यद्यपि भौतिक उपादानों में अवतीर्ण हुए बिना ये अर्थ स्वयं वक्ता, गायक और चित्रकार को भी विदित नहीं होते। किन्तु भौतिक उपादान में इनका प्रवाह अवरुद्ध हो जाता है और इनका आशय व्यामिश्रित और खण्डित हो जाता है। सर्जन इस मूल आशय में पुन: प्रवेश कर विमर्श और उपादान में उसे अविकृत और अमिश्र रूप में धारण करने की साधना है। इसके लिए कलाकार को स्वयं उपादान को चिन्मय बनाने का प्रयत्न करना होता है जिससे चित् अधिकाधिक निर्बाध रूप में प्रकट हो सके। यहाँ यह स्पष्टीकरण आवश्यक है कि उपादान चित् से पृथक् या इतर नहीं होता, यह उसके उन्मीलन के क्रम में ही आविर्भूत होता है—इससे भिन्न इसका स्वरूप अनवधार्य है। किन्तु तब भी इसमें एक दूरी होती है जो क्रम को उत्पन्न करती है। इसे देह में मस्तिष्क और केश में भेद की उपमा से समझा जा सकता है, जो समान रूप से भौतिक होने पर भी चित् के उन्मीलन के निकट-दूर होते हैं। कुछ व्यक्तियों में विमर्श अधिक सप्राण होता है और अभिव्यक्ति अधिक सहज, जो उनमें भौतिक के मनस् के समीपतर और मनस के चित् के समीपतर होने का द्योतक होता है। इसके विपरीत स्थिति तो अधिकांशत: ही हम पाते हैं—केंचुए-कछुए में यदि देह-भाव का प्राधान्य है तो सिंह-हरिण आदि में प्राणभाव का, गाय-अश्व आदि में ऐन्द्रिय भाव का और बन्दर आदि में ऐन्द्रिय और मनस्-भाव का प्राधान्य है। मनुष्य में भी व्यक्तिभेद से ये क्रम देखे जा सकते हैं। देहेन्द्रिय-प्रधान व्यक्तियों में जबकि सृजन अलभ्य होता है, चित् के समीपतर में यह सहज। मीरा, सूर, कबीर में भाषा, अलंकार और छन्द अभिव्यक्ति के लिए सहज माध्यम बनते हैं, तो इसके विपरीत रीति-काव्य में कवियों के लिए ये स्वयं ही साध्य बनते हैं। इससे हमारे इस प्रतिपादन की सत्यता देखी जा सकती है।

× × ×

ऊपर हमने कला को भावना का आत्मपरक विमर्श (भावना का आत्मविमर्श) इस प्रकार परिभाषित किया है। हम ऐन्द्रिक ग्रहणों और तन्मूलक विमर्श को क्रमश: सत्य और उसके परामर्श का आदर्श मानने के लिए इतने अभ्यस्त हैं कि ग्रहण और अवधारण की अन्य विधाओं को उनके सही रूप में समझ ही नहीं पाते। इसी से कला को उच्छ्वास, और पुँजीभूत उद्वेग-ऊर्जा के व्यय के साधन के रूप में ही अधिकांशत: देखा गया है। अवश्य कुछ लोगों ने उसे द्रष्टृभाव के रूप में भी देखा है, किन्तु वह एक दूसरी भ्रान्ति है; किसी विचार-वितर्क के आधार के बिना तो वह है ही। यह मानना नितान्त भ्रमपूर्ण है कि कवि-कलाकार किन्हीं अलौकिक तत्त्वों का उस अर्थ में दर्शन करता है जिस अर्थ में हम घट-पट आदि गोचर वस्तुओं का दर्शन करते हैं। कला ग्रहण की सब अध्यवसायात्मक विधाओं से नितान्त भिन्न है, और यह भिन्नता इस बात में है कि अध्यवसायात्मक विधाओं में चित् की वृत्ति निर्धारण-विश्लेषणपरक रहती है जबकि कला में वह ग्राह्य-गत के गठन, सन्तुलन, लय और छन्द

से तादात्म्य-स्थापन का प्रयत्न करती है। प्रथम वृत्ति यदि विषयोन्मुख है तो दूसरी विषयि-मुख (भावमूलक)। 'विषयिमुख' वृत्ति 'आत्मोन्मुख' वृत्ति से भिन्न है, 'आत्मोन्मुख' और 'विषयोन्मुख' में 'उन्मुखता' समान है, किन्तु विषयिमुख या भावमूलक वृत्ति में कोई उन्मुखता नहीं होती, अथवा कहें उसमें उन्मुखता व्यंजक या सांकेतिक, अथवा अवान्तर, होती है, मौलिक नहीं होती। किन्तु तब भी विमर्श इसका उसी प्रकार आत्मा है जिस प्रकार अध्यवसायात्मक वृत्ति का। जैसाकि हमने पीछे कहा है विमर्श निरवयव चित् में सावयवता का आविर्भाव है, अथवा यों भी कह सकते हैं कि यह अस्फुट सावयता का प्रस्फुटन है। विषयोन्मुख वृत्ति की विमर्शात्मकता प्राय: सभी अध्यात्मवादी दर्शनों में देखी जा सकती है, किन्तु विषयिमुख वृत्ति की विमर्शात्मकता पर किसी ने सम्यक् रूप से विचार नहीं किया है। अभिनवगुप्त इस विचार के निकटतम पहुँचते हैं और वे वास्तव में इस प्रसंग में 'विमर्श' शब्द का ही प्रयोग करते हैं, और चित् (शिव) तत्त्व को प्रकाश और विमर्शात्मक कहने और जगत् को चित् का विमर्श कहने में उनका प्राय: वही आशय है जो हमारा है, किन्तु तब भी वे रस-विवेचन में ठीक वही बात नहीं कहते जो हम कहना चाहते हैं, और जो सही प्रतीत होती है। हमारे विचार के अनुसार विमर्श चित् का बुद्धिमूलक प्रस्फुटन है। स्वयं व्यक्ति का अपना आविर्भाव अतिक्रामी चित् के युष्मत्-व्यवहित-अस्मत् के रूप में विमर्श का परिणाम है।

'यह घट है' अध्यवसाय में एक प्रत्यक्षगत स्थिति 'यह घट है' में और इन तीनों पदों की पृथक्-पृथक् और संयुक्त व्यावृत्तियों में उद्भिन्न होती है, यही विमर्श है। यही विमर्श-वृत्ति भाव में निमीलित विमृश्य को ध्वनि के उपादान में स्वरग्राम, लय, यति और भंग के रूप में उत्कीर्ण कर उसमें राग का सर्जन करती है। इस प्रकार राग भावना का आत्म-निरूपण है जो भाषायी निरूपण से मूलत: भिन्न प्रकार का होता है। काव्य में भाषा का प्रयोग होता है, किन्तु यहाँ उसका कथन-व्यापार, दूसरे शब्दों में भाषा-व्यापार, स्थगित हो जाता है और वह वस्तुवाचक से भाव-विमर्शक हो जाता है। इस विमर्श में अभिधान सम्भव नहीं होता, वह होने पर भाव वस्तु में रूपान्तरित हो जाता है, जैसे मनोविज्ञान में, कला में भाव अनिर्देश्य विषयिता में ही अपने निरूपण की माँग करता है। उदाहरण के लिए महादेवी की निम्न पंक्तियाँ लें—

धीरे-धीरे उतर क्षितिज से आ वसन्त रजनी।
तारकमय नव वेणी बन्धन, शीशफूल कर शशि का नूतन
रश्मि-वलय सित घन-अवगुंठन
मुक्ताहल अभिराम बिछा दे, चितवन से अपनी।

इसमें रात्रि का वर्णन नहीं है, इसमें रात्रि-दर्शन से भावलोक में उन्मिषित अलक्ष्य-अवाच्य बोध का साक्षात्कारी विमर्श है। इसके पद और वाक्य इस बोध का कथन नहीं करते बल्कि इसके विकसन के माध्यम बनते हैं। यह जितना कविता के लिए सही है उतना ही उपन्यास के लिए भी सही है। उपन्यास का प्रकट रूप वृत्तान्त का होता है किन्तु वास्तव में सम्पूर्ण उपन्यास भावलोक की यात्रा होता है और परिणामस्वरूप उसके प्रकटत: कथनात्मक वाक्य इस भाव के उन्मेष के माध्यम होते हैं। यह ऐसा 'वृत्त' होता है जो लोक में कभी कहीं घटित नहीं हुआ होता और न जिसका घटित हुआ होना प्रासंगिक होता है, किन्तु तब भी वह या तो लोक में घटित घटनाओं को उद्भासित करता है अथवा अलौकिकतया निरूपित करता है। 'लोकोद्भासन' से तात्पर्य है भाव-बोध में उन्मिषित बाह्य लोक में घटित घटना-क्रम को, अथवा उसकी अनुरूपता में कल्पित घटना-क्रम को, सामान्य के कल्पित उदाहरण के रूप में कहना, और 'अलौकिकतया निरूपण' का अर्थ है, भावलोक को विमर्शात्मक चैतन्य को अर्पित करना।

लोकोद्भासन और अलौकिकतया निरूपण, ये कला-सर्जन की दो पृथक् विधाएँ हैं। इसमें कथात्मक काव्य : उपन्यास, कहानी, नाटक, महाकाव्य आदि : मुख्यतया प्रथम विधा और संगीत, गीति-काव्य तथा चित्रकला और मूर्तिकला की अधिकांश कृतियाँ दूसरी विधा के उदाहरण हैं। किन्तु प्रथम प्रकार की कला-कृतियाँ भी वास्तव में द्वितीय प्रकार के अन्तर्गत संगृहीत की जा सकती हैं क्योंकि कला का मर्म इस दूसरे रूप में ही है।

यहाँ प्रथम प्रकार की कला-कृति के उदाहरण के रूप में किसी ऐतिहासिक उपन्यास को लें। इतिहास-लेखन से ऐतिहासिक उपन्यास का भेद इस बात में होता है कि प्रथम का लेखक जहाँ कार्यों और प्रयोजनों का यथातथ वृत्त प्रस्तुत करने का प्रयत्न करता है और कल्पना तथा सहानुभूति का उपयोग यथातथ के, तद्गत अर्थ के, विषयनिष्ठ मर्म तक पहुँचने में करता है, वहाँ ऐतिहासिक उपन्यास का लेखक इस बाह्य और आन्तर वृत्तों के विषयिगत भावलोक में प्रतिष्ठित होकर और उसके भोगित्व का प्रेक्षक बन कर उसका तत्त्व प्रस्तुत करता है। इसी से इतिहास का लेखक जहाँ सामान्यात्मक कल्पनाओं और साधारणीकरणों के आधार पर विशेष घटनाओं, कर्मों और प्रयोजनों का विशेषपरक विवरण और व्याख्या प्रस्तुत करता है वहीं कलाकार विशेषपरक आख्यान का उपयोग निर्विशिष्ट, व्यक्त्युपाधि-मुक्त भाव की अभिव्यंजना के लिए करता है। उदाहरण के लिए, राम-सीता और दुष्यन्त-शकुन्तला के क्रमश: **वाल्मीकीय रामायण** और **अभिज्ञानशाकुन्तलम्** में वर्णित चरित यदि इतिहास-सिद्ध भी हों तो भी उनकी ऐतिहासिकता इन कृतियों के लिए केवल व्यंजक माध्यम मात्र होती है, जैसे बुद्ध की प्रतिमा में प्रयुक्त प्रस्तर-खण्ड बुद्धभाव के आकृत्यवधारण के लिए माध्यम मात्र है। अवश्य इनमें बहुत अन्तर भी है, किन्तु यहाँ उस अन्तर की चर्चा अप्रासंगिक है। इसी से कलाकार इतिवृत्त को भावबोध के तर्क की अपेक्षानुसार बदल और ढाल लेता है, और कभी-कभी तो यह इतिवृत्त अपने को पूरी तरह ही कलाकार द्वारा साक्षात्कृत भावलोक के अर्थ की विवृति के प्रयोजन के लिए समर्पित कर देता है, जैसे राम, कृष्ण और बुद्ध के चरित। अब, ये चरित उपर्युक्त दो में से किसी एक विधा में सर्जित होते हैं, जैसे रामचरित **रामचरित-मानस** में प्रथम (लोकोद्भासक) विधा में और **उत्तररामचरित** में दूसरी (अलौकिकतया निरूपण की) विधा में सर्जित है। प्रथम में राम का वृत्त सामाजिक सम्बन्धों को भावलोक में पुनर्जन्म देकर उन सम्बन्धों के ऐहिक जीवन को उद्भासित करने के लिए उपकरण बनता है और दूसरे में भाव के अरूप-अनाम अस्तित्व के नामरूप में विस्फुट होने के लिए उपादान बनता है। लौकिक उपाधियों से यह मुक्ति ही कला को सामान्य बनाती है। परिणामत: यह प्रत्ययात्मक सामान्यता से भिन्न प्रकार की सामान्यता है। इसमें प्रथम को ब्रह्म के सत्-तत्त्व से और दूसरे को आनन्द-तत्त्व से सम्बन्धित कहा जा सकता है।

कला-सर्जन को प्राय: सौन्दर्य-सर्जन के और कला-बोध को सौन्दर्य-बोध के पर्याय के रूप में देखा जाता है, जबकि लोक में सुन्दर नयनाभिराम आकृति को और गौणत: श्रवणाभिराम ध्वनि आदि को कहा जाता है। किन्तु यह सर्वविदित ही है कि कला में कलित रूप या भाव आवश्यक रूप से इन्द्रियाभिराम या मनोऽभिराम नहीं होता। तब कला को सौन्दर्य-सर्जन कहने से क्या तात्पर्य है? लौकिक सौन्दर्य का कलात्मक सौन्दर्य से क्या सम्बन्ध है?

अभी हमने लौकिक सौन्दर्य को अभिरामता से परिभाषित किया है, किन्तु इसमें प्रमाण मानसिक प्रतिक्रिया होती है, कोई वस्तुगत लक्षण नहीं। किन्तु वास्तव में यदि थोड़ा गहराई से देखा जाय तो भौतिक वस्तुओं के ज्ञान की भी यही स्थिति है, उनकी विद्यमानता किसी ऐन्द्रिक प्रतिक्रिया से ही सूचित होती है, उसके स्वगत लक्षण से नहीं। इस प्रकार 'सुन्दर' और 'लाल' निरूपणों में अन्तर इनके प्रमाणों में विषयनिष्ठ-विषयिनिष्ठ के प्रकार-भेद के कारण नहीं है बल्कि विषयिगत प्रतिक्रियाओं में ही प्रकार-भेद के आधार पर होता है। भौतिक वस्तुपरक प्रतिक्रिया अस्तित्वाग्रही बुद्धिविकल्पों के लिए उपादान बनती है और अभिरामतापरक प्रतिक्रिया भोगाग्रही बुद्धि-विमर्श के लिए। ऐसा नहीं है कि दूसरी प्रतिक्रिया में अस्तित्व का आग्रह रहता ही नहीं है, किन्तु वह परोक्ष और गौण होता है, अथवा कहें वह इन्द्रियमूलक विकल्पजन्य ही होता है। जैसे 'यह पुष्प सुन्दर है' में 'यह पुष्प है' वस्तुमूलक अध्यवसाय ही है, जो 'सुन्दर' पद से व्यंजित भाव-निरूपक विमर्श के साथ क्रियान्वित होता है। वास्तव में सौन्दर्य के लौकिक बोध में यह परोक्ष और गौण पक्ष प्रत्यक्ष और मुख्य होने की भ्रान्ति से ग्रसित हो जाता है और इस प्रकार भोगाग्रही विमर्श अस्तित्वाग्रही विकल्प का रूप ले लेता है। इस विपर्यास का घटित नहीं होना ही कला-बोध है।[1] यह दिवास्वप्न में बाल और वयस्क के मनस् में भेद के जैसा है : इनमें पहला इस स्वप्न

1. तुलनीय : कांट — **क्रिटीक ऑफ जज्मेंट,** अनुच्छेद 1-2.

को सत्य-रूप में ग्रहण कर उससे नियन्त्रित होता है जबकि दूसरा इसकी असत्यता को अप्रासंगिक मानकर इसके सौख्य के उपभोग के लिए उसमें स्वतन्त्रतया विचरण करता है। कला इस अस्तित्व-अनाग्रही भोग-विमर्श को ही अभिव्यक्ति देती है। उदाहरण के लिए **कुमारसम्भव** का पहला श्लोक लें—

> अस्त्युत्तरस्यां दिशि देवतात्मा हिमालयो नाम नगाधिराज:।
> पूर्वापरौ तोयनिधीवगाह्य स्थित: पृथिव्या इव मानदण्ड:।।1.1।।

इस श्लोक की पहली पंक्ति साधारण वर्णनात्मक वाक्य जैसी ही है, सिवाय 'देवतात्मा' विशेषण के, जो वर्णनात्मक नहीं होकर भावनात्मक है; किन्तु तब भी इस पंक्ति का सम्पूर्ण पदविन्यास और छन्द मानो 'देवतात्मा' पद में व्यक्त गौरव और अलौकिक पावनता की अनुभूति में अपने को उँडेल रहा है, और दूसरी पंक्ति में वह जैसे वर्णनात्मक पदों को अपने जादुई आवेश से प्रत्यङ्मुख कर देता है, जिससे भाव अपने रूप का आप दर्शन कर सके। अलंकार, उदाहरणत: रूपक, अस्तित्वाग्रह से मुक्त करने के प्रयोजन को सिद्ध करने के लिए ही प्रयुक्त होते हैं। यहाँ द्रष्टव्य है कि वे भाषा के प्रयोजन को सिद्ध करने के लिए ही प्रयुक्त होते हैं। यही कारण है कि भाषा के अधिकांश पद रूपकात्मक ही होते हैं, किन्तु वे रूपक भाषा की, और वास्तव में हमारे ग्रहण मात्र की, मौलिक विवशता के कारण हैं (सत् हमें कल्पना के माध्यम से ही ग्राह्य होता है)। किन्तु काव्य में प्रयुक्त अलंकार विवशता से नहीं स्वेच्छया प्रयुक्त होते हैं। 'चन्द्रमुखी' पद मन को इन्द्रिय-विषय के ग्राह से मुक्त कर गुरुत्वाकर्षणविहीन भावलोक में निर्बन्ध कर देता है। यही बात चित्र के लिए भी सत्य है, जिसके चित्रण का विषय प्रस्तुत दृश्य या आकृति नहीं होती। यह विषय या तो आकृति को आविष्ट करने वाला भावमूलक अर्थ होता है अथवा चित्रकार के चिदाकाश में आलोकित भौतिक गुरुत्व से विनिर्मुक्त आकार मात्र। उदाहरण के लिए, यदि बाह्य दृश्य का देश बाह्य सापेक्षताओं के अधीन होता है तो चित्र का देश स्वायत्त और अपने संरचना तन्त्र के केन्द्र पर व्यवस्थित होता है। इसी से यह भी आवश्यक नहीं होता कि चित्रकार किसी वास्तविक व्यक्ति का ही चित्र बनाये, और न वास्तविक व्यक्ति के चित्र में उसकी सम्यक् प्रतिकृति प्रस्तुत करना ही उसका कार्य होता है। यदि ऐसा हो तो फिर कुरूप व्यक्ति का चित्र भी कुरूप ही होगा, जबकि चित्रिलिखित कुरूपता और सुरूपता चित्रितमूलक नहीं होकर भाव-निरूपित होती है। उदाहरणत: चित्रकार दिव्य और आसुर भावों को देवों और असुरों के रूप में प्रस्तुत करता है, और तब रेखाओं के माध्यम से भावों का यह अनासक्त विमर्श दर्शक को उसी अनासक्त अभिवृत्ति में प्रस्तुत होकर अवगम्य होता है, परिणामत: वह चित्ररूप में सुरूप-कुरूप नहीं रहकर कुशल-अकुशल होता है। वास्तव में यही बात तब प्राकृतिक रूप-दर्शन में भी होती है जब हम उसके प्रति आसक्त-भाव से उन्मुख नहीं होकर प्रेक्षक-भाव से उन्मुख होते हैं। यही कला-बोध है। इसे इस प्रकार भी कह सकते हैं कि जब किसी बाह्य दृश्य से दर्शक के भावलोक में भोगित्वमूलक प्रेक्षकत्व का उन्मेष होता है तब वह दर्शक कला-बोध में स्थित होता है। इसे ही विषयपक्ष में इस प्रकार कह सकते हैं कि जब बाह्य दृश्य अपनी गोचर वस्तुता की अपेक्षा उससे उन्मिषित किसी 'जननान्तर स्थित भाव' के अलौकिक प्रकाश में अपनी वस्तुता से मुक्त होकर प्रस्तुत होता है तब वह कला-बोध का विषय होता है। कलाकार वह है जो इस बोध को किसी गोचर माध्यम में रूपायित कर देता है।

धर्म–दर्शन

दर्शन अपने विचार–विषय के प्रामाण्य की जिज्ञासा करता है। प्रामाण्य का आधार अन्ततः कोई मूल प्रदत्त : आनुभविक अथवा तार्किक (अभ्युपगम) : होता है। किन्तु मूल प्रदत्त भी दर्शन के लिए कोई स्वतःसिद्ध स्पतःस्पष्ट तथ्य नहीं होता। वास्तव में स्वतःस्पष्ट प्रतीत होने वाले तथ्यों को दर्शन प्रायः ही मूलप्रदत्तों के रूप में स्वीकार नहीं कर पाता। तो भी मूल प्रदत्त की एक सर्वस्वीकृत परिभाषा हो सकती है और वह है ज्ञान अथवा ज्ञेय का वह तत्त्व जिसे किसी दूसरे तत्त्व में नहीं घटाया जा सकता। यह तत्त्व क्या है, यह दार्शनिकों में सदैव विवादास्पद विषय रहा है : ब्रह्म, प्रकृति–पुरुष, विज्ञान–क्षण, संवेद–प्रदत्त, स्वलक्षण वस्तु, ईश्वर–जीव–प्रकृति आदि इसके कुछ उदाहरण हैं। कोई कह सकता है, ब्रह्म या ईश्वर आदि दार्शनिकों द्वारा मूल प्रदत्तों के रूप में नहीं देखे गये हैं। इसके उत्तर में हम यहाँ केवल इतना ही कहना चाहेंगे कि ये ऐसे मूल तत्त्वों के रूप में देखे गए हैं जिनमें अन्य सब ज्ञान और ज्ञेय घटाए जा सकते हैं और जो किसी अन्य में नहीं घटाए जा सकते।

किन्तु यहाँ हमारा जिज्ञास्य ऐसा तत्त्व नहीं है। यहाँ हमारा जिज्ञास्य धर्म–दृष्टि का प्रामाण्य है। अर्थात् क्या धर्म का विषयी अथवा विषय के रूप में कोई अपना मूल प्रदत्त है या कि यह विषयी अथवा विषय के रूप में किन्हीं अन्य तत्त्वों में घटाया जा सकता है? किन्तु यही कैसे जाना जाये कि जिसे हम 'धर्म' कह कर यह जाँच करना चाहते हैं, जिसके प्रामाण्य की परीक्षा करना चाहते हैं, वह क्या है? यह न तो विषयी रूप में उस प्रकार प्रदत्त है जिस प्रकार सुख–दुःख है, न विषय रूप में उस प्रकार प्रदत्त है जिस प्रकार मिट्टी–पानी हैं। सुख–दुख या मिट्टी–पानी मूल प्रदत्त हैं, या नहीं, यहाँ यह विचारणीय नहीं है, किन्तु ये प्रदत्त हैं, यह स्पष्ट है। इन्हें हम दार्शनिकों द्वारा प्रतिपादित प्रदत्तों, जैसे संवेद्य आदि, से पृथक् करने के लिए असमीक्षित प्रदत्त कह सकते हैं। किन्तु धर्म या धर्म–दृष्टि भी इसी प्रकार के प्रदत्त हैं, यह नहीं कहा जा सकता। किन्तु कुछ इसी प्रकार का प्रदत्त हुए बिना इसके बारे में विचार ही कैसे आरम्भ किया जा सकता है? विचार आरम्भ करने के लिए यह प्रदत्त सम्भवतः लोक–परम्परा से प्राप्त किया जा सकता है। किन्तु लोक–परम्परा में इसका कोई एक निश्चित स्वरूप नहीं है, कम–से–कम प्रकटतः इससे सम्बन्धित लोक–परम्पराएँ बहुत भिन्न–भिन्न प्रकार की हैं। एक ओर पौराणिक धार्मिक परम्पराएँ हैं, जिनमें कोई भी वस्तु अलौकिक तत्त्व—अलौकिक व्यक्ति के रूप में नाम ग्रहण कर लेती है और दूसरी ओर ईसाई और मुस्लिम धर्म हैं जिनमें ईश्वर–संज्ञक एकमात्र देवता जगत् का शासक और प्रवर्तक है। तीसरी ओर बौद्ध धर्म है, जिसमें द्रव्यत्व या वस्तुत्व मात्र का निषेध है, और इस प्रकार ईश्वर ही नहीं, मनुष्य का आत्मा और जगत् का वस्तुत्व या द्रव्यत्व, तथा जगत्–गत विषयों का वस्तुत्व तक अस्वीकृत है।[1] कांट ने ईसाई धर्म के ईश्वर का अस्तित्व अस्वीकार करते हुए उसकी व्याख्या तर्क की सीमाओं, भौतिक और नैतिक अनुभवों के अन्तर्गत दो प्रकार के तार्किक अतिक्रमणों (ट्रांसेंडेंसिस) के द्वारा की है, किन्तु बौद्ध ईश्वर और तर्क दोनों को भ्रान्तियाँ मान कर पीछे छोड़ देते हैं और धर्म को एक सर्वथा दूसरा ही आयाम दे देते हैं। वास्तव में यह बौद्ध–दृष्टि सब औपनिषद धर्मों में भी देखी जा सकती है।[2] मैं समझता हूँ कि लोक–परम्परा के धर्मों और औपनिषद धर्मों (जिन्हें हम दार्शनिक धर्म भी कह सकते हैं) के दो विच्छेदक गुण कहे जा सकते हैं : प्रथम यह कि लोक–परम्परा

---

1. शून्यता सर्वदृष्टीनां प्रोक्ता निस्सरणं जिनैः, येषां तु शून्यतादृष्टिस्तानसाध्यान् बभाषिरे। (नागार्जुन — **मूलमाध्यमिक कारिका,** 13/8) (भगवान् बुद्ध ने शून्यता का उपदेश हमें बुद्धि की समस्त कोटियों, धारणाओं और दृष्टियों से ऊपर उठने के लिए दिया है, न कि उनमें फँसने के लिए। शून्यता का अर्थ है सब दृष्टियों का त्याग। जो शून्यता को भी सत् कोटि द्वारा पकड़ कर उसके अस्तित्व या नास्तित्व का प्रतिपादन करना चाहते हैं उनको भगवान् ने असाध्य कहा है)।

2. यस्यामतं तस्य मतं, मतं यस्य न वेद सः। अविज्ञातं विजानतां, विज्ञातमविजानताम्। केनोपनिषद्–2। (जो ब्रह्म को अविज्ञेय मानता है वही उसे जानता है, जो उसे ज्ञात मानता है वह उसे नहीं जानता। वह ज्ञान से (बुद्धि से) उपहितों को अज्ञात रहता है, उसको उत्तीर्ण करने वालों को ही उसका अवगमन होता है)।

लौकिक-प्राकृतिक कारण-कार्य सम्बन्धों को अलौकिक यादृच्छिकता से नियम्य रूप में देखती है, और दूसरे, वह इस यादृच्छिकता का उपयोग मनुष्य की लौकिक सुख-समृद्धि के लिए करना धर्म का उपयोग मानती है। गणेश-पूजा, हनुमान-पूजा आदि इसके उदाहरण हैं। इसके विपरीत दार्शनिक परम्परा इच्छा को केवल लौकिक ही मानती है और इस प्रकार धर्म के लौकिक रूप को भी लौकिक-प्राकृतिक साध्योन्मुख ही मानती है, और दूसरे, वह धर्म का उपयोग या प्रयोजन सब लौकिक प्रयोजनों के त्याग और अतिक्रमण में और इस प्रकार व्यक्तित्व के अलौकिकीकरण : अतिक्रमण : में देखती है। बौद्ध नैरात्म्यवाद में इस अभिनिवेश की पराकाष्ठा है, क्योंकि वह ब्रह्म आदि की अवधारणा में भी किसी-न-किसी प्रकार से मनुष्य का अपने व्यक्तित्व : अहंकार : को बनाये रखने का लोभ देखता है और परिणामत: वह किसी भी स्थायी सद्वस्तु का निषेध करता है। उसके दार्शनिक प्रतिपादनों के पीछे उसका यह धार्मिक प्रयोजन है। मुस्लिम, ईसाई और वैष्णव आदि धर्म इन दो कोटियों के बीच में रखे जा सकते हैं। ये 'मध्यवर्ती धर्म' धार्मिक चेतना के उपर्युक्त दो ध्रुवों के बीच की स्थिति के रूप में इन कोटियों में एक तारतम्य को सूचित करते हैं। किन्तु यह तारतम्य ऐतिहासिक विकासात्मक नहीं होकर संरचनात्मक (स्ट्रक्चरल), अथवा कहें बोधमूलक है। यदि यह सही हो तो इसका अर्थ होगा कि धर्म के सभी रूप चेतना के एक ही मौलिक भाव या अभिनिवेश को व्यक्त करते हैं, अन्यथा यह कहना होगा कि चेतना के सर्वथा दो या तीन भिन्न भावों को एक ही नाम दिया जा रहा है। किन्तु हमारे लिए यहाँ यह विचारणीय प्रश्न नहीं है कि किस प्रकार लोक-धर्म और दार्शनिक-धर्म एक ही बोध के दो स्तर हैं। यहाँ हम दार्शनिक धर्म को धर्म का शुद्धतम रूप मानकर उसके अनुसार ही धर्म का स्वरूप समझने का प्रयत्न करेंगे।

किन्तु, धर्म का शुद्ध स्वरूप या अर्थ क्या है, यह निर्णय कैसे हो सकता है? वास्तव में यह समस्या दर्शन के लिए केवल धर्म के प्रसंग में ही नहीं है बल्कि उसके विवेच्य किसी भी विषय के लिए है, क्योंकि दर्शन किसी भी विषय को उसकी अवधारणा और अनुभूति के मूल से ही समझता है। इस प्रकार ऐन्द्रिक विषय भी उसके अपने स्वरूप में नहीं (यदि उसका कोई ऐसा स्वरूप हो तो भी) बल्कि इन्द्रिय-विषयानुभव में, उसके अवधारणात्मक मूल में, विचारणीय होता है। किन्तु धर्म के सम्बन्ध में इस आधार पर यह कैसे कहा जा सकता है कि धर्म अपनी मूल धारणा में पौराणिक नहीं हो कर दार्शनिक है? अधिकांश में तो धर्म के पौराणिक-लौकिक रूप को ही धर्म कहा जाता है, उसके दार्शनिक रूप को नहीं। इसी कारण बौद्ध धर्म को 'धर्म' उसकी अहंकार-क्षय की आत्यन्तिक दृष्टि के आधार पर नहीं बल्कि उसकी उपासना-विधि के बाह्य चिह्नों के आधार पर कहा जाता है। किन्तु वास्तव में यह अयुक्त है। अध्ययन की यह दृष्टि उन अध्येताओं के लिए ही रोचक हो सकती है जो ज्ञान के लिए भावनात्मक या बोधात्मक साक्षात्कार को प्रासंगिक नहीं मानकर केवल इन्द्रिय-ग्राह्य वस्तुओं को ही प्रासंगिक मानते हैं। यह तथाकथित वैज्ञानिक विधि नियमन तथा नियोजन के लिए तो उपयुक्त है, ज्ञान के लिए नहीं, और दर्शन ज्ञान के लिए प्रयत्न है। इसी से दर्शन प्रामाण्य के अनुसन्धान में तर्क, विज्ञान या लोक-संज्ञान के समान किसी बाहरी प्रयोजन के आधार पर विश्राम नहीं लेता। इसी को दर्शन की प्रामाण्य तथा प्रदत्त की पूर्वमान्यता-रहित खोज कहा जाता है। ऐसे ज्ञान के लिए उपयुक्ततम विषय विषयिगत बोध : आत्मोन्मुख बोध : है, या फिर वह भाव या सत् है जो विषयि-बोध के साथ एकाकार होते हुए उसे अपने भीतर प्रतिष्ठित करता है। स्वयं अनुभववादी वैज्ञानिक भी आज अपने अध्ययन के लिए निदर्श (मॉडल) को माध्यम बनाना आवश्यक पाते हैं, जिसका अर्थ है कि वे भी स्वयं इन्द्रिय-ग्राह्य विषय को ज्ञान के स्तर पर ग्राह्य मानते हैं। वास्तव में यह कांट के ट्रांसेंडेंटलिज़्म का ही एक प्रयोग है। इस प्रकार यह इस बात की स्वीकृति है कि विषय का भाव, सत् या आधार वास्तव में विषयिगत है, यद्यपि अनुभववादी-वैज्ञानिकतावादी इस सत्य को देखने से इन्कार करते हैं और अपनी दृष्टि निरन्तर विषयोन्मुख ही रखते हुए निदर्शों के प्रयोग को केवल विधिमूलक कल्पनाओं के रूप में देखते हैं। ज्ञान-विषयक यह दृष्टि भौतिक जगत् के नियोजन के लिए तो उपयोगी हो सकती है, किन्तु यह मनुष्य या वस्तुओं के स्वरूप को देखने के लिए भी समीचीन है यह बात इससे सिद्ध नहीं होती। ज्ञान अपने लिए उपयुक्ततम आधार विषयि-भाव में ही पाता है। किन्तु विषयिभाव चित्-सत् की अविभक्त स्थिति है और ज्ञान इस चित्-सत् की आत्म-विभक्ति है, यह अपने को अपनी प्रस्तुति है, यह अद्वय का आत्मविमर्श के लिए आत्म-विश्लेषण है, जो

भाषा में विश्लेषणात्मक अध्यवसाय के रूप में प्रकट होता है। 'सब वर्णयुक्त विस्तारयुक्त भी है' वाक्य में एक ही क्षण अपने को प्रकाशित करने के प्रयत्न में विश्लिष्ट हो रहा है। किन्तु यह क्षण वैभव में अत्यन्त क्षीण होने से एक ही वाक्य में अपनी पूरी अभिव्यक्ति पा लेता है। इसके विपरीत एक गीत, उपन्यास, वैज्ञानिक व्यवस्था और दार्शनिक व्यवस्था आदि अत्यन्त वैभवपूर्ण क्षण के आत्म-विश्लेषण होते हैं। किन्तु ये सब अनिवार्य रूप से विषयि-भाव के आत्म-विश्लेषण नहीं हैं। ये तब तक विषयि-भाव के क्रियान्वयन मात्र होते हैं जब तक यह क्रिया आत्मोन्मुख होकर अपने को ग्राह्य रूप में प्रकाशति नहीं करती है। उदाहरण के लिए नैतिक निर्णय को लें : 'यह कार्य श्रेयस्कर है' यह निर्णय विषयि-भाव का विषयोन्मुख क्रियान्वयन है। इस भाव से नितान्त शून्य यह सूचनात्मक वाक्य है कि 'भारतीय समाज में पातिव्रत्य को श्रेयस्कर माना जाता है।' यह वाक्य या कथन विषयमूलक है। इनमें से पहला कथन तब विषयि-भाव का आत्म-विवेचन हो जाता है जब स्वयं श्रेयोमयता का बोध मननीय बनता है। उदाहरण के लिए नैतिक सन्देह के क्षण में अथवा कर्त्तव्य-च्युति पर पश्चात्ताप के क्षण में, और एक दूसरे स्तर पर तब जब हम इस बोध की क्रियान्विति के मूल में जाकर इसके तत्त्व का ही स्वरूप देखने का प्रयत्न करते हैं। दर्शन में हम यह अन्तिम कार्य ही करते हैं। इसमें बोध की क्रिया या स्थिति केवल एक अवसर बनती है।

यही बात धर्म के साथ भी है। इसका एक नितान्त विषयनिष्ठ ग्रहण हो सकता है जो हम नृतत्त्वशास्त्रियों-समाजशास्त्रियों के अध्ययनों में देखते हैं। इसके विपरीत, जब हम जीवन की आगन्तुकता का, लौकिक उपलबियों की निस्सारता का, या लोकोत्तर विराट्ता का अनुभव करते हैं और इस अनुभव को अपनी जीवन-दृष्टि और जगद्-दृष्टि का आधार बनाते हैं तब हम धार्मिक विषयिभाव में प्रतिष्ठित होते हैं। जब यह भाव अपनी घटनात्मकता में अनुभूत नहीं होकर अपने स्वरूप में विमृश्य होता है तब वह विषयि-भाव के आत्म-विवेचन का प्रसंग होता है, जो धर्म-दर्शन का क्षेत्र है।

इस प्रकार धर्म की परिभाषा उपर्युक्त धार्मिक विषयि-भाव से की जा सकती है। निश्चय ही यह परिभाषा पौराणिक धर्म पर पूरी तरह लागू नहीं होती, किन्तु अंशत: यह उस पर भी लागू होती है। वह दृष्टि इन्द्रियगोचर जगत् को अपर्याप्त पाकर उसे मानसगोचर जगत् के साथ सम्बन्धित करके देखती है, और इस प्रकार वैज्ञानिक दृष्टि के लिए अंधविश्वासमूलक अतिलोक-भाव इस दृष्टि के लिए इहलोक का एक केन्द्रीय निर्धारक तत्त्व होता है। इस दृष्टि के विषयभूत जगत् में आत्मा, देव-शक्तियाँ और मरणोपरान्त जीवन आदि उसी प्रकार अस्तित्ववान् होते हैं जिस प्रकार मेज़-कुर्सियाँ आदि होते हैं। इनका अस्तित्व होता है या नहीं, यहाँ हमारे लिए यह विचारणीय नहीं है। किन्तु अवान्तर टिप्पणी के रूप में यहाँ यह कहना प्रासंगिक होगा कि कांट ईश्वर का अस्तित्व तर्क-विरुद्ध दिखाते हुए यह भूल जाते हैं कि एक तो किसी तर्क की मूल प्रतिज्ञाएँ स्वयं उस तर्क के अन्तर्गत नहीं होतीं, और दूसरे, स्वयं कांट की अपनी युक्ति के अनुसार भी, भौतिक वस्तुओं का कोई अस्तित्व नहीं है। जो भी हो, आध्यात्मिक जीवन-दृष्टि : धर्म-दृष्टि : अस्तित्व के आग्रह के विपरीत अस्तित्व की आगन्तुकता के बोध के आग्रह के साथ प्रवृत्त होती है, और यही बोध वास्तव में धर्म को दूसरे बोधों से पृथक् करता है। मध्यस्तरीय धर्म में हम लोकोत्तर अस्तित्व-दृष्टि और लौकिक अस्तित्व की आगन्तुकता की दृष्टि दोनों को ईश्वर-भाव में आत्म-समर्पण के रूप में समन्वित देखते हैं। इस दृष्टि का स्वरूप और प्रामाण्य क्या है?

जीवन की, अस्तित्व की, आगन्तुकता का बोध एक साधारण तथ्य-विषयक ज्ञान नहीं है। 'यह पुस्तक चार सौ पृष्ठों की है' अथवा 'इस पुस्तक का रंग पीला है', ये कथन तथ्य-विषयक हैं और ये तथ्य आगन्तुक हैं। किन्तु इन तथ्यों का 'ज्ञान' और इनकी आगन्तुकता का बोध ज्ञान और ज्ञेय मात्र के, तथा कर्म, प्रवृत्ति और साध्य मात्र के अर्थ के सम्बन्ध में कुछ मौलिक प्रश्न उत्पन्न कर देता है और मनुष्य तथा जगद्-विषयक सहज आस्थाओं को रूपान्तरित कर देता है। 'मैं हूँ' यह एक सहज मौलिक तथ्य है, जो तथ्यमात्र के भाव या अभाव को धारण करता है। यह सही है कि 'यह पुस्तक है' तथ्य अपने-आप से 'मैं हूँ' पर आश्रित नहीं है, किन्तु 'मैं नहीं हूँ' यह तथ्य (बोध) पुस्तक के होने के तथ्य को उसी धुरी पर नहीं रहने देता जिस पर यह तथ्य मेरे अस्तित्व

के अभाव के इस तथ्य–बोध के बिना था, क्योंकि मेरे अभाव का तथ्य भाव मात्र को उसकी मूल धुरी से विचलित कर देता है। 'पुस्तक लाल रंग की है' भी आगन्तुक तथ्य है और इसकी आगन्तुकता 'इस' के पुस्तक नहीं होने की शक्यता के कारण, दूसरे शब्दों में 'पुस्तक होना' 'इस' की अनेक सम्भावनाओं में एक सम्भावना मात्र होने के कारण है। किन्तु यह शक्यता और आगन्तुकता कोई गम्भीर समस्या उत्पन्न नहीं करती, क्योंकि 'यह' से संकेतित भाव इसमें अक्षुण्ण है। किन्तु मेरी आगन्तुकता, मेरी अभाव–शक्यता इस 'यह' के भाव की अक्षुण्णता को भी समाप्त कर देती है। यहाँ यह उल्लेखनीय है कि 'यह' की अक्षुण्णता 'मैं' की आगन्तुकता से इसलिए समाप्त नहीं होती कि इसका निर्धारण 'मैं' का अपेक्षी है। (क्योंकि यहाँ 'यह' से निर्दिष्ट सत् 'वह' से बाधित या व्यावृत्त रूप में अपेक्षित नहीं होकर अनिर्धारित या निरुपाधिक रूप में ही लक्षित होता है।) इसकी अक्षुण्णता 'मैं' की आगन्तुकता से इस कारण समाप्त होती है क्योंकि 'मैं' सत् का मूल है, मेरा असत् अकल्पनीय परम शून्य में ही सम्भव है, अन्यथा नहीं।

हम यह प्रतिपादन डेकार्टीय सन्दर्भ में नहीं कर रहे हैं जिसके अनुसार 'मैं' में सन्देह असम्भव है, न शांकर सन्दर्भ में ही कर रहे हैं जिसमें 'मैं' सब ज्ञान का अनिवार्य सहगामी है, यहाँ हमारा आशय केवल यह है कि 'मैं' की आगुन्तकता आगन्तुकता को ही परमार्थ रूप में स्थापित कर देती है। सम्भवत: बुद्ध की यही दृष्टि थी। सार्त्र भी, 'बींग इन इट्सेल्फ' को ही मूल और स्वतन्त्र भाव मानता है, 'जगद्भाव' का मूल 'मैं' में ही देखता है। इस प्रकार सार्त्र में भी 'मैं' की आगन्तुकता या तो आगन्तुकता को ही परमार्थ रूप में स्थापित कर देगी अथवा निरपेक्ष परम जड़भाव (इन इट्सेल्फ) को 'मैं' के आधार के रूप में प्रतिष्ठित कर देगी।

अपनी आगन्तुकता का त्रासक बोध यद्यपि मनुष्य को जरा और मृत्यु के बोध से होता है किन्तु यह बोध जरा और मृत्यु के बोध पर आश्रित नहीं है। वास्तव में मृत्यु भी जीवन की आगन्तुकता की द्योतक तभी हो सकती है जब चेतना में यह बोध मौलिक रूप से विद्यमान हो। 'यह कुर्सी लाल रंग की है' में चारों पदार्थों : वाच्यार्थों : का परस्पर सम्बन्ध और अपना–अपना भाव आगन्तुक है, और यह हम इस कुर्सी को देखने के साथ ही जानते हैं। यह कहा जा सकता है कि यह बोध हमारे इस विषय के ग्रहण में अन्तरंग होता है। किन्तु यहाँ अत्यधिक महत्त्वपूर्ण बात यह है कि न केवल यह कुर्सी और वह मेज़ ही अन्तरंग आगन्तुकता के साथ प्रस्तुत होते हैं बल्कि विषय मात्र का आधार जगत् भी अन्तरंग आगन्तुकता से संवलित है। जगत् का भाव उसके अन्यथाभाव और असद्भाव की सम्भावनाओं से उतना ही संवलित है जितना इस कुर्सी का। और जैसाकि हम जानते हैं, जगत् की जरा और मृत्यु को हम प्रत्यक्ष नहीं देखते। मेरी आगन्तुकता इसी से प्रकट नहीं है कि मैं मरूँगा, बल्कि इससे भी प्रकट है कि मैं जो कुछ हूँ उससे सर्वथा भिन्न भी हो सकता था। किन्तु तब भी, मृत्यु में मैं अपने असद्भाव का साक्षात्कार करता हूँ, ऐसा साक्षात्कार जैसा मैं अन्य किसी असद्भाव का नहीं करता। 'भूतल पर घटाभाव' घट के अन्यत्र भाव का सापेक्ष है और घट–नाश घटाकृति के अन्यथाभाव का, किन्तु मेरी मृत्यु न मेरा अन्यथाभाव है और न अन्यत्र भाव। यह पूर्ण अभाव है, भाव का पूर्ण विराम, निषेध।

किन्तु क्या यह सम्भव है? क्या सत् असत् हो सकता है? क्या 'भाव का अभाव होना', 'सत् का असत् होना' यह प्रतिज्ञप्ति सम्भव है? भाव अभाव से बाधित हो सकता है, उसी प्रकार अभाव का भाव से बाधित होना भी अनिवार्य है। अभाव की भाव से बाधितता उसकी सीमितता की द्योतक है, इसी प्रकार भाव के अभाव होने का अर्थ है भाव की काल में सीमितता। किन्तु ये सब सीमितताएँ किसी दूसरे व्यापकतर भाव में धारण होती हैं। काल में सीमितता, अर्थात् भाव और अभाव की काल में परस्पर व्यावृत्ति, काल की अबाधितता में धारण होती है, इसी प्रकार भूतल पर घट–भाव और उस पर ही उसका अभाव भूतल की अबाधता में धारण होता है; काल का स्वयं में भाव और देश तथा सामान्य आदि में अभाव जगत् के भाव की अबाधता में धारण होता है। किन्तु जगत् भी पूर्ण भाव नहीं है। जैसाकि हमने पीछे देखा, इसका असद्भाव और इसके भाव का अन्यथात्व सम्भव है। किन्तु जगत् के भाव और अभाव का धारण किसमें हो सकता है? यह व्यापकतर आधार क्या हो सकता है? यह आधार कुछ लोगों ने भूततत्त्व में देखा है। किन्तु भूततत्त्व जगत् के भाव का आधार तो हो सकता है उसके अन्यथाभाव

और अभाव का आधार नहीं हो सकता, जोकि जगत् के व्यावर्तक होने से जगत् के भाव की अनिवार्य और अन्तरंग अपेक्षाएँ हैं। इस प्रकार भूततत्त्व जगत् के भाव का आधार भी नहीं हो सकता, क्योंकि उसके भाव का आधार वही हो सकता है जो उसके अन्यथाभाव और अभाव को भी धारण कर सके। वास्तव में भूततत्त्व भाव में जगत् के भाव से संकुचिततर भी है, क्योंकि वह अधिक-से-अधिक जगत् का उपादान कारण ही हो सकता है। किन्तु जगत् का भाव कम-से-कम निमित्त, प्रयोजन और कल्पना को भी समाविष्ट करता है। जब हम उसके इस प्रकार व्यावर्तकों : अन्यथाभाव और अभाव : की सापेक्षता में उसका ग्रहण करेंगे तो पायेंगे कि केवल विकल्पात्मक चित् ही जगत् के अभाव और अन्यथात्व का धारण कर सकता है। यहाँ आपत्ति की जा सकती है कि जगत् का अभाव और अन्यथाभाव अनिवार्यत: विकल्पमूलक होने से अवास्तविक ही क्यों नहीं माने जायें? इसका उत्तर इसके भाव की ही विकल्पमूलकता के आधार पर दिया जा सकता है, अन्यथा नहीं; क्योंकि उपर्युक्त आपत्ति में जगत् के भाव की पूर्णता पूर्वगृहीत है। इसके अभाव और अन्यथाभाव की कल्पनीयता इस अवस्था में कुछ सिद्ध नहीं कर सकती। यहाँ जगत् के भाव के स्वरूप के सम्बन्ध में विस्तार से विचार नहीं किया जा सकता। यहाँ केवल इतना ही कहा जा सकता है कि जगत् अपने भौतिक पक्ष में नितान्त सामान्य गणितीय नियम को और जैव पक्ष में सप्रयोजनता और विकल्प को व्यक्त करता है। गणितीय नियम के रूप में इसे मानवीय विकल्प का आक्षेप भी कहा जा सकता है, किन्तु जैव प्रयोजन मानव-संकल्प के अधीन नहीं देखा जा सकता। उदाहरण के लिए मधुमक्खियों का छत्ता और पक्षियों की प्रवास-यात्राएँ आदि स्वतन्त्र प्रयोजन और बुद्धि-कौशल को प्रदर्शित करते हैं। जहाँ तक मानवीय विकल्प का प्रश्न है, वह भी उसके व्यक्तिगत या जातीय संकल्प के अधीन नहीं होने से वैश्व संकल्प और बुद्धि को व्यक्त करता है। इस प्रकार जगत् के आधार में बुद्धि की विद्यमानता एक असंदिग्ध तथ्य है। यह बुद्धि ही विमर्श-रूप में विषय-वैविध्य को और उसके अभाव तथा अन्यथाभाव को धारण करती है। यही बुद्धि-तत्त्व धर्म में कर्त्तृत्व की शक्ति से संयुक्त हो कर ईश्वर के नाम से स्थापित होता है। किन्तु कर्त्तृत्व अहंकारोपाधि को पूर्वकल्पित करता है जो ईश्वर में सम्भव नहीं है। इसी से दार्शनिक धर्मों : बौद्ध, वेदान्त, साँख्य आदि : में ईश्वर को स्वीकार नहीं किया गया है, किन्तु उनमें भी जगत् का आधार चित् को ही स्वीकार किया गया है।[1] वैष्णव धर्म में ईश्वर को स्वीकार किया गया है, किन्तु उसमें भी उसे व्यक्ति और कर्त्ता के रूप में नहीं बल्कि ईश्वरतत्त्व के रूप में ही स्वीकार किया गया है। यह चित्-तत्त्व ही जगत्-तत्त्व के भाव की पूर्णता है।

किन्तु चित्तत्त्व की कर्त्तृत्व से : अहंकारोपाधि से : रहित पूर्ण भाव के रूप में कल्पना, जोकि वसुबन्धु के 'बुद्ध' में और शंकर के ब्रह्म में उपलब्ध होती है, अत्यधिक साहसपूर्ण दार्शनिक चिन्तन में ही सम्भव हो सकती है, धर्म के लिए यह सहज सुलभ नहीं है। क्योंकि धर्म अभाव की जिस अनुभूति को जीतने के प्रयत्न के रूप में आरम्भ होता है उस अनुभूति में आस्था के लिए अपेक्षाकृत अधिक ठोस आधार की आवश्यकता होती है। इसी से सामान्य धर्म व्यक्तित्व (कर्त्तृत्व) सम्पन्न ईश्वर या देवता में अपनी आगन्तुकता : अभाव : के अनुभव से जनित त्रास से मुक्ति के लिए आश्रय खोजता रहा है। इसी से शंकर ने उपासना के लिए ईश्वर की व्यवस्था की और कुछ बौद्ध धर्म-सम्प्रदायों ने व्यक्तित्व-सम्पन्न बुद्ध की। किन्तु, पूर्ण निरुपाधिक भाव के रूप में चैतन्य की अत्यन्त साहसपूर्ण दार्शनिक कल्पना का श्रेय भी आगन्तुकता की धार्मिक अनुभूति से प्रेरित कुछ मनस्वियों को ही है, क्योंकि यह बोध हम केवल उपनिषदों में, और अपने स्फुटतम रूप में बुद्ध में, ही सबसे पहले पाते हैं। इसमें कितना साहस अपेक्षित है, यह पश्चिमी धर्म के ही नहीं दर्शन के इतिहास से भी देखा जा सकता है, जिसमें हेगल से पहले दार्शनिक कल्पना व्यक्तित्व या अहंकारोपाधि का अतिक्रमण नहीं कर सकी और जिसमें मनुष्य के व्यक्तित्व को आत्यन्तिक तथा ईश्वर को व्यक्ति-रूप में देखा गया। वास्तव में हेगल में भी अहंकारोपाधि का

1. यहाँ यह स्वीकार करना होगा कि उन्होंने बुद्धि को चित् नहीं मान कर अचित् ही माना है और शुद्ध चित् में उसकी अविद्यमानता मानी है। किन्तु यहाँ द्रष्टव्य है कि उन्होंने जगत् को बुद्धिमूलक ही माना है। हमारे लिए यहाँ इतना ही प्रासंगिक है।

अतिक्रमण निरुपाधिकता में नहीं है, बल्कि बुद्ध्युपाधि में है। किन्तु वास्तव में यह आगन्तुकता के बोध का तर्क है जोकि वैयक्तिता मात्र की औपाधिकता को प्रकट करता है।

ऊपर हमने धर्म को परिभाषित करके भी दर्शन से उसके भेद को परिभाषित नहीं किया है, किन्तु यहाँ वह करना आवश्यक हो गया है। वास्तव में दर्शन की एक स्पष्ट और निश्चित परिभाषा कठिन है, क्योंकि जहाँ एक ओर दर्शन को धर्म-दृष्टि के रूप में ही देखा गया है, जैसे सामान्य रूप से भारतीय दार्शनिकों द्वारा और सुकरात, प्लेटो, प्लोटाइनस और ईसाई सन्तों द्वारा, वहाँ दूसरी ओर इसे दृष्टि के शुद्ध आकार : ऊहा, युक्ति, विश्लेषण : के रूप में भी देखा गया है, जैसे नव्य नैयायिकों द्वारा और पश्चिम के पिछली तीन शताब्दियों के कुछ दार्शनिकों द्वारा। यदि दर्शन को दृष्टि के आकार मात्र के बजाय दृष्टि : वस्तु-दर्शन, तत्त्व-दर्शन : भी माना जाये तब भी उसे केवल धर्म तक ही सीमित नहीं किया जा सकता, क्योंकि चार्वाकीय दृष्टि भी वास्तव में 'दृष्टि' नहीं थी, वह केवल आकार में ही 'दृष्टि' थी, अन्यथा उसमें 'दृष्टि' का व्यवस्थित रूप से निषेध था। यदि इस मत को स्वीकार किया जाये तो केवल धर्म-दृष्टि ही 'दृष्टि' रह जाती है और इस प्रकार धर्म-दर्शन ही दर्शन रह जाता है। भारतीय दार्शनिकों के अतिरिक्त फ़िख़्ते, शैल्लिंग तथा हेगल आदि का बहुत कुछ यही मत था। यह मत विचारणीय और युक्तियुक्त प्रतीत होता है। इसके पीछे युक्ति यह है कि जीवन के तत्त्व-विषयक कोई भी समग्र और सम्यक् दृष्टि विभिन्न रूपों, पक्षों, और प्रकारों को एक ही तत्त्व की विभिन्न अभिव्यक्तियों के रूप में देखती है और वह तत्त्व है परमात्मा, परम बुद्धत्व। ऊपर जिसे हमने परम भाव : निरुपाधिक सत् : कहा है उसे ही परमात्म तत्त्व भी कह सकते हैं। किन्तु दार्शनिक दृष्टि इस दृष्टि से इस बात में भिन्न है कि यह तत्त्व को देखने के बजाय उसके प्रामाण्य की परिपृच्छा करती है, और प्रामाण्य की परिपृच्छा विशिष्ट रूप से बौद्धिक चैतन्य का स्वोन्मुख अभिगमन है।[1] यहाँ यह कहा जा सकता है कि प्रामाण्य का यह अनुसन्धान केवल एक ही तत्त्व की प्रामाणिकता के निश्चय में पर्यवसित हो सकता है, जिस तत्त्व का धर्म-दृष्टि प्रदत्त के रूप में साक्षात्कार करना चाहती है। किन्तु यह एक दूसरी बात है।

धर्म दर्शन के समान प्रामाण्य का अनुसन्धान नहीं है, यह भाव या तत्त्व का साक्षात्कार और उस स्थिति में अपने को बनाये रखने का प्रयत्न, अथवा साक्षात्कार का प्रयत्न, है। इस प्रकार धर्म साधना या प्रयत्न है। इसमें साक्षात्कृत अथवा साक्षात्करणीय तत्त्व का प्रथम आभास जगत् में जीवन की आगन्तुकता और परिणामस्वरूप इसकी अतत्त्वता : निस्सारता : के साक्षात्कारात्मक बोध से होता है। जीवन की अतत्त्वता का साक्षात्कार तत्त्व को भी एक-साथ और अनिवार्य रूप से प्रस्तुत कर देता हो, ऐसी बात नहीं है, दूसरे यह साक्षात्कार बौद्धिक नहीं होता, क्योंकि यदि यह बौद्धिक होता तब यह दर्शन ही हो जाता। यह साक्षात्कार सद्भाव की : तत्त्व की : सिद्धि है, नकारात्मक पदावली में कहें तो, अतत्त्व के अपक्षय की सिद्धि है, यह 'होने की कामना' से 'हो जाना' है, यह 'सम्भाव्य' से मुक्त होकर 'भाव की पूर्णता पा लेना' है।

'अतत्त्व का अपक्षय', 'भाव की सिद्धि' ये पद पूर्णत: बौद्धिक : ज्ञानात्मक-तर्कात्मक : पदावली में अनवगम्य हैं, क्योंकि उस पदावली में मानदण्ड सत्य होता है जो ज्ञान और भाव के बीच समन्वय की स्थिति है। किन्तु आश्चर्यजनक बात यह है कि हमारे साधारण लौकिक जीवन में यह समन्वय नितान्त सांयोगिक होता है और ज्ञानमीमांसा तथा तर्कशास्त्र सदैव भ्रम के विवेचन के प्रति चिन्तित रहते हैं। ये भ्रम की विद्यमानता के रहस्य और उससे मुक्ति के लिए प्रयत्नों के सम्बन्ध में प्राय: ही विचार नहीं करते। ऐन्द्रिक विषय का साक्षात्कार ऐन्द्रिक सत्य है, किन्तु इसमें भ्रम सदैव सम्भव होता है। दर्शन भ्रम के स्वरूप पर विचार करता है, किन्तु इसकी विद्यमानता के हेतु और इसके निवारण के उपायों पर विचार नहीं करता; उन उपायों पर आचरण में तो कभी भी प्रवृत्त नहीं होता। इसी प्रकार तर्कशास्त्र प्रतिज्ञप्तियोंमेंबुद्धि-ग्राह्य-सम्बन्धों के स्वरूप की खोज करता है और उस मानदण्ड से सत्य और असत्य सम्बन्धों का निर्णय करता है। किन्तु असत्य सम्बन्धों की विद्यमानता के रहस्य

1. द्रष्टव्य — अध्याय 1.

और तज्जनित उद्विग्नता और त्रास का अनुभव यह नहीं कर सकता और न असत्य की सम्भावना के निवारण के प्रयत्न में प्रवृत्त हो सकता है। इसी से यह विचार, इन्द्रिय और मनस् आदि की प्रवृत्ति की दिशा की युक्तता-अयुक्तता का निर्णय भी नहीं कर सकता। उदाहरणत:, क्यों मैं दर्शन-विचार ही करूँ, लोक-व्यवहार की समस्याओं के समाधान में ही प्रवृत्त क्यों नहीं रहूँ, यह बोध ज्ञानमीमांसा और तर्कशास्त्र के अपने क्षेत्रों में नहीं है, यह बोध नीति और धर्ममूलक है : कर्म के सन्दर्भ में नीतिमूलक और अस्तित्व-सामान्य के सन्दर्भ में धर्ममूलक।

वास्तव में भ्रम, अविवेक, अतत्त्व, अभाव, जो आगन्तुकता के ही विभिन्न पक्ष हैं, की विद्यमानता रहस्यों का रहस्य : परम रहस्य : है, क्योंकि इनकी वस्तुता नहीं है, ये 'शून्य' हैं, किन्तु तब भी ये हैं। ये अवस्तु हैं, तभी इनसे मुक्ति सम्भव है, किन्तु क्योंकि अवस्तु होने पर भी ये हैं इसी से प्रयत्न की विद्यमानता और सार्थकता है। यह सब हम सहज रूप से जानते हैं, यह बोध वास्तव में रहस्य-बोध के अन्तर्गत ही है। इसी से धर्म चर्या है, आचरण है, यह विचक्षणता नहीं है। यह भी कह सकते हैं कि धर्म इस पक्ष में अविचक्षणता के निवारण का प्रयत्न है, विचक्षणता उसका फल है।

भ्रम, अविवेक, अविचक्षणता, और इसी प्रकार ज्ञान, विवेक और विचक्षणता, प्रथमत: चित् और सत् के द्वैत को सूचित करते हैं और अधिकांश दर्शनों और धर्म-दर्शनों ने यह भेद स्वीकार किया है। धर्म ने यह द्वैत मनुष्य और ईश्वर के द्वैत के रूप में देखा है। किन्तु वास्तव में यह द्वैत मूलगामी रूप में कल्पित करना युक्तिसंगत नहीं है, क्योंकि यदि द्वैत वास्तविक हो तब अभाव का निवारण असम्भव होगा : मुझे ईश्वर से मेरी सीमितता ही पृथक् करती है। 'यह सीमितता मेरा स्वरूप है और परिणामत: यह अनिवार्य है' यह मान लेने पर इसके निवारण की सम्भावना ही समाप्त हो जाती है। यदि चित् और सत् की पदावली में विचार करें तो चित् का सत् से भेद कैसे करेंगे? क्योंकि चित् कभी भी असत् नहीं हो सकता। यदि द्वैत को द्रव्यगत मानें तब एक ओर विचक्षणता की सिद्धि का कोई निश्चय नहीं हो सकता, क्योंकि तब या तो ज्ञान स्वत:सिद्ध होगा, अथवा वह होगा ही नहीं। इसमें अज्ञान से ज्ञान की ओर प्रगति का कोई अर्थ नहीं रह सकता, और दूसरी ओर इसका आगन्तुकता के धार्मिक बोध से कोई सम्बन्ध नहीं हो सकता। और वास्तव में मनोमूलक असत्य : राग-द्वेष आदि : और बुद्धिमूलक असत्य : अविवेक, दिशा-भ्रष्टता में द्रव्यगत द्वैत का वैसे भी कोई अर्थ नहीं रहता, क्योंकि नैतिक-धार्मिक उचित, और विचारात्मक युक्तता या सत्य स्वयं मनोगत और बुद्धिगत आत्म-बोध हैं, किसी द्रव्यान्तर की अपेक्षा से इनका निर्धारण नहीं होता। अमुक कर्म उचित है या नहीं, इसका एकमात्र निर्धारण विचार के अपने सूत्रों में अन्तर्गत-संगति की सिद्धि से होता है, अपने से बाहर किसी वस्तु की अपेक्षा से नहीं। धार्मिक आगन्तुकता का बोध स्वयं अस्तित्वमूलक ही होने से द्वैतपरक होने का कोई अर्थ नहीं है। अधिकांश धार्मिक लोगों ने इस सत्य को नहीं देखा। यह केवल इसी बात का द्योतक है कि 'आत्मगत' के अर्थ का अवगमन बहुत अधिक दुस्साध्य होता है।

ऐतिहासिक रूप से आगन्तुकता के धार्मिक बोध की आदिमतम अभिव्यक्ति हम मृत्यु से सम्बन्धित संस्कारों में पाते हैं। मृत्यु से उद्घाटित आगन्तुकता की चुनौती को मनुष्य ने मृत्यु के पश्चात् जीवन की कल्पनाओं द्वारा विजित करने का प्रयत्न किया और जीवित मनुष्य की और उसके जगत् की ससीमता के बोध की आपूर्ति देवलोक की कल्पनाओं द्वारा की। इस बोध के प्रति मनुष्य की आरम्भिक प्रतिक्रिया पूर्णत: बाह्योन्मुख तथा जगत् के स्वरूप के निर्धारण के प्रति चिन्ताकुल थी। किन्तु पीछे क्रमश: यह बोध स्थूल अस्तित्व के बजाय आन्तर भाव-बोध की ओर, वस्तु के बजाय आशय : वस्त्वर्थ : की ओर, उन्मुख होता चला गया। अब चिन्ता का विषय मृत्यु के बाद मनुष्य की भौतिक-जैविक या मानसिक काया का नैरन्तर्य नहीं रह कर व्यक्तित्व का, बोध का, रूपान्तरण हो गया। इसी से धर्म के साथ नैतिकता, श्रेयस्, आर्षत्व, आन्तर शान्ति, औदार्य और सामरस्य आदि का अनिवार्य सम्बन्ध हो गया। कुछ लोग धर्म के साथ नैतिकता का अनिवार्य सम्बन्ध नहीं मानते, मानो अनैतिक व्यक्ति भी धार्मिक हो सकता है। ये लोग वास्तव में धर्म के लिए नीति को अप्रासंगिक मानते हैं। किन्तु यह सही नहीं है। यह धारणा बहुत कुछ नीति को संकुचित अर्थ में लेने के कारण और बहुत कुछ धर्म को सही अर्थ में नहीं लेने के कारण है। धर्म पौराणिक-आदिम स्तर पर अपने स्वरूप से अनवगत रहता है और उसमें नीति

उसके लिए अप्रासंगिक होती है। दीवाली पर गणेश-पूजा जिस व्यवस्था की अंग है उसमें नीति का प्रसंग वास्तव में ही अनिवार्य नहीं है, किन्तु इस व्यवस्था को पूरी तरह धार्मिक भी नहीं कहा जा सकता। इसमें देवता एक ऐसी लोकोत्तर शक्ति के रूप में कल्पित होता है जो मनुष्य की लौकिक असामर्थ्य और असहाय्य की भावना को सम्बल देकर उसकी लौकिक सुखाकांक्षा की पूर्ति करता है। किन्तु धार्मिक चेतना के विकास के साथ 'देवता' उस दिव्य शक्ति का प्रतीक हो जाता है जो मनुष्य में व्यक्त सीमित प्रकाश, प्राण और बोध का असीमित स्रोत है।[1] यह स्रोत सहज प्रसादक है, सहज भरण करने वाला है, किन्तु उस दान को प्राप्त करने के लिए अपने में पात्रता उत्पन्न करना आवश्यक होता है।[2] यह पात्रता यज्ञ द्वारा और उपासना द्वारा प्राप्त हो सकती है। यज्ञ देवता को देने का कर्म है और उपासना उससे रागात्मक एकीभाव स्थापित करती है। देवता को देने का क्या अर्थ है? जिसका स्वभाव ही देना है और जो शाश्वत और असीम दाता है उसे देने का क्या अर्थ? इसका अर्थ है दिव्य व्यवस्था में अपने को समर्पित करने के माध्यम से अपने में उस दिव्य शक्ति का अंश जागृत करना। यह धर्माचरण है, किन्तु साथ ही यह नैतिक आचरण भी है। धर्म को नीति-निरपेक्ष मानने वाले विचारकों का कहना है कि धर्माचरण के साथ अनैतिक आचरण असंगत नहीं है, अर्थात् यह सर्वथा कल्पनीय है कि नितान्त धार्मिक व्यक्ति नितान्त अनैतिक भी हो, जैसे तान्त्रिक। इसी प्रकार यह भी सम्भव है कि कोई भक्तिपरायण व्यक्ति दूसरों के दुःख-दर्द के प्रति और सत्यनिष्ठा के प्रति उपेक्षापूर्ण हो, जैसे ईसाइयों और मुस्लिमों ने धर्म के लिए भयानक नरसंहार किये।

ये उदाहरण सही हैं किन्तु तब भी ये इस सिद्धान्त की पुष्टि नहीं करते कि धर्म-भाव नीति-भाव से निरपेक्ष होता है। इनमें अन्तिम उदाहरण को लें : जबकि यह सही है कि ईसाइयों और मुसलमानों ने भयानक नरसंहार किये, यह भी सही है कि इन दोनों धर्मों में नैतिक आचरण पर बहुत बल है और इसके बहुत कड़े नियम हैं। इसलिए इस उदाहरण से धर्म और नीति का असम्बन्ध सिद्ध नहीं होता। तब ऐसा क्यों है कि इन धर्मावलम्बियों ने धर्म के लिए नरसंहार किये? इस का समाधान यह है कि उन्होंने इस आचरण को अनैतिक नहीं समझा, अधिक सही शब्दों में कहें तो, उन्होंने इस आचरण के नैतिक तत्त्व का मर्म ठीक से नहीं समझा। जहाँ तक दूसरे उदाहरण का प्रश्न है, उसके उत्तर में यह कहा जा सकता है कि भक्तिपरायण व्यक्ति का सत्य के प्रति उपेक्षापूर्ण होना ऐसा ही है जैसे किसी अत्यन्त सहानुभूतिपूर्ण और निस्स्वार्थ व्यक्ति का सत्य-भाषण के प्रति उपेक्षापूर्ण होना। ऐसा होता है यह हम सब जानते हैं। तब ऐसा क्यों होता है कि एक नैतिक गुण से सम्पन्न व्यक्ति कुछ दूसरे नैतिक गुणों से रहित हो सकता है? इसका कारण यह होता है कि अधिकांश में हम अपने प्रति पर्याप्त प्रबुद्ध नहीं रहते। जहाँ तक तान्त्रिक का सम्बन्ध है उसे धार्मिक ही नहीं कहा जा सकता, वह एक प्रकार का कारीगर होता है, जो एक प्राकृतिक (विषय-जगत्परक) स्थिति को अपने प्रयोजनानुकूल बनाने के लिए प्राकृतिक साधनों का आविष्कार और उपयोग करता है। केवल उसकी प्रकृति भौतिक नहीं होकर प्राणिक या मानसिक होती है। इस प्रकार ये उदाहरण धर्म की नीति-निरपेक्षता के सम्बन्ध में कुछ सिद्ध नहीं करते। इस समस्या के समाधन के लिए नीति के स्वरूप का निश्चय करना आवश्यक है। नीति की न्यूनतम परिभाषा 'कर्म का किसी मानदण्ड के अनुसार

---

1. एको वशी सर्वभूतान्तरात्मा, एकं रूपं बहुधा य: करोति।
तमात्मस्थं येऽनुपश्यन्ति धीरास्तेषां सुखं शाश्वतं नेतरेषाम्। कठोप. 2/12.
तमेव भान्तमनुभाति सर्वं, तस्य भासा सर्वमिदं विभाति। वही 2/15.

(जो सब प्राणियों में अन्तरात्मा रूप में स्थित उनका एक नियामक है, जो अपने एक रूप को ही अनेकधा व्यक्त करता है, उसको जो अपने भीतर अपने आधार के रूप में देखते हैं वे ही शाश्वत सुख को प्राप्त कर सकते हैं।)

(जो भी कुछ विश्व में है, वह सब उसकी ही कान्ति से उद्भासित हो रहा है।)

2. यथैव बिम्बं मृदयोपलिप्तं, तेजोमयं भ्राजते तत् सुधान्तम्,
तथात्मतत्त्वं प्रसमीक्ष्य देही, एक: कृतार्थो भवति वीतशोक:

श्वेताश्वतर उपनिषद् 214

(जिस प्रकार मलोपलिप्त बिम्ब स्वच्छ होने पर तेजोमय होकर प्रकाशित होता है उसी प्रकार पाप-मुक्त आत्मतत्त्व होता है। उस वीतमल आत्म-तत्त्व को देखकर मनुष्य आनन्द को प्राप्त करता है।)

अनुशासन' कही जा सकती है। किन्तु यह परिभाषा पर्याप्त नहीं है, क्योंकि इस मानदण्ड का स्वरूप निश्चित होना आवश्यक है। कांट ने इसका आधार श्रेयोमय भावना : शुभ संकल्प : को बताया है, कालिदास ने इसी को 'सतां हि सन्देह-पदेषु वस्तुषु प्रमाणमन्त:करणप्रवृत्तय:' के द्वारा अभिव्यक्ति दी है। ठीक यही परिभाषा मनु ने 'स्वस्य प्रियमात्मन:' शब्दों में दी है। वास्तव में मनु ने इसे धर्म का लक्षण कहा है, क्योंकि 'धर्म' शब्द भारत में 'धारण करने वाले नियम' मात्र का वाचक था। बौद्धों ने इस शब्द का प्रयोग प्राय: सत् के अर्थ में किया है। इस प्रकार इनके अनुसार नीति वह नियम है जो मानव-चेतना की श्रेयस् के प्रति आस्था को, और इस प्रकार उसके अपने सत् को धारण करता है। इस प्रकार नीति की परिभाषा 'आत्म-सिद्धि अथवा स्वरूप-सिद्धि के लिए अपने कर्म का अनुशासन' यह दी जा सकती है। कुछ लोग नीति को अनिवार्यत: समाजमूलक : सामाजिक सम्बन्धों की व्यवस्थापरक : मानते हैं और इसका स्रोत मनुष्य की तर्कोचित विवेक की सामर्थ्य को मानते हैं। नीति के इस तत्त्व को ही 'आत्मन: प्रतिकूलानि परेषां न समाचरेत्' में तथा कांट के 'फोर्म ऑफ मॉरल लॉ' (नैतिक नियम के आकार) में अभिव्यक्ति मिली है। किन्तु तब मनुष्य का तर्कोचित विवेक मानव-समाज तक ही सीमित क्यों रहे? इसी से 'अहिंसा' की भारतीय अवधारणा ने बाहर इसका विस्तार प्राणिमात्र तक किया और भीतर मनोभाव तक। यदि मनुष्य समाज का ही नहीं, प्राणि-जगत् का ही नहीं, विश्व-व्यवस्था का सदस्य है तब फिर उसको विश्व-व्यवस्था में ही तर्कोचित का बोध अपने आप का धारण नहीं कर सकता : क्यों मैं अपने कर्म के औचित्य की कसौटी सार्वभौमता को बनाऊँ? क्यों मैं पर की चिन्ता करूँ? और फिर मनुष्य में केवल तर्कोचित का विवेक ही नहीं है, उससे कहीं अधिक वासना, राग और अहंकार का आग्रह भी है। तब 'मनुष्य का स्वरूप' प्रथम को कैसे कहा जाये, द्वितीय को कैसे नहीं कहा जाय? इसलिए मनुष्य में स्वरूप-बोध को मौलिक स्वीकार करना आवश्यक होगा, जो बोध उसे अपनी चेतना के वासनात्मक, देहेन्द्रियात्मक स्तर को स्वरूप-विरुद्ध देखने और उसका अतिक्रमण करने की सामर्थ्य देता है। वास्तव में यह स्वरूप-बोध ही नीति का आधार है। 'यह मनुष्योचित नहीं है, और यह मनुष्योचित है' यह बोध ही वास्तव में नीति का मूल है जिसके अनुसार सब कर्म की प्रतिष्ठा अन्त में भागवत-भाव में होती है। गीता में कर्म को इसी भागवत (ब्रह्म) सन्दर्भ में देखा गया है : कर्म ब्रह्मोद्भवं विद्धि ब्रह्माक्षरसमुद्भवम्। तस्मात्सर्वगतं ब्रह्म नित्यं यज्ञे प्रतिष्ठितम्।[1] नैतिक कर्म इसी कर्म-बोध का एक प्रसंग है। इसका अर्थ यह नहीं है कि इस भावगत-बोध से पृथक् नीति-बोध सम्भव ही नहीं है, यह बोध कांटीय सन्दर्भ की सीमा में भी समझा जा सकता है, क्योंकि भागवत बोध से रहित व्यक्ति केवल बौद्धिक स्तर पर भी युक्तता : तर्कोचितता : का भावन कर सकता है। किन्तु यहाँ द्रष्टव्य यह है कि युक्तायुक्त कर्म का विवेक मनुष्य में उतना ही सहज है जितना पशु में वस्तु-अवस्तु है। और उतना ही सहज मनुष्य में भागवत बोध भी है। नैतिक और भागवत बोधों की किन्हीं युगों और संस्कृतियों में कम सुलभता इनकी प्रामाणिकता को कम नहीं करती, जैसे पशु में स्वोन्मुखता या मननशीलता का अभाव मनुष्य में उसकी विद्यमानता को अप्रामाणिक नहीं बनाता।

यहाँ यह स्पष्टीकरण आवश्यक है कि 'कर्त्ता की स्वरूप-सिद्धि' पद में नैतिक बोध की व्यक्तिमूलकता अभिप्रेत नहीं है, क्योंकि इस स्वरूप-सिद्धि में सबसे पहला चरण व्यक्त्युपाधि का अतिक्रमण ही होता है। यह अतिक्रमण भागवत भाव में तो होता ही है, और वहाँ वह आत्यन्तिक होता है : जैसे बुद्ध के द्वादश-निदानात्मक प्रतीत्य-समुत्पाद के अपक्षय में : यह तर्कोचित विवेक में भी आधारभूत होता है। क्योंकि इसमें 'मैं' और 'वह' की कक्षाएँ समाप्त कर इन्हें एक ही स्तर पर देखना आवश्यक होता है। किन्तु यदि नीति का मूल समाज को बनाया जायेगा तब व्यक्ति उसमें न केवल अनिवार्य हो जायेगा बल्कि केन्द्र भी हो जायेगा, क्योंकि तब सामाजिक व्यवस्था व्यक्ति-व्यक्ति के बीच सम्बन्धों का संस्थान मात्र होगी और सामाजिक सम्बन्धों की प्रामाणिकता का आधार व्यक्तिगत हितों की सिद्धि में उनकी उपयोगिता होगा। यूरोप की प्रजातन्त्र और नैतिक चिन्तन दोनों की अवधारणाएँ व्यक्ति की अनतिक्रमणीयता और मौलिकता के सिद्धान्त पर ही प्रतिष्ठित हैं। किन्तु व्यक्ति की यह अवधारणा न धर्म-दृष्टि के साथ संगत है और न नैतिक बोध के साथ ही संगत है, और न दार्शनिक प्रामाण्य-

1. **गीता** 3/15.

चिन्तन ही इसका समर्थन कर सकता है। उदाहरण के लिए एंस्लम और डेकार्ट के ईश्वर की सत्ता-विषयक प्रमाणों को लें। उनके अनुसार "मेरी ससीमता एक प्रदत्त तथ्य है, और यह तथ्य प्रदत्त होने पर असीमता का अस्तित्व तर्क-सिद्ध है।" किन्तु तब नागार्जुन कहेंगे कि ससीमता अभाव-परिच्छिन्न भाव है और इस प्रकार स्वरूपत: अन्याश्रित होने से शून्य या निस्स्वभाव है। ऐसी अवस्था में ससीमता मूल प्रदत्त नहीं हो सकती और परिणामत: व्यक्ति की अखण्डता का कोई अर्थ नहीं रह जाता। यद्यपि डेकार्ट के लिए 'मैं हूँ' यह मूल तथ्य है, किन्तु यह मूल तथ्य उसके अनुसार भी मूल प्रदत्त नहीं माना जाना चाहिए, क्योंकि यह मूलगामी सन्देह (रेडीकल डाउट) के द्वारा चैतन्य के आत्मलाभ के प्रयत्न का, प्रत्यङ्मुख होने की साधना का, फल है।[1] किन्तु इस प्रयत्न में चैतन्य की ससीमता, आगन्तुकता या औपाधिकता का साक्षात्कार आत्मा के रूप में नहीं होता बल्कि आत्मलाभ के प्रयत्न के आरम्भ के रूप में ही होता है : "जिस पर सन्देह नहीं किया जा सकता वह ससीम नहीं हो सकता, असीम ही हो सकता है। यदि मेरा भाव (मैं हूँ) एक ससीम : आश्रित-आगन्तुक : घटना या स्थिति मात्र है तब इसका होना केवल एक सम्भावना का घटित होना है, वह सन्देहों के अतिक्रमण की स्थिति नहीं हो सकती।" इस विचार-प्रक्रिया के आदि और निष्कर्षभूत बोध के रूप में डेकार्ट ने अपनी ईश्वर-मीमांसा में अपने तर्क के इस दोष को देखा था, यद्यपि उसे पूरी तरह पहचाना नहीं था, क्योंकि पश्चिमी संस्कृति ने वैयक्तिकता को मौलिक मान कर इस प्रकार की पहचान को असम्भव बना दिया था। अन्यथा वैयक्तिकता ईसाई धर्म और दर्शन के अनुसार भी केवल औपाधिक ही है और अतएव सत्य और श्रेयस् के साक्षात्कार में अनिवार्य बाधा ही है, क्योंकि इसी के कारण, उनके अनुसार, मनुष्य सत्य और श्रेयस् का साक्षात्कार नहीं कर सकता और इसके लिए ईश्वर पर निर्भर करता है। ईसाई धर्म-दर्शन मनुष्य की ससीमता के कारण उसके लिए सत्य और श्रेयस् का असन्दिग्ध ज्ञान असम्भव मानता है। उसके अनुसार केवल ईश्वर में ही यह ज्ञान सम्भव है, यहाँ तक कि, उस दर्शन के अनुसार, मनुष्य अपनी सीमित बुद्धि में इसका आभास पा सके इसके लिए भी ईश्वर का अवतरण अनिवार्य है।[2] किन्तु यदि ईश्वर असीमित चैतन्य और ज्ञान है और मनुष्य सीमित चैतन्य है, तब इसमें भेद चैतन्य का नहीं होकर आवरण और निरावरणता का ही हो सकता है। अब, यह किसी भी युक्ति से प्रमाणित नहीं हो सकता कि चैतन्य का आवरण उसका स्वभाव हो सकता है। यह अनुभव-सिद्ध भी नहीं है, क्योंकि हम अपनी सीमित चेतना में भी ज्ञान और भाव का विस्तार देखते हैं। तब, व्यक्ति इस विस्तार में आवरण का पूर्णत: निराकरण नहीं कर सकता, यह नहीं कहा जा सकता। इसके अतिरिक्त, आवरण चैतन्य का स्वभाव नहीं होकर उसके स्वभाव का निषेध है, इसलिए व्यक्ति-उपाधि मौलिक नहीं मानी जा सकती। इस प्रकार, इस उपाधि का, आवरण का, अतिक्रमण और ईश्वर-भाव की सिद्धि (और इस सिद्धि की यह कल्पना उपलब्ध नहीं होने पर, जैसे ईसाई आदि सम्प्रदायों में, ईश्वर-कृपा की सिद्धि) यह धर्म के लिए एक अनिवार्य पूर्वप्रतिज्ञा हो जाती है और इस प्रतिज्ञा के अनुसार जीवन का, अपने अस्तित्व के सब स्तरों का, अनुशासन और नियोजन धर्म है। धर्म का दर्शन से यह एक आधारभूत वैशिष्ट्य है कि धर्म जीवन का नियोजन है, यह आचरण है, दूसरे शब्दों में धर्म धर्माचरण है जो दर्शन का भी एक अंग के रूप में समावेश करता है, जबकि दर्शन इसका अथवा किसी भी बोध का आत्मावगमन और आत्मविमर्श है जो चैतन्य की बुद्धि-वृत्ति की विशेषता है। इसी से नागार्जुन उसे केवल बौद्धिक पदावली में समझने का प्रयत्न करते हैं जो बुद्ध में भाव के रूप में सिद्ध है।

---

1. यहाँ यह द्रष्टव्य है कि डेकार्ट ने 'मैं हूँ' को असन्दिग्ध तथ्य के रूप में इसके असन्दिग्ध ज्ञान-विषय होने के आधार पर ही प्रमाणित किया था। किन्तु 'मैं हूँ' की ज्ञानात्मक असन्दिग्धता मूलगामी : तत्त्व बोधोन्मुख : सन्देह के द्वारा ज्ञान के विषय से अपनी ओर निवर्तन के परिणामस्वरूप सिद्ध होती है, विषयोन्मुख सहजता में नहीं। इसी से 'यह पुस्तक है' रूप ज्ञान में 'मैं हूँ' ज्ञान सहज प्रस्तुत नहीं होता। यदि यह सहज प्रदत्त होता तो यह पशु में भी होना चाहिए किन्तु वास्तव में यह सद्य:प्रदत्त विषय-ज्ञान में कहीं भी नहीं होता। यदि इसे कांट के अनुसार विषय-ज्ञान में सहगामी आकार मान भी लिया जाय तो भी यह डेकार्ट का प्रयोजन सिद्ध नहीं करता और प्रदत्त या तथ्य नहीं होता। इसकी असन्दिग्ध प्रदत्तता और तथ्यता केवल मूलगामी सन्देह के द्वारा विषय की शून्यता के दर्शन के माध्यम से ही फलित हो सकती है। (इस पर हमने **विषय और आत्म** पुस्तक में विस्तार से विचार किया है।)

2. द्रष्टव्य है कि **मीमांसा** में भी उचित-अनुचित का विवेक मनुष्य की सामर्थ्य से परे वेद में देखा गया है।

यहाँ आचरण का आशय समझना आवश्यक है। 'आचरण' का अर्थ है 'साध्य और सिद्ध के बीच के अन्तर को भरने के प्रयोजन के अनुसार कर्म।' धर्म के प्रसंग में इसका अर्थ होगा 'प्राप्तार्थ और परमार्थ के बीच के अन्तर को पाटने के अनुकूल कर्म।' यह एक अद्भुत और रहस्यमय स्थिति है, क्योंकि यह अन्तर वास्तव में भाव या सत् का अपने आप से अन्तर है जो तर्क की लौकिक कोटियों के लिए अग्राह्य है, जैसाकि नागार्जुन के, और एक सीमा तक कांट के, विवेचनों में देखा जा सकता है। कांट ने लौकिक कोटियों को अस्तित्व की वास्तविक कोटियाँ मान कर इस रहस्यानुभूति को आस्था (फेथ) के रूप में स्थान दिया था और व्यक्त्युपाधि को सत् मान कर ईश्वर को पार्यन्तिक कल्पना और आस्था के कल्पित आश्रय के रूप में स्थान दिया था। नागार्जुन ने इनको अपारमार्थिक, सापेक्ष और परिणामत: शून्य कह कर सद्गत इस अन्तर को पारमार्थिक सत् के प्रमाण के रूप में देखा था। किन्तु वास्तव में भाव का यह अन्तर्गत व्यवच्छेद जैव क्रिया मात्र का स्वरूप है। केवल जैव क्रिया में यह आत्मचेतन—आत्मप्रकाशक नहीं होता और पूर्णत: विषय में तदाकार रहता है। इसका आत्मचेतन रूप मनुष्य के नैतिक बोध में और अपनी आगन्तुकता या अभाव-परिच्छिन्नता की अनुभूति में प्रकट होता है। धार्मिक बोध के स्वरूप की यह विशिष्टता इसकी तुलना विज्ञान-बोध और दार्शनिक-बोध के साथ करने पर और अधिक प्रखरता के साथ प्रकट हो सकती है। जैसाकि हमने आरम्भ में ही देखा, दर्शन बुद्धि का आत्म-विमर्श है। यह विमर्श एक विश्लेषणात्मक अन्त:संगत व्यवस्था की खोज के प्रयत्न के रूप में होता है। विश्लेषणात्मक व्यवस्था एक अखण्ड बोध का अन्तर्विभक्त होना और अभिज्ञान के माध्यम से अपनी अखण्डता की पुन:प्राप्ति करना है।[1] यह अन्तर्विभक्ति और बोध की अखण्डता का आभास दोनों बुद्धि-व्यापार के स्वरूप में निहित हैं, जैसे चेतना की किसी भी अन्य वृत्ति में अपने से अपना विच्छेद और उसको विजित करने का प्रयत्न अन्तर्निहित हैं। यद्यपि यह बोध और आन्तर व्यवच्छेद को विजित करने के ये सब प्रयत्न चेतना की उस-उस उपाधि से सम्बन्धित होते हैं किन्तु ये बुद्धि के अतिरिक्त अन्य किसी वृत्ति के स्तर पर आत्मचेतन नहीं होते। यह केवल बौद्धिक प्रयत्न ही है जो अनिवार्यत: आत्मचेतन होता है, यह दूसरी बात है कि सभी दार्शनिक समान रूप से अपने कर्म की इस प्रकृति के सम्बन्ध में जागरूक नहीं होते। किन्तु धर्म का मूल ही अस्तित्व मात्र की आत्म-विभक्ति या कहें आत्मव्यवहितत्व की आत्मचेतन अभिज्ञता से जनित व्याकुलता है और परिणामत: यह चेतना के सभी स्तरों : दैहिक, ऐन्द्रिक, मानसिक, और बौद्धिक : पर एक-साथ इस आत्मव्यवहितत्व को विजित करने का प्रयत्न करता है।

यहाँ आपत्ति की जा सकती है कि दैहिक या ऐन्द्रिक स्तरीय चैतन्य का आत्मव्यवहितत्व को विजित करने का प्रयत्न क्रमश: क्षुधाओं और विषयाकर्षणों की सन्तुष्टि के रूप में होता है, जबकि धर्म में ये दोनों वर्जित हैं, जैसे बौद्ध, जैन, ईसाई आदि धर्म-सम्प्रदायों में, अथवा ये पूर्णत: रूपान्तरित हो कर स्वीकृति पाते हैं, जैसे वैष्णव धर्म में। यह सही है, और यह सत्य धार्मिक बोध की, और इस बोध के द्वारा लक्षित भाव की अतल गम्भीरता को व्यक्त करता है। देहार्थ : देहमूलक अर्थ : क्षुधा-शामकों में और इन्द्रियार्थ इन्द्रिय-विषयों में चरितार्थ होता है, किन्तु यह चरितार्थन चेतनागत अर्थ के विस्तार, गाम्भीर्य या प्रकर्ष की सम्भावनाओं से शून्य संवेद के घटित होने मात्र तक सीमित रहता है और इस स्तर पर आत्म-विभक्ति या आत्मव्यवहितत्व को विजित करने का प्रयत्न इस विजय में आगे बढ़ने के बजाय उसी स्तर पर आत्मविभक्ति को पुन: पुन: उत्पन्न करता है, जब तक कि यह

---

1. बौद्ध इसे केवल विभाजक के रूप में ही देखते हैं और परिणामत: इसे विकल्प कह कर सत् के प्रमाण में बाधक मानते हैं। किन्तु वे भी अतर्कित रूप से इसे अखण्ड के आत्म-पुनरधिगमन का प्रक्रम स्वीकार कर लेते हैं। उदाहरणत: दिङ्नाग के अनुसार "शब्द वस्तु-स्वरूप को प्रकट करने के स्थान पर परस्पर व्यावृत्त विकल्प-द्वन्द्वों की सृष्टि करते हैं, जिनके सहारे पुरुषार्थी ऐसे क्षण-सन्तान तक पहुँचता है जो अनभीष्ट नहीं होता। उदाहरण के लिए 'जल' शब्द से उपस्थापित 'अजल और जल' का विकल्प-द्वन्द्व जलार्थी पुरुष के लिए मृत्तिका और मृगतृष्णा आदि को छोड़ कर नदी, कूप आदि के जल-सन्तानों तक पहुँचने में संकेत बनता है।" (द्रष्टव्य : रत्नकीर्ति विरचित **अपोहसिद्धि,** हिन्दी अनुवाद और व्याख्या — डॉ. गोविन्दचन्द्र पाण्डे, पृ. 30) यहाँ यह द्रष्टव्य है कि संवेद-ग्राह्य जल, जिसे दिङ्नाग सत् कहते हैं, इस विकल्प-द्वन्द्व के बिना मात्र संवित् रूप में नितान्त विपन्न भाव है। किन्तु वही जब विकल्प-द्वन्द्व के अन्तराय से होकर आत्म-साक्षात्कार का क्षण बनता है तब वह बुद्धत्व के परमैश्वर्य से मण्डित हो जाता है।

क्षीण-प्राण हो कर प्रयत्न में असमर्थ नहीं हो जाता।[1] इस स्तर के संधानों का यह मूलगत स्वरूप है। विभक्ति पर विजय में क्रमिक प्रगति और भाव या सत् के ऐश्वर्य की वृद्धि केवल चैतन्य के उन स्तरों पर घटित होती है जिन पर वह बाह्योन्मुख नहीं होकर प्रत्यङ्मुख होता है। दार्शनिक, वैज्ञानिक और कलात्मक आदि प्रकार के संधान इसी प्रकार के हैं। 'प्रत्यङ्मुखता' का यहाँ आशय है अर्थ की विषय-मूल के बजाय विषयि-मूल में उपलब्धि। उदाहरण के लिए, विज्ञान का प्रसंग इन्द्रियार्थ है, किन्तु विज्ञान इन्द्रिय-सन्निकृष्ट अर्थ (इन्द्रिय-विषय) का अनुसंधान नहीं होकर उसके उस तत्त्व का, तथता या आधार का, अनुसंधान करता है जो विषयी में अवधारणात्मक रूप से स्फुट होता है। कांट द्वारा विज्ञान को 'प्रागनुभविक संश्लेषण' कहने का यही औचित्य है। किन्तु ये सब चैतन्य के औपाधिक अनुसंधान हैं, अर्थात्, चैतन्य इनमें उपाधियों के आवरण को नहीं देख पाता, केवल दर्शन में ही इस अवलोकन और इनके अतिक्रमण की सम्भावना रहती है। किन्तु धर्म का आरम्भ ही चैतन्य के सब अनुसंधानों की औपाधिकता की अनुभूति से होता है, जैसे 'सर्वं दुःखं, सर्वं क्षणिकं, सर्वं शून्यम्', अथवा 'येनाहं नाऽमृतास्याम किमहं तेन कुर्याम्?' किन्तु जैसाकि हमने पीछे कहा, सर्वशून्यता का यह बोध वास्तव में युगपद् रूप से परिपूर्णता, परमार्थता, अमृतत्व और परमैश्वर्य का भी बोध है।

1. भोगा न भुक्ता वयमेव भुक्ता,
   तृष्णा न जीर्णा, वयमेव जीर्णा।

मनुष्य, इतिहास तथा समाज विषयक वैदान्तिक अवधारणा

किसी भी दर्शन की पहली चिन्ता मानवीय परिस्थिति को समझना ही होती है, यह दूसरी बात है कि किसी युग में दार्शनिकों को इस परिस्थिति के कौन-से सन्दर्भ या पक्ष अधिक आकर्षित करते हैं। पुराने दार्शनिक तो विशेष रूप से हमें मनुष्य के मूल्यों, अन्वेषणों, आशाओं और आशंकाओं के प्रति पर्युत्सुक और उत्कण्ठित दिखायी देते हैं, और बाद के समयों में भी हमें बहुत-से दार्शनिक मिलते हैं जो दर्शन को केवल अमूर्त प्रत्ययों के प्रयोग के कौशल के रूप में ही नहीं देखते। वेदान्त-दृष्टि में, विशेष रूप से शंकर तक, हमें यही मानस देखने को मिलता है। इस प्रकार, चाहे वेदान्तियों ने मनुष्य की ऐतिहासिकता, तथा उसके इतिहास और समाज के प्रश्नों पर प्रत्यक्ष रूप से विचार नहीं किया किन्तु इसका अर्थ यह नहीं है कि वह दर्शन इन प्रश्नों का उत्तर नहीं दे सकता या इन प्रश्नों का उत्तर देने से मना कर सकता है। मैं तो समझता हूँ कि ये प्रश्न किसी भी दर्शन के लिए कसौटी का काम दे सकते हैं कि उसमें इनका उत्तर जितना ही सन्तोषप्रद दिया जा सकता है उतना ही वह दर्शन सन्तोषप्रद है। किसी दर्शन-व्यवस्था के सन्तोषप्रद होने की कसौटी के तीन लक्षण कहे जा सकते हैं : एक तो यह कि वह अनुभव के निकट हो; दूसरे, कि वह अनुभव के विभिन्न आयामों को किसी एक आयाम अथवा सैद्धान्तिक प्रत्यय में घटाये बिना, अपचित किये बिना, व्याख्यायित कर सके, और तीसरे, कि वह तदर्थ अवधारणाओं का सहारा नहीं ले। वास्तव में अनुभव के एक आयाम को दूसरे में घटाना भी एक प्रकार से अनुभव से दूर जाना ही है। उदाहरण के लिए, 'मैं सोच रहा हूँ' को 'मेरे मस्तिष्क का स्नायुतन्त्र एक विशेष प्रकार से व्यवहार कर रहा है' या 'यह मुझमें स्वीकृति की प्रतिक्रिया उत्पन्न करता है' में अनूदित करना अपचय है। जो दार्शनिक ज्ञानमीमांसात्मक प्रश्नों पर विचार करते हुए एक प्रकार की तत्त्वमीमांसा को अपनाते हैं और नीतिविषयक प्रश्नों पर विचार करते हुए दूसरे प्रकार की तत्त्वमीमांसा को, वे तदर्थवादी कहे जा सकते हैं। पाश्चात्य अनुभववादी और तार्किक प्रत्यक्षवादी दार्शनिक इनमें से पहले वर्ग में आते हैं और लोकभाषा विश्लेषणवादी और बहुत-से अनुभववादी दूसरे (तदर्थवादियों के) वर्ग में। उदाहरण के लिए रसल की ज्ञानमीमांसा और नीतिमीमांसा में कोई सम्बन्ध नहीं है। मैं समझता हूँ कि वेदान्त इस दृष्टि से अपने ग्रहण या अवधारण में एक व्यापकतम दर्शन-व्यवस्था है। दूसरे शब्दों में, यह सन्तोषप्रदता की कसौटी पर सबसे अधिक पूरी उतरने वाली कुछ थोड़ी-सी व्यवस्थाओं में से एक है।

अब, यह दार्शनिक व्यवस्था क्या है? और यह किस प्रकार मनुष्य की ऐतिहासिकता और सामाजिक यथार्थ का आकलन करती है? अथवा कहें, इन्हें समझने में हमारी सहायता करती है? इसका उत्तर देने के लिए हम बहुत संक्षेप में वैदान्तिक तत्त्वमीमांसा को देखेंगे और उसके आधार पर इन प्रश्नों पर विचार करेंगे।

वेदान्त के अनुसार सत् चिदानन्द स्वरूप है। इसमें आनन्द तत्त्व जगत्-प्रतिभास की विद्यमानता का आकलन करने के लिए है।[1] क्योंकि सत् आनन्दमय चित् : चिदानन्द स्वरूप : है इसलिए इस जगत् का सत्-तत्त्व अथवा उपादान भी चिदानन्द ही है। जहाँ तक यह ऐसा नहीं है वहाँ तक यह मात्र प्रतिभास, दूसरे शब्दों में व्यवहारमात्र, प्रतीतिमात्र है। तैत्तिरीय उपनिषद् में एक मन्त्र है 'जो भी यह सृष्टि है, वह सब रस मात्र है।' इसी मन्त्र में आगे कहा गया है कि "यदि यह ब्रह्म आनन्दस्वरूप नहीं होता तो कौन जीवित रह सकता था, कौन श्वास ले सकता था?"[2] इसी को कबीर ने भी एक पद में कहा है जिसका अर्थ है "यदि मैं कहूँ कि ब्रह्म जगत् में है, तो यह

---

1. असद्वा इदमग्र आसीत्। ततो वै सदजायत। तदात्मनं स्वयमकुरुत। तस्मात्तत्सुकृतमुच्यत इति। यद्वै तत्सुकृतं रसो वै स:। रस ह्येवायं लब्ध्वाऽऽनन्दी भवति।

2. को ह्येवान्यात् क: प्राण्यात् यदेष आकाश आनन्दो न स्यात् — **तैत्तिरीय उपनिषद्,** अनुवाक 7.

झूठ होगा, क्योंकि तब उसकी दिव्यता, अखण्डता और निर्मलता पर आँच आयेगी, किन्तु यदि मैं कहूँ कि वह जगत् में नहीं है, तो क्या यह बेचारा जगत् लाज से मर नहीं जायेगा?"[1] क्योंकि तब यह उस आधार से ही वंचित हो जायेगा जो इसे सार्थकता देता है। इसी प्रकार अथर्ववेद में "उसी के रूप से ये पेड़ हरे-भरे हैं और लताएँ पल्लवित-पुष्पित हैं"[2] : कुछ समय पहले ये ऐसे नहीं थे, कुछ समय बाद भी ये ऐसे नहीं रहेंगे, इसलिए इनका यह हरापन और उत्फुलता, तथा यह पीलापन और मुरझाहट, दोनों इनके तत्त्व नहीं हैं, इनके सद्-धर्म नहीं हैं। किन्तु कोई स्वरूप है, कोई तत्त्व है, जो अंकुर के रूप में फूटने से ले कर इनके आन्तर प्राण तत्त्व (एलान वाइटल) के व्यय होने तक के क्रम को, और पुन: इसी प्रकार के नये क्रम के आरम्भ होने और अन्त होने के क्रम को धारण करता है। इस प्रकार, यह सब प्रतिभास है, नाम-रूप है, और तब तक सत्य भी है जब तक कि यह तात्त्विक और अनिवार्य सृजनात्मक शक्ति की अभिव्यक्ति के रूप में देखा जाता है। किन्तु यदि इस अभिव्यक्ति को अपने-आप में ही पर्याप्त और पूर्ण मान लिया जाता है तब यह अविद्या और मिथ्यात्व है।

यहाँ वेदान्त की कारणता की अवधारणा को संक्षेप में देखना भी प्रासंगिक होगा। वेदान्त के अनुसार, सत् में कोई परिवर्तन सम्भव नहीं है, क्योंकि यदि सत् में परिवर्तन को मानें तब प्रत्येक अगले क्षण पर पिछला क्षण असत् हो जायेगा। परिवर्तन को किसी शाश्वत, अखण्ड आधार के बिना मानने में, और उससे भी अधिक, उसे कारण-कार्य के रूप में देखने में, और भी बड़ी कठिनाइयाँ हैं। इसलिए शंकर कारणता को वास्तव नहीं मानते हैं। इसको प्रदर्शित करने के लिए वे उदाहरण देते हैं कि कुण्डल, हार और चूड़ी तीनों में स्वर्ण समान और अपरिवर्तित ही रहता है, ये तीन रूप-भेद तो हैं किन्तु इस अर्थ में कार्य नहीं हैं कि स्वर्ण में कोई परिवर्तन घटित होता है। ठीक इसी प्रकार संसार है, विविध नाम और विविध रूप हैं, परन्तु अपने उपादान में ये ब्रह्म : चिदानन्द : ही हैं। वास्तव में 'आनन्द' शब्द यहाँ प्रतीतिगत वैविध्य के आकलन के लिए है—सोऽकामयत, बहु स्याम, प्रजायेयेति[3] (उसने कामना की कि अनेक हो जाऊँ, अखण्ड भाव को वैविध्य के माध्यम से व्यक्त करूँ।) यहाँ अनुभववादी, भौतिक विज्ञानवादी (फिज़िकलिस्ट) और लोकसंज्ञानवादी (कामनसेंसिस्ट) दार्शनिक आपत्ति करेंगे कि, इस सब से यहाँ प्रयोजन क्या है, यह हमारे दैनन्दिन अनुभव को या वैज्ञानिक कर्म को समझने में हमारी क्या सहायता करता है? यहाँ इस लोक-बुद्धि-प्रमाणवाद और भौतिकविज्ञान-बुद्धि-प्रमाणवाद की मूढ़ता के सम्बन्ध में कुछ विशेष कहने का आकर्षण दुर्दम्य होने पर भी मैं उसका संवरण करूँगा और वेदान्त की ओर से प्रस्तुत प्रश्नों का उत्तर देने का प्रयत्न करूँगा। एक प्रश्न है, "वेदान्त के मत में, जो कुछ है सब ब्रह्म ही है, और इस प्रकार यह देश-काल-वैविध्य, ऐतिहासिक परिस्थित आदि सब अविद्या है। किन्तु मैं **यहाँ और अब** अस्तित्ववान् हूँ, मेरी एक ऐतिहासिकता और ऐतिहासिक परम्परा है, जिसमें मैं एक घटक हूँ। वेदान्त मुझे सौ कहे कि मैं ब्रह्म हूँ और यह सब ब्रह्म है, किन्तु मैं, तू और वह, तथा समाज और इतिहास, यह सब साक्षात् हैं। वेदान्त इस तथ्य का कैसे आकलन करता है?" एक दूसरा प्रश्न है : मनुष्य का सामाजिक अस्तित्व और सामाजिक उत्तरदायित्व होता है। वेदान्त इन परिस्थितियों का क्या समाधान करता है? दूसरे शब्दों में, वेदान्त हमारी वर्तमान सामाजिक, राजनीतिक समस्याओं के समाधान में कैसे सहायक हो सकता है?

कुछ वेदान्ती विचारक ऐसे प्रश्नों का उत्तर देते हैं कि "वेदान्त के आचार्यों के सम्मुख ये प्रश्न नहीं थे, और यह वास्तव में ही आवश्यक नहीं है कि कोई दार्शनिक इस प्रकार की समस्याओं पर प्रत्यक्ष रूप से विचार करे ही।" किन्तु इसका यह अर्थ भी नहीं है कि कोई दार्शनिक व्यवस्था इन या इस प्रकार के अन्य प्रश्नों का उत्तर देने से बच सकती है। वास्तव में प्रथम प्रश्न में यह अन्तर्निहित है कि वेदान्त इस प्रश्न का उत्तर देता है, प्रश्नकर्त्ताओं

1. ऐसा लो तत ऐसा लो, केहि विधि कहौं गभीरा लो।
बाहर कहौं तो सतगुरु लाजै, भीतर कहौं तो झूठा लो।। (कबीर पदावली, शब्द 28)।

2. तस्या रूपेणेमे वृक्षा: हरिता हरित स्रज: — **अथर्ववेद,** 108-31

3. **तैत्तिरीय,** अनुवाक 6.

की आपत्ति यह है कि वह इन प्रश्नों का उत्तर असन्तोषजनक देता है। उनके मतानुसार, जोकि एक साधारण प्रचलित मत है, वेदान्त ऐतिहासिकता और सामाजिकता को असत् प्रतीति मानता है, जबकि यही एक अप्रत्याख्येय सत्य है कि 'इतिहास है, मैं इतिहास के क्षण विशेष पर स्थित हूँ, और उस इतिहास-प्रवाह में मैं अगले ही क्षण पर अतीत हो जाऊँगा।' इसमें सन्देह नहीं कि यह सत्य है, साक्षात् सत्य है। किन्तु इससे सिद्ध क्या होता है? इस सत्य की सार्थकता क्या है? और यह सत्य इस सत्य का बाध कैसे करता है कि मैं इस ऐतिहासिकता का, काल-प्रवाहमयता का, अतिक्रमण करता हूँ? पहले हॉब्स ने पत्थर को ठोकर मार कर और मूर ने हाथ उठा कर यह सिद्ध किया था कि बाह्य जगत् का अस्तित्व है। किन्तु इस प्रकार के प्रमाणों से आप किस प्रमेय को स्थापित करना चाहते हैं? कम-से-कम कोई वेदान्ती यह नहीं कहता कि हाथ, पत्थर और दिक्काल नहीं हैं। किन्तु मनुष्य की उद्विग्नता दूसरी गहनतर समस्याओं को लेकर भी है जिनके उत्तर की अपेक्षा उसे इन प्रमाणों और प्रमेयों से आगे जाने के लिए बाध्य करती है।

जहाँ तक दूसरे प्रश्न का सम्बन्ध है, यह ज्ञातव्य है कि कोई भी दर्शन किसी समाज विशेष या परिस्थिति विशेष के सम्बन्ध में कोई विशेष निदान नहीं बताता, वह स्वरूप और अर्थ विषयक प्रश्नों पर ही विचार करता है। इसलिए उनकी ओर से वेदान्तियों के प्रति उचित प्रश्न यह हो सकता है कि समाज का अस्तित्व और स्वरूप क्या है और व्यक्ति और समाज के सम्बन्धों का स्वरूप क्या है? उपर्युक्त तीनों प्रश्नकर्त्ताओं की वेदान्त के सम्बन्ध में उद्विग्नता का स्रोत यह एक अस्पष्ट और अविचारित धारणा प्रतीत होती है कि "वेदान्त जबकि जगत् को अविद्यामूलक मानता है और केवल ब्रह्म को सत्य मानता है तब वह भौतिक और सामाजिक यर्थाथ को केवल नकार ही सकता है। यही कारण है कि इस देश के समाज में अकर्मण्यता और गतिहीनता परिलक्षित होते हैं।" इसके सम्बन्ध में सैद्धान्तिक चर्चा से पहले मैं यहाँ स्वयं शंकराचार्य, कबीर और नानक आदि के जीवनों की ओर संकेत करूँगा। शंकर केवल 32 वर्ष की आयु जिये और इतने कम समय में उन्होंने जितना कार्य किया उतना कार्य बहुत कर्मठ व्यक्ति लम्बी आयु भोग कर भी पूरी आयु में नहीं कर पाते। उन्होंने तथा कबीर और नानक ने वैचारिक और सामाजिक क्षेत्रों में जितने बड़े परिवर्तनों का सूत्रपात किया उतना कम ही किसी समाज-सुधारक और विचारक ने किया होगा; और इन लोगों से बढ़ कर दूसरा कौन वेदान्ती होगा?

× × ×

इस संक्षिप्त अवान्तर चर्चा के बाद हम अब इन प्रश्नों पर वेदान्त की ओर से सैद्धान्तिक विचार करेंगे। इस प्रसंग में यहाँ आधारभूत प्रश्न हो सकता है कि संसार के बीच मनुष्य का क्या स्वरूप है? वह ब्रह्म है, पुरुष है, या भौतिक द्रव्य है? ये सब उत्तर यहाँ अप्रासंगिक होंगे, क्योंकि ये मनुष्य के संसार के बीच स्वरूप को सन्तोषप्रद रूप से प्रस्तुत नहीं करते हैं। इस प्रश्न का उत्तर हो सकता है कि 'मनुष्य' वह सत्त्व या भाव है जो अहन्ता और सार्वभौमता के बीच, वास्तव और भाव्य के बीच, तथा आगन्तुक और अनिवार्य के बीच तनाव में अवस्थित है। यह तनाव इस बात का संकेत है कि वह इन दोनों छोरों में से किसी एक से सम्बन्धित नहीं है, वह एक-साथ दोनों से सम्बन्धित है। मनुष्य से निम्नतर स्तर की चेतना इस प्रकार दो छोरों के बीच विभक्त नहीं होती, इसी से वहाँ कोई परिस्थिति मानवीय परिस्थिति के अनुरूप नहीं होती। यहाँ उदाहरण के लिए मृत्यु की वस्तुस्थिति को लें। जैसाकि हम जानते हैं, मनोवैज्ञानिक और नृतत्त्ववैज्ञानिक (एन्थ्रोपोलोजिस्ट्स) इसे एक ऐसी घटना के रूप में देखते हैं जो मनुष्य में भय उत्पन्न करती है, जिसे झुठलाने के लिए मनुष्य परलोक आदि की कल्पनाओं का आविष्कार करता है। किन्तु मनुष्य के 'मृत्यु-बोध' की ऐसी व्याख्याएँ वास्तव में इन लोगों के मस्तिष्क की केवल दरिद्रता ही प्रकट करती हैं। मृत्यु से भय में मनुष्य और पशु में कोई अन्तर नहीं है, किन्तु मृत्यु-बोध मानव-चेतना में अपनी एक बिल्कुल दूसरी ही संरचना को उद्घाटित करता है जिसे मानवीय परिस्थिति का विशिष्ट और आधारभूत लक्षण कहा जा सकता है। वह यह है कि यह उसे उसकी सत्ता के स्वरूप के सम्बन्ध में एक मौलिक प्रश्न के साथ चुनौती देता है—"क्या मैं केवल एक आगन्तुक घटना मात्र हूँ, या कि मेरा कोई

अनिवार्य धर्म–स्वभाव भी है?" प्राचीनतम समयों से मानव–मृत्यु के साथ सम्बन्धित संस्कार प्रश्न की इस संरचना के अस्फुट बोध की ओर इंगित करते हैं और साथ ही यह भी इंगित करते हैं कि उस मनुष्य ने इसका उत्तर यह दिया था कि वह एक आगन्तुक घटना मात्र नहीं है, बल्कि अनिवार्यता है। किन्तु भारत में बहुत पुराने समयों में ही एक उत्तर उसके ठीक विपरीत भी दिया गया था और वह था चार्वाकों के द्वारा, कि मनुष्य का कोई अनिवार्य स्वरूप नहीं है, वह मात्र एक आगन्तुक घटना है। इस उत्तर का स्वाभाविक परिणाम संत्रास और अनास्था ही हो सकता था, जो इस परामर्श में देखा जा सकता है कि 'जब तक बने खा–पी लो।' इस परामर्श में संत्रास और उद्विग्नता स्पष्ट है जिसे पश्चिम के नास्तिक अस्तित्ववादियों ने पहचाना है और उस पर विजय पाने के लिए कुछ दूसरे उपायों का आविष्कार करने का प्रयत्न किया है। इन उपायों के रूप में वे 'आत्म–सर्जन' और 'उत्तरदायित्व' की बात करते हैं। किन्तु प्रश्न होगा, किस प्रतिमा (इमेज़) या आदर्श के अनुसार आत्मा का सर्जन करना है? क्योंकि यदि प्रतिमा की कोई वस्तुमूलक प्रामाणिकता ही नहीं है तो वह किसी के लिए भी विश्वासप्रद नहीं हो सकती, वह केवल एक कपोल–कल्पना अथवा यावद्–व्यवहार के लिए स्वीकृत नियम जैसी बात ही हो सकती है। इसी प्रकार 'उत्तरदायित्व' के लिए भी—मेरे उत्तरदायित्व का स्रोत और लक्ष्य क्या होगा? मैं समझता हूँ कि सार्त्र और उसके अनुयायियों के पास इसका कोई विश्वासप्रद उत्तर नहीं है। बर्ट्रण्ड रसल ने अपने एक लेख 'स्वतन्त्र मनुष्य की पूजा'[1] में एक प्रकार की भावुकता के द्वारा उस अनास्था की परिस्थिति से, जो उसके दर्शन से उपपादित होती है, ऊपर उठने का प्रयत्न किया है, जिसका अच्छे गद्य के रूप में तो मूल्य अवश्य है किन्तु मनुष्य विषयक दर्शन के रूप में कोई अर्थ नहीं है। इस परिस्थिति का वैदान्तिक उत्तर है कि "मनुष्य अमृत स्वरूप है, यद्यपि अधिकांश में वह अपने को उसके साथ तदात्म समझे रहता है जो मात्र आगन्तुक है, और उसी आगन्तुक को वह अमृतत्व और अपना स्वरूप माने रहता है।" वेदान्त की इस बात को समझने के लिए किसी ट्रांसेंडेंटल मैडीटेशन की आवश्यकता नहीं है; यह तथ्य किसी पश्चात्ताप की अनुभूति पर या किसी एषणा की निरर्थकता के बोध की संरचना (स्ट्रक्चर) पर मनन करने से भी देखा जा सकता है।

यहाँ प्रश्न हो सकता है कि यह उत्तर कहाँ तक चिन्तन को आलोकित करता है और तर्क–युक्ति की अपेक्षाओं की पूर्ति करता है? इसके उत्तर के लिए यहाँ हम एक दूसरा सम्बन्धित प्रश्न लेंगे जो इस विचार–विमर्श को व्यापकतर भी बनाता है, वह है मनुष्य की ऐतिहासिकता का प्रश्न। इस प्रश्न का ठीक–ठीक क्या अर्थ है? जो लोग मनुष्य की ऐतिहासिकता की बात करते हैं वे प्राय: ही 'मैं, यहाँ, और अब' की बात करते हैं, दूसरे शब्दों में, एक अस्मिता की विद्यमानता की बात। किन्तु 'यहाँ' और 'अब' दोनों शब्द ऐतिहासिकता को व्यक्त नहीं करते। मैं यहाँ हूँ या हो सकता था, अथवा इस समय मैं वास्तव में यहाँ हूँ, ये तीनों ही स्थितियाँ किसी भी दृष्टि से मात्र आगन्तुक हैं। मैं इस समय और इस विशिष्ट बिन्दु पर हूँ, यह निश्चित रूप से एक तथ्य है, किन्तु यह तथ्य दो शृंखलाओं (देश और काल) की असंख्य सम्भावनाओं में से मात्र एक आगन्तुक घटना है। इस तथ्य के ऐतिहासिकता में प्रवेश करने के लिए न केवल इसका व्यापकतर देशकालात्मक सातत्य और तारतम्य में लय

1. बर्ट्रण्ड रसल — **मिस्टिसिज़्म एण्ड लॉजिक, एण्ड अदर एस्सेज** में 'ए फ्री मैन्ज़ वर्शिप' लेख (प्रकाशक — ज्योर्ज एलन एण्ड अन्विन, लंदन, 1910)।

(यहाँ 'स्वतन्त्र मनुष्य' का अर्थ है, जो किसी बाहरी मानदण्ड को, जैसे ईश्वर, धर्म, परम्परा आदि द्वारा विहित मानदण्ड को, नहीं मानता। किन्तु तब अन्य कौन–सा मानदण्ड है? रसल में एक अनालोचित मान्यता है कि यह मानदण्ड तर्कोचितता (रैश्नैलिटी) का है। किन्तु तब प्रश्न होगा कि क्या इसे मनुष्य का तत्त्व (एस्सेंस) कहा जा सकता है? रसल के दर्शन में ऐसा मानने के लिए कोई आधार नहीं है। रसल तर्कणा को न सत् का प्रकाशक मानता है और न उसका प्रकाशक। इसी से मैं इसे 'अनालोचित मान्यता' कह रहा हूँ। सार्त्र अपने को सब अनालोचित मान्यताओं से मुक्त रखने का दावा करता है, इसीलिए उसका 'स्वतन्त्र मनुष्य' तत्त्व–रहित अस्तित्व है—जगत् में शून्य से धकेला हुआ। किन्तु तब उस प्रतिबद्धता के लिए, जिसे सार्त्र इतना महत्त्व देता है, क्या आधार होगा? मैं क्यों अपने कार्यों के परिणामों का उत्तरदायित्व स्वीकार करूँ? इसका उत्तर सार्त्रीय अस्तित्ववाद नहीं दे सकता। इसी को मैं तदर्थवाद कहता हूँ, जो रसल में सार्त्र से अधिक है)।

होना ही आवश्यक है बल्कि इसका एक अर्थ और प्रयोजन से अन्तर्गर्भ होना भी आवश्यक है,[1] वह अर्थ और प्रयोजन चाहे आत्मचेतन नहीं भी हो। अब, यहाँ 'मैं' का क्या अर्थ है? इसकी व्याख्या के लिए यदि हम इतिहासवाद (हिस्टारिसिज़्म) को स्वीकार करें तो 'मैं' ऐतिहासिक रूप से पूर्णत: अनिवार्य और अस्तित्वात्मक रूप से पूर्णत: आगन्तुक होगा। ऐतिहासिक रूप से अनिवार्य इसलिए क्योंकि, 'मैं, यहाँ, और, अब' तीनों ही कारणात्मक रूप से नियत शृंखला में एक–साथ निर्धारित होंगे और एक ही तत्त्वमूलक घटनाएँ होंगे, और अस्तित्वात्मक रूप से आगन्तुक इसलिए होगा क्योंकि यदि मैं आत्म (विषयी) के रूप में इस अतिक्रामी (मेरे से स्वतन्त्र) ऐतिहासिकता को अपने ज्ञान और अनुभव की पूर्ण अन्तर्वस्तु, और सत्त्व तथा अस्तित्व का पूर्ण निर्धारक मान भी लूँ तो भी इसे केवल अपने भाग्य के रूप में ही ऐसा मान सकता हूँ, अपने तत्त्व के रूप में नहीं। इसलिए मेरे लिए यह केवल आगन्तुक है कि मैं इतिहास के इस बिन्दु पर अवस्थित हूँ, और कि यह विशेष ऐतिहासिक परिस्थिति मेरे सत्त्व और अस्तित्व को अन्तर्वस्तु प्रदान कर रही है। यदि इतिहासवाद को नहीं मानें तब आपको यह बताना होगा कि 'मैं' का क्या स्वरूप है और उसकी ऐतिहासिकता से आपका क्या तात्पर्य है? वास्तव में 'मैं' को यदि हम वेदान्त के समान निरुपाधिक सत् पर आरोप के रूप में नहीं देखें तो इसके तत्त्व को आगन्तुक होने से नहीं बचा सकते। यहाँ उदाहरण के लिए हम डेकार्टीय आत्म–स्थापन (सेल्फ अफर्मेशन) को ले सकते हैं। अब, यह सही है कि डेकार्टीय आत्म–स्थापन आत्म (मैं) के अस्तित्व को निस्सन्दिग्ध बनाता है : विषय के अस्तित्व में सन्देहशील आत्म का अस्तित्व निश्चित रूप से स्वत:प्रमाण और स्वत:स्पष्ट है : पर यह सन्देहशील आत्म के अस्तित्व को अनिवार्य नहीं बनाता। दूसरे शब्दों में, जबकि यह स्वत:सिद्ध है कि मैं हूँ, यह केवल एक संयोग मात्र है कि मैं हूँ—मैं नहीं भी हो सकता था। इस प्रकार 'मैं' के अस्तित्व की स्वत:प्रमाणता का प्रतिष्ठापन उसे सांयोगिकता से मुक्ति नहीं दिला पाता। वेदान्त के अनुसार, ऐतिहासिकता एक वस्तुस्थिति है और मैं इसमें सम्मिलित हूँ, इसका निषेध नहीं किया जा सकता। किन्तु यह मेरा स्वरूप नहीं है, यद्यपि यह ऐतिहासिकता और इसमें मेरा सम्मिलित होना दोनों परिभाषित मेरे स्वरूप से ही होते हैं। वेदान्त के अनुसार, इतिहास को आत्म–प्रवासित आत्मा के आत्मलाभ के प्रयत्नों से निर्मित मार्ग के रूप में परिभाषित किया जा सकता है। इसका अर्थ विचारणीय है। हमने पीछे मानव–व्यक्ति को तनाव से परिभाषित किया था; इसका वही अर्थ है। इसे ज्ञानमीमांसात्मक पदावली में कहें तो कहेंगे कि व्यक्ति उस अर्थ से परिभाषित होता है जिसे उसकी जीवनी प्रतीक रूप में व्यक्त करती है। ठीक इसी प्रकार वैश्व इतिहास ब्रह्म (सच्चिदानन्द) को प्रतीकतया व्यक्त करता है और विभिन्न मानव–इतिहास इस वैश्व इतिहास के घटक हैं। यदि इस रूपक के सम्यक् ग्रहण में कठिनाई आ रही हो तो इसके लिए एक नृत्य अथवा सम्मिलित वादन (आर्केस्ट्रा) को उदाहरण रूप में ले सकते हैं। इनकी सत्ता एक प्रत्यय—एक अवधारणा—में प्रतिष्ठित होती है जिसे ये प्रतीकित करते हैं, किन्तु वह प्रत्यय इनके सम्पादनों से अभिन्न नहीं होता। इनका सम्पादन—नर्तन या वादन—काल में होता है, किन्तु काल उन प्रतीकों का, जिनकी ये (नृत्य–वादन) अभिव्यक्तियाँ हैं, धर्म नहीं होता, बल्कि उनके लिए यह बाहरी भी होता है। इसी प्रकार एक विशिष्ट सम्पादन प्रतीकित प्रत्यय के लिए केवल एक आगन्तुक घटना मात्र होता है।

यहाँ एक आपत्ति हो सकती है कि यह वास्तव इतिहास नहीं है, यह उसका अनुचित प्रत्ययकरण है। तब हम पूछेंगे कि वास्तव इतिहास क्या है? आपको यह ज्ञात ही है कि इसके सम्बन्ध में कितने विभिन्न सिद्धान्त हैं। स्थूल रूप में हम इन सिद्धान्तों को तीन वर्गों में बाँट सकते हैं—एक, जो इतिहास को लक्ष्योन्मुख प्रगति के रूप में देखता है, दूसरा, जो इसे इतिहासकार की कल्पनारूढ़ कृति के रूप में देखता है, और तीसरा, जो इसे ऐसे घटनाक्रम के रूप में देखता है जिसमें मनुष्य की क्षुद्रता और धूर्तता तथा संयोग और कारणता तीनों घटक बनते हैं। इनमें पहले वर्ग को हम इतिहासवादी, दूसरे को विषयिनिष्ठतावादी और तीसरे को सन्देहवादी कह सकते हैं।

---

1. यशदेव शल्य — **विषय और आत्म,** अध्याय 5 तथा 6, 'आत्म और इतिहास' तथा 'इतिहास–बोध'। (अखिल भारतीय दर्शन परिषद्, 1972)।

पहले वर्ग में हेगल, मार्क्स, स्पेंग्लर, भारतीय पुराण और ईसाई दार्शनिक रखे जा सकते हैं, दूसरे में क्रोचे, कलिंगवुड आदि प्रत्ययवादी और हैंपल आदि अनुभववादी विचारक रखे जा सकते हैं, और तीसरे वर्ग में वे विचारक रखे जा सकते हैं जो यह मानते हैं कि यदि क्लियोपेट्रा की नाक चार-छः मिलीमीटर और लम्बी होती तो मानव-इतिहास का रूप आज कुछ और होता। यहाँ इन मतों के सम्बन्ध में कोई विचार-विमर्श सम्भव नहीं है, किन्तु इससे हम यह दिखाना चाहते हैं कि ये किसी प्रकार का प्रत्ययकरण करते हैं, उस प्रत्ययकरण का निर्देश-बिन्दु चाहे मार्क्स के समान बाहर आर्थिक शक्तियों जैसी किसी वस्तु को रखें और चाहे हेगल के समान शुद्ध प्रत्यय या स्पिरिट जैसे किसी तत्त्व को। इसका कारण है। ऐन्द्रिक प्रत्यक्ष सत्ता के एक बहुत लघु खण्ड का ही ग्रहण कर सकता है और इसीलिए व्यापकतर क्षेत्रों को इन खण्डों के संकलन के रूप में ही देख सकता है, व्यापकतर क्षेत्रों का उनकी समग्रता में केवल बुद्धि ही प्रत्यय के माध्यम से ग्रहण कर सकती है।

किन्तु शंकर के अनुसार, ऐतिहासिकता मानव-परिस्थिति की एक ऐसी अनिवार्य घटक है जिसका उसे अतिक्रमण करना होता है। किन्तु यह अतिक्रमण मार्क्सीय अतिक्रमण से, जिसमें द्वन्द्वात्मक प्रगति की सामरस्य में परिणति या परिपाक होता है, भिन्न प्रकार का है; इसमें भ्रान्ति का, अविद्या का अतिक्रमण करना होता है।

अब, समाज के सम्बन्ध में। समाज क्या है? इस वस्तुस्थिति के सम्बन्ध में वेदान्त का क्या दृष्टिकोण है? इस प्रश्न के दो पक्ष हो सकते हैं, एक तो यह कि इसमें सामाजिक संस्थाओं और नियमों का रूप और स्थान क्या है, और दूसरा कि स्वयं समाज का सत्ता की दृष्टि से क्या अर्थ है? इनमें पहले प्रश्न का उत्तर बहुत सरल है। जहाँ तक सामाजिक संस्थाओं की सत्ता के प्रकार का प्रश्न है, वेदान्त इन्हें समाज में मूलित देखता है, जहाँ तक इनकी युक्तता या प्रामाणिकता का सम्बन्ध है, वेदान्त इन्हें सहज नैतिक बोध से प्रमाणीकरणीय मानता है। इसके लिए उपनिषदों से, गीता से, और निर्गुणिये सन्त कवियों से जितने चाहे उदाहरण दिये जा सकते हैं। उदाहरण के लिए एक विशेष प्रश्न लें—समानता का। वेदान्त क। इसके सम्बन्ध में क्या दृष्टिकोण है? इसके लिए यहाँ दो उदाहरण देना प्रासंगिक होगा—एक गीता से और दूसरा कबीर से। गीता वर्ण-व्यवस्था को व्यक्तिगत गुणों और व्यवसाय पर आधारित करती है, और इसमें किसी प्रकार की परमार्थता नहीं देखती।[1] इस प्रकार परमार्थतः तो ये कोई भेद हैं ही नहीं, ये केवल सामाजिक व्यवस्थामूलक भेद ही हैं। दूसरे, ये भेद भी उच्च-नीच रूप नहीं हैं, क्योंकि ये सामाजिक व्यवस्था के प्रयोजन से हैं। इसकी पुष्टि 'अपने धर्म में मृत्यु भी श्रेयस्कर है' के परामर्श से भी होती है। किन्तु वैयक्तिक गुणों की दृष्टि से उच्च-नीच का एक भेद है। किन्तु यह भेद तात्त्विक नहीं हो कर औपाधिक, अर्थात् आरोपित है। इसके स्पष्टीकरण के लिए यहाँ कबीर से एक उदाहरण देना उपयुक्त होगा : वे कहते हैं 'जात न पूछो साधु की, पूछ लीजियो ज्ञान।' इसी प्रकर, 'तू बाह्मन मैं कासि का जुलाहा, बूझहू मोर गियाना।' कबीर के इन पदों में एक निहित मानदण्ड है, कि ऊँच-नीच का भेद ज्ञान के आधार पर है, वंश के आधार पर नहीं। यह ज्ञान भी हमारे समान पुस्तकों से सीखा हुआ नहीं, बुद्धि-विकल्पों को जोड़ने-तोड़ने के कौशल का भी नहीं, बल्कि आत्मसाधना-रूप है। इसी से ज्ञान की परीक्षा के लिए उसने बाह्मन को और जुलाहे को चुना है। यह बात गीता में भी मिलेगी और दूसरे सब वेदान्त-ग्रन्थों में भी। आप कहेंगे, "यह आदर्श तो प्रजातन्त्र में भी स्वीकृत है, किन्तु वह सामाजिक मनुष्य में समानता स्वीकार कर लेने के बाद। अब प्रश्न है, कि क्या वेदान्त भी मनुष्य की समानता इस प्रकार स्वीकार करता है?" वास्तव में प्रजातान्त्रिक सिद्धान्त में समानता के दो आधार हैं, एक सत्तामीमांसात्मक और दूसरा कानूनपरक, जो अन्ततः नैतिकबोध में मूलित है। जहाँ तक सत्तामीमांसीय आधार का सम्बन्ध है, पश्चिम में मानव-एकता के प्रवक्ता लोग मनुष्य को सामान्यतः मनोदैहिक (साइको-सोमैटिक) तन्त्र के रूप में ही देखते हैं। वेदान्त भी उसे ऐसे मनोदैहिक तन्त्र के रूप में ही देखता है, किन्तु इस तन्त्र को उसका स्वरूप या परमार्थ नहीं मानता। उसके अनुसार यह तन्त्र अपने अर्थ और प्रामाण्य के लिए सत्ता के एक दूसरे स्तर की अपेक्षा करता है। इन दो स्तरों का सम्बन्ध ऐसे स्तर-क्रम को जन्म देता है जिसका कबीर के ऊपर उद्धृत पद

1. चातुर्वर्ण्यं मया सृष्टं गुण-कर्म विभागशः। **गीता।**

में उल्लेख है—अर्थात् मूल्य-बोध और मूल्य-सिद्धि का स्तर-क्रम, जिसमें व्यक्ति-व्यक्ति में उच्च-नीच का भेद है। किन्तु यह असमानता आधारभूत नहीं है, केवल औपाधिक है, जबकि समानता आधारभूत है। इसके विपरीत मनोदैहिक मनुष्य की समानता इस अभ्युपगम के रूप में है कि मनो-भौतिक कारण और परिवेश समान होने पर सब व्यक्ति न्यूनाधिक समान होंगे। इस प्रकार इस अवधारणा में समानता का निर्धारक तत्त्व बाहरी परिस्थितियाँ हैं जबकि मानव-व्यक्ति निर्धारक प्रभावों के ग्रहण करने वाले यन्त्र के रूप में समान हैं। 'सब मनुष्य समान उत्पन्न होते हैं' का तब अर्थ होगा कि मनुष्य का मनोदैहिक यन्त्र बाह्य कारणों से प्रभाव ग्रहण की योग्यता में समान है। जहाँ तक कानून के सामने समानता का प्रश्न है, यह सिद्धान्त पूर्ण रूप से नैतिक युक्तिमूलक है जिसका मनुष्य की तत्त्वमीमांसीय अवधारणा से कोई सम्बन्ध होना आवश्यक नहीं है। वेदान्त इस नैतिक तर्क को उसके नैतिक साक्षात्कार (मॉरल इन्ट्यूशन) पर आधारित कर सकता है, जो उसे तात्त्विक भ्रम के वृत्त का भेदन करने की कुँजी देता है। किन्तु यहाँ जिस बात पर बल देने की आवश्यकता है वह यह कि वेदान्त में कोई भी ऐसी अवधारणा नहीं है जो मानव में भेद या असमानता को आधार दे सकती हो, और दूसरी ओर प्रजातान्त्रिक सिद्धान्त के पास ऐसा कोई तत्त्वमीमांसीय आधार नहीं है जिस पर समानता को एक अनिवार्य सिद्धान्त के रूप में प्रतिष्ठित किया जा सके। समानता और असमानता के सिद्धान्तों का एक बड़ा स्रोत ईश्वर भी रहा है, किन्तु वेदान्त में ईश्वर माया के, जोकि वैश्व विषय है, वैश्व विषयी के रूप में ही स्वीकृत है और इस प्रकार उसकी सत्ता केवल प्रातिभासिक ही है, पारमार्थिक नहीं, और इसी कारण वह सर्जक भी नहीं है। इस प्रकार वेदान्त के अनुसार समाज-व्यवस्था या उसका कोई नियम ईश्वर के द्वारा बनाया हुआ, दूसरे शब्दों में पारमार्थिक, नहीं है। परिणामत: सब नियम और संस्थाएँ केवल रूढ़ियाँ हैं। किन्तु रूढ़ियाँ या परम्पराएँ मनमानी नहीं हो सकतीं, इनके लिए यह आवश्यक है कि ये नैतिक बोध के द्वारा सत्यापनीय हों।

वेदान्त के सम्बन्ध में यह भ्रान्त धारणा है कि "उसमें नैतिकता के लिए कोई स्थान नहीं है, क्योंकि पूर्ण ब्रह्म के सिवाय सब मिथ्या है और ब्रह्म में नैतिकता का कोई अर्थ नहीं हो सकता।" अवश्य वेदान्त के अनुसार केवल निरुपाधिक चिदानन्द ही सत् है, किन्तु जगत् : युष्मद्-अस्मद्-प्रत्ययों का अविवेक : आत्मा का अनात्मभाव अथवा आत्मा का अपने-आप से दुराव : भी एक वस्तुस्थिति है। इस वस्तुस्थितिगत तनाव में ही नीति की प्रतिष्ठा है।

किन्तु प्रश्न 2 के पीछे एक दूसरा अभिप्राय था और वह यह कि, क्योंकि वेदान्त जगत् को माया मानता है इसलिए वह सामाजिक और राजनीतिक वस्तुस्थिति का आकलन नहीं कर सकता। वास्तव में शंकर में, या वेदान्त के अन्य ग्रन्थों में भी, 'माया' का वह अर्थ नहीं है जो लोक-साधारण में प्रसिद्ध है। वेदान्त में माया, और इस प्रकार इन्द्रियगोचर जगत् की सत्ता, उससे कहीं अधिक ठोस है जितनी प्लेटो में है। वेदान्त में यह बहुत कुछ वैसी ही है जैसी कांट में सत् के विरुद्ध प्रतिभास की। किन्तु वेदान्त और कांट में चिन्ता के विषयों में अन्तर होने से इनकी स्थापनाओं और मूल्य-दृष्टियों में बहुत अन्तर है। वेदान्त की चिन्ता जबकि सत्य और परमार्थ थी, कांट की चिन्ता वैज्ञानिक ज्ञान और नैतिकता थी, और ये क्षेत्र भी कांट में आधारत: पृथक्-पृथक् मिलते हैं। इसीलिए कांट में विषय और विज्ञान के क्षेत्र केवल प्रातिभासिक होने पर भी ज्ञान के रूप में सम्मानित हैं जबकि शंकर में इसी कारण ये अविद्या के रूप में देखे गये हैं। किन्तु अविद्या मूलत: मूल्यात्मक अवधारणा है और इस अवधारणा के अनुसार ही माया, जोकि व्यावहारिक : प्रातिभासिक : रूप में सत्य है मूल्यात्मक दृष्टि से अनात्म है। अवश्य इस दृष्टि का संकेत कांट में भी मिलता है किन्तु उसमें यह दृष्टि उसकी तत्त्व-दृष्टि (मैटाफिज़िकल इन्साइट) के साथ समंजस नहीं है। कांट में संवेदमूलक क्षेत्र नैतिकता के सन्दर्भ में अनात्म और त्याज्य (डिस्वेल्यू) के रूप में रूपान्तरित हो जाता है। किन्तु इस रूपान्तरण में कोई तार्किक क्रम नहीं है। किन्तु इसकी चर्चा हम यहाँ नहीं

करेंगे।[1] यहाँ हमारा प्रसंग यह देखना है कि शंकर में और कांट में समाज का सत्तामीमांसीय मूल्य क्या है। इसके सम्बन्ध में दोनों में यह अनुरूपता है कि दोनों में समाज प्रातिभासिक रूप से सत् और पारमार्थिक रूप से असत् है; इनमें अन्तर यह है कि कांट में व्यक्ति पारमार्थिक रूप से सत् है और इस प्रकार समाज का अधिष्ठान (लोकस) वैयक्तिक चेतना ही हो सकती है जबकि शंकर में व्यक्ति उपाधि है, और इसी प्रकार समाज को भी एक स्वतन्त्र उपाधि के रूप में, और इस प्रकार स्वतन्त्र अधिष्ठान में, देखा जा सकता है। ऐसा इसलिए है क्योंकि कांट प्रतिभास का मूल वैयक्तिक मनस् को मानता है और इस प्रकार उसके अनुसार वैयक्तिकता चैतन्य में मौलिक है, जबकि शंकर वैश्व मनस् (ईश्वर) को प्रतिभास का मूल मानता है। इसीलिए कांट में प्रतिभास व्यक्ति-विषयियों में सामान्य (इंटर-सब्जेक्टव) क्षेत्र है, शंकर में यह व्यक्ति-मनस् से स्वतन्त्र है। दूसरे शब्दों में, शंकर में व्यक्ति, समाज, मानव-जाति और मानवता और इसी प्रकार गाय, गाय-जाति और गोत्व ये सब वैश्व प्रतिभास में पृथक्-पृथक् आयामों की उपाधियाँ हैं। कांट और शंकर के इस अन्तर से इस प्रसंग में क्या अन्तर पड़ता है इसे हम दो उदाहरणों से स्पष्ट करेंगे : एक उदाहरण हम भाषा का ले सकते हैं : भाषा एक-साथ मानव-व्यक्ति, मानव-समाज-विशेष और मानव-समाज सामान्य इन तीनों व्यवस्थाओं या आयामों को एक-साथ व्यक्त करती है। कांट में ये तीनों संस्थान विषयिमूलक वर्गणाओं (सब्जेक्टिव केटेगरीज़) के रूप में आकलित होते हैं और शंकर में ये तीन संस्थान वैश्व प्रतिभास की तीन स्तरों की अहंकारोपाधियों के रूप में आकलित होते हैं। दूसरा उदाहरण भौतिक विषय का दिया जा सकता है। भौतिक विषय मुझे इन्द्रियगोचर रूप में एक विशिष्ट दृष्टिकोण से प्रस्तुत होता है किन्तु प्रत्ययात्मक स्तर पर यह असंख्य दृष्टिकोणों का एक केन्द्र होता है जिसे विषय की परिप्रेक्ष्यात्मकता कहा जा सकता है और जिसके अधिष्ठान के रूप में बर्कले ईश्वर की कल्पना करता है। इस प्रत्ययात्मक विषय के प्रत्ययन में यह अनिवार्यत: निहित है कि एक ऐन्द्रिक प्रत्यक्ष मेरे दूसरे प्रत्यक्षों से और दूसरे वास्तव-सम्भावित व्यक्तियों के प्रत्यक्षों से समर्थित हो। अब कांट के लिए यह विषय द्रष्टाओं के सामरस्य में प्रतिष्ठित है और इस प्रकार विषयिमूलक रचना है किन्तु शंकर में यह जातिगत या सामान्य-विषयिगत है जिसमें व्यक्ति-विषयी एक घटक के रूप में अवस्थित होता है। अब एक तीसरा देश भी है जिसे भौतिक देश कह सकते हैं। कांट, आईंस्टाइन, नव्य कांटीय वैज्ञानिक, जैसे इडिंग्टन,[2] जेम्स जींस,[3] ब्रिड्मैन[4] और तार्किक प्रत्यक्षवादी[5] सब इस भौतिक देश को केवल एक स्तर और दूर हटी हुई रचना मानते हैं। बर्ट्रण्ड रसल ने अपनी पुस्तक **ह्यूमन नॉलेज : इट्स स्कोप एण्ड लिमिट्स** में इस देश को वास्तव भौतिक सत्ता का देश माना है और इसकी एक जटिल व्यवस्था देने का प्रयत्न किया है जो विषय की तथता (दैटनैस) को मनस् और ज्ञान से परे स्थापित करती है, जबकि कुछ प्रत्यक्षवादियों ने इस कठिनाई से बचने के लिए भौतिकवाद को ही स्वीकार कर लिया है और मन तथा व्यक्ति को उसमें घटा दिया है। किन्तु भौतिकवाद की स्वीकृति में एक सत्तामीमांसा की स्वीकृति है जो तार्किक प्रत्यक्षवाद की मूल प्रेरणा के ही विपरीत है, इसलिए उससे बचने के लिए उन्होंने इसे विधिपरक व्यवस्था (मैथोडोलोजीकल मूव) का नाम दिया है। जो भी हो, मैं यहाँ केवल एक समस्या की ओर ध्यान आकर्षित कर

1. इस पर विस्तृत विचार के लिए द्रष्टव्य प्रोफेसर दयाकृष्ण (सं.) **पाश्चात्य दर्शन का इतिहास,** भाग-2, में हमारा लेख 'इम्मेनुअल कांट' (राजस्थान हिन्दी ग्रन्थ अकादमी, जयपुर 1984)।
2. आर्थर इडिंग्टन — **दि फिलोसोफी ऑफ फिज़िकल साइंस** (केम्ब्रिज 1949)।
3. जेम्स जीन्स — **फिज़िक्स एण्ड फिलोसोफी** (केम्ब्रिज, 1948)।
4. ब्रिड्मान, पी.डब्लू. — **लॉजिक ऑफ मॉडर्न फिज़िक्स** (मैक्मिलन, 1972)।
5. (1) रुडोल्फ कार्नप — 'मैथेडोलोजीकल करेक्टर ऑफ साइंटिफिक कांसेप्ट्स', **मिन्नेसोटा स्टडीज़ इन फिलोसोफी ऑफ साइंस,** भाग-1 में संकलित।

   (2) क्वाइन — 'दि स्कोप एण्ड लेंग्वेज ऑफ साइंस', **ब्रिटिश जर्नल फॉर दि फिलोसोफी ऑफ साइंस,** वर्ष 8, पृ. 1-17.

   (3) फाइग्ल, एच. 'दि मैंटल एण्ड दि फिजिकल', **मिन्नेसोटा स्टडीज़ इन फिलोसोफी ऑफ साइंस,** भाग-2.

रहा हूँ, जो अन्तर्विषयिता (इंटरसब्जेक्टिविटी) के सिद्धान्त से नहीं सुलझती और जिसे शंकर ने इस प्रकार कृत्रिम उपायों से सुलझाने का प्रयत्न नहीं किया और तब न सत्तामीमांसीय अपचय का और न वैधिक अपचय का ही उपाय अपनाया। शंकर भौतिक विषयों की उस तृतीय स्तरीय सत्ता को महाभूत के रूप में मानते हैं जो वैश्व पदार्थ माया का इन्द्रियग्राह्य एक रूप है। शंकर में मन और भूत, अथवा विषयी और विषय अनिवार्यत: सह-सम्बन्धित पदार्थ हैं और तात्त्विक के विपरीत प्रातिभासिक हैं। पाशव चेतना का विषय व्यष्टि-अहंकार की अव्यवहितता में संकुचित रहता है जबकि मानवीय चेतना का विषय इस अव्यवहितता से प्रत्ययात्मक अतिक्रान्तता में निर्मुक्त होकर अपने विषयी को वैयष्टिक अहंकार से सामाजिक सार्वभौमता (सोश्यल यूनीवर्सेलिटी) में निर्मुक्त करता है, और यह मुक्ति उस पूर्ण की ओर संकेत करती है जिसमें वैयष्टिक ही नहीं मानुषिक उपाधि भी समर्पित हो जाती है। शंकर में इसी का नाम वैश्व माना गया है। यहाँ महत्त्वपूर्ण यह है कि शंकर के सामाजिक मनुष्य में समाज और व्यक्ति दोनों सह-अवस्थित होते हैं और यह सहावस्थान एक ओर हेगल, मार्क्स, शिलर और मैनहाइम के सामाजिक निर्धारणवाद (सोश्यल डिटर्मिनिज़्म) से बचाता है और दूसरी ओर उस वस्तुस्थिति की समुचित व्याख्या देता है जिसे सोरोकिन 'कोंजरी'[1] कहता है, और जिसके और भी गहनतर स्तरों की ओर हमने ऊपर संकेत किया है।

1. पिटिरिम सोरोकिन — **सोश्योलोजीकल थ्योरीज़ ऑफ टू डे** (न्यूयार्क, हार्पर एण्ड रो, 1966)।

तुलनात्मक दर्शन की अवधारणा

तुलनात्मक अध्ययनों का आरम्भ सत्रहवीं–अट्ठारहवीं शताब्दियों में यूरोपीय यात्रियों के अन्य देशों के समाजों के सम्पर्क में आने के साथ हुआ। सभी तुलनाएँ भिन्नों में किसी समानता के दर्शन से आरम्भ होती हैं किन्तु सब प्रकार की समानताएँ तुलना के लिए आधार नहीं होतीं। उदाहरणत: किसी गाय और मेज़ के रंग में समानता होने पर भी कोई गाय और मेज़ में तुलना के लिए प्रेरित नहीं होगा, किन्तु गाय में और चींटी में कोई प्रकट समानता नहीं होने पर भी कोई व्यक्ति इनमें तुलना के लिए प्रेरित हो सकता है। यहाँ तुलना की प्रेरणा किसी ऐसे मूल लक्षण या आधार की कल्पना से होगी जो इन दोनों के बीच प्रकट भेदों के मूल में रह कर इनका धारण करता है। गोएथे ने अपने वनस्पति वैज्ञानिक अध्ययनों के क्रम में ऐसी एक मूल वानस्पतिक आकृति (आर्कीटाइप) का प्रातिभदर्शन किया था और नोम चोम्स्की ने अपने भाषावैज्ञानिक अध्ययनों के क्रम में विभिन्न वास्तविक भाषाओं के विशिष्ट व्याकरणों के आधार में एक गुह्य मूल व्याकरण (डीप ग्रामर) का दर्शन किया। रुडोल्फ कार्नप के तार्किक वाक्य–रचना (लॉजिकल सिंटेक्स) के सिद्धान्त का भी यही अभिनिवेश है। वास्तव में पतंजलि और भर्तृहरि का परावाक् का दर्शन भी इसी कोटि में रखा जा सकता है, यद्यपि इन विचारकों ने अपने इस प्रातिभ का पुनरीक्षण व्यक्त वाक् : वैखरी : के विविध रूपों की तुलना के माध्यम से नहीं किया, जैसा गोएथे ने वास्तव पौधों की आकृतियों में और चोम्स्की ने वास्तव भाषाओं के व्याकरणों में तुलना के माध्यम से किया। इस प्रकार भिन्न केवल आरोपित वर्गीकरणों के माध्यम से ही एकीकृत नहीं होते बल्कि ऐसा भी हो सकता है कि प्रकट भेद वास्तविक मूल एकता पर प्रतिष्ठित हों। वास्तव में किसी भी तुलना में यह पूर्वगृहीत रहता है कि तुलनीयों की किसी एक मूल में प्रतिष्ठा है। इसलिए तुलनात्मक दर्शन की सम्भावना पर विचार का कार्य वास्तव में इस एक दार्शनिक मूल की सम्भावना पर विचार करना होना चाहिए। दार्शनिक मूल, अथवा कहें आधार–दर्शन का यह संधान यद्यपि दर्शन की परिभाषा देकर भी हो सकता है किन्तु ऐसा करना दर्शन के तुलनात्मक अध्ययन को विशेष सार्थक नहीं बनाएगा। तुलनात्मक दर्शन का कार्य विभिन्न दार्शनिक प्रयत्नों और स्थापनाओं में तुलना के माध्यम से उस आधार तत्त्व का संधान करना होना चाहिए जो इन प्रयत्नों की भिन्नता को धारण करता है।

यहाँ सबसे पहले विचारणीय प्रश्न यह होगा कि यह संधान अभिन्न आधार की पूर्वमान्यता के साथ आरम्भ होगा या कि बिना ऐसी पूर्वमान्यता के आरम्भ होगा? जैसाकि हम अभी देखेंगे, इस प्रश्न के उत्तर के लिए जो विकल्प यहाँ दिया गया है उसके किसी पक्ष को स्वीकार नहीं किया जा सकता, इसलिए यह प्रश्न ही युक्त नहीं है। जब हम भिन्नों में तुलना के लिए प्रवृत्त होते हैं तब हम उनमें सामान्य आधार का न तो पूर्वमान्यता के रूप में आक्षेप करते हैं और न किसी सामान्य आधार के नितान्त अभाव में ही आरम्भ करते हैं। वास्तव में सामान्य आधार : मूल प्रत्यय अथवा मूल संरचना : प्राय: प्रातिभ रूप से ही अवगत होता है जिसे हम पीछे अध्यवसायात्मक ज्ञान का विषय बनाने का प्रयत्न करते हैं। यह अनुव्यवसाय ही वास्तव में तुलनात्मक अध्ययन का कार्य होता है। सम्भव है कि कभी हम किसी मोहजन्य विभ्रम को प्रातिभ साक्षात्कार समझ लें जो पीछे अध्यवसायात्मक परीक्षा से भ्रम प्रमाणित हो जाये, किन्तु यह भी सम्भव है कि अध्यवसायात्मक प्रयत्न वास्तव प्रातिभ साक्षात्कार का आकलन करने में असमर्थ रह कर उसे भ्रम घोषित कर दे। जो भी हो, तुलनात्मक अध्ययन है केवल अनुव्यवसाय ही; न तो यह किसी पूर्वमान्यता के अनुमोदन का प्रयत्न होता है और न अनुसन्धान के लिए स्थापित अभ्युपगम (हाइपोथिसिस)। इस प्रकार नोम चोम्स्की और गोएथे के तुलनात्मक अध्ययन उनके प्रातिभतया साक्षात्कृत मूल व्याकरण और मूलाकृति के अध्यवसायात्मक ज्ञान के विषय के रूप में पुनरवगमन के प्रयत्न कहे जा सकते हैं।

किन्तु जहाँ तक मैं जानता हूँ, दर्शन में इस प्रकार का कोई तुलनात्मक अध्ययन नहीं हुआ है। दर्शन के कुछ विद्वानों ने भारत और पश्चिम के किन्हीं दो या अधिक दार्शनिकों की तुलनाएँ अवश्य की हैं, किन्तु एक तो वे तुलनाएँ केवल दो या तीन दार्शनिकों के बीच की गई हैं और दूसरे वे भी उनकी व्यवस्था के कुछ अंगों में समानता दिखाने के रूप में हैं, उनकी प्रकट भिन्नताओं के मूल में अन्तर्हित अभिन्नता को दिखाने, अथवा संरचनात्मक भिन्नता के बीच लक्षित अंगविशेष में अनुरूपता से संकेतित मौलिक अभिन्नता दिखाने के रूप में नहीं। उदाहरण के लिए, हेगल के निरपेक्ष प्रत्यय (एब्सोल्यूट आइडिया) और शंकर के ब्रह्म में, कांट के निरपेक्ष आदेश (केटेगोरीकल इम्पेरेटिव) और गीता के निष्काम कर्म-योग में तुलनाएँ प्रथम प्रकार की ऊपरी तुलनाएँ हैं। इनके विपरीत गोएथीय और चोम्स्कीय तुलनाओं में प्रकट समानताओं को लक्षित नहीं कर प्रकट असमानताओं के समान आधार की, और उस आधार पर से विभिन्नताओं के आविर्भाव के नियम की खोज लक्षित रहती है। वास्तव में गोएथीय और चोम्स्कीय समान आधार या आदिम संरचना किसी वास्तव आदिम जीव या वास्तव आदिम भाषा की संरचनाएँ नहीं होकर उन प्रत्ययों की समानताएँ हैं जो कभी वास्तव हुए बिना वस्तुगत वैविध्य का नियमन करते हैं। वास्तव में तुलना का यही प्रसंग हो सकता है। जो तुलनाएँ शंकर और हेगल में की जाती हैं वे इस प्रकार की नहीं हैं और इसी से युक्तिसंगत भी नहीं हैं। उदाहरण के लिए हेगलीय पूर्ण प्रत्यय वैयक्तिक आत्माओं या आत्मा से अभिन्न है, वह अध्यस्त भी नहीं है, इसलिए एक प्रकार से शांकर ब्रह्म और हेगलीय पूर्ण प्रत्यय में वैसी ही समानता है जैसी संस्कृत के 'स्त्री' और अंग्रेजी के 'ट्री' शब्दों में। वास्तव में शंकर और हेगल में तुलनात्मक अध्ययन का युक्त प्रसंग हम यह देख सकते हैं कि कैसे और क्यों प्रकट समानताएँ वास्तव में भिन्न हैं अथवा कैसे और क्यों वास्तव में भिन्न अवधारण एक ही बिन्दु को लक्षित कर रहे हैं। यहाँ कहा जा सकता है कि यह दूसरी स्थिति सम्भव ही नहीं है, क्योंकि भिन्न अवधारण कभी एक ही बिन्दु को लक्षित कर ही नहीं सकते, यह समानता केवल प्रातीतिक, बल्कि आरोपित, ही हो सकती है, वास्तविक नहीं।

जो भी हो, इस प्रकार के तुलनात्मक अध्ययन मूलगामी नहीं हो सकते, मूलगामी अध्ययन वही हो सकता है जो विभिन्न दार्शनिक अभिनिवेशों को एक आधार से निस्सृत होते, अथवा कहें, विभिन्न प्रयत्नों को एक ही अभीप्सा की पूर्ति की ओर उद्दिष्ट देख सकता है। दर्शन में ऐसा एक आधार, ऐसा एक मूल अभिनिवेश, होना सम्भव है या नहीं यहाँ हम यह देखने का प्रयत्न करेंगे, क्योंकि यदि यह सम्भव नहीं है तब तुलनात्मक दर्शन की कोई सम्भावना ही नहीं है।

किन्तु यह देखा कैसे जाये? यदि वास्तविक दार्शनिक प्रयत्नों की परीक्षा से, तब यह निश्चय कैसे हो कि कौन-सा प्रयत्न दार्शनिक है और कौन-सा अदार्शनिक? यदि इसके लिए कसौटी पहले से ही हो तो फिर वास्तविक प्रयत्नों को देखने की आवश्यकता ही कहाँ रहती है? किन्तु वास्तविक प्रयत्नों को देखे बिना कसौटी कहाँ से आयेगी?

वास्तव में कसौटी सम्बन्धी यह कठिनाई सभी वर्गीकरणों में न्यूनाधिक रहती ही है; किन्तु यह देखना कठिन नहीं है कि कसौटी का आधार वस्तु में लक्षित विशिष्ट लक्षण ही होता है। किन्तु यह स्थिति जितनी सरल इन्द्रिय-ग्राह्य वस्तुओं के सम्बन्ध में है उतनी मानवीय कृतियों के सम्बन्ध में नहीं, क्योंकि मानवीय कृतियों में वास्तव कृति का प्रकट रूप उनके अन्तर्हित आधार से अलग नहीं पहचाना जा सकता। अमुक कृति काव्य है या नहीं, यह उसकी छन्दोमय रचना को देखकर नहीं कहा जा सकता, जिस लक्षण के आधार पर यह कहा जा सकता है वही उसकी अन्तर्हित संरचना और कसौटी भी है। यही बात दर्शन के लिए भी है। दार्शनिक और अदार्शनिक कृति में भेद की पहचान उस अन्तर्हित आकार (विशिष्ट रचना-तत्त्व) के आधार पर सम्भव है जो उदाहरणभूत कृतियों की तुलना के माध्यम से अन्वेष्य है। यह बात इस सीमा तक वानस्पतिक आकार के सम्बन्ध में नहीं कही जा सकती, क्योंकि वनस्पति की प्रथम पहचान इस आकार की पहचान की अपेक्षा नहीं करती। अवश्य ध्वनियों में यह पहचानना अधिक सरल है कि इनमें कौन-सी भाषा है और कौन-सी नहीं, किन्तु वह भी इस दृष्टि से दर्शन या काव्य से मूलत: भिन्न नहीं है। इस प्रकार कहा जा सकता है कि रचना के अन्वेषण की दृष्टि

से दर्शनों का तुलनात्मक अध्ययन उतना प्रयोजनीय नहीं है जितना इस दृष्टि से प्रयोजनीय है कि विभिन्न दार्शनिक प्रयत्न किस सीमा तक अपनी मूल संरचना, अपने आदर्श की चेतना से युक्त हैं।

किन्तु विचारकों का एक सम्प्रदाय है जो तुलनात्मक अध्ययनों का औचित्य स्वीकार नहीं करता। इस मत के अनुसार न दो व्यक्तित्व तुलनीय होते हैं और न दो संस्कृतियाँ। ये दोनों नितान्त विलक्षण होते हैं, और दर्शन, काव्य आदि संस्कृतिमूलक होने से और भी अधिक विलक्षण होते हैं : दो व्यक्तियों के दर्शन व्यक्तिमूलक लक्षणों में और दो संस्कृतियों के दर्शन संस्कृतिमूलक लक्षणों में परस्पर स्वतन्त्र होते हैं इसलिए तुलना केवल आरोपित समानताओं के आधार पर ही हो सकती है। इसी प्रकार भाषा के लिए भी यही कहा जा सकता है। इनके अनुसार भाषा एक गत्यात्मक वर्तुल संस्थान होती है जिसकी गति वृत्त के सभी बिन्दुओं को अन्य बिन्दुओं के साथ संयुक्त रखती है और अन्य भाषाओं के बिन्दुओं का प्रवेश इस वृत्त में नहीं होने देती। वास्तव में भारतीय वैयाकरणों का स्फोट-सिद्धान्त भी बहुत कुछ इस सिद्धान्त का समर्थन ही करेगा, क्योंकि इनके अनुसार अर्थ का वाहक सम्पूर्ण वाक्य होता है, विशिष्ट शब्द मिल कर उसका निर्माण नहीं करते। ऐसी अवस्था में एक ही भाषा में भी समानार्थकता सम्भव नहीं है, दो भाषाओं में समानार्थकता की सम्भावना का तो प्रश्न ही कहा रह जाता है? एक प्रकार से कहा जा सकता है कि इन वैयाकरणों से एक कदम आगे एक भाषा को एक वर्तुल संस्थान मानने वाले दार्शनिक हैं जो वाक्य-स्फोट के बजाय भाषा-स्फोट को मानते हैं। अर्थात् उनके अनुसार सम्पूर्ण भाषा एक ही अर्थ-स्फोट है और उसके सब वाक्य और शब्द उसमें से विश्लिष्ट किये जाते हैं। इसलिए वाक्य और शब्द उस मूल स्फोट के प्रतिभान (इन्ट्यूशन) के बिना ग्राह्य नहीं हो सकते। यहाँ विट्गिंस्टाईन के इस प्रसिद्ध कथन का भी स्मरण किया जा सकता है कि 'भाषा एक जीवन-विधि है', जो वास्तव में स्पेंग्लर के संस्कृति-विषयक व्यापकतर सिद्धान्त का एक अंश में कथन है। इसके विपरीत पीछे हम आधार-व्याकरण-सिद्धान्त की चर्चा कर आये हैं जो सब भाषाओं का एक ही उत्स देखने का प्रयत्न करता है।

किन्तु वास्तव में इन दो मतों में मौलिक विरोध नहीं है। सब भाषाएँ एक ही वाक्-तत्त्व की विभिन्न उपाधियाँ, अथवा कहें एक ही व्याकरण के विभिन्न विकार, हो सकती हैं और इनके ये भेद आधारभूत अभेद पर प्रतिष्ठित होकर भी अपने गठन में परस्पर पूर्णत: विलग हो सकते हैं। उदाहरण के लिए विभिन्न संस्कृतियाँ एक ओर पूर्णत: स्वतन्त्र सामाजिक व्यक्तित्व हैं किन्तु दूसरी ओर उस मूल अभेद में प्रतिष्ठित हैं जो विभिन्न संस्कृतियों में विभिन्नतया रचित होता है : भारतीय और चीनी संस्कृतियाँ इस अर्थ में परस्पर पूर्णत: भिन्न हैं कि उनमें जीवन, जगत् और परमार्थ सर्वथा भिन्न-भिन्न रूप में कल्पित हैं, किन्तु इस अर्थ में अभिन्न आधार में स्थित हैं कि इन दोनों में जीवन, जगत् और परमार्थ की एक समंजस कल्पना की अभीप्सा विद्यमान है। अभीप्सा की इस समानता के कारण ही ये दोनों 'संस्कृतियाँ' हैं। यहाँ कोई लाइब्नीज़ का उल्लेख करते हुए कह सकता है कि विभिन्न व्यष्टियों के लिए किसी समान आधार का होना आवश्यक नहीं है। यहाँ हम लाइब्नीज़ के द्वारा दृष्टि-बिन्दुओं को ही परमता देने के औचित्य सम्बन्धी विवाद में नहीं पड़ना चाहते, यहाँ हम केवल इतना ही कहना चाहेंगे कि कोई भी भावन या अवगमन भावरूप में अभाव से परिसीमित होता है। व्यक्ति रूप में मैं अन्य व्यक्ति के सामने आते ही अपने अभाव से परिवेष्टित हो जाता हूँ। लाइब्नीज़ के चिद्बिन्दु न अपने को देश-काल में देखते हैं और न अन्य बिद्बिन्दुओं को चिद्बिन्दु-रूप में देखते हैं, किन्तु ऐसा संसारावतरित चैतन्य के लिए सम्भव नहीं है। यह निरुपाधिक की औपाधिक अभिव्यक्ति के रूप में ही अवतरित होता है और उसे इस बात का अस्फुट संज्ञान अथवा स्फुट बोध भी रहता है। इस प्रकार प्रत्येक व्यक्ति और प्रत्येक संस्कृति, और तदनुसार इनकी सब कृतियाँ, एक ओर सर्वथा विलक्षण होती हैं किन्तु दूसरी ओर ये एक ही मूल प्रत्यय अथवा मूल उपाधि में एक-समान होती हैं। उदाहरण के लिए साँख्य के अनुसार बुद्धि, अहंकार, अन्तःकरण, तन्मात्र और पंचमहाभूत यह वैयक्तिक अस्तित्व की सामान्य संरचना अथवा सामान्य रचनात्मक प्रत्यय है, किन्तु प्रत्येक व्यक्ति अहंकार के अधीन विलक्षण है। यहाँ यह स्पष्टीकरण आवश्यक है कि वैयक्तिक विलक्षणता के आधार में निहित यह संरचना उस प्रकार तुलनात्मक अध्ययनों के निष्कर्ष-रूप में प्राप्त नहीं है जिस प्रकार गोएथे को वानस्पतिक मूल संरचना

वानस्पतिक अध्ययनों में प्राप्त हुई थी। यद्यपि गोएथीय निष्कर्ष भी आगमनात्मक (इंडक्टिव) नहीं होकर प्रातिभ ही था, जैसाकि हम पीछे देख आये हैं, किन्तु साँख्यीय आधार संरचना-प्रातिभ नहीं होकर सैद्धान्तिक है। आधारों की उपलब्धि में यह अन्तर इन आधार–संरचनाओं के इन पर आधृत विशिष्टों के साथ सम्बन्ध में अन्तर का भी द्योतक होता है। जबकि प्रथम प्रकार के विशिष्ट अपने आधार–प्रत्यय के उदाहरण नहीं होते, बल्कि ये प्रत्यय विशिष्टों के अपने वैशिष्ट्य में चरितार्थ होने के प्रयत्न रूप होते हैं, दूसरे प्रकार के विशिष्ट सामान्य के उदाहरण–रूप, विशिष्ट अभिव्यक्ति–रूप होते हैं। इनमें द्वितीय प्रकार के आधार–प्रत्यय प्लेटोयी हैं और प्रथम प्रकार के अरस्तुई (अरस्तू के फोर्म्स) हैं। दूसरे शब्दों में, द्वितीय प्रकार के आधार–प्रत्यय अखण्ड और अलौकिक स्वरूप–सत् के उदाहरण–रूप और लौकिक माध्यम में अलौकिक के लिए संकेत–रूप होते हैं। प्रथम प्रकार के उदाहरण प्रत्यय के साथ तारतम्य रूप।

× × ×

क्या दर्शन में भी इसी प्रकार कृतियों : प्रतिपादित सिद्धान्तों : के आधार में कोई मूल संरचना रहती है, और यदि रहती है तो उनमें वह किस प्रकार की होती है? इसके उत्तर के लिए वास्तविक दार्शनिक परिस्थिति के निरीक्षण के साथ आरम्भ करना उपयुक्त होगा। प्रस्तुत प्रसंग में यह परिस्थिति तीन पक्षों में प्रस्तुत होती है—(1) सर्वप्रथम, दर्शन का क्षेत्र क्रमश: संकुचित हुआ है, अर्थात् विचार के कुछ ऐसे रूप, जो पहले समरूप देखे जा रहे थे, पीछे क्रमश: विज्ञान, कला, धर्म, नीति–व्यवस्था आदि के रूप में दर्शन से अलग पहचाने जाने लगे और इस प्रकार दर्शन का अपना तत्त्व, अपना मूल आधार, अधिक शुद्ध रूप में प्रकट हुआ। तुलनात्मक दर्शन का यह पक्ष विमर्शात्मक चेतना की विभिन्न विधाओं में तुलना के मार्ग से दार्शनिक विधा की मूल संरचना को प्रकट करता है : उदाहरण के लिए, मन विषयक विचार में वैज्ञानिक विधा और दार्शनिक विधा को पृथक्–पृथक् पहचानना। यहाँ हम इस पर विचार नहीं करेंगे। दूसरे, दो भिन्न संस्कृतियों में एक–दूसरी से बहुत भिन्न प्रकार की अभीप्साएँ (मूल्य–दृष्टियाँ) दृष्टिगत होती हैं। उदाहरण के लिए, आधुनिक पश्चिम में विज्ञान और व्यक्तिमूलक जीवन की धुरी पर सामाजिक व्यवस्था का संयोजन, ये दो मुख्य अभीप्साएँ हैं। इसके विपरीत सुकरात, प्लेटो, और प्लोटाइनस में बुद्धिग्राह्य आध्यात्मिक तत्त्व के साक्षात्कार की अभीप्सा दिखायी देती है और प्राचीन भारत में हम सम्पूर्ण लौकिक ज्ञान को औपाधिक मानकर निरुपाधिक ज्ञान की उपलब्धि के लिए उपाधियों के अतिक्रमण की विधि से ज्ञान की ओर अतिक्रमण की सिद्धि की अभीप्सा देखते हैं। इन अभीप्साओं के अनुसार ये तीन भिन्न–भिन्न प्रकार के दर्शन हैं। इनमें आधुनिक मनस् ग्रीक मनस् को न्यूनाधिक समझ सकता है और इसी प्रकार प्राचीन भारतीय मनस् भी ग्रीक मनस् को अंशत: समझ सकता है, जबकि आधुनिक पाश्चात्य मनस् और प्राचीन भारतीय मनस् में परस्पर संवाद बहुत कठिन है। वैसे भारत में न्याय, वैशेषिक और चार्वाक दर्शन भी थे जो आधुनिक पाश्चात्य मनस् के बहुत कुछ निकट कहे जा सकते हैं। किन्तु सांस्कृतिक भूमियों पर यह निकटता केवल ऊपरी है, वास्तविक नहीं। यहाँ ग्रीक दर्शन पर बर्ट्रण्ड रसल की एक टिप्पणी का उल्लेख करना प्रासंगिक होगा। उसके अनुसार "ग्रीक परम्परा की मूल अभिप्रेरणा ग्रीक दार्शनिकों का तर्क–बुद्धि (रीज़निंग) की सर्वशिक्तमत्ता में बाल–सुलभ विश्वास था। उन दार्शनिकों को ज्यामिति की खोज ने उन्मत्त कर दिया था, जिसकी प्रागनुभविक निगमनात्मक विधि को उन्होंने सर्वत्र प्रयोग की जा सकने वाली विधि मान लिया था।"[1] किन्तु ग्रीक दार्शनिकों के लिए तर्क का अर्थ उससे सर्वथा भिन्न था जो रसल और आधुनिक यूरोपीय मनस् के लिए इसकी अवधारणा है, यह रसल देख ही नहीं रहे हैं। ग्रीस के लिए वास्तव में वह बाह्य जगत् की अन्तरात्माभूत दिव्य व्यवस्था का और मनुष्य में उसका साक्षात्कार करने वाली आत्मा और विवेक करने वाली बुद्धि का वाचक था, निगमनात्मक तर्क का नहीं। उस दृष्टि–बिन्दु पर हम आधुनिक जन कुछ सीमा तक सह–अनुभूति से अवस्थित हो सकते हैं और उनको दृश्यमान् लोक का कुछ आभास प्राप्त कर सकते हैं किन्तु उसे सम्यक् रूप से समझ नहीं

1. **ऑवर नोलेज़ ऑफ दि एक्स्टर्नल वर्ल्ड,** पृ. 15.

सकते। तुलनात्मक दार्शनिक परिस्थिति का तीसरा पक्ष है एक ही संस्कृति के अन्तर्गत विभिन्न दार्शनिक सम्प्रदायों में तुलना के मार्ग से उनकी मूल संरचना और मूल अभिनिवेश को खोजना।

इनमें दूसरे प्रकार की तुलना हमारे देश में पर्याप्त हुई है किन्तु उसमें उद्देश्य या तो भारतीय दार्शनिकों में कुछ ऐसे विचारों की खोज करना होता था जैसे पश्चिम के किसी दार्शनिक में मिलते हों अथवा पश्चिम के किसी दार्शनिक में ऐसे तत्त्वों की खोज करना होता था जैसे किसी भारतीय दार्शनिक में मिलते हों। किन्तु यह प्रयत्न बहुत भ्रान्त था, क्योंकि इस प्रयोजन से चुने गए विचार एक सजीव अवयवी को यन्त्रवत् मानकर पृथक् देखे जाते थे और इस प्रकार सांस्कृतिक मनस् की विलक्षणता को प्रकट नहीं करते थे। तुलनात्मक दर्शन का कार्य इस प्रकार अवयवी को छोड़कर अवयव विशेष की तुलना करना नहीं है बल्कि उस मूल प्राण का प्रतिभास पाना है जो अपने को विभिन्न विलक्षणताओं में प्रकट करता है। इस प्रकार तुलनात्मक दर्शन का कार्य वास्तव में मूल और लक्षण दोनों को देखना होता है। उदाहरण के लिए वसुबन्धु और बर्कले में एक समानता है, कि दोनों बाह्यार्थ को असत् मानते हैं, किन्तु इनमें बाह्यार्थ के स्वरूप, विज्ञप्ति के स्वरूप और बाह्यार्थ को असत् मानने के प्रयोजन को लेकर ऐसे असाधारण भेद हैं कि इनमें बाह्यार्थ के निषेध के रूप में परिलक्षित समानता एक ही परत गहरी दृष्टि को ऊपरी दिखायी देने लगती है और उसके लिए यह इस परत के नीचे छिपे वास्तविक भेदों की दृष्टि से रोचक हो जाती है। इसका अर्थ यह नहीं है कि 'एस्से एस्ट पर्सिपाई' और 'विज्ञप्तिमात्रमेवेदमसदर्थावभासनात्' में कोई समानता है ही नहीं, वस्तुत: इनमें बहुत महत्त्वपूर्ण समानता है। यह समानता तार्किक संरचनागत है, किन्तु उनमें उतने ही मौलिक भेद भी हैं जो दार्शनिक अभीप्सामूलक हैं और इस केन्द्र से तार्किक-दार्शनिक संरचना को भी प्रभावित करते हैं। तार्किक संरचनागत समानता इस प्रश्नात्मक दृष्टि और उसके प्रस्तुत विषय-क्षेत्र में है कि 'ज्ञान के प्रस्तुत विषय में ज्ञान के अपने तत्त्व के अतिरिक्त तत्त्व क्या है?' उदाहरणत: 'भूतल पर घट' इस विषय के ऐन्द्रिक पक्ष के रूप में वर्ण, काठिन्य, और दैशिक संस्थान आदि के अतिरिक्त विषय का विनिश्चय या अध्यवसाय तथा दर्शक से उसकी स्वतन्त्रता का भाव, ये परिलक्षित होते हैं। इनमें प्रथम दो : रूप और विनिश्चय : दर्शक पर ही निर्भर हैं, और तीसरा : दर्शक से स्वतन्त्रता का भाव : विषय की पृथक् सत्ता का संकेतक है। अब इस तीसरे पक्ष को लेकर अनेक उत्तर हैं जिनमें से एक वसुबन्धु और बर्कले द्वारा एक समान दिया गया है; किन्तु पहले दो पक्षों को लेकर भी समानता और भिन्नता हो सकती है। उदाहरणत: अध्यवसेय की सत्ता और असत्ता तथा अध्यवसाय की अर्थप्रापकता और अप्रापकता को लेकर। प्रथम को लेकर भी मतभेद हो सकते हैं, विज्ञप्ति और विज्ञापित के सम्बन्ध को लेकर। बर्कले और वसुबन्धु में दूसरे पक्ष : अध्यवसाय : को लेकर प्राय: पूर्ण समानता है, कि विज्ञप्ति से पृथक् विज्ञापित की कोई सत्ता नहीं है; किन्तु प्रथम : विज्ञप्ति और उसके अन्तर्गत विज्ञापित रूप-धातु, चेतना-क्रिया और उसकी अन्तर्वस्तु : को लेकर दोनों में आधारभूत मतभेद है जो शेष दो पक्षों के सम्बन्ध में भी उनकी दृष्टि को प्रभावित करता है। बर्कले विज्ञप्ति और विज्ञापन-क्रिया तथा उसकी अन्तर्वस्तु के भेद की ओर कोई ध्यान नहीं देता और आँख मूँद लेने तथा हाथ हटा लेने में ही घट की अशेषता मान लेता है। माइनोंग और हुस्सर्ल क्रिया और अन्तर्वस्तु में भेद करते हैं और क्रिया को अन्तर्वस्तु की ओर उन्मुख देखते हैं; किन्तु वे इन दोनों पक्षों को ही विज्ञान (विज्ञप्ति) मानते हैं। किन्तु वसुबन्धु क्रिया और अन्तर्वस्तु में भेद तथा क्रिया को अन्तर्वस्तून्मुख देखने के अतिरिक्त इन दोनों को विज्ञान के बाहर, (बाह्यार्थ के रूप में) देखता है और इस प्रकार इन्हें विज्ञान पर उपचार मानता है। इसी से बर्कले जबकि बाह्य विषयापेक्षी चेतना के अपेक्षा-पूरकों के रूप में सत् को मानता है और इन्हें ही विज्ञान मानता है, वसुबन्धु अपने अनुभवों तक को बाह्यार्थ और अतएव असत् मानता है। इस प्रकार वसुबन्धु के अनुसार मूल विज्ञान रूप-धातु, अरूप-धातु और काम-धातु इन तीन विधाओं में प्रवृत्त होता है, और तीनों विधाएँ बाह्यार्थ-कल्पनाओं को जन्म देती हैं और वर्ण, संस्थान तथा भौतिकत्व तीनों समान रूप से बाह्यार्थ कल्पनाएँ हैं तथा इन कल्पना-विषयों के समान ही कल्पना-प्रवृत्ति भी बाह्यार्थ है। इस प्रकार बर्कले निषेध की दृष्टि के तर्क के अन्त तक नहीं पहुँचता जबकि वसुबन्धु पहुँचता है।

किन्तु वसुबन्धु इतना मूलगामी तार्किक दृष्टि के अधिक पैनेपन के कारण उतना नहीं है जितना विषयज्ञान के प्रश्न को उस समग्र बोध के अन्तर्गत देखने के कारण है जो सत्ता और मूल्य के परमार्थ की थाह लेने की अभीप्सा से प्रेरित है। किन्तु इतना मात्र कहना भी पर्याप्त नहीं है, क्योंकि जिन पश्चिमी दार्शनिकों ने इस समग्रता के केन्द्र में अपने को प्रतिष्ठित किया भी उन्होंने भी वसुबन्धु के समान बाह्यार्थ का निषेध नहीं किया। उदाहरण के लिए हेगल को लिया जा सकता है, जो केवल चैतन्य की ही सत्ता मानता है और प्रकृति तथा मूल्य के परमार्थत्व का एक अखण्ड परमार्थ तत्त्व में संधान करता है। किन्तु वह बाह्यार्थ का उस आधारभूत रूप से निषेध नहीं करता जिस प्रकार वसुबन्धु करता है। इसका कारण मूल सांस्कृतिक अभीप्साओं में अन्तर है। भारतीय संस्कृति में मूल्य व्यक्ति-जीवन के परमार्थ से तादात्म्य में देखा गया है, व्यक्ति-जीवन को औपाधिक और अपरमार्थ तथा परमार्थ को निरुपाधिक रूप में देखा गया है, और क्योंकि मूल्य की स्थिति साध्यता में है इसलिए दर्शन का कार्य साध्य, साधन और साध्योन्मुख या साधक के स्वरूप को समझना माना गया है। यह स्थिति पश्चिम में नहीं है, विशेषत: आधुनिक पश्चिम में। ग्रीस में यह बहुत सीमा तक थी, किन्तु ग्रीस में परमार्थ ही बुद्धि-रूप था—मानवात्मा के रूप में बुद्धि और वस्तु-सत् के रूप में बुद्धि-ग्राह्य तत्त्व। प्राचीन यूरोप, अथवा कहें ईसाई यूरोप, में व्यक्ति और ईश्वर दोनों ही परमार्थ सत् थे। इसलिए कोई पश्चिमी दार्शनिक वसुबन्धु के समान बाह्यार्थ का निषेध करने में उस सीमा तक नहीं जा सकता था कि वह ग्राह्य-ग्राहक भाव को ही बाह्यार्थ मान लेता, और न उनमें कोई वसुबन्धु के समान विज्ञान से बाह्यार्थ के निवारण को परम साध्य के रूप में ही प्रस्थापित कर सकता था।

वसुबन्धु और बर्कले के समान दिङ्नाग और कांट में भी समानता और भेद हैं जो तार्किक संरचनागत और अभीप्सागत हैं। दिङ्नाग और कांट दोनों अध्यवसाय को विकल्पमूलक आरोप और निर्विकल्पक विज्ञप्ति को स्वलक्षण सत् के साथ अव्यवहित सम्बन्ध में देखते हैं; किन्तु कांट अव्यवहितत्व को साध्य के रूप में नहीं देखता और इस प्रकार विकल्पों को निरास्य के रूप में भी नहीं देखता; बल्कि जिस संवेद को वह निर्विकल्पक रूप में विलक्षण सत् के साथ अव्यवहित सम्बन्ध में देखता है उसी को नैतिक कर्म के सन्दर्भ में सत् की सिद्धि में बाधक के रूप में भी देखता है। वास्तव में संवेद के ये दो विरुद्ध रूप कांट में ज्ञेय और साध्य को परस्पर नितान्त असम्बद्ध क्षेत्रों के रूप में देखने के कारण हैं। ये दो विरुद्ध रूप उसमें विकल्प के भी हैं। जो विकल्प ज्ञान-विधा में निर्विकल्पक को विषय : प्रकृति : रूप में ग्रहण करता है वही साधनात्मक विधा में उस नियम (मॉरल लॉ) का साक्षात्कार करता है जो साधक के लिए साध्य का प्रापक होता है।

इस महान् दार्शनिक में जो यह असामंजस्य है उसका कारण उसकी संरचनात्मक दृष्टि का उसकी अभीप्सात्मक दृष्टि की तुलना में कहीं अधिक व्यापकतर और गहनतर होना है। उसकी अभीप्सा-दृष्टि आधुनिक विज्ञान और ईसाई चिन्तन में उभयत: मूलित है और संरचनात्मक दृष्टि ग्रीक, ईसाई और डेकार्टीय इन तीन में। ईसाई-दर्शन के अनुसार मनुष्य ईश्वर के राज्य में एक व्यक्ति है, जिसकी वैयक्तिक सत्ता अक्षुण्ण, किन्तु स्वरूपत: अपूर्ण है; दूसरी ओर उसके पिता के रूप में ईश्वर है, और तीसरी ओर यह जगत् है जो ईश्वरकृत होने पर भी स्वतन्त्र सत् है। किन्तु कांट की दार्शनिक दृष्टि ने कुछ और देखा, जिसके अनुसार जगत् सत् नहीं होकर विकल्पमूलक प्रतिभास है। सत् विलक्षण और विकल्प के लिए अग्राह्य तत्त्व है। देह, इन्द्रिय और बुद्धि की उपाधियों के निवारण से ही चित्-सत्, जोकि मनुष्य का परमार्थस्वरूप है, साध्य है। यह दृष्टि विषय-ज्ञान और मूल्यान्वेषण की तार्किक संरचना के अवगाहन से उत्पन्न हुई थी। किन्तु इसका सामंजस्य उसकी अभीप्सा-दृष्टि से, जो भौतिक विज्ञान और ईसाई नैतिक बोध में मूलित थी, नहीं हो सकता था। इसी से विकल्प उसके अनुसार निर्विकल्पक पर आरूढ़ होकर यथार्थ जगत् का ग्राहक बनता है, व्यक्ति अपनी उपाधि के साथ ही अक्षुण्ण हो जाता है और बुद्धि-ग्राह्य, वास्तव में कहना चाहिए बुद्धिमूलक, नैतिक नियम निरुपाधिक सत् का स्थान प्राप्त कर लेता है। ये तीनों निष्कर्ष अभीप्सामूलक हैं और उसकी संरचनात्मक दृष्टि से समर्थित नहीं होते।[1] कांट की समग्र

1. द्रष्टव्य : यशदेव शल्य — 'इम्मेनुअल कांट' **पाश्चात्य दर्शन का इतिहास,** खण्ड 2 (सं. डॉ. दयाकृष्ण)।

दार्शनिक दृष्टि में विषय-जगत् का वह महत्त्व नहीं है जो उसके दार्शनिक लेखन में उसे मिला है। न उसमें तत्त्वमीमांसा का निषेध ही समंजस है; यद्यपि यह निषेध उसमें उतना वास्तविक है भी नहीं जितना प्रकट है। किन्तु वह इस प्रकट को इतना महत्त्व देता है कि वह वास्तविक ही प्रतीत होने लगता है। यह असामंजस्य दिङ्नाग में नहीं मिलता, क्योंकि उसकी दार्शनिक संरचना और दार्शनिक अभीप्सा में कांट के दर्शन की-सी विसंगति या असामंजस्य नहीं है। सत् उसके लिए विलक्षण, अथवा कहें निरुपाधिक है; विज्ञानवादियों के समान वह सत् को उसकी विज्ञप्ति में अन्तर्भूत नहीं करता। यह विलक्षण सत् निरुपाधिक ज्ञान के लिए ही साक्षात्कार्य हो सकता है। विकल्प खण्डग्राही और द्वन्द्वात्मक है, परिणामत: औपाधिक है, इसलिए वह सत् का प्रापक नहीं हो सकता और परिणामत: वह निरास्य है। क्योंकि यदि सत् का ज्ञान या सिद्धि ही मूल्य नहीं है तो और मूल्य क्या हो सकता है? और यदि ज्ञान और सत् दोनों विलक्षण हैं तब आत्मा, ईश्वर, ब्रह्म आदि सब औपचारिक हो जाते हैं। ऐसे में व्यक्तित्व, नैतिक नियम आदि के लिए तो स्थान ही कहाँ रह जाता है? सो, दिङ्नाग की दार्शनिक दृष्टि और दार्शनिक अभीप्सा में पूर्ण सामंजस्य दिखायी देता है। वह निर्ममता से सत् को अनभिलाप्य और सब अभिलाप्य को असत् घोषित कर देता है और इस दार्शनिक संरचनामूलक दृष्टि के अनुरूप निर्वाण (वैयक्तिकता की सब उपाधियों के निर्वापन) को दार्शनिक अभीप्सा बनाता है। कांट में सत् पूर्णत: निरुपाधिक (स्वलक्षण तत्त्वमात्र) स्वीकृत होने पर भी व्यक्तित्वोपाधि पारमार्थिक सत् के रूप में स्वीकृत है, जैसाकि हम पीछे देख आये हैं।

यहाँ हमने दो तुलनाओं के क्रम में दो दार्शनिक संरचनाओं में कुछ आधारभूत समानताएँ किन्तु दार्शनिक अभीप्साओं में आधारभूत भेद देखे। इन भेदों के कारण ये संरचनाएँ कितने भिन्न व्यक्तित्व ग्रहण करती हैं यह वसुबन्धु और बर्कले के दार्शनिक कृतित्व को देख कर सहज ही जाना जा सकता है।

यहाँ हम एक और उदाहरण के रूप में डेकार्टीय द्वैतवाद तथा साँख्यीय द्वैतवाद को और प्रकृति-विषयक शांकर तथा कांटीय दृष्टियों को देखेंगे।

डेकार्ट चैतन्य को स्वप्रकाशक (सेल्फ कांश्यस)—रूप में देखता है जबकि साँख्य प्रकाश-रूप में। साँख्य के लिए चैतन्य का स्वप्रकाशन औपाधिक है और यह उपाधि, अन्य किसी भी उपाधि के समान, प्रकृतिमूलक है। शंकर के लिए भी चैतन्य प्रकाशात्मक ही है और स्वप्रकाशकता उसके अनुसार भी औपाधिक है; किन्तु उसमें साँख्य से भिन्न चैतन्य (ब्रह्म) इस तथा अन्य सब उपाधियों को अपने संकल्प से क्रियान्वित करता है। यहाँ द्रष्टव्य है कि शांकर संकल्प-शक्ति शैव संकल्प-शक्ति के समान वास्तव नहीं है, किन्तु यहाँ यह अन्तर उपेक्षणीय है। यहाँ शंकर की डेकार्ट से एक अत्यन्त क्षीण समानता, किन्तु महत्त्वपूर्ण भेद देखा जा सकता है। डेकार्ट के समान ही शंकर में चैतन्य की स्वप्रकाशकता आत्मप्रत्यय के रूप में आत्म-क्रियान्विति है, किन्तु इस समानता के नीचे इनमें सब आधारभूत संरचनात्मक असमानताएँ हैं। जैसे, डेकार्ट के लिए स्वप्रकाशन प्रत्यङ्मुख व्यापार है जबकि शंकर के लिए यह पराङ्मुख व्यापार है। यहाँ शंकर की साँख्य से यह अनुरूपता है कि दोनों में यह समान रूप से अविद्यामूलक उपाधि है, किन्तु साँख्य और शंकर में यह अन्तर है कि साँख्य के लिए उपाधि स्वतन्त्र सत्तामूलक है जबकि शंकर के लिए यह चैतन्यमूलक ही है। इस प्रकार इन दो भारतीय दर्शनों में संरचनात्मक भेद मौलिक नहीं है, केवल ऊपरी : दोनों में स्वप्रकाशन बहिरुन्मुख व्यापार के रूप में कल्पित होने से : है जबकि इन दो में और डेकार्ट में मौलिक अन्तर है, क्योंकि डेकार्ट में यह व्यापार ही प्रत्यङ्मुख रूप में कल्पित है। दूसरा अन्तर यह है कि डेकार्ट के लिए यह अहं-बोध मौलिक है, जबकि साँख्य और वेदान्त के लिए यह उपाधि, अवगुंठन, अवरोध, अहंकारावरण है। वास्तव में डेकार्ट में, या पश्चिमी दर्शन मात्र में, इसकी उपाधि रूप में अवधारणा ही नहीं है, जबकि साँख्य और वेदान्त के लिए यह अवधारणा मौलिक है। अवश्य डेकार्ट ईश्वर-चैतन्य को भी मानता है, किन्तु वास्तव में वह भी निरुपाधिक नहीं है, और दूसरे, उसमें व्यक्ति-चैतन्य स्वतन्त्र सत्ताएँ हैं।

डेकार्ट के लिए चैतन्य का स्वरूप, ग्रीक दार्शनिकों के समान ही, बौद्धिक है। यह चैतन्य सत् है, किन्तु निर्विकार रूप में नहीं, बल्कि विकारी रूप में : 'सन्देह करता हूँ' के अव्यवहितत्व के रूप में। किन्तु यह विकार :

विचार : सत्य होने के लिए अन्य सत् का अपेक्षी है। जिसका अर्थ है कि चैतन्य भाव तो है[1] किन्तु सत् (रियालिटी) नहीं है। वह सत् प्रकृति है जो इसे सत्यापित करती है। किन्तु यहाँ हम इस प्रसंग में नहीं जायेंगे। यहाँ द्रष्टव्य यह है कि डेकार्ट के लिए प्रकृति उस विचार के सत्य का आलम्बन है जिसकी अन्तर्वस्तु विस्तार-प्रत्यय (आइडिया ऑफ एक्स्टेंशन) है, जबकि साँख्य के लिए विचार, विचार का अव्यवहितत्व, विचार की अन्तर्वस्तु और उसके सत्य की आलम्बनभूत वस्तु सब प्रकृति है। इसी से साँख्य पराबुद्धि, अहंकार, अहंकारावृत बुद्धि, अन्तःकरण, इन्द्रिय, तन्मात्र और महाभूत सबको प्रकृति मानता है। यह द्रष्टव्य है कि यहाँ महाभूत भी भौतिक द्रव्य नहीं है बल्कि आत्मोपाधि विशेष का परिणाम है, परिणामी वही प्रकृति है जो बुद्धि आदि का भी उपादान है, जबकि चैतन्य नित्य अपरिणामी (पुरुष) है।

जैसाकि उपर्युक्त विवेचन से स्पष्ट है, इन दो दार्शनिक दृष्टियों में मौलिक भेद है। यह भेद संरचना और अभीप्सा दोनों में है। संरचनात्मक प्रसंग में दोनों समान रूप से ज्ञात और विषय को एक-दूसरे में अन्तर्भाव्य नहीं मानते; किन्तु डेकार्ट से भिन्न साँख्य ज्ञान के लिए क्रिया और प्रयत्न को विषय पक्ष में रखता है, परिणामत: ज्ञान को भी विषय के अन्तर्गत ही रखता है, जबकि डेकार्ट ज्ञान के क्रिया और प्रयत्न को ज्ञान में रखता है और परिणामत: ज्ञान को ज्ञाता में मानता है। अभीप्सा के प्रसंग में, दोनों में मनुष्य का स्वरूप अनुसंधेय है। साँख्य इसका यह स्वरूप मूल्यान्वेषण (पुरुषार्थ) के परम अन्वेष्य (मोक्ष) में देखता है और उसके प्राप्त रूप को विपर्यास मानता है, डेकार्ट उसका स्वरूप लोक के ज्ञान और परलोक-संग्रह में यत्नशील के रूप में देखता है। इसी से डेकार्ट द्वैतवादी इसलिए है कि वह चेतना को एक अन्य सत् का अवलम्बन देना चाहता है और साँख्य इसलिए क्योंकि वह चैतन्य को पूर्णत: स्वरूप-विश्रान्त देखना चाहता है।

दो भिन्न संस्कृतियों में मूलित कुछ मुख्य दर्शनों की तुलना के बाद अब हम एक ही संस्कृति में मूलित दर्शनों में तुलना के दो-एक उदाहरण देखेंगे। इसके लिए प्रथम हम बौद्ध शून्यवाद, साँख्य और शांकर वेदान्त को लेंगे। इन तीनों की दार्शनिक अभीप्सा परम अन्वेष्य का संधान है और तीनों की दार्शनिक दृष्टि समान रूप से मनुष्य को संसार में आत्म-बहिष्कृत देखती है और इसके इस आत्म-विलगाव या प्रवास को अविवेक-जन्य, अध्यास-रूप मानती है। ये तीनों प्रवासजन्य दुःख से मुक्ति (अथवा कहें, परमार्थ की उपलब्धि) को भी सम्भव मानते हैं। ऐसी परिस्थिति में इनमें भेद केवल संरचनात्मक रह जाता है। साँख्य और शंकर दोनों परमार्थ को निरुपाधिक, अविकल चित्-सत् के रूप में देखते हैं, किन्तु शंकर इसे आनन्द-स्वरूप भी देखते हैं जबकि साँख्य और नागार्जुन ऐसा नहीं देखते। वास्तव में नागार्जुन इसे चित् भी नहीं कहना चाहते, क्योंकि यह भी उसका निरूपण ही हुआ। उदाहरण के लिए वे माध्यमिक कारिका में तथागत के लिए कहते हैं—"जो बुद्ध को प्रपंचातीत तथा अव्यय प्रपंचलित करते हैं वे प्रपंच से ही विमूढ़ हैं, वे तथागत को नहीं जानते। तथागत का वही स्वभाव है जो जगत् का। दोनों ही नि:स्वभाव हैं।"[2] इसी प्रकार वे निर्वाण के लिए कहते हैं—"निर्वाण न भाव है न अभाव। उत्पत्ति-निरोध का सापेक्ष क्रम संसार कहा जाता है। उसी की निरपेक्षतया अप्रवृत्ति को निर्वाण कहते हैं। संसार और निर्वाण में किसी प्रकार का भेद नहीं है। परमार्थ समस्त उपालम्भ एवं प्रपंच का उपशय है।"[3] किन्तु यह भेद रहते हुए भी इन तीनों में यह भेद मौलिक नहीं है, क्योंकि जिसे नागार्जुन अपरमार्थ कह रहे हैं और इसी प्रकार जिसे वे परमार्थ कह रहे हैं उसे ही शंकर और साँख्य भी यही कहते हैं; किन्तु जगत् को लेकर तीनों में संरचनात्मक अन्तर है। प्रथम, इस अन्तर को यदि हम आत्म-विलगाव की पदावली में देखें तो साँख्य और नागार्जुन दोनों मनुष्य को परमार्थत: प्रवासित नहीं देखते, क्योंकि नागार्जुन के अनुसार समस्त उपालम्भ और प्रपंच नि:स्वभाव है और साँख्य के अनुसार इतर, अर्थात् प्रकृतिमूलक है; किन्तु शंकर इसे आत्म-प्रवास के रूप में

1. कोई कह सकता है कि डेकार्टीय चैतन्य 'भाव' नहीं होकर 'क्रिया' है : विचार-क्रिया : किन्तु यह द्रष्टव्य है कि विषय-सापेक्षता में यह क्रिया-रूप नहीं है, ज्ञान-रूप वस्तु ही है।

2. गोविन्दचन्द्र पाण्डे — **बौद्ध धर्म के विकास का इतिहास,** हिन्दी समिति, उत्तरप्रदेश, लखनऊ, पृ. 390.

3. वही, पृ. 391.

देखते हैं, क्योंकि उनके अनुसार परमार्थ–तत्त्व ही विवर्त के द्वारा जगत् (मनुष्य की जागतिकता) है। किन्तु साँख्य और नागार्जुन भी मनुष्य को किसी प्रकार आत्म–प्रवासित देखते ही हैं। अन्तर यह है कि यह आत्म–प्रवास पारमार्थिक नहीं है, क्योंकि इनमें विवर्त या परिणाम मनुष्य के परमार्थ सत् का स्पर्श नहीं करता। किन्तु तब इनसे प्रश्न होगा कि इस प्रवास की कारणभूत अविद्या साधिष्ठान है याकि निरधिष्ठान? नागार्जुन का उत्तर है कि यह निरधिष्ठान है, साँख्य का उत्तर है कि इसका अधिष्ठान अचित् में, अपरमार्थ सत्[1] में, है। किन्तु इस सम्बन्ध में शंकर का उत्तर अस्पष्ट है, क्योंकि वे एक ओर इसका अधिष्ठान ब्रह्म में मानते हैं और दूसरी ओर इसे असत् मानते हैं। इस प्रकार इन तीनों दर्शनों की संरचनाओं के मूल घटक मानव, जगत्, उसका अधिष्ठान और उसका परमार्थ हैं। संरचनात्मक दृष्टि से इन दर्शनों की और आगे भी तुलना की जा सकती है जो रोचक भी होगी, किन्तु यहाँ हम उसके विस्तार में नहीं जायेंगे। यहाँ हम केवल इनके कारणता–सिद्धान्तों का उल्लेख करेंगे : शंकर और साँख्य सत्कार्यवादी हैं, किन्तु इनमें प्रथम विवर्तवादी और दूसरा परिणामवादी है। इनमें यह अन्तर इनके अविद्या के अधिष्ठान के सिद्धान्तों में अन्तर से सम्बन्धित है, यद्यपि कार्य के कारण में लय को साँख्य भी स्वीकार करता है और यह परिणामवाद से संगत नहीं है; किन्तु जगत् को अचित् में अधिष्ठित देखने के कारण साँख्य इसे अपेक्षाकृत अधिक स्वरूपवान् या भाव–रूप मानने में उतना नहीं झिझकता जितना शंकर और नागार्जुन झिझकते हैं। नागार्जुन परिणाम या विवर्त किसी को स्वीकार नहीं करते, वे केवल जगत् में कारणता देखते हैं जो सत् और असत् कार्यवाद दोनों से भिन्न जगत् की निस्स्वभावता की ही द्योतक है। इस प्रकार इन तीनों दर्शनों में संरचनात्मक अन्तर है जो इनके जगत्–विषयक विचार में संरचनात्मक अन्तर से सम्बन्धित है।

इस प्रकार हमने समान अभीप्सा पर आधारित तीन दर्शन–सम्प्रदायों में संरचनात्मक सम्बन्ध को देखा। जैसाकि हमने देखा, इनमें कुछ संरचनात्मक समानताएँ हैं और कुछ भेद हैं, किन्तु यह देखना कठिन नहीं है कि ये भेद एक ही परत के नीचे जाकर समान आधार पर प्रतिष्ठित दिखायी देते हैं।

किन्तु एक ही सांस्कृतिक परम्परा में अभीप्सात्मक और संरचनात्मक दोनों दृष्टियों से भिन्न दर्शन–प्रस्थान भी हो सकते हैं, जैसे शून्यवाद और मीमांसा, या वेदान्त और चार्वाक। किन्तु यहाँ हमारा प्रसंग यह देखना नहीं है कि क्या विभिन्न दार्शनिक अभीप्साएँ एक ओर और विभिन्न दार्शनिक संरचनाएँ दूसरी ओर क्रमश: किसी आधारभूत अभीप्सा और आधारभूत संरचना को लक्षित करती हैं?

× × ×

ऊपर हमने कुछ दार्शनिक प्रयत्नों की प्रेरक अभीप्साओं और उनकी तार्किक संरचनाओं का अवलोकन किया। जैसाकि हमने आरम्भ में कहा था, तुलनात्मक दर्शन का कार्य विभिन्न दार्शनिक प्रयत्नों या प्रस्थापनाओं में रूपैक्य खोजना नहीं बल्कि विलक्षणताओं और भेदों को एक आधार से अनेक रूप लेते देखना है। यहाँ उदाहरणार्थ लिए गए सभी दर्शनों में अभीप्सा मनुष्य के तत्त्व का संधान है, किन्तु वास्तव में यह अभीप्सा दार्शनिक प्रयत्न मात्र की मूल प्रेरक कही जा सकती है जो विभिन्न संस्कृतियों के दर्शनों में, और कभी–कभी एक ही संस्कृति के विभिन्न प्रस्थानों में, विभिन्न प्रकार से अवधारित होती है। ऊपर आलोचित भारतीय दर्शनों में यह अभीप्सा मनुष्य के तत्त्व, उसके स्वरूप को उसके प्राप्त लौकिक अस्तित्व के परे देखती है। ठीक यही दृष्टि ग्रीस की भी है, विशेषत: सुकरात, प्लेटो और अरस्तू की। किन्तु लोक के इस अतिक्रमण में भारतीय दृष्टि पर्यन्तता तक पहुँच कर ही विश्राम लेती है और इस प्रकार उस सबको अनात्म, व्यवधान और आवरण मान कर छोड़ देती है जो किसी भी प्रकार आगन्तुक और औपाधिक कल्पित किया जा सकता है। इसमें ये दर्शन स्वयं अभीप्सा, आत्मा और परमार्थबोध तक को उपाधि कह कर त्याग देते हैं। आलोचित पाश्चात्य दर्शनों में भी यह अभीप्सा लोकोत्तर–मुखीन ही अधिक है, किन्तु वह पर्यन्तगामिनी नहीं है। कांट अपनी ज्ञानमीमांसा में केवल जगज्ज्ञान को

1. साँख्यीय प्रकृति को मैं अपरमार्थ सत् इसलिए कह रहा हूँ कि जबकि साँख्य प्रकृति को पुरुष से पृथक् तत्त्व मानता है, वह इसे स्वाश्रयी नहीं मानकर पुरुषाश्रयी मानता है — देखिए **सांख्यकारिका** — संघार्थ परार्थत्वात्..., का. 17.

ही अनुसंधेय मानते हैं और कर्ममीमांसा में जिस तत्त्व को साध्य मानते हैं वह मानव–व्यक्ति का परमार्थ ही है। इस परमार्थ की साधना के प्रसंग में मनुष्य का वह सम्पूर्ण अस्तित्व (दैहिक–ऐन्द्रिक अस्तित्व) अनात्म में रूपान्तरित हो जाता है जो ज्ञान के सन्दर्भ में उपादान–भूत है। इसी प्रकार डेकार्ट में भी। उसके दर्शन की अभीप्सा भी मनुष्य के परमार्थ का संधान ही है। वह ज्ञान के असन्दिग्ध आधार की खोज में हनुमानजी के समान अस्तित्व के उन सारे मनकों को अप्रामाणिक कह कर फेंक देता है जिसमें आत्मा की छवि नहीं है, और तब स्वयं इस आत्मा को भी अपूर्ण पाकर उसे ईश्वर के सम्मुख समर्पित कर देता है। किन्तु जैसाकि हमने पीछे देखा, ये दोनों दार्शनिक वैयक्तिक अस्तित्व की मूल उपाधि का परित्याग नहीं कर पाये। यद्यपि इस अभीप्सा के संधान की यात्रा में ये पर्यन्तता मनुष्य के आगे ईश्वर को ही मानते हैं। किन्तु तब भी इन दो अभीप्साओं में अन्तर स्पष्ट है। वास्तव में पश्चिमी संस्कृति में मनुष्य के प्रस्तुत रूप का आकर्षण इतना अधिक है कि वह सत्ता का ही मानदण्ड बन जाता है जबकि भारतीय संस्कृति उसके प्रस्तुत रूप को कोई महत्त्व नहीं देती और उसे कर्म–भोग के प्रसंग में सम्पूर्ण जीवसृष्टि के साथ और कर्त्तृत्व के प्रसंग में निरुपाधिक परम सत् के साथ एकाकार कर देती है। किन्तु यदि उपर्युक्त तीन पाश्चात्य दर्शन–प्रस्थानों की इस दृष्टि से तुलना आधुनिक आंग्ल–अमरीकी दर्शन–सम्प्रदायों : तार्किक प्रत्यक्षवाद और लोक–भाषा–विश्लेषणवाद : से करें तो इन दो वर्गों की दार्शनिक अभीप्साओं में और अधिक अन्तर प्रतीत होगा। वास्तव में प्रथम दृष्टि से तो यही प्रतीत होता है कि इन दर्शन–सम्प्रदयों में 'अभीप्सा' शब्द के प्रयोग का ही कोई औचित्य नहीं है, ये सम्प्रदाय अभीप्सा जैसी वस्तु को दर्शन के लिए नितान्त अवांछनीय मानते हैं। बर्ट्रण्ड रसल 'ज्ञान के लिए ज्ञान' को ही दर्शन का कर्त्तृत्व मानते हैं और यह ज्ञान उनके अनुसार संवेदन से सत्यापनीय बौद्धिक व्यवस्था मात्र है। तब मुनष्य के सुख–दु:ख, नीति–अनीति, अभ्युदय–नि:श्रेयस् का क्या स्थान होगा? इसके लिए उनका उत्तर है कि दर्शन के लिए ये भी उपर्युक्त प्रकार के ज्ञान के विषयों के रूप में परीक्ष्य होकर ही प्रासंगिक हो सकते हैं, अन्यथा नहीं, और दर्शन को पूर्णत: निर्मम होकर सुख, नीति और नि:श्रेयस् का विचार छोड़ कर इनकी आनुभविक परीक्षा में प्रवृत्त होना चाहिए। दर्शन के सम्बन्ध में रसल की यह स्थापना आधुनिक अनुभववादी दर्शन की प्रतिनिधि स्थापना कही जा सकती है। किन्तु इसका अर्थ यह नहीं है कि यह दर्शन–सम्प्रदाय अभीप्सा–शून्य है। इसकी अभीप्सा सत्य है जिसका मानदण्ड वैज्ञानिक ज्ञान है। किन्तु इस सम्प्रदाय के उपसम्प्रदायों और इनके विभिन्न दार्शनिकों में अभीप्सा की दृष्टि से पर्याप्त अन्तर भी है। इनमें एक ओर मूर, रसल, हेयर आदि हैं तो दूसरी ओर कार्नप, न्यूराथ, श्लिक, राइल और स्टीवेंसन आदि हैं। इनमें प्रथम वर्ग के दार्शनिक उतने भौतिकवादी वैज्ञानिकतावादी नहीं हैं जितने दूसरे वर्ग के; किन्तु तब भी इनमें अन्तर मौलिक नहीं है। अधिकांश में भेद प्राविधिक ही है, क्योंकि इन दोनों वर्गों के दार्शनिकों के लिए परमार्थ संवेद ग्राह्य ही है।

किन्तु इस दर्शन–सम्प्रदाय का उपर्युक्त पाँच सम्प्रदायों से अभीप्सा की दृष्टि से अन्तर यह नहीं है कि इसके लिए मनुष्य के परमार्थ का संधान अभीप्सित नहीं है बल्कि यह है कि यह दर्शन इस परमार्थ का स्वरूप उपर्युक्त दर्शनों से भिन्न देखता है। उदाहरण के लिए अपने लेख 'राजनीति और दर्शन'[1] में बर्ट्रण्ड रसल प्लेटो, हेगल आदि की आलोचना इस आधार पर करते हैं कि उनकी दर्शन–व्यवस्थाओं में मनुष्य और समाज का जो रूप उभरता है उसमें समाज व्यक्ति–स्वातन्त्र्य की साधक व्यवस्था के रूप में नहीं रह कर व्यक्ति के ऊपर एक स्वतन्त्र और उससे अधिक मूल्यवान् व्यवस्था हो जाता है। दूसरे शब्दों में, रसल के अनुसार प्लेटो और हेगल के दर्शन–सिद्धान्तों की असत्यापक कसौटी यह है कि इनके सिद्धान्त समाज और राजनीति की समग्रतावादी (टोटेलिटेरियन) व्यवस्था के उपकारक हैं और इसके विपरीत उसका सिद्धान्त सामाजिक व्यवस्था को व्यक्ति की अपनी इच्छाओं के साधक उपकरण के रूप में देखता है। इस प्रकार रसल के अनुसार, परमार्थ का अनुसन्धान वास्तव में मनुष्य के परमार्थ से पृथक् नहीं है और दर्शन के लिए उसी का अन्वेषण अभीप्सित है।[2]

1. बर्ट्रण्ड रसल — 'फिलोसोफी एण्ड पॉलिटिक्स', विलियम एबेंशन सम्पादित **मॉडर्न पुलिटिकल थॉट,** पृ. 8–20 ऑक्स्फर्ड एण्ड जे.डी.एच. पब्लिशिंग कं., नई दिल्ली।
2. इस विचार का कॉर्ल पॉपर ने अपनी पुस्तक **ओपन सोसाइटी एण्ड इट्स एनीमीज़** में विस्तार किया है।

यहाँ सन्देह हो सकता है कि कुछ दार्शनिक प्रयत्नों या कृतियों में यह अभीप्सा स्पष्ट दृष्टिगोचर नहीं होती, जैसे कार्नप, शिलक या क्वाईन में, किन्तु इस आधार पर उनकी कृतियों को कम दार्शनिक नहीं कहा जा सकता। इसके उत्तर में हम कहना चाहेंगे कि कोई कृति दर्शन के रूप में परिभाषित अभीप्सा से नहीं होती बल्कि संरचना से होती है। उदाहरण के लिए 'प्रतिज्ञप्ति क्या है' इस पर विचार दार्शनिक होगा, किन्तु इस विचार का अभीप्सित उसमें प्रत्यक्ष लक्षित नहीं होगा। किन्तु ऐसी कृतियाँ तब पूर्ण दर्शन नहीं कही जा सकतीं, केवल दार्शनिक प्रयत्न की अंग ही कही जा सकती हैं। हमारे प्रतिपादन पर दूसरी आपत्ति यह हो सकती है कि 'दार्शनिक अभीप्सा मनुष्य के तत्त्व या परमार्थ का संधान नहीं होकर तत्त्वमात्र, या परमार्थमात्र का संधान हो सकती है।' प्रथम दार्शनिक विस्मय अपने अस्तित्व के साक्षात्कार पर नहीं, विराट् विश्व के साक्षात्कार पर हुआ होगा। प्लेटो ने तत्त्वमीमांसा को 'आत्मा द्वारा परात्पर ज्योति के साक्षात्कार के लिए आकुल उड़ान कहा है।' किन्तु यह आपत्ति उचित नहीं है। जैसाकि हम आगे देखेंगे, यह विस्मय तब तक दार्शनिक स्तर पर नहीं उठता जब तक विराट् पर विस्मय से अभिभूत आत्मा का साक्षात्कार लक्षित नहीं होता। कांट जब ऊपर तारकित नभ की प्रशान्त विराट्ता में अपने प्रतिभासिक अस्तित्व की नगण्यता से अभिभूत होता है तब उसका विस्मय तत्त्वमीमांसीय स्तर ग्रहण करता है। किन्तु तब वह केवल काव्यात्मक विस्मय ही रहता यदि वह अपने को विस्मय की अनुभूति तक ही सीमित रखता। इसके दार्शनिक विस्मय के स्तर पर उठने के लिए इसका आत्म-विषयक तटस्थ बोध में प्रतिष्ठित होना आवश्यक है।

अभीप्सा विषयक यह निष्कर्ष दार्शनिक संरचना से सम्बन्धित है जिसका वैशिष्ट्य इसे एक ओर ललित कलाओं से और दूसरी ओर विज्ञान से पृथक् करता है। दर्शन वास्तव में अपनी संरचना में ही नहीं, अभीप्सा में भी इन दोनों से भिन्न है। वैज्ञानिक अभीप्सा द्विमुखीन है। अपने उदात्त रूप में यह विषयगत तत्त्व का अवगमन है और लौकिक रूप में, जोकि इसका आदिम रूप है, यह विषय का उपयोगात्मक नियोजन है, और कलाएँ, रागात्मक विषयित्व का विमर्श-वृत्ति के माध्यम से उत्तानीकरण हैं। दर्शन इनके विपरीत सब वृत्तियों को प्रेक्षकत्व में उपसंहृत कर इस प्रेक्षकत्व के अवगमन की अभीप्सा करता है। मानव के स्वरूपावगमन का यही अर्थ है। इस कथन की सत्यता इस बात से देखी जा सकती है कि दर्शन चेतना की अन्य सब विधाओं का अपनी चर्या में अन्तर्भाव करता है। इस चर्या के अनुरूप ही इसकी आदिम संरचना है। यह आदिम संरचना है ज्ञान का आत्मोन्मुख (प्रत्यङ्मुख) उत्क्रमण। उदाहरण के लिए तार्किक प्रत्यक्षवाद को लें, जिसके दार्शनिकों को प्रकटत: इस प्रकार के शब्दों से एलर्जी है। वे दर्शन का कार्य विज्ञान की प्रतिज्ञप्तियों का विश्लेषण-विवेचन मानते हैं। विट्गिंस्टाईन के अनुसार दर्शन दार्शनिक प्रतिज्ञप्तियों का संकलन नहीं है।[1] क्योंकि उनके अनुसार ऐसी कोई प्रतिज्ञप्तियाँ हैं ही नहीं। प्रतिज्ञप्तियाँ उसके अनुसार, विषय-जगत्-मूलक विवरणों से सम्बन्धित हैं। दर्शन का कार्य केवल इन प्रतिज्ञप्तियों का स्पष्टीकरण करना है। कार्नप ने इसी दृष्टि को आगे भाषा के मैटीरियल मोड (विषयोन्मुख विधा) और फोर्मल मोड (आकारोन्मुख विधा) में भेद के रूप में विकसित किया और दार्शनिक प्रतिपादनों को भाषा की आकारोन्मुख विधा कहा। भाषा के अतिक्रामी स्तरों (लेयर्स ऑफ मैटालेंग्वेजिज़) की अनन्त शृंखला-विषयक यह दृष्टि वास्तव में आत्मोन्मुख चैतन्यपरक दृष्टि ही है और कुछ नहीं; किन्तु विट्गिंस्टाईन और प्रत्यक्षवादी इसे चैतन्य की बुद्धि-वृत्ति के रूप में नहीं देखकर भाषागत आकारों के रूप में ही देखते हैं। किन्तु यह केवल पूर्वाग्रह है। वास्तव में इस प्रकार दर्शन की प्रत्यङ्मुख प्रकृति का निरूपण जितना स्पष्ट रूप से तार्किक प्रत्यक्षवादियों ने किया उतना अन्य किसी ने कम ही किया होगा। इसका एक कारण यह भी है कि दर्शन के स्वरूप पर पहले कभी इस आग्रह के साथ विचार नहीं किया गया (यद्यपि इसका कारण यह था कि ये लोग अपने भौतिक विज्ञानाग्रह के कारण दर्शन के कार्य के प्रति सन्दिग्ध-चित्त थे और इस क्रम में उन्होंने इसके लिए एक कार्य खोजा जो, उनके विचार में, विज्ञान की चाकरी का था।) जो भी हो, यहाँ हमारे लिए द्रष्टव्य यह है कि विभिन्न दार्शनिक प्रयत्नों के रूप और मुद्राएँ क्या वास्तव में इस संरचना की ओर अपने निदर्श (मॉडल) के रूप में

1. विट्गिंस्टाईन, लुडविग — **ट्रक्टेटस लोजीको फिलोसोफीकस** 4.112.

संकेत करती हैं? इसके लिए हम हॉब्स के इस कथन को कि 'पत्थर का अस्तित्व है या नहीं, यह उसे ठोकर मार कर देखा जा सकता है' और मूर के इस कथन कि 'यह मेरा दायाँ हाथ है और यह बायाँ हाथ, इसलिए यह सिद्ध है कि बाह्य विषयों का अस्तित्व है' उदाहरण रूप में लेंगे। ये दार्शनिक प्रयत्न गोएथे के उन पौधों का स्मरण दिलाते हैं जिनके पत्ते या तने अपनी अभिवृद्धि के क्रम में बाधित होने से अपने आदर्श आकार को सिद्ध नहीं कर पाते। किन्तु ये कथन यदि दार्शनिक विचार के उदाहरण हैं तो इनमें उसी आधारभूत नियोजक दार्शनिक नियम को अवरुद्ध और विकृत होते दिखायी देना चाहिए जो प्लेटो या कांट में, अथवा नागार्जुन और वसुबन्धु में, स्वस्थ रूप में विकासमान दिखायी देता है। यह बहुत सरलता से देखा जा सकता है। हॉब्स और मूर की ये प्रतिज्ञप्तियाँ तर्कत: डेकार्ट की इस प्रतिज्ञप्ति के अनुरूप हैं कि 'मैं सन्देह कर रहा हूँ, यह असन्दिग्ध है, और इसी से, मैं हूँ यह भी असन्दिग्ध है।' इन तीनों प्रस्थापनाओं में सत्ता का स्वरूप सन्देह-दृष्टि में सन्निविष्ट है और उसी दृष्टि के अन्तर्गत स्वप्रकाशनमूलक असिन्दग्धता के मार्ग से पुन: अधिगत है : हॉब्स को सन्देह है कि क्या बाह्य विषयों का अस्तित्व है? इसके उत्तर के लिए वह बाह्य विषय की अवधारणा की ओर लौटता है और पाता है कि संवेदनमूलक ज्ञान-वृत्ति अपने अस्तित्व के साथ अपने से लक्षित के अस्तित्व के लिए भी प्रमाण है। रसल, बर्कले का अनुसरण करते हुए, हॉब्स द्वारा संवेदन से संवेद्य के अस्तित्व को स्वत:प्रमाण मानने को अयुक्त कहता है। इनमें कौन युक्त है, या कोई भी युक्त है या नहीं, इस पर यहाँ विचार प्रासंगिक नहीं होगा, किन्तु रसल की इस आपत्ति से यह स्पष्ट है कि ये दोनों दार्शनिक पत्थर पर या पत्थर की भौतिक वस्तुता पर विचार नहीं करके ज्ञान के प्रामाण्य पर विचार कर रहे हैं और इसमें किसी असन्दिग्ध आधार को भी अस्पष्टत: स्वीकार कर रहे हैं। केवल हॉब्स और मूर यहाँ रसल की अपेक्षा इस सम्बन्ध में कम स्पष्ट हैं। इस प्रकार बोध की न्यूनता केवल इन दार्शनिकों में ही नहीं मिलती, अन्य बहुत-से दार्शनिकों में भी देखी जा सकती है। किन्तु जिन दार्शनिकों में इस प्रकार का भ्रम नहीं है उनमें भी अपनी दृष्टि के प्रकाश-पथ से स्खलन अनेक स्थलों पर देखा जा सकता है। उदाहरण के लिए डेकार्ट चैतन्य की प्रत्यङ्मुख साक्षात्कारमूलक आत्म-प्रतिष्ठा को मनस्-द्रव्य के अस्तित्व का पर्याय समझ लेता है और तब भौतिक द्रव्य से उसके सम्बन्ध पर ऐसे विचार करता है मानो दोनों भौतिक वस्तुएँ हों, और इस तरह उन्हें पाइनिअल ग्लैंड में सम्पर्क में आते देखता है। वास्तव में दार्शनिक विचार के लिए द्रव्य की कोटि ही अयुक्त है, क्योंकि यह प्राय: ही अपारदर्शी ग्रन्थि का रूप लेने लगती है। इसी प्रकार साँख्य-दार्शनिक पुरुष को स्वरूप-विश्रान्त चैतन्य और प्रकृति को पुरुष-निमित्तिक जड़ क्रियात्मकता के रूप में मानकर इस दृष्टि के अनुकूल पदावली का आविष्कार करने में असमर्थ रहकर रूपकात्मक भाषा का सहारा लेते हैं। किन्तु तब वे बहुत बार यह भूलते दिखायी देते हैं कि वे रूपकों का प्रयोग कर रहे हैं।

संक्षेप में, दर्शन की आदिम आधार-संरचना विचारात्मक चैतन्य की प्रत्यङ्मुख वृत्ति है जो सामान्यतम प्रत्यय के माध्यम से अवधारण या ग्रहण करती है।

यहाँ यह द्रष्टव्य है कि यह आदिम संरचना और अभीप्सा विभिन्न सम्प्रदायों में बहुत भिन्न-भिन्न रूपों में अभिव्यक्त हुई है और संरचनाओं के रूपों में ये भेद एक सीमा तक अभीप्सा के अवधारण में भेद के अनुगामी रहे हैं : कुछ सीमा तक अपनी दृष्टि के आशय के ग्रहण में भेद के और कुछ सीमा तक सांस्कृतिक स्वभाव-जन्य भेद के। उदाहरण के लिए प्लेटो के पार्मेनिडीज़ और नागार्जुन की **विग्रह-व्यावर्तनी** दोनों में वस्तु-स्वभाव की द्वन्द्वात्मकता का बोध लक्षित होता है। इस प्रकार ये दो दार्शनिक अपनी संरचनात्मक दृष्टियों में एक बिन्दु पर पहुँचते प्रतीत होते हैं। किन्तु इनमें उपर्युक्त तीनों दृष्टियों से गम्भीर अन्तर है जिससे इनकी कृतियों के रूप भी बहुत भिन्न हो गए हैं। यह रूप-भेद इस बात में नहीं है कि प्लेटो विकल्प-द्वन्द्व को भाव के दो पक्षों के रूप में देखते हैं और नागार्जुन विकल्प-द्वन्द्व को निस्स्वभावता-सूचक देखते हैं। इसके अतिरिक्त है इनके द्वारा तर्क, प्रमाण आदि उपकरणों के महत्त्व और इनकी प्रयोग-विधियों में अन्तर। तुलनात्मक दार्शनिक अध्ययन का कार्य वास्तव में यही है कि वह देखे कि दो संस्कृतियों की दार्शनिक दृष्टियों अथवा दो संस्कृतियों के दार्शनिकों की दार्शनिक दृष्टियों में आदिम संरचना तथा आदिम अभीप्सा की अभिव्यक्तियाँ किस प्रकार परस्पर भिन्न हो रही हैं। इसके

विपरीत हमारे द्वारा जो तुलनात्मक अध्ययन किये गए हैं उनमें किसी भारतीय दार्शनिक को किसी पाश्चात्य दार्शनिक के अनुरूप देखने का प्रयत्न किया गया है, जिसका कोई अर्थ नहीं है। वास्तव में दो संस्कृतियों में प्रतिष्ठित दो दार्शनिकों में बहुत गम्भीर अन्तर रहते हैं, जिसके कुछ उदाहरण हमने पीछे प्रस्तुत किये हैं। इस प्रकार का अध्ययन करने की सर्वोत्तम विधि दूसरी है और वह यह है कि एक संस्कृति में निष्णात दार्शनिक दूसरी संस्कृति के दार्शनिक के मूल अवधारण, या कहें मूल प्रत्यय के अन्तर्गर्भ में अपने को प्रतिष्ठित कर उसको ग्रहण करे और उस ग्रहण के उन अन्य आयामों और अन्य सम्भावनाओं का अवगाहन करने का प्रयत्न करे जिनको अध्येय दार्शनिक अपने सांस्कृतिक और व्यक्तिगत पूर्वाग्रहों के कारण देख नहीं पाया। इस प्रकार का अध्ययन विभिन्न संस्कृतियों में परस्पर संवाद की सम्भावनाओं का पथ भी प्रशस्त करेगा। इस प्रकार का एक सहज उदाहरण बौद्ध दृष्टि के चीनी और जापानी अवधारणों में देखा जा सकता है। ये तीन रूप बहुत सीमा तक एक ही प्रत्यय या अवधारण के तीन विकार कहे जा सकते हैं। किन्तु यह तुलनात्मक अध्ययन नहीं होगा। तुलनात्मक अध्ययन इन तीन विकारों को एक ही मूल से उद्भूत और पृथक् होते हुए देखने में होगा।

2
चित् की आत्मगवेषणा

प्राक्कथन

चित् दैहिक, ऐन्द्रिक, मानसिक, बौद्धिक और अतिबौद्धिक प्रज्ञात्मक चेतना–वृत्तियों के रूप में प्रवर्तित होकर अपने लिए अर्थों : विषयों : को प्रस्तुत करता है, जो अर्थ इसे परतया प्राप्त होते हैं। अर्थों की यह परता चित् की स्वकीय परता ही होती है, यह ज्ञान में उनकी अपूर्ण या सदोष ग्राह्यता तथा इष्टता–अनिष्टता से सिद्ध होता है। यह और भी स्पष्ट चेतना के आत्मचेतन रूप से होता है, जिसमें यह स्वयं आत्म को विषय रूप में असम्यक्त: ज्ञेय और अवांछित चित्त–वृत्तियों के रूप में दुस्साध्य पाता है। आत्मा को 'जानने' और 'चित्त–वृत्तियों का निरोध करने' के परामर्श इसके प्रमाण हैं। इस प्रकार हमारी सम्पूर्ण ज्ञान–साधना और पुरुषार्थ–साधना चित् के इस आत्म–व्यवधान के निवारण के, चित् की आत्म–गवेषणा के, प्रयत्न ही कहे जा सकते हैं। चित् का यह आत्म–व्यवहितत्व, उसका यह आत्मगत–आत्मेतरत्व कितना इतर, कितना मलों–कर्दमों से आलिप्त और भ्रान्तियों–भटकावों का हेतु होता है यह हम अपने सुदीर्घ पाशव इतिहास से और मानव–सभ्यताओं के इतिहास से देख सकते हैं। किन्तु इसीके अन्तराल में चेतना क्रमश: जड़ से वानस्पतिक, वानस्पतिक से पाशव और पाशव से मानव के सोपान तक उठती और मनुष्य में नैतिक, आध्यात्मिक और सृजनात्मक तथा अनुसन्धानात्मक शिखरों की ओर उठती भी दिखायी देती है। **तत्त्व–चिन्तन** पुस्तक के 'जगत्–चिन्तन' और 'मृत्यु–चिन्तन' तथा 'इतिहास–दर्शन' आदि लेखों में और इस संकलन के सभी लेखों, विशेष रूप से 'चित् की आत्मगवेषणा' और 'सत्य' तथा 'नैतिक बोध' लेखों में इस द्वन्द्व को समझने का प्रयत्न किया गया है। सैद्धान्तिक विवेचन की दृष्टि से ये लेख **तत्त्व–चिन्तन** में संकलित 'सत् की चिन्मयता', 'जगत्–चिन्तन', 'मृत्यु–चिन्तन' और 'आत्म–चिन्तन' लेखों की शृंखला में देखे जा सकते हैं। यों इस शृंखला का आरम्भ **चिद्विमर्श** पुस्तक में संकलित 'आत्म–अनात्म' लेख से होता है जिसकी अगली कड़ियाँ **चिद्विमर्श** के कुछ लेख तथा **सत्ताविषयक अन्वीक्षा, मूल्यतत्त्व–मीमांसा, तत्त्व–चिन्तन** पुस्तकें और यह संकलन हैं।

इस बोध का मूल मेरे अपने भीतर अपने सम्यक् अर्थ से अलंघ्य जैसे बने व्यवधान की पीड़ा में और अपने चारों ओर दिखायी देने वाले मनुष्य के छल–छद्म और वैयक्तिक तथा सामूहिक–सामाजिक जीवन के आसुरी भाव से उपजी खिन्नता में है। यह व्यवधान एक ओर ज्ञानात्मक है और दूसरी ओर मूल्यात्मक। इन दोनों ही अर्थ–रूपों के अवगमन का, अथवा कहें व्यवधान को हटाने का, हम जितना ही प्रयत्न करते हैं ये उतने ही दुरूह और गुह्य होते चले जाते हैं। इनमें ज्ञानात्मक अर्थों की गुह्यता जबकि इनके याथार्थ्य के अवगमन की चुनौती ही प्रस्तुत करती है इसलिए विस्मयजनक होती है, आन्तर अर्थों की कुहराच्छन्नता और गुह्यता उद्विग्नताजनक होती है, क्योंकि ये आत्मा की स्वयं अपनी अपने से दूरी, अपने से अपनी परता और वैपरीत्य दिखाते हैं।

ये अर्थ तीन आयामों में उद्भूत होते हैं—वैश्व, वैयक्तिक और सामाजिक। इनके वैश्व आयाम पर हमने यहाँ पहले पाँच लेखों में और वैयक्तिक–सामाजिक आयाम पर 'सत्य' तथा 'नैतिक बोध' शीर्षक लेखों में विमर्श किया है।

'बाह्यार्थ प्रामाण्य–विचार' लेख डॉ. अम्बिकादत्त शर्मा की पुस्तक 'बौद्ध प्रमाण–दर्शन' की भूमिका के रूप में लिखा गया था, किन्तु उसकी सीमा से स्वतन्त्र रूप से ही लिखा गया था। वह भूमिका स्वतन्त्र लेख के रूप में **उन्मीलन** के जुलाई 2006 के अंक में 'प्रामाण्य–विचार' शीर्षक से प्रकाशित हुई। यहाँ उसके शीर्षक में 'बाह्यार्थ' शब्द और जोड़ दिया गया है, क्योंकि इस संकलन में इसके आगे जो दो लेख संकलित हैं उनमें भी प्रामाण्य–विचार है जो उनसे भिन्न रूप के अर्थों का है जिन के प्रामाण्य पर इस लेख में विचार हुआ है। दार्शनिकों ने प्रामाण्य–विचार अर्थों के बाह्य आयाम के संदर्भ में ही किया है। किन्तु आन्तर अर्थ भी अपने प्रामाण्य की

अपेक्षा करते हैं, और उनका प्रामाण्य बाह्यार्थों के प्रामाण्य से कहीं अधिक जटिल होता है। उन पर 'सत्य' और 'नैतिक बोध' शीर्षक लेखों में विचार हुआ है। 'नैतिक बोध' लेख डॉ. राजवीर सिंह शेखावत द्वारा संपादित भारतीय नीति-मीमांसा पुस्तक के लिए लिखा गया था। वहाँ यह 'भारतीय नैतिक चिन्तन' शीर्षक से प्रकाशित हुआ है। किन्तु इसमें किसी भारतीय दार्शनिक ग्रंथ या संप्रदाय को विषय नहीं बनाया गया है बल्कि भारत की आत्मा को, जैसा हमने देखा-समझा, विषय बनाया गया है। अंतिम लेख 'संस्कृति, विज्ञान और दर्शन' यद्यपि इस शृंखला से बाहर है, वह 2007 के अन्तरराष्ट्रीय दर्शन-दिवस के उपलक्ष में दर्शन विभाग, राजस्थान विश्वविद्यालय, जयपुर में दिया गया व्याख्यान है, किन्तु यहाँ यह भी संकलित कर दिया गया है।

इन लेखों के लिखने के क्रम में मुकुंद जी इनके निरन्तर समीक्षक-परीक्षक रहे हैं, जिससे मैं लाभान्वित हुआ। अब यदि कोई और पाठक इन्हें पढ़कर यह लाभ मुझे देते हैं तो मैं उनके प्रति भी आभारी होऊँगा।

— यशदेव शल्य

14.12.2008
पी-51, किसान मार्ग,
जयपुर-302015
दूरभाष - 2707493

विषयी और विषय :
चिद्गत अर्थोन्मीलन के आयाम

चेतना सहज स्वभाव से ही अर्थात्मतया प्रवर्तित होती है। ये अर्थ प्रस्तुत होते हुए विषय और इन अर्थों की ओर उन्मुखता इसकी विषयिता कही जा सकती है। चेतना की यह उन्मुखता देह-वृत्ति, इन्द्रिय-वृत्ति, अन्त:करण-वृत्ति और बुद्धि-वृत्ति का रूप लेती हुई अहंकार-वृत्ति के द्वारा इन्हें एक सावयवता में व्यवस्थित करती है। देह, चक्षु, हस्त-पादादि तथा मस्तिष्क आदि इन वृत्तियों के भौतिक उपकरण अर्थों की भौतिकता के प्रतियोगी रूप से आविर्भूत होते हैं, अथवा कहें, चेतनागत भौतिकताधर्मी अर्थों के प्रति चेतना की उन्मुखता इसके देहेन्द्रियात्मक भौतिक अवतरण की हेतु बनती है। इन विषयों अथवा अर्थों को प्रतिभास भी कहा गया है। तब विषयी को चेतना की वह वृत्ति कहा जा सकता है जिसमें ये विषय-प्रतिभास प्रतिभासित होते हैं। चेतना में घटित इस घटना, या प्रवर्तन, या उन्मेष को विज्ञप्ति और विज्ञप्त अर्थ भी कहा गया है, ग्राहक-ग्राह्य-भाव भी कहा गया है, जो युगपद् रूप से रहते हैं। विषयि-विषय भाव का आद्यतम रूप देहेन्द्रिय-वृत्ति : विषयी : और उसमें दैशिक वस्तु-प्रस्तुति : विषय : रूप में उपलब्ध होता है। दार्शनिकों ने प्राय: चेतना के इसी रूप को विषयि-विषय-भाव के रूप में देखा है। इस वृत्ति में विषय स्वतन्त्र सद्वस्तु रूप में प्रस्तुत होता है, जो वस्तु स्वायत्त रूप से बाह्य देश में रहती है। किन्तु देश इसे इन विषयों के गुण के रूप में ही प्रस्तुत नहीं होता, वह एक अन्य सत्ता के गुण के रूप में भी प्रस्तुत होता है जो युगपद् रूप से इन विषयों और इनके विषयी की धारक बनती है। यह सत्ता जगत् कही जाती है। इस सत्ता को 'विषय' कहना, या विषयों का आश्रय कहना, युक्त नहीं होगा। इसे चेतना के देहात्मतया प्रवर्तन का हेतुभूत भाव कह सकते हैं जो युगपद् रूप से देह, इन्द्रिय, अन्त:करण और बुद्धि रूप में व्यक्त विषयिता की और उसके विषयों की प्रतिष्ठा बनता है। अवश्य विषयी जगत् का अतिक्रमण भी कर सकता है, किन्तु केवल ऐसा विषयी ही यह अतिक्रमण कर सकता है जो आत्मचेतन होकर अपना भी अतिक्रमण कर सकता है। जगद्भावेन प्रवर्तित विषयी यह नहीं कर सकता।

चेतना के विषयतया, अथवा कहें जगद्भाव, से प्रवर्तन का आद्यतम स्फुट रूप ऐन्द्रिक होता है, किन्तु यह स्फुटता चेतना में क्रमश: ही विकसित होती देखी जाती है। इस विकास के साथ ही विषयों का रूप-वैविध्य आविर्भूत होता है। एक-ज्ञानेन्द्रियात्मक चेतना : या विषयी : के और पंच-ज्ञानेन्द्रियात्मक चेतना के, इसी प्रकार कर्मेन्द्रिय-रहित (वानस्पतिक) चेतना और कर्मेन्द्रियात्मक चेतना के, और पुन: सींग, नख-दन्त आदि युक्त और इनसे रहित किन्तु अंगुलियों से युक्त चेतना के विषयों के रूप में, अथवा कहें इनके विषय-जगतों में, अन्तर होना अनिवार्य है। इन ज्ञानेन्द्रियों और कर्मेन्द्रियों का नियामक अन्त:करण होता है, जो इन्हें विषय की एकता में एकीकृत करता है। इन्द्रियों को अन्त:करण का ही विषयोन्मुख प्रसरित आयाम भी कह सकते हैं। ये 'आन्तर' और 'बाह्य' विशेषण देशवाची हैं और देश स्वयं अन्त:करण और इन्द्रियों के जगद्भाव से क्रियान्वयन के क्रम में आविर्भूत होता है। इस बाह्यत: प्रवर्तन के लिए चेतना देहाधिष्ठित होती है, जो देह युगपद्रूप से दैशिक और इसे प्रस्तुत विषयों की दैशिकता की हेतु होती है। ज्ञानेन्द्रियाँ और कर्मेन्द्रियाँ इसी को आश्रित करती हैं और अन्त:करण के बाह्योन्मुख प्रवर्तन में इसकी उपकरण बनती हैं।

देह वैयष्टिक होती है, जो व्यष्टिता चेतना में अहंकार वृत्ति से अस्मद्भाव और कर्तृभाव तथा ज्ञातृभाव के रूप में उदित होती है। ये भाव अनात्मचेतन चेतना में आत्मविदित नहीं रहते, किन्तु अतिक्रामी रूप[1] से उसमें जगद्भाव की सिद्धि के क्रम में देह और अन्त:करण के हेतु बनकर उसे देहात्मतया कर्तृ और भोक्तृ रूप में

---

1. 'अतिक्रामी' शब्द का प्रयोग हमने कांट के 'ट्रॉसेडेंटल' के अर्थ में किया है, अर्थात् वे चिद्गत आकार जिनमें आकारित होकर इन्द्रियानुभव विषय बनता है।

नियोजित करते हैं। देहात्म-वृत्ति के रूप में यह देह देशगत विषय-जगत् की नियोजक केन्द्र बनती है।[1] यह विषय-जगत् बाह्य देश में बाह्य वस्तु-सत् के रूप में प्रस्तुत होता है। इस प्रकार स्वायत्त वस्तुता इस विषय का स्वरूप-धर्म होती है। इसके अनुसार इस विषयता के याथार्थ्य के कुछ अपने नियम होते हैं—जैसे, ये विषय बाह्य देश में देह से पृथक् और अन्य इन्द्रिय-विषयों से परस्परत: पृथक् दैशिक सम्बन्धों के साथ अवस्थित होते हैं एवं परित: प्रेक्ष्य, सबके लिए प्रेक्ष्य, अस्वचालित, किंचित् काल-स्थायी आदि स्वभाववान् होते हैं। इस प्रकार विज्ञप्तियों में अवभासित अर्थ विज्ञप्ति मात्र नहीं होते बल्कि उसी प्रकार चिद्गत भौतिक सत् होते हैं जिस प्रकार विज्ञप्तियाँ चिद्गत विज्ञप्ति-सत् होती हैं। इस प्रतिपादन को कुछ लोग चतुराई कह सकते हैं, किन्तु ऐसा कोई तभी कह सकता है यदि वह इस प्रतिपादन का सम्यक् अर्थ नहीं समझता। यहाँ हम इसका स्पष्टीकरण करने का प्रयत्न करेंगे।

वसुबन्धु ने विज्ञप्तिगम्य अर्थ : विषय-सत्ता : को विज्ञप्ति में ही अन्तर्भूत करने में यह युक्ति दी है कि इसका वर्ण, आकार, ठोसपन, देशावस्थिति आदि विज्ञप्तिगत गुण ही होते हैं, उससे स्वतन्त्र कुछ नहीं होते। किन्तु ये गुण भिन्न-भिन्न इन्द्रियाश्रित विज्ञप्तियों के विज्ञप्त होते हैं, जबकि अवभासित अर्थ में ये सब : विभिन्न इन्द्रियों द्वारा ग्राह्य विभिन्न गुण : एकत्र व्यवस्थित होकर अपने से अतीत सत्ता के गुणों के रूप में गृहीत होते हैं। इस प्रकार ये अर्थ विज्ञप्ति मात्र तो नहीं ही होते।[2] यदि कहें कि अन्त:करण इन्हें यह ऐक्य देता है जिसे कांट यूनिटी ऑफ अप्पर्सेप्शन कहते हैं, तो प्रश्न होगा कि अन्त:करण यह ऐक्य-विधान तो कर सकता है किन्तु इस ऐक्य से वस्तु-विधान कैसे कर सकता है? विज्ञप्तिगत ऐक्य दीवार का दृष्टिगत पक्ष तो दे सकता है, पर उसका दृष्टि से ओझल पक्ष कैसे दे सकता है, जो कि दीवार के दीवार होने के लिए उसके वर्णयुक्त और ठोस होने जितना ही अनिवार्य है? अवभासित अर्थ की यह परिप्रेक्ष्यात्मकता : दृष्टि-अगत पक्षों की दृष्टिगत पक्षों के समान ही अस्तित्ववानता : उसमें पूर्वगृहीत स्वधर्म रूप से रहती है। निश्चय ही ऐसे विषय भी होते हैं जो इसी प्रकार भासित होते हैं किन्तु वस्तुत: ऐसे नहीं होते, जैसे स्वप्न के विषय, किन्तु इन विषयों की अयथार्थता उनमें यथातथ अर्थों के पूर्वगृहीत स्वधर्म की अपूर्ण उपलब्धि में ही रहती है। कांट, दिङ्नाग और धर्मकीर्ति ने इस पूर्वग्रह के स्वरूप को देखा था किन्तु इसे समझने में वे असमर्थ रहे। निश्चय ही विषयों या अर्थों की यथार्थता विषयी से उनकी स्वतन्त्र सत्ता को अनिवार्यत: पूर्वगृहीत करती है, किन्तु यह यथार्थता चिद्गत वस्तुभाव में अतिक्रान्ततया (ट्राँसेंडेंटल रूप में) निहित रहती है। इस चिद्गत वस्तु-भाव का मूल चित् के जगद्भाव से प्रवर्तन में रहता है। इस बात को *ईशावास्योपनिषद्* के शब्दों में, जिनका वहाँ लगभग विपरीत अभिप्राय है, सम्यक् रूप से इस प्रकार कहा जा सकता है—"परिभू: स्वयंभू: याथातथ्यतोऽर्थान् व्यदधाच्छाश्वतीभ्य: समाभ्य:"—वह परिभू स्वयंभू चित् जगद्भाव से प्रवर्तित होकर विभिन्न जीव-जातियों और तदन्तर्गत व्यष्टियों के रूप में विषयी और उनके विषय बनता है और उन विषयों को उनके अपने-अपने याथातथ्य में प्रतिष्ठित करता है।

यहाँ कहा जा सकता है कि 'वसुबन्धु द्वारा ग्राह्य-ग्राहक भाव के मिथ्यात्व- प्रतिपादन में भी विषय की इस वस्तुता का निषेध अभिप्रेत नहीं है और न कांट द्वारा विषय की वस्तुता को प्रागनुभविक अतिक्रामिता (ट्राँसेंडेंटल अ-प्रायराई) में अन्तर्भूत करने में इसका निषेध अभिप्रेत है', उन्हें केवल वस्तु की वास्तवता की अतिसत्ता (ट्राँसेंडेंटनेस) का अस्वीकार ही अभिप्रेत है, तो हम कहना चाहेंगे कि उस अवस्था में वसुबन्धु द्वारा अर्थों को असत् कहने और कांट द्वारा अतिसत् स्वलक्षण वस्तु (ट्राँसेंडेंट थिंग इन इट्सेल्फ) को विषयाधार के रूप में देखने

1. इस नियोजन के स्वरूप का विवेचन हमने *विषय और आत्म* पुस्तक के 'विषय' शीर्षक अध्याय में किया है।
2. द्रष्टव्य है कि वसुबन्धु ने इस सबका अपने सिद्धान्त में आकलन किया है और इसकी व्याख्या भी की है। इस पर देखें हमारी पुस्तक *प्रमुख भारतीय और पाश्चात्य दर्शन-धाराएँ* में हमारा लेख 'वसुबन्धु का विज्ञानवाद।' किन्तु यहाँ हम इसकी उपेक्षा कर रहे हैं।

का भी कोई औचित्य नहीं रह जाता। हम जो देख रहे हैं वह *तैत्तिरीय उपनिषद्*[1] के 'एकोऽहम् बहुस्याम्' के अनुरूप है, जिसमें एक चित्-सत् युगपद् रूप से विषयी और विषय होता है और यह विषय यथार्थ वस्तु होता है। हमारे प्रतिपादन के औचित्य को देखने के लिए विषयिता के ऐन्द्रिक स्तर से उत्तरतर स्तर : बुद्धिग्राह्य अतीन्द्रियता के स्तर : को देखना उपयुक्त होगा।

इस विषयिता के विषयों को सहज रूप से ही लोग, और प्राय: सब दार्शनिक भी, 'कल्पनाएँ' ही मानते हैं, क्योंकि इनकी अवस्थिति बाह्य देश में नहीं होती, और इसी पूर्वग्रह के कारण ये बाह्य विषयों : अर्थों : को भी वस्तुत: अबाह्य दिखाकर उन्हें असत् कहते हैं। किन्तु गोत्व आदि जातियाँ और घटत्व, काव्यत्व, दर्शनत्व, कर्त्तव्य, धर्म, सद्-श्रेयस्, संस्थाएँ, संस्कृतियाँ आदि विभिन्न स्तरीय प्रत्यय, ये सब भी विषय होते हैं जिन की वास्तवता-याथार्थ्य के अपने निकष होते हैं। प्लेटो ने इन्हें ही वास्तव देखा था और इन्द्रिय-विषयों को अवास्तव देखा था, जो उतना ही अयुक्त है जितना इन्द्रिय विषयों को वास्तव और बुद्धि-ग्राह्य अतीन्द्रिय विषयों को अवास्तव : विकल्प : देखना। वास्तवता-अवास्तवता की यह धारणा जगद्भाव से प्रवर्तित जैव प्रवृत्तिमूलक है, अन्यथा इसके लिए कोई युक्ति नहीं है। उदाहरणत: जैव जाति इन्द्रिय-ग्राह्य नहीं होती किन्तु उतनी ही वास्तव होती है जितनी व्यष्टि-देह। किन्तु वास्तवता विषयक इसी पूर्वग्रह के कारण दार्शनिकों ने जाति को वास्तव नहीं माना और नैयायिकों ने माना तो उसे प्रत्यक्षगम्य कहकर। अब जो जाति की ही वास्तवता नहीं देख सकते वे प्रत्ययों की वास्तवता कैसे देखेंगे?

दार्शनिक प्राय: ऐन्द्रिय विषयों से ही निगृहीत रहे हैं और उन्हीं को वास्तवता का मानदण्ड मानकर उनके ग्राहक चिद्व्यापार तक को कल्पना, आरोप, अध्यास आदि मानते रहे हैं, और जिन्होंने इन विषयों को भी चिद्व्यापार ही पाया, उन्होंने इन्हें भी काल्पनिक और असत् कह दिया। अब, इन्द्रियाँ व्यष्टियों को ही विषय करती हैं, इसलिए जिन्होंने इनके विषयों को सत् माना उन्होंने उन जातियों को सत् मानने से इन्कार कर दिया जो व्यष्टियों की सम्भावना के रूप में चिदुदधि या आलय चेतना में प्रत्यय रूप में रहती हैं। ये जातियाँ वैयष्टिक देहेन्द्रियों के समान ही विषयी भी होती हैं और वैयष्टिक विषयिताओं में ही अतिक्रामी निर्धारिक रूप में व्यक्त होती हैं। जैसे सुरेश और रमेश की विषयिता परस्पर व्यावर्तक रूप में वैयष्टिक होती है किन्तु श्वानों की विषयिता की व्यावर्तक के रूप में ये दो विषयिताएँ जातीय रूप से एक भी होती हैं। कांट जब विषय-स्वरूप-निर्धारक कोटियों (केटेगरीज़ ऑफ अण्डरस्टैंडिंग) की बात करते हैं तब व्यक्ति चित्त-ग्राह्य सुरेश की कोटियों की बात नहीं करते, जो कोई भी नहीं कर सकता, वे मानव-जातीय विषय-स्वरूप-निर्धारक कोटियों की बात ही करते हैं, जो कि रमेश और सुरेश दोनों के लिए समान हैं। किन्तु द्रष्टव्य है कि इसके बावजूद वे प्रत्ययों और जातियों की वास्तवता स्वीकार नहीं करते।

अब तक हमने विषयी और विषय की जो चर्चा की उसमें विषयी को विषयोन्मुख पाया। विषयी को ज्ञाता और विषय को ज्ञेय भी कहा जाता है। यह विषयी अपने को नहीं जानता, केवल विषय को जानता है, ऐसा कहा जाता है। उपनिषद् ने कहा है—ज्ञातारं रे केन विजानीयात्? उसके अनुसार, वह आँख से देखता है किन्तु आँख उसे नहीं देख सकती, अपने को भी नहीं देख सकती। अवश्य वेदान्त में इस ज्ञाता को प्रत्यगात्म और अविषय कहा गया है, किन्तु इस पर अपेक्षित विचार किया गया नहीं दिखायी देता। यहाँ हम इस पर विचार करने का प्रयत्न करेंगे।

जैसाकि अब तक के हमारे विवेचन से स्पष्ट है, यह ज्ञाता विषयी आत्मचेतन नहीं होने पर प्रत्यगात्म नहीं होता, यह पराङ्मुख ही होता है और बहुत कुछ परागात्म भी होता है। उसका आत्मभाव देह तक सीमित होता है, जिसे केन्द्र कर यह आत्म-पर का भेद करता है, किन्तु इस आत्म (देहात्म) को भी वह 'जानता' नहीं है, क्योंकि

1. यहाँ यह ध्यातव्य है कि उपनिषदों के इन उद्धरणों से यह नहीं समझना चाहिए कि ये उपनिषदों के अभिप्रेत अभिप्राय की अनुसारिता में उद्धृत हैं। यहाँ ये उनसे स्वतन्त्र अर्थ में उद्धृत हैं। वह अर्थ इस प्रसङ्ग के अनुसार ही समझना चाहिए।

यह जानने के लिए उससे परावर्तन और इस प्रकार प्रत्यक्ता अनिवार्य है। वह अपनी देह को भी आत्म रूप में : *अपनी* देह के रूप में : *जानता* नहीं है, इसका प्रमाण यह कहा जा सकता है कि वह दर्पण में अपने बिम्ब को 'अपने बिम्ब' के रूप में नहीं पहचानता। इस प्रकार यह पराङ्मुख विषयी नितान्त अविषय ही रहता है। शंकर ने *ब्रह्मसूत्र-भाष्य* के आरम्भ में अध्यास की बात करते हुए विषयी के लिए कहा है—नायमेकान्तेनाविषय:, अहं-प्रत्ययगोचरत्वात्। किन्तु यह आत्मा आत्म-प्रत्यय-गोचर कैसे होता है और इस गोचरता का क्या अर्थ है? फिर जिसे वे अनिषेध्य आत्मा कहते हैं वह यह गोचर आत्म है या अगोचर अविषय आत्म? इस सबके बारे में वे कुछ नहीं कहते, क्योंकि उनके सम्मुख ये प्रश्न ही नहीं हैं। किन्तु ये ऐसे आधारभूत प्रश्न हैं जिनकी ओर उनका ध्यान जाना चाहिए था।

चेतना के लिए आत्म उसके आत्मचेतन होने पर ही प्रत्यय-गोचर होता है। चेतना का यह आत्मचेतन होना उसका पराङ्मुख से प्रत्यङ्मुख होना है, जो होने पर वह अपनी विषयिता का उच्चतर विषयिता में उत्क्रमण करती है और इस विषयिता को विषय बनाती है। यह ज्ञाता द्वारा अपने को जानने जैसा है। यह उत्क्रमण उसके देह, इन्द्रिय, अन्त:करण और बुद्धिगत आत्म को भी विषयी के साथ विषय भी बना देता है। इससे यह चेतना देह के द्वारा जगत् में आत्म-प्रतिष्ठ होती है, किन्तु वह देह को अपनी देह के रूप में भी देखती है और दैशिक विषय के रूप में भी देखती है। ऐसा ही इन्द्रियों, आवेगों-अनुभूतियों, भावनाओं और विचारों के लिए भी होता है, जो विषयिताएँ हैं किन्तु इस उत्क्रामी विषयिता के लिए विषय भी हो सकती हैं।

यहाँ प्रश्न हो सकता है कि ये विभिन्न विषयिताएँ और इनसे समवाय सम्बन्ध से संयुक्त आत्मभाव इन सब विषयिताओं को एक आत्मभाव में कैसे समाहित कर पाता है? यह आत्मभाव अनात्मचेतन चेतना में भी लक्षित होता है, जो उसके देह और इन्द्रियों की आवयविकता में अपने को व्यक्त करता है। इसे एक गुह्यतम रहस्य कहा जा सकता है कि चेतना में यह कैसे आविर्भूत होता है? किन्तु यह चेतना के प्रवर्तन की पूर्वापेक्षा है, क्योंकि इसके बिना कोई जैव क्रिया नहीं हो सकती—गाय गोत्व में और गोत्व जीवत्व में प्रतिष्ठित है और ये चेतना के जगद्भाव में प्रवर्तन के उतने ही वास्तव धर्म हैं जितना गाय व्यष्टि, किन्तु ये धर्म गाय-व्यष्टिता में निष्पन्न हुए बिना अर्थ—क्रियाकारी नहीं हो सकते। मूल जैव धर्म : संवेदन : जीवत्व और गोत्व दोनों स्तरों की धर्मिताओं के साथ व्यष्टि-गायों में विशिष्ट होता है और इसी वैशिष्ट्य के साथ वह देह-धारण करता और गाय का 'आत्मा' बनता है। इस प्रकार यह कहना कि गाय का व्यष्टि-रूप में ही अस्तित्व है, ठीक नहीं होगा, किन्तु यह ठीक है कि प्राण के प्रवर्तन के लिए इन सामान्यताओं को व्यष्टि-विशिष्ट होना होता है और यह व्यष्टि-वैशिष्ट्य विशिष्ट अस्मिता-भाव युक्त होता है। किन्तु यह वैशिष्ट्य भी आत्यन्तिक नहीं होता—बहुत से कृमि-कीटों में यह मात्र देह-पर्यन्त ही होता है, चित्त के स्तर पर ये निर्वैयष्टिक : जातीय : ही होते हैं, जबकि अन्य अधिकांश कृमियों में यह मन (आवेग) और बुद्धि (उपाय-बुद्धि) पर्यन्त होता है। आत्म-प्रत्यय का स्तर यह केवल आत्मचेतन चेतना में ही प्राप्त करता है, जो चेतना प्रत्यगात्म होकर आत्मा को प्रत्यय-गोचर बना सकती है। यह चेतना एक-साथ विषय की ज्ञापक और विषयी की प्रकाशक होती है और इस प्रकार इस विषयिता के विषय हो सकने की सम्भावनाओं से गर्भित रहती है।

चेतना की विषयिता में यह उत्क्रामिता एक ओर विषयों को अपार और अनवगाह्य याथातथ्य देती है और दूसरी ओर उन्हें उनकी स्वप्रतिष्ठ वस्तुता देती है। यह हम दैशिक विषयों में अधिक सहज रूप में देख सकते हैं, जो इस चेतना के लिए भौतिक वस्तुओं में रूपान्तरित हो कर उपादेय अर्थों से गर्भित उपादान बन जाते हैं और अपने स्वतन्त्र याथातथ्य से मण्डित होकर विज्ञान के गवेष्य हो जाते हैं। परिभू-स्वयंभू चेतना गाय के लिए घास को केवल भक्ष्यता का याथातथ्य देती है जबकि मनुष्य के लिए इसके याथातथ्य की कोई थाह नहीं होती। इन्द्रियमूलक विषयता में इस आमूल भेद से कहीं अधिक मूलगामी भेद विषयता के सर्वथा नये आयामों के आविर्भाव में लक्षित होता है। ऊपर जैसाकि हमने देखा, यह चेतना सर्वाधिक मूलगामी रूप से भिन्न जिस विषय की ज्ञापक बनती है वह है आत्मा, जो इस इन्द्रियगम्य लोक से कहीं अधिक गहन और विशाल अर्थराशियों के

लोकों को प्रकट करती है। ईश्वर, देवता, स्वर्ग-नरक आदि मृत्यूपरान्त के आवास, कर्त्तव्याकर्त्तव्य बोध तथा तन्मूलक समाज, सद्-असद्, ये सब आत्म प्रत्यय : विषय रूप में ज्ञेय आत्मा : की ही अन्तर्गर्भ अर्थ-राशियाँ हैं। और यदि थोड़ा और गहराई से देखें तो संस्कृतियों-सभ्यताओं के अपार विस्तार भी इसी के अर्थों के अवगाहन और चरितार्थन के रूप हैं। इन अर्थों का ग्रहण इन्द्रियार्थों के समान ही सत्य, मिथ्या और सम्यक्-असम्यक् होता है, केवल इसका सत्यासत्य निर्णय वैसा सहज नहीं होता। इसी प्रकार ये परिप्रेक्ष्यात्मक भी होते हैं। इनकी परिप्रेक्ष्यात्मकता और सत्य-मिथ्यात्व आदि कैसे होते हैं इसे एक उदाहरण से देखना उपयुक्त होगा। नीत्शे के अनुसार, "धर्म-बोध (नैतिकता) व्यक्ति में एक समूहपरक प्रकृत बोध है (मॉरेलिटी इज़ दि हर्ड इंस्टिंक्ट इन दि इंडिविडुअल)।" अब यह धर्म-बोध विषयक वैसा ही भ्रम है जैसा सर्प-रज्जु-भ्रम, यदि धर्म-बोध को मनुष्यता का व्यावर्तक लक्षण मानें तो, जैसा कि मानना युक्त है। किन्तु इसका युक्त स्वरूप देख लेने पर भी इस विषयक अनेक दृष्टियाँ हो सकती हैं—हैं ही। इस प्रकार इन अर्थों का सत्ता-स्वातन्त्र्य इन्द्रियार्थों से अधिक ही ठहरता है, केवल इनकी सत्ता दैशिक नहीं होने से हम उन्हें व्यक्ति-मनोमूलक कल्पनाएँ या भाषा-रूढ़ कल्पनाएँ (विकल्प) मान लेते हैं। यदि ऐसा हो तो इनको लेकर मतभेद का कोई अर्थ नहीं रहता और परम्पराएँ नहीं बन सकतीं।

इस प्रश्न पर थोड़ा आगे विचार अपेक्षित है—ऊपर हमने देखा कि अर्थों की अर्थता उनके प्रस्तुत होने मात्र में होती है। उदाहरणत: स्वप्नगत अर्थ अथवा भ्रान्तिमूलक अर्थ उतने ही 'अर्थ' होते हैं जितने जागृतिमूलक और निर्भ्रान्त अर्थ। किन्तु विचित्र बात है कि जागृतिमूलक और क्रियाकारी इन्द्रियार्थ भी दार्शनिकों द्वारा मिथ्या कहे गये हैं और बहुत बार जनसाधारण भी प्रथमत: यथातथ रूप में दृष्ट अर्थों को अनन्तर अयथातथ पाते हैं, जैसे छेद वाले बर्तन का छेद नहीं देख या दिख पाना, भला दीखने वाले व्यक्ति का पीछे भला सिद्ध नहीं होना। किन्तु यथार्थ इन्द्रियार्थों का मिथ्या-ख्यापित रूप उनका रूपान्तरित रूप होता है जो विषयिता के स्तरान्तर का द्योतक होता है। यहाँ यह द्रष्टव्य है कि अर्थों के सत्य और असत्य का भेद पाशव ग्रहणों में भी रहता है और इस भेद को पशु 'जानते' हैं, किन्तु वहाँ उस भेद की गहराई और व्यापकता अत्यल्प रहती है—उतनी मात्र जितनी बौद्ध दार्शनिक अर्थ-क्रियाकारित्व में देखते हैं : जल रूप में दृष्ट अर्थ की प्यास बुझाने की क्षमता में। किन्तु आत्मचेतन चेतना के दृष्ट विषयों के सत्यत्व-असत्यत्व, याथार्थ्य-अयाथार्थ्य की सीमा और गहराई का कोई अन्त नहीं होता। उदाहरणत: दार्शनिक जागृति में सत्य देखे जाने वाले विषय मात्र को भी विकल्पित कहते हैं और वैज्ञानिक विषयिनिष्ठ। यहाँ द्रष्टव्य है कि दार्शनिकों और वैज्ञानिकों के ये विषय ऐन्द्रिक विषय मात्र नहीं होकर ऐन्द्रिकता से उच्चतर स्तर की विषयिता के विषय होते हैं। सर्वप्रथम तो यही द्रष्टव्य है कि हम इन्द्रियों के द्वारा जो भी देखते हैं वह मात्र ऐन्द्रिक नहीं होता : कांट की अण्डर्स्टैंडिंग की किसी केटेगरी में घट, पट, भवन आदि नहीं आते, क्योंकि ये वास्तव में इन्द्रियगोचर होते ही नहीं, ये घटत्व-पटत्वादि प्रत्ययों के व्यंजक होते हैं। दार्शनिकों ने इन्द्रियगोचर विषयों के इस पक्ष की ओर ध्यान ही नहीं दिया। ये विषय उन्नततर विषयिताओं के द्वारा ही दृष्ट होते हैं, जिन विषयों की सत्यता-असत्यता, याथातथ्य-अयाथातथ्य का अवगाहन उतना ही दुस्तीर्य होता है जितनी इनकी विषयिताओं की उन्नतता।

इन सब अतीन्द्रिय विषयों को अधिकांश दार्शनिकों ने मनोकल्प-अवास्तव कहा है। जिन्होंने नहीं कहा है उनके ऐसा नहीं कहने का कारण और भी गहरी भ्रान्ति है। ये सब दार्शनिक ऐन्द्रिक प्रस्तुति को सत्य का आधार और चेतना की अन्य वृत्तियों में प्रस्तुति को कल्पनात्मक मानते हैं। इस प्रकार सम्मुख प्रस्तुत घट सत्य है यदि वह स्पर्श के लिए ठोस है, यदि वह जल धारण कर सकता है, यदि वह दूसरों को भी लगभग वैसा ही दिखायी देता है जैसा एक को, आदि। किन्तु तब वे विचार के बाद पाते हैं कि घट विषयक ये सब अपेक्षाएँ इन्द्रियग्राह्यता का अतिक्रमण करती हैं, ऐन्द्रिक प्रदत्तता में स्वप्नगत और जागृतिगत प्रस्तुतियों में कोई भेद नहीं किया जा सकता, इसलिए जागृतिगत प्रस्तुतियाँ भी वैसी ही हैं जैसी स्वप्नगत। उन प्रस्तुतियों के आधार पर सर्वतोदृश्य और दर्शन-निरपेक्ष सत् (ट्राँसेंडेंट—स्वायत्त) वस्तु की बात अयुक्त है। इस परिस्थिति को समझने का सारा प्रयत्न पाश्चात्य दर्शन-परम्परा में डेकार्ट से लेकर कांट तक और कांट से लेकर हेगल-शॉपेन्हावर तक देखा जा सकता है।

भारतीय दर्शन में इस प्रयत्न की वैसी कोई परम्परा नहीं है, किन्तु यह सब ऊहापोह लगभग वैसी ही पदावली में हमारे यहाँ भी देखा जा सकता है। किन्तु हमारे यहाँ बाह्य जगत् को जिस प्रकार मिथ्या कहा गया है वैसा पश्चिम में नहीं कहा गया, यद्यपि वैसा आपादन पश्चिमी दर्शन में स्पष्ट देखा जा सकता है। इस सबके मूल में यह पूर्वग्रह है कि ऐन्द्रिय प्रस्तुतियाँ भी उसी प्रकार चैत्त प्रस्तुतियाँ ही हैं जिस प्रकार विचार आदि हैं, अन्तर केवल विषयिता, या कहें चित्त, के रूप का है।

यहाँ हम इस प्रश्न पर पुन: आरम्भ से विचार करने का प्रयत्न करेंगे : जागृति का जगत् अपने स्वतन्त्र लक्षणों और नियमों के साथ दिखायी देता है, स्वप्न के जगत् के समान वह जागने पर बाधित नहीं होता। ये लक्षण और नियम वैयक्तिक या सामूहिक रूप से व्यवहार के लिए अपनालियेगए नियम नहीं हैं। अवश्य इन्हें मानवीय चेतनागत अतिक्रान्त नियम कहा जा सकता है, किन्तु इनका एक आधाररूप जीव मात्र में भी देखा जा सकता है। स्वप्न का जगत् इन लक्षणों-नियमों के अपनी सम्पूर्णता में वहाँ नहीं मिलने के कारण ही असत्-प्रतीति कहा जाता है जिनके आधार पर यह सिद्ध होता है कि जागृति का जगत् सत्य है। हमारे कुछ दार्शनिक : महायानी बौद्ध और शांकर वेदान्ती : इसके विरुद्ध तर्क देते हैं कि जैसे नींद से जागने पर स्वप्नगत जगत् बाधित हो जाता है उसी प्रकार जगद्भाव से मुक्त होने पर, ब्रह्म-दर्शन होने, आत्मानात्म-विवेक होने, अथवा प्रतीत्यसमुत्पाद का साक्षात्कार होने पर यह जागृति का जगत् भी बाधित हो जाता है। किन्तु यह बात स्पष्टत: ग़लत है। ऐसे सब ज्ञान हो जाने पर भी दृश्य जगत् वैसा ही दिखायी देता है। ब्रह्मज्ञानी सामने खड़ी दीवार को मिथ्या मान कर निर्बाध आगे नहीं जा सकता। पानी में खड़ी सीधी छड़ी के उसके सीधी होने का ज्ञान होने पर भी टेढ़ी दिखाई देने के उदाहरण से भी इसका प्रतिवाद नहीं किया जा सकता, क्योंकि उस 'दिखाई देने' में ऐन्द्रिक विषय की वास्तवता के सब लक्षण-नियम नहीं पाये जाते। उसके टेढ़ेपन की अवास्तवता उसी प्रकार सिद्ध होती है जिस प्रकार स्वप्न-दृष्ट विषयों की अवास्तवता सिद्ध होती है। इन विषयों-वस्तुओं की वास्तवता की प्रतिष्ठा जगत् की वास्तवता में प्रतिष्ठा में होती है।

यहाँ द्रष्टव्य है कि जगत् का याथार्थ्य, उसकी वास्तवता, बाह्य दृष्ट व्यष्टि-वस्तुओं की वास्तवता से भिन्न प्रकार की होती है। जगत् न पत्थर की तरह दिखायी देता है और न वह उसकी तरह स्पर्श-गम्य ही होता है। वह नागसेन के रथ (द्रष्टव्य *मिलिंद प्रश्न*) की तरह इन्द्रियगम्य वस्तुओं से भिन्न इन्द्रियागम्य ही होता है, जैसे नागसेन की ज़िद्द के बावजूद वह रथ, जिस पर मिलिंद बैठकर आया था, इन्द्रियागम्य था। रथ रथ-प्रत्यय का भौतिक उपादान में अवतरण है, जो प्रत्यय चक्र-धुरी आदि को अवयवों के रूप में व्यवस्थित और संयुक्त कर अवयवी के रूप में सत्ता में प्रतिष्ठित होता है। इसी प्रकार जगत् चेतना में जगद्भाव का : इसे आप जगत्-प्रत्यय भी कह सकते हैं : देहेन्द्रियात्मक विषयिता और उसके विषयों के अवयवी के रूप में अवतरण है। इन्द्रियगम्य पहिये और धुरे आदि रथ के अवयवों के रूप में ही पहिया और धुरा होते हैं, इसी प्रकार घट और पट भी घटत्व और पटत्व प्रत्ययों के मिट्टी और रूई के उपादानों में अवतरण हैं, उपादानभूत मिट्टी और रूई भौतिक वस्तु में उपादान-प्रत्ययों के अवतरण हैं, और इन प्रत्ययों के अवतरण की वास्तवता से ही ये जल-धारण और देह ढँकने के साधन बनते हैं। कि ये दृक् और त्वक् के विषय नहीं हैं, कांट की अण्डर्स्टैंडिंग की कोटियों के विषय नहीं हैं, इसलिए ये कल्पनाएँ मात्र हैं—नाम-रूप मात्र हैं, इसका कोई अर्थ नहीं बनता, क्योंकि इनके होने का, इनके याथार्थ्य का स्वरूप ही ऐसा है। जगत् दैहिकता में अधिष्ठित बुद्धि, अहंकार, मन, अन्त:करण, ज्ञानेन्द्रियों और कर्मेन्द्रियों की संयुक्त विषयिता का विषय होता है और इस विषयी के विषय के अर्थों के आश्रय के रूप में यह तब यथार्थ होता है जब ये अर्थ सिद्ध होते हैं। जब ये बाधित होते हैं तब यह मिथ्या होता है। इन अर्थों की सत्यता के लिए कांट के समान किसी इन्द्रियाग्राह्य पर-वस्तु की, या दिङ्नाग के समान स्वलक्षण वस्तु की अपेक्षा करना और उसके नहीं होने पर उन्हें और जगत् को मिथ्या कहना, इसका कोई औचित्य नहीं है।

किन्तु तब भी ब्रह्म-ज्ञान या सम्बोधि सिद्ध हो जाने पर जगत् का मिथ्यात्व प्रकट होता है, इसमें सन्देह नहीं। ऐसा नहीं हो तो 'ब्रह्म-ज्ञान' और 'सम्बोधि' का कोई अर्थ ही नहीं बनता। यह मिथ्यात्व एक प्रकार से उसी

तरह का होता है जैसा जागने पर स्वप्न-दृष्ट विषयों का होता है। अन्तर केवल यह होता है कि स्वप्न-विषयों में अस्तित्वात्मक अर्थों की अपूर्णता प्रकट होने से उनके अस्तित्व का बाध होता है और सम्बोधि से जगद्भाव के मूल्यात्मक अर्थों की अपूर्णता, अथवा उनका पूर्ण अभाव, प्रकट होने से उनका मूल्य-बाध होता है। चेतना का जगद्भाव से प्रवर्तन वस्तुओं के अस्तित्व की अभीप्सा से नहीं होता है, 'कामना' (मूल्य) से होता है, जिसे उपनिषद् ने व्यंग्यात्मक पदावली में 'बहु होने की कामना' कहा है। किन्तु उपनिषद् ने नारद के माध्यम से यह भी कहा है कि उसे सब विज्ञानों, कलाओं और शास्त्रों का ज्ञान है। यह ज्ञान उनमें उस अर्थ का अभाव प्रकट नहीं करता जो इन शास्त्रों और कलाओं आदि के रूप में इनमें हैं। इन शास्त्रों का अस्तित्व और अभिप्रेत अर्थ दोनों की विद्यमानता वहाँ स्वीकृत है। किन्तु नारद उस अर्थ की खोज में उनकी ओर नहीं गए थे। इसी प्रकार गार्गी धन-धान्य सौंपे जाने पर उन्हें लेने से इसलिए इन्कार नहीं करती कि ये नाम-रूप कल्पनाएँ मात्र हैं, देश-कालगत वास्तव पदार्थ नहीं हैं, कि निर्विकल्पक प्रत्यक्ष द्वारा ग्राह्य स्वलक्षण वस्तुएँ नहीं होकर विकल्पमूलक अयथार्थ वस्तुएँ हैं, वह उन्हें लेने से इसलिए इन्कार करती है क्योंकि वह उनमें उस अर्थ का अभाव पाती है जो अर्थ ब्रह्म-भाव में जागने पर उसे पता चला कि वास्तव में एकमात्र वही गवेष्य है, ये अर्थ गवेष्य नहीं हैं। धन-धान्य आदि मूलतः इन्द्रिय-ग्राह्य वस्तुएँ हैं और उस रूप में वे असन्दिग्ध रूप से हैं, तदतिरिक्त, ये मूल्यवान् वस्तुएँ भी हैं और उसी रूप में उसे ये दी जा रही थीं। किन्तु इस दूसरे रूप में ये उसे मिथ्या दिखाई दीं। जगत् भी इस दूसरे रूप में ही मिथ्या होता है, प्रथम रूप में नहीं। माध्यमिकों और वेदान्तियों ने यह नहीं देखा। वे इसका मिथ्यात्व इनमें अस्तित्वात्मक दोष दिखाकर सिद्ध करने में लगे रहे। नागार्जुन का शून्यवाद, वसुबन्धु का विज्ञानवाद और शंकर का अध्यासवाद इसी व्यामिश्र के द्योतक हैं।

यहाँ द्रष्टव्य है कि हमने घटत्व आदि प्रत्ययों को काष्ठ, पत्थर आदि के समान ही सत्ता दे दी है, जबकि इन्हें प्लेटो और हेगल के अतिरिक्त पाश्चात्य दर्शन में भी कोई सत् नहीं मानता और प्लेटो काष्ठ आदि को सत् नहीं मानते। सर्वप्रथम यहाँ प्लेटो से हमारा भेद समझना आवश्यक है, जो कि मूलगामी है। वह इसी से समझा जा सकता है कि हमारे लिए काष्ठ आदि भी सत् हैं, केवल इनमें सत्ता का प्रकार-भेद है—काष्ठत्व और घटत्व बुद्धि-ग्राह्य अर्थ हैं और काष्ठ आदि और घट आदि इन्द्रिय-ग्राह्य। दूसरा महत्त्वपूर्ण भेद यह है कि प्लेटो के लिए उद्गृहीत सामान्य और प्रत्यय में कोई अन्तर नहीं है। इस प्रकार उनके लिए पंकत्व-वार्द्धक्य तथा घटत्व, धर्माधर्म और सदसद् आदि एकसमान हैं। हमारे अनुसार पंकत्व आदि पंकों में दृष्ट समानता के उद्ग्रहण का शब्दायित रूप हैं जबकि घटत्व आदि बौद्धिक चेतना में उसी प्रकार उन्मीलित अर्थ हैं जिस प्रकार काष्ठ आदि दैहिक-ऐन्द्रिक चेतना में उन्मीलित अर्थ। यहाँ कहा जा सकता है कि काष्ठ, घट आदि की सत्ता हमने अतीन्द्रिय-अतिक्रामी जगद्भाव में मानी है, तब क्या हम प्रत्ययों की सत्ता भी उसी प्रकार अतीन्द्रिय-अतिक्रामी जगद्भाव में मानेंगे? इसका उत्तर है कि प्रत्ययों की सत्ता भी अतिक्रामी चित् में ही होती है जो मानव-बुद्धि की विषयिता के विषय-रूप में ग्राह्य बनते हैं। दार्शनिकों में यह केवल लोक-बुद्धि का अनुसरण है जो वे ऐन्द्रिक विषयिता के विषयों को, उनकी बाह्य देश में अवस्थिति और ठोसपन के कारण, सत् और इन लक्षणों से रहित प्रत्ययों को कल्पना मानते हैं। किन्तु जीव-जातियों को लें—मनुष्य, श्वान, अश्व आदि। निश्चय ही ये व्यष्टितया भी होते हैं, जैसे राम, श्याम आदि, किन्तु इनकी देह-रचना, मनोरचना, बुद्धि-रचना में आधारभूत ऐक्य होता है जिसे जाति-गुण कहा जाता है। यह जाति देश-कालात्मक अस्तित्व नहीं है, यद्यपि यह अस्तित्व देश-कालात्मक व्यष्टियों में अवतरित होता है। इस वैयष्टिक अवतरण को जातीय अस्तित्व का एक अनिवार्य धर्म भी कहा जा सकता है जिसके बिना यह अस्तित्व सम्भावनात्मक मात्र रहता है। ये जातियाँ आलय चेतनागत, या आलय बुद्धिगत ही कहें, प्रत्यय ही कही जा सकती हैं। यह प्रकृति भी एक अतिजैव, अतिभौतिक, व्यापकतर प्रत्यय ही कही जा सकती है और जगद्भाव का अतिक्रामी मूल कही जा सकती है, जिसके अन्तर्गत जातियाँ और व्यष्टि अवरतर विषयि-विषय प्रत्यय-रूपों में उन्मीलित होते हैं। इन जातियों में अधिकांश व्यवहार वैयष्टिक कर्मेन्द्रियों और ज्ञानेन्द्रियों के द्वारा जातीय रूप से ही घटित होते हैं, जैसे मधुमक्खियों में छत्ता, मधु-संचय आदि और पक्षियों में घोंसला-निर्माण आदि। बया का घोंसला गौरैया के घोंसले से भिन्न प्रकार का होता है और मधुमक्खी का छत्ता दीमक की बांबी से

भिन्न प्रकार का होता है और वे व्यष्टियों के माध्यम से ही क्रियान्वित और निष्पन्न होते हैं, किन्तु इन क्रियाओं में व्यक्ति जाति-चेतनागत अर्थ-क्रियान्वयन से ही नियुक्त होते हैं, जिसे जाति-सत्ता के लिए ठोस प्रमाण कहा जा सकता है।

किन्तु चेतना में मानवजातीय रूप में एक सर्वथा नये आयाम, या सोपान कहें, का आविर्भाव होता है जिसमें प्रत्ययों का एक सर्वथा नया आयाम जन्म लेता है। यह नया आयाम है 'चेतना की निश्शेष जगद्भावता या विषयोन्मुखता के विपरीत प्रत्यङ्मुखता।' यह प्रत्यङ्मुखता इस चेतना के लिए चेतना के अपने प्रवर्तनों को भी विषयतया अवगम्य बना देती है, जिसका अर्थ है चेतना में एक सर्वथा नयी, सर्वथा भिन्न अतिप्राकृतिक विषयिता का आविर्भाव। इसका एक परिणाम यह भी होता है कि इसमें चेतना का प्रत्ययात्मक उन्मीलन अतिक्रामी नहीं रह कर उन्नततर विषयिता का विषय हो जाता है। ऐसा इस चेतना की प्रत्यङ्मुखता के कारण होता है, जिसके लिए कोई विषयिता प्रत्यन्त नहीं रहती, वह ऊर्ध्वतर विषयिता में अतिक्रमित हो कर उसकी ज्ञेय और विवेच्य विषय हो जाती है—यहाँ तक कि स्वयं अस्मिता भी आत्म रूप में विषय होकर ज्ञेय और विवेच्य हो जाती है। इस भेद का क्या अर्थ है, इसे समझने के लिए मनुष्य के आवास-निर्माण को उदाहरण रूप में लिया जा सकता है। चिड़िया के लिए घोंसला बनाना वैसा ही व्यापार है जैसा उड़ना, खाना जुटाना, खाना खाना आदि। इसके आगे जाकर यदि गौरैया के गौरैया-देह-धारण को भी लें तो यह अयुक्त नहीं होगा, जिसे आलय-चेतना में अतिक्रान्तरूपेण विशिष्ट अर्थभावेन प्रवर्तन का प्रतिफल कहा जा सकता है, गौरैया-चेतना में घोंसला-निर्माण-क्रिया के अर्थभावेन प्रवर्तन के समान। यह सब चेतना में अतिक्रामी रूप से जगद्भावेन प्रवर्तित व्यापार है। इसे अनादि वासना-व्यापार भी कह सकते हैं, जिसमें 'अनादिता' का अर्थ है प्रवर्तन का आत्म-चेतन संकल्पमूलक नहीं होना। किन्तु मनुष्य में आवास आवास-निर्माण में सहज प्रवर्तन से भिन्न आवास-अपेक्षा के समाधान के रूप में अनन्त सम्भावनात्मक अर्थ : प्रत्यय : रूप में साक्षात्कार्य होता है और इस प्रकार वह शेर : आवास-प्रत्यय की माँद या चील के दो तिनके के घोंसले से लेकर राज-प्रासाद तक एक ही 'रूप' की अनेक-रूप अभिव्यक्ति का आधार हो जाता है। आवास-निर्माण सहज जैव अपेक्षा के समाधान के लिए सहज जैव क्रिया है, जो जीव में उसके क्रिया-प्रवर्तन की अतिक्रामी निर्धारक होती है, इसके विपरीत आत्मचेतन चेतना में यह प्रत्ययात्मक अर्थ : विषय : रूप में अवगम्य और विवेच्य-विमृश्य हो जाती है। मनुष्य की उपकरण-निर्माण-क्षमता का मूल इसी जैव प्रवृत्ति के जगद्भाव मात्रता से भिन्न आत्मोन्मुख निवर्तित चेतना में प्रत्यय रूप में प्रस्तुति में है। यहाँ एक और उदाहरण लेना स्पष्टीकरण के लिए स्थाने होगा—पक्षी आकाश में उड़ते हैं, उनके पंख होने से। गाय या शेर के पंख नहीं होते इसलिए वे न उड़ते हैं और न उनमें उड़ने की कभी कल्पना या इच्छा होती है, क्योंकि उनमें वह कर्मेन्द्रिय ही नहीं है जो उनमें इस इच्छा को क्रियान्वित कर सके। उनमें इच्छा और उसे क्रियान्वित करने वाली इन्द्रिय में एक नियत अनुक्रम रहता है। इसके विपरीत मनुष्य उड़ने का उड़ने की इच्छा और क्रिया से स्वतन्त्र प्रत्यय रूप में साक्षात्कार कर सकता है, जो प्रत्यय क्रियान्वयन की असंख्यविध सम्भवनाओं से गर्भित रहता है। उसमें इस प्रवृत्ति के लिए न कर्मेन्द्रिय का होना आवश्यक है और न उपकरण का। भगवान राम पुष्पक विमान से लंका से आये थे, हनुमान बिना किसी विमान के ही आकाश-मार्ग से आये थे, और देवता सहज रूप से नभचारी हैं ही। इतना ही नहीं, इस चेतना के लिए उड्डयन-उपकरण, कर्मेन्द्रिय, उड़ने की इच्छा ये सब भी अपने घटित रूपों से भिन्न प्रत्यय रूप में अवगम्य हो सकते हैं। यहाँ यदि कोई कहे कि पक्षी में पंख और उड़ने की प्रवृत्ति का मूल भी आलय-चेतना में प्रत्यय रूप में रहना चाहिए, तो उसका यह कथन अविचारणीय नहीं होगा।

प्रत्यय-धर्मिता आत्मचेतन चेतना के ऐन्द्रिक ग्रहणों और क्रियाओं में भी अन्तर्निहित रहती है, जिसे बौद्धों ने विकल्प, वेदान्तियों ने नाम-रूप : कल्पनाएँ : और कांट ने अतिक्रामी कोटियाँ कहा है। इन विकल्पों को ये दार्शनिक अतिवैयक्तिक चेतना की कल्पनाएँ और इस प्रकार अवास्तव मानते हैं जबकि ये ऐन्द्रिक ग्रहणों को किसी न किसी प्रकार से वस्तु-सम्बद्ध मानते हैं। दिङ्नाग-धर्मकीर्ति तो स्पष्टत: ही इन्हें निर्विकल्पक वस्तु-दर्शन कहते हैं और कांट भी इन्हें किसी प्रकार से बाह्य वस्तु से कारित देखते हैं। विज्ञानवादी वसुबन्धु और बर्कले भी

इन्हें ज्ञान–व्यापार से पृथक् ही रखते हैं। वसुबन्धु विषय–विषयिभाव : ग्राह्य–ग्राहक–भाव : को स्पष्टत: ही मिथ्या कल्पना कहते हैं और इससे रहित शुद्ध विज्ञप्ति को परमार्थदर्शी (बुद्धानां विषय:) कहते हैं। धर्मकीर्ति अर्थ–क्रियाकारी वस्तु के निर्विकल्पक दर्शन को परमार्थ–दर्शन कहते हैं। (द्रष्टव्य **न्याय–बिन्दु**) किन्तु दार्शनिकों की यह दृष्टि लोक–बुद्धि से ऊपर उठ पाने में उनकी असामर्थ्य की ही द्योतक है। बर्कले द्वारा वस्तु को ऐन्द्रिय विज्ञप्तियों से स्वतन्त्र अस्तित्व नहीं दे पाना किन्तु तब भी वस्तु के व्यक्ति के लिए अदृश्य पक्षों को अवास्तव नहीं मान पाना इसी लोक–बुद्धि से मुक्त नहीं हो पाने का द्योतक है। किन्तु वस्तु का ज्ञापक, या वसुबन्धु और बर्कले के समान वस्तुविहीन वास्तवता का ज्ञापक, केवल इन्द्रिय को मानना केवल दृष्टि–दारिद्र्य का ही द्योतक है। उतना ही दारिद्र्य का द्योतक किसी ऐसे अतिबौद्धिक अनुभव को वस्तु–ज्ञापक मानना है जिसे वसुबन्धु और शंकर ग्राह्य–ग्राहक–भाव–रहित कहते हैं। वास्तव में आत्मचेतन चेतना में, अनात्मचेतन : देहेन्द्रियात्मक : चेतना से भिन्न, विषयिता विषय–ग्राहक होने के साथ प्रत्यङ्मुख और इस प्रकार उत्क्रमणात्मक : साक्षि–रूप : भी रहती है और वसुबन्धु तथा शंकर उसी उत्क्रमणात्मकता की पार्यन्तिकता को तादात्म्यभावेन वस्तुदर्शी कहना चाह रहे हैं। इसमें वे यह भूल जाते हैं कि यह प्रत्यङ्मुख पार्यन्तिकता ग्राह्य–ग्राहक भाव की प्रत्यङ्मुखता की ही पार्यन्तिकता है, इस भाव से रहित पार्यन्तिकता नहीं है। वसुबन्धु और शंकर के इस प्रतिपादन के अभिप्राय का संकेत उपनिषद् के इस कथन में देखा जा सकता है जिसमें वह कहती है कि, "जो आँखों से देखता है किन्तु जिसे आँखें नहीं देखती हैं, उसी को तू ब्रह्म जान।" किन्तु उपनिषद् प्रत्यङ्मुख चेतना में अवस्थित होकर उस आँखों से नहीं दिखने वाले ब्रह्म को ग्राह्यरूपेण *देखते हैं* तभी ऐसा कह सकते हैं और हम उनकी बात समझ सकते हैं। इसे कांट के उदाहरण से और स्पष्ट रूप में देखा जा सकता है। कांट ऐन्द्रिय–विषय–ज्ञान के स्वरूप का विवेचन अनुभवातीत : अतिक्रामी : ग्राहकता–रूपों (अ प्रायराई केटेगरीज़ ऑफ अण्डरस्टेंडिंग) के रूप में ही नहीं करते, उन रूपों का वे पूरा विवरण भी देते हैं। यहाँ वे यह देखना भूल जाते हैं कि इस अतिक्रामिता में केवल ऐन्द्रिक ग्राहकता का ही अतिक्रमण है, ग्राहकता मात्र का अतिक्रमण नहीं है, इसी से यह ग्राहकता अतिक्रमित होकर उन्नततर ग्राहकता की ग्राह्य हो जाती है, जिसका प्रमाण है कि वे उन ग्राहक कोटियों का विवरण देते हैं।

यहाँ यह द्रष्टव्य है कि दार्शनिक जिस इन्द्रिय–विषयता की बात करते हैं वह प्रत्यङ्मुख : मानव : चेतना की ही इन्द्रिय–विषयता है जो पराङ्मुख : अनात्मचेतन पाशव : चेतना के लिए अगम्य होती है। पराङ्मुख चेतना दैहिक और आवेगात्मक वासनाओं से उपरंजित इन्द्रिय–विषयता के विषयों की ग्राहक होती है और वह अपनी इस विषयिता के विषयकरण में असमर्थ रहने से इन विषयों के यथातथ रूप को नहीं देख पाती। इसके विपरीत प्रत्यङ्मुख चेतना इन विषयों और इनकी विषयिता दोनों को देख पाती है और तब इस विषयिता को इन्द्रिय–विषयों के यथातथ ग्रहण में भी बाधक पाती है। विषयिता के इस बाधक स्वरूप को साधारण जन भी देखता है, वैज्ञानिक और दार्शनिक के लिए इस विषयिता से रहित विषय का स्वरूप अतल अर्थ–गर्भ होता है जिसको समझने के लिए ये अनेक सिद्धान्त बनाते हैं। इन सिद्धान्तों में वे नितान्त विषयनिष्ठ, विषयिता से अनुपरक्त, विषयता की खोज करते हैं। यह पारदर्शी विषयिता प्रत्ययदर्शी चेतना द्वारा प्रत्यय रूप में ही ग्राह्य :विषय: होती है, लोक और दार्शनिकों की इस धारणा के विपरीत कि विषय केवल इन्द्रिय–ग्राह्य ही हो सकते हैं। निश्चय ही देहेन्द्रियमूलक चेतना भी विषय–लक्षी ही होती है, किन्तु इसमें उसकी विषयिता ही विषय–निर्धारक होती है, और यह विषयिता इन्द्रिय, देह, बुभुक्षा–पिपासा और आवेगात्मक चित्त से निर्धारित होती है, जबकि विषय के विषयनिष्ठ दर्शन के लिए विषयिता को ऊर्ध्वतर चेतना में अतिक्रमण करना होता है और उसे उसकी यथातथ सत्ता में देखना होता है। निश्चय ही यह भी विषयिता ही होती है, किन्तु आत्मातिक्रामी विषयिता, जो विषयिता के दैहिक, ऐन्द्रिक, चैत्त और बौद्धिक सब स्तरों को विषय कर शुद्ध साक्षी भाव में प्रतिष्ठित हो सकती है। इस प्रकार इस चेतना के लिए नील–पीत, भोज्याभोज्य, शत्रु–मित्र आदि रूप विषय ही विषय नहीं होते, चक्षु–त्वक् आदि इन्द्रियाँ और इनके व्यापार, सुख–दुःख और क्रोध–प्रेम आदि आवेग, घटत्व–पटत्व, सुखिता–दुःखिता आदि तत्त्व ये सब भी विषय होते हैं।

यहाँ एक भेद द्रष्टव्य है। इन्द्रियों के विषय जबकि इनसे इतर : दैशिक वस्तुएँ या रूप : होते हैं और बुद्धि के विषय इससे इतर : प्रत्यय : होते हैं, आवेगात्मक चित्त के कोई विषय नहीं होते, चित्त केवल आवेग और सुख-दुःखानुभव आदि रूप में विषयितया घटित ही होता है, इस विषयिता के विषय नहीं होते। यह विषयिता दैहिक, ऐन्द्रिक और बौद्धिक विषयिता को उपरंजित कर उसके विषयों को, या कहें इनकी विषयिता को, आवृत ही करती है। किन्तु यह विषयिता भी प्रत्यङ्मुख चेतना की उत्क्रामी विषयिता की विषय हो पाती है।

यहाँ कहा जा सकता है कि क्रोध-कामादि आवेग भी किसी विषय को लक्षित कर ही प्रवर्तित होते हैं। यह सही है, किन्तु ये विषय-ग्राहक-विषयिता-धर्मी नहीं होकर जगद्भाव से प्रवर्तित चेतना के अंगभूत होते हैं। इस चेतना को हमने विषय-तदात्म चेतना कहा है। यों तो इसी चेतना को विषय की यथार्थ-दर्शी कहना चाहिए, हेनरी बर्गसाँ वास्तव में इसी को यथार्थ-दर्शी कहते हैं, किन्तु यदि पाशव चेतना से परे मानव-चेतना को उपलब्ध अर्थ-वैभव की विपुलता को देखें, जिसकी ओर पीछे और अपने अन्य प्रतिपादिनों में हमने संकेत किया है, तो इससे यही दर्शित होता है कि चेतना विषय का सत्य विषय से मुक्त होकर, उसे पूर्णत: उसके पार्थक्य में प्रतिष्ठित कर ही, पा सकती है। अब इन आवेगों को ही देखें। चेतना इनमें तादात्म्य भाव से रह सकती है। अनात्मचेतन चेतना इस तरह रहती ही है। तब इनका अपना कोई अर्थ ग्राह्य नहीं होता, ये विषय के उपरंजक रूप में ही उपलब्ध होते हैं। किन्तु आत्मचेतन चेतना इनसे विषयिता में विनिवर्तित होकर इन्हें स्वतन्त्र अस्तित्व : घटना : में और इनके स्वतन्त्र अर्थों में देख सकती है। ऐसा नहीं है कि तब इनके अर्थ अपने याथार्थ्य को सहज रूप से द्रष्टा पर प्रकट कर देते हैं, किन्तु 'ये स्वतन्त्र और गुह्य अर्थों से गर्भित हैं' यह इस चेतना को इनसे निवर्तित होकर प्रकट हो जाता है।

यह सही है कि ये प्रवर्तन भी अवांछनीय वृत्तियों में प्रवर्तित हो सकते हैं। तब ये निरोध्य होते हैं। किन्तु तब इन्हें भी प्रत्यङ्मुख उत्क्रामिता में विषय होना होता है, यद्यपि निरोध इनके विषयितया प्रवर्तन का ही करना होता है। जैसे काम, क्रोध आदि। कामी, क्रोधी द्वारा अपने को इन वृत्तियों में विषयतया देखकर इन वृत्तियों में अपने प्रवर्तन :विषयिता: का निरोध करना होता है। इस प्रकार इन विषयिताओं के इनके विषयितया प्रवर्तन में निरोध के लिए इनका विषयतया ज्ञेय होना आवश्यक होने से केवल मनुष्य ही योगी हो सकता है, पशु नहीं।

प्रत्यङ्मुख चेतना में प्रत्यय जबकि सहज रूप से विषयतया ही उन्मीलित होते हैं और उस तरह यह चेतना दर्शन, धर्म, विज्ञान आदि के रूप में विपुल अर्थों का साक्षात्कार करती है, ये इसमें विषयितया भी उन्मीलित हो पाते हैं और तब ये काव्य और कलाओं के रूप में दूसरे और विपरीत प्रकार के अर्थ-रूपों में व्यक्त होते हैं। इस उन्मीलन के स्वरूप का हमने अन्यत्र विस्तार[1] से निरूपण किया है इसलिए यहाँ हम इसका बहुत संक्षेप से विवेचन करेंगे।

विषयिता स्वयं में ज्ञेय नहीं होती, यह विषय में रूपान्तरित होकर ही ज्ञेय बनती है, और विषयिता का विषयता में रूपान्तरण चेतना के प्रत्यङ्मुख उत्क्रमण से सम्भव होता है, यह हमने ऊपर देखा। किन्तु यह चेतना विषयिता का उसकी विषयिरूपता में भी अन्तर्दर्शन कर पाती है यह हम साधारण अनुभव में भी देख सकते हैं, किन्तु काव्य और कलाओं में हम इसे स्फुट रूप से भी देख पाते हैं। इसे समझने के लिए साधारण अनुभव से आरम्भ करना उपयुक्त होगा। प्रत्येक जीव अन्य जीव को विषय रूप में भी देखता है और विषयी रूप में भी। एक गुर्राता कुत्ता दूसरे गुर्राते कुत्ते को इन दोनों रूपों में देखता है और स्वयं को उसकी विषयिरूपता के विषय के रूप में देखता है। 'बच्चे प्रत्याशा में होंगे, नीड़ों से झाँक रहे होंगे, यह ध्यान परों में चिड़ियों के, भरता कितनी चंचलता है', यह जीव मात्र का सत्य है और इसमें माँ के लिए बच्चा अपनी विषयिता में ही प्रस्तुत होता है। उसकी विषयता उसकी विषयिता के लिए संकेत बन कर तिरोहितवत् रहती है। किन्तु चिड़िया अपने परों में चंचलता भरने वाले 'ध्यान' को नहीं देख सकती। मनुष्य यह देख सकता है, किन्तु यह देखना इस 'ध्यान' को विषय में

1. द्रष्टव्य — ***मूल्यतत्त्व मीमांसा***, तथा ***काव्य-विमर्श।***

रूपान्तरित कर देता है। किन्तु मनुष्य इस ध्यान की 'अनुभूति' का 'अनुभव' भी कर सकता है, यद्यपि इस अनुभूति के साथ उसके स्वरूप में बने रह पाना और उसके अन्तर्गतार्थ में विचरण कर पाना बहुत दु:साध्य होता है। यह सिद्धि हमें काव्य और कलाओं के माध्यम से मिल पाती है। वहाँ तब हमारी विषयता और विषयिता में भेद नहीं रहता। उदाहरणत: जब कोई चित्रकार अपनी मुखाकृति को चित्रांकित करता है तब वह अपने दृश्य रूप को अपनी आत्मा के व्यंजक रूप में ही अंकित करता है, जिस आत्मा के साथ वह उसकी विषयिता में तदात्म रूप से होता है। यही वह एक दौड़ते घोड़े को और टूटे ताँगे को चित्रांकित करने में भी करता है। यहाँ कहा जा सकता है कि ताँगे की कोई विषयिता नहीं होती, वह केवल विषय ही होता है। यह ठीक है, किन्तु चित्रकार के लिए वह दृश्य एक मनोऽवस्था का व्यंजक होकर ही चित्रणीय बनता है। इस मनोऽवस्था को, या चित्रकार की चित्र में व्यंजित मनोऽवस्था को, वर्णनात्मक पदावली में प्रस्तुत नहीं किया जा सकता, उस पदावली के लिए ये अर्थ अवाच्य होते हैं। विषयिता का यह अत्यन्त असाधारण रूप है इसलिए दार्शनिकों तथा कला-चिन्तकों का ध्यान इस ओर नहीं गया। वे रस-आस्वाद में ही काव्य और कला का तत्त्व देखते रहे, जिसका काव्य या कला-सर्जन से कोई भी सम्बन्ध नहीं है, आस्वाद का सम्बन्ध आनुषंगिक रूप से केवल दर्शक-पाठक से ही देखा जा सकता है। अवश्य कुछ काव्यशास्त्रियों ने रस के बजाय ध्वनि या वक्रोक्ति को काव्य का तत्त्व कहा है, किन्तु उन्होंने भी यह नहीं देखा कि कवि को ध्वनि या वक्रोक्ति का आश्रय क्यों लेना पड़ता है, विषयपरक चिन्तन-विवेचन (विज्ञान, दर्शन, शास्त्र आदि) के समान भाषा का अभिधात्मक प्रयोग उसमें क्यों काम नहीं देता? काव्य में भाषा का अभिधात्मक प्रयोग और चित्र में रेखाओं का अनुकारी प्रयोग इसलिए नहीं होता क्योंकि उनमें प्रत्यय अपने स्वाभाविक विषयात्मक रूप में प्रवर्तित नहीं होते। संगीत में विषयता का लेशमात्र भी अवशिष्ट नहीं रहता जिससे काव्य में भाषा के कारण और चित्र में रंग-रेखाओं के कारण पूर्ण मुक्ति सम्भव नहीं होने से व्यञ्जना का आश्रय लेना पड़ता है। व्यञ्जना में विषयि-प्रत्यय परोक्षत: ही अभिव्यक्ति-लाभ कर पाता है।

विषयिता को इस प्रकार उसकी निजरूपता में ही प्रत्यय-गोचर बना पाना यह प्रत्यङ्मुख चेतना के लिए ही सम्भव होता है, यद्यपि सहज नहीं होता। यह प्रत्यय की विषयात्मकता से सर्वथा भिन्न प्रवर्तन और साक्षात्कार होता है, यह इससे देखा जा सकता है कि काव्य-रचना और 'काव्य क्या है' यह विमर्श ये दो सर्वथा भिन्न प्रकार के प्रत्यय-दर्शन हैं और अच्छा से अच्छा कवि इस दूसरे विमर्श में असफल रह सकता है, जिस प्रकार अच्छे से अच्छा काव्य-स्वरूप-विचारक घटिया कविता रचने में भी असफल रह सकता है।

× × × ×

हमने विषय, और वस्तु को भी, चित् का ही विवर्त : अर्थात्मतया प्रवर्तन : कहा है, किन्तु विज्ञप्तिमात्रतावाद और जगन्मिथ्यात्ववाद की आलोचना की है। इसकी युक्तता पर प्रश्न उठना स्वाभाविक है। इन सब सिद्धान्तों में भी विषय का अस्तित्व या सत्य व्यावहारिक रूप से तो स्वीकार किया गया ही है, इसका बाध केवल इसके अधिष्ठान में प्रतिपादित किया गया है, और ऐसा हमारे प्रतिपादन में भी निहित है, ऐसा कहा जा सकता है। इस पर हमारा उत्तर है कि इन प्रतिपादनों में चित् के देहेन्द्रियात्मक प्रवर्तन को ही वस्तुविषयक परमार्थ ज्ञान के प्रमाण के रूप में देखा गया है और उसमें इसे अप्रमाण दिखाकर व्यवहार और परमार्थ का भेद किया गया है। यह अयुक्त है। यह इनके द्वारा चित् के बुद्ध्यात्मक प्रवर्तन को विकल्प और विकल्प को कल्पना मात्र कहने से भी स्पष्ट है। इसमें इनका यह पूर्वग्रह है कि क्योंकि बुद्ध्यात्मक अर्थों का बाह्य देश में कोई अवस्थान नहीं होता इसलिए ये मन की कल्पनाएँ मात्र होते हैं, और इसी तर्क से, यदि ऐन्द्रिक विषयों की भी कोई बाह्य देश में ठोस प्रतिष्ठा नहीं है तो वे भी मनोकल्पनाएँ मात्र हैं। किन्तु तब सम्बोधि और ब्रह्म भी मनोकल्पनाएँ ही होनी चाहिएँ! इसके समाधान के लिए ये देहेन्द्रिय के जैसे ही किसी आन्तर अनुभव : साक्षात्कार : की बात करते हैं जिसकी लक्ष्यभूत वस्तु इस अनुभव के लिए अपरोक्षत: गम्य होती ये देखते हैं। किन्तु इसमें कोई युक्ति नहीं है। इसके विपरीत हमने दिखाने का प्रयत्न किया है कि देह, इन्द्रियाँ, इनके विषय और इनका वास्तव : वस्तुगत : अधिष्ठान चित् के अर्थात्मतया प्रवर्तन का केवल एक रूप या एक स्तर है और विपन्नतम स्तर। अन्य स्तर आवेग-कामादि

हैं और उसके ऊपर उपयोगात्मक बुद्धि और उसके ऊपर विमर्शात्मक, प्रज्ञात्मक बुद्धि के स्तर हैं। फिर चित् के अर्थात्मतया प्रवर्तन के अतिवैयक्तिक-अतिचैत्त स्तर भी हैं जो आद्य जगद्भाव, जैव-भाव, जाति-भाव आदि रूप में प्रवर्तित देखे जा सकते हैं, जिनके आकलन के अस्फुट और असम्यक्तया अवधारित रूप बौद्धों के अनादि वासना, वेदान्तियों के माया और कांट के ट्रांसेंडेंटल केटेगरीज़ में देखे जा सकते हैं। इसके विपरीत हमारे अनुसार चित् के ये सब विभिन्न और स्वत:प्रमाण अर्थात्मक प्रवर्तन हैं जिनमें देहेन्द्रियात्मक प्रवर्तन अर्थात्मक दृष्टि से विपन्नतम है, आवेगात्मक और उपयोग-बुद्ध्यात्मक प्रवर्तन इसके विभिन्न स्तरीय सहकारियों के रूप में आविर्भूत होते हैं। इनके प्रमाण-अप्रमाण के अपने पूर्वग्रह रहते हैं। जैसे, बौद्ध और वेदान्ती जिन्हें व्यवहार कहते हैं और कांट प्रागनुभविक कोटियाँ कहते हैं वे देहेन्द्रियात्मक प्रवर्तनों के प्रमाण-रूप हैं, इनका अधिष्ठान भी इनके अपने भीतर ही देखना चाहिए, वसुबन्धु, शंकर, धर्मकीर्ति और कांट के समान इनके बाहर नहीं, जिसे बाहर अनुपस्थित दिखा कर वसुबन्धु और शंकर भिन्न-भिन्न प्रकार से इसे असत् या मिथ्या कहते हैं और धर्मकीर्ति और कांट उपस्थित दिखा कर सत्प्रतिष्ठ कहते हैं। इनसे ऊर्ध्वतर और तर-तम प्रवर्तन उपयोगात्मक, विमर्शात्मक और प्रज्ञात्मक बुद्धि के हैं, जिनमें स्थौल्य-काठिन्य आदि का अभाव देख कर ये इन्हें कल्पना : विकल्प : कहते हैं, जबकि ये अर्थ वैभव में अपार और अतल होते हैं और इनमें प्रामाणिकता-अप्रामाणिकता के अपने निकष होते हैं। जिसे ये सम्बोधि या ब्रह्म-भाव की अर्थातिक्रामी : निर्गुण और ग्राह्य-ग्राहक-भाव-शून्य : स्थिति कहते हैं और जिसमें ये चित् का निर्विशेष-निरवच्छिन्न वस्तु-तादात्म्य देखते हैं वह तो वास्तव में देहेन्द्रिय स्तर से भी विपन्नतर और इस प्रकार विपन्नतम स्थिति ठहरती है। किन्तु वास्तव में यह सम्पन्नतम स्थिति होती है, जैसाकि औपनिषद ऋषियों के आनन्दं ब्रह्म में, बुद्ध के रचनाकाय में या कबीर के पाँचों तत्त्वों की बारात के साथ राम से ब्याह रचाने में देखा जा सकता है। उपयोग और विमर्श-बुद्धि में कल्पनात्मकता देखना और देहेन्द्रियात्मक अर्थों में ठोस आधार नहीं पाकर काल्पनिकता देखना ऐसा ही है जैसा प्राकृतजन का ईश्वर या ब्रह्म को आँखों के सामने दिखाने की माँग करना और इस आधार पर उनको कल्पना मात्र मानना।

अवभासित अर्थ और उनका सत्ता–सम्बन्ध[1]

दर्शन प्राय: आरम्भ से ही बाह्य वस्तु के अस्तित्व को, या उसके स्वरूप को लेकर समस्या में रहा है। बाह्य वस्तुएँ दिखायी देती हैं और उनके दिखने–न दिखने से निरपेक्ष उनके अस्तित्व में विश्वास हमारे उस देखने में अन्तर्निहित रहता है। इसी से हमारा जगत् होता है, जिसमें हम रहते–करते–जीते और मरते हैं। ऐसा कहने में हमें कोई दुविधा का कारण दिखायी नहीं देता कि बाह्य वस्तुविषयक यह विश्वास जीव मात्र में सहज रूप से रहता है। किन्तु इस विश्वास पर थोड़ा भी विचार इस विश्वास की युक्तता के सम्बन्ध में सन्देह खड़ा कर देता है। वस्तुओं की यथाप्रतीति में यह सन्देह जिस प्रकार से आरम्भ और अग्रसर होता है वह दर्शन के सब विद्यार्थी जानते हैं। इस सन्देह का आरम्भ प्रत्यक्ष विषयक भ्रम के और स्वाप्न प्रत्यक्षों की जागृत प्रत्यक्षों से समानता के आकलन से होता है। ये दोनों प्रकार के प्रत्यक्ष साधारण प्रत्यक्षों को परत:प्रमाण सिद्ध कर देते हैं। अर्थात् बाह्य विषयों की वास्तव :वस्तुनिष्ठ: उपस्थिति के लिए ऐन्द्रिय प्रत्यक्ष अपने–आपसे पर्याप्त प्रमाण नहीं होते, ये प्रत्यक्ष स्वयं से तो वस्तु–सत्ता को पूर्वगृहीत कर उसके लिए उनके भ्रान्त सिद्ध नहीं होने तक केवल सामूहिक रूप से प्रमाण बनते हैं। किन्तु इनमें से कोई भी प्रत्यक्ष, या कितने भी प्रत्यक्ष, वस्तु के प्रापक नहीं होते। यों थोड़ा ध्यान से देखें तो इन प्रमाणों और इनके प्रमेयों का सम्बन्ध अत्यन्त समस्यात्मक दिखायी देता है। इस समस्या से जूझते हुए बहुत से दार्शनिकों ने प्रमेय का परित्याग ही कर दिया, और प्रत्यक्षों को वस्तु–प्रापक : प्रमेय–साधक : मानने के बजाय आत्मपर्यन्त ही मान लिया। यों हमारी दार्शनिक परम्परा में इसके प्रथम प्रतिपादक बौद्ध दार्शनिक वसुबन्धु ही हुए, किन्तु यदि ध्यान से देखा जाय तो कुछ दूसरे बौद्ध दार्शनिक भी कुछ दूसरे ढंग से यही कहते मिलते हैं, क्योंकि वे जिस निर्विकल्पक प्रत्यक्ष को जिस स्वलक्षण वस्तु का प्रमापक कहते हैं वह हमारे साधारण प्रत्यक्षों और उनके विषयों से कहीं से भी मेल नहीं खाता। पश्चिम में डेकार्ट प्रत्यक्ष की प्रामाणिकता को ईश्वर की सदाशयता पर छोड़ देते हैं, और बर्कले, ह्यूम और बाद के अनुभववादी प्रमेय को प्रमाणान्तर्गत ही स्थापित कर देते हैं। यही बात कांट भी करते हैं जब वे वस्तु को प्रमेयता की कोटि से ही बाहर कर देते हैं। किन्तु ये सब दार्शनिक अपनी ज्ञानमीमांसा में अटके इस ऐन्द्रिक प्रत्यक्ष और इसके गम्य विषय में ही रहते हैं, फिर चाहे उन्हें ये कितने ही क्षत–विक्षित रूप में हाथ लगें।

किन्तु प्रत्यक्ष की प्रामाणिकता और इसके विषय की प्रमेयता की यह क्षति विचार से होती है जिसे ये दार्शनिक अपने आप में कल्पनामूलक मानते हैं। अपने आप में तो प्रत्यक्ष अपनी प्रामाणिकता के प्रति सहज रूप से पूर्णत: आश्वस्त ही होता है, इसी से मीमांसकों ने उसे स्वत:प्रमाण ही कह दिया है। किन्तु विचार उसे अपने आप में नितान्त अपर्याप्त, प्रमाण होने के अयोग्य, सिद्ध कर देता है। इसमें भ्रम की सम्भावना इसके स्वत:प्रमाण होने की अयोग्यता के लिए अकाट्य प्रमाण बनती है। पानी में खड़ी सीधी छड़ी का टेढ़ा दिखना इस अपर्याप्तता के लिए एक–दूसरे प्रकार का प्रमाण है। यों सब प्रत्यक्ष सत्य या भ्रान्त अतिक्रान्त वस्तुविषयक होने से ही होते हैं, और उनकी यह अतिक्रान्त वस्तुविषयकता जीव के जगद्भाव में ही बद्धमूल दिखायी देती है, किन्तु उनके और उनकी विषयभूत वस्तु के स्वरूप और सम्बन्ध का प्रश्न विचार का विषय होता है, प्रत्यक्ष का नहीं। इस प्रकार यह विचार ही दिखाता है कि प्रत्यक्ष विश्वसनीय प्रमाण होता है या नहीं, और होता है तो किस प्रकार का और किस सीमा तक, और नहीं होता है तो फिर यह प्रयोजन क्या सिद्ध करता है?

---

1. 'अर्थावभासन' पद वसुबन्धु की **विज्ञप्तिमात्रता सिद्धि** की प्रथम कारिका से लिया गया है। किन्तु यह लेख उसकी व्याख्या या आलोचना नहीं होकर दार्शनिकों में व्यापक रूप से अंगीकृत सत्–विषयक धारणा की समीक्षा है।

किन्तु तब भी ये दार्शनिक विचार की वस्तु–प्रापकता या वस्तु–अप्रापकता के निर्णय, जो कि स्वयं विचार का विषय होता है, प्रत्यक्ष के वस्तु–सम्बन्ध के निदर्श के अनुसार ही करते हैं और तब स्वाभाविक होता है कि इसमें विचार अयोग्य ही ठहरता है। 'वस्तु की अनभिलाप्यता' की और 'गूँगे के गुड़' की बात तथा विचार के विकल्पात्मक स्वरूप की बात इसकी द्योतक है।

किन्तु प्रत्यक्ष और वस्तु, और इनके सम्बन्ध का स्वरूप–निर्णय, विचार के विषय होना इस बात का द्योतक होना चाहिए कि विचार भी एक प्रमाण होता है और स्वतन्त्र तथा प्रत्यक्ष से अधिक विश्वसनीय प्रमाण होता है। वसुबन्धु जो विज्ञप्तियों में गम्य अर्थ की असत्ता दिखाते हैं, अथवा कहें जो वे विज्ञप्ति को सत् और उसके गम्य अर्थ को असत् दिखाते हैं, वह वे तर्क से ही दिखाते हैं, जो विचार का एक स्वभावगत अंग है। किन्तु विडम्बना यह है कि प्राय: सभी दार्शनिक विचार को विकल्पात्मक और विकल्प को मनोमूलक कल्पना मानते हैं। बौद्धों का भाषाविषयक अपोहवाद का सिद्धान्त इसी मान्यता पर प्रतिष्ठित है। और भी बहुत से दार्शनिक या चिन्तक हैं जो विचार को प्रमाण नहीं मानते, एक प्रकार से देखा जाय तो पश्चिम में कांट और पॉज़िटिविस्ट भी नहीं मानते। इसका कारण है—विचार के विषय बाहर देश में नहीं दिखते, जबकि हमारा सहजबोध कहता है कि सत् को मनोबाह्य लोक : देश–काल के जगत् : में अवस्थित होना चाहिए। इसी से जिन दार्शनिकों को ऐन्द्रिक प्रत्यक्षगत अर्थ भी चित्त–बाह्य देश में अवस्थित नहीं मिलते, जैसे वसुबन्धु और बर्कले को, वे उन्हें भी असत् कहते हैं—

विज्ञप्तिमात्रमेवेदमसदर्थावभासनम्

अब, विचार–विषय तो स्पष्टत: ही चित्तगत : अबाह्य : दिखते हैं, तब उनका असत् होना तो सिद्ध ही है। कांट तर्क देते हैं कि जेब का पैसा ही कुछ खरीदने के काम आता है, विचार का पैसा : पैसा–प्रत्यय : नहीं। दूसरी ओर नैयायिक प्रत्यय : गोत्व, घटत्व : को भी, जाति के रूप में गो–गत और इस प्रकार प्रत्यक्ष वस्तुगत मान लेते हैं। वेदान्तियों के केयूर–कुण्डल असत् की सत्–प्रतीति के बड़े प्रामाणिक उदाहरण हैं। उनके लिए केवल सोना, मिट्टी आदि ही सत् हैं, क्योंकि केयूर, कुण्डल कल्पित रूप हैं जो स्वर्ण पर आरोपित हैं। किन्तु कठिनाई यह है कि बाह्य–आन्तर के ये भेद और इन भेदों के आपादन ये सब विचार–वितर्क के ही विषय हैं, विचार के बिना प्रातीतिक बाह्य की वास्तव अबाह्यता और अबाह्य की असत्ता विदित नहीं होती। किन्तु ऊपर हमने देखा कि अधिकांश दार्शनिक विचार को इस आधार पर ही अप्रामाणिक मानते हैं, क्योंकि उनके अनुसार प्रत्यक्ष ही वस्तु–प्रापक होता है, क्योंकि वस्तु बाह्य देश में ही हो सकती है और उसे हम ऐन्द्रिय प्रत्यक्ष से ही जान सकते हैं, किन्तु विचार–विषय बाह्य देश में नहीं होता इस कारण उसके सत् होने का भी कोई प्रश्न नहीं उठता।

किन्तु विचार को, ऊहा के अर्थ में तर्क जिसका अनिवार्य अंग है, याथार्थ्य के अवगमन के दूसरे सन्दर्भों में भी बहुत से लोग अप्रामाणिक मानते हैं, विशेषत: अध्यात्म–परम्पराएँ। ये लोग भी प्रत्यक्ष को ही प्रमाण मानते हैं, भले ही यह प्रत्यक्ष देशगत वस्तु विषयक नहीं होकर अलौकिक देशगत तत्त्वों विषयक होता है। किन्तु कोई परतत्त्व विषयक अनुभव प्रामाणिक है या नहीं, यह क्या स्वयं अनुभव–प्रमाण होता है? यह एक अत्यन्त दुरूह प्रश्न है। अब, कोई अनुभव तब तक स्वत:प्रमाण कैसे हो सकता है जब तक वह आत्मपर्यन्त नहीं हो, वह अनन्यविषयक : निर्विषय : नहीं हो? दिङ्नाग ने निर्विकल्पक प्रत्यक्ष को स्वलक्षण वस्तुविषयक कहते हुए भी उसे स्वत:प्रमाण कहा है, क्योंकि वे उनमें एक–एक का और अव्यवहित सम्बन्ध मानते हैं। किन्तु यह कैसे पता चले कि किसी प्रत्यक्ष के निर्विकल्पक होने पर भी उसने किसी वस्तु का प्रत्यक्ष किया ही है, कि उसके और वस्तु के बीच का अन्तराल अपारदर्शी नहीं है, कि जिस प्रत्यक्ष को प्रत्यक्ष–कर्त्ता निर्विकल्पक समझ रहा है वह वास्तव में निर्विकल्प है ही नहीं? इस पर कहा जा सकता है कि निर्विकल्पक प्रत्यक्ष और स्वलक्षण वस्तु के सम्बन्ध में ये प्रश्न उठाये ही नहीं जा सकते, क्योंकि ये परिभाषया इन प्रश्नों के लिए अतीत हैं। किन्तु ऐसी अवस्था में इनका कोई अर्थ ही नहीं रहता, क्योंकि परिभाषा पूर्णत: वैचारिक ही होती है। यहाँ ऐन्द्रिक और आध्यात्मिक प्रत्यक्षों पर थोड़ा और विचार करना स्थाने होगा।

ऐन्द्रिक प्रत्यक्ष सामान्यत: परवस्तुविषयक ही होते हैं, किन्तु वे स्वगतधर्म-विषयक भी हो सकते हैं, जैसे चौंधियाई आँखों से दृष्ट वर्ण, या आँख दबाकर देखे गए दो चाँद। इन प्रत्यक्षों को *एक प्रकार से* हम स्वत:प्रमाण भी कह सकते हैं, यद्यपि ये भी बाह्यविषयक ही होते हैं—वर्ण और द्विचन्द्र बाह्य देश में ही दिखायी देते हैं। किन्तु तब भी ये बाह्य वस्तुविषयक नहीं होते। दूसरी ओर इच्छा, प्रेम, द्वेष, सुख-दु:खादि अनुभव और पर-तत्त्वों विषयक अनुभव बाह्य देशस्थ वस्तु-विषयक नहीं होने पर भी सत्ता की दृष्टि से इनके समकक्ष रखे जा सकते हैं। किन्तु इनमें एक आधारभूत अन्तर होता है-अस्तित्वत: जबकि इन्हें स्वत:प्रमाण कहा जा सकता है, स्वरूपत: इन्हें स्वत:प्रमाण नहीं कहा जा सकता। यहाँ आपत्ति की जा सकती है कि 'सत्तया तो रज्जु-सर्प और अवास्तव वर्ण-प्रत्यक्ष को भी स्वत:प्रमाण ही कहा जायेगा।' किन्तु इनमें भेद है—प्रथम दो प्रत्यक्षों में भी भेद है : रज्जु-सर्प-प्रत्यक्ष मूलत: परवस्तु विषयक ही है, किन्तु चौंधियाई आँखों से देखा गया वर्ण मूलत: अपरविषयक : अवस्तु-विषयक : है और स्वरूप में प्रत्यक्षपर्यन्त ही है। किन्तु सुख-दु:ख, प्रेम-द्वेष जबकि संवेदपर्यन्त ही होते हैं, स्वरूप में ये संवेदपर्यन्त नहीं होते। यही बात पर-तत्त्व विषयक अनुभवों के सम्बन्ध में कही जा सकती है, सिवाय इसके कि उनमें अनुभव और वस्तु अभिन्न होने पर भी वस्तु का स्वरूप अपरिमेय और अनवगाह्य होता है। अब सुख-दु:ख, और उससे भी अधिक प्रेम-द्वेष परक अनुभवों के स्वरूप विषयक भ्रान्ति की बात तो हम सब जानते हैं किन्तु आध्यात्मिक अनुभव या परतत्त्वों विषयक अनुभव या बोध के प्रामाण्य के परत: होने की बात कुछ अटपटी लग सकती है। किन्तु वास्तव में इस बोध के भ्रान्त होने की सम्भावना बहुत अधिक रहती है। सामान्य जन का इस प्रकार का बोध प्राय: ही सन्देह-विषय होता है, किन्तु किस प्रकार रामकृष्ण परमहंस जैसा परमोच्च साधक भी अपने ऐसे बोध की प्रामाणिकता में सन्देहशील होता था, इसके लिए उनकी जीवनी से निम्न उद्धरण द्रष्टव्य है—"साधना-काल के प्रथम भाग में यद्यपि उन्हें भिन्न-भिन्न दर्शन प्राप्त हुए थे, तथापि जब तक उन्होंने शास्त्रों में वर्णित साधकों के शास्त्रीय साधना-पद्धति द्वारा उत्पन्न अनुभवों के साथ अपने स्वत: के अनुभवों का मिलान करके नहीं देख लिया, तथा जब तक अपने अनुभव की सच्चाई और झुठाई का निश्चय नहीं कर लिया और इस प्रकार के अनुभवों की चरम सीमा निर्धारित नहीं हो गयी, तब तक उनका मन सदा शंका-युक्त ही बना रहता था।" (द्रष्टव्य पं. द्वारकानाथ तिवारी — *श्री रामकृष्ण लीलामृत*) इसमें आध्यात्मिक अनुभव के परत:प्रामाण्य की बात स्पष्ट देखी जा सकती है। इसमें अनुभव की शास्त्र-प्रमाणता और अन्यों से अपने अनुभव की तुलना की बात जाने भी दें, यद्यपि वह असंगत नहीं है, तो भी 'अपने अनुभव की सच्चाई की जाँच' अनिवार्य होती है। अब, इस जाँच की विधि और रूप को देखना महत्त्वपूर्ण है, जिसे हमने अपने 'सत्य' शीर्षक लेख में देखने का प्रयत्न किया है।[1] इस अनुभव की सच्चाई की जाँच अन्त:साक्ष्य से ही होती है, जो अनुभव को आलोच्य अर्थ के रूप में पर : आलोचन से बाहर स्थापनीय : सिद्ध करता है और उसे सत्यासत्य की कसौटी का, भ्रान्त होने की सम्भावना का, विषय बनाता है। इस दृष्टि से इस अर्थ में और इन्द्रियार्थ में अनुरूपता स्पष्ट है, भेद केवल इन दो प्रकार के अर्थों के करणों में रह जाता है। 'अन्यों के अनुभव से तुलना' की बात इस अनुभव को उसी प्रकार 'सार्वजनिक' भी बना देती है जिस प्रकार इन्द्रियार्थ 'सार्वजनिक' होते हैं।

यहाँ कहा जा सकता है कि सत्ता की दृष्टि से ये अनुभव अन्त:करणगत अन्य अनुभवों के समान ही होते हैं और अन्त:करण के अनुभवों की सत्ता में कोई सन्देह नहीं करता। ये सब अनुभव इन्द्रियविषयक बाह्यार्थों से इस रूप में मूलत: भिन्न होते हैं कि जबकि इन्द्रयार्थों का सत्ता-सम्बन्ध परवस्तुओं से होता है, इन अनुभवों का वैसा नहीं होता। जिन इन्द्रियार्थों का सत्ता-सम्बन्ध इस प्रकार पर-वस्तुओं से नहीं होता, जैसे चौंधियायी आँख से देखे गए वर्ण या द्विचन्द्र का, उन अर्थों को असद्विषयक ही माना जाता है। उसी प्रकार स्वप्न में दृष्ट अर्थों को असद्विषयक माना जाता है।

किन्तु द्रष्टव्य है कि ये बाह्य वस्तुएँ जिस प्रकार और जिस अर्थ में हमारे लिए बाह्य होती हैं उस प्रकार और उस अर्थ में अन्य जीवों के लिए नहीं होतीं, स्वयं मनुष्यों में भी इनको लेकर गहरा स्तर-भेद होता है। आधुनिक

1. द्रष्टव्य आगे।

वैज्ञानिक के लिए जबकि सब सत्ता भौतिक है, जन सामान्य के लिए यह भौतिक, जैव, मानसिक और आध्यात्मिक आदि विभिन्न प्रकार की है, और भौतिकवैज्ञानिक का 'भौतिक' साधारण भौतिक से अत्यन्त भिन्न प्रकार का, अत्यधिक उद्गृहीत प्रकार का कुछ, होता है। इस प्रकार सत्-विषयक इस भेद का मूल अचिद्वस्तुपरक नहीं होकर चेतनागत अर्थों में ही ठहरता है। नैयायिकों ने जाति-सहित व्यक्ति को प्रत्यक्ष का विषय इसी तर्क से माना था कि हम गाय, घोड़ा, घड़ा, पानी, मिट्टी आदि को उनकी 'जाति' के सहित ही देखते हैं, अन्यथा मानना होगा कि गाय और घोड़े को एकरूप देख कर पीछे अनुमान से या आरोप से उनमें जाति देखते हैं। इस दृष्टि से 'गोत्व' और 'गाय-जाति' में भेद किया जा सकता है, जैसा कि 'मनुष्यत्व' और 'मनुष्य-जाति' में भेद से देखा जा सकता है। जो भी हो, ऐन्द्रिय प्रत्यक्ष विषय के रूप में बाह्यार्थ एक कोई सहज निर्धार्य वस्तु नहीं होता। पानी में खड़ी दिखने में टेढ़ी और छूने में सीधी छड़ी प्रत्यक्ष में दो किन्तु सत्ता में एक है, चौंधियाई आँखों से देखे गये नीलवर्ण-कण प्रत्यक्षगम्य हैं, किन्तु असत् हैं, आदि उदाहरण सद्वस्तु को प्रत्यक्ष से पर, प्रत्यक्ष के लिए अगम्य, सिद्ध कर देते हैं। *इस सत्ता को जीव के जगद्भाव के सहज बोध का विषय कहा जा सकता है, जो भाव चेतना के ऐन्द्रिक वृत्ति में उन्मीलन का हेतु होता है, जो भाव इन्द्रियोपकरण और देह-धारण के रूप में व्यक्त होता है और जो प्रत्यक्ष के विषय से जगद्गतवस्तु के रूप में सम्पर्क स्थापित करता है। सत्ता इस विषय में पूर्वगृहीत रहती है।* इस प्रकार वसुबन्धु जिन अर्थावभासों को असत् कहते हैं उनमें सत्ता का तात्पर्य दार्शनिकों की सत्ताविषयक इस भ्रान्त धारणा के अनुरूप है कि उन अर्थों में जो अतिक्रामी वस्तुता लक्षित रहती है उस वस्तु का अधिष्ठान उन अर्थों से इतर किसी भौतिक अस्तित्व में होना चाहिए, अन्यथा ये अर्थ असत् कहे जाएंगे। वास्तव में वे इस इतर अस्तित्व को ही 'अर्थ' कहते हैं और इनके प्रत्यक्षों को अवभास, जिसके मूल में दर्पण-वस्तु-बिम्ब का निदर्श है। किन्तु यह निदर्श भ्रामक है। क्योंकि यदि यह निदर्श सही हो तो वस्तु के बिना अवभास होना ही नहीं चाहिए। दूसरे, चेतना सुख-दुःख, श्रेयस्-अश्रेयस्, कला-शिल्प आदि परक नामों-रूपों का भी साक्षात्कार करती है, जिनको इस निदर्श पर नहीं समझा जा सकता, किन्तु जिनमें 'अवभासन' और 'अर्थ' का द्वैत रहता है, जो अवभास अपने अर्थ से सम्यक्ता-असम्यक्ता या भ्रान्तता-अभ्रान्तता का हेतु होता है। इन्हें ये दार्शनिक मनोकल्प : विकल्प : और इस प्रकार असत् मान कर ही चलते हैं। किन्तु यह एक आधारभूत रूप से भ्रान्त दृष्टि है। ये तथाकथित मनोकल्प अर्थ ऐन्द्रिक प्रत्यक्षगम्य : इन्द्रिय-कल्प : वस्तुओं के समान ही 'स्वतन्त्र' और सत्प्रतिष्ठ होते हैं, केवल उनके 'बाह्य देश' में अवस्थित नहीं होने और चेतना के जगद्भाव में आद्य उन्मीलन से भिन्न प्रकारक उन्मीलन के कार्य होने से वे *काल्पनिक* के रूप में देखे जाते हैं। किन्तु मिट्टी, पत्थर और लोहे को चूल्हा, चक्की तथा तलवार और तोप से अधिक सत् या प्रथम को सत् और दूसरों को मनोकल्प कहने का कोई औचित्य नहीं है।

इन्द्रियगम्य अर्थों को चेतना के अनात्मचेतन स्तरीय आद्य उन्मीलन कहा जा सकता है। इस उन्मीलन का मूल चेतना की जगद्वासना में है। चेतना के आत्मचेतन होने पर चेतना सर्वथा नये प्रकार के अर्थों के साथ उन्मीलित होती है। इस उन्मीलन के साथ इन्द्रियार्थों का रूप भी बदल जाता है, क्योंकि चेतना के आत्मचेतन होने का अर्थ है चेतना का जगद्वासना से अशेष तादात्म्य से मुक्त होकर उसकी द्रष्टृता में अवस्थित होना। यहाँ आपत्ति की जा सकती है कि मनुष्य में तो अधिकांश में जगद्भाव पशु से भी अधिक प्रखरता से देखा जाता है, उसी को आसुरीभाव कहा जाता है। यह सही है, किन्तु इस अधिकता का मूल भी उसकी इस मुक्ति में ही है। इसका हेतु उसका आत्म-वरण, अथवा कहें आत्म-वरण की योग्यता का स्थगन, कहा जा सकता है, जिसके लिए वही उत्तरदायी होता है।

आत्मचेतन चेतना के विषय प्रत्यय होते हैं जिनकी ग्राहक प्रेक्षात्मक बुद्धि : विचार : होती है। इसके लिए इन्द्रिय-विषय भी प्रत्ययमूलक हो जाते हैं : गाय इसके लिए गो-जातीय व्यक्ति ही नहीं होती, वह गोत्व की अभिव्यक्ति की माध्यम भी होती है : वह उपयोगी पशु, गोमाता, देवतत्त्व से अनुप्रविष्ट जाति और शरीर विज्ञान तथा प्राणि-विज्ञान की विषय आदि-आदि की अपरिमेय सम्भावनाओं से अन्तर्गर्भ अर्थ की प्रतीक हो जाती है।

इसी प्रकार पत्थर अब चक्षु और स्पर्श-ग्राह्य विषय, पथ का बाधक आदि कुछ, अथवा अधिक से अधिक 'प्रस्तर-जातीय कुछ' ही नहीं रहता, वह एक भौतिक वस्तु : भौतिकता की अभिव्यक्ति का माध्यम और इस रूप में उपादेय : हो जाता है। ये सब अर्थ समानरूप से सत्तापूर्वक ही होते हैं, जब तक दार्शनिक परिभाषा द्वारा इनमें से किसी को सत्ता का एकाधिकार नहीं दे देता। वैदिक ऋषि मनुष्य की इन्द्रियों तथा अन्त:करण को और सूर्य, पृथ्वी, जल, अग्नि आदि भौतिक वस्तुओं को एक ही तत्त्व के दैहिक, दैविक, आध्यात्मिक और भौतिक आयाम देखते हैं और इस प्रकार आँख उनके लिए चक्षु-गोलक और सूर्य प्रकाश-पिण्ड मात्र नहीं रहता, ये दोनों एक ही दिव्य सत्ता की अभिव्यक्ति के दो रूप हो जाते हैं। उनके लिए जगत् का और जगद्गत वस्तुओं का यही स्वरूप है।

यहाँ द्रष्टव्य है कि 'प्रत्यय' 'सामान्य' का पर्यायवाची शब्द नहीं है, न यह 'जाति' का ही पर्यायवाची है, न 'जाति' 'सामान्य' का पर्यायवाची है। 'सामान्य' व्यष्टियों में दृष्ट अनुरूपता के उद्गृहीत रूप का वाचक होता है। इस प्रकार वार्द्धक्य, पंक, दण्ड, प्रहार ये सब सामान्यवाचक पद हैं, इसी अर्थ में 'गो' और 'अश्व' आदि भी सामान्य वाचक कहे जाते हैं। किन्तु 'गो' और 'अश्व' जाति वाचक भी हैं, जबकि 'दण्ड' आदि नहीं हैं। 'गो' इस कारण जाति वाचक है क्योंकि यह एक जैव याथार्थ्य का वाचक पद है : गाय से गाय और अश्व से अश्व ही उत्पन्न हो सकता है। यह वास्तव नियम है, जो गाय-व्यक्तियों और अश्व-व्यक्तियों में व्यक्त होता है। इससे भिन्न 'घटत्व', 'मनुष्यत्व' और 'रामत्व' तथा 'बुद्धत्व' आदि प्रत्यय हैं। 'प्रत्यय' को आत्मचेतन चेतना : आत्मद्रष्ट्र चेतना : में उन्मीलित, अथवा कहें उसमें उसी प्रकार उन्मीलित और दृष्ट अर्थ कहा जा सकता है जिस प्रकार इन्द्रियार्थों को। किन्तु ये अर्थ व्यक्तियों (व्यष्टियों) के माध्यम से व्यक्त होते हैं, व्यष्टि इनके आदर्श में अपने को ढालते हैं और ये अर्थ व्यष्टियों के माध्यम से अपने को निरूपित करते हैं। जाति में भी प्रत्यय के ये लक्षण देखे जा सकते हैं, किन्तु इस भेद के साथ कि यह 'जाति प्रत्यय' आत्मचेतन चेतना में दृष्ट अर्थ-रूप नहीं होता। किन्तु तब इसे ईश्वरीय चेतना में दृष्टार्थ : अधिक उपयुक्त शब्दों में कहें तो आलय विज्ञान में दृष्ट अर्थ : कह सकते हैं, जो उसी प्रकार जैव माध्यम में व्यक्त होता है जिस प्रकार 'घटत्व' भौतिक माध्यम में और 'बुद्धत्व' या 'रामत्व' चैत्त माध्यम में व्यक्त होते हैं। यहाँ कहा जा सकता है कि 'बुद्धत्व' और 'घटत्व' में एक आधारभूत अन्तर है-'घटत्व' जबकि अनेक घटों में व्यक्त होता है 'बुद्धत्व' केवल एक ही व्यक्ति में व्यक्त होता है। किन्तु द्रष्टव्य है कि यह 'बुद्धत्व' प्रत्यय का स्वरूप नहीं है कि वह एक ही व्यक्ति में व्यक्त हो, बौद्धों ने जीवमात्र को बुद्धत्व-गर्भ : तथागत गर्भ : कहा भी है और यह सही है। बुद्धत्व स्वयं सिद्धार्थ द्वारा दृष्ट अर्थ का उसमें क्रियान्वयन है और यह उन सबमें क्रियान्वित हो सकता है जो उसे देख सकते और अपने को उसकी अनुरूपता में ढालना चाहते हैं। निश्चय ही व्यक्ति की देह, और उससे भी अधिक व्यक्तिचित्त, में एक अनन्यता भी होती है और उसके अनुसार व्यक्ति में प्रत्यय की अभिव्यक्ति में भी वैशिष्ट्य रहता है, किन्तु वह प्रत्यय की अभिव्यक्ति का वैशिष्ट्य : अनन्यता : होती है, प्रत्यय की वैयष्टिकता नहीं होती। यों यह अनन्यता कम प्रखर रूप में घट आदि और गो आदि व्यष्टियों में भी रहती है, किन्तु वह विशिष्टता अपने आदर्श की अभिव्यक्ति में असम्यक् रहने के रूप में देखी जाती है। यहाँ प्रश्न हो सकता है कि यह वैयष्टिक अनन्यता किसमें प्रतिष्ठित होती है? स्वयं व्यक्ति-चित्त में, आलय-चित्त में या कि द्रष्टृ-चेतना में? यहाँ हम इस प्रश्न में नहीं जाएँगे, यह अलग विचार की अपेक्षा करता है और पर्याप्त जटिल है। यहाँ हम सामान्यों और प्रत्ययों के स्वरूप पर ही संक्षेप में आगे विचार करेंगे।

कुछ दार्शनिक सामान्यों को व्यक्तियों में देखी गयी समानता को भ्रान्तिवश दी गयी वस्तुता के वाचक शब्द : नाममात्र वाद : कहते हैं, अथवा अधिक ठीक शब्दों में कहें तो, उनके अनुसार इस प्रकार देखी गयी समानता शब्दारूढ़ होकर वस्तुता की भ्रान्ति की जनक बनती है। यह समानता व्याप्ति-ग्रहण की आधार भी बनती है। किन्तु द्रष्टव्य है कि जबकि ऐसा भी होता है कि हम कुछ घटनाओं या वस्तुओं में समानता देखकर एक सामान्य का उद्ग्रहण करते हैं, इसके विपरीत ऐसा भी होता है कि एक ही घटना या वस्तु को देखते हुए हम उसमें व्याप्ति का प्रत्यक्ष करते हैं। गाय प्रहार-मुद्रा में उठाये हुए डण्डे को पहली बार ही देख कर उसका अर्थ समझ लेती है। धूम-अग्नि का सम्बन्ध एक बार देखकर ही हम उस सम्बन्ध में व्यापकता स्थापित कर लेते हैं। इसी प्रकार, वार्द्धक्य

वृद्धों में देखी गयी आकृतिगत समानता का वाचक पद ही नहीं है, यह शरीर की अवस्था का वाचक पद भी है, बाह्य आकृति जिसकी एक लक्षण होती है। निश्चय ही व्यक्तियों को हम शरीर की अवस्था की समानता के आधार पर ही 'वृद्ध' कहते हैं, जबकि उनमें अवस्था की समानता पूर्ण नहीं होती, उनमें समानता एक सीमा तक रहती है जो पुन: अनिश्चित होती है। इसे विट्गिंस्टाइन ने पारिवारिक समानता कहा है, जिसका अर्थ है सामान्यों की वस्तुता का निषेध करना। किन्तु सामान्यों के सम्बन्ध में यह दृष्टि सम्यक् नहीं है। बहुत बार ये शब्द के आश्रय से विशेषों में दृष्टिगत समानता के उद्ग्रहण मात्र नहीं रह कर प्रत्यय का रूप भी ले लेते हैं। उदाहरणत: 'माधुर्य' शब्द गन्ने, केले और आम आदि के चखने में संवेदित रसों में लक्षित 'पारिवारिक समानता' का उद्ग्रहणात्मक वाचक मात्र नहीं है, यह पद स्वर, वचन और स्वभाव आदि के विशेषण के रूप में भी प्रयुक्त होता है, रसात्मक उद्ग्रहण को आलम्बन बनाकर यह गुड़, चीनी आदि के रूप में और अन्य अनेक प्रकार के मधुर रसों के रूप में स्वतन्त्रत: उत्पाद्य वस्तुओं का हेतु भी हो जाता है। ऐसा यह शब्दावलम्बित रस-संवेदन में प्रत्यय के अनुप्रवेश से हो पाता है। यह सब संवेदनों में देखी गयी तथाकथित पारिवारिक समानता के शब्दाश्रित उद्-ग्रहणों के लिए सही है। इनके आधार पर बड़े-बड़े उद्योग चलते हैं।

यहाँ 'शब्दातीत अनुभव', 'अनभिलाप्य तत्त्व', 'गूँगे का गुड़' आदि पर भी संक्षिप्त टिप्पणी स्थाने होगी। कोई भी अनुभव अपने शुद्ध रूप में नितान्त विशिष्ट होता है, चाहे वह नितान्त निर्विकल्पक नहीं होता। जैसे कोई भी रसानुभव। परिणामत: वह शब्द का विषय नहीं हो सकता, क्योंकि शब्द स्वरूपत: सामान्यवाचक होता है। किन्तु यह 'शुद्ध अनुभव' नितान्त अर्थ-दरिद्र ही होता है, 'बोध के गूँगेपन' का हेतु, जैसाकि पशुओं में हम देखते हैं। किन्तु द्रष्टव्य है कि नितान्त अविकसित जीव का भी कोई 'अनुभव' निर्विकल्पक नहीं होता, वह उसके जीवनोपयोगी सहजबोध (इन्स्टिंक्ट) में विकल्पित होता है। मनुष्य निर्विकल्पकता को साधने का प्रयत्न कर सकता है, जैसाकि वसुबन्धु इसे ग्राह्य-ग्राहकता का उत्क्रमण करने वाले बुद्ध में देखते हैं। किन्तु सहजरूप में प्रदत्त अनुभव : संवेद : शब्द का अविषय होने पर ठीक से स्मृति का विषय भी नहीं हो पाता, उन सब अर्थों से तो वह रहित होता ही है जो वह विकल्प-विषय होकर प्राप्त करता है। इसके विपरीत प्रत्यय-मूलक होकर अनुभव अपार व्यापकता और अतल गहनता प्राप्त कर पाता है, जैसाकि काव्य और अन्य कलाओं में एक ओर और विज्ञान में दूसरी ओर देखा जा सकता है। काव्य और अन्य कलाओं में प्रत्यय का यह विषयिता-धर्मी विजृंभन होता है। विषयता-धर्मी विचार के आयाम में यह किस प्रकार यन्त्र-विद्या, उद्योग और शिल्प आदि की तथा विज्ञान, गणित, धर्म और दर्शन आदि की अपार अर्थ-राशियों में विकसित हो सकता है, इस ओर हम ऊपर संकेत कर ही आये हैं।

यहाँ विज्ञान को धर्म, दर्शन आदि के तुल्य कहने पर आपत्ति हो सकती है। किन्तु जो असमानता धर्म या दर्शन से विज्ञान की है वही धर्म और दर्शन आदि में परस्पर भी है। इस असमानता का मूल ग्राहक चेतना की वृत्तियों के स्वरूप में रहता है। इस प्रकार वैज्ञानिक प्रत्यय ऐन्द्रियवृत्ति-सम्बद्ध होता है और नैतिक तथा धार्मिक प्रत्यय आत्म-ध्यायी वृत्ति-सम्बद्ध और दार्शनिक प्रत्यय प्रत्यङ्मुख वृत्ति-सम्बद्ध। इस प्रकार वैज्ञानिक प्रत्यय का चेतना के इन्द्रियात्मक उन्मीलन के आधार में उपचरित होना अनिवार्य होता है, जबकि धर्म, दर्शन आदि गत प्रत्यय इन्द्रियवृत्तिक नहीं होते। किन्तु प्रत्यय-धर्मिता में विज्ञान का धर्म या दर्शन से कोई भेद नहीं है। विज्ञान भौतिक तत्त्व के स्वरूप का अनुसन्धान करता है, जो तत्त्व इन्द्रियार्थों में पूर्वगृहीत पर-वस्तु का प्रत्यय-धर्मी रूप है। इस प्रत्यय-धर्मिता के कारण ही विज्ञान का अनुसन्धेय सत् दर्शन और धर्म के अनुसन्धेय सत् के समान ही अपरिमेय और अनवगाह्य होता है।

प्रत्यय आत्मचेतन चेतना में उन्मीलित अर्थ होते हैं। जैसाकि हम पीछे देख आये हैं, ये अर्थ भी उसी प्रकार सहज रूप से सत्प्रतिष्ठ होते हैं जिस प्रकार इन्द्रियार्थ होते हैं, किन्तु चेतना का आद्य उन्मेष इन्द्रियात्मक होने से और इसका मूल अनादि जगद्वासना में होने से सहज रूप से सत्ता का आदर्श इन्द्रियार्थ ही बनते हैं। जिस प्रकार वेदान्ती और सांख्य-दार्शनिकों जैसे शुद्ध चैतन्य के स्वरूप पर विचार करने वाले दार्शनिक भी प्रमाण और भ्रान्ति

आदि विषयक विचार ऐन्द्रिय प्रत्यक्ष और तन्मूलक अनुमान के धरातल पर ही करते हैं और ज्ञान को वस्तुतन्त्र कहते हैं, उससे यह देखा जा सकता है। कांट ने इसी आधार पर ईश्वर को वस्तुपरक अयुक्तयुक्ति-मूलक आस्था, या कहें अन्धविश्वास का विषय कहा। इसी पूर्वग्रह के कारण ये दार्शनिक विकल्प को असन्मूलक और प्रत्ययों को सामान्यों से अभिन्न उद्ग्रहणस्वरूप रहता ही मानते हैं। उपादान को सत् और नामरूप को असत्-कल्पना कहने के पीछे भी यही पूर्वग्रह है। किन्तु इन्द्रियार्थ चेतना के उसी प्रकार उन्मेष हैं जिस प्रकार प्रत्यय या बुद्ध्यर्थ हैं, किन्तु ये दोनों अपने स्वरूप में नितान्त भिन्न होते हैं और परिणामत: अपने सत्ता-रूपों में भी।

यहाँ ध्यातव्य है कि प्रत्यय एक ही प्रकार के नहीं होते। कुछ प्रत्यय अपनी अभिव्यक्ति के लिए इन्द्रियार्थों को आश्रित करते हैं, किन्तु अन्य बहुत से इन्द्रियार्थों को आश्रित नहीं करते। उदाहरणत: मनुष्य-रचित सम्पूर्ण वस्तु-लोक इन्द्रियार्थों को आश्रित कर व्यक्त होने वाले प्रत्ययार्थों का लोक ही है, जगत् को और जगद्गत पदार्थों को भी आलय विज्ञान में या विधाता की चेतना में उन्मीलित अर्थों की अभिव्यक्ति कहा जा सकता है। ये सब इन्द्रियार्थों को आश्रित कर व्यक्त होने वाले प्रत्यय हैं। इसी प्रकार दूसरे प्रत्यय हैं जो बुद्धि को या भावना को आश्रित कर व्यक्त होते हैं। कार्य-योजनाएँ, सैद्धान्तिक विचार और सदसद्-विवेक विचाराश्रित प्रत्ययों या अर्थों के और काव्य तथा कलाओं में व्यक्त भाव और विचार भावनाश्रित प्रत्ययों के उदाहरण कहे जा सकते हैं।

जैसाकि हमने ऊपर देखा, प्रत्यय आत्मचेतन चेतना में उन्मीलित अर्थ होते हैं। चेतना का आत्मचेतन होना उसका प्रत्यङ्मुख होना है। चेतना के इतिहास में यह अद्भुत क्रान्तिकारी प्रत्यावर्तन घटित होता है। इस प्रत्यावर्तन के साथ सत्-असत् का रूप ही आधारभूत रूप से नहीं बदल जाता बल्कि सत्-असत् से भिन्न और उतना ही मूलगामी एक दूसरा आयाम भी आविर्भूत हो जाता है जिसे सदसद् : श्रेयसश्रेयस् तथा उचित-अनुचित : विवेक का आयाम कह सकते हैं। आत्मचेतन चेतना जगद्गत वस्तुओं को, जगत् को और अन्य सब अर्थों को सत्-असत् के आयाम में ही नहीं देखती, उन्हें सदसद् के आयाम में भी देखती है। बहुत से विचारक इस दूसरे आयाम को उस प्रकार साधार नहीं देखते जिस प्रकार प्रथम आयाम को। उदाहरणत: 'अहिंसा स्वयं में श्रेयस् है' यह बोध उतना ही सहज और स्वप्रतिष्ठ है जितना सत्ता-बोध, ऐसा आज अधिकांश दार्शनिक नहीं मानते, इसे वे किसी उपयोगिता-दृष्टि या उद्वेगात्मकता में अपचेय देखते हैं। किन्तु श्रेयस्- अश्रेयस् आत्मचेतन चेतना द्वारा दृष्ट आत्मविषयक अर्थों में उसी प्रकार सहजत: अन्तर्हित होते हैं जिस प्रकार विषयवृत्तिक चेतना द्वारा दृष्ट सत्-असत्, यह हम अन्यत्र विस्तार से देख चुके हैं।[1]

चेतना के आत्मचेतन होने का अर्थ है उसका ऐन्द्रिकस्तरीय उन्मीलन में बाह्योन्मुख सहज प्राकृतिक प्रवर्तन के विपरीत प्रत्यङ्मुख निवर्तित होना। प्रत्यङ्मुख निवर्तित चेतना इस निवर्तन के प्रथम चरण में अपना विषयिरूप में विषय से पृथक् प्रत्यक्ष करती है और विषय का पर-रूप में पृथक् प्रत्यक्ष करती है। यों यह विषयी भी इस चेतना के लिए विषय होकर ही ग्राह्य होता है—किन्तु इस विषयि-विषय से पृथक् द्रष्ट-विषयी के लिए, जो ग्राह्य नहीं होकर आत्मविदित रहता है। इस आत्मचेतन चेतना के प्रत्यक्षों का अवच्छेदक धर्म प्रत्यय-मूलकता है, जबकि अनात्मचेतन चेतना के प्रत्यक्षों का अवच्छेदक धर्म अशेष जगद्भावमूलकता : ऐन्द्रिय विषयेषणा : होता है। ऐसा नहीं है कि प्रत्यङ्मुख चेतना अपने इस नये विकास के प्रथम चरण में ही अपने आद्य उन्मीलन की प्रेरणा : विषयेषणा: से मुक्त हो जाती है, किन्तु यह एषणा इस चरण में व्यवहित हो जाती है। यह व्यवधान इस चेतना के लिए क्रमश: अधिकाधिक महत्त्वपूर्ण, जगद्धर्मता से अधिकाधिक वियुक्तता का हेतु भी हो सकता है और प्रत्यय-धर्मता के माध्यम से जगदेषणा : ऐन्द्रिक विषयैषणा : का नये रूप में और कहीं अधिक प्रखरता के साथ अन्वेषी भी हो सकता है। किन्तु वह अब जगद्भाव के अव्यवहित तादात्म्य में अवस्थित नहीं हो सकता। ऐन्द्रिक-संस्कृतिमूलक विज्ञान और यान्त्रिकता का विकास, और सब देशों और कालों में मनुष्य में प्रकट आसुरीभाव, इसके उदाहरण हैं। मनुष्य में लक्षित यह आसुरी वृत्ति उसमें श्रेयस्-बोध के विपर्यास की द्योतक कही

1. द्रष्टव्य हमारे लेख — 'सत् का स्वरूप : सापेक्षता का प्रश्न', तथा 'नैतिक बोध'। आगे संकलित

जा सकती है। द्रष्टव्य है कि यह वृत्ति सदसद्-बोध से नितान्त शून्य पाशवता की नहीं होती, बल्कि प्रत्यय-व्यवहित जगद्-भाव के समान प्रत्यय-व्यवहित विपर्यस्त आत्म-बोधमूलकता की होती है।

हमारे उपर्युक्त प्रतिपादन पर यह आपत्ति हो सकती है कि यह विज्ञप्तिमात्रता का छद्म स्वीकार ही है, क्योंकि वसुबन्धु ने अर्थावभासन को मिथ्या नहीं कहा है, उसमें सद्‌दृष्टि : सत्ता-दृष्टि : को मिथ्या कहा है, और सद्‌दृष्टि उनके अनुसार, अवभासन से : विज्ञप्ति से : बाहर स्वतन्त्र वस्तुओं के स्वीकार की दृष्टि है, जिसे हम भी मिथ्या कह रहे हैं। किन्तु यह आपत्ति ठीक नहीं होगी, क्योंकि एक तो वे ग्राह्य-ग्राहक भाव में ही मिथ्यात्व देख रहे हैं जिसे हम चेतना के अर्थोन्मीलन के रूप में देख रहे हैं, और दूसरे, वे सद्‌दृष्टि को जिस रूप में समझ रहे हैं वह युक्त नहीं है। चेतना का अर्थोन्मीलन उसका सत्ता सत्ता-भाव में ही उन्मीलन होता है। दूसरा महत्त्वपूर्ण अन्तर यह है कि अर्थोन्मीलन केवल ऐन्द्रिक ही नहीं होता बल्कि बौद्धिक, प्रातिभ और प्रज्ञात्मक भी होता है और उन्मीलन के ये उत्तरवर्ती रूप अर्थों की सद्रूपता में भी उत्तरवर्ती होते हैं। किन्तु दार्शनिक सत्ता का विचार केवल ऐन्द्रिक विषयों को लेकर ही करते हैं और इन्हें चेतना के एक अर्थोन्मीलन के रूप में नहीं देख कर दर्पण रूप में देखते हैं, और तब इस रूपक में कठिनाइयाँ देखते हैं। वसुबन्धु इसके आदर्श उदाहरण हैं, किन्तु वेदान्त का अध्यास-विचार भी इसी का एक उदाहरण है। अपनी इस अयुक्त दृष्टि के कारण वसुबन्धु, और वास्तव में अधिकांश दार्शनिक, जिनमें बौद्ध विशेष हैं, बुद्धि-ग्राह्य, या कहें बुद्ध्युन्मीलित, अर्थों को मात्र ऐसी कल्पनाएँ ही मान लेते हैं जो विज्ञप्त्यर्थों में मिथ्या-दृष्टि की हेतु होती हैं, जबकि वास्तव में प्रत्ययार्थ उसी प्रकार सत्ता के दावेदार होते हैं जिस प्रकार इन्द्रियार्थ, क्योंकि प्रत्यय-रूप में अवभासित अर्थ उसी प्रकार अतिक्रामी, अपने सब ग्रहणों से परे और उनके लिए केवल अल्पाँश में ही ग्राह्य, होते हैं जिस प्रकार इन्द्रियार्थ होते हैं। प्लेटो ने इन्हें जो दिवाकाश में विद्यमान वस्तुएँ कहा है और इन्द्रियार्थों को उनकी असम्यक् छाया, वह इनकी इसी वस्तुता से प्रभावित होकर कहा है। किन्तु इस प्रतिपादन में जहाँ यह प्रज्ञा है कि प्रत्यय उसी प्रकार की किन्तु अधिक ठोस सत्ताएँ हैं जिस प्रकार की जनसाधारण की धारणा में इन्द्रियार्थ हैं, वहीं यह भ्रान्त दृष्टि भी है कि सत्ता किसी देश में भौतिक प्रकार की विद्यमानता, या उसी प्रकार की किसी अतिभौतिक देश में विद्यमानता ही होती है। प्लेटो में दूसरी भ्रान्ति प्रत्ययों को सामान्यों से अभिन्न देखने में है। निश्चय ही इन्द्रियगम्य, बुद्धिगम्य और ऊर्ध्वतर प्रज्ञागम्य अर्थों में एक समानता है, किन्तु यह समानता उनके समानरूप से चिदुन्मीलन होने में है, और चेतना में सब स्तरों पर उन्मीलित ये अर्थ समान रूप से सत्ता को पूर्वगृहीत करते हैं। यह सत्ता इन अर्थों के ग्रहणों से इनके ग्राह्य रूप की अतिक्रामिता में निहित रहती है। यहाँ उदाहरण रूप में औपनिषद वचन 'तत्त्वमसि' को देखा जा सकता है। निश्चय ही इसमें श्वेतकेतु की ब्रह्म से अभिन्नता ही कही गई है, किन्तु वह उसी प्रकार भिन्न और अभिन्न है जिस प्रकार दृष्ट घट से तद्विषयक विज्ञप्ति और किसी विचार-विषय से प्रत्यय। पाश्चात्य अनुभववादी दार्शनिक इन्द्रिय-विषय घट को तद्विषयक विज्ञप्तियों से संरचना (कन्स्ट्रक्शन) कहते हैं और बर्कले उसे सर्वव्यापी ईश्वर की विज्ञप्तियों का संघात। अपने इन स्थूल प्रतिपादनों में वे इन्द्रियार्थों में पूर्वगृहीत सत्ता-बोध के आकलन का वैसा ही प्रयत्न कर रहे हैं जैसा प्लेटो बुद्धिवृत्ति में उन्मीलित अर्थों में निहित सत्ता-बोध का और औपनिषद ऋषि ऊर्ध्वतर प्रज्ञा में उन्मीलित अर्थों में निहित सत्ता-बोध का।

सत् का स्वरूप : सापेक्षता का प्रश्न

ऐसे तो अस्तित्व मात्र में ही व्यष्टिता और सामान्यता या जातिता ये दो विरुद्ध धर्म पाये जाते हैं, किन्तु जैव अस्तित्व में व्यष्टित्व भौतिक अस्तित्व की अपेक्षा अधिक स्फुट और सुप्रतिष्ठ मिलता है। भौतिक अस्तित्व में व्यष्टित्व मुख्यत: दैशिक व्यावर्तन के रूप में ही रहता है : जैसे, दो समानगुण परमाणु दैशिक रूप से ही परस्पर भिन्न होते हैं : इसी प्रकार दो प्रस्तर खण्ड, जल-धाराएँ आदि केवल दैशिक व्यावर्तन के आधार पर ही परस्पर भिन्न कहे जा सकते हैं। किन्तु जैव अस्तित्व जैव जातियों में और जैव जातियाँ व्यष्टि-अवयवियों में विभक्त मिलती हैं और यह जातीयता और व्यष्टिता आत्म-प्रतिष्ठ होती है। जैव व्यष्टिता की *वास्तवता* जीव के दैहिक गठन और क्रिया की स्वतन्त्रता में प्रत्यक्ष गोचर होती है और जाति की *वास्तवता* उसकी जननात्मक एकता में प्रत्यक्ष गोचर होती है। इन लक्षणों से इनमें चैत्त वैशिष्ट्य भी निगमित किया जा सकता है—प्रत्येक जीव क्रिया का एक विशिष्ट कर्त्ता होता है, जो व्यष्टि-देह के अवयवों को अधिष्ठाता रूप में अध्युषित कर संयुक्त रूप से नियुक्त करता है, और जातियों के सम्बन्ध में यह अनुमान युक्त प्रतीत होता है कि प्रत्येक जाति एक विशिष्ट अनादि संस्कार-प्रवाह, या कहें जगद्रचनात्मक अतिक्रामी कोटियों में विशिष्ट होती है। कांट ने मनुष्य की इन जगद्रचनात्मक अतिक्रामी कोटियों का विवरण दिया है। मनुष्य में यह जातीय वैशिष्ट्य आगे समाजों-संस्कृतियों के रूप में एक शुद्ध चैत्त स्तरीय अस्तित्व भी लेता है, जिसे समाज-चित्त या सामाजिक आलय विज्ञान कह सकते हैं। यों एक जैवस्तरीय समष्टि-चित्त मधुमक्खी, चींटी आदि कुछ कृमियों में भी मिलता है-उनकी भिन्न-भिन्न बस्तियाँ होती हैं, किन्तु उनमें चित्त का स्तर पूर्णत: संस्कार-रूप, जैव प्रवृत्ति रूप ही रहता है। उनकी विभिन्न बस्तियों में कुछ भेद, कुछ वैशिष्ट्य भी रहता ही होगा, किन्तु वह वैशिष्ट्य जैवचित्त-स्तरीय ही हो सकता है। किन्तु मानव-समाज एक जैवोत्तर चैत्त विग्रह में प्रतिष्ठित होता है, जिसे हम उसकी संस्कृति कहते हैं। मनुष्य के विभिन्न समाज हैं—जिसका अर्थ है कि उसके विभिन्न सामष्टिक जैवोत्तर चैत्त विग्रह या संस्कृतियाँ हैं। ये चैत्त विग्रह भी एक प्रकार से अतिक्रामी अवधारण-कोटि-रूप कहे जा सकते हैं। ये अवधारण-कोटि-रूप समाजों के जीवन और जगत् विषयक, व्यवहार और परमार्थ विषयक दृष्टि-साकल्य : विश्व-दृष्टियाँ : कहे जा सकते हैं। यह समष्टि-दृष्टि व्यष्टि-दृष्टियों का पूर्णत: निर्धारण करती हो, ऐसी बात नहीं है—व्यक्तियों के लिए इसमें स्वातन्त्र्य का अवकाश भी रहता है, व्यक्ति अपने सांस्कृतिक पूर्वग्रहों पर प्रश्न उठाते रहते हैं जो सांस्कृतिक स्तर पर संस्कृति-स्तरीय ऊहापोह का रूप लेते हैं। मानव-स्तरीय सामष्टिक चैत्त-विग्रह और जैवस्तरीय सामष्टिक चैत्त-विग्रह में यह एक आधारभूत अन्तर है। इस अन्तर का मूल मानव-चेतना के आत्मचेतन होने में है जिससे व्यष्टित्व भी आत्मोल्लेखी होकर आत्म-प्रतिष्ठापक हो पाता है। इसे अतिक्रामी अहंकार का ज्ञान-विषय होना भी कह सकते हैं, जो विषय अस्मत् प्रत्यय का रूप लेता है। डेकार्ट जिसे चेतना-क्रिया मात्र में कर्त्ता की आत्म-प्रतिष्ठा कहते हैं : सन्देह करता हूँ, इसलिए हूँ : वह चेतना की इसी *आत्मचेतनता के कारण* होता है। यह आत्म-प्रतिष्ठा *अनात्मचेतन चेतना* अपने सन्देह में नहीं पाती। इसी कारण जैवस्तरीय सामष्टिक विग्रह : चींटी-बस्ती या मधुमक्खी-छत्ते : में वैयष्टिक चित्त के लिए अवकाश नहीं होता।

अब, ये सब सांस्कृतिक चैत्त विग्रह वस्तु-रूप, सदसद्-रूप, भावन-रूप और अवधारणात्मक विमर्श के विभिन्न रूपों के अतिक्रामी निर्धारक कहे जा सकते हैं, जिसका अर्थ है कि चेतना सत्य का, या कहें वस्तु-सत् का, कभी अव्यवहित साक्षात्कार नहीं करती, बल्कि किसी सांस्कृतिक चैत्त विग्रह की उपाधि से उपहित रह कर उसके भीतर से ही सत्य या यथार्थ का प्रत्यक्ष करती है। वैदिक ऋषि, बुद्ध, महावीर, वाल्मीकि, गोरखनाथ, रमण महर्षि और गाँधी भारत में ही हो सकते थे और डेकार्ट, लाइब्नीज़, कांट, शैली, कीट्स, न्यूटन, आईंस्टीन, रूसो और मार्क्स पश्चिम में ही हो सकते थे। इसी प्रकार बुद्ध बुद्धत्व से, गाँधी गाँधीत्व से, डेकार्ट डेकार्टत्व से और

न्यूटन न्यूटनत्व से उपहित रह कर ही यथार्थ का प्रत्यक्ष कर सकते थे। अब, यदि यह सही है तो अव्यवहित या अनावृत सत्य का यथार्थ मनुष्य के लिए अगम्य हो जाता है। मनुष्य इसके लिए अनिवार्यत: अभिशप्त है कि वह सत्य को वैयक्तिक और सांस्कृतिक किसी विकल्प-लोक के आवरण के बीच से ही देखे। यों यही बात जीव मात्र के लिए भी सही है।

यदि यह निष्कर्ष स्वीकार किया जाय तो मनुष्य को उपलब्ध सत् केवल एक संस्कृति-सापेक्ष अवधारणा का आक्षेप ही नहीं रह जाता बल्कि व्यक्तिनिष्ठ धारणा-सापेक्ष भी हो जाता है, क्योंकि प्रत्येक व्यक्ति भी अपनी एक विशिष्ट दृष्टि रखता है जो उसके संस्कार, स्वभाव और मूल्यों से प्रभावित होती है। इसी प्रकार प्रत्येक प्राणि-जाति के ग्रहण और क्रिया-संस्थान का भी एक जाति-विशिष्ट अतिक्रामी कोटि-रूप और उसके अन्तर्गत प्रत्येक व्यष्टि के ग्रहण का भी विशिष्ट अतिक्रामी कोटि-रूप होना चाहिए। सो, अन्तत: प्रत्येक व्यष्टि एक व्यष्टिनिष्ठ आवरण में रहता है और उसी के अन्तर्गत कल्पित लोक को सत्य मान कर प्रवृत्त होता है। इधर हुस्सर्ल की जीवन-लोक (लाइफ-वर्ल्ड) की और उत्तर-आधुनिकतावादी देरिदा के 'टेक्स्ट' की अवधारणा से कुछ ऐसा ही आपादन बनता है।

यह स्पष्टत: सही है, किन्तु केवल ऊपरी दृष्टि से। किन्तु इसके मूल में एक गहरी भ्रान्ति है। यह भ्रान्ति इस बात में भी देखी जा सकती है कि स्वयं इस मत के प्रतिपादन में भी सत्य का दावा है और इस प्रकार यह मत यदि भ्रान्त भी है तो यह भ्रान्ति सत्य को देखने में असफलता के कारण ही है, दृष्टि-सापेक्षता के कारण नहीं, अन्यथा इस या किसी भी प्रतिपादन के प्रयत्न का कोई अर्थ ही नहीं रह जाता, प्रतिपादन के सब प्रयत्न अनवस्था प्रसंग-दोष-ग्रस्त हो जाते हैं। किन्तु तब, यह भ्रान्ति होती क्यों है, इसका मूल क्या है?

इस भ्रान्ति का मूल ज्ञान का निदर्श ऐन्द्रिय प्रत्यक्ष के विषयों को बनाने में है। ऐन्द्रिय प्रत्यक्ष बाह्य वस्तुविषयक होता है और उसमें भ्रान्ति का स्रोत अधिकांशत: मनोगत कोई विकार या इन्द्रियपरक कोई विकार या बाधा होती है। रस्सी में साँप या सीपी में चाँदी देखना भारतीय दार्शनिकों के प्रिय उदाहरण रहे हैं। ये दोनों भ्रान्तियाँ चक्षु द्वारा दृष्ट विषय पर किसी मनोविकार के आरोप से होती हैं। किन्तु इन्हें भ्रान्तियाँ तभी कहा जा सकता है यदि पहले देखा गया साँप वास्तव में रस्सी हो और पीछे पुनर्दर्शन द्वारा यह प्रमाणित हो जाय कि वह वास्तव में रस्सी थी और यह कि बाद का प्रत्यक्ष वास्तव में ही बाह्यार्थ के अनुरूप है। अब, जगत् से और जगद्गत वस्तुओं से सम्बन्ध विषयक यह एक सहज दृष्टि है। किन्तु इस भ्रान्ति और निर्भ्रान्त प्रत्यक्ष पर विचार किस प्रकार इस प्रत्यक्ष द्वारा किसी स्वतन्त्र बाह्यार्थ की उपलब्धि की धारणा को निराधार सिद्ध कर देता है, यह दर्शन के सब विद्यार्थी जानते हैं। ज्ञान विषयक इसी निदर्श पर उन दूसरे प्रसंगों को भी देखा गया है जिनमें सत्य का प्रसंग रहता है। जैसे सदसद् विषयक विवेक में यह पूर्वगृहीत रहता है कि सद् और असद् हमारे विचार आदि से स्वतन्त्र सत् हैं। किन्तु यदि ये स्वतन्त्र नहीं हैं तो फिर यह हमारी सुविधा की या धारणा की बात रह जाती है कि सद् क्या है और असद् क्या है! इसी प्रकार जाति या सामान्य के ज्ञान और अस्तित्व-अनस्तित्व की बात है। सामान्यों के 'अस्तित्व' का निषेध करने वालों ने इसी आधार पर उनका निषेध किया है कि ये 'इस लाल या पीले' के समान तथा 'इस गाय या घोड़े' के समान सत् नहीं हैं; अर्थात् ये विशेष तो सत् हैं किन्तु 'लालिमा' या 'गोत्व' सत् नहीं हैं—क्योंकि ये इस लाल और इस गाय के समान किसी देश में नहीं हैं, ये दृश्य या स्पृश्य नहीं हैं। 'नाममात्र वाद', 'विकल्प वाद', 'अनभिलाप्य-तत्त्व वाद' आदि यथार्थ विषयक इसी निदर्श पर प्रतिष्ठित मत हैं। यही निदर्श सापेक्षतावाद के मूल में भी है। सापेक्षतावाद दो प्रकार का है—एक यह कि बाह्य सद्वस्तु हमें गम्य तो होती है किन्तु पूर्णत: नहीं, पक्षत: ही गम्य होती है, या गम्य होती ही नहीं, केवल हमारे कल्पित रूप ही गम्य होते हैं। दूसरा यह कि बाहर कोई सद्वस्तु नहीं है, हम केवल काल्पनिक लोकों में ही रहते हैं। वस्तु-अवस्तु, नीति-अनीति या धर्माधर्म, सुन्दर-असुन्दर और इसी प्रकार के दूसरे याथार्थ्य-निर्णय या मूल्य-निर्णय, इन सब का कोई यथार्थ आधार नहीं है, यथार्थ अर्थात् उस प्रकार का अर्थ जैसा रज्जु-प्रत्यक्ष का रज्जु और गाय-प्रत्यक्ष का गाय होती है। इस निदर्श का कुशलतम दार्शनिक प्रतिपादन बौद्धों के अपोहवाद और निर्विकल्पक-सविकल्पक की अवधारणाओं में

मिलता है। एक प्रकार से जगत् की मायिकता, अविद्यामूलकता, अपारमार्थिकता, व्यावहारिकता आदि में भी यही धारणा निहित है, इस भेद के साथ कि इसमें एक ऐसे यथार्थ-लोक की स्वीकृति है जो चेतना के इन्द्रिय, मन, बुद्धि आदि स्तरों से अतीत स्तर के लिए ही गम्य है। किन्तु उस स्तर पर भी हम देखते हैं कि मुंडे-मुंडे मति की भिन्नता है। ऐसे में कोई ऋषि या मुनि ऐसा नहीं हो सकता जिसका मत प्रमाण कहा जा सके, उस स्तर पर भी अंगीरस और उद्दालक, वसिष्ठ और विश्वामित्र, बुद्ध और महावीर में व्यक्ति-भेद है। ऐसी स्थिति में क्या कहा जाय? क्या ऐसी स्थिति में यह कहना युक्तिसंगत होगा कि कोई एक निरपेक्ष धर्म-तत्त्व है जो गुहा में निहित है और महाजनों को विदित है? याकि वह उनके लिए भी अगम्य है, किन्तु है? याकि ऐसा कोई धर्म है ही नहीं, न कोई गुहा है और परिणामत: न कोई महाजन है? जिसे जिधर भी घी-शक्कर मिले उसे उधर ही चले जाना चाहिए? किन्तु तब यह भी कैसे कहा जा सकता है कि यह मत : सापेक्षतावाद : सही है, निरपेक्षतावाद सही नहीं है, क्योंकि सही तो कुछ है ही नहीं, यह भी नहीं कि कुछ सही नहीं है? अनवस्था-प्रसंग?

किन्तु ख़ैर, इस तार्किकता को जाने दें, क्योंकि यह भी केवल यही प्रदर्शित करती है कि अन्तत: तर्क भी हमें अन्धे गलियारे में ही धकेलता है, यह भी कोई अपने आप में सुप्रतिष्ठ नहीं है। किन्तु शायद ऐसी बात नहीं है। यहाँ हम इस सापेक्षतावाद-निरपेक्षतावाद के विवाद को ही देखें। इन दोनों के समर्थक सत्य को पाने का ही प्रयत्न करते हैं और अपने को क्रमश: उसकी ओर अग्रसर देखते हैं। दूसरी ओर वे हैं जिन्हें यह प्रश्न ही प्रस्तुत नहीं होता। यदि इस प्रकार देखें तो क्या ऐसा नहीं दिखता कि सापेक्षतावाद-निरपेक्षतावाद के विवाद में उलझे ये लोग सत्य से दूर होने पर भी उनकी अपेक्षा सत्य के कहीं अधिक निकट हैं जिनके लिए यह विवाद प्रस्तुत ही नहीं होता? जिनके लिए यह विवाद उनकी सोच और बोध से बहुत परे है? किन्तु प्रश्न हो सकता है कि ऐसा किस आधार पर कहा जा सकता है? ऐसा क्यों नहीं कहा जा सकता कि इन दो विवादियों में से कम से कम एक सत्य से उनकी अपेक्षा अधिक दूर है जिनके लिए यह प्रश्न उपस्थित ही नहीं होता? क्योंकि इनमें से एक का पक्ष धनात्मक होने पर दूसरे का ऋणात्मक होगा और ऐसा भी हो सकता है कि दोनों का ही पक्ष ऋणात्मक हो! किन्तु हम देखते हैं कि ऐसे दोनों विपरीत मतावलम्बियों का लोग, उन्हें समान रूप से विचारक मानते हुए, आदर करते हैं। ऐसा केवल वैचारिक मतभेद को लेकर ही नहीं होता, पर्येषणाओं, या कहें मूल्यों में प्रकार-भेद होने पर भी होता है, जो प्रकार प्रकटत: विरुद्ध जैसे होते हैं—जैसे विज्ञान, दर्शन और संगीत, एकान्त में योग-साधना और सामाजिक कर्म। कहा जा सकता है कि यह बात सापेक्षतावाद के समर्थन में ही जाती है, क्योंकि ये वैभिन्न्य दृष्टियों को सापेक्ष मानने पर ही समान रूप से आदरणीय हो सकते हैं। किन्तु ऐसा नहीं है। सापेक्षतावाद को स्वीकार करने पर तो ये समान रूप से अनादर के योग्य ही होंगे-असत्य को सत्य मान कर प्रवृत्त होने के कारण। किन्तु लोग इनका समान रूप से आदर इन्हें समान रूप से सत्यनिष्ठ मान कर करते हैं—माँ काली के प्रेम में उन्मत्त रामकृष्ण परमहंस का भी, बरसों योग-समाधि में लीन श्री अरविन्द का भी, नैरात्म्य और शून्यता के सन्धानी बुद्ध का भी और सामाजिक कर्म में निरत महात्मा गाँधी का भी।

इसके लिए कहा जा सकता है कि इनका आदर सत्यासत्य के प्रसंग से नहीं होता, चित्त की साधना के प्रसंग से होता है; दूसरे शब्दों में, ज्ञान के प्रसंग से नहीं, आचरण या भाव के प्रसंग से होता है। किन्तु आरम्भ में हमने ज्ञानविषयक मतभेदों के उदाहरण ही दिये थे। दूसरे, आचरण और भाव भी अन्तत: मूल्य-दृष्टियों में प्रतिष्ठित होते हैं और मूल्य-दृष्टियाँ सत्य विषयक दृष्टियों में! बुद्ध की सम्बोधि एकसाथ तत्त्व-ज्ञान और चर्यामूलक थी, निर्वाण एकसाथ वास्तव परमार्थ और परम पुरुषार्थ है। तब फिर बुद्ध, महावीर, कबीर और चार्वाक बृहस्पति, या नागार्जुन, कणाद, ईश्वरकृष्ण और शंकर तथा प्लेटो, एक्विनास और ह्यूम और शंकर, न्यूटन या आईंस्टीन इनमें दृष्टि-भेद का अर्थ क्या है? क्या यह अर्थ है कि इनमें से कोई भी प्रमाण नहीं है, क्योंकि धर्म का तत्त्व या परमार्थ : स्वतन्त्र वस्तु सत् : इन सबके लिए समान रूप से अगम्य है? और परमार्थ इनके लिए इसलिए अगम्य है क्योंकि इनकी दृष्टियाँ अनिवार्य रूप से विकल्पमूलक हैं? किन्तु यह निष्कर्ष स्वयं इन विचारकों के आचरण से संगत दिखायी नहीं देता, जन-साधारण के सहज बोध से तो यह विसंगत है ही। तब फिर इसका क्या समाधान है?

इसका समाधान यह है कि सत्य चेतना द्वारा किसी बाह्य सत् के दर्शन में नहीं है, जैसाकि 'निर्विकल्पक प्रत्यक्ष' सिद्धान्त में या सापेक्षतावाद में गृहीत है। सत्य चेतना का ही अन्तर्गत धर्म है। चेतना में ही भ्रान्ति का, आवरण का, स्रोत भी है और निर्भ्रान्त दृष्टि या अव्यवहित साक्षात्कार का स्रोत भी। यों निर्विकल्पक प्रत्यक्ष और सविकल्पक अध्यवसाय के सिद्धान्त में भी अन्ततः यही स्वीकृत है कि चेतना ही सत्य का दर्शन करती है, और वही भ्रान्त, या अपने भीतर से उपजे मलों या आवरणों से सत्य देखने में असफल रहती है। किन्तु इस दृष्टि के अनुसार सत्य की अवस्थिति बाहर है और चेतना का केवल ऐन्द्रिय व्यापार, या कोई दूसरा, बुद्धि को : विचार को : निश्चेष्ट कर प्रवृत्त व्यापार, सत् का साक्षात्कार करने में समर्थ होता है। यह दृष्टि बुद्धि को व्यवधान के रूप में देखती है। किन्तु यह युक्त दृष्टि नहीं है, यद्यपि दर्शन और अध्यात्म-साधना में इसकी बहुत व्यापक स्वीकृति है। सत् की अवस्थिति बाहर और ज्ञान का साधन इन्द्रियों को देखने का कारण जीव के सहज प्राकृतिक जीवन का स्वरूप है। जीव बाह्य जगत् के परिवेश में जन्म लेता है और उसकी ज्ञानेन्द्रियाँ और कर्मेन्द्रियाँ इसके साथ व्यवहार के समायोजन में निर्मित होती हैं। ये ज्ञानेन्द्रियाँ और कर्मेन्द्रियाँ चेतना के प्रवर्तन का ही एक आयाम हैं। चेतना के लिए बाह्य जगत् का अस्तित्व इन्हीं के द्वारा होता है। ऐसा भी कह सकते हैं कि इन्द्रियाँ चेतना की जगद्भाव से प्रवर्तन की उपकरण या चेतना की जगत्प्रवृत्ति-रूप हैं, जगत् की बाह्य उपस्थिति इस प्रवृत्ति के क्रियान्वयन और चरितार्थन के लिए चेतना द्वारा ही एक आयोजन है। प्रत्येक जीव-जाति की इन्द्रियों और अन्तःकरण की जातीय विशिष्टता और इस विशिष्टता के अनुसार उसके जगत् की विशिष्टता इस बात का प्रमाण है कि जगत् जीव की वासनाओं की अपेक्षा से एक आयोजन है। एकेन्द्रिय जीव भी हैं और दो-तीन-चार-पाँच इन्द्रियों के जीव भी हैं। इनकी इन इन्द्रियों के ग्रहण के और इस प्रकार इनके ग्राह्य जगत् के रूप भिन्न होने अनिवार्य हैं। जीव की अनादि वासनाओं और संस्कारों के रूप ही इन इन्द्रियों और अन्तःकरण को रूप देते हैं और ये इन्द्रियाँ इनके विषयभूत जगत् को रूप देती हैं। सींगों वाले जीव और बिना सीगों के जीव का जगत् एक ही प्रकार का नहीं हो सकता, आँखों वाले और बिना आँखों के जीवों के जगतों का रूप एक होने का तो फिर प्रश्न ही कहाँ रह जाता है! ऐसा कहने के लिए कोई युक्ति नहीं है कि जगत् स्वतन्त्र (स्वलक्षण) रूप से विद्यमान है और ये जीव इसे भिन्न-भिन्न प्रकार से देखते हैं, किन्तु न ऐसा कहने के लिए ही कोई युक्ति है कि इनके जगत् विभिन्न काल्पनिक आयोजन हैं। इस दूसरी प्रतिपत्ति में यह पूर्वगृहीत है कि चेतना की यह जगत्- प्रवृत्ति किसी ज्ञान-लेश से रहित है। *सम्भवतः किसी पूर्वग्रह से मुक्त दृष्टि यह होगी कि चेतना के सम्पूर्ण व्यापार को उसकी विभिन्न अर्थ-भुवनों के रूप में अभिव्यक्ति के रूप में देखा जाय, जिनमें एक अर्थ-भुवन यह बाह्य इन्द्रिय-विषय जगत् है। (इस प्रकार इन्द्रिय और अन्तःकरण भी चेतना के विकल्प ही हैं, निर्विकल्पक साक्षात्कार के उपकरण नहीं,* ऐसा समझा जाना चाहिए) हेनरी बर्गसाँ जिस सहज बोध (सहज प्रवृत्ति—इंस्टिंक्ट) को और बौद्ध जिस निर्विकल्पक प्रत्यक्ष को परमार्थ ज्ञान के रूप में देखते हैं वे भी चेतना की अर्थ-भुवनों के रूप में इसी प्रकार की अभिव्यक्तियाँ हैं। इसी चेतना की अभिव्यक्ति के दूसरे रूप और आयाम दर्शन, काव्य, कलाएँ, विज्ञान और योग-समाधि आदि हैं। अभिव्यक्ति के इन विभिन्न स्तरों या आयामों को स्थूल रूप में दो वर्गों में बाँटा जा सकता है—एक, चेतना का विषय-तादात्म्य का स्तर और दूसरा प्रत्यङ्मुखता या आत्मचेतना का स्तर। चेतना के इस दूसरे स्तर को उन्नततर कहा जा सकता है। चेतना के स्तरों में उच्चावचता का मान उसकी ज्ञान और याथार्थ्य में उच्चावचता को कहा जा सकता है। अब, चेतना की इन प्रत्यङ्मुख अभिव्यक्तियों को ज्ञान या याथार्थ्य-दर्शन में उच्चतर अभिव्यक्तियाँ कहना विकल्प को निर्विकल्पक से ज्ञान या याथार्थ्य-दर्शन में उच्चतर कहना है। इसका क्या औचित्य है? इसे भौतिक विज्ञान के उदाहरण से समझना सहायक होगा : भौतिक विज्ञान ज्ञानेन्द्रिय-ग्राह्य बाह्य जगत् के सत्य को, उसके सत्स्वरूप को, जानने का उपक्रम है। किन्तु इस उपक्रम में उसका ग्राह्य इन्द्रिय-ग्राह्य विषय नहीं होता बल्कि विकल्प-ग्राह्य विषय ही होता है—शुद्ध रूप से विकल्प-ग्राह्य विषय। यह विषय किसी भी प्रकार से इन्द्रिय-विषयक नहीं होता, इसका विषय इन्द्रिय-विषय-मूलक विकल्पित व्यवहार-व्यवस्था : क्रिया-व्यवस्था : होती है जो इन्द्रिय-विषय से परोक्षतः सम्बद्ध होती है। बर्गसाँ ने अपनी पुस्तक *क्रियेटिव एवोल्यूशन* में दिखाया है कि यह विज्ञान किस प्रकार आनुभविक याथार्थ्य का विद्रूपण करता है। इसका देश

उद्गृहीत और खण्डित और काल स्वरूप-भ्रष्ट और देशायित होता है। किन्तु बर्गसाँ की भौतिक विज्ञान की यह आलोचना जैव सहज बोध को यथार्थ की कसौटी मान कर चलती है, जिस सहज बोध के लिए आन्तर-बाह्य का कोई भेद नहीं होता, जिसके लिए इन्द्रियविषय का भौतिक रूप में—मिट्टी, लोहा, पानी के रूप में भी—निर्धारण भी मात्र एक उद्गृहीत कल्पना ही ठहरता है। किन्तु भौतिक का भौतिक—मिट्टी, पानी आदि—के रूप में निर्धारण कितने विशाल और समृद्ध उपादान भण्डार को आविर्भूत करता है, यह हम देख ही सकते हैं, और दूसरी ओर यह भौतिक विज्ञान के विषय रूप में विकल्पित होकर ज्ञान का कितना विराट् और अथाह क्षेत्र उद्घाटित करता है यह भी हम देखते ही हैं। यहाँ इस ज्ञान के स्वरूप को समझने के लिए 'सहज ज्ञान' के एक उदाहरण की उसके समानान्तर वैज्ञानिक ज्ञान से तुलना उपयोगी होगी—बहुत से पशु-पक्षी भूचाल को उससे बहुत पहले जान लेते हैं जब मनुष्य अपने अत्यन्त संवेदी यन्त्रों से जान पाता है। किन्तु द्रष्टव्य है कि यन्त्र से मनुष्य *भूचाल* को नहीं जानता बल्कि केवल *यन्त्र की गति* को जानता है, जिससे वह भूचाल का अनुमान करता है। भूचाल को वह उसकी एक सीमा से अधिक तीव्रता होने पर ही जान पाता है। किन्तु क्या पशु भूचाल को उस तरह से भी 'जानता' है जिस प्रकार साधारण मनुष्य जानता है? और क्या ये दोनों उस तरह भूचाल को 'जानते' हैं जिस तरह वैज्ञानिक अपने यन्त्रों से जानता है? स्पष्टत: ये तीनों ज्ञान भिन्न-भिन्न प्रकार के हैं। किन्तु क्या ये एक ही 'वस्तु' के ज्ञान हैं—भिन्न-भिन्न प्रकार के? इसका उत्तर भी एक नहीं हो सकता। सहज बोध की दृष्टि से ये एक ही वस्तु के नहीं हैं, क्योंकि उसके लिए उस बोध से पृथक् कोई 'वस्तु' है ही नहीं, यह 'वस्तु' केवल अध्यवसायात्मक आत्मचेतन चेतना के लिए है जो विषय को संवेद या उद्दीपन से पृथक् देख सकती है। बुद्ध इस 'वस्तु' को ही विकल्पित, वास्तव में क्षण-सन्तान और निस्स्वभाव कहते हैं, और एक दूसरी तरह से बर्गसाँ भी जैव सहज बोध की साख पर यही कहते हैं, किन्तु यह अध्यवसायात्मक चेतना इसे एक ही 'ज्ञान' की त्रि-प्रकारता के रूप में भी देख सकती है और इनकी 'विषय-वस्तु' की स्वतन्त्र एक-प्रकारता को भी देख सकती है। यहाँ द्रष्टव्य है कि यहाँ ज्ञान के चार स्तर हो गए हैं-अनात्मचेतन जैव चेतना का, आत्मचेतन सहज चेतना का, आत्मचेतन वैज्ञानिक चेतना का, और चौथा, उस चेतना का जो इन तीनों का निरीक्षण और विवेचन कर सकती है। इनमें प्रथम को विषय-तादात्म्य का स्तर और पिछले तीन को प्रत्यङ्मुखता के तीन स्तर कह सकते हैं। अब, इन ज्ञानों को सापेक्ष कहने में दो पूर्वग्रह हो सकते हैं—एक तो यह कि ये चारों ज्ञान एक ही वस्तु के भिन्न प्रकारक ग्रहण हैं, जो वस्तु-विषयक होने पर भी वस्तु पर कल्पनारोप हैं—चार रंगों के चश्मों से देखी गई 'वस्तु के रंग' के समान, और दूसरा यह कि कोई वस्तु है ही नहीं, केवल चार प्रकार की वस्तु-कल्पनाएँ मात्र हैं। किन्तु यह युक्त नहीं है। इसके बजाय सम्भवत: यह कहना अधिक युक्त होगा कि चेतना सब स्तरों पर जानने का प्रयत्न करती है : प्रथम स्तर का प्रयत्न चेतना का द्वितीय स्तर पर उन्नयन करता है, द्वितीय स्तर का प्रयत्न तृतीय स्तर पर और तृतीय स्तर का चतुर्थ स्तर पर। किन्तु यह 'जानना' और कुछ नहीं चेतना का अपने को अपना प्रस्तुत होना ही है—जैव स्तर पर वासनाओं, क्षुधाओं या आवेगों के अर्थों से उपरंजित इन्द्रियार्थों के रूप में और जैवोत्तर स्तर पर ज्ञातृ, भोक्तृ और पर्येष्टृ (मूल्यान्वेषक) आदि के अपने ही अर्थों के रूप में, या इनसे उपरंजित इन्द्रियार्थों के रूप में। उदाहरणत: आत्मचेतन चेतना को प्रस्तुत निकटतम, स्पष्टतम और ठोसतम अर्थ आत्म : अस्मिता : है जो स्वयं ज्ञातृ, भोक्तृ या पर्येष्टृ की आत्म-प्रस्तुति है। इस प्रस्तुति में यह आत्मा ज्ञेय, भोग्य और पर्येष्य बाह्यार्थों के साथ प्रस्तुत होता है, जो अर्थ उसके लिए दृश्य, विवेच्य, अवगाह्य या उपयोज्य बनते हैं। यह सब 'चेतना के आत्मचेतन होने' से तर्कत: आपादित होता है। इस चेतना के अवगमन के प्रयत्न *वास्तव* अर्थों के ही अवगमन के प्रयत्न होते हैं और सापेक्ष होने पर भी वस्तु-सम्बद्ध होते हैं। ये अर्थ काल्पनिक भी हो सकते हैं—रज्जु में सर्प के समान, और वस्तु-तन्त्र : यथा-अर्थ : भी हो सकते हैं—रज्जु में रज्जु के समान। ये वस्तुएँ : स्वयं आत्मा के सहित : स्वरूपत: ही स्वतन्त्र और अनवगाह्य और विस्तार में अपार होती हैं। इसलिए जानने के सब प्रयत्न यथार्थमूलक होने पर भी उस अर्थ के अनेक गुण-धर्मों में से उन कुछ गुण-धर्मों के ही ग्राहक हो सकते हैं जो देखने वाले के तत्कालीन प्रयोजन, या अवगाहन की योग्यता, या दृष्टि के कोण की सापेक्षता में प्रस्तुत होते हैं। किन्तु ये प्रस्तुत गुण-धर्म 'सम्पूर्ण वस्तु' के अप्रस्तुत शेष पक्ष की पृष्ठभूमि के साथ ही प्रस्तुत होते हैं, जैसाकि

चित्रकार द्वारा वस्तु की कोण विशेष से प्रस्तुति में देखा जा सकता है। इन प्रस्तुतियों का मूल आत्म : अस्मिता-बोध : अनात्मचेतन जीवों में भी रहता है, किन्तु वहाँ वह अस्फुट अस्मिता-भाव रूपेण अविषय, अनुद्भिन्न, अविश्लिष्ट रूप में रहता है इसलिए उनमें वह अवगम्य और विवेच्य अर्थ का रूप नहीं लेता, वहाँ वह केवल व्यावर्तक और प्रवर्तक विषयिता के रूप में ही रहता है। वहाँ अस्मिता के इस प्रकार अबाह्य और अविषय होने से जीव के अन्य अर्थ भी विषय-रूप : वस्तु-रूप : नहीं हो पाते और परिणामत: गवेष्य नहीं हो पाते, वे प्रवर्तन के अन्तरंग गुण-रूप ही रहते हैं। इसके विपरीत आत्मचेतन चेतना के लिए ये स्वतन्त्र विषयवस्तुएँ होते हैं। अब, आत्मचेतन चेतना में आत्मा का स्वतन्त्र विषय हो पाना और इस प्रकार स्वतन्त्रत: गवेष्य हो पाना अत्यधिक महत्त्वपूर्ण और अर्थपूर्ण है। आत्मा से अधिक निकट, अधिक अनन्यसाधारण, या कहें अन्य के लिए अग्राह्य और कुछ नहीं हो सकता। डेकार्ट ने अपने 'होने' का प्रमाण 'मैं सोचता हूँ' को कहा। किन्तु इसी चेतना के लिए सब विषय : स्वयं इस 'मैं' के सहित : सर्वगम्य, सर्वसामान्य भी होते हैं। 'मैं सोचता हूँ', 'मैं देखता हूँ', 'मैं दर्द में हूँ' आदि बोध निश्चय ही 'मैं' पूर्वक होता है, नहीं तो 'सोचता हूँ' आदि ग्राह्य ही नहीं हो सकता। और इसका यह स्वरूप है कि इसकी यह ग्राह्यता सामान्यात्मक-सर्वसाधारणात्मक होती है। इस प्रतिपत्ति के लिए कि 'मैं सोचता हूँ' या 'मैं हूँ' मेरे सोचने और मेरे होने के मदीयत्व से स्वतन्त्र युक्तियुक्त होना भी आवश्यक होता है-इतना स्वतन्त्र कि इसकी युक्तता के लिए किसी का भी सोचना और होना अनिवार्य अपेक्षा नहीं है। निश्चय ही किसी प्रतिपत्ति का अस्तित्व सोचने की क्रिया के अस्तित्व के आश्रित होता है, किन्तु उसका सत्य सोचने और प्रतिपत्ति के अस्तित्व के आश्रित नहीं होता। अब यहाँ आपत्ति हो सकती है कि इस तथाकथित सत्य का ग्रहण सोचने की घटना के अस्तित्व और इस अस्तित्व की परिस्थिति और रूप-गुण से स्वतन्त्र नहीं हो सकता और परिणामत: इस सत्य के स्वातन्त्र्य के लिए कोई प्रमाण नहीं हो सकता। किन्तु यह ठीक नहीं है। इस ग्रहण की यह अनिवार्य अपेक्षा है कि इसका ग्राह्य इसके ग्रहण की परिस्थिति और इसके रूप-गुण से स्वतन्त्र हो और परिणामत: इसके ग्रहण से यह अनिवार्य अपेक्षा है कि वह अपने अस्तित्व की परिस्थिति और इसके रूप-गुण से स्वतन्त्र हो। यह बात 'मैं' के लिए और 'मैं हूँ' के लिए उतनी ही सत्य है जितनी 'तारा मण्डल' के लिए, 'तारा मण्डल में सूर्य' के लिए, और 'इस कविता' अथवा 'इस चित्र' के लिए। यहाँ *बृहदारण्यक उपनिषद्* के 'न हि पुत्रस्य कामाय पुत्रं प्रियं भवति, आत्मनस्तु कामाय पुत्रं प्रियं भवति' आदि को इस विवेचन से जोड़ा जा सकता है। पुत्र की प्रियता सर्वप्रथम एक जैव चित्त-स्थिति है, जिसमें *जीव होता है*—अविवेच्य, अविश्लेष्य रूप से—हुस्सर्लीय जीवन-लोक (लाईफ वर्ल्ड) में। किन्तु जैव चित्त के आत्म चेतन चित्त-स्थिति में उन्नयन के साथ ही 'पुत्र की प्रियता' एक स्वतन्त्र विषय हो जाती है, जिसके सम्बन्ध में मैं, *बिना इस प्रेम में* हुए भी, कथन और विचार कर सकता हूँ, अथवा इसे विचार-विषय बनाये बिना इसे प्रियता मात्र के एक उदाहरण के रूप में भी देख सकता हूँ, जैसाकि उपनिषद् यहाँ कर रही है। यह अन्तत: प्रेम करने वाले 'मैं' के विवेच्य विषय होने से सम्भव होता है जो उपनिषद् के लिए मनन-निदिध्यासन के अनन्तर अस्तित्व मात्र का परमार्थ और प्रतिष्ठा है, बुद्ध के लिए चैत्त सन्तति पर मिथ्यारोप है और भौतिकवादी के लिए भौतिक वस्तु का एक गुण है। अब, निश्चय ही आत्मा के ये तीन रूप इस विषयक तीन सापेक्ष दृष्टियाँ ही हैं, किन्तु इनके 'दृष्टि' होने के लिए यह आवश्यक है कि इनमें चेतना अपनी उन वृत्तियों से मुक्त हो जो इसकी 'सत्य-दर्शन की योग्यता' को आवृत करती हैं।

अब, यहाँ कहा जा सकता है कि यह स्पष्टत: सत्य विषयक सापेक्षतावाद का ही समर्थन है, क्योंकि इन दृष्टियों के सत्य का प्रमाण इन से बाहर कोई नहीं हो सकता। इससे चाहे तो हम आत्मा को स्वतन्त्र वस्तु मानकर उसे दृष्टियों के लिए अगम्य मानें, चाहे इन दृष्टियों में ही अशेषत: अपचेय उनका आधार मानें, इससे कोई अन्तर नहीं पड़ता। किन्तु यह ठीक नहीं है। विभिन्न दृष्टियाँ जिन अर्थ-लोकों को लक्षित कर उनके अनुसंधान में प्रवृत्त होती हैं उनमें सत्य ही लक्षित होता है और इसलिए सत्य ही उद्घाटित होता है या अनुद्घाटित रहता है, अथवा आवृत रहता है। इसी से विभिन्न अन्वेषी : वैज्ञानिक, विचारक और दार्शनिक : परस्पर वाद-विवाद करते हैं और बहुत बार अपनी दृष्टि में सुधार करते हैं और प्रतिपादन में परिष्कार करते हैं, और बहुत बार एक दृष्टि का परित्याग कर अन्य का स्वीकार करते हैं। ऐसा तभी हो सकता है यदि दृष्टि-दोष और दृष्टि-सम्यक्ता चेतना में ही निहित

हों। इन दृष्टि-दोषों के स्रोत वासना, संस्कार, आवेग और एषणाएँ आदि हैं यह मनुष्य सहज रूप से ही जानता है, यह चाहे वह अधिकांशत: ही जानने में असमर्थ रहता है कि वह कब इनके अधीन है, और उसकी यह ज्ञान-सामर्थ्य ही उसमें सत्य-दर्शन की सामर्थ्य की विद्यमानता की द्योतक होती है। इसका यह अर्थ नहीं है कि यह सत्य कोई स्थिर, परिनिष्पन्न, आत्यन्तिक और अशेष वस्तु, स्थिति या अवस्था होती है। इसे सम्भवत: *चेतना की अवस्था विशेष में सिद्ध निरावृत स्थिति* कहना ही उपयुक्त होगा। उदाहरणत: हम बुद्ध, कबीर, रामकृष्ण परमहंस और गाँधी सभी को समान रूप से सत्य-दर्शी कह सकते हैं यद्यपि इनमें स्वयं में दृष्टि-परिष्कार की अनन्त अपेक्षा हो सकती है, इसी प्रकार दूसरी ओर आइंस्टीन, पाणिनी, न्यूटन, भर्तृहरि, कालिदास, शेक्सपीयर और नागार्जुन तथा शंकर को भी समान रूप से सत्य-दर्शी कह सकते हैं, उनमें आत्मगत दृष्टि-परिष्कार की अनन्त सम्भावना के साथ। इसी से आइंस्टीन महात्मा गाँधी को लोकोत्तर पुरुष कह सके थे और महात्मा गाँधी को आइंस्टीन को लोकोत्तर प्रतिभा-सम्पन्न कहने में कोई संकोच नहीं हुआ होता।

यहाँ इस अन्वेष्य सत्य की चेतनान्तर्गत स्वतन्त्रता को तीन उदाहरणों-भौतिक विज्ञान, कर्त्तव्याकर्त्तव्य-विवेक और दार्शनिक विमर्श—की व्याख्या से समझना उपयोगी होगा।

भौतिक विज्ञान का विषय भूत-तत्त्व है। यह तत्त्व चेतना को इन्द्रिय-विषय के रूप में प्रस्तुत होता है। दिङ्नाग ने इसे ठीक ही निर्विकल्पक प्रत्यक्ष का विषय कहा है, किन्तु स्वलक्षण भी कहा है। किन्तु निर्विकल्पक प्रत्यक्ष का विषय प्रत्यक्ष के लक्षणों से रहित कैसे हो सकता है? इस दोष का निराकरण कांट ने इसे प्रत्यक्ष-लक्षणों से भी रहित कह कर किया है। कांट की स्वलक्षण वस्तु वास्तव में ही स्वलक्षण है। किन्तु तब उसका ज्ञानेन्द्रिय से कोई सम्बन्ध नहीं हो सकता। वह भौतिक विज्ञान की विषय भी नहीं हो सकती, क्योंकि भौतिक विज्ञान की विषय होने के लिए उसका किसी प्रकार का ज्ञान-विषय होना आवश्यक है। अब, 'भौतिक' जबकि इन्द्रिय-विषय को ही कहा जाता है, इन्द्रिय-विषय वास्तव में 'भौतिक' नहीं होता। यद्यपि इसे निर्विकल्पक संवेद का विषय कहा जाता है, किन्तु वास्तव में यह वास्तव ऐन्द्रिय प्रस्तुति का विषय नहीं होकर उससे उद्गृहीत ही हो सकता है। वास्तव निर्विकल्पक ऐन्द्रिय प्रस्तुति वासना, काम, आवेग आदि से संवलित ही रहती है। विकल्प से अवर जैव चेतना में ऐसी उपहित ऐन्द्रिय प्रस्तुति ही रहती है। इस प्रस्तुति को भौतिक विषय कहना अयुक्त होगा। भौतिक केवल साध्यवसाय ऐन्द्रिय प्रत्यक्ष का विषय ही होता है, जिसे बौद्ध दार्शनिक सविकल्पक प्रत्यक्ष कहते हैं। उनके अनुसार निर्विकल्पक प्रत्यक्ष जबकि वस्तु-प्रदायक होता है, विकल्प अनादि वासनामूलक या सचेष्ट कल्पना (विचार आदि) मूलक अध्यारोप होता है। किन्तु यह दृष्टि वस्तु, चेतना और ज्ञान विषयक नितान्त भ्रान्त दृष्टि है। यदि चेतना के वस्तु-असम्पृक्त व्यापार को विकल्प कहते हैं तो निर्विकल्पक ऐन्द्रिय व्यापार को भी विकल्प ही कहना होगा, क्योंकि इन्द्रिय भी चेतना का ही व्यापार (वृत्ति) है। यह व्यापार स्वतन्त्र वस्तु का साक्षात्कारी होता है, यह कहने के लिए कोई युक्ति नहीं है। क्योंकि, जैसाकि हमने पीछे देखा, प्रथम तो यह व्यापार ऐकान्तिक रूप से कहीं उपलब्ध ही नहीं होता, और दूसरे, यदि यह इस प्रकार उपलब्ध हो भी तो भी यह भौतिक वस्तु-सम्बद्ध नहीं हो सकता; यह केवल वर्ण, गन्ध आदि गुणों को ही प्रस्तुत कर सकता है—कहना चाहिए, इन गुणों में पर्यवसित हो सकता है। और ये गुण चेतना की इन्द्रिय वृत्ति से जन्य होते हैं। बौद्धों के विपरीत कांट ने इस निर्विकल्पक प्रत्यक्ष को किसी प्रकार वस्तु-सम्बद्ध देखते हुए भी इसे *वस्तु का प्रत्यक्ष* नहीं कहा है। उसकी थिंग इन इट्सेल्फ : स्वतन्त्र वस्तु : देश-काल और संवेदमूलक गुणों से अतीत है। अब, कहा जा सकता है कि निर्विकल्पक पाशव-चेतना के विषय इन्द्रियमूलक तथा अनादिवासना-निर्दिष्ट सहज प्रवृत्ति और आवेगमूलक अर्थ होते हैं जिनका कोई ज्ञानात्मक आयतन नहीं होता-जो प्रवृत्तिपर्यन्त ही होते हैं। किन्तु विकल्पात्मक चेतना के विषयों का ज्ञानात्मक होना और ज्ञानात्मकता के आयतन का विस्तार और गहराई में अपार होना उनका स्वरूपलक्षण ही होता है। सत् का स्वरूप या सत्य इसी चेतना के लिए अन्वेष्य बनता है। यह लौह-खण्ड, यह मेज़, यह भवन, यह कविता मेरे अध्यवसाय-क्षम होने के कारण पहले मेरे लिए बाह्य देश में मेरे से स्वतन्त्र अस्तित्व-लाभ करते हैं और यह पृथक् अस्तित्व इन अर्थों का शरीर बनता है, जिन : अर्थों : से यह

विकल्पात्मक चेतना इन्हें : शरीरों को : अनुप्राणित करती है। लौह-खण्ड एक भौतिकविज्ञान-विषय धातु अथवा लोहार-कर्म-विषय उपादान होता है और लौह-उपकरण या मेज़ आदि स्वयं विकल्पात्मक अर्थों की अभिव्यक्ति के क्रम में ही आविर्भूत उनके इन्द्रियगम्य शरीर होते हैं-अपनी दृश्य सत्ता से अदृश्य सत्ता तक विस्तृत। इनमें लौह-खण्ड का सत्य भौतिक विज्ञान के रूप में अन्वेष्य बनता है तथा मेज़, भवन और कविता के सत्य क्रमश: बढ़ई-शिल्प, वास्तु-शास्त्र और काव्य-शास्त्र या काव्य-सृजन के रूप में अन्वेष्य बनते हैं।

वैज्ञानिक, और इसी प्रकार दूसरे अर्थान्वेषी, अपने ज्ञान के इस स्वरूप के सम्बन्ध में जानते हैं। वैज्ञानिक के ज्ञान का स्वरूप ऐसा है, यह इसी से स्पष्ट है कि उसकी 'वस्तुएँ' शुद्ध गणितीय सम्बन्धों के वाचक पदों द्वारा अभिधेय होती हैं, जो इन्द्रियगम्य गुणों के वाचक पदों की भनक से भी कोसों दूर होते हैं। किन्तु यह जानकर वह इसमें कोई विरोधाभास नहीं देखता। विरोधाभास इसमें कोई है भी नहीं, क्योंकि कोई भी अन्वेष्य सत्य चेतना के ऐन्द्रिक स्तर का विषय नहीं होता, यह सत्य केवल चेतना के प्रत्यङ्मुख आत्मावगाहन में ही गम्य होता है। यहाँ आपत्ति हो सकती है कि वैज्ञानिक के *अन्वेषण के सत्य* का प्रमाण ऐन्द्रिय विषय ही बनते हैं, गाणितिक पद-वाच्य 'वस्तुएँ' नहीं। पाश्चात्य तार्किक प्रत्यक्षवादियों (लॉजीकल पॉज़िटिविस्ट्स) ने अपना भाषायी अर्थों विषयक सिद्धान्त इसी प्रमाणीकरण सिद्धान्त की पीठिका पर खड़ा किया था। किन्तु यह सही नहीं है, क्योंकि जैसाकि हमने पीछे देखा, हमारे साधारण ऐन्द्रिय प्रत्यक्ष के विषय भी बौद्धिक विकल्पों में अन्तर्भूत होकर ही अन्वेष्य सत्य का रूप ले पाते हैं, विज्ञान के विषय तो वैसे ही अत्यन्त जटिल विकल्प- व्यवस्था के माध्यम से स्वरूप-लाभ करते हैं। इस दृष्टि से वैज्ञानिक विषय कला-कृति से उपमेय देखे जा सकते हैं-कलाकार की कृति अस्तित्व में आने के बाद स्वयं कलाकार के लिए भी निरीक्ष्य, विवेच्य और परिष्कार्य हो जाती है और ऐसी ही वह उन सब के लिए भी होती है जो उसे कलाकृति के रूप में देख सकते हैं। विज्ञानगम्य यह भूत-तत्त्व भी ऐसा ही होता है-विज्ञान की कृति-रूप, केवल विज्ञान में ज्ञान का स्वरूप भिन्न होता है-जैसे मूर्त्तिकार के पत्थर की मूर्त्ति के निर्माण में पत्थर की उपयुक्तता विषयक ज्ञान में और मूर्त्ति-रचना तथा उस रचना द्वारा लक्षित आशय के ज्ञान में स्वरूप-भेद होता है। किन्तु ये ज्ञान निरपेक्ष वस्तु-विषयक ही होते हैं—चेतना में उन्मीलित अर्थों विषयक। निश्चय ही ये अर्थ : वस्तुएँ : कभी पूर्णत: गम्य नहीं होते—चेतना में उन्मीलित कोई भी अर्थ, आत्मा के सहित, कभी अपनी पूर्णता में अवगम्य नहीं होता, किन्तु इन विषयक हमारा ज्ञान न इस अर्थ में सापेक्ष होता है कि यह विषयिनिष्ठ कल्पना होता है और न इस अर्थ में कि यह दृष्टि विशेष से लक्षित वस्तु के किसी पक्ष का होता है। यह केवल इस अर्थ में असम्पूर्ण या अपर्याप्त होता है कि ये अर्थ अनवगाह्य होते हैं और हम उसी सीमा तक इनकी गहराई में उतर पाते हैं जितनी हमारी चेतना उज्ज्वल, क्रान्तदर्शिनी और आवरण-मुक्त हो पाती है। यह बात हमारी अपनी रची कृति की विवेच्यता से और स्वयं हमारी आत्मा, जो आत्मचेतन चेतना की आद्य कृति है, के स्वरूप की सर्वाधिक गुह्यता से, स्पष्ट है। और द्रष्टव्य है कि सब काव्य, शास्त्र, बर्तन, भवन, यन्त्र और उपकरण चेतना की ही कृतियाँ हैं और परिणामत: ये अनवगाह्य अथवा अनन्त अर्थों की अभिव्यक्तियाँ हैं।

हमारे ज्ञान का एक दूसरा क्षेत्र सदसद् विवेक का है, जिसे लेकर सापेक्षतावाद का प्रतिपादन किया जाता है। कहा जाता है कि अपने आप में न कुछ सत् है न असत् है, यह केवल हमारे मानने की, रुचियों और धारणाओं की बात है। अलग-अलग देश, काल और संस्कृतियों में मूल्य विषयक, सदसद् विषयक, उचित-अनुचित विषयक अलग-अलग धारणाएँ होती हैं, व्यक्ति-भेद से भी रुचि-भेद होता है, इनका इनसे आगे कोई आधार नहीं होता। यह प्रतिपत्ति सही है और बहुत दूर तक ऐन्द्रिय विषय-ज्ञान की भी यही स्थिति है, जैसाकि हमने पीछे देखा। किन्तु यह चेतना की उस सहज-प्राकृतिक अवस्था में ही सही है जिससे चेतना उत्तीर्ण होने में समर्थ होती है। सदसद्-विवेक का तो आविर्भाव ही चेतना के अपनी सहज प्राकृतिक अवस्था से उत्तीर्ण होने के साथ होता है। जैसे मानवीय वस्तु-ग्रहण अध्यवसायात्मक होता है और वह चेतना के आत्मचेतन स्तर पर अध्यारूढ़ होने को अपेक्षित करता है उसी प्रकार सदसद्-विवेक चेतना के आत्मचेतन होने और अपनी अस्मिता को आत्म-प्रत्यय रूप में ग्रहण कर सकने के स्तर पर अध्यारूढ़ होने को अपेक्षित करता है। चेतना का यह स्तर

निरपेक्ष ज्ञानात्मक ही होता है—अपने वस्तु-ग्रहण में भी और सदसद्-विवेक में भी, किन्तु इस स्तर पर अध्यारोहण के भी आगे स्तर होते हैं, जिन्हें चेतना के सहज-प्राकृतिक अवस्था से उन्नयन के स्तर कहा जा सकता है। 'इस परिस्थिति में मुझे क्या करना चाहिए?' यह प्रश्न जिस चेतना के सम्मुख उपस्थित होता है वह निरपेक्ष सत्यान्वेषी चेतना ही होती है, किन्तु उसका यह अन्वेष्य अत्यन्त जटिल और दुरवगम्य होता है, क्योंकि इसमें विवेचन के विषय स्वयं चेतना की वे वृत्तियाँ ही होती हैं जो विवेचक चेतना को आवृत करती हैं। ये वृत्तियाँ सद्दृष्टि और सन्मार्ग में बाधक होती हैं और इनके अधीन किये गए निर्णय और कार्य असत् होते हैं, इस बात को लेकर संस्कृतियों में कोई मतभेद नहीं है। कुरुक्षेत्र में दो युयुत्सु सेनाओं के बीच खड़े अर्जुन के सम्मुख समस्या थी कि उसे युद्ध करना चाहिए या नहीं? अब, प्रकटत: युद्ध एक बाह्य, इन्द्रियगम्य वस्तुस्थिति है, किन्तु वास्तव में इसका यह पक्ष पर्याप्त विकसित उचित-अनुचित विवेक द्वारा परिभाषित मानव-कर्म का नितान्त ऊपरी पक्ष है। इसमें विशेष प्रकार से कल्पित दो मानव-समुदाय 'सेनाएँ' कहे जाते हैं और इनमें व्यक्ति 'व्यक्ति' नहीं होकर सेना के रूप में परिभाषित मानव-समुदाय का अंग होता है। इस रूप में उसके द्वारा दूसरे ऐसे ही रचित समुदाय के अंगभूत व्यक्ति का वध 'हत्या' नहीं माना जाता...आदि। इस सम्पूर्ण 'वस्तुस्थिति' की उपेक्षा कर हम अर्जुन के सम्मुख प्रस्तुत कर्त्तव्याकर्त्तव्य के प्रश्न को यदि देखें तो यहाँ यह परिस्थिति है कि इस युद्ध का प्रयोजन क्या है? जिनसे युद्ध किया जा रहा है वे भाई-बन्धु भी हैं और ऐसे व्यक्ति भी जिनके कारण युद्ध की परिस्थिति उत्पन्न हुई। अब, यहाँ प्रश्न है कि युद्ध करने के औचित्य के निर्धारण में क्या यह बात प्रसंगिक है कि दूसरा पक्ष आपके भाई-बन्धुओं का है? दूसरे, क्या युद्ध की परिस्थिति उत्पन्न करने के लिए केवल दूसरे पक्ष को दोषी ठहराया जा सकता है? यदि ठहराया जा भी सके तो भी यह कैसे निर्णय हो कि उनका वह कर्म दुष्ट है? यह परिस्थिति एक निरपेक्ष नैतिक वस्तुस्थिति है।

यह सब देखने के योग्य होने के लिए 'देखने वाली' चेतना का अपने अन्तर्गत किन दोषों या आवरणों से मुक्त होना आवश्यक है, श्री कृष्ण गीता में उसका ही विवेचन करते हैं। इन दोषों को भी प्राय: हम सब जानते हैं, किन्तु तब भी परिस्थिति विशेष में हम यह जानने में असमर्थ होते हैं कि हमारा कर्त्तव्य क्या है? अर्जुन की कठिनाई यही थी। श्री कृष्ण उसे जो बताते हैं वह कर्म मात्र के विषय में है, उस परिस्थिति विशेष के विषय में नहीं जो अर्जुन के सम्मुख उपस्थित है। 'युद्ध के लिए सम्मुख कौन उपस्थित है', क्या यह युद्ध करने का निर्णय लेने में अप्रासंगिक है? सामान्यत: प्रेम कर्त्तव्य-निर्णय में चेतना का आवरक होता है, किन्तु क्या प्रेम स्वयं में एक मूल्य नहीं है? कब इस मूल्य को रक्षणीय माना जाय, कब त्याज्य? श्री कृष्ण एक और आधारभूत बात कहते हैं जो कर्त्तव्य-निर्णय में सामान्य नियम-निर्धारण के विपरीत जाती है, किन्तु वह वास्तव में आधारभूत है। वे कहते हैं-मेरे प्रति जो जिस भाव से प्रपन्न होता—उन्मुख होता, है उसे मैं उसी रूप में मिलता हूँ—'यो यथा माम् प्रपद्यन्ते तांस्तथैव भजाम्यहम्।' अर्थात् ईश्वर के प्रति, सार्वभौम-सर्वव्यापी सत्य के प्रति, प्रस्तुत होने के अनेक मार्ग हो सकते हैं। वे सभी समान रूप से प्रामाणिक होंगे यदि प्रस्तुत होने वाला उस सत्य के प्रति उन्मुख होने में अपने अन्तस् में प्रामाणिक हो—सच्चा हो। अब, यहाँ सद्-असद्-निर्णय में किसी बाहरी सामान्य नियम की अस्वीकृति है, केवल अन्तस् के सम्बन्ध में एक सामान्य नियम है कि किसी कर्त्तव्य के निर्णय में कर्त्ता के चित्त का निर्मल होना, निराग्रही होना, और सत्य के प्रति पूर्णत: निवेदित होना आवश्यक है। कहा जा सकता है कि यह कर्त्तव्य-निर्णय में सापेक्षतावाद का ही समर्थन है। किन्तु वास्तव में यह ऐसा नहीं है, क्योंकि सदसद्, कर्त्तव्याकर्त्तव्य ऐन्द्रिय विषय के समान बाह्य देश-स्थित विषय या 'वस्तु' नहीं हैं बल्कि अन्तस् में साक्षात्कार्य अर्थ ही हैं। किन्तु इस अन्तस् का उन उपाधियों से मुक्त होना आवश्यक है जो उसे उसके सार्वभौम रूप को देख सकने वाली दृष्टि को बाधित करती हैं। यह सार्वभौम अर्थ बाह्य वस्तु के समान कोई सर्वसामान्य नहीं होता, बल्कि अनेक पक्षों से ग्रथित जटिल वस्तुस्थिति होता है, जिसकी सार्वभौमता की प्रतिष्ठा स्वयं चेतना की सार्वभौमता में ही होती है, और चेतना की यह सार्वभौमता उसके उन उपाधियों से मुक्त होने में लभ्य होती है जो उसके इस स्वरूप को संकुचित करती : विषयिनिष्ठ बनाती : हैं। यह बात एक स्थूल उदाहरण से समझी जा सकती है—दो विरोधी व्यक्तियों के बीच न्याय करने के लिए किसी को नियुक्त करते हुए यह आवश्यक माना जाता है कि उन

व्यक्तियों में से कोई न्याय-कर्त्ता का सम्बन्धी नहीं हो। क्योंकि यह परिस्थिति न्याय-कर्त्ता के न्याय करने में तो बाधक हो ही सकती है, उसकी न्याय-दृष्टि में भी बाधक हो सकती है, और इस, तथा इस प्रकार की अन्य बाधाओं से मुक्त चेतना 'न्याय का अव्यवहित साक्षात्कार' कर सकती है। द्रष्टव्य है कि इसमें यह आपादित है कि चेतनागत उपाधियाँ ही चेतना में उसके स्वरूप की आवरक होती हैं और ज्ञान उस चेतना का स्वरूप है। ऐसा बहुत से भारतीय दर्शन-सम्प्रदायों और ग्रीस के दर्शन-सम्प्रदायों, विशेषत: प्लेटो में, माना भी गया है। इससे अन्ततः यह निगमित होता है कि सब जीव-रूप चित्सत्ता पर उपाधि-रूप हैं और शुद्ध चित् इनसे पूर्व और परतः स्थित सत्ता है। ऐसा मानने में कोई कठिनाई नहीं है यदि इसे प्राकृतिक अस्तित्व की पदावली में नहीं समझ कर अर्थतः ही समझा जाय। इस दृष्टि से इसका अर्थ है कि चेतना में सदसद्-विवेक की निरपेक्ष क्षमता होती है और कि सदसद् को लेकर दृष्टि-भेद सदसद् विवेक की रुचि-मूलकता और इस प्रकार रुचि-सापेक्षता को सिद्ध नहीं करता, यह भेद केवल ऊपरी बाना भी हो सकता है। उदाहरणतः शीलविषयक धारणाएँ बहुत भिन्न हो सकती हैं किन्तु उनमें यह भेद ऊपरी व्यवहारगत ही होता है, स्वयं शीलगत नहीं। किन्तु तब 'जो मुझे जिस रूप में प्रपन्न होता है मैं उसे उसी रूप में उपलब्ध होता हूँ' का क्या अर्थ है? इसका अर्थ है कि विशिष्ट व्यक्ति-स्वभाव और विशिष्ट परिस्थितियाँ भी सदसद् की अंगभूत होती हैं, इसलिए शुद्ध चित्त वाले दो व्यक्ति अपने कर्त्तव्य-निर्धारण में प्रकटतः विरुद्ध कर्म कर सकते हैं, किन्तु गहराई से देखने पर वह विरोध ऐसा नहीं होता कि या तो एक को उचित और दूसरे को अनुचित कहा जाय या सदसद् को रुचिमूलक माना जाय। उदाहरणतः, साधारण रूप से किसी का सिद्धार्थ के समान पत्नी और बच्चे को सोते छोड़ कर चले जाना उचित नहीं कहा जा सकता, किन्तु यह साधारण नियम सिद्धार्थ पर लागू नहीं होता। इसी प्रकार पॉल गॉगिन भी अपनी पत्नी और बच्चों को छोड़ कर चला गया था। वह उचित था या नहीं, इसका मानदण्ड बाहर से निर्धारित नहीं किया जा सकता। ऐसे निर्णय व्यक्ति-चेतना में नितान्त गुहागत होते हैं और उन पर पहुँचने के लिए केवल उस गुहा में प्रविष्ट हो सकना ही अपेक्षित होता है। उस गुहा में प्रवेश के लिए व्यक्ति को अपनी चेतना के सब आवरणों को हटाना और अपने संकल्प को सँजोना अपेक्षित होता है। इस प्रक्रिया में व्यक्ति के सम्मुख जो अन्तर्द्वन्द्व और धर्म-संकट उपस्थित होते हैं, जो साधारण मर्यादाओं और अन्त:साक्ष्य के बीच व्यामिश्र उपस्थित करते हैं, उनके बीच से आत्म-गुहागत धर्म के तत्त्व को देख पाना अत्यन्त दु:साध्य होता है। निश्चय ही यह सब *व्यक्तिगत* ही होता है, किन्तु यह व्यक्ति उस अन्तर्गुहावासी से अभिन्न होता है जो सब उपाधियों : आवरणों : से मुक्त है, जो प्राकृतिक सर्व जन के पूर्वग्रहों से परे स्थित तत्त्व को देख पाता है। यहाँ इसके प्रतिवाद में कहा जा सकता है कि इसमें स्पष्टतः एक सापेक्षता देखी जा सकती है—कहा जा सकता है कि सिद्धार्थ और पॉल गॉगिन दोनों का गृह-त्याग उचित होने पर भी उनकी व्यक्तित्व-रचना के भीतर से, उसकी सापेक्षता में ही, उचित कहा जा सकता है, स्वयं इन दोनों के भी ये प्रकटतः एक से कर्म सर्वथा भिन्न हैं, जिसका कारण इन दो का नितान्त भिन्न प्रकार के व्यक्ति होना है। किसी अन्य व्यक्ति, जैसे महात्मा कबीर और महात्मा गाँधी के लिए यह प्रश्न ही उपस्थित नहीं हुआ। कहा जा सकता है कि जिस सम्बोधि के लिए सिद्धार्थ को 'निष्क्रमण' करना पड़ा और उसका वह निष्क्रमण उसकी सम्बोधि से 'महाभिनिष्क्रमण' सिद्ध हुआ, मोहनदास कर्मचन्द गाँधी को वही 'सम्बोधि' एक अंग्रेज ऑफीसर द्वारा गाड़ी से बाहर फेंक दिये जाने पर प्राप्त हुई। क्या यह सापेक्षता नहीं है? सम्बोधि की सापेक्षता? क्योंकि ये दो सम्बोधियाँ उनकी व्यक्तित्व-रचना की सापेक्ष हैं? अन्यथा इनमें कोई भी समानता नहीं है! इनमें प्रकाशित या अधिगत सत्य 'एक' नहीं है, ये व्यक्ति-सापेक्ष दो सत्य हैं। इनके स्थान पर यदि ईश्वर को रखा जाय जो सत्य के साथ अभिन्न है, तो उसके लिए यह नहीं कहा जा सकता कि दो ईश्वरों के अपने-अपने सत्य हो सकते हैं, क्योंकि ईश्वर दो नहीं हो सकते, और ईश्वर दो इसलिए नहीं हो सकते क्योंकि पूर्ण सत्य दो नहीं हो सकते?' यह ठीक नहीं है। वास्तव में ईश्वर और मनुष्य में यह भेद नहीं है कि मनुष्य का सत्य अपूर्ण होता है और ईश्वर का पूर्ण, इनमें भेद यह है कि मनुष्य अपने सत्य से व्यवहित होता है और ईश्वर अव्यवहित। मनुष्य के अपने सत्य से व्यवहित होने से उस सत्य तक पहुँचने के मार्ग भी मनुष्य के लिए अनेक हो सकते हैं और वे सब मार्ग अनन्त भी हो सकते हैं। वास्तव में मनुष्य और उसके सत्य के बीच का व्यवधान कभी पूर्णतः दूर नहीं होता, वह न्यूनतम ही हो सकता है। किन्तु यह

भी सत्य की प्रकृति पर निर्भर करता है। जहाँ अन्वेष्य बाह्य है, जैसे भौतिक वस्तु, जैव देह या मानव-मन भी, वहाँ व्यवधान कभी लंघ्य नहीं होता, कृति और विचार को भी इसी में वर्गीकृत किया जा सकता है, किन्तु भाव में, उसकी विषयिता में वह लंघ्यवत् हो सकता है। भक्त और भगवान के बीच, या दो प्रेमियों के बीच की दूरी इसी प्रकार की होती है। कबीर या नानक या रामकृष्ण परमहंस और उनके आराध्य के बीच का व्यवधान इसी प्रकार का है। कबीर के निम्न दोहे में इसका अत्यन्त विदग्ध निरूपण है——

> पियतम को पतियाँ लिखूं जो कोइ होय बिदेस,
> तन में, मन में, नयन में, वा को कहा सँदेस?

या हीर के अपने इस निरूपण में——

> राँझा राँझा आखदी, मैं आपेई राँझा होई।

निश्चय ही यहाँ भी एक व्यवधान है——कबीर और उसके प्रियतम के बीच और हीर और राँझा के बीच यह व्यवधान ही प्रेम का और उसकी तड़प का या प्रेमी के प्रिय के प्रति तन्मयीभाव का हेतु है, किन्तु इस तड़प की या भाव की तीव्रता उसके विलय की हेतु भी होती है। यद्यपि इस तड़प को या तन्मयीभाव को बनाये रखने के लिए व्यवधान बना रहना भी आवश्यक होता है।

बाह्य विषय और अन्वेषक के बीच व्यवधान की अलंघ्यता बाह्य को नितान्त बाह्य :अन्य: सिद्ध नहीं करती। जैसाकि हमने पीछे देखा, इस बाह्यता का उद्गम-स्थल चेतना का अपना विषयकरण ही होता है-'मैं' का अपना अपने को विषयरूपेण प्रस्तुत होना। इसी मूल से इन्द्रियगम्य अर्थ 'भौतिक' रूप में और अन्य अर्थ उपकरणों, कला-कृतियों, विचारों, भावनाओं और कर्त्तव्य-अकर्त्तव्य कर्मों के रूप में सत्ता-लाभ करते हैं। किन्तु इस बाह्यता में ये ऐसा रूप लेते हैं कि ये गहराई में अथाह और विस्तार में अपार हो जाते हैं। अर्थों की यह अथाहता और अपारता 'अहं' के विषयकरण : बाह्यार्थ रूपेण प्रापण : से वंचित पाशव चेतना को उपलब्ध नहीं रहती। अर्थों की इस अपारता और अथाहता का व्यक्ति-चेतना अपनी निर्मलता की सापेक्षता में और पार पाने के प्रयत्न से ही अवगाहन कर पाती है-श्रवण, मनन, निदिध्यासन के द्वारा, जैसाकि भौतिक विज्ञान और तकनीकी में भी सृजनात्मकता से देखा जा सकता है। चेतना की यह सृजनात्मकता चेतना में अकूत अर्थों के उन्मेष के रूप में लक्षित होती है और चेतना के लिए विषयों के अन्तस् को आलोकित करती है। किन्तु विषयता का यह स्वरूप विषयों की विषयिनिष्ठता सिद्ध नहीं करता, बल्कि यही उनकी स्वतन्त्र विषयता का हेतु होता है। ये विषय, स्वयं आत्मा और विषयिता के सहित, स्वरूपत: सामान्य, निरपेक्षत: निरीक्ष्य और विवेच्य होते हैं।

यहाँ यह ध्यातव्य है कि चेतना की यह स्थिति उसे आत्मान्वेषण के, जो सत्यान्वेषण से अभिन्न है, कठोरतम प्रयत्न के फलस्वरूप ही सिद्ध हो पाती है। जैव विकास का सुदीर्घ और अत्यन्त क्रूर इतिहास इसका साक्षी है।

चित् की आत्मगवेषणा – एक

जगत् का आविर्भाव और चेतना का आत्मचेतन होना चेतना के जीवन में ये दो गुह्यतम घटनाएँ कही जा सकती हैं। ये घटनाएँ क्यों घटीं, और ये कैसी हैं, इसे लेकर कुछ अनुमान करने की उत्कंठा तो होती है —जो स्वयं एक गुह्य पहेली है, किन्तु यह अनुमान केवल इनकी गुह्यता की अपारता का ही कुछ आभास देता है, इनके ज्ञान तक नहीं पहुँचाता।

जगत् चेतना के वासनात्मक प्रवर्तन की व्यवस्था कहा जा सकता है, जो प्रवर्तन इन्द्रियों और उनके विषयों को अपना माध्यम बनाता है। ये विषय इसके भोगार्थ प्रवर्तक और भोग्यार्थ प्रवृत्ति-फल कहे जा सकते हैं। जगत् की यह परिभाषा प्रकटत: भौतिक और वानस्पतिक अस्तित्व पर अव्यापक कही जा सकती है, क्योंकि अस्तित्व के इन दोनों रूपों में इन्द्रियाँ नहीं होतीं। यदि कोई वानस्पतिक में त्वगिन्द्रिय और बुभुक्षा की विद्यमानता कहना चाहे तो भी कम से कम भौतिक अस्तित्व इस परिभाषा से बाहर रह जाता है। इसका उत्तर यह हो सकता है कि भौतिक अपनी नितान्त स्वकीयता में चेतना के जगद्भाव का योग्यता-गर्भ प्रसुप्त अस्तित्व है, अन्यथा यह केवल इन्द्रिय-विषयक पदार्थ ही हो सकता है। ये पत्थर और जल या तो जीव की प्रागवस्था हैं या जीव के विषयमात्र। पहली कोटि भौतिक को चेतना के जगद्भाव की एक नितान्त तामस अवस्था के रूप में प्रतिष्ठित करती है। दूसरे शब्दों में, यह प्रसुप्त विषयिता की कोटि है। भौतिक को इस कोटि में रखने का औचित्य यह है कि इससे भिन्न भौतिक का रूप विषय का ही हो सकता है, जिसका अतिक्रमण यह या तो विषयता के विचारात्मक उद्ग्रहण के रूप में कर सकता है या विचारात्मक अविज्ञेय विषय के रूप में। इसका प्रथम रूप बौद्धों की निर्विकल्पक प्रत्यक्ष-विषय स्वलक्षण वस्तु में और दूसरा कांट की अतीन्द्रिय विलक्षण वस्तु में देखा जा सकता है। किन्तु साधारणत: हम इसे भौतिक विज्ञान के अनुसन्धेय विषय के रूप में देखते हैं, जहाँ यह वास्तव में प्रौद्योगिकीय उपयोज्य व्यवस्था अथवा बौद्ध निर्विकल्पकता-लक्षी जटिल विकल्प-व्यवस्था का विषय मात्र होता है। चेतना के जगद्भाव का या कहें जगन्मूलकता का शुद्ध रूप, मानव से अवर स्तरीय पाशव चेतना में मिलता है। इस पाशव चेतना में विकास भी परिलक्षित होता है, जो एक ओर जगत्परक भोगात्मक होता है और दूसरी ओर आत्म-लक्षी। इस विकास का पाशव रूप भोगार्थ प्रवृत्ति और उसकी योग्यता की वृद्धि के रूप में इन्द्रियों की योग्यता-वृद्धि में देखा जा सकता है। इस अवस्था में चेतना इन्द्रिय-विषयों से पूर्णत: तदात्म रहती है, जो विषय उसकी वासनाओं के तारतम्य में होते हैं। उन विषयों का इसके अतिरिक्त केवल एक रूप और होता है—बाधक का। इसे विषय के स्वतन्त्र अस्तित्व का सूचक भी कह सकते हैं। किन्तु इस चेतना के लिए ऐसा कोई अस्तित्व नहीं होता। किन्तु उसके ये विषय ज्ञानेन्द्रियगम्य और कर्मेन्द्रिय साध्य होते हैं और इस प्रकार बाह्य देशावस्थित होते हैं। पर इस चेतना के लिए ज्ञानेन्द्रिय-विषयों की यह बाह्यता कर्मेन्द्रिय-व्यापार-विषयता से स्वतन्त्र कोई वास्तवता रखती है, यह कहना युक्त नहीं होगा। इन्द्रियविषयों की बाह्यता, इस बाह्यता की वास्तवता, वास्तव की भौतिकता ये सब अनात्मचेतन पाशव चेतनागम्य विषय से उद्ग्रहण-मूलक होते हैं। ये उद्गृहीत विषय या वस्तुएँ इन्द्रिय-विषय नहीं होकर विचार-विषय, या उपयुक्ततर बौद्ध पदावली में कहें तो विकल्प-विषय, होती हैं। इन विषयों को 'वस्तुएँ' इसलिए कहा जा सकता है क्योंकि ये निरपेक्षत: अपनी निजी सत्ता में प्रतिष्ठित रूप में विकल्पित होती हैं। अनात्मचेतन चेतना के विषय मात्र विषय होते हैं। ये विषय वास्तवता के लेश से भी रहित होते हों ऐसा तो नहीं कहा जा सकता, उनकी बाह्य देशावस्थिति और कर्मेन्द्रिय-विषयता उनकी वास्तवता के ही अंग होने चाहिएँ, किन्तु उनकी यह वास्तवता विषयान्तर्गत तत्त्व ही होना चाहिए, निरपेक्ष वास्तवता नहीं। निरपेक्ष वास्तवता केवल विकल्प-विषयों की ही हो सकती है।

विकल्प : विचार : आत्मचेतन चेतना की सहजात इन्द्रिय कहा जा सकता है, क्योंकि विकल्प भी विषय-ग्राहक होते हैं। ये विकल्प और उनके विषय चेतना में उसके बाह्येन्द्रियों से निवर्तन के साथ आविर्भूत होते हैं, जिस प्रकार बाह्येन्द्रियाँ और उनके विषय चेतना के बाह्योन्मुख प्रवर्तन के साथ आविर्भूत होते हैं। ये विषय प्रत्यय-रूप होते हैं। प्रत्ययों को ऐन्द्रिक अर्थों : विषयों-वस्तुओं : के विपरीत बौद्धिक अर्थ कह सकते हैं। किन्तु आत्मचेतन चेतना अनात्मचेतन चेतना से एक और प्रकार से भी भिन्न होती है : यह इन्द्रियार्थों से ही निवर्तित नहीं होती, यह विषयता मात्र से निवर्तित होकर विषयिता को विकल्पतया प्रत्युपस्थित करती है। इस प्रत्युपस्थिति में आद्य विषय आत्मा होता है, जो चेतना को जगदुन्मुखता के विपरीत आत्मोन्मुख निवर्तन में अधिगत होता है। इसे चेतना की आत्म-प्रस्तुति भी कह सकते हैं जो आत्म-भावेन होती है, इस प्रस्तुति को अस्मि ↔ अस्मि रूप कहा जा सकता है, जिसमें चेतना प्रत्यङ्मुख होकर अपने को अस्मिता-रूपेण बाह्यत: प्रत्युपस्थित करती है और प्रत्यक्तया, या कहें अविषयतया, आत्मविदित रहती है। आत्मा की विषयतया प्रत्युपस्थिति, जिसे शंकर ने ठीक ही आत्म-प्रत्यय कहा है, चेतना की आत्मोपलब्धि का अनिवार्य उपाय कही जा सकती है।

किन्तु यह एक विचित्र विडम्बना है। इसमें मानो चेतना अपनी आत्मा को पाने के लिए अपना इतरत्व रचती है। किन्तु वास्तव में तो चेतना का आद्य प्रवर्तन ही आत्मेतर भावेन होता है, जिससे अपने प्रत्यङ्मुख निवर्तन में वह अपने को इस इतर से इतर के रूप में देखती है। किन्तु इस इतर का इतर भी इसे इतर रूप में ही मिलता है, जिसे हमने शंकर से शब्द उधार लेते हुए आत्म-प्रत्यय कहा है। किन्तु यह आत्मप्रत्यय अपने अर्थ की गहनता में अपार होता है। यों तो प्रत्यय मात्र ही अपनी अर्थ-गहनता में अनवगाह्य होता है, जैसाकि विज्ञान, दर्शन, काव्य, धर्म, अन्यान्य कला-रूपों और शिल्पों के रूप में अनन्त गवेषणाओं में देखा जा सकता है, किन्तु आत्म-प्रत्यय की गहनता इनसे कहीं अधिक और इनसे आधारभूत रूप से भिन्न प्रकार की होती है—क्योंकि इन सब गवेषणाओं में आत्मा ही गवेषी होती है और उसकी आत्म-गवेषणा इन गवेषणाओं की सार्थकता को उसके लिए सन्देहास्पद बना देती है। यह उद्विग्नता अपने प्रखरतम रूप में **बृहदारण्यक उपनिषद्** में मैत्रेयी के इस प्रश्न में प्रस्तुत हुई है कि "जो गवेषणा या उपलब्धि मुझे अमरता नहीं देती उसे पाकर मैं क्या करूँगी?" (येनाहं नामृता स्याम् किमहं तेन कुर्याम्?) किन्तु यह अमरता : आत्मा के यथार्थ की निस्संशय सिद्धि : क्या है? वह किसमें मिलती है यदि वह विज्ञान, दर्शन, काव्य, धर्म आदि में नहीं मिलती है तो?

सांख्यकारिकार ईश्वरकृष्ण ने प्रश्न उठाया है कि यह सृष्टि-प्रवर्तन आखिर क्यों होता है? सांख्य के अनुसार पुरुष स्वरूपसिद्ध है। किन्तु तब प्रकृति की स्वयं से जगद्भाव में प्रवृत्ति का कोई अर्थ नहीं बनता : संघार्थपरार्थत्वात् । इसका वे समाधान देते हैं कि प्रकृति पुरुष को उसका मुक्त स्वरूप दिखाने के लिए, उसे उसकी पहचान देने के लिए, जगत् रूप में प्रवर्तित होती है।[1] अब, आत्मविश्रान्त और आत्मपूर्ण पुरुष-चैतन्य के लिए अपना मुक्त स्वरूप देखने के लिए इस बंध-रचना में पड़ने का क्या तुक? सांख्य में इसका कोई तुक नहीं बनता, किन्तु अन्यथा यह देखा जा सकता है कि चेतना की यही नियति है कि वह अपने को पाने के लिए अपने से इतरतया प्रवर्तित हो। इस प्रक्रिया में उसे इस इतरता को अपने ही अन्तर्गतार्थ के रूप में पहचानना होता है। किन्तु कठिनाई यह है कि चेतना का यह अन्तर्गतार्थ वास्तव में ही उसका आत्मेतरत्व होता है जिसे उसे इस रूप में पहचान कर मुक्ति-लाभ करना होता है। जैसाकि हमने पीछे देखा, चेतना का आद्य प्रवर्तन देह और इन्द्रियों को रचकर इनके माध्यम से इनके विषयों में अपने को पाने के रूप में होता है। इस अवस्था में देह और इन्द्रियाँ ही आत्मा और इनके विषय उपकारक-अपकारक रूप में आत्मीय और अनात्मीय : हेयोपादेय : बनते हैं। चेतना की यह पूर्णत: आत्म-विमुख या परात्मक अवस्था कही जा सकती है। 'यह प्रवर्तन चेतना का आत्मवैमुख्य है' यह बोध चेतना पर स्वयं पर ही प्रकाशित होता है, यद्यपि अत्यन्त क्लिष्ट भटकाव के अनन्तर, जैसाकि करोड़ों वर्षों के जैव विकास के इतिहास से देखा जा सकता है। **तैत्तिरीय उपनिषद्** ने आद्य प्रवर्तन को 'एक की बहु होने की कामना' कहा है जिसे वह कठोर तपस्या से सिद्ध करती है।[2] किन्तु उसकी यह सिद्धि उसे आत्मेतरत्व में भटकाव

1. औत्सुक्यनिवृत्त्यर्थं यथा क्रियासु प्रवर्त्तते लोकः, पुरुषस्य विमोक्षार्थं प्रवर्त्तते तद्वदव्यक्तम्। **सांख्यकारिका,** 58

2. सोऽकामयत बहुस्यां प्रजायेयेति। स तपोऽतप्यत। (वल्ली 2, अनुवाक 6)

के रूप में ही प्राप्त होती है,[1] जिस भटकाव के याथार्थ्य को वह अत्यन्त कठोर यातनाओं के बाद ही देख पाती है। किन्तु गन्तव्य कौन सा है, कौन सा मार्ग युक्त मार्ग है, यह बोध उस पर कभी निर्णायकतया प्रकाशित नहीं हो पाता। इससे भी अधिक भयावह स्थिति यह होती है कि बोध होने पर भी वह उसका अनुसरण नहीं कर पाता। इस 'बहु होने' की आद्य कामना को ही लें। स्वभावत: इसमें उसे वैपुल्य-लाभ ही होना चाहिए। इसीकी पर्येषणा में वह एक से दो और दो से क्रमशः पांच ज्ञानेन्द्रियों और पांच कर्मेन्द्रियों और इनकी विविध शक्तियों और इनके विषयों को साधती है। रूपों, रंगों, रसों, गन्धों और स्पर्शों आदि का यह अर्थ-वैभव सचमुच अद्भुत है और इसके साथ आनन्दानुभूति समवेत होती है। किन्तु ये सब अर्थ चेतना को आत्म-बहिष्कृति के रूप में ही प्राप्त होते हैं। वह यह तक नहीं देख पाती कि ये अर्थ *उसके लिए हैं*—वह उनसे तदात्म रहती है, अथवा कहें ये अर्थ उसे आत्मसात् कर रखते हैं। इन अर्थों की परता का मूल इनकी कामना, इनके प्रति आसक्ति में होता है, इस आसक्ति से ही वह बहु हुई है, इस आसक्ति के बिना यह बहुलता किस काम की? कहना चाहिए, इसके बिना यह बहु होगी ही नहीं। किन्तु इस आसक्ति से क्रोध, क्रोध से शत्रु, शत्रु से भय, देह से बुभुक्षा, बुभुक्षा से परस्पर घात यही इस बहुत्व का अर्थ रूप लेता है, और कुछ भी नहीं। इसकी निरर्थकता, बल्कि कहें इसकी परात्मता, इसमें आत्म-पराङ्मुखता देखने की योग्यता, चेतना आत्मचेतन होकर सिद्ध कर पाती है।

आत्मचेतन चेतना के लिए, जैसाकि हमने ऊपर देखा, अपने दैहिक और ऐन्द्रिक अर्थ परोक्ष होकर, अतीन्द्रिय अर्थों : प्रत्ययों : से व्यवहित होकर, प्रस्तुत होते हैं। इस चेतना के लिए ऐन्द्रिक अर्थों का नामाभिधेय होना इसका प्रमाण है। अब, इस चेतना को जो अर्थ अपरोक्षत: प्रस्तुत होते हैं उन्हें विकल्पात्मक कहा जा सकता है। परिणामत: इस चेतना को ऐन्द्रिक विषय भी स्वायत्त वस्तु-रूप, बाह्य देशावस्थित, काल-यापी, परिप्रेक्ष्यात्मक, सर्वगम्य, गुणाश्रय, इतर-व्यावर्तक आदि-आदि रूप में, और सबसे बढ़कर कामादि ऐन्द्रिक अर्थों से निरपेक्ष रूप : अविषयिनिष्ठ रूप : में प्रस्तुत होते हैं। उदाहरणत: सम्मुखस्थित प्रस्तर-खण्ड मारने के काम आये, मूर्त्ति बनाने के काम आये, या भौतिक अथवा रसायनविज्ञान का अध्येय बने, यह प्रस्तर-नामाभिधेय ही रहता है और इसके ये आयाम इस 'वस्तु' के ही आयाम होते हैं। हम इसका प्रस्तरत्व स्थगित कर इसे एक भौतिक वस्तु के रूप में भी देख सकते हैं, ऐन्द्रिक विषय मात्र के उदाहरण के रूप में भी देख सकते हैं, देव-प्रतिनिधि, या कहें देवाधिष्ठान के रूप में भी देख सकते हैं। इसके ये सब रूपान्तरण और नामान्तरण अतीन्द्रिय विकल्प-लोक में होते हैं। यह लोक अपनी व्यापकता और गहनता में अपार होता है। उदाहरणत: देव-प्रतिमा के रूप में यह 'शालिगराम' होता है और शालिगराम के रूप में यह हिन्दु—पौराणिक लोक का एक सदस्य होता है जिसका स्वरूप इस धार्मिक-पौराणिक लोक के स्वरूप को समझे बिना नहीं समझा जा सकता, और भौतिक रूप में यह परमाणु-संघात के रूप में विश्लेष्य होता है। द्रष्टव्य है कि इसका यह पौराणिक लोक-वास इसकी नामित इन्द्रिय-विषयता के साथ ही रह सकता है। बहुत से दार्शनिक इस सबको कल्पना-लोक, या विषयिता का लोक और इस प्रकार अयथार्थ भी, कहते हैं और तब इन्द्रिय-ग्राह्य लोक को, या किसी अतीन्द्रिय अनुभवगम्य लोक को यथार्थ लोक कहते हैं। अब, इस दार्शनिक धारणा को समझने के लिए निर्विकल्पक इन्द्रियार्थों के स्वरूप को समझना उपयोगी होगा।

ये निर्विकल्पक अर्थ हमें दो रूपों में प्राप्त होते हैं —या तो विकल्प-बुद्धि से रहित पाशव चेतना के विषयों के रूप में, या पूर्णत: विकल्पावगाही दार्शनिकों के विषय के रूप में। यों तो निर्विकल्पक पाशव विषय भी साधारण मनुष्य और दार्शनिक के लिए विकल्पगम्य रूप में ही उपलभ्य हो सकते हैं, किन्तु इस विडम्बना को यदि एक बार हम छोड़ भी दें तो भी यह द्रष्टव्य है कि पाशव चेतना के विषय शुद्ध इन्द्रियगम्य नहीं होते, वे अनादि वासनाओं, काम-क्रोधादि आवेगों तथा संस्कारों से व्यवहित ऐन्द्रिक विषयों के रूप में ही प्राप्त होते हैं। शुद्ध इन्द्रिय-विषय तो किसी भी काम के नहीं होते। किन्तु यहाँ जो विशेष रूप से ध्यातव्य है वह यह कि इन्द्रिय भी

1. यह उपनिषद् का मन्तव्य नहीं है। इस सारे प्रतिपादन का उपनिषदों से कोई सम्बन्ध नहीं है, यद्यपि यह विचार उपनिषद् के समानान्तर है।

चेतना की एक वृत्ति ही है, जैसे वासनाएँ और विकल्प हैं। परिणामत: निर्विकल्पक इन्द्रिय–विषय परमार्थ सत् के प्रापक नहीं हो सकते, वे इन्द्रिय–कल्पित ही हो सकते हैं। परमार्थ सत् के अव्यवहित प्रापक इन्द्रिय–विषय केवल बुद्ध के गम्य : बुद्धानां विषया: : ही हो सकते हैं, जैसाकि वसुबन्धु कहते हैं। अब, जहाँ तक दार्शनिकों के इन्द्रिय–विषयों का प्रश्न है, उन तक पहुँचने के दो आदर्श प्रयत्न कांट और दिङ्नाग में देखे जा सकते हैं। स्पष्टत: ये प्रयत्न विकल्प द्वारा अपने से उत्तीर्ण होने के प्रयत्न ही कहे जा सकते हैं, जो प्रयत्न विकल्प–चेतना का सहज धर्म है। विकल्प का यह धर्म अर्थों को उनके यथारूप में पाने का प्रयत्न ही होता है, जिस प्रयत्न को यदि निराधार कहें तो सम्पूर्ण दार्शनिक प्रयत्न को ही नहीं वैज्ञानिक प्रयत्न को भी निराधार और मृग–तृष्णा मात्र कहना पड़ेगा। जैसाकि उपर्युक्त विवेचन से स्पष्ट है, तथाकथित निर्विकल्पक इन्द्रिय–विषय विकल्प द्वारा इन्द्रियार्थों के शुद्ध स्वरूप के अनुसन्धान से ही लभ्य होते हैं, जो अनुसन्धान विकल्प से अपने अतिक्रमण की अपेक्षा करता है। यह अतिक्रमण विकल्प के आत्मदर्शन : आत्मविषयकरण : के रूप में सम्पन्न होता है, जिसे चेतना पराङ्मुखता के विपरीत प्रत्यङ्मुख निवर्तन के द्वारा साधती है। इस प्रकार निर्विकल्पक इन्द्रिय–विषय विषयता से मुक्त चेतना द्वारा प्रत्युपस्थित विकल्प ही होते हैं।

अब, स्पष्टत: ऐसे इन्द्रियार्थ लोक में, या ऐन्द्रिक चेतना में भी, कहीं प्राप्य नहीं होते, किन्तु तब भी इनकी कल्पना ज्ञान को विपुलतर बनाती है और परिणामत: अपारत: अर्थ–समृद्ध लोकों को सम्भव करती है, जिन लोकों का हम विभिन्न विज्ञानों, कलाओं और शास्त्रों आदि के रूप में साक्षात्कार करते हैं।

अब, इस कल्पना : विकल्प : के सत्य को लेकर दार्शनिकों में गहरा मतभेद रहा है और आज भी इसमें कोई सहमति नहीं है, न सम्भवत: कभी होगी। किन्तु ये मतभेद कोई ऐन्द्रजालिक व्यूहमात्र हैं, यह कहना युक्त नहीं होगा, यद्यपि इधर के कुछ यूरोपीय दार्शनिकों ने एक ओर और सब देशों और सब कालों के कवियों, कलाकारों, कर्म–योगियों और प्रेम–पंथियों ने दूसरी ओर इनके लिए ऐसा ही कहा है। किन्तु द्रष्टव्य है कि विकल्प को इस रूप में देखने वाले दार्शनिक तो केवल ऐसे विकल्प के भीतर से ही ऐसा कह पाते हैं। जहाँ तक अध्यात्म–साधकों आदि का प्रश्न है, वे भी कोई निर्विकल्पक साक्षात्कारी नहीं होते। मनुष्य की कोई अनुभूति, कोई वेदना, कोई क्रिया ऐसी नहीं होती जो विकल्पपूर्वक नहीं हो। भर्तृहरि ने इसे ही 'शब्दपूर्वक' कहा है।[1] विकल्प से सबसे अछूते सुख–दु:ख–वेदना और गूंगे का आस्वाद कहे जाते हैं, किन्तु ये भी निर्विकल्पक नहीं होते—विषय होने के कारण। इनकी विषयता चेतना द्वारा विषयकृत आत्मा का ही एक गुण होती है। कोई बिना जाने दु:खी हो सकता है—जैसे घायल गाय। वह गाय का दु:ख से तादात्म्य होता है। मनुष्य दु:खी होता है तब उसका आत्मा : उसका दु:ख–तादात्म्य : आत्म–विभक्त होकर अपनी दु:खिता को और दु:खी आत्मा को अपने से पृथक् निरीक्ष्य, विवेच्य, स्वीकार्य–अस्वीकार्य आदि रूपेण प्रत्युपस्थित कर लेता है। यह प्रत्युपस्थित मद्दु:खिता विकल्प–व्यवहित दु:खिता ही होती है। इसे सामान्यगत विशेष भी कह सकते हैं। यहाँ तक कि यह दु:ख 'सुख–दु:खे समेकृत्वा' वाक्य में गर्भित गहन नीति–मीमांसीय अर्थ का वाहक भी हो सकता है। इस प्रकार यह दु:ख निश्चय ही उस तथाकथित 'वास्तवता' से कट जाता है जिसमें गाय होती है, किन्तु तब एक दूसरी वास्तवता का आविर्भाव होता है जो अपने विस्तार और गहराई में अपार होती है। मनुष्य के विभिन्न सांस्कृतिक प्रयत्न : धर्म, दर्शन, कलाएँ, विज्ञान, शास्त्र, यन्त्र आदि : इसी नयी वास्तवता के अनुसन्धान के प्रयत्न हैं। यहाँ कलाओं और यान्त्रिक आविष्कारों को वास्तवता के अनुसन्धान कहने पर आपत्ति हो सकती है, क्योंकि वहाँ कुछ प्रत्युपस्थित नहीं होता है जिसके स्वरूप को जानना होता है, वहाँ किसी कल्पना को क्रियान्वित करना होता है, किसी न्यूनता का निवारण करना होता है, किसी अभूत को आविर्भूत करना होता है। एक कलाकृति एक वास्तवता होती है जो चेतना के स्वातन्त्र्य से उद्भूत होकर ऐन्द्रिक लोक में ठोस अस्तित्व लेती है। कहा जा सकता है कि कलाकृति के रूप में जबकि इसकी वास्तवता होती है, इसका अस्तित्व ऐन्द्रिक विषयता में होता है, कलाकृति के रूप में इसका कोई अस्तित्व नहीं होता। कलाकृति उन अपार और अनवगाह्य अर्थ–सम्भावनाओं की धारक भौतिक अस्तित्व

1. न स: प्रत्ययो लोके य: शब्दानुगमाद् ऋते।

होती है जिनमें से एक सम्भावना कलाकार की चेतना में प्रकाशित हुई होती है। यह बात वास्तव में मनुष्य के सम्पूर्ण संसार के सम्बन्ध में कही जा सकती है, और अन्ततः उसके सम्पूर्ण जीवन के सम्बन्ध में, जो उसकी अपार गुह्य आत्मा की एक सम्भव अभिव्यक्ति होता है।

वास्तव में मनुष्य के जीवन को भी एक कृति ही कहा जा सकता है, जिसमें वह अपनी आत्मा को क्रियान्वित करता है। यह क्रियान्वयन या सर्जन वह कहाँ तक सम्यक् कर पाता है यह उसके आत्मा के साक्षात्कार की सामर्थ्य पर और उस साक्षात्कार को ऐन्द्रिय माध्यम : चित्तवृत्तियों और कर्मों : में रूपायित कर पाने की सामर्थ्य पर निर्भर करता है। किन्तु यह आत्मा भी आत्मा की आत्म-प्रस्तुति ही होती है जिसे एक-साथ अपनी विषयिता में होना और *विषयता में अपने को पाना* होता है। किन्तु अपने को पा वह अपने इतरत्व में ही सकती है।

यह एक असाध्य विरोधाभास है। चेतना का जगद्भाव से प्रवर्तन विषयतया प्रवर्तन ही है जिसमें वह पूर्णतः आत्म-बहिर्भूत रूप में रहती है। इस आत्म-बाह्यता से मुक्ति उसे प्रत्यङ्मुख अतिक्रमण में मिलती है, किन्तु यहाँ पुनः उसे अपने को विषय रूप में ही पाना होता है, यद्यपि इस बोध के साथ कि वह यह नहीं है। यह एक प्रकार से दर्पणगत आत्म-प्रतिबिम्ब में अपने को देखने जैसी बात होती है। हम अपना चेहरा दर्पणगत प्रतिबिम्ब में ही देख सकते हैं, किन्तु केवल तभी जब हमें इस बिम्ब के चेहरा नहीं होने का बोध हो। इस बोध के बिना हम बिम्ब को 'मेरा बिम्ब' रूप में नहीं जान सकते। किन्तु प्रत्युपस्थित आत्मा की बिम्ब से यह उपमा बहुत सीमित रूप में ही सही कही जा सकती है। वास्तव में हम अब भी विषय-जगत् में ही तादात्म्य-भाव से रहते हैं, केवल अब विषयों का प्रकार भिन्न होता है—हम धन में, यश में, ज्ञान में, कला में, कर्म में, अध्यात्म में आत्मभाव से रहते हैं। **बृहदारण्यक उपनिषद्** में यह परिस्थिति 'न हि पत्युः कामाय पतिः प्रियो भवति, आत्मनस्तु कामाय पतिः प्रियो भवति...' में बहुत व्यंजक रूप से कही गई है। महात्मा बुद्ध ने नैरात्म्य का उपदेश शायद इस इतरतया गम्य आत्म से तादात्म्य से मुक्ति को लक्षित करके ही दिया था। किन्तु यह आत्मा क्या है?

मनुष्य में आत्म-अनात्म का विवेक उसमें नैतिक बोध के रूप में व्यक्त होता है जिस प्रकार जीव में व्यवहार की सफल-असफल निष्पत्ति सत्-असत् बोध की आधार बनती है। नैतिक बोध अपनी मूलगामिता में हमारी प्रवृत्तिमात्र के प्रति यह प्रश्न खड़ा कर देता है कि क्या यह मेरे अनुकूल है? मैत्रेयी द्वारा धन-धान्य प्रस्तुत किया जाने पर उसे इस आधार पर अस्वीकार कर देना कि 'जिससे मैं अमरता-लाभ नहीं कर सकती उसे लेकर मैं क्या करूँगी?' इस आत्म-अनात्म विवेक का ही द्योतक है। किन्तु आत्मा के अनुकूल क्या है, यह हम कैसे जानें? अर्थ-क्रिया-कारित्व सत्-असत्-निर्णय की कसौटी है किन्तु यह आत्मानुकूलता की कसौटी भी हो सकता है। गाय के लिए घास दृष्टि-स्पर्श-रस आदि का विषय होने के साथ आस्वाद-सुख और बुभुक्षा-तृप्ति का प्रदायक भी होता है, चमकती रेत में जल-दृष्टि दोनों अर्थों में मृग-तृष्णा होती है। जीव के जगद्भाव मात्र को मृग-तृष्णा इसी उपमा पर कहा गया है। किन्तु जगत् सत्-असत् पक्ष में अर्थ-क्रियाकारी होने पर भी मृग-तृष्णा क्यों है? 'यह अनात्म है इसलिए इसमें आत्म-भाव मृग-तृष्णा है' यह बोध भी मनुष्य में ही उत्पन्न होता है और अत्यन्त दुर्निवार रूप में उत्पन्न होता है। किन्तु यह जगत् मृग-तृष्णा या 'आत्मा के स्वरूप के प्रतिरूप' क्यों प्रकट होता है? जो हो, मनुष्य अपने इस रूप को आत्मा के स्वरूप के प्रतिरूप पाता है। **छान्दोग्य** और **बृहदारण्यक** उपनिषदों में यह प्रश्न उठाया गया है। **छान्दोग्य** में नारद द्वारा सनत्कुमार से आत्मा का स्वरूप बताने के लिए प्रार्थना करने पर सनत्कुमार नारद से पूछते हैं कि पहले तुम बताओ कि तुम क्या जानते हो? इस पर नारद कहते हैं 'मुझे चारों वेद याद हैं, इतिहास-पुराण, व्याकरण, श्राद्धकल्प, गणित, उत्पातज्ञान, विधिशास्त्र, तर्कशास्त्र, नीति, देवविद्या, नृत्य-संगीत आदि सब का ज्ञान है।' नारद और सनत्कुमार के अनुसार ये सब आत्मा के स्वरूप के प्रतिरूप हैं—उससे इतर। इस इतरत्व में दुःख है। सुख केवल इतरत्व से मुक्ति में है जिसे सनत्कुमार भूमा कहते हैं। तब यह भूमा क्या है? "जहाँ कुछ और नहीं देखता, कुछ और नहीं सुनता तथा कुछ और नहीं जानता वह भूमा है। किन्तु जहाँ कुछ और देखता है, कुछ और सुनता है एवं कुछ और जानता है वह अल्प है। जो भूमा है वही अमृत है और जो अल्प है वह मर्त्य है।" इस पर नारद पूछते हैं, "भगवन्! वह (भूमा) किसमें प्रतिष्ठित है?" सनत्कुमार उत्तर देते हैं—"अपनी ही महिमा में, अथवा अपनी महिमा में भी नहीं। "(अ. 7, खण्ड 14) किन्तु इसका क्या अर्थ? वेद : धर्माधर्म-विवेक-ज्ञान :, शास्त्र, विज्ञान, संगीत, काव्य, शिल्प आदि ये क्या आत्मा की

अपनी महिमा का भूमाकरण नहीं हैं? ये अन्य कैसे हैं? ये आत्मा का 'अपने में आप' कैसे नहीं हैं? 'प्रकृति' के माध्यम से आत्म-विवेचित हुए बिना, उसके दर्पण में अपनी महिमा का प्रतिबिम्ब देखे बिना, और उस देखने में अपना अतिक्रमण साधे बिना वह अपने कैवल्य की विपन्नता में भूमा कैसे होगा? अपनी उस विपन्नता को छोड़ अपने में अनदेखे पड़े वैभव को पाने के लिए ही तो वह वेद, शास्त्र, काव्य, संगीत आदि रूपों में विस्फुट हुआ?

किन्तु जैसाकि हमने आरम्भ में देखा, चेतना प्राकृतिक-भाव को उत्तीर्ण कर ही आत्मचेतन होती है और तब उन अन्य अर्थों का साक्षात्कार करती है जिनका ज्ञान नारद को है और जिस ज्ञान को भी वे अनात्म देखते हैं। किन्तु यह ज्ञान चेतना के लिए स्वयं में अपार अर्थ-राशियों के लोक उद्घाटित करता है। ये अर्थ हमारे ग्रहण से स्वतन्त्र सत्य होते हैं और इनका हमारा अवगमन अपर्याप्त और असत्य होने की सम्भावना लिए होता है। दूसरे शब्दों में ये यथातथ होते हैं। किन्तु तब भी ये अर्थ चेतना के अन्तर्गतार्थ ही होते हैं। चेतना इनका अपने भीतर अपने अन्तर्गतार्थ रूप में साक्षात्कार करती है, कहें, इनमें अपनी अभिव्यक्ति पाती है। विज्ञान, धर्म, दर्शन, काव्य, संगीत, समाज-व्यवस्था आदि सब इसी चेतनागर्भ अर्थ-राशि के चेतना द्वारा प्रत्यङ्मुखता में साक्षात्कृत अर्थ होते हैं। किन्तु तब भी ये आवरण के अपसारण की प्रतीक्षा में, अपसारण से किंचित् विवृत, असम्यक् विवृत होते हैं। काव्यार्थों के साक्षात्कार से व्यक्ति कवि बनता है, वैज्ञानिक अर्थों के साक्षात्कार से वैज्ञानिक बनता है, सांगीतिक अर्थों के साक्षात्कार से गायक आदि बनता है—दूसरे शब्दों में ये चेतना में रूपान्तरण घटित करते हैं। ये सब चेतना की अभिव्यक्तियाँ भी कहे जा सकते हैं। यों देह, इन्द्रियाँ आदि और इनके अर्थ भी चेतना की अभिव्यक्तियाँ ही होते हैं, जैसाकि हमने पीछे देखा। किन्तु आत्मचेतन चेतना की अभिव्यक्ति आत्मबोधपूर्वक होती है और आत्म-बोध अधिष्ठातृत्व, कर्त्तृत्व, ज्ञातृत्व के बोधपूर्वक होता है जो स्वयं विषयी के साथ विषय भी होते हैं, जिसे हमने पीछे चेतना की द्वि-उन्मुखता '↔' के रूप में प्रस्तुत किया था। अब, चेतना की अभिव्यक्ति मात्र का यह स्वरूप है कि वह अर्थरूपेण प्रकाशित होती है, किन्तु वे अर्थ कभी पूर्णत: सम्यक् और पूर्णतया प्रकाशित नहीं हो पाते। सबसे बड़ी बात कि वे अयथार्थतया भी प्रकाशित हो सकते हैं। जगत्, या कहें जगद्भाव, चेतना का वास्तव काम्य नहीं था, यह चेतना ने अपनी इस अर्थ में अभिव्यक्ति के अनन्तर और दारुण कष्टकर भटकावों के अनन्तर ही पाया—यदि कभी कहीं पाया तो! किन्तु इस नकारात्मक बोध से वह अपने गवेष्य अर्थ के याथार्थ्य के सम्बन्ध में निस्संदिग्ध हो सकी या हो सकती है, यह तो कहना सम्भव प्रतीत नहीं होता। हम अपने काम्य अर्थों के ऐन्द्रिक रूप तक के सम्बन्ध में असन्दिग्ध नहीं हो पाते कि यही है जो हमें ऐन्द्रिक सन्तोष देगा। प्राय: ही काम्य मानकर अन्वेषित अर्थ को पाकर हम देखते हैं कि यह वह तो नहीं है जिसके पीछे हम भाग रहे थे। **बृहदारण्यक उपनिषद्** में जो मन्त्र है—'न वा अरे, पत्यु: कामाय पति: प्रियो भवत्यात्मनस्तुकामाय पति: प्रियो भवति ...' वास्तव में चेतना की इस मूलगामी भ्रान्ति का ही आख्यान करता है। किन्तु यह मन्त्र यह तो सम्यक् रूप से बता पाता है कि इस भ्रान्ति का रूप क्या है, किन्तु निर्भ्रान्त काम्य क्या है यह कोई मन्त्र नहीं बता पाता। वह कहता है 'आत्मा वा अरे द्रष्टव्य:, मन्तव्यो, निदिध्यासितव्य:।' किन्तु कौन आत्मा? पहले हम पति, पुत्र आदि के रूप में आत्मा को ही तो खोज रहे थे! इस खोज से त्रस्त होकर चेतना ने आत्मचेतना के रूप में जगत् से निष्कृति चाही, इस निष्कृति ने उसे ऐन्द्रिक अर्थों से भिन्न और वैभव में अपार और अनवगाह्य अर्थ तो दिये किन्तु कौन सा अर्थ उसका काम्य है—साध्य है, उसे अमरता देगा इसका कोई निश्चित समाधान उसे मिला या मिल सकता है, ऐसा कहना कठिन जान पड़ता है। आत्मचेतन चेतना के रूप में जगद्भाव से निष्कृति उसके लिए जिन अतीन्द्रिय, या कहें प्रत्ययात्मक अर्थों की प्रापक होती है उनकी अभिव्यक्ति के क्रम में संस्कृतियों, सभ्यताओं, उपकरणों, व्यवस्थाओं और कृतियों आदि के रूप में नयी लोक-रचनाएँ होती हैं। इन लोकों का वासी होने से मनुष्य को पूर्णत: अप्राकृतिक, बल्कि अतिप्राकृतिक प्राणी कहा जा सकता है। किन्तु उन लोकों में भी वह निर्भ्रान्त रूप से अपने को ही पाता है, यह कहना सम्भव नहीं होता। नारद को ये अर्थ अनात्म ही दिखायी दिये थे, यह हमने पीछे देखा। और मनुष्य का सभ्यता का इतिहास इसका प्रमाण है कि वह किसी सत्य को पाने में कुछ भी आगे बढ़ा है, ऐसा दिखायी नहीं देता।[1]

1. द्रष्टव्य हमारी **तत्त्व चिन्तन** पुस्तक में इतिहास के स्वरूप विषयक दो लेख।

किन्तु चेतना इन अर्थों में अर्थवती होती है, यह असन्दिग्ध रूप से कहा जा सकता है। यों चेतना ऐन्द्रिक अर्थों में भी अर्थवती होती ही है, किन्तु उसके लिए ये अर्थ जैव प्रयोजनपर्यन्त ही होते हैं। जैसे गाय के लिए घास बुभुक्षापर्यन्त ही अर्थवान् होती है, इसके आगे कुछ नहीं। और ये अर्थ भूख, प्यास, छीना-झपटी, भय, पीड़ा आदि में पर्यवसायी होते हैं। इन्द्रियां, वासनाएँ और उद्वेग ये ही उसके लिए अर्थ-द्वार होते हैं। इसके विपरीत आत्मचेतन चेतना के अर्थ अपार और अनवगाह्य होते हैं। इसीसे हम इनके अवगमन में किसी भी सीमा तक आगे और गहरे जाकर भी अधूरे ही रहते हैं और इस अवगमन में असम्यक् और भ्रान्त तक हो सकते हैं।

किन्तु ये अर्थ आत्म-प्रापक नहीं होते, उसी प्रकार जिस प्रकार इन्द्रियार्थ आत्म-प्रापक नहीं होते, यह नारद ने ठीक ही देखा था। एक वेद-वेत्ता, एक आईंस्टीन, तानसेन या कालिदास अर्जुन के समान कर्त्तव्य-विमूढ़ और दुर्योधन के समान अधर्म-विवश हो सकता है। आत्मचेतन चेतना के लिए आत्मा एक स्वतन्त्र अर्थ होती है, और यह अन्य सब अर्थों पर व्यापक भी होती है। यह अपने को द्रष्टा विषयी ही नहीं, कर्त्ता और अधिष्ठाता विषयी के रूप में भी प्रतिष्ठित पाती है और अपने को विषयरूप में प्रत्युपस्थित भी पाती है। यह कर्त्ता एक ओर अपनी कृतियों को उनके स्वरूप से सम्यक् बनाने के प्रयत्न में और दूसरी ओर अपने कर्मों और प्रवृत्तियों को अपने स्वरूप से सम्यक् बनाने के प्रयत्न में प्रवृत्त होता है। अर्थों की अपने स्वरूप से यह अनुरूपता इसके लिए साध्य होती है, स्वत:सिद्ध नहीं। **ईशावास्य उपनिषद्** के अनुसार परिभुः स्वयंभुः ईश्वर ने अर्थों को उनके याथातथ्य में शाश्वत रूप से प्रतिष्ठित किया है। किन्तु मनुष्य को उस ईश्वरकृत याथातथ्य का अनुसंधान करना होता है। सदसद् या श्रेयस्-अश्रेयस् या उचित-अनुचित विवेक का सम्बन्ध इसी याथातथ्य : मनुष्य के अपने अस्तित्व के सत्य, अपने तथ्य के यथात्व : से होता है। यही कारण है कि मनुष्य में जबकि विषयों विषयक अस्ति-नास्ति बोध के समान ही सदसद् तथा श्रेय-अश्रेय और उचित-अनुचित बोध सहज होता है, पशु में इस बोध का नितान्त अभाव होता है।

किन्तु श्रेय क्या है, कौनसी प्रवृत्ति उचित या अनुचित है, कौन सा कर्म करणीय या अकरणीय है यह निर्णय करना जबकि सामान्य रूप से सहज होता है, विशेष अवस्थाओं में : अपनी प्रवृत्तियों और कर्मों के सम्बन्ध में : अत्यन्त कठिन होता है। सामान्य रूप से मनुष्य ने अपनी ऐन्द्रिक, या कहें जगदुन्मुख, प्रवृत्तियों को अश्रेय पाया है, संन्यासी को सर्वोच्च स्थान दिया है, किन्तु मनुष्य के जीवन का धारण उसका जगद्भाव ही करता है और परिणामत: उसे अपने इस भाव का श्रेय-बोध के साथ भी सामंजस्य साधना होता है। मनुष्य की समाज-व्यवस्था, उसके विभिन्न सांस्कृतिक सन्धान उसके इस सामंजस्य-विधान के प्रयत्नों के रूप में देखे जा सकते हैं। किन्तु मनुष्य अधिकांश में अपने इस बोध को स्थगित रखते हुए ही जीवन जीता है। कहा जा सकता है कि यहाँ उसकी सहज प्रवृत्ति और आत्म-बोध संघर्ष में रहते हैं—उसका मन जिस ओर सहज रूप से जाता है उसका आत्म-बोध उसे उसका अनौचित्य, उसकी उसके स्वरूप से प्रतिरूपता दिखाता रहता है। इस प्रकार कहा जा सकता है कि मनुष्य के लिए सदसद् के बीच द्वन्द्व निरन्तर बना रहने पर भी इनके बीच व्यामिश्र की, व्यामोह की स्थिति उत्पन्न नहीं होती। महाभारत में दुर्योधन का यह प्रसिद्ध कथन कि "धर्म को जानता हूँ किन्तु उसमें मेरी प्रवृत्ति नहीं होती, पाप को भी जानता हूँ किन्तु उससे अपने को रोक नहीं पाता" मनुष्य की इस परिस्थिति को अत्यन्त प्रखरता के साथ प्रस्तुत करता है। किन्तु ऐसा सब अवस्थाओं में नहीं होता। मनुष्य के रूप में वह साधारणतया जानता है कि प्राकृतिक प्रवृत्तियों, जिन्हें 'प्रेय' भी कहा गया है, का परित्याग धर्म है और इस प्रकार निरहंकारता, निर्वैयक्तिकता, राग-द्वेष का परित्याग आदि कर्त्तव्य-निर्णय के लिए मूल कसौटियाँ हैं, किन्तु विशिष्ट परिस्थितियों में वह इन कसौटियों को नहीं देख पाता। 'कहीं मेरा मोह-त्याग सूक्ष्मतर मोह से ही तो प्रेरित नहीं है, परार्थ-भाव सूक्ष्मतर स्वार्थ-भाव का ही छद्मावरण तो नहीं है, मुक्ति की साधना किसी गहरे, अतर्क्य बन्धन का ही तो छद्म रूप नहीं है', ये निर्णय कर पाना अत्यधिक दुष्कर होता है, असम्भव नहीं तो। अहिंसा को अपना मूल अभिनिवेश बनाने वाले महात्मा गाँधी के सम्बन्ध में जड्डू कृष्णमूर्त्ति ने कहा था कि वे सबसे बड़े हिंसक हैं। इसी प्रकार ज. कृष्णमूर्त्ति के सम्बन्ध में भी कोई सन्देह कर सकता है कि उनकी संस्कार-मुक्ति की बात गहरे संस्कारों पर आवरण मात्र है जो शब्द-कौशल से रचा गया है। कबीर ने जो 'माया महा ठगिनी हम जानी' कविता में निरूपित किया है वह वास्तव में ही मनुष्य की परिस्थिति है। महात्मा बुद्ध को जरा, रोग, मृत्यु को देखकर जीवन की अनिवार्य दु:खिता का अनुभव हुआ, जिसको उत्तीर्ण करने के लिए वे घर छोड़कर निकले। इस अभिनिष्क्रमण में

उनकी भय, वितृष्णा, जुगुप्सा, हताशा आदि जैसी मनःस्थितियाँ ही हेतु नहीं थीं बल्कि किसी अतिक्रान्त सत्य का साक्षात्कार ही हेतु था, यह कैसे कहा जा सकता है? निश्चय ही अन्तरावगाहन से, आत्मालोडन से इन मनःस्थितियों को जाना जा सकता है और इनसे मुक्त भी हुआ जा सकता है, सिद्धार्थ की तपस्या और तज्जनित सम्बोधि को ऐसी ही सिद्धि कहा जा सकता है, किन्तु यह सिद्धि ऐसी ही दुष्प्राप्य हो सकती है और इसके बिना बड़े-बड़े विचक्षण साधक भी आत्मवंचना के शिकार हो सकते हैं, यह स्पष्ट है। किन्तु इस तपस्या के बाद भी महात्मा बुद्ध ने जो दृष्टि पायी—'सर्वदुःख' और सर्वक्षणिकता की, वह **तैत्तिरीय उपनिषद्** के ऋषि द्वारा साक्षात्कृत सत्य—"आनन्दोब्रह्मेति व्यजानात्। आनन्दाद्ध्येव खल्विमानिभूतानि जायन्ते, आनन्देन जाता जीवन्ति, आनन्दं प्रयन्त्यभि संविशन्तीति"—से कम से कम प्रकटतः नितान्त विपरीत है। अब, सत्यविषयक इन दो दृष्टि-भेदों का मूल सम्बोधि में हो या मनोभावों में। यदि मनोभावों में है तो ये सत्य की ज्ञापक नहीं हो सकतीं, क्योंकि मनोभाव चेतना की प्राकृतिक वृत्तियाँ होते हैं, यदि सम्बोधि में है तो इन दृष्टियों को इस प्रकार नितान्त विपरीत नहीं होना चाहिए! यहाँ कहा जा सकता है कि संबुद्ध ऋषि और संबुद्ध सिद्धार्थ के साक्षात्कारों में कोई दृष्टि-भेद है, यह कहना ठीक नहीं होगा, यह भेद केवल उनके उस दृष्टि के व्याकरण में है। किन्तु सम्भवतः यह कहना ठीक नहीं होगा। नितान्त अनुपहित दृष्टियों में भी इस भेद के होने की एक व्याख्या यह हो सकती है कि इस भेद का मूल वैयक्तिक प्रसंग-भेद में हो सकता है—एक व्यक्ति संगीत के माध्यम से नाद-ब्रह्म के रूप में सम्बोधि पा सकता है, दूसरा जागतिक अर्थों की निरर्थकता देखकर वैराग्य के द्वारा सम्बोधि पा सकता है, कोई तीसरा उद्दाम प्रेम की निमग्नता में यह सम्बोधि पा सकता है, चौथा कोई प्रकृति की विराट्ता और सौन्दर्य से अभिभूत होकर उस भाव में यह सम्बोधि पा सकता है। प्रेम में भी मीरा, तुलसी, कबीर और हीर या राँझा में भेद है, किन्तु ये भेद उसी प्रकार उपाधि-भेद कहे जा सकते हैं जिस प्रकार ईश्वर की मायोपाधि, जिसमें आत्मा आत्म-रूप दर्शन के लिए अपना प्रतिबिम्ब प्रत्युपस्थित करती है।

कठिनाई चेतना के उस स्तर पर आती है जिस पर हम राग, द्वेष, अहंकार आदि से मुक्त नहीं होते। हम दान देने में अहंकार से या पुण्य-लाभ के स्वार्थ से प्रेरित हो सकते हैं, न्याय करते हुए अनजाने में राग, द्वेष, स्वार्थ, न्यायकर्त्ता के अहंकार से ग्रस्त हो सकते हैं, प्रेम में काम अथवा/ तथा किसी अन्य स्वार्थ से प्रेरित हो सकते हैं।

यहाँ प्रश्न हो सकता है कि चित्त की ये वृत्तियाँ आवरण हैं, ऐसा कहने में क्या युक्ति है? ये वृत्तियाँ भी स्वयं में तो चेतना के लिए 'ज्ञान के द्वार' ही हैं। प्राणियों का जीवन इन्हीं वृत्तियों के द्वारा चलता है। किन्तु चेतना के आत्मचेतन होने पर सत्य के दूसरे ही रूप प्रकट होते हैं जिनके साक्षात्कार के लिए चेतना को इससे ठीक विपरीत दिशा में अग्रसर होना होता है। उदाहरणतः जीव के लिए 'आत्मा' अपने को अहंकार के माध्यम से प्रकाशित करती है किन्तु प्रत्यङ्मुख चेतना के लिए आत्मा के साक्षात्कार में यही वृत्ति सबसे बड़ी बाधक होती है—प्रत्यङ्मुख चेतना को वैयक्तिकता में निर्वैयक्तिकता, अहंता में निरहंता, स्व में निस्स्वता साधनी होती है। चेतना के मूल प्रवर्तन का परित्याग ही वरेण्य है और मूल प्रवर्तन त्याज्य है, इसके लिए मूल युक्ति वही होगी जो आँख के लिए दृश्य वस्तु के रूपात्मक होने के लिए होगी, अर्थात् कि यह स्वतः स्पष्ट बात है। अहंकार आत्मा को आवृत करता है और आत्मा सार्वभौम है, इस बोध को पाकर ही वह नैतिक अर्थों : वस्तुओं : के स्वरूप को ही नहीं ज्ञानेन्द्रिय-विषयों के (भौतिक विज्ञानगम्य) स्वरूप को भी देख सकती है, यह बात उस पर स्वतः सिद्धवत् प्रकाशित होती है। किन्तु उसके लिए अपने प्राकृतिक उत्तराधिकार से मुक्त हो पाना : अशरीरी, निरुद्विग्न आदि हो पाना : असम्भवप्राय होता है, यह भी वह जानती है। किन्तु उसके लिए साध्य यही है, यह उसे दिखायी देता है—यद्यपि उसी सीमा तक जिस सीमा तक वह अपने को मूल प्राकृतिक वृत्तियों से मुक्त कर पाती है।

चित् की आत्मगवेषणा – दो

चेतना अपनी जगत्प्रवृत्ति के सन्तोषण के लिए जीव-रूप धारण करती है और इच्छा-कामना इस प्रवर्तन का मूल होती है। जीव के ज्ञानेन्द्रियों और कर्मेन्द्रियों-युक्त होने का दूसरा कोई हेतु नहीं हो सकता। कहा जा सकता है कि जीव का आविर्भाव तो विराट् भौतिक ब्रह्माण्ड में बहुत अल्प और आगन्तुक जैसा है! किन्तु इस प्रतिपत्ति के पीछे यह धारणा है कि जगत् का मूल स्वरूप भौतिक अस्तित्व है जो असीम देश में अनादि काल से ठोस सत्ता-रूप में परिव्याप्त है, जिसमें से किन्हीं रासायनिक क्रियाओं से जीव का उद्भव होता है। किन्तु इस धारणा के मूल में यह भ्रान्ति है कि ठोसपन त्वगिन्द्रिय से और विस्तार दृक् तथा हस्त-पादादि कर्मेन्द्रियों से स्वतन्त्र कुछ हो सकते हैं। हमारे इस कथन का यह अर्थ नहीं है कि सत्ता ज्ञानेन्द्रियों और कर्मेन्द्रियों से आक्षिप्त विषयता मात्र है—जो कुछ है, मेरे देखने और छूने से ही आक्षिप्त है। किन्तु इसका भी कुछ अर्थ नहीं बनता कि मेरे देखने और छूने से स्वतन्त्र जो कुछ है वह स्वतन्त्र रूप से रूपवान् और ठोस भौतिक रूप है। इससे भी अधिक इसका कुछ अर्थ नहीं बनता कि परमाणु आदि का मेरी वैज्ञानिक विकल्प-चेतना से स्वतन्त्र कोई स्वरूप और अस्तित्व है। यहाँ भौतिक सृष्टि विषयक, या कहें भौतिक जगत् के आविर्भाव विषयक आधुनिक वैज्ञानिक अभ्युपगम उल्लेखनीय है। इस अभ्युपगम के अनुसार : और यह ध्यातव्य है कि यह एक **भौतिक विज्ञानमूलक अभ्युपगम** ही **है** : 'भौतिक जगत् का आविर्भाव एक महत् विस्फोट से हुआ, उसी विस्फोट के साथ देश-काल, अणु-परमाणु और ग्रह-नक्षत्र आदि का आविर्भाव हुआ।' तब क्या उससे पूर्व सत्ता अभौतिक थी, या कि मात्र असत् था? और क्या इस विस्फोट का कोई कारण या निमित्त था, या कि कारण-कार्य-भाव का आरम्भ भी इस विस्फोट के साथ ही हुआ था और इस प्रकार वह विस्फोट ही आद्य था? इन प्रश्नों पर विज्ञान विचार नहीं करता, क्योंकि भौतिक सत्ता के आविर्भाव के हेतु या निमित्त पर विचार भौतिक विज्ञान का विषय नहीं हो सकता। वह विचार ऋग्वेद के नासदीय सूक्त के ऋषि की काव्यात्मक कल्पना जैसे रूप में ही हो सकता है। किन्तु तब यह स्पष्ट है कि जीव की उत्पत्ति भौतिक तत्त्व में रासायनिक क्रियाओं से देखने में कोई युक्ति नहीं हो सकती। तब 'जगत् चेतना का जगद्भाव है और यह जगद्भाव उसका कामना-रूप से प्रवर्तन है' इस प्रतिज्ञा को आधारप्रतिज्ञा बना कर चलना अयुक्तिसंगत नहीं कहा जा सकता। यहाँ प्रश्न हो सकता है कि क्या इस चेतना का जीव-रूप से स्वतन्त्र कोई रूप भी है और क्या निर्जीव चेतना ही जीव-रूप से प्रवर्तित होती है या कि चेतना स्वरूपत: जीव-रूप ही होती है, उससे पृथक् इसका कोई रूप नहीं हो सकता? यह प्रश्न बहुत उलझा हुआ है, क्योंकि इसे समझने के लिए जीव के और चेतना के स्वरूपों को समझना आवश्यक है जो अत्यन्त गुह्य और जटिल है।

जीव प्रकटत: व्यष्टि-रूप से प्रवर्तित होता है—संवेद, ज्ञान और क्रिया जीव-देह को ही आश्रित करते हैं जो व्यष्टि-रूप होती है। किन्तु कामाचार और सन्तानोत्पत्ति के लिए अधिकांश जीव-देह द्विधा विभक्त व्यष्टि-रूप होते हैं और व्यष्टि-देह और व्यष्टि-चित्त दोनों जाति में प्रतिष्ठित, उसकी अनेक-देशीय अभिव्यक्तियों जैसे होते हैं—'मानवीय ज्ञान' अविशिष्ट रूप से मानव-व्यष्टि मात्र के ज्ञान-रूप, या कहें ज्ञान की प्रकारता, का वाचक पद है। ऐसा ही सब जीव-जातियों के लिए है। दैशिक विभाग में ठोस अवस्थिति को सत्ता का धर्म मानना यह हमारा एक आग्रह ही कहा जा सकता है, अन्यथा कोई जीव जितना व्यष्टि-रूप से आत्म-प्रतिष्ठ होता है उतना ही युगल-रूप से, और पुनः, जाति-रूप से आत्म-प्रतिष्ठ होता है। आत्म-प्रतिष्ठा के ये केवल रूप-भेद हैं। निश्चय ही संवेद, ज्ञान और क्रिया एक देह को ही आश्रित करते हैं, किन्तु देह जाति को आश्रित करती है और इसी प्रकार संवेद, ज्ञान और क्रिया के रूप या प्रकार भी जाति को आश्रित करते हैं। इस प्रकार जैव सत्ता केवल व्यष्टि-देह-धर्मी ही नहीं होती, वह उतनी ही जाति-धर्मी भी होती है, यद्यपि जाति की सत्ता देश-कालात्मक नहीं होती। इस तर्क से अन्तत: जीव-मात्र को एक ही चित्सत्ता की अभिव्यक्ति, अथवा एक ही चित्सत्ता का जगद्-वासना से

बहुविध आत्म-प्रवर्तन भी कहा जा सकता है। किन्तु इस प्रवर्तन का अर्थ क्या बनता है? इससे चेतना साधना क्या चाहती है? इसका अन्वेष्य क्या है? इच्छाएँ, कामनाएँ उसे प्रवर्तित रखती हैं, इन प्रवृत्तियों के अन्वेष्य भी होते हैं जिनकी कभी सिद्धि होती है, कभी नहीं भी होती। किन्तु सिद्धि अधिकांशतः बहुत प्रयत्न-साध्य, कष्ट-साध्य होती है, जब होती है, और वह केवल तात्कालिक होती है। किन्तु निश्चय ही इस प्रवृत्ति, प्रयत्न और सिद्धि की व्यवस्था बहुत अद्भुत है—इनके साथ अनिवार्यतः आस्वाद, रस्यता, अनुकूल-प्रतिकूल वेदना जुड़े हैं। किन्तु ये आस्वाद और रस जितने अनुकूल हो सकते हैं उतने ही प्रतिकूल भी हो सकते हैं। फिर रोग हैं, हत्याएँ हैं, वार्द्धक्य है, मृत्यु है—ये सब इस व्यवस्था के अंग हैं। वास्तव में इच्छाएँ अनुकूल रस की आशा के साथ जुड़ी हैं, किन्तु अनुकूल रस उपलब्ध से अधिक अनुपलब्ध ही रहते हैं और उपलब्ध होने पर क्षण-स्थायी ही होते हैं। इस प्रकार यह व्यवस्था भटकाव, असन्तोष और खेदजनक ही अधिक है। और यदि इस भटकाव और प्रयत्न के अर्थ पर विचार करें, इनकी सफलता की सार्थकता की बात सोचें, तो आश्चर्य होता है कि वह क्या हो सकती है? उपनिषद् में सत्ता को 'रसो वै' कहा गया है। निश्चय ही वह रसमय ही है, किन्तु इस रस्यता का अर्थ क्या? इस व्यवस्था की सबसे बड़ी पहेली तो यह है कि जबकि जीव में जिजीविषा सबसे बड़ा इष्ट है—वैयष्टिक और जातीय दोनों स्तरों पर—सब जीव दूसरे जीव को खा कर ही जी सकते हैं—वनस्पतियों को अपवाद छोड़ते हुए। वनस्पतियाँ केवल दूसरों की भोजन बनती हैं, पर-जीव-भोजी नहीं होतीं, बहुत नगण्य अपवाद छोड़कर। यह अन्तर्विरोध क्या जगद्भाव के मूल में ही एक अन्तर्विरोध की विद्यमानता नहीं दिखाता? अन्यत्र[1] हमने इस अन्तर्विरोध को चेतना की आत्मोपलब्धि के एक उपाय के रूप में देखा था। ऐसा भी कह सकते हैं। किन्तु कितना कष्टकर है यह उपाय, और जीवन को कितना निरर्थक दिखाने वाला? कम से कम व्यष्टि-जीवन को? यदि चेतना में कुछ अधिक बुद्धि-कौशल होता तो वह कोई दूसरा उपाय भी खोज सकती थी! ऐसा नहीं है कि चेतना में बुद्धि और उपाय-कौशल का अभाव है—प्राणियों के देह-यन्त्र, जनन-कण के रूप में जाति-व्यवस्था, फिर व्यक्तियों में जीवन-रक्षा और जातियों में जाति-संवर्द्धन के उपाय, ये सब अद्भुत बुद्धि और उपाय-कौशल के द्योतक हैं। किन्तु रोग, जो कि जीवाणुओं की परोपजीविता के कारण होते हैं, और दूसरे जीवों की परोपजीविता, ये चेतना की आत्म-गवेषणा के उपाय के रूप में अविचार के द्योतक ही कहे जा सकते हैं। इस पर कहा जा सकता है, और शायद ठीक ही, कि हम अपने तर्क को परम मान कर मूल चेतना के तर्क की युक्तता को परख रहे हैं, जिसे युक्ति-संगत नहीं कहा जा सकता। किन्तु ज्ञान और कर्म के साथ रस्यता, अनुकूल वेदना और सौख्य की विद्यमानता इस बात की द्योतक होनी चाहिएँ कि चेतना को दुःख, प्रतिकूल-वेदना की अप्रियता का 'ज्ञान' है और ये उसे अनभीष्ट हैं। वह यदि इनका किसी अनिवार्य उपाय के रूप में प्रयोग नहीं करती तो इनकी विद्यमानता उसकी विवशता या अकुशलता ही होनी चाहिए।

किन्तु वास्तव में तो चेतना का जगद्-रूप में प्रवर्तन ही उसका अवांछित मार्ग में भटकाव कहा जा सकता है। यह मार्ग और गन्तव्य उसको अभिप्रेत ही नहीं था! यह उसका गवेष्य तो नहीं ही है। प्रायः सभी आध्यात्मिक चिन्तकों ने जगत् को अविद्यामूलक ही कहा है, अन्यथा भी जगत् की अविद्यारूपता इस चेतना के आत्मचेतन होने और अपनी उससे पूर्व की प्रवृत्ति को, जिसे हमने उसका जगद्भाव कहा है, अवांछनीय देखने से स्पष्ट है। चेतना आत्मचेतन होने पर अनिवार्यतः इस सत्य का साक्षात्कार करती है कि उसकी सहज प्रवृत्ति, जिसे प्राकृतिक प्रवृत्ति कहा जाता है, वैसी नहीं है जैसी उसे होना चाहिए। वह अपने प्रथम आत्म-साक्षात्कार में ही, जो वह आत्मचेतन हो कर करती है, देखती है कि उसकी पूर्व की सहज प्रवृत्तियाँ वे नहीं हैं जो उन्हें होना चाहिए। 'है' और 'होना चाहिए' : वांछित, काम्य, इच्छित और वांछनीय : ये परस्पर विरुद्ध हैं और वांछनीय के पक्ष में वांछा और वांछित का निरोध अनिवार्य है। इसे आध्यात्मिक दर्शनों में आत्म-अनात्म का विवेक कहा गया है और उस सब को अनात्म देखा गया है जो जगत्-प्रवृत्ति-रूप है। आध्यात्मिक दर्शनों की यह प्रतिपत्ति कोई उनकी कल्पना नहीं है जो भ्रान्त भी हो सकती है, इस प्रतिपत्ति का चेतना आत्मचेतन होने के साथ सहज रूप से ही साक्षात्कार

1. द्रष्टव्य 'मृत्यु-चिन्तन', **तत्त्व-चिन्तन,** दर्शन प्रतिष्ठान, जयपुर, 2003

करती है। अन्यत्र[1] हमने इस साक्षात्कार को : इस सद्-असद् बोध को : सत्य-भ्रान्त-बोध के समान ही, जो जीव मात्र में सहज है : आत्मचेतन जीव में सहज कहा है। इस बोध का मूल चेतना के आत्मचेतन होने में ही है, जो चेतना का सहज जगद्भाव से विमुख होना है। जगद्भाव में चेतना जगदुन्मुख ही रहती है—तत्सात्। उसका आत्मा वे वासनाएँ ही होती हैं जो जगत् की मूल हैं—काम, क्षुधा, लोभ, मोह, क्रोध, भय आदि। इसके विपरीत चेतना का आत्मचेतन होना उसका जगद्विमुख होना, प्रत्यङ्मुख होना, है जो हो कर वह अपने जगद्भाव को, उस भाव से अपने तादात्म्य को, अनात्म और अवांछनीय देखती है। अवांछनीय को असद् भी कहा गया है—असत् ही का रूप-भेद, जो युक्त ही है, क्योंकि इसमें चेतना अपने में अपनी विमुखता को, अपने में अपने स्वरूप-वैपरीत्य को, अपने में अपने अभाव और पर-भाव को देखती है।

किन्तु यह कैसे होता है कि चेतना जगच्चेतन से आत्मचेतन हो जाती है? इसका अर्थ होना चाहिए कि जगद्भाव जबकि चेतना का सहज भाव है, यह उसका स्वरूप नहीं है और न उसके लिए अनिवार्य है। वह इस भाव से निवर्तित और विमुख भी हो सकती है। यह ध्यातव्य है कि जगत् भी चेतना का अन्तर्गत अर्थ ही है—देह, इन्द्रियाँ, वासनाएँ और इनके विषय, ये उसकी कामना से ही हैं, जैसा कि पिछले लेख में हमने **तैत्तिरीय उपनिषद्** के शब्दों को उद्धृत करते हुए देखा था, और इसी प्रकार उसका यह विकल्पात्मक जगत् : काव्य, शास्त्र, देवालय, मदिरालय, भवन, दुर्ग, यन्त्र, शस्त्र और उपकरण : हैं, जो उसकी कामना से ही हैं। किन्तु इस सब में उसकी उपलब्धि क्या? यह किस सत्य की खोज है? या कि यह किसी सत्य की खोज नहीं है, केवल ऊर्जा का अदम्य विस्फोट है? चेतना ने आत्मचेतन होकर निश्चय ही उससे भिन्न लोकों की यात्रा आरम्भ की जो लोक उसे इससे पूर्व उपलब्ध थे—इस नयी यात्रा से पूर्व वह विभिन्न प्रकार की देहों और चित्तों के रूप में प्रवर्तित होकर माँद, घोंसला, छत्ता और बाँबी आदि रचती ही थी, किन्तु अब वह अट्टालिकाएँ, वायुयान, बैंक, कार्पोरेशन्स्, काव्य और शास्त्र रचती है! यह अद्भुत उपलब्धि है, किन्तु यह भी आख़िर जगद्भाव का प्रसार ही तो है! यह दूसरा जगद्भाव क्या अधिक सघन और बृहत् बीहड़ों में ही भटकाव है या कि चिद्गत अर्थों की अभिव्यक्ति और बहु होने की कामना का उत्कृष्टतर : आत्मा के अधिक अनुकूल : चरितार्थन है? इन दो स्थितियों में कम से कम एक भेद है, और आधारभूत भेद, कि यह जगद्भाव उस चेतना का है जो इस भाव से बाहर होकर इसका वरण करती है और कभी भी इसे निरस्त कर सकती है।

जैसा कि हमने ऊपर कहा, चेतना का आत्मचेतन होना उसके बाह्योन्मुख प्रवर्तन से आत्मोन्मुख निवर्तन के द्वारा सम्भव होता है। इसमें चेतना विषय-भाव से तादात्म्य से निवर्तित होकर विषय-विषयि-भाव में उद्भिन्न होती है और इस प्रकार उसके विषय अब अपनी प्रस्तुत विषयिता के विषयों के रूप में प्रस्तुत होते हैं। ये विषय ऐन्द्रिक नहीं होकर विकल्पात्मक : प्रत्यय-रूप : होते हैं, यद्यपि कुछ विकल्प इन्द्रिय-पर्यवसायी भी होते हैं। मनुष्य का यह सम्पूर्ण बाह्य जगत् ऐसा ही : इन्द्रिय-पर्यवसायी : विकल्प-जगत् है। किन्तु मनुष्य शुद्ध विकल्प-विषयों का साक्षात्कारी, या सर्जक कहें, भी होता है—काव्य, कलाएँ, शास्त्र, दर्शन, धर्म-तन्त्र, ये सब शुद्ध विकल्प-विषय-जगत् ही कहे जा सकते हैं। इस पर कहा जा सकता है कि ये सब भी भाषा : लिपि-ध्वनि : आदि के रूप में इन्द्रिय-पर्यवसायी होते हैं। ठीक है, ऐसा भी कहा जा सकता है। सांख्य ने सृष्टि को महत् से महाभूतपर्यन्त जो कहा है उसे इस प्रकार भी समझा जा सकता है कि प्रकृति से जगत्-सृष्टि महत् से आरम्भ कर अनिवार्यतः महाभूतपर्यन्त और इस प्रकार इन्द्रिय-पर्यवसायी होती है—महत् से महाभूत तक का क्रम अखण्ड क्रम है, यह बीच में कहीं रुक कर नहीं रह सकता। यद्यपि सांख्य ऐसा नहीं मानता, जैसा कि उसकी सूक्ष्म शरीर की स्वीकृति से स्पष्ट है, किन्तु कोई सांख्य की सूक्ष्म शरीर की प्रतिपत्ति को अस्वीकार भी कर सकता है और कह सकता है कि विकल्पों का इन्द्रिय-विषय-पर्यन्त अवतरण उनकी वास्तवता, या कहें अस्तित्व-लाभ, के लिए अनिवार्य है। यह ठीक है, किन्तु इनकी ऐन्द्रिक प्रस्तुति और भौतिक विषय-जगत् की ऐन्द्रिक प्रस्तुति में अन्तर होता है। इसका भाषा स्पष्टतम उदाहरण प्रस्तुत करती है—भाषा ध्वनि या लिपि में अवतरित हुए बिना भी

1. द्रष्टव्य नैतिकता विषयक हमारा लेखन, विशेषतः **समाज** तथा **मूल्य तत्त्व-मीमांसा** पुस्तकों में।

विचार-भाव आदि की वाहक होती है। उसका यह रूप भौतिक नहीं होता। वास्तव में विकल्प, प्रत्यय और विषयी की विषयात्मक आत्म-प्रस्तुति, जिसे हमने 'अहं ↔ अहं' रूप में देखा है, भाषा के इस अनैन्द्रिक माध्यम से ही विषयता-लाभ करते हैं। यही भाषा ध्वनि या लिपि रूप में अवतरित होती है। इस प्रकार 'घट' ध्वनि भाषा-रूप : शब्द : का ध्वन्यात्मक अवतरण है, किन्तु यह अवतरण घटत्व के घट-रूप में अवतरण से पर्याप्त भिन्न होता है—घट-ध्वनि घट-अर्थ के लिए मात्र अनुषंगी होती है, अर्थ चैत्त रूप में, जिसे हम कल्पना और विचार कहते हैं, भी होता है। दूसरे शब्दों में, भाषा, जिसे वाक् का वैखरी रूप कहा गया है, ध्वनि में अवतरण से पूर्व भी अर्थ रूप में होती है, किन्तु उसका वह रूप भौतिक नहीं होता, वह अर्थ का ही व्यक्त चैत्त-रूप होता है। यही बात चित्र, मूर्त्ति, संगीत, नृत्य आदि के लिए भी कही जा सकती है। किन्तु इनका ऐन्द्रिक रूप से पूर्व का चैत्त-रूप वैसा आत्म-प्रतिष्ठ नहीं होता जैसा भाषा का होता है, इसी से इनका ऐन्द्रिक अवतरण भाषा में चित्त के ऐन्द्रिक अवतरण से अधिक गरिम होता है। ये अट्टालिकाएँ, उपकरण, यन्त्र आदि भी इसी प्रकार से विकल्पों के ऐन्द्रिक अवतरण ही होते हैं। एक दूसरे प्रकार की विकल्प-सृष्टियाँ होती हैं जो ऐन्द्रिक को आश्रित करती हैं किन्तु ऐन्द्रिक नहीं होतीं, जैसे संस्थाएँ, परिवार, समाज आदि। काव्य, शास्त्र आदि का उल्लेख हम कर ही आये हैं। इस प्रकार विकल्प-जगत् का अनात्मचेतन चेतना के जगत् से यह मौलिक भेद है कि इसके विषय अनवगाह्य अर्थ-राशियों की वीचियों या बुद्‌बुदों जैसे होते हैं। ये चेतना के स्वरूप के एक अबूझ वैचित्र्य को प्रदर्शित करते हैं। इनके द्वारा चेतना मानो अपने अतल-अन्ध गह्वर के ऊपरी तल को ही देख पाती है, जो तल उसे दिखने के लिए उसके अपने ही भीतर उसका इतर हो जाता है। इसका अर्थ है कि चेतना स्वयंप्रकाश : जैसा हमारे कुछ दर्शन, विशेषत: वेदान्त और सांख्य, उसे मानते हैं : नहीं होकर प्रकाश के लिए अपने से बाहर आने को, अपने में अपना इतर होने को, बाध्य होती है—अनात्मचेतन अवस्था में वह ऐन्द्रिक विषयों में आत्मप्रकाशित होती है और आत्मचेतन अवस्था में वह विकल्पात्मक या विकल्प-व्यवहित-ऐन्द्रिक विषयों में आत्म-प्रकाशित होती है।

किन्तु द्रष्टव्य है कि चेतना का विकल्प-विषयता में आत्म-प्रकाशन चेतना के विषयिता में अर्थ-विजृंभण का अनुवर्ती होता है, वह उसका विषयता मात्र में प्रकाशन नहीं होता। ऐसा ही अनात्मचेतन चेतना के विषय रूप में प्रकाशन में भी होता है। अनात्मचेतन चेतना जो ऐन्द्रिक विषयता में निश्शेष होती है वह अपनी विषयिता के स्वरूप के कारण ही, जो विषयिता वासना-रूप मात्र होती है। इसके विपरीत आत्मचेतन चेतना अपनी विषयिता में ही प्रत्यङ्मुख होकर विकल्पात्मक अर्थों और आत्मीय : विषयितात्मक : अर्थों में विजृंभित होती और इन अर्थों से विषयतया अवगत होती है। तब इसके लिए स्वयं अपनी वासनात्मक विषयिता और विषयता भी विकल्प-विषय हो सकती है, यद्यपि इसमें इसकी वासनात्मक विषयिता भी बनी रहती है। अब, हम जो विचार कर, मनन कर, निदिध्यासन कर विकल्पात्मक अर्थों का अवगाहन करते, उनके अपार और अतल भण्डार में से ईषत् का साक्षात्कार करते और इस प्रकार उनका विषयतया प्रत्यक्ष करते हैं वह उन अर्थों के विषयिता में विजृंभण से ही। इसका यह अर्थ नहीं है कि चेतना कोई अर्थ-कोश है, जिसमें ये अर्थ विषयतया दृश्य होने की प्रतीक्षा में पड़े होते हैं, बल्कि सम्भवत: ऐसा कहना उपयुक्त होगा कि चेतना सृजनात्मतया प्रवर्तित होकर अर्थों में विषयितया विजृंभित और विषयतया प्रकाशित होती है।

किन्तु इस प्रक्रिया का रूप अत्यन्त विचित्र, अव्याख्येय, या अबूझ कहें, है। चेतना की अनात्मचेतन अवस्था में अर्थों के विषयिता में विजृंभण और विषयता में प्रकाशन में मानो अभेद-जैसा होता है; उस अवस्था में मानो उसका भीतर : विषयिता : पूर्णत: रिक्त होता है। भीतर-बाहर : विषयिता-विषयता : का भेद चेतना के आत्मचेतन होने पर ही होता है और तब वे ईषत् प्रकट और अपारत: अप्रकट और गुह्य : गुहागत : रूप लेते हैं। इनके इस गुह्य भाग को प्रकट करने के लिए हमें भीतर की ओर संकल्पपूर्वक मुड़ना पड़ता है। कबीर ने जो कहा है—'जिन खोजा तिन पाइया, गहरे पानी पैठ' वह सम्पूर्ण अर्थान्वेषण-व्यापार के लिए सही है, केवल आध्यात्मिक सत्य पाने के लिए ही नहीं। हम प्राय: तो अपनी ओर मुड़ते ही नहीं, अनात्मचेतनवत् ही स्वत:प्रकट अर्थों : प्राकृतिक प्रवृत्तियों : में व्यस्त रहते हैं। किन्तु मुड़ कभी भी सकते हैं। यह मुड़ना अर्थों के प्रकट रूप के

वास्तव स्वरूप को समझने के लिए होता है। जैसा कि हमने ऊपर कहा, यह स्वरूप अपार और अगाध होता है, और अवगाहन के साथ प्रकट ही नहीं, उत्सृष्ट भी होता है। अर्थात् ये हमारे भीतर कहीं छिपे पड़े नहीं होते जिन्हें हमें खोजना और प्रकट करना होता है, बल्कि इनमें हम सर्जित होते हैं। किन्तु इस सृजन के स्वरूप में एक विचित्र गुत्थी रहती है, कि हम इनके याथातथ्य को समझने में भ्रान्त भी हो सकते हैं और दृष्टि-क्षीण भी हो सकते हैं। विज्ञान, शास्त्र, दर्शन, काव्य तथा अन्य कलाएँ आदि अर्थों के ऐसे ही अवगाहन कहे जा सकते हैं। किन्तु सबसे जटिल और अगाध अर्थ आत्मा है, जो चेतना में उसके आत्मचेतन होने के साथ ही आविर्भूत होता है। चेतना का आद्य जगद्भाव इसका स्वरूप नहीं होकर पर-रूप है यह इसे सहज स्पष्ट होता है, मनुष्य का वस्त्र पहनना अपनी इस आद्य प्राकृतिकता के अस्वीकार का ही द्योतक होता है, कामादि प्रवृत्तियाँ और क्रोधादि आवेग उसके 'आत्म-दर्शन' में बाधक हैं यह भी वह प्रायः सहज रूप में ही जानता है, किन्तु कब ये उसके लिए आवरण बन कर उपस्थित होते हैं, यह वह अधिकांशतः नहीं जानता। किन्तु यह देखते हुए भी लोक-जीवन और उसमें आत्मीय भाव उसका सहज भाव होता है—जैसे भोजन और उसमें रस्यता, सन्तान और उसके प्रति वात्सल्य और स्तनों में दुग्ध-स्राव आदि। ऐसी अवस्था में जगद्भाव पर-भाव होने पर भी यह लोक-जीवन की अनिवार्यता है और इसकी पर-भावता आत्मचेतन चेतना को केवल बहुत सतर्क होने पर और इसकी अतिशयता में ही प्रकट होती है, साधारण रूप से नहीं। दूसरे, आत्मचेतन चेतना का जगद्भाव भी मात्र ऐन्द्रिक नहीं होता, यह भाव विकल्प-व्यवहित होता है और विकल्प इस भाव को अपार अर्थ-राशियों में रूपान्तरित कर देता है जिनके स्वरूप को यह चेतना समझ नहीं पाती। उदाहरणतः ईर्ष्या, द्वेष, अनुराग, मिथ्याभिमान (जोगी के घर जोगिन और शिव के घर भवानी, राजा के घर रानी और रंक के कौड़ी कानी-रूप) को लें। ये सब भाव विकल्पात्मक चेतना में ही रूप लेते हैं। मिथ्याभिमान तो लोक-जीवन में अधिकांशतः समृद्धि का हेतु भी होता है। मनुष्यता का लक्षण 'काव्य-शास्त्र-विनोद' प्रायः ऐसे अभिमान की वंचकता ही होती है। 'आत्म-सम्मान' का मूल अहंकार और 'परोपकार' का मूल 'कर्त्ताहम्-भाव' प्रायः ही होता है, जिसकी पहचान अत्यन्त सतर्क कर्मयोगी के वश की बात ही होती है। किन्तु द्रष्टव्य है कि यह कर्म-योगीत्व भी आत्मचेतन चेतना में सदैव कार्यरत रहता है—मनुष्य प्रायः ही कर्म औचित्य-विचार के साथ ही करता है, भले ही उसका यह विचार संकल्प-क्षीण अथवा आत्म-प्रवंचनाग्रस्त रहता हो।

इस प्रकार 'जगद्भाव चेतना में उसका पर-भाव, स्वरूप-वैपरीत्य है' यह बोध चेतना के आत्मचेतन होने पर उसमें सहज रूप से उन्मीलित होता है। किन्तु यह जगद्भाव ही है जिसके साथ वह प्रथमतः प्रवर्तित होती है। **केनोपनिषद्** जो प्रश्न करती है—'केनेषितं पतति प्रेषितं मनः, केन प्राणः प्रथमः प्रैति युक्तः' उसका उत्तर हो सकता है कि 'चेतना जगद्भाव से प्रेषित होकर प्रवर्तित होती है।' तब क्या इसका मूल भाव ही इसका पर-रूप, गन्तव्य-विमुख भाव है? आध्यात्मिक दर्शनों ने इसे इसी प्रकार देखा है। यह भी कहा जा सकता है कि चेतना ने स्वयं ही और सहज रूप से ही आत्मचेतन होकर यह देखा है, उसी प्रकार जिस प्रकार प्रथम प्रवर्तन में इसने जगत् को देखा था। आध्यात्मिक दर्शनों ने जगत् का मूल अविद्या में देखा है, यद्यपि इस अविद्या को अनादि भी कहा है और इस प्रकार उन्होंने चेतना की अविद्या-पूर्व की कोई अवस्था नहीं देखी है। किन्तु तब भी उन्होंने चेतना का स्वरूप : कहें, चेतना के पर-रूप का पर-रूप : जगद्भाव से मुक्ति में ही देखा है। अवश्य भारत से बाहर के धर्म-दर्शनों, और बहुत से भारतीय धर्म-दर्शनों ने भी, जगत् को ईश्वरकृत कहा है, किन्तु तब, उनके लिए अविद्या की विद्यमानता और जगद्भाव की अविद्यामूलकता की व्याख्या असम्भव हो जाती है। यही समस्या मूल चेतना : ब्रह्म, पुरुष, ईश्वर : को अविद्या-मुक्त देखने वालों के लिए है। इस समस्या का समाधान यही युक्त प्रतीत होता है कि चेतना के आद्य भाव को जगद्भाव के रूप में ही देखा जाए और जगत् को चेतना का जगद्भाव से प्रवर्तन। यह प्रवर्तन भी चेतना का आत्म-सर्जन ही है, यद्यपि 'स्वयमकुरुत'[1] रूप नहीं, बल्कि सहज स्वभाववश। निश्चय ही इस प्रवर्तन में एक व्यवस्था है, नियम है : ऋत है, योजना और युक्ति है : इसी से बहुत से

1. **तैत्तिरीयोपनिषद्**, सप्तम् अनुवाक।

धर्म-दर्शनों और बहुत से अन्य दर्शनों ने भी जगत् को कृति के रूप में देखा है। किन्तु इसका अर्थ हो जाता है जगत् को चेतनोपादान रूप नहीं देख कर चेतना से पृथक् जड़, बल्कि भौतिक कहें, उपादान को घड़ने के रूप में देखना—कुम्हार द्वारा मिट्टी से घट के समान। यह विचार बहुत ही फूहड़ बुद्धि का द्योतक है। इस उपमानात्मक युक्ति में सबसे बड़ा दोष मनुष्य के बुद्धि-व्यापार का आरोप आद्य चेतना पर करने में है। इसलिए जगत् को चेतना के जगद्-भाव के रूप में देखना ही युक्ति-संगत लगता है, जो भाव अपने क्रियान्वयन के क्रम में यह रूप लेता है। किन्तु यही चेतना आत्मचेतन होकर अपने इस प्रवर्तन को अनात्म पाती है। अपने प्रवर्तन को अनात्म पाना उसमें आत्म-निरीक्षण की योग्यता को और अपने प्रवर्तन की दिशा या उसे निरुद्ध करने की योग्यता को पूर्वापेक्षित करता है। यह योग्यता अपने से अपने स्वातन्त्र्य और संकल्प-शक्ति, कर्तृत्व-बोध और औचित्य-अनौचित्य-विवेक को पूर्वापेक्षित करती है। चेतना में इस सबका आविर्भाव उसमें उपकरण-निर्माण-कौशल के आविर्भाव से कहीं अधिक विस्मयजनक है, क्योंकि उपाय-कौशल के बीज तो पाशव चेतना में भी देखे जा सकते हैं, यह बात और है कि विषय-भाव से स्वातन्त्र्य उसकी इस योग्यता को भी एक सर्वथा दूसरा आयाम दे देता है। कर्तृत्व-बोध और उचित-अनुचित का विवेक चेतना के अपने प्रवर्तन की इस पहचान में निहित होता है कि उसके द्वारा निष्पन्न की जा रही क्रिया उसकी आत्मा के स्वरूप के अनुरूप है या नहीं? 'मैंने चोरी की या झूठ बोला, यह उचित नहीं है, अर्थात् इस कर्म का तत्त्व मेरे स्वरूप के प्रतिरूप है' यह बोध पशु में बीज रूप में भी नहीं होता—वे न झूठ बोलते हैं और न चोरी करते हैं, क्योंकि उनमें आत्मा ही नहीं होती जिसके स्वरूप से अनुरूपता-प्रतिरूपता का प्रश्न हो! झूठ बोलना और चोरी करना दोनों अपने कर्म पर अधिकार को पूर्वगृहीत करते हैं और यह अधिकार अधिकारी की सफलता-असफलता को, यह सफलता-असफलता किसी मानदण्ड को। यह मानदण्ड आत्मा ही हो सकती है।

किन्तु जैसा कि हमने पीछे कहा, आत्मचेतन चेतना को प्रस्तुत सब अर्थ अपनी निगूढ़ता में अतल होते हैं और इन सब अर्थों से निगूढ़तर अर्थ आत्मा होता है, क्योंकि इस चेतना के सब प्रवर्तन इस अर्थ को ही लक्षित करते हैं। **गीता** में इसी बात को 'यो यच्छ्रद्धः स एव सः' शब्दों में कहा गया है। हम वैज्ञानिक हैं या दार्शनिक, कवि हैं या संगीतकार, या और कुछ, इसका मूल भी अन्ततः हमारे इसी अर्थ के दर्शन में होता है। यहाँ आपत्ति हो सकती है कि हमारी यह 'श्रद्धा' या 'स्वभाव' तो हमारे आत्मा से पूर्व, या कहें हमारे आत्म-स्वरूप का निर्धारक, होता है, और तब इस स्वभाव से निर्धारित आत्म-स्वरूप में प्रतिष्ठित हो कर ही हम प्रवर्तित होते हैं। एक सीमा तक यह ठीक है—हम अपने स्वरूप के आद्य संकल्प से पूर्व चेतना के अन्ध गुहागत संस्कारों के साथ उन्मग्न होते हैं और इन संस्कारों की पृष्ठभूमि पर आत्म-संकल्पवान् होते हैं। किन्तु ऐसा होने पर भी हम अपने आत्मा को उन संस्कारों के पार देख सकते हैं। इसी पार-दर्शन-सामर्थ्य को सम्बोधि, आर्षत्व, संन्यास आदि कहा जाता है। कोई आत्मचेतन व्यक्ति इस सम्बोधि के लेश से पूर्णतः रहित नहीं होता। किन्तु संकल्प-बल या बलहीनता का भेद प्रतिव्यक्ति-भेद से भिन्न रहता है। इस भेद का स्रोत क्या होता है? इस पर व्यक्ति का वश होने का अर्थ होगा व्यक्ति का अपने संकल्प से पूर्व होना, जो वदतोव्याघात होगा। यह वास्तव में ही बहुत बड़ी गुत्थी है जिसका तार्किक समाधान नहीं हो सकता, केवल यह कहा जा सकता है कि आत्मसंकल्पवान् होकर ही व्यक्ति, या कहें संकल्प, अपने में बल ला सकता है या बलहीन रह सकता है। इसे उत्प्रेक्षात्मक रूप से 'ईश्वरीय कृपा के अधीन' भी कहा जा सकता है, जिसका अर्थ होता है कि यह : संकल्प-बल या बलहीनता : संकल्प से बाहर की बात होती है। किन्तु वास्तव में चेतना का आत्मचेतन होना इस अतर्क्यता का घटित होना भी है कि यह चेतना आप अपने से पूर्व, आप अपनी कर्त्तृ, अपनी अधिष्ठातृ हो सकती है। इसी से व्यक्ति को अपने बलाबल का साक्षी भी होना होता है और इसी से वह अपनी दुर्बलता के लिए उत्तरदायी भी होता है। आत्मा का यह आत्मकर्त्तृत्व चेतना की प्रत्यङ्मुखता में निहित होता है। किन्तु वस्तुस्थिति यह है कि यह संकल्प, उससे भी अधिक, संकल्प-बल, बहुत दुर्लभ होता है। प्रायः ही हम 'प्रवाह के जीव' रहते हैं—इच्छाओं, वासनाओं, संस्कारों के अधीन। अब, संकल्प कर्त्तव्य-निर्णय, कर्त्तव्याकर्त्तव्य-विवेक को पूर्वापेक्षित करता है। अधिकांशतः यह निर्णय अत्यधिक दुस्साध्य होता है, क्योंकि यह चित्त की पूर्ण निर्मलता, राग-द्वेष-विहीनता और तर्क-बुद्धि

की कुशाग्रता इस सबको पूर्वापेक्षित करता है। **गीता** ने यह कवियों : ऋषियों : के लिए भी दुर्गम जो कहा है उसका अर्थ है कि चित्त की निर्मलता और बुद्धि की कुशाग्रता अपनी पराकाष्ठा में होने पर भी यह निर्णय अयुक्त हो सकता है[1]—चींटों, तिलचट्टों, मच्छरों आदि को मारना चाहिए या नहीं? भोजन के आस्वाद के प्रति रसिकता, वस्त्रों की सुरुचिपूर्णता के प्रति आग्रह आदि होना चाहिए या नहीं? हीर–राँझा के जैसा प्रेम–दीवानापन, रानी का गीत सुनकर दुष्यन्त के हृदय में उपजी उद्विग्नता, ये वांछनीय हैं या नहीं? अपने बच्चे के दुराचारी होने पर खिन्न होना चाहिए या नहीं? सबसे बढ़ कर, क्या सिद्धार्थ को अपनी पत्नी–बच्चे को छोड़कर जाना चाहिए था या नहीं? निश्चय ही सम्बुद्ध सिद्धार्थ के लिए ये प्रश्न उपस्थित नहीं होंगे, किन्तु क्या दूसरों के लिए इन मनःस्थितियों का होना अवांछिनीय ही है और क्या सिद्धार्थ विषयक प्रश्न सबके लिए समान रूप से अ–प्रश्न हो सकता है? बुद्ध की सम्बोधि, तुलसी की भक्ति, रामकृष्ण परमहंस की उद्दाम भावमयता, मीरा का प्रेम और हीर का प्रेम, ये सब एक ही नहीं हैं, क्योंकि ये भिन्न–भिन्न व्यक्तियों की चित्स्थितियाँ हैं।

इस पर कहा जा सकता है कि ये सब वांछनीय हैं, किन्तु इनमें चेतना में स्तर–भेद और प्रकार–भेद है। वांछनीयता का प्रश्न इन प्रकारों में चुनाव को लेकर नहीं है, यह प्रश्न इन प्रकारों के भीतर उपस्थित कर्त्तव्याकर्त्तव्य–विवेक को ले कर ही हो सकता है, इनसे पृथक् इन प्रश्नों का कोई अर्थ नहीं बनता। यद्यपि **गीता** में श्रीकृष्ण द्वारा अर्जुन से यह कहने—कि मैंने तुझे कर्म का तत्त्व बता दिया, अब यह तू देख कि तुझे क्या करना है—का यह अर्थ नहीं है, किन्तु इसका युक्त अर्थ इसी आधार पर बनता है।

किन्तु यह एक सीमा तक ही सही है, और बहुत दूर तक, किन्तु पूरी तरह नहीं। उदाहरणतः, दुष्यन्त की पर्युत्सुकता मन का एक सहज भाव है जो साधारण व्यक्ति के संवेदनशील होने पर कभी उसमें उत्पन्न हो सकता है। ऐसे व्यक्ति में ऐसी संवेदनशीलता वांछनीय भी है, उसका अभाव उस व्यक्ति में न्यूनता का लक्षण ही कहा जाएगा। किन्तु तब ऐसे व्यक्ति के सम्मुख यह प्रश्न हो सकता है कि क्या उसे चेतना के इस स्तर से ही ऊपर नहीं उठना चाहिए?—उस स्तर पर जिस पर संवेदनशीलता भी हो, और वह भी अपनी पराकाष्ठा में, किन्तु तब भी पर्युत्सुकीभाव के लिए अवकाश नहीं हो?—जैसे बुद्ध की महाकरुणा में या रामकृष्ण परमहंस की भावोद्दामता में था? सम्भवतः चेतना के लिए यह परमोत्तरण ही गवेष्य है, और जब वही पार्यन्तिक गवेषणा है तब उसी का संकल्प होना चाहिए! किन्तु वह स्तर सिद्ध नहीं होने पर सिद्ध स्तर पर ही आत्म–विवेचन होना चाहिए! किन्तु इस विवेचन में विवेच्य क्या होगा? विवेचन की दिशा और प्रसंग क्या होगा? क्या दुष्यन्त को अपनी इस प्रकार की पर्युत्सुकताओं का निराकरण करना चाहिए? किन्तु कालिदास और ग़ालिब यदि ऐसी पर्युत्सुकता को निराकरणीय मानते तो हम उस अपार अर्थ–राशि से वंचित रह जाते जो उन्होंने अपने अद्भुत् काव्य के रूप में हमें दी। सम्भवतः इस प्रकार के प्रश्नों के कोई आत्यन्तिक उत्तर सम्भव नहीं हो सकते। किन्तु द्रष्टव्य है कि इन सब स्तरों पर, शायद परम सम्बुद्ध के स्तर को छोड़ कर, कर्त्तव्याकर्त्तव्य के या आत्म–संकल्प के अनेक प्रसंग हो सकते हैं जिनमें व्यक्ति के सम्मुख धर्म–संकट की असमाधेय स्थिति उत्पन्न हो।

यहाँ ऐसा आपादित प्रतीत हो सकता है मानो आत्मचेतन चेतना वैयक्तिक : वैयष्टिक : होती है और इस प्रकार आत्मा प्रतिव्यक्तिविशिष्ट होती है। सांख्य ने इसी भाव से 'प्रतिपुरुषविमोक्षार्थं स्वार्थ इव परार्थ आरम्भः' कहा है, यद्यपि उसका पुरुष निर्गुण होने से किसी भी प्रकार से वैयक्तिक नहीं हो सकता। किन्तु कहा जा सकता है कि आत्मचेतन तो व्यक्ति ही हो सकता है, और यह आत्मा सांख्य के पुरुष जैसा नहीं होता, यह वैयक्तिक अहं–बोध ही होता है, इसके अतिरिक्त 'मोक्ष का अन्वेषण' भी वैयक्तिक अन्वेषण ही हो सकता है। ऐसा ही हमारे ऊपर के विवेचन में भी आपादित देखा जा सकता है। पाश्चात्य दर्शन का 'इगो' और 'सेल्फ' ही नहीं, शंकर का अस्मत्–प्रत्यय भी वैयक्तिक रूप से ही कल्पित है, जबकि शांकर आत्मा ब्रह्म से अभिन्न है और ब्रह्म निरुपाधिक

1. इस परिस्थिति पर हमने 'सत्य', **उन्मीलन** जुलाई 2003 तथा 'नैतिक चिन्तन : भारतीय दृष्टि' **समाज :दार्शनिक परिशीलन**, द्वितीय संस्करण, विश्वविद्यालय प्रकाशन, सागर, 2005 में गहराई से विचार किया है।

चैतन्य और इस प्रकार व्यक्त्युपाधि से रहित है। किन्तु इस सबके बावजूद दार्शनिक प्रायः आत्मचेतना को अहं-बोध और अहं को वैयक्तिक और व्यक्ति को दैहिक मानकर ही चलते हैं। यहाँ पाश्चात्य दार्शनिकों द्वारा, जिनमें कांट भी सम्मिलित हैं, 'आब्जेक्टिव' को 'इंटर्सब्जेक्टिव' रूप में परिभाषित करना इसे स्पष्टतम रूप में निदर्शित करता है। इधर मुकुंद जी ने कर्म पर विचार करते हुए आत्मचेतना को व्यक्ति से ऊपर देखने में असमर्थता दिखायी है। हमने इस प्रश्न पर अन्यत्र दो प्रसंगों में विचार कर इस दृष्टि को अस्वीकार किया है।[1]

आत्मचेतन आत्म को वैयक्तिक मानने के पीछे यह धारणा है कि अस्मत् प्रत्यय तो अस्मदनुभूतिमूलक ही हो सकता है और अस्मदनुभूति अस्मद् विषय : अस्मत्-प्रत्यय : की विषयिता होती है। अभिनव गुप्त ने 'आत्मचेतना' शब्द के बजाय 'स्व-संवेदन' शब्द का ही प्रयोग किया है। शंकर ने भी आत्मा की विषयता की बात करते हुए वैयक्तिक आत्म-प्रत्यय की बात ही की है, जिसका अर्थ होता है कि वह स्वरूपत: तो विषयी ही होता है और वह विषयी व्यक्ति ही हो सकता है। किन्तु तब शंकर के ब्रह्म और अभिनव के शिव को भी वैयक्तिक ही होना चाहिए, क्योंकि उनका आत्मा ब्रह्म या शिव से अभिन्न है। इस पर कहा जा सकता है कि आत्मचेतनागत 'आत्मा' और आत्मा ये एक ही नहीं हैं। आत्मचेतना जबकि विषयभूत आत्म-प्रत्यय की विषयिता है, आत्मा अतिक्रामी चित्तत्व है। किन्तु शंकर ऐसा मानते हैं, ऐसा मुझे नहीं लगता। वे ब्राह्म चैतन्य को ही आत्मा मानते हैं और उसी को आत्म-प्रत्यय-गोचर विषय की विषयिता कहते हैं। किन्तु इसमें कुछ व्यामिश्र है, यह स्पष्ट है। इस पर हम यहाँ आगे विचार नहीं करेंगे। यहाँ शंकर का अभिमत हमारे विचार का विषय नहीं है।

यहाँ द्रष्टव्य यह है कि इसमें जिस आत्म : आत्मा : की बात मुकुंद जी, तथा शंकर और अभिनव गुप्त भी, कर रहे हैं, वह अहंकाराधिष्ठित आत्म-प्रत्यय है, जो अतिक्रामी : कांटीय ट्रांसेंडेंटल : रूप में जैव देह और इन्द्रिय-संघात का हेतु होता है और अधिकांशत: चैत्त स्तर पर भी जैव व्यष्टिता का हेतु होता है। किन्तु इंस्टिंक्ट के रूप में यह सभी जीवों में और छत्ता, बाँबी आदि के रूप में मधुमक्खियों, दीमकों, चींटियों आदि में चैत्त स्तर पर देहेन्द्रिय-संघात का अतिक्रमण : उत्तरण : करता है। उसमें उस की विषयिता जातीय होती है। किन्तु मनुष्य में इसकी स्थिति बहुत भिन्न और विचित्र होती है। चेतना केवल मनुष्य में ही आत्म-चेतन होती है और तब इस अतिक्रामी अहंकार का आत्म-प्रत्यय रूप में विषयतया प्रत्यक्ष करती है। किन्तु यह विषय एकसाथ आहंकारिक और अत्याहंकारिक : सामान्य : होता है—इस चेतना के सभी विषय या तो सामान्य ही होते हैं या सामान्याधिष्ठित विशेष : विशेषगत सामान्य : होते हैं—लिखे या बोले गए 'घट' शब्द के समान। 'घट' शब्द बोले, लिखे या विचारे बिना व्यक्त नहीं हो सकता और इस रूप में : अस्तित्व में : वह विशेष : व्यष्टि : ही हो सकता है, किन्तु अपनी सत्ता में वह अशेषत: सामान्य होता है। शंकर ने आत्मा को आत्म-प्रत्यय-गोचर कहते हुए इस बात को लक्षित नहीं किया है। मुकुंद जी भी जब आत्मचेतन चेतना को निर्वैयक्तिक देखना असम्भव पा रहे हैं वह इसी व्यामिश्र के कारण कि वे 'अस्मिता-बोध' को, जिसे पाश्चात्य दार्शनिक 'एंपीरिकल सेल्फ' कहते हैं, चेतना की आत्मचेतनता समझ रहे हैं। निश्चय ही चेतना आत्म-चेतन होकर विषय रूप में जिस आत्म का प्रत्यक्ष करती है वह अतिक्रामी अहंकारारूढ़ आत्म आत्म-संवेदन का विषय ही होता है, किन्तु वह साथ ही प्रत्ययदर्शी : सामान्यदर्शी : आत्मचेतन चेतना का अर्थ : विषय : भी होता है, जैसा कि हम इसे भाषा में सर्वनाम के वाच्य के रूप में देख सकते हैं। आत्मचेतन चेतना का आत्म स्वरूपत: ही सर्वनाम वाच्य होता है, जो वाच्य एकसाथ विशेष और सामान्य होता है—बोले गए शब्द की ही तरह। आत्मचेतन मनुष्य में आत्मा की यह सार्वनामिकता ही नैतिक बोध और सामाजिकता की हेतु बनती है। यहाँ यह भी द्रष्टव्य है कि मानव-व्यक्ति पाशव-व्यष्टि से भिन्न होता है और यह भिन्नता इसी बात में होती है कि वह अहंकारमूलक नहीं होकर

---

1. **संस्कृति :मानव-कर्त्तृत्व की व्याख्या,** अध्याय 2 'संस्कृति का अधिष्ठान' **समाज :दार्शनिक परिशीलन**, अध्याय 1, 'संस्कृति और समाज :अधिष्ठान की समस्या।' **मूल्यतत्त्व-मीमांसा**, अ.10-11 'आत्मान्वेषण'।

अहंकारदर्शी : अहंकार का साक्षी : होता है। जहाँ तक वह ऐसा नहीं होता वहाँ तक वह 'व्यक्ति' नहीं होकर 'व्यष्टि' होता है, और व्यक्ति वह सार्वभौमिकता की पर्यन्तता तक हो सकता है। भौतिक ब्रह्माण्ड की भाषा रचने वाले आईंस्टाइन की चेतना व्यष्टि के अर्थ में वैयक्तिक नहीं थी, उससे अधिक गांधी की चेतना, जिसके लिए भारत का स्वतन्त्रता-संग्राम अहंकार को अशेषत: अहिंसा में निश्शेष कर देने की साधना था, और उससे अधिक बुद्ध की चेतना, जो व्यष्टि जीवों पर दया से आगे 'जीव की अविद्या' के प्रति करुणा-प्लावित थी, किसी भी अर्थ में व्यष्टिमूलक या व्यक्तिगत, नहीं थी, यद्यपि 'आईंस्टाईन', 'गांधी' और 'बुद्ध' व्यक्ति-वाचक संज्ञाएँ ही हैं। निश्चय ही इन तीनों की चेतना संवेदन के रूप में व्यष्टि-देहाश्रित ही थी—संवेद रूप में चेतना को व्यष्टि-देहाश्रित ही होना होता है, जैसे बोले जाने के लिए 'घट' शब्द को और जल धारण के लिए घटत्व को व्यष्टि रूप में घटित होना होता है। यों जैव जगत् में भी छत्ता और बाँबी व्यष्टि-मधुमक्खियों और चींटियों के माध्यम से ही अस्तित्व-लाभ करते हैं, इंस्टिंक्ट व्यष्टि-जीवों के माध्यम से ही व्यक्त होती है, किन्तु इनकी सत्ता व्यष्टिपरक नहीं होती। इस प्रकार कहा जा सकता है कि आत्मचेतन चेतना स्वरूपत: निर्वैक्तिक और सामन्य होती है किन्तु अपनी अभिव्यक्ति, या कहें अस्तित्व के लिए उसे अनिवार्यत: व्यष्टि को माध्यम बनाना होता है।

हमारे पिछले विवेचन से यह स्पष्ट है कि चेतना आत्मचेतन होकर एक सर्वथा नयी और भिन्न लोक-यात्रा आरम्भ करती है—आत्मा की खोज की यात्रा, आत्मगवेषणा की यात्रा, पूर्ण परात्म भाव से आरम्भ कर अपर आत्मा की उपलब्धि की ऐतिहासिक यात्रा, पूर्ण तमसावृत्ति से विवृति की क्रमिक सिद्धि की यात्रा। यह सही है, किन्तु इसमें एक स्पष्ट विच्छेद और उत्क्रमण है। अब चेतना अशेष पराङ्मुखता से प्रत्यङ्मुख होती है और अपनी अधिष्ठातृ होती है, अब वह विषय या अर्थ-परवश से अर्थों की साक्षी होती है। किन्तु इसकी यात्रा का यह दूसरा अध्याय पहले अध्याय से कम दुरूह और कम कष्टकर नहीं होता, कह सकते हैं शतधा अधिक कष्टकर हो जाता है। अब इसकी क्रियाओं की प्रवर्त्तकता का अधिष्ठातृत्व इसके अपने अधीन होने से इसकी उत्तरदायी वह स्वयं हो जाती है। इस उत्तरदायित्व का अर्थ होता है क्रियाओं : कर्मों : को सम्यक् बनाना, युक्त बनाना। किन्तु कर्मों की सम्यक्ता का आधार क्या है? प्रमाण क्या है? यह प्रमाण ऐसे बाहर कहीं से उपलब्ध नहीं होता जैसे उसे अपने पाशव अध्याय में उपलब्ध रहता था। यह प्रमाण आत्मा स्वयं ही होती है। पाशव अध्याय में भी वही प्रमाण थी, किन्तु तब आत्मा का रूप ऐन्द्रिक-वासनात्मक था। इसके आगे उसे आत्मा का अर्थ पता नहीं था। यों अब भी सहज रूप में आत्मा कुछ इसी रूप में उपलब्ध होती है, किन्तु अब वह इस अर्थ में अपरोक्षत: उपलब्ध नहीं होती। पीछे हमने **बृहदारण्यक उपनिषद्** का मन्त्र उद्धृत किया था—न हि पत्यु: कामाय पति: प्रियो भवति, आत्मनस्तु कामाय पति: प्रियो भवति...आदि। यहाँ स्पष्टत: पति में आत्म-भाव के होने किन्तु उस होने की अयुक्तता का बोध है। आत्मचेतन चेतना अपनी यात्रा के प्रथम चरण में ही इस बोध से, या कम से कम आदिम बोध की युक्तता में संदेह से, ग्रस्त हो जाती है। आत्मा के इस नये स्वरूप का आभास उसमें सांस्कृतिक आधार-प्रतीक का रूप लेता है जिसका स्वरूप उसे खोजना होता है। किन्तु यह खोज अपने आप में भी अगाध, अपार, और सबसे बढ़कर पूर्णत: भ्रान्त होने की सम्भावना से ग्रस्त, होती है। इसके अतिरिक्त होता है मनुष्य का पाशव इतिहास, जिससे वह अपनी देह, इन्द्रियों और संस्कारों के द्वारा जुड़ा रहता है। यह इतिहास उसे वैयक्तिक और सामाजिक दोनों स्तरों पर अपने आत्म-बोध के विपरीत जाने को विवश करता है, उसके बोध को धूमिल भी करता है, और बहुत बार उसे पूर्णत: विभ्रान्त रखता है। मनुष्य ने सामाजिक रूप से जैसे अन्यायों, अत्याचारों, युद्धों, आनुष्ठानिक रूढ़ियों आदि का, उन्हें सत्य मानकर, अनुसरण किया है, जैसे अर्थ और काम के निर्बन्ध अनुसरण को ऐश्वर्य का नाम दिया है, वह सब ऐसी ही विभ्रान्तियों का द्योतक कहा जा सकता है। किन्तु 'बुद्ध की शरण', 'आत्मा की ब्रह्म रूप में खोज', 'अहिंसा की पराकाष्ठा में साँस लेने तक में जीव-हत्या का दर्शन' आदि भी किस प्रकार मनुष्य के लिए अन्तत: विभ्रमकारी सिद्ध होते रहे हैं, यह सर्वविदित है। यह परिस्थिति चेतना के लिए अनिवार्य है, क्योंकि आत्मा, जो कि उसका अन्वेष्य है, उसका स्वरूप इस अन्वेषण की प्रक्रिया में ही

बनता है, वह इससे पृथक् और पूर्व नहीं होता—न औपनिषद ब्रह्म के समान, न श्री अरविन्द के ब्रह्म के समान, और न वैज्ञानिक उपकरण-साध्य निर्बाध सुख के समान। किन्तु इसमें स्वरूप और पर-रूप के भेद का बोध इस प्रक्रिया का ही अंग होता है, और वह बोध भ्रान्त या निर्भ्रान्त, प्रामाणिक या अप्रामाणिक रहता है। इनमें कौन सा बोध भ्रान्त और कौन निर्भ्रान्त है, इसके लिए यह अनिश्चय प्रायः ही बना रहता है, किन्तु अधिकांशतः निश्चय होने पर भी वह उसके अनुसरण में अपने को असमर्थ पाता है और अपनी इस असमर्थता से समझौता करता है। किन्तु यह प्रमाण चेतना के अपने भीतर ही निहित रहता है, जैसे मानो अपने भीतर पड़ा 'कुछ', जिसे हम डुबकी लगाकर : 'निदिध्यासन द्वारा : खोज पा सकते हैं। किन्तु डुबकी जिसमें लगानी होती है वह चेतना के अनादि इतिहास का तमस होता है, जिसे हटाना होता है—वासनाएँ, संस्कार, उद्वेग। इस तमस को हटाकर जो पाना होता है वह पूर्वसिद्ध नहीं होकर अपने मूल में ही अपूर्व और साध्य होता है—आत्मसर्जनात्मक।

बाह्यार्थ-प्रामाण्य-विचार

प्रमाण का शब्दार्थ 'प्रमाकरण का', 'प्रमा की प्राप्ति का' साधन है। अब, इस सरल शब्दार्थ में 'प्रमा' ऐसा शब्द है जो दार्शनिक विमर्श का एक केन्द्रीय विषय रहा है। सारे दर्शन-सम्प्रदाय इस एक शब्द की व्याख्या के विभिन्न प्रयत्न कहे जा सकते हैं। चार्वाकों, नैयायिकों और सर्वास्तिवादियों को इसमें एक छोर पर रखा जा सकता है और शून्यवादियों, विज्ञानवादियों और अद्वैतवेदान्तियों को दूसरे छोर पर रखा जा सकता है। प्रमा के स्वरूप के सम्बन्ध में ऐसे आधारभूत मतभेद होने पर प्रमाण के स्वरूप के सम्बन्ध में भी ऐसे आधारभूत मतभेद होना अनिवार्य है। इसी से नैयायिक जबकि प्रत्यक्ष और अनुमान की परिभाषा और व्याख्या को अपना सबसे महत्त्वपूर्ण कर्त्तव्य मानते दिखते हैं, नागार्जुन इसे अप्रतिष्ठ, वसुबन्धु अपरमार्थ या मिथ्या और शंकर इसे पशु-सुलभ मानते हैं। द्रष्टव्य है कि विज्ञानवाद में प्रमाण और प्रमेय के भेद के लिए कोई अवकाश नहीं रहता और शंकर के लिए आर्ष शब्द के अतिरिक्त कोई प्रमाण नहीं हो सकता—यद्यपि वे अनुभव की प्रामाणिकता की बात भी करते हैं। किन्तु उनके लिए यह अनुभव अपने से पृथक् किस प्रमेय के लिए प्रमाण होगा, यह समझना कठिन है। शब्द-प्रमाण की स्थिति और भी विचित्र है। जिन आप्तों का शब्द प्रमाण है उनके लिए प्रमाण क्या है और प्रमेय क्या है, और इन का परस्पर सम्बन्ध कैसा है? निश्चय ही वहाँ प्रत्यक्ष : आर्ष अनुभव : ही प्रमाण है और ब्रह्म-वस्तु प्रमेय, किन्तु इस प्रमाण और प्रमेय में क्या कोई अन्तर हो सकता है? अब शब्द के सम्बन्ध में। किसी के लिए शब्द तभी प्रमाण हो सकता है यदि उस शब्द का वाच्य उस श्रोता के लिए प्रत्यक्ष का विषय रहा हो या उस विषय के जैसा हो, जैसे ऐतिहासिक कथन अथवा अन्य सूचनात्मक कथन होते हैं। किन्तु आर्षवचन ऋषियों से भिन्न जनों के लिए कैसे प्रमाण हो सकते हैं? उदाहरणत: आत्मा, ब्रह्म या देवता उनके लिए कैसे शाब्द प्रमेय हो सकते हैं जो इनका प्रत्यक्ष नहीं कर सकते? उनके लिए शाब्द प्रमेय शब्द-परिभाष्य मात्र ही हो सकते हैं। ऐसे आर्ष शाब्द प्रमेय, जो साधारण प्रत्यक्ष के विषय हो सकते हैं किन्तु होते नहीं, जैसे पुनर्जन्म, उनके विषय में यह बताने की अपेक्षा होगी कि वे हमारे प्रत्यक्षगम्य क्यों नहीं हो सकते और हमारे प्रत्यक्षगम्य नहीं हो सकने पर ऋषियों के प्रत्यक्षगम्य कैसे हो सकते हैं? न्याय ने आत्मा को आर्ष शब्द का प्रमेय और प्रत्यक्ष तथा अनुमान का भी प्रमेय माना है। किन्तु आर्ष शब्द का प्रमेय क्या वही होता है जो प्रत्यक्ष :अस्मिता बोध : का विषय होता है? स्पष्टत: ये दो सर्वथा भिन्न-रूप वस्तुएँ होते हैं, किन्तु नैयायिक उनको एक ही प्रमेय कहते हैं।

यहाँ हम इन विभिन्न सम्प्रदायों की प्रमाण और प्रमेय विषयक दृष्टियों को छोड़ते हुए इस पर एक दूसरा मार्ग अपनायेंगे। वह मार्ग है चेतना के स्वरूप और चेतना में प्रकट बाह्यार्थ-ज्ञान के रूपों पर विचार का।

सामान्यत: ज्ञान को चेतना का सहज और मूल धर्म कहा जाता है। (द्रष्टव्य है कि अधिकांश भारतीय दार्शनिक 'चेतना' के बजाय 'आत्मा' शब्द का प्रयोग करते हैं और ज्ञान को आत्मा का मूल और नित्य धर्म कहते हैं। किन्तु यह ज्ञान और आत्मा दोनों की भ्रान्त समझ का द्योतक है, जैसाकि हमारे इन विषयक विवेचनों से देखा जा सकता है।)[1] किन्तु वास्तव में चेतना का मूल धर्म संवेद है और ज्ञान-वृत्ति उसमें कुछ विकसित स्तर पर प्रकट होती है और क्रमशः अस्फुट से स्फुट और स्फुटतर रूप में विकसित होती है। वानस्पतिक चेतना और शेष जैव चेतना में इस दृष्टि से भेद किया जा सकता है और इस शेष जैव चेतना में इस दृष्टि से कृमि-कीट से मनुष्य तक और मनुष्य में जनसाधारण के अवर स्तरों से न्यूटन, आईंस्टीन, पाणिनी, गंगेश, वाल्मीकि, कालिदास तथा बुद्ध, अरविन्द, कबीर और रामकृष्ण परमहंस तक के स्तर-भेद और रूप-भेद देखे जा सकते हैं। ज्ञान के इसी स्तर-भेद के अनुसार प्रमाणों और प्रमेयों में भी स्तर-भेद और स्वरूप-भेद देखा जाना चाहिए।

---

1. आत्मा के स्वरूप के विवेचन के लिए द्रष्टव्य **मूल्यतत्त्व-मीमांसा** तथा **तत्त्व-चिन्तन**।

चेतना के विकास के इस इतिहास में ज्ञान की दृष्टि से तीन आधारभूत क्रान्तियाँ घटित हुई देखी जा सकती हैं। प्रथम क्रान्ति जीवन के आविर्भाव के साथ चेतना में संवेदनशीलता के आविर्भाव के रूप में वानस्पतिक जीवन के उद्भव के साथ घटित होती है। दूसरी क्रान्ति ऐन्द्रिक जीवों के उद्भव के साथ घटित होती है। इसे चेतना का जगद्भाव में उन्मीलन और विषयोन्मुखता में प्रवर्तन कहा जा सकता है। और तीसरी क्रान्ति चेतना के आत्मचेतन होने के रूप में घटित होती है। जगद्भाव में उन्मीलित चेतना अपने को ज्ञानेन्द्रियों से ही सज्जित नहीं करती, कर्मेन्द्रियों से भी सज्जित करती है। यह जगद्भाव चेतना में विषयापेक्षा का रूप लेता है और इसमें चेतना अपनी इस सविषयता में निश्शेष रहती है। बाह्यता और दैशिकता इन विषयों का एक मूल धर्म होता है। यह इस बात से सिद्ध होता है कि ये जीव ज्ञानेन्द्रियों के साथ कर्मेन्द्रियों से भी युक्त होते हैं। इस विषयोन्मुख प्रवर्तन के लिए चेतना में वासनाएँ, आवेग और आसक्तियाँ उद्भूत होती हैं जो इस चेतना के विषयों के रूप और गुण बनती हैं। चेतना के ये गुण या वृत्तियाँ उसके विषयोन्मुख प्रवर्तन की ही अंग होती हैं, जिनके बिना चेतना भौतिक और वानस्पतिक अवस्था में आत्मस्थ और अप्रवर्तित रूप में रहती है। इसके आगे के तीसरे चरण में चेतना विषयोन्मुख के विपरीत आत्मोन्मुख रूप में प्रवर्तित होती है और विषय को अपने से पृथक् प्रत्युपस्थित करती है। इस प्रकार आत्मचेतन मानव-चेतना विषय से विनिवर्तन से, विषयोन्मुखता के विपरीत प्रत्यङ्मुखता से, परिभाषित होती है। इसके विषयों में स्वयं इसकी अपनी अस्मिता और इस अस्मिता के लिए पृथक् प्रस्तुत वस्तु-जगत् दोनों विषयि-विषय रूप में रहते हैं। किन्तु यह विषयी इसके विषय की सापेक्षता में ही विषयी होता है, अन्यथा मूलत: यह विषय ही होता है। चेतना के इतिहास में यह एक अद्भुत और आधारभूत क्रान्ति है जिससे शिल्पों, उद्योगों, कलाओं, शास्त्रों, विज्ञानों, धर्मों तथा अध्यात्म-साधनाओं का आविर्भाव हुआ। पाशव विषय शुद्ध रूप से ऐन्द्रिक और इस प्रकार जगद्वासना-जन्य होते हैं जबकि मानवीय विषय अतीन्द्रिय या इन्द्रियेतर आत्मगत अर्थों की इन्द्रिय-ग्राह्य अभिव्यक्तियां। इसका स्पष्टतम उदाहरण भाषा कही जा सकती है जो श्रव्य या दृश्य आकृतियों में व्यक्त होती है। ये आकृतियाँ ऐन्द्रिक विषय होती हैं किन्तु इन आकृतियों : ध्वनि-रूपों तथा लिपि : का प्रत्यक्ष भाषा का प्रत्यक्ष नहीं होता और इस प्रकार इसमें प्रमाण और प्रमेय का रूप बदल जाता है। वास्तव में यह सभी मानवीय कृतियों—घट, पट, लेखनी, मसि आदि के सम्बन्ध में भी उतना ही सही है। यह रूपान्तरण चेतना के आत्मचेतन होने, विषयोन्मुखता में आत्मबहिर्भूत होने के विपरीत प्रत्यङ्मुखता में आत्म-प्रस्तुत होने से सम्भव होता है। किन्तु ऐसा कैसे होता है?

द्रष्टव्य है कि हुस्सर्ल और उससे प्रवर्तित दर्शन-संप्रदाय चेतना को विषयापेक्षी के रूप में ही देखते हैं और उनकी यह विषयापेक्षी चेतना मानव-चेतना ही है। इस प्रकार हमारा उपर्युक्त प्रतिपादन उनसे स्पष्टत: आधारभूत रूप में विपरीत हो जाता है। हमारे प्रतिपादन की युक्तता पाशव-चेतना और मानव-चेतना के विषयों के स्वरूप की भिन्नता से सहज ही देखी जा सकती है। पाशव-चेतना के विषय वासना, आवेग, बुभुक्षा आदि वृत्तियों के आश्रय ऐन्द्रिक प्रत्यक्ष होते हैं और वह अपनी इन वृत्तियों के साथ इन विषयों में अशेषत: तदात्म रहती है, उसके विषय इन वृत्तियों से अविश्लेष्य रूप से उपरंजित रहते हैं, जबकि मानव-चेतना के विषय इन वृत्तियों से विश्लिष्ट, चेतना की आत्म-विषयता से व्यवहित और तद्ग्राह्य रूप में प्रस्तुत होते हैं। उदाहरणत: मनुष्य को प्रस्तुत भोज्य वस्तु प्रथम तो गाय के लिए घास के समान 'प्रदत्त भोज्य विषय मात्र' नहीं होती, वह मनुष्य द्वारा आत्मगत अर्थों के अनुरूप कल्पित और रचित, भूख और आस्वाद संवेदों के प्रत्ययात्मक साक्षात्कार-जन्य अर्थों के बाह्य विषय-रूपों में सर्जित होती है और उन संवेदों तथा वासनाओं की रूपान्तर-कर्तृ यह 'आत्मा' उन विपुल अर्थों की धातृ होती है जो अर्थ उसके प्रत्यङ्मुख साक्षात्कार में ही जन्म लेते हैं। इस चेतना के विषयों की पाशव चेतनागम्य विषयों से भिन्न एक दूसरी विशेषता इनकी ग्राहकता से स्वतन्त्र ग्राह्यता तथा अतिक्रान्त सद्रूपता होती है। उदाहरणत: मनुष्य के प्रत्यक्षगत विषय 'मेरे' प्रत्यक्षगत 'विषय' होते हैं, जो मेरे देखने और इसकी विषयता से स्वतन्त्र वस्तुएँ : काष्ठ, मिट्टी, घटादि : होते हैं। विषयों के ऐसे ग्रहण को ही विषयनिष्ठ ग्रहण कहा जाता है। इस प्रकार मानव-चेतना भी विषयापेक्षी है, किन्तु एक तो इसके विषय मात्र-ऐन्द्रिक के अतिरिक्त अध्यवसायात्मिका बुद्धि, विवेक-बुद्धि, भावना आदि वृत्ति-मूलक भी होते हैं, और दूसरे, इसके लिए एक और विषय भी होता है

जो इस सब प्रकार के विषयों से भिन्न प्रकार का, अनन्य साधारण, होता है। विषय है व्यक्ति की आत्म-प्रतिमा, जो मनुष्य को अपने लिए अपना साध्य बना देती है।[1] दूसरे, जैसाकि हमने ऊपर देखा, इसके ऐन्द्रिक विषय भी प्रत्यय-व्यवहित होते हैं। किन्तु दार्शनिक जब प्रमाणों की बात करते हैं तो उनके लिए प्रमेय ऐन्द्रिय प्रत्यक्षगम्य वस्तुएँ ही होती हैं, जो वास्तव में प्रत्यक्षगम्य हो ही नहीं सकतीं, और इन प्रमेयों के लिए प्रमाण उनके अनुसार वस्तु-सन्निकृष्ट ऐन्द्रिक संवेद होते हैं। वे यह नहीं देखते कि यह तथाकथित वस्तु चेतना के विषय से विनिवर्तन से, और इस विनिवर्तन के द्वारा विषय को स्वतन्त्र प्रतिष्ठा देने के द्वारा ही अस्तित्व-लाभ करती है जिससे वह ऐन्द्रिय सन्निकर्ष की विषय हो ही नहीं सकती। इसलिए शंकर का मानव-प्रत्यक्ष को पाशव-प्रत्यक्ष के अनुरूप देखते हुए प्रमाण-प्रमेय-व्यवहार को पशु-सुलभ व्यवहार के रूप में देखना प्रत्यक्षविषयक उपर्युक्त भ्रान्ति-जन्य ही कहा जा सकता है।[2] किन्तु उन्होंने भी शब्द-प्रमाण को स्वीकार किया है और उसके कुछ प्रमेय भी स्वीकार किये हैं, यद्यपि उन्होंने यह नहीं बताया कि इन प्रमाणों-प्रमेयों का सम्बन्ध कैसा होता है और इसमें भ्रान्ति और निर्भ्रान्तता का कैसे पता चलता है?

किन्तु प्रमाण-प्रमेय सम्बन्ध को लेकर एक बड़ी समस्या यह है कि प्रमाण प्रमेय-सिद्धि में कभी सफल और कभी असफल रहते हैं। प्रमाणों की यह सफलता-असफलता प्रमाणगत निर्दोषता-सदोषतामूलक होती है या कि प्रमेयाश्रित? यह प्रमाणों की सफलता-असफलता देखकर ही जाना जा सकता है कि कोई प्रमाण सफल है या नहीं। बौद्धों ने इसका समाधान 'अर्थ-क्रियाकारित्व' से दिया है। इसका उदाहरण वे मृगतृष्णा से देते हैं जिसमें जल-प्रतीति जल-प्रापक नहीं होती। जल-प्रतीति के बाद जल-प्राप्ति अर्थ-क्रिया की सिद्धि है, वही प्रमेय है और इस सिद्धि के लिए क्रिया- प्रवर्तक जल-प्रतीति है, वही प्रमाण है। किन्तु प्रमाण कोई प्रतीति प्रमा-साधन होने पर ही होती है, सब प्रतीतियाँ प्रमाण नहीं होतीं। किन्तु कोई प्रतीति प्रमा-साधक हुई या नहीं, यह प्रमेय की उपलब्धि से ही ज्ञात हो सकता है। इस प्रकार प्रमाण प्रमेयाश्रित हो जाता है जबकि प्रमेय स्वाश्रित हो जाता है : अर्थ और उसका कारित्व दोनों प्रमेयगत ही होते हैं : सिकता की चमक या जल की झलक न पिपासा होते हैं, न पिपासा-शामक। पिपासा-शामकता प्रमेयगत होती है और सिकता की चमक तथा जल की झलक प्रमेय-सिद्धि की सम्भावना की ज्ञापक होती हैं। किन्तु इनका प्रमेय क्या है? जल या पिपासा-शमन? अब, पिपासा-शमन उसी प्रकार की एक विज्ञप्ति है जैसी सिकता की चमक या जल की झलक! किन्तु पिपासा-शमन और पिपासा-शामकता के बीच काफी बड़ी खाई है! पिपासा-शमन एक विज्ञप्ति है जबकि पिपासा-शामक एक बाह्य वस्तु, जो पिपासा-शमन की योग्यता रखती है। किन्तु यह योग्यता सिद्ध नहीं साध्य होती है। इस साध्य के साध्यवस्तु होने के लिए इसमें इस योग्यता के अतिरिक्त अन्य अनेक पूर्वपिक्षाएँ होती हैं—जैसे, इसकी प्रवाह-शीलता, भिगोने या डुबोने की योग्यता, सबसे बढ़कर, इसकी हाइड्रोजन और ऑक्सीजन में विश्लेष्यता आदि। दूसरे, योग्यता होने पर भी उसका क्रियान्वयन किसी पिपासु के इसे पीने पर ही होता है। फिर जल तालाब में है तो वह जल पूरा नहीं पीया जाता, आदि। इस प्रकार पिपासा-शामकता-रूप अर्थ-क्रिया-कारित्व पशु के लिए तो इसकी प्रमेयता का अन्तिम प्रमाण कहा जा सकता है, किन्तु मनुष्य के लिए नहीं। मनुष्य के लिए कोई वस्तु पिपासा-शामक नहीं होने पर भी जल हो सकती है, जैसे सागर का जल या उबलता जल। इसके अतिरिक्त, द्रष्टव्य है कि अर्थ-क्रिया-कारित्व की यह परिभाषा सब उदाहरणों में लागू नहीं होती। जैसे चित्र या मूर्त्ति पर। दूसरी ओर स्वप्नगत प्रमेय स्वप्न-काल में अर्थ-क्रिया-कारी होते हैं किन्तु जगने पर नहीं होते। कहा जा सकता है कि जगने पर वे प्रत्यक्ष नहीं होते! किन्तु वैसे ही जागृतिकालीन वस्तुएँ स्वप्न-काल में प्रत्यक्ष नहीं होतीं! इस प्रकार स्वप्नकालीन प्रत्यक्षों की प्रामाणिकता जागने पर असिद्ध नहीं हो सकती। स्वप्न-कालीन प्रत्यक्षों की जागृति में अप्रामाणिकता से

1. 'आत्म-प्रतिमा' के स्वरूप-विवेचन के लिए द्रष्टव्य हमारी पुस्तक **ज्ञान और सत्** का 'आत्म-प्रतिमा' अध्याय तथा **सत्ताविषयक अन्वीक्षा** पुस्तक के 'मानव-तत्त्व' तथा 'संस्कृति-तत्त्व' अध्याय।

2. अतः समानः पश्वादिभिः पुरुषाणां प्रमाण-प्रमेय-व्यवहारः। पश्वादिनां च प्रसिद्धोऽविवेक-पुरःसरः प्रत्यक्षादिव्यवहारः। तत्सामान्य दर्शनाद्व्युत्पत्तिमतामपि पुरुषाणां प्रत्यक्षादि व्यवहारस्तत्कालः समान इति निश्चीयते। — **ब्रह्मसूत्र शांकर भाष्य, अधि. 1.**

स्वप्नगत की प्रामाणिकता का बाधित होना प्रमेय में काल–स्थायिता को और स्मृति की प्रामाणिकता को पूर्वगृहीत करता है, और सबसे बढ़कर, उसकी प्रत्यक्षातिक्रान्त सत्ता को पूर्वगृहीत करता है, जो सत्ता प्रत्यक्ष–ग्राह्य हो ही नहीं सकती। इस प्रकार प्रत्यक्ष के लिए इन्द्रिय–सन्निकृष्टता की अपेक्षा एक अप्रमाणीय अपेक्षा ही रहती है।

प्रत्यक्ष के इस दोष के निवारण के लिए स्वयं प्रत्यक्ष को प्रमाण स्वीकार करने के लिए उसकी प्रामाणिकता का निश्चय करना भी अनिवार्य हो जाता है जो उसे प्रमेय बना देता है, किन्तु इस प्रमेय का प्रमाण भी प्रत्यक्ष ही हो सकता है। किन्तु सिद्धान्ततः अन्य प्रत्यक्ष एक नहीं, असंख्य अपेक्षित होते हैं और एक व्यक्ति के नहीं अनेक व्यक्तियों के अपेक्षित होते हैं। अब, प्रत्यक्ष के प्रमाण होने के लिए उसका सिद्ध प्रमेय होना अपेक्षित होने से और यह सिद्धि इसी प्रकार के साध्य प्रत्यक्षों के आश्रित होने से प्रमाण–प्रमेय व्यवहार सिद्धान्ततः अप्रतिष्ठ हो जाता है। नागार्जुन ने यही दिखाया है। किन्तु साधारण व्यवहार अर्थ–क्रिया–कारित्व के आधार पर चलता है और इसी रूप में क्रिया–प्रवृत्ति और अर्थ–सिद्धि होती है। इसमें जो सैद्धान्तिक कठिनाई उपस्थित होती है वह चेतना की प्रत्यङ्मुख अनवगाह्यता के कारण। जैसाकि हमने पीछे देखा, वस्तु के प्रत्यक्षातीत वस्तुत्व का मूल प्रत्यङ्मुख चेतना द्वारा विषयता के अपने से स्वातन्त्र्य, अथवा कहें विषयता से अपने मुक्ति–लाभ–मूलक अध्यवसाय में निहित होता है। यह चेतना जब ऐन्द्रिक स्तर का अतिक्रमण कर अध्यवसायात्मिका बुद्धि के स्तर पर आरोहण करती है तब विषय अतल गहन वस्तुत्व में रूपान्तरित हो जाते हैं और ये वस्तुएँ प्रमाणों के लिए अतिक्रान्त होने से उनकी अनन्त पार्यन्तिकता को जन्म देती हैं। सामने पड़ी वस्तु के लिए व्यवहारतः एक प्रत्यक्ष पर्याप्त प्रमाण होता है। उसमें प्रत्यक्ष और वस्तु अपृथक् होते हैं। भ्रान्ति की अवस्था में दूसरा प्रत्यक्ष प्रथम की अप्रामाणिकता को पूर्णतः सिद्ध कर स्वयं पर्याप्त प्रमाण हो जाता है। किन्तु 'भौतिक वस्तु' असंख्य प्रमाणों से भी प्रमाणित नहीं हो सकती। यह स्थिति अनुमान में और जटिल हो जाती है।

द्रष्टव्य है कि अनुमान पाशव–चेतना के लिए भी प्रमाण बनता है, जैसे किसी को उग्र मुद्रा में दण्ड–हस्त देखकर गाय प्रहार का अनुमान करती है। किन्तु मानवीय अनुमान और पाशव अनुमान में एक आधारभूत अन्तर होता है : पाशव अनुमान जबकि साहचर्यपरक व्याप्तिमूलक होता है, मानवीय अनुमान साहचर्य–व्याप्ति–मूलक भी होता है और कारण–कार्य–व्याप्ति–मूलक भी होता है। व्याप्ति दृष्ट साहचर्य के साधारणीकरण से सिद्ध होती है—धूम और अग्नि को एक या एकाधिक बार साथ देखकर इस साहचर्य को नियत मान लेना साहचर्य–व्याप्ति है। उग्र मुद्रा में दण्ड–हस्त व्यक्ति से प्रहारित होकर इस मुद्रा और प्रहार में नियत सम्बन्ध की स्थापना भी साहचर्य–व्याप्ति है। (द्रष्टव्य है कि पशु और मनुष्य उग्र मुद्रा और प्रहार के साहचर्य की अनुवृत्ति देखे बिना प्रथम प्रत्यक्ष में भी इस सम्बन्ध को देख पाते हैं, किन्तु वह सहज–बोध यहाँ अप्रासंगिक है।) किन्तु मनुष्य धूम और अग्नि में कार्य–कारण सम्बन्ध भी देखता है, साहचर्य मात्र नहीं। बौद्धों ने और ह्यूम ने कार्य–कारण–सम्बन्ध को भी साहचर्यमूलक ही माना है, किन्तु सामान्यतः कारण–कार्य सम्बन्ध को जन्य–जनक सम्बन्ध के रूप में ही देखा जाता है। इस जन्य–जनक सम्बन्ध को कैसे समझा जाय, इसकी अपनी कठिनाइयाँ हैं जिस पर भारतीय दर्शन में बहुत विस्तृत विचार हुआ है, किन्तु यहाँ उन कठिनाइयों को भी अवान्तर मानकर छोड़ा जा सकता है। अब धूम को हम अग्नि के एक कार्य के रूप में देखते हैं, इसी प्रकार प्रस्तर–प्रहार से काँच टूटने के अनुगमन को भी कारण–कार्य रूप में देखते हैं। उदाहरणतः धूम को देखकर हमें वह्नि दिखायी नहीं देती तो हम मानते हैं कि वह धूम नहीं था, धुंध को हमने धूम मान लिया था। साहचर्य–सम्बन्ध में हम ऐसा नहीं देखते। अब, व्याप्ति को लेकर जो यह आपत्ति की जाती है कि धूम–अग्नि का दस बार साहचर्य देखकर हम ग्यारहवीं बार के सम्बन्ध में निश्चय के साथ प्रवृत्त तो हो सकते हैं किन्तु इस निश्चय के लिए हमारे पास कोई आधार नहीं होता, वह कारण–कार्यात्मक व्याप्ति के लिए ठीक नहीं कहा जा सकता। अनुमान की स्थितियाँ मानवीय ज्ञानान्वेषण, व्याख्या तथा घटनाओं की व्याख्या में अनेक प्रकार से बनती हैं—मृत व्यक्ति को देखकर पुलिस यह जाँच करती है कि इसकी मृत्यु कैसे हुई? इसमें अन्वेष्य कारण–कार्य–सम्बन्ध ही होते हैं। ये स्थितियाँ अत्यन्त जटिल भी हो सकती हैं और इनमें प्रमाणों की खोज में सहायक क्रान्तदर्शी कल्पना बनती है, प्रत्यक्ष या व्याप्ति नहीं।

किन्तु द्रष्टव्य है कि अनुमान प्रत्यक्ष में भी अन्तर्भूत रहता है। प्रत्यक्ष को प्रमाण-विचार में जिस रूप में देखा जाता है उसमें व्याप्ति-ग्रह भी रहता ही है। जैसे कुछ दृश्यों में स्पृश्यत्व का और कुछ में स्पृश्यत्व के अभाव का ग्रहण, कुछ दृश्यों में गोत्व का और कुछ में घटत्व या पटत्व का ग्रहण, इन सबमें व्याप्ति-सम्बन्ध रहता है। जैसे गाय की आकृति देखकर उसके साथ गोत्व के गुणों का दर्शन व्याप्तिमूलक ही कहा जा सकता है। इस व्याप्ति-ग्रहण की असफलता या बाध को ही भ्रान्ति कहा जाता है। मृग-तृष्णा जैसी भ्रान्तियाँ इसी व्याप्ति-ग्रह-मूलक होती हैं। प्रत्यक्ष के इस प्रकार व्याप्ति-ग्रह मूलक होने से ही प्रत्यक्ष में भ्रम की सम्भावना के लिए अवकाश बनता है। प्रत्यक्ष को इन्द्रिय-वस्तु-सन्निकर्षमूलक मानने पर भ्रान्ति के लिए अवकाश नहीं बन सकता। यदि सन्निकर्ष की बात मान भी लें तो भी वह सन्निकर्ष वस्तु के लिए संकेत ही बनता है, वस्तुस्थानीय नहीं होता, क्योंकि इन्द्रिय का सन्निकर्ष वस्तु के केवल एक पक्ष से ही हो सकता है, शेष पक्ष तो उससे अनुमेय ही होते हैं। प्रमाण से भिन्न प्रमेय-वस्तु वस्तुत्व और व्यावर्तकत्व से युक्त रूप में ही प्रमेय होती है। उदाहरणत: गाय का प्रत्यक्ष जिस प्रमेय के लिए प्रमाण होता है वह प्रमेय सत्तासमवेत और अगोव्यावर्तक वस्तु होती है।

प्रमाण के इस विवेचन से स्पष्ट है कि यह प्रमेयाश्रित होता है और इस प्रकार स्वयं भी प्रमेय होता है। प्रमाण-प्रमेय की यह परस्पराश्रयता नागार्जुन ने **वैदल्य सूत्र** और **विग्रहव्यावर्तनी** में बहुत स्पष्ट रूप से दिखायी है। किन्तु प्रमाण-प्रमेय का यह स्वरूप, या कहें पर-रूप, प्राणि-व्यवहार का सफल निर्वाहक होता है। मान लें कि इससे प्रमाण और प्रमेय की स्वयं में निस्स्वभावता सिद्ध होती है, जैसा कि नागार्जुन कहते हैं, किन्तु तब कहा जा सकता है कि प्रमाण-प्रमेय में परस्परभावता होती है। ये पृथक्-पृथक् ही निस्स्वभाव होते हैं किन्तु संयुक्त रूप से ये सस्वभाव ही होते हैं। इनकी यह सस्वभावता ही प्राणि-व्यवहार की और मानवीय ज्ञानान्वेषण की आधार बनती है। अथवा कहें, प्राणि-व्यवहार का सफल निर्वाह और मानवीय ज्ञान की अपार समृद्ध अर्थ-राशि प्रमाण-प्रमेय की इसी पारस्परिकता के आधार पर खड़ी होती है।

यहाँ द्रष्टव्य है कि प्रमाण-प्रमेय का यह रूप चेतना के पर्याप्त अविकसित स्तर पर भी उपलब्ध होता है, किन्तु मानवीय चेतना इसमें बहुत आगे और बहुत गहराई में जाती है। उदाहरणत: पुलिस और गुप्तचरों द्वारा की जा रही जाँच में प्रथम तो प्रत्यक्ष और अनुमान तथा इनके प्रमेय ही अत्यन्त जटिल होते हैं, किन्तु दूसरे, इन दोनों में उनसे कहीं अधिक क्रान्तदर्शी कल्पना का प्रयोग होता है। उदाहरणत: फर्श पर पड़े एक मृत व्यक्ति को लें, जो प्रत्यक्ष का विषय होता है। किन्तु पुलिस के लिए इस प्रत्यक्ष का प्रमेय मृत व्यक्ति नहीं होता बल्कि मृत्यु का हेतु होता है और उसके लिए प्रमाण अनुमेय होते हैं। तब ये अनुमानित प्रमाण ही प्रमेय : मृतक की मृत्यु के कारण : के स्वरूप के निर्धारक होते हैं। वैज्ञानिक अध्ययन में इस प्रमाण-प्रमेय के इस रूपान्तरण की पराकाष्ठा ही होती है। इसमें प्रमाण और प्रमेय दोनों वैज्ञानिक सिद्धान्त के अन्तर्गत परिभाष्य होते हैं और प्रत्यक्ष प्रमाण-प्रमेय-परंपरा की अन्तिम और गौण कड़ी होता है और वह भी उस सिद्धान्त द्वारा ही परिभाषित होता है। किन्तु यदि थोड़ा ध्यान दें तो यही कुछ पशु-व्यवहार में भी होता है, क्योंकि चेतना सब स्तरों पर अर्थान्वेषी के रूप में ही प्रवृत्त होती है। उदाहरणत:, जैसाकि हमने पीछे देखा, पाशव-चेतना जगद्भाव के साथ प्रवर्तित होती है और वह भाव ही जीव की ज्ञानेन्द्रियों और कर्मेन्द्रियों के उद्भव का हेतु होता है, जो इन्द्रियाँ प्रत्यक्ष और उसके प्रमेयों का निर्धारण करती हैं। यहाँ एक जीव-व्यवहार को देखना सहायक होगा : मधुमक्खियों में छत्ते की सदस्य एक मधुमक्खी कहीं रस-संचय के लिए उपयुक्त रसमय पुष्पों का प्रत्यक्ष करती है तो वह अपने छत्ते पर लौटकर अन्य मधुमक्खियों को उन पुष्पों के स्थान की सूचना एक विशेष प्रकार की अंग-भंगियों : नर्तन : के द्वारा देती है। इन अंग-भंगियों में उस स्थान की दूरी, दिशा और स्थिति की सूचना रहती है। अब यहाँ द्रष्टव्य है कि प्रथम मधुमक्खी का प्रमेय उसके विशिष्ट जैव प्रयोजन से स्वरूप-लाभ करता है, उसका प्रत्यक्ष उस प्रमेय से निर्धारित होकर प्रमाण-रूपता प्राप्त करता है और अन्य मधुमक्खियों के लिए उस मधुमक्खी की अंग-भंगियों का ऐन्द्रिय सन्निकर्ष प्रत्यक्ष बनता है जो एक प्रमेय-शृंखला के लिए प्रमाण-शृंखला की प्रथम कड़ी बनता है। ये सारे प्रमाण साहचर्य-व्याप्तिमूलक

प्रत्यक्षात्मक होते हैं, यद्यपि इस व्याप्ति का आधार आगन्तुक आगमनात्मक सम्बन्ध नहीं होकर सहज : जिसे अतिक्रामी कहना चाहिए : बोधमूलक होता है।

प्रत्यक्ष को लेकर एक और विचित्र कठिनाई है। किसी प्रमाण के प्रमेय-साधक होने के लिए उसे प्रमेय-तन्त्र होना चाहिए! किन्तु प्रत्यक्ष इन्द्रियमूलक होता है। मनुष्य के प्रत्यक्ष अधिकांशत: चक्षु और त्वङ्मूलक होते हैं और अन्यान्य जीवों के अन्य इन्द्रियमूलक हो सकते हैं, जैसे कुत्ते का प्रमुखत: घ्राणमूलक, चिमगादड़ का त्वङ्मूलक। आंग्ल दार्शनिक जोन् लॉक ने इस कठिनाई को देखा था और उसने मनुष्य के प्रत्यक्ष को आधार बनाकर उसके प्रमेय के इन्द्रिय से स्वतन्त्र स्वरूप का निर्धारण करने का प्रयत्न किया था। वह स्वरूप उसने वर्ण-रहित आकार में पाया था। किन्तु बर्कले ने आकार को भी इन्द्रिय-मूलक दिखाकर इस प्रतिपत्ति की निराधारता दिखा दी। ऐसे में प्रत्यक्ष के प्रमेय-तन्त्र प्रमाण होने की सम्भावना समाप्त हो जाती है, क्योंकि ऐसे में प्रमेय प्रत्यक्षों से पृथक् कुछ नहीं रहता। बर्कले ने यही प्रतिपादित किया—प्रमेय को प्रमाणगत ही मान लिया। वैभाषिक बौद्धों ने निर्विकल्पक प्रत्यक्ष में यह प्रमेय-तन्त्रता देखी, किन्तु निर्विकल्पक प्रत्यक्ष इन्द्रियायतन का अतिक्रमण कैसे करता है, यह उन्होंने नहीं बताया। कांट ने यह अतिक्रमण असम्भव मानते हुए प्रत्यक्ष का प्रमेय चिद्गत अतिक्रान्तता में (प्रत्यक्ष की प्रागनुभविक अतिक्रान्त कोटियों में) सन्निहित कर दिया। किन्तु यहाँ प्रश्न हो सकता है कि प्रमेय : वस्तु : को चिद्बाह्य और चित् को आवरक या उपरंजक मानने का ही क्या औचित्य है, जो कि दार्शनिकों ने प्रायः ही माना है? स्वयं कांट का फिनॉमिना भी स्वलक्षण वस्तु पर आरोप ही है।

चित् को आवरक या उपरंजक मानने का आधार, या कहें उसके उपरंजक होने का एक प्रमाण, ज्ञान-गत भ्रान्ति हो सकती है। हम रज्जु को सर्प देखते हैं, इसका कारण चित्तगत वासनाओं का आरोप माना जाता है। किन्तु सर्प में सर्प-दर्शन और रज्जु में रज्जु-दर्शन में भी वैसी ही वासनाएँ रहती हैं, और नहीं तो नाम का आरोप तो रहता ही है। नाम का आरोप वैसा ही है जैसा वसुबन्धु के लिए दृश्य विषय पर इन्द्रिय द्वारा वर्ण और आकार का। इसे चित्त की विषयनिष्ठता के विपरीत विषयिनिष्ठता कहा जाता है। वासनाएँ आदि चित्तगत ही होती हैं जिनसे चित्त की मुक्ति उसके विषयनिष्ठ होने : विषय को यथा-अर्थ देखने या ग्रहण करने के योग्य होने : के लिए आवश्यक होती है। चित्त की वासनाएँ काम, क्रोध, लोभ आदि रूप होती हैं, किन्तु आवरण विकल्प रूप : भाषा, विचार, कल्पना आदि रूप : तथा ग्राह्य-ग्राहक-भाव रूप तक भी देखे गए हैं। इस प्रकार यह सम्पूर्ण पशु-सुलभ जैव व्यापार ही नहीं, मानवीय ज्ञान-व्यापार और सृजन-व्यापार भी विषयिनिष्ठ हो जाता है। इस सब धारणा का मूल प्रमेय को बाह्य वस्तु-सत् रूप देखने, या उसके रूपक पर अतीन्द्रिय वस्तु-सत् रूप देखने में है जिसके लिए प्रमाण या तो ऐन्द्रिय प्रत्यक्ष होता है या आर्ष प्रत्यक्ष, जो हमारे लिए शब्द-प्रमाणगम्य होता है, किन्तु ऋषियों के लिए प्रत्यक्षगम्य। आर्ष प्रत्यक्ष के विषय देवता, आत्मा, ईश्वर, जगत्सृष्टि और धर्माधर्म आदि माने जाते हैं, किन्तु यदि मानवीय या जैव प्रत्यक्ष विषयिता का अतिक्रमण करने में असमर्थ है तो आर्ष प्रत्यक्ष विषयिता का अतिक्रमण कैसे कर सकता है? चक्षु किसी वस्तु का प्रत्यक्ष वर्ण और आकार के आरोप के बिना नहीं कर सकती, रसना स्वाद के आरोप के बिना और त्वक् शीतोष्ण आदि के आरोप के बिना प्रत्यक्ष नहीं कर सकती। और पुनः, इन्द्रिय विशेष का ही प्रत्यक्ष कर सकती है सामान्य या प्रत्यय का नहीं, और अध्यवसायात्मिका बुद्धि सामान्य धर्म का ही प्रत्यक्ष कर सकती है, विशेष का नहीं, विवेक या धर्म-बुद्धि कर्त्तव्याकर्त्तव्य और सदसद् का ही प्रत्यक्ष कर सकती है दृश्य-स्पृश्य गुणों का नहीं, इसी प्रकार आर्ष प्रज्ञा भी दृश्य-स्पृश्य का, ऊहापोहात्मक वितर्क का, काव्य-बोध-ग्राह्य भावनाओं, उद्वेगों आदि के अन्तर्गतार्थों का प्रत्यक्ष नहीं कर सकती। निश्चय ही ऋषि आँख से वर्ण और आकार का और अध्यवसायात्मिका बुद्धि से घटत्व आदि का भी प्रत्यक्ष कर सकते हैं, किन्तु ये प्रत्यक्ष उसी प्रकार आर्षबोध के विषय नहीं कहे जा सकते जैसे वर्ण-गन्ध आदि शाब्दबोध के विषय नहीं कहे जा सकते। इस प्रकार कोई ज्ञान विषयिता का अतिक्रमण नहीं कर सकता और परिणामत: कहा जा सकता है कि कोई प्रमाण प्रमेय का प्रापक नहीं हो सकता। किन्तु तब कहा जा सकता है कि ज्ञान में प्राप्य कोई निरपेक्ष तथता नहीं होती, आकांक्ष्य तथता ही होती है। निरपेक्ष तथता में चेतना की, या कहें जीव की, प्रवृत्ति ही

नहीं होती। भूख लगने पर गाय घास के लिए प्रवृत्त होती है, घास उसके लिए भोज्य वस्तु रूप में प्रस्तुत होकर ही अनुसन्धेय हो सकता है, घास का वर्ण, आकार और गंध आदि उसके लिए उस प्रस्तुत के घास होने के प्रमाण बनते हैं, स्पर्श इन प्रमाणों का पोषक प्रमाण बनता है, यही इन सब प्रमाणों का प्रमेय है। इस प्रकार प्रमाण ही परस्पर पोषक होकर प्रमेय के प्रापक बनते हैं। इस प्रकार विषयिता विषय-तथता की उपलब्धि में बाधक नहीं होती बल्कि उसकी आधार होती है। विषयता का निरपेक्ष तथता के रूप में अनुसंधान भ्रान्तिमात्र है क्योंकि ज्ञान चेतना का धर्म है और चेतना अपना अतिक्रमण कर, अपने से बाहर आकर, किसी ज्ञेय तथता को नहीं जान सकती।

किन्तु तब भी हम विषयिनिष्ठता-विषयनिष्ठता की बात करते हैं। इनका क्या अर्थ होता है? इस भेद का ग्रहण, इसका बोध चेतना में उस अत्यन्त महत्त्वपूर्ण और मूलगामी क्रान्ति के घटित होने से सम्भव होता है जिसे हमने चेतना का आत्मचेतन होना कहा है। यह भेद-ज्ञान विषयिता का विषयकरण कर उसकी आवरकता से मुक्त होने से सम्भव होता है। 'यह वस्तु मेरी चक्षु की अपेक्षा से इस वर्ण और आकार की है, मेरी भूख की अपेक्षा से भोज्य है, मेरी रसना की अपेक्षा से स्वाद विशेष की है, मेरे लिए इसका खाना हानिकारक है किन्तु तब भी मैं इसके प्रति लोभ का संवरण नहीं कर सकता, इसकी लाभ-हानिकारकता मेरी दैहिक रचना और इसकी भौतिक-रासायनिक रचना की सापेक्ष है आदि' यह सब हमारी ही विषयिता का विषयकरण है और इस विषयकरण के द्वारा हम इन विषयिताओं के स्वरूप के, उनकी तथता के उनकी तथता में अवगमन को लक्षित करते हैं। दूसरे शब्दों में, यह चेतना द्वारा अपनी विषयिता का अतिक्रमण और विषय की तथता में अवस्थान है। इस अतिक्रमण को ऐन्द्रिक विषयिता के विषयकरण के उदाहरण से और प्रखरता से देखा जा सकता है—हम भोजन का रसास्वादन करते हैं, किन्तु व्यंजन ठीक बना या नहीं इसके लिए कुशल रसोइया उस आस्वाद को अपनी तटस्थ प्रेक्षकता का विषय बनाता है। हम चित्र में वर्ण-सौष्ठव का अनुभव करते हैं, कलाकार उस सौष्ठव को तटस्थ प्रेक्षकता का विषय बनाकर उसका चित्र में प्रयोग करता है। यह विषयिता का मौलिक रूपान्तरण है। यहाँ विषयिता रूपांतरित होकर विषय बनती है—देखने वाले से पृथक्-बाहर अवलोक्य, आलोच्य, विवेच्य, ग्रहण में पक्षत: ग्राह्य और उस ग्रहण से स्वतन्त्र, उसमें अनन्तर्भाव्य और परिणामत: ग्रहण के भ्रान्त होने की सम्भावना से युक्त। चेतना के इस आत्मविषयकरण को, जो उसकी प्रत्यङ्मुखता से सम्भव होता है, उसकी विषयिता से मुक्ति भी कह सकते हैं, क्योंकि इससे चेतना उस विषयिता से मुक्त होती है जो उसे विषयवृत्ति में आत्म-बहिष्कृत कर पारदर्शी द्रष्टृता : विषयिता—साक्षि-भाव : से वंचित रखती है और विषय के स्वरूप को आवृत करती है, जो विषय-स्वरूप द्रष्टृता को ही गम्य हो सकता है, क्योंकि उसकी यह विषयिता वास्तव में वह आत्मगत परता होती है जिसे वह आत्मचेतन होकर विषयरूपेण आत्म-बहिष्कृत कर सकती है। जैसाकि हमने पीछे देखा, आत्मगत पर का यह बहिष्कार चेतना के लिए ज्ञातृरूपेण पूर्ण पारदर्शिता का प्रापक होता है। उपनिषद् ने जिसे सब ज्ञेयताओं से परे ज्ञाता कहा है—ज्ञातारं रे केन विजानीयात्? —वह ज्ञाता चेतना की यह पारदर्शी ज्ञातृता ही होती है, इसी पारदर्शिता को योगी चित्त-वृत्ति-निरोध से और कलाकार, वैज्ञानिक, नीति-विचारक आदि अपने अपने विषयों की निरपेक्ष तथता पाने की साधना से सिद्ध करने का प्रयत्न करते हैं। आत्म-चेतन चेतना के ये उन्मेष चेतना के जगद्भाव में आद्य उन्मेष से नितांत भिन्न अर्थ-लोकों के प्रापक होते हैं। यह चेतना अनेक प्रकारक और अतल-अपार अर्थ-लोकों में विजृंभित होकर उनका साक्षात्कार करती है—कलाकार जैसे कला-कृति का अथवा ईश्वर जैसे अपने सृष्ट जगत् का। ये अर्थ भी इन्द्रिय-विषयों के समान ही विषय होते हैं और परिणामत: उन्हीं के समान प्रमाणापेक्षी होते हैं। एक प्रकार से ये चेतना के निकटतम होते हैं क्योंकि ये इन्द्रियविषयों के समान देशगत नहीं होते बल्कि चेतना के अन्तर्गत ही होते हैं, किन्तु वास्तव में इनकी इस आन्तरता या ऐन्द्रिक विषयों की बाह्यता का यह भेद केवल भ्रान्त ही है। एक तो इनमें भी कुछ विषय बाह्य देशगत भी होते हैं—जैसे मूर्त्ति, चित्र, लेख और भौतिक वैज्ञानिक के विषय; दूसरे, जो विषय देशगत नहीं भी होते वे भी अदैशिक अर्थ में बाह्य ही होते हैं और सार्वजनिक तथा प्रमेय होते हैं। उदाहरण के लिए यहाँ प्रस्तुत विचार-विषय 'प्रमाण-स्वरूप' को ही लें। यह विमर्श का विषय है, इस विषय की हमारी सबकी संयुक्त समझ कम या अधिक सम्यक् या असम्यक् है और यह सम्यक्ता क्रमशः

युक्ति-साध्य है। यह सब विचार-विषयों की प्रमा का स्वरूप है। इनसे भिन्न हमारी भावनाएँ अपनी ज्ञेय-रूपता और सदसद्-रूपता में हमारी विषय होती हैं। उदाहरणत: दुःख, सुख, प्रेम, द्वेष, दया, करुणा, कृपणता, उदारता आदि हमारी अपनी अवस्थाएँ होती हैं जिनमें हम तादात्म्य रूप से रहते हैं, किन्तु आत्मचेतन चेतना के लिए ये अपने से बाहर, स्वतन्त्र स्वरूपात्मक विषय रूप में ग्राह्य और विमृश्य भी हो सकती हैं। ये विषय प्रमा के लिए इन्द्रियार्थों से कहीं अधिक जटिल होते हैं, ये हमारी अपनी अवस्थाएँ होने पर भी सार्वजनिक भी होते हैं, जिनको लेकर हम दूसरों से बात कर सकते हैं, उनसे परामर्श ले सकते हैं, उन्हें समझने में दूसरों से सहायता ले सकते हैं। मनोविज्ञान की मनोविश्लेषण-प्रणाली हमारी मनोऽवस्थओं की इसी सार्वजनीनता को पूर्वगृहीत करती है, यों नैतिक बोध और चित्त-वृत्ति-निरोध का प्रयत्न ये सब भी मनोऽवस्थाओं के इस रूपान्तरण को पूर्वगृहीत करते हैं। इन वृत्तियों की सदसद्रूपता की प्रमा के लिए श्रुति, स्मृति और सदाचार को, और सबसे बढ़कर आत्म-प्रत्यक्ष को प्रमाण कहा गया है। इनकी यह प्रमाणता : आत्म-प्रत्यक्ष सहित : उसी प्रकार परत:प्रमाण या प्रमेय होती है जिस प्रकार **हमारे** इन्द्रिय विषयों की। एक लेख[1] में हमने रामकृष्ण परमहंस का उदाहरण दिया था कि किस प्रकार वे अपने अनुभवों की युक्तता के निर्धारण के लिए शास्त्र का साक्ष्य देखते थे। यहाँ एक अन्तर्विरोध है जिसका चेतना को अतिक्रमण करना होता है : चेतना जबकि द्रष्टृभाव को वैयक्तिक रूप से ही सिद्ध कर सकती है, उसे इस भाव की सिद्धि के लिए वैयक्तिकता का उपाधिरूपेण अतिक्रमण करना होता है। यों यह अतिक्रमण चेतना के आत्मचेतन होने से सहजत: भी अनुगत होता है, इसलिए यह मनुष्य मात्र में न्यूनाधिक सिद्ध रहता है, किन्तु यह प्रयत्न से अधिकाधिक साध्य भी होता है।

इस प्रकार हमने देखा कि मानवीय ज्ञान के अनेक आयाम हैं और उन आयामों के अनुसार अनेक प्रमेय और उनके प्रमाण हैं। दार्शनिकों ने प्रमाण-विचार में केवल ऐन्द्रिय प्रत्यक्षों और उनके विषयों को ही विषय बनाया है। आगे के दो लेखों में हम अन्त:प्रामाण्य के स्वरूप पर विचार करेंगे।

1. 'अवभासित अर्थ और उनका सत्ता-सम्बन्ध', पूर्वोल्लिखित।

अन्तरार्थ–प्रामाण्य–विचार : सत्य

'सत्य' शब्द का प्रथम प्रयोग 'कथन के कथ्य के अनुरूप होने' या 'ज्ञप्ति अथवा धारणा के ज्ञेय विषय या वस्तु के अनुरूप होने' के अर्थ में होता है। किन्तु इस शब्द के अन्य प्रयोग भी हैं जिन्हें लाक्षणिक प्रयोग कहा जा सकता है। ये अनेक हैं, जैसे 'अपने प्रति सच्चा होना', 'कर्म या भाव में सच्चाई होना', 'कृति में सच्चाई होना' आदि। इसी प्रकार, 'सत्यमेव जयते' प्रयोग है, 'ऋतं च सत्यं च' प्रयोग है जिसमें सत्य के दो प्रकार देखे गए हैं, और ईशावास्य उपनिषद् में 'वस्तुओं को, जगत् को, उनके अपने सत्य (या तथ्य) में प्रतिष्ठित करना' प्रयोग है। अन्यत्र[1] हमने चेतना के सृजन द्वारा अपना सत्य पाने की बात भी की है। इन प्रयोगों को हमने लाक्षणिक इसलिए कहा क्योंकि इनमें ज्ञप्ति और ज्ञेय का अथवा कथन और कथ्य का द्वैत और उस द्वैत में एक की दूसरे से अनुरूपता या अनुसारिता के जैसी कोई बात नहीं है। किन्तु तब भी एक द्वैत इन प्रयोगों में भी स्वीकृत है—आत्मस्वरूप और आत्मगत पर–रूप का द्वैत, अपने प्राप्त रूप का अपने साध्य स्वरूप से अन्तर। वस्तु की यह अपने से अपनी दूरी, वस्तु का आत्मगत पर–रूप वस्तु के आत्मगत असत्य के अर्थ में देखा जाता है। इन लाक्षणिक प्रयोगों में 'सत्य' शब्द इसी अर्थ की विभिन्न छायाओं के वाचक रूप में प्रयुक्त हुआ है। वास्तव में 'सत्य' का यही अर्थ दर्शन के लिए एक महत्त्वपूर्ण और गहरा अर्थ है, उसका मुख्य या अभिधेय अर्थ वैसा महत्त्वपूर्ण नहीं है, यद्यपि दार्शनिकों ने उस अर्थ पर ही अधिकांशत: विचार किया है। 'सत्य' शब्द के मुख्य अर्थ में भी महत्त्वपूर्ण बात यह नहीं होती कि कोई ज्ञप्ति या कथन ज्ञेयया के अनुरूप है या नहीं, बल्कि यह होती है कि ज्ञप्ति कभी ज्ञेय के अनुरूप होने में असफल क्यों रहती है? अथवा यह कि क्या ज्ञप्ति (ज्ञान) कभी ज्ञेय के अनुरूप होती भी है? जैसे रस्सी साँप क्यों दिखायी देती है? और क्या जिसे हम रस्सी कहते या समझते हैं वैसा कुछ वास्तव में होता भी है या नहीं? ये रस्सी और साँप के उदाहरण ज्ञेय के सरल रूपों के उदाहरण हैं जिनके विषय में साधारण व्यवहार में हमें कोई कठिनाई नहीं होती। किन्तु प्रश्न स्वार्थ–परार्थ, धर्म–अधर्म और कर्म–अकर्म को लेकर हो तो सत्यासत्य के निर्णय की बात बड़ी कठिन हो जाती है। हम स्वार्थ को परार्थ, अधर्म को धर्म और अकर्म को कर्म प्राय: ही समझते रहते हैं, यद्यपि दार्शनिकों ने ज्ञान के प्रश्न पर विचार प्रथम प्रकार : रस्सी–साँप : के प्रसंग में ही किया है, दूसरे प्रकार के प्रसंगों में नहीं किया है। इसका स्पष्टतम उदाहरण शंकर के **ब्रह्मसूत्र भाष्य** की भूमिका में देखा जा सकता है जहाँ वे अस्मत् पर युष्मत् के अध्यास, या कहें अस्मत्–युष्मत् के व्यामिश्र के प्रश्न पर विचार रज्जु–सर्प या शुक्ति–रजत के अध्यास के उदाहरण द्वारा करते हैं, जबकि युष्मत् में अस्मत् का अध्यास आत्मा में अनात्म की विद्यमानता अथवा आत्मगत पर–रूप को आत्मा का स्वरूप देखने के रूप में होता है। वास्तव में मानव–जीवन में बाह्यार्थ विषयक असत्प्रतीति भी उतनी शुक्ति–रजत प्रकार की नहीं होती जितनी एक व्यक्ति द्वारा दूसरे के लिए रचित भ्रान्ति प्रकार की होती है, जिसे झूठ बोलना या झूठ दिखाना, या छल करना कहते हैं। यह 'झूठ दिखाना' केवल मनुष्यों में ही नहीं होता, अन्य जीवों में भी होता है। जैसे, मकड़ी के द्वारा मक्खियों को फँसाने के लिए जाला बनाने, कोयल के द्वारा कव्वे के घोंसले में अंडे देने, और बिल्ली के द्वारा चूहे को पकड़ने के लिए घात लगाने में। किन्तु मनुष्य की अन्य मनुष्य के लिए असत्प्रतीति–रचना और अन्य जीवों की अन्य जीवों के लिए असत्प्रतीति–रचना में एक मौलिक भेद होता है। यह भेद इस बात में होता है कि मनुष्य में अन्य के लिए असत्प्रतीति–रचना आत्मगत असत्प्रतीति–रचनापूर्वक होती है। अन्य जीवों में ऐसा नहीं होता, क्योंकि अन्य जीवों में आत्मगत और आत्मबाह्य जैसा कोई स्वगत द्वैत नहीं होता। यहाँ 'आत्मा' और 'जीव' शब्दों में अन्तर करना अभीष्ट है, जिनका भारतीय दर्शन में पर्यायवाचियों के रूप में प्रयोग हुआ है। आत्मा के होने के लिए चेतना

---

1. **मूल्यतत्त्व–मीमांसा**, अ. 2–'सृजन और सत्य' तथा **तत्त्व–चिन्तन**–'सृजन और परिवेश।'

का आत्मचेतन होना आवश्यक है जबकि जीव सभी प्राणियों में होता है, ऐसा कहा जा सकता है।[1] मकड़ी जाले का निर्माण अवश्य मक्खी को फँसाने के लिए ही करती है और बिल्ली घात चूहे को पकड़ने की चतुराई के रूप में ही लगाती है, किन्तु ये दोनों क्रियाएँ 'धोखा देने के कर्म' नहीं होतीं। कोई क्रिया धोखा देने का कर्म तभी बनती है यदि क्रिया-योजना करने वाला वैसा नहीं करने का निर्णय कर सकता है और यदि इस निर्णय का आधार क्रिया के प्रयोजन से भिन्न कुछ ऐसा विचार होता है कि 'दूसरे को धोखा देना' क्या 'वास्तव में' मेरे लिए लाभ-प्रद है या कि यह लाभ 'केवल प्रातीतिक है, वास्तव नहीं', क्योंकि इस कर्म का 'वास्तव फल' आत्मा के लिए हानि-प्रद ही होगा! इस पर कहा जा सकता है कि अवश्य मनुष्य यह चुनाव कर सकता है और अन्य जीव नहीं कर सकते, किन्तु मनुष्य में भी चुनाव की योग्यता के विभिन्न स्तर पाये जाते हैं और अधिकांश मनुष्य चुनाव करने की कसौटी के सम्बन्ध में पूर्णत: अज्ञान में ही रहते हैं। अवश्य यह सब मनुष्य मानते हैं कि धोखा देना नैतिक रूप से अनुचित है, किन्तु यह अधिकांश मनुष्य नहीं जानते कि नैतिक औचित्य-अनौचित्य का आधार क्या है! स्थिति विशेष में ऐसा भी होता है कि मनुष्य का यह सहज नैतिक बोध धोखा देने को धोखा न देने से अधिक वरेण्य मानता है, अथवा कम से कम इस सम्बन्ध में वह अनिर्णय की स्थिति में हो जाता है। **महाभारत** में ऐसे बहुत से स्थल हैं जिनमें धोखा देना धोखा नहीं देने से श्रेष्ठतर दिखायी देता है।[2] यों प्रत्येक व्यक्ति के जीवन में ऐसे प्रसंग पदे-पदे उपस्थित होते रहते हैं जिनमें धोखा देना धोखा नहीं देने से वरेण्य प्रतीत होता है। फिर, धोखा देना—नहीं देना भी कर्म के असंख्य प्रकारों और प्रसंगों में से एक है जिसकी भी असंख्य परिस्थितियाँ होती हैं। युद्ध-क्षेत्र में अर्जुन का युद्ध नहीं करने का निर्णय कर्म की एक ऐसी ही विशिष्ट परिस्थिति में किया गया था जिसमें वह निर्णय सहज रूप में श्रेष्ठतर ही प्रतीत होता है। उस परिस्थिति में युद्ध करने के निर्णय की श्रेष्ठता की स्थापना के लिए कितने सूक्ष्म तत्त्व-विवेचन और कितनी लोकोत्तर प्रज्ञा की अपेक्षा है यह **गीता** में श्रीकृष्ण के विवेचन से देखा जा सकता है। किन्तु तब भी युद्ध, जिसमें असंख्य लोग मारे जाते हैं, अश्रेयस्कर ही ठहरता है, फिर चाहे उस परिस्थिति में वह कम अश्रेयस्कर ही क्यों नहीं दिखायी देता हो। किन्तु **गीता** में श्रीकृष्ण औचित्य-निर्णय का : कि निर्णय-कर्त्ता आत्म-छल से मुक्त है या नहीं, उसमें सदसद्-विवेक की योग्यता है या नहीं-अशोच्यानन्वशोचस्त्वं प्राज्ञावादांश्च भाषसे : एक सर्वथा भिन्न आधार प्रस्तुत करते हैं। कर्म-निर्णय में सबसे पहली और आधारभूत अपेक्षा इस प्रवंचना, इस छल से मुक्ति की ही होती है और यह मुक्ति सबसे अधिक दुराराध्य होती है। इस अपेक्षा को 'आत्मा की अपने से अपनी अनुरूपता' कहा जा सकता है। अब यदि इसे कर्म का मूल सिद्धान्त मान भी लें तो भी इसके लिए सामान्य सिद्धान्त कैसे प्राप्त करें कि यह अनुरूपता कब और कैसे सिद्ध होती है? ऊपर हमने **श्रीमद्भगवद्गीता** का उल्लेख किया। उसके अनुसार यह अनुरूपता, या कहें आत्म-छल से मुक्ति, निष्कामता की सिद्धि से सिद्ध होती है। अर्थात् कामनाएँ, राग-द्वेष, सुख की खोज और दु:ख से भय आदि, ये चित्त की ऐसी वृत्तियाँ हैं जो आत्मा के लिए उसके पर-रूप को स्व-रूप के रूप में प्रस्तुत करती हैं। किन्तु क्या सभी प्रकार के राग, सभी प्रकार के सुख की अभीप्सा आत्मा के लिए उसके स्वरूप को आवृत करती है? तब बोधिसत्त्व की करुणा के लिए क्या कहेंगे? सम्राट् अशोक के कलिंग-युद्ध में हत सैनिकों को देखकर उपजे सन्ताप के लिए क्या कहेंगे? भक्ति के लिए क्या कहेंगे? सांख्य और शांकर वेदान्त के अनुसार ये सब भी राग ही ठहरते हैं और इस प्रकार आत्मा के अन्तर्गत उसके पर-रूप। कांट ने भी इन्हें कर्म के तत्त्व के विपरीत ही माना है, जो उसके इस प्रतिपादन से सिद्ध होता है कि 'किसी के कष्ट में उसकी उसके प्रति सहानुभूतिवश सहायता करना कर्म के तत्त्व के विपरीत है। उसकी सहायता उसके प्रति पूर्ण निष्करुण रहकर करना ही कर्म-तत्त्व के अनुकूल है।' (वह वास्तव में तो "उसके प्रति घृणा भाव रहते भी" कहता है, किन्तु उसका आशय निष्करुणता से ही है।) वह शुद्ध कर्म-बुद्धि को ही कर्म-तत्त्व का युक्त नियामक मानता है। किन्तु कर्म का विषय तो कोई साध्य ही होता है—वस्तु या वस्तुस्थिति का वह रूप जो उसके प्राप्त रूप में देखे गए दोष के

---

1. इस पर विस्तृत चर्चा के लिए द्रष्टव्य हमारा लेख—'आत्म-चिन्तन', **उन्मीलन**, जुलाई 2002 तथा **तत्त्व-चिन्तन**।
2. इसके डॉ. मुकुंद लाठ ने **धर्म-संकट** पुस्तक में अनेक उदाहरण दिये हैं।

निराकरण से सिद्ध होता है। किन्तु ऐसी वस्तु या स्थिति कर्त्ता के अपने भाव और विचार आदि से अधिक और कौन-सी हो सकती है? किन्तु यदि भाव और विचार के दोषों का निवारण भी कर्म का साध्य हो तो कर्म से सिद्ध भी भाव और विचार ही होंगे। ऐसे में कर्म के क्षेत्र से भावनाओं को कैसे हटाया जा सकता है? इस पर कहा जा सकता है कि भावनाओं में दोष का दर्शन और उनके निर्दोष रूप की कल्पना यह स्वयं भावना को गम्य नहीं होते, ये तटस्थ दृष्टि को ही गम्य होते हैं। किन्तु ऐसा कहना पूरी तरह से सही प्रतीत नहीं होता। जैसे पाक-कलाविज्ञ व्यंजनों के सही-ग़लत स्वाद में विवेक उनके स्वाद से ही करता है ऐसे ही भावनाओं की श्रेयता-अश्रेयता भावनाओं के भावन के भीतर से ही जानी जा सकती है। प्रेम, मैत्री, करुणा, भक्ति आदि की श्रेष्ठता इसी प्रकार भावन के द्वारा ही दृष्ट और प्रमाणित होती है। हम इन भावों में रहें, इनसे विपरीत भावों से इनके अमिश्र स्वरूप का भावन करें, यह हमारे लिए साध्य होता है। किन्तु ये सब तो चित्त की रागात्मक वृत्तियाँ ही हैं। इनसे भी मुक्ति वांछनीय है, यह कहा तो जा सकता ही है, बहुत से भारतीय दार्शनिकों ने ऐसा कहा ही है, किन्तु ऐसा कहने का औचित्य एकदम से स्पष्ट नहीं है। इस पर कहा जा सकता है कि राग के दो प्रकार हैं—एक वह जो सम्मोह उत्पन्न करता है और द्वेष से जुड़ा होता है और दूसरा वह जो चेतना का प्रसादक और उन्मेषक होता है। भक्ति, जिसका उदात्ततम रूप मीरा और सूर में मिलता है, और करुणा, जिसका उदात्ततम रूप बोधि सत्त्व में और अतिक्रामी रूप बुद्ध की महाकरुणा में मिलता है, ऐसे ही भाव हैं। किन्तु तब वाल्मीकि ने जो संभोग-रत क्रौंच-युगल के वध से व्यथित और उद्विग्न होकर व्याध को शाप दिया था उसके लिए क्या कहेंगे? क्या उसमें क्रौंच-युगल का प्रेम और रति और वाल्मीकि की व्यथा और आक्रोश ये दोनों भाव मूल्यवान् नहीं देखे गए हैं? इसी प्रकार, जीवों में वात्सल्य और उस वात्सल्य में ही बच्चों की रक्षा के लिए आक्रामकता, इन भावों के लिए क्या कहेंगे? ये सम्मोहात्मक ही हैं, किन्तु ये अपने-आपमें मूल्यवान् प्रतीत होते हैं। सम्भवत: इसके उत्तर में यह कहना युक्त होगा कि ये भाव चेतना के जैव स्तर पर मूल्यवान् हैं, क्योंकि ये वहाँ चेतना के उन्मेष के रूप में ही उत्पन्न होते हैं और चेतना के प्रसादक होते हैं। यद्यपि ये आत्म-प्रापक नहीं होते किन्तु ये आत्मा के आवरक भी नहीं होते, क्योंकि वहाँ आत्मा होता ही नहीं। अथवा यदि कहना चाहें कि आत्मा वहाँ भी होता तो है किन्तु वहाँ आत्मा की प्रकाशक किसी वृत्ति के लिए कोई अवकाश नहीं होता जिसे ये भाव आवृत करते कहे जाएँ। किन्तु मनुष्य में भी मैत्री, करुणा, वात्सल्य, प्रेम, असद् से खिन्नता या वितृष्णा तथा सद् के प्रति प्रशंसा का भाव ये सब रागात्मक वृत्तियाँ ही हैं जो द्वेष, मत्सर, नृशंसता और ईर्ष्या आदि के विपरीत हैं। इनमें प्रथम प्रकार की वृत्तियों में एक सहज औदात्य की अनुभूति होती है जबकि दूसरी वृत्तियों में कलुषता, क्लेश की अनुभूति होती है। औदात्य और कलुषता इन वृत्तियों में व्यक्त ऐसे ही गुण कहे जा सकते हैं जैसे वर्ण और गंध ऐन्द्रिक संवेदों में। इनमें प्रथम प्रकार के गुण वृत्तियों की आत्मा से अनुकूलता के द्योतक समझे जाते हैं, जिसके कारण इन्हें सात्त्विक नाम दिया जाता है और दूसरे प्रकार के वृत्तियों की आत्मा से प्रतिकूलता के। यहाँ प्रश्न हो सकता है कि इन गुणों की आत्मा से अनुकूलता-प्रतिकूलता मानने का क्या आधार है? इसका उत्तर बहुत कठिन है। सांख्य दर्शन ने गुणों के सात्त्विक और राजसिक-तामसिक दो विभाग किये हैं जिनमें प्रथम को आत्मा का प्रकाशक कहा गया है और दूसरे दो को आत्मा का आवरक। किन्तु ऐसा कहने का आधार क्या है, सिवाय इसके कि प्रथम गुण से गुणित वृत्तियों में मन शान्त और प्रसन्न रहता है और दूसरे प्रकार की वृत्तियों में अशान्त और खिन्न? किन्तु ये तो पुन: गुण ही हैं जिनके आत्मानुकूल और आत्म-प्रतिकूल होने के लिए प्रमाण की अपेक्षा है। बहुत बार दु:ख और क्लेश भी आत्म-प्राप्ति के हेतु बनते हैं। **उत्तररामचरितम्** के राम का दु:ख ही उनके औदात्य का द्योतक कहा जा सकता है। यदि वे सीता को वन भेज कर अनुद्विग्न रहते तो उनकी वह शान्ति उनकी संवेदन-शून्यता की द्योतक होती, जो संवेदन ऐसी परिस्थितियों में सत्य का ज्ञापक बनता है। ऐसी संवेदना कर्म के तत्त्व की और इस प्रकार आत्मा की भी ज्ञापक होती है। सम्राट् अशोक का खेद और सन्ताप इसका दूसरा उदाहरण कहा जा सकता है। किन्तु बहुत बार ऐसे दु:ख आत्म-प्रापक नहीं भी बनते। कोई दु:ख आत्म-प्राप्ति का कब हेतु बनता है और कब नहीं बनता इसका निकष क्या है? शायद इसके तर्क के सूत्र चित्त की ऐसी गुहाओं में छिपे होते हैं जिन तक हमारी दृष्टि की पहुँच नहीं हो पाती। किन्तु यहाँ महत्त्वपूर्ण बात यह है कि बहुत बार दु:ख और क्लेश ही चित्त के प्रक्षालक बनते

हैं और इस प्रकार आत्म–प्रापक बनते हैं। ऐसे दु:ख चेतना को प्रत्यङ्मुख बनाते हैं और यह प्रत्यङ्मुखता ही दु:ख को चेतना की प्रक्षालक और आध्यात्मिक अर्थों की उन्मेषक बनाती है। आदि कवि की प्रथम काव्य–कृति का मूल क्रौंच–युगल–वध से उपजे सन्ताप में देखने के पीछे यही दृष्टि है। किन्तु काव्य केवल सन्ताप से नहीं सन्ताप के अर्थोन्मेषक दृष्टि में परिणत होने से उपजता है। इस भाव और दृष्टि को हमारे प्राचीन काव्य–शास्त्रियों ने सात्त्विक कहा है। ऐसा कहना युक्त है या नहीं, यहाँ हम इस विवाद में नहीं जाएंगे, किन्तु ये सांख्य के उस अर्थ में सात्त्विक नहीं होते जिस अर्थ में बुद्धि–वृत्ति को पुरुष की प्रकाशक देखा गया है। ये इस अर्थ में ही सात्त्विक कहे जा सकते हैं कि ये चित्त को चिद्गत अर्थों में उन्मीलित करते हैं और इन अर्थों को दृष्टि–ग्राह्य बनाते हैं।

किन्तु द्रष्टव्य है कि चेतना में वृत्ति मात्र का उदय उसमें अर्थ के उन्मेष का ही पर्याय है। उपनिषद् ने जो कहा है—**असदेवेदमग्र आसीत् ततो वै सदजायत, स आत्मानं स्वयमकुरुत** उसे इस रूप में देखा जा सकता है। चित्त–वृत्तियों में व्यक्त होना ही चेतना का सत्ता–लाभ करना है। किन्तु यह उसका सदैव आत्म–लाभ करना भी है, ऐसा नहीं कहा जा सकता।

चेतनाविषयक यह भी एक अद्भुत तथ्य है कि यह अपने को अनेक रूपों में विकीर्ण करने के द्वारा ही सत्ता–लाभ करती है—एकोऽहं बहु स्याम्—और इस अनेकता की वासना भी इतनी कि कोई अन्त नहीं। यह अनेकता आख़िर वृत्तियों की अनेकता ही तो है! ये वृत्तियाँ चेतना में सुख–दु:खात्मक, या कहें प्रिय–अप्रिय संवित् रूप में प्रकाशित होती हैं और इस प्रकाशन के उपाय रूप में असंख्य जीव–रूप धारण करती हैं। इनका इस रूप में प्रकट होना ही इनका अर्थ होता है, इसके अतिरिक्त इनका कोई दूसरा अर्थ नहीं होता। अध्याय के आरम्भ में हमने भावना की सच्चाई की बात की थी, चेतना के इस रूप में घटित होने में इसमें सच्चाई की कोई बात नहीं हो सकती क्योंकि इसमें किसी झूठ के लिए कोई अवकाश नहीं होता। इनके झूठ–सच का प्रश्न इन वृत्तियों के वृत्ति–रूप से विषय–रूप में रूपान्तरण होने पर उत्पन्न होता है। इसे चेतना का आत्मचेतन होना भी कहा जाता है। चेतना का आत्मचेतन होना चेतना में स्वयं अपने प्रेक्षकत्व, अपने द्रष्टृत्व का उत्पन्न होना है, जिस प्रेक्षकत्व के लिए ये वृत्तियाँ प्रेक्ष्य बनती हैं। यह प्रेक्षकत्व विषयभूत चित्तवृत्तियों से पृथक् और नितान्त भिन्न कोटिक अस्तित्व ले लेता है, यद्यपि यह व्यस्त इन चित्तवृत्तियों में ही रहता है। किन्तु इसकी यह व्यस्तता अशेष नहीं होती, इसके प्रेक्षकत्व का कुछ अंश शेष बना रहता है। किन्तु यहाँ ध्यातव्य है कि यह शेष प्रेक्षकत्व भी अशेष नहीं होता, यह अपनी विषयभूत वृत्तियों में आलिप्त, उनसे उपरंजित रहता है। इसे वृत्त्युन्मुख प्रेक्षकत्व भी कह सकते हैं, जबकि चेतना में प्रेक्षकत्व का आविर्भाव वृत्तियों से पराङ्मुखता के रूप में ही होता है। काम, क्रोध, लोभ, मोह आदि ये ही हमारी विषयता के निर्धारक भाव रहते हैं और इन्हीं से हमारी विषयिता उपरंजित रहती है। किन्तु हममें वृत्ति–पराङ्मुखता : प्रत्यङ्मुखता : का अंश भी शेष रहता है जिससे हमारी ये वृत्तियाँ विषय और इनकी विषयिता प्रेक्ष्य (विषय) बनती हैं। चेतना की यह आत्म–प्रत्यक्ता अर्थों के नितान्त भिन्न लोकों और इनके सत्यासत्य के एक नितान्त भिन्न रूप को जन्म देती है। अर्थों की इस नितान्त भिन्नता का स्वरूप मानवीय भाषा के स्वरूप की भिन्नता को देखने से समझा जा सकता है। मानवीय भाषा की विशिष्टता इस बात में है कि इसकी ध्वनियों के वाच्य विशेष नहीं होकर सामान्य होते हैं और सामान्यों का कोई देश–कालगत अस्तित्व नहीं होता, ये सम्भावनात्मक होते हैं। चेतना में इन अर्थों के आविर्भाव के कारण ही बर्तन और वस्त्र, यन्त्र और कलाकृतियाँ, काव्य और दर्शन का आविर्भाव होता है। ये सब सम्भावनाओं के चरितार्थन होने से अपने सम्भाव्य स्वरूप से कम या अधिक असम्यक् होते हैं और बहुत बार पूर्णत: विरूप भी होते हैं। इस सम्यक्ता–असम्यक्ता को सत्यासत्य का पर्यायवाची कहा जा सकता है। कहा जा सकता है कि मनुष्य की सब कृतियाँ उस सीमा तक अपने सत्य से विरहित होती हैं जिस सीमा तक उनका रचयिता उनमें उनके स्वरूप का चरितार्थन कर पाने में असमर्थ रहता है। किन्तु यह स्वरूप हमारे विचार को भी कभी सम्यक् रूप से गम्य नहीं होता, चरितार्थन का प्रयत्न तो हम इस असम्यक्तया अवगत स्वरूप को लेकर ही करते हैं जिसमें पुन: हम न्यूनाधिक ही सफल होते हैं। किन्तु सत्यासत्य की यह समस्या तब दुरूहतम हो जाती है जब इसका प्रसंग आत्मा होता है।

यों, जैसाकि हमने पीछे देखा, सत्यासत्य का प्रश्न चेतना के आत्मचेतन होने पर ही उत्पन्न होता है—जब चेतना की अपनी वृत्तियाँ विषय रूप में परोक्ष हो कर परत: प्रमाणीय हो जाती हैं। इस चेतना के लिए स्वयं आत्मा भी परत:प्रमाणीय हो जाती है—यदि अस्तित्व की दृष्टि से नहीं भी हो तो भी स्वरूप की दृष्टि से तो यह स्पष्ट ही परत:प्रमाणीय ही होती है। पीछे हमने छद्म की बात की—मकड़ी द्वारा मक्खी के लिए जाला बुनने की। मनुष्य, मकड़ी के विपरीत, आत्मचेतनतापूर्वक दूसरों को फँसाने के लिए जाल बुनता है कि उससे उसके किसी अर्थ-पुरुषार्थ की सिद्धि होगी, और वह दूसरे के जाल में फँसने से बचने के लिए उपाय करता है कि उसके अर्थ-पुरुषार्थ की हानि नहीं हो। किन्तु ये प्रयत्न पुरुषार्थ के प्रापक या उसकी प्राप्ति में बाधा के निवारक हैं या नहीं इसका विवेचन आत्मा के स्वरूप के सम्यक् दर्शन या उस दर्शन में असफल रहने से सम्बन्ध रखता है। इसका बहुत प्रबोधक निदर्शन महात्मा कबीर के निम्न दोहे में देखने को मिलता है—

कबिरा आप ठगाइये, आप न ठगिये कोय,
आप ठगे दुख होत है, और ठगे सुख होय।

इस दोहे में लाभ उसमें देखा गया है जिसमें प्रकटत: हानि देखी जाती है। यह लाभ-हानि आत्मा के प्रसंग से ही देखी जाती है। **बृहदारण्यक उपनिषद्** में जो 'आत्मनस्तु कामाय पुत्रं प्रियं भवति' आदि कहा गया है उसमें भी यही दृष्टि है। कह सकते हैं कि तब तो मकड़ी और मक्खी के लिए भी यही बात सही होनी चाहिए। निश्चय ही उनके लिए भी यही सत्य है—केवल इस भेद के साथ कि उनमें आत्मा के मनन-निदिध्यासन की क्षमता का अभाव आत्यंतिक होता है। कहें, उनमें आत्मा पुत्र-कलत्र में तादात्म्य रूप से रहती है। मनुष्य में चेतना के आत्मचेतन होने से यह तादात्म्य अशेष नहीं होता। इससे मानव-चेतना : आत्मचेतन चेतना : में इस सन्देह के लिए अवकाश बनता है कि पुत्र और कलत्र को आत्मा क्यों माना जाय या क्यों नहीं माना जाय? सामान्यत: तो हम इन्हें ही आत्मा मानते हैं, किन्तु कभी हमें इसमें सन्देह भी होता है, या कहें यह कभी भी हो सकता है। यहाँ वाल्मीकि के डाकू से ऋषि बनने की कथा का स्मरण स्थाने होगा। डाकू वाल्मीकि जब ऋषियों को लूटने लगा तो उन्होंने उससे उस लूटने का प्रयोजन पूछा। उसने पुत्र-कलत्र का भरण-पोषण इसका प्रयोजन बताया तो उन्होंने उससे कहा कि वह घर जा कर अपने उन लोगों से पूछे कि इस पाप से जो उसे परलोक में दण्ड मिलेगा क्या उसमें वे उसके सहभोगी होने को तैयार होंगे? उसने ऐसा ही किया तो उन्होंने उसे नकारात्मक उत्तर दिया। उससे आहत होकर वह चेता कि वह जिन्हें आत्मा मान रहा था वे वास्तव में उसके आत्मा नहीं हैं। इस कथा में एक स्थूलता है, जैसीकि ऐसी कथाओं में प्राय: होती है। जैसे, यदि उसके पुत्रादि उसे उत्तर 'हाँ' में देते तो क्या होता? या यदि वाल्मीकि ऋषियों से कहता कि वे उसे स्वार्थी होने को कह रहे हैं, वह तो पूर्णत: परार्थ भाव से अपने पुत्रादि के लिए यह सब कर रहा है और इसके परिणाम भोगने के लिए वह तैयार है, तो वे क्या करते? कर्म के सम्बन्ध में युक्त प्रश्न यही होता है कि क्या इसे करना उचित है? भाव के विषय में यह प्रश्न होता है कि क्या इस प्रकार के भाव में मेरा होना मेरे लिए उचित है? किन्तु ये प्रश्न भयानक रूप से असमाधेय होते हैं। **श्रीमद्भगवद्गीता** में जो कहा गया है—"किं कर्म, किमकर्मेति कवयोऽप्यत्र मोहिता" वह एकदम सही कहा गया है। वास्तव में तो जो जितना बड़ा ज्ञानी है उसके लिए यह निर्णय उतना ही कठिन हो जाता है : यह हम कैसे जानें कि अमुक कर्म हमारे लिए करना उचित है या नहीं? और यदि यह जान भी लें तो उसके लिए विधि कौन सी उचित होगी? कहा जा सकता है कि कर्म में करणीय यह निर्णय नहीं होता कि यह कर्म हमें करना चाहिए या नहीं बल्कि यह निर्णय होता है कि इसके करने में मैं निस्संग हूँ या नहीं? मान लें कि यह बात सही है, कि ऐसे में वास्तव निर्णय यही होता है कि मैं यह करते हुए निस्संग हूँ या नहीं? किन्तु तब हम यह कैसे जानें कि अमुक प्रसंग में निस्संगता कैसी होगी? और यदि यह जान भी लें तो भी क्या यह जानना इतना सरल होता है कि हम निस्संग हैं या नहीं? पीछे हमने अशोक और अर्जुन के उदाहरण लिये थे। अब अशोक असंख्य सैनिकों को हत देख कर त्रस्त हो उठे थे। यह क्या वैसी ही परिस्थिति नहीं थी जिसके घटित होने की सम्भावना से अर्जुन त्रस्त हुए थे और श्री कृष्ण ने उन्हें सामने जीवित खड़े सैनिकों को अपनी दाढ़ों में हत पड़े दिखा कर आश्वस्त किया था कि इनके हनन के विचार से

विचलित होना केवल अज्ञता का द्योतक है! क्योंकि मरना तो सभी को है, किसी को आगे, किसी को पीछे? यहाँ कहा जा सकता है कि अर्जुन को मारने का अधिकार श्री कृष्ण केवल उसके निस्संग होने पर ही देते हैं और अशोक ने युद्ध निस्संगभाव से नहीं किया था। ठीक, किन्तु युद्ध के बाद उनकी उद्विग्नता, उनकी आत्म-ग्लानि भी कोई निस्संगता में नहीं उपजी थी, वह भी चित्त की रागात्मक स्थिति ही थी। तो क्या उनके युद्ध और हनन-कर्म और युद्ध के परिणाम से उत्पन्न आत्म-ग्लानि और खेद दोनों को समान रूप से 'अकर्म' कहा जाय? यदि नहीं तो किस आधार पर दूसरी मन:स्थिति को आत्म-प्रापक और तज्जन्य कर्म को युक्त कर्म कहा जा सकता है?

इसके उत्तर में कहा जा सकता है कि अशोक की युद्धोपरान्त की मन:स्थिति को इस आधार पर आत्म-प्रापक कहा जा सकता है क्योंकि हमारे पहले के अपने कर्मों पर ग्लानि आत्मा : आत्म : को आधार और निकष बनाकर ही उत्पन्न होती है, यह ग्लानि अपने किसी आचरण को आत्मविरुद्ध आचरण देखने से ही जनित होती है, और अशोक की ग्लानि न केवल इस प्रकार की ही थी बल्कि इतनी गहरी और इतनी वास्तव भी थी कि उसने उसके जीवन को पूर्णत: रूपान्तरित कर दिया था और उसका यह रूपान्तरण चित्तवृत्ति के राजसिक से सात्त्विक हो जाने में था। इस वृत्ति का लक्षण यह कहा जा सकता है कि यह अपने स्वरूप को उसके यथार्थ रूप में देख सकती है। किन्तु यहाँ कठिनाई यह है कि हम ऐसे में निश्चित कैसे हों कि हमारा अपनी वृत्तियों का ज्ञान यथार्थ है? हमारा सबसे अधिक सन्देहास्पद कोई ज्ञान हो सकता है तो वह अपनी चित्तवृत्तियों का ही होता है। इसका कारण यह है कि जबकि ये वृत्तियाँ हमारी विषय होने से परोक्ष होती हैं, ये हमारी विषयिता की अंग भी होती हैं। इनकी विषयता में इनकी इस विषयिता के अर्थ ही विवेच्य और निर्धार्य होते हैं। किन्तु ये अर्थ हमारी विषयिता की इतनी गहन और विस्तृत जड़ों से सम्बद्ध होते हैं कि उन्हें अपने अवगमन का विषय बना पाना हमारे लिए नितान्त दु:साध्य होता है। फिर इसके लिए हमारी विषयिता के उन सब मूलों का भी विषय होना अपेक्षित होता है और यह स्थिति इन विषय बनी गहनतर विषयिताओं के सम्बन्ध में वही समस्या उत्पन्न करती है। कर्म की गति को गहन (गहना कर्मणो गति:) कहने के पीछे यही दृष्टि होनी चाहिए। इस से उबार का एक ही उपाय जो निस्संगता को कहा गया है उसका यही औचित्य कहा जा सकता है कि संग विषयिता के पूर्ण विषयकरण में, अथवा कहें, प्रेक्षकता-लाभ में, बाधक बनता है। आत्मचेतन चेतना की सबसे बड़ी विडम्बना यह है कि यह विषयि-विषय रूप में आत्मविभक्त होकर अपने दोनों पक्षों में किन्हीं ऐसे अर्थों के संकेत देख सकती है जो अर्थ अपने स्वरूप में अतलान्त गुह्य रहते हुए उन रूपों में व्यक्त होते हैं जो रूप चेतना के लिए इन अर्थों के संकेत बनते हैं। इन अर्थों में गुह्यतम अर्थ आत्मा स्वयं होता है जिसके लिए चित्तवृत्तियाँ संकेत बनती हैं—**हम** क्या चाहते हैं? हमारे ये इच्छा-विषय हमारी इच्छाओं के आश्रय बनते हैं और इच्छाएँ विषय होकर हमारी आत्मा के संकेत बनती हैं। इन विषयों को आत्मीय रूप में ग्रहण कर हमारी इच्छाएँ व्यक्त होती हैं। किन्तु ये आलम्बन केवल इच्छाओं के आलम्बन ही नहीं होते, ऐन्द्रिय संवेदों के या विचारों के या दोनों के आलम्बन भी होते हैं। पुत्र, मित्र, दारा आदि ऐसे ही विषय होते हैं। इनमें क्या होता है जो इच्छित होता है? पुत्र की देह : संवेद-विषय-वस्तु : या कि देह से स्वतन्त्र उसका पुत्रत्व, देह जिसका आश्रय होता है? किन्तु पुत्रत्व क्या है? उसका आश्रय देह- विशेष ही होता है या कि देहविशेष में व्यक्त देहसामान्य? ये प्रश्न उत्तरों के लिए हमें अनेकानेक प्रश्नों में ले जाते हैं। दूसरी ओर इच्छा अनेक प्रश्नों को जन्म देती है : राजा राज्य को इच्छा-विषय समझता है और संन्यासी त्याग को, किन्तु दोनों अपनी-अपनी इच्छाओं को लेकर भी भ्रान्त हो सकते हैं कि वे वास्तव में वही चाहते हैं? 'वास्तव में मेरी इच्छा का विषय राज्य नहीं है' इसका ज्ञान तो हमें अपेक्षाकृत सरलता से हो जा सकता है, जब राज्य पा कर भी हम अशान्त और खिन्न अनुभव करते हैं, किन्तु संन्यासी के संन्यास-ग्रहण में आत्म-प्रवंचित होने पर उसे इसका बोध उतना सरलता से नहीं हो पाता। उपनिषद् में जो कहा है—'अन्धन्तम: प्रविशंति येऽविद्यामुपासते, विद्यायाँश्च ये रता:' उसमें इसी की ओर संकेत है। महात्मा कबीर ने इस प्रवंचना का और भी विदग्ध निरूपण "माया महा ठगिनी हम जानी" पद में किया है। वास्तव में संसार में सब छल-छद्म, और अधिकांश 'सत्कर्म', इसी प्रकार के अध्यास से : असत्य को सत्य समझने से : प्रवर्तित होते हैं। यदि कहें कि सब जगद्भाव, या कहें जीव-भाव मात्र, चेतना के भ्रान्त मार्ग से आत्मान्वेषण का परिणाम है, तो ऐसा भी कह सकते हैं! किन्तु शायद

चेतना के पास इसका दूसरा कोई विकल्प भी नहीं रहा हो! इसी मार्ग पर भटकते हुए चेतना को इस मार्ग के भ्रान्त होने का बोध हो सकता हो! किन्तु यह संसार, यह सुख-दु:खात्मक जीव-भाव आकर्षक कितना है? इसके आस्वादन के लिए चेतना देह धारण करती है, जिस आस्वादन के लिए देहों में अद्‌भुत रूप से कुशल व्यवस्थाएँ हैं। वर्णों के लिए चक्षु, कोमल-कठोर के लिए त्वक्, गंध के लिए घ्राण और मधुर-तिक्त के लिए रसना, ये चेतना के लिए अर्थों की कितनी अपार और मोहक संपदा उपलब्ध कराते हैं! फिर मनुष्य की आत्म-चेतन बुद्धि! वह दूसरे अर्थ-भुवनों की अपार संपदा आविर्भूत करती है। यह सब असत्य सही किन्तु सत्य पाने का कितना आकर्षक और इसीलिए भटकाने वाला मार्ग है? सांख्यकारिकाकार ईश्वरकृष्ण ने प्रकृति द्वारा संसार-रचना का प्रयोजन केवली पुरुष को मोक्ष का प्रत्यक्ष कराना कहा है (इत्येष प्रकृतिकृतौ महदादिविशेषभूतपर्यन्त:। प्रकृति-पुरुषविमोक्षार्थं स्वार्थ इव परार्थ आरम्भ:।।56।।) उसका क्या यही अर्थ नहीं है? किन्तु क्या यह जान लेने के बाद यह मार्ग आकर्षक रह पाता है? इसका सर्वस्वीकृत उत्तर नकारात्मक ही होगा, किन्तु यह अर्थ-संपदा वास्तव में ही असत्य है, यह प्रतिपत्ति सर्वस्वीकृत नहीं होगी।

इन अर्थों को निरर्थक या असत् स्वीकार करने में कठिनाई यह है कि प्रथमत: सत् का होना किसी अर्थ के होने मात्र को ही कहा जा सकता है। पीछे हमने उपनिषद् का मन्त्र 'असदेवेदमग्र आसीत्, ततो वै सदजायत' उद्धृत किया था। इस मन्त्र का यही अर्थ है और इसमें एक गहरा सत्य है। किन्तु विडम्बना यह है कि चेतना के आत्मचेतन होने पर अर्थों के एक दूसरे आयाम का आविर्भाव होता है, जिसमें सभी अर्थ, इस चेतना से आविर्भूत अर्थों के सहित, किसी अन्य वास्तविक अर्थ के व्यंजक या आवरक प्रतीत होने लगते हैं। उपनिषद् का ही एक दूसरा मन्त्र है—हिरण्मयेन पात्रेण सत्यस्यापिहितं मुखम्।" यह हिरण्मय पात्र उन सभी अर्थों को कहा जा सकता है जो चेतना के जीव-भाव में प्रवर्तन के साथ प्रवर्तित होते हैं। जो भी अर्थ ऐसे हों, जैव या अजैव, यहाँ महत्त्वपूर्ण बात यह है कि कुछ अर्थ हैं जो यथार्थ प्रतीत होते हैं किन्तु वास्तव में वे अयथार्थ होते हैं—अयथार्थ, अर्थात् अपने स्वरूप से, आधार से रहित। आखिर वह कौन सा आधार है जो इन अर्थों को इनका सत्य, इनका स्वरूप दे सकता है और इन्हें इनके असत्य से मुक्त करा सकता है? *ऐसा कोई आधार होता है* यह आत्मचेतन चेतना को लगभग सहज रूप से प्रतीति होती है, अन्यथा 'यह ठीक नहीं हुआ', 'यह उचित नहीं है', 'यह जो दिख रहा है वह सत्य नहीं है, यदि सत्य है भी तो इसी अर्थ में कि यह अपने से परे किसी सत्य का संकेत देता है' इस प्रकार के बोध हमें कभी होते ही नहीं। यदि कहा जाय कि 'यह बोध स्वयं में ही भ्रान्त है, जो प्रकट है वही सत्य है', तो भी प्रतीति और सत्य का भेद तो हो ही गया, क्योंकि यह बोध भ्रान्त होने से सत्य से विरहित हो गया।

किन्तु प्रतीयमान अर्थों से परे के अर्थों का सत्य केवल अनुमेय ही हो सकता है और इस प्रकार वह भी प्रातीतिक ही ठहरता है। उदाहरणत: यह कथन लें—"दिखायी देने वाली वस्तुएँ वास्तविक नहीं होतीं, वे केवल कल्पित होती हैं, क्योंकि इन्द्रियों को तो केवल वर्ण, काठिन्य आदि गुण ही ग्राह्य होते हैं, कोई वस्तु नहीं।" अब यह तर्क प्रतीयमान का स्वरूप दर्शाता है और उससे जुड़े असत्य का निवारण करता है, किन्तु इसके साथ ही किसी अन्य सत्य का संकेत भी देता है—जो इस चेतना के लिए अनुसंधेय बनता है। किन्तु इस सत्य की न कोई ऊपरी सतह होती है, न कोई तल होता है। यह ऊहापोह से अनुमेय तो होता है किन्तु स्वयं ये ऊह और अपोह भी इसी प्रकार अनुमेय होते हैं और इस प्रकार किसी निश्चय तक नहीं पहुँचाते। यह सत्य अपने होने का केवल संकेत देता है, जो संकेत अपने अभ्रान्त होने का आश्वासन तो देते हैं किन्तु ऐसा आश्वासन जो स्वयं भ्रान्त हो सकता है। प्रतीति और सत्य विषयक इस उद्विग्नताजनक परिस्थिति के लिए विभिन्न दार्शनिक वाद ही नहीं, व्यावहारिक समस्याएँ और वैज्ञानिक सिद्धान्त तक प्रमाण रूप में देखे जा सकते हैं।

यह स्थिति आत्मा को लेकर सबसे अधिक होती है। यह आत्मा वस्तुरूप नहीं होकर भी मनुष्य के सब कर्मों, इच्छाओं, भावों और विचारों के आधार रूप में रहती है और यह आधार आत्मीय होने पर भी सर्वाधिक अगम्य और अनवगाह्य सिद्ध होता है। सबसे पहले, यह विषयतया प्रस्तुत होकर ही ग्राह्य होता है किन्तु विषयता इसके स्वरूप के विपरीत है, यह वैयक्तिक अहंकार : व्यक्ति-वैशिष्ट्य : रूप में ही व्यक्त होता है किन्तु

वैयक्तिकता इसकी आवरक होती है—व्यक्ति की उत्कृष्टता भाव में और क्रिया में विशिष्ट होने किन्तु ज्ञान में, क्रिया के अन्वयन और प्रयोजन में सार्वभौम होने में होती है : व्यक्ति की चाल-ढाल, विचार-भाव-क्रिया आदि की शैली जबकि उसकी जितनी विशिष्ट होती है उतनी ही उसके व्यक्तित्व की शक्ति की द्योतक होती है, किन्तु उसके विचार-विषय में सार्वभौमता और भावना में निरपेक्ष पर-परायणता वांछनीय होती है। यह विचित्र द्वन्द्वात्मकता है जो आत्मचेतन चेतना को लक्षित करती है, जो चेतना के स्वयं विषयता में अपना प्रेक्ष्य और इतर होने के माध्यम से अपने को पाने का उपक्रम बनती है। मैं अपने को 'मैं हूँ' इस परत: प्रतिष्ठा के द्वारा ही जानता हूँ, किन्तु यह ज्ञान ही मुझे अपने लिए विवेच्य, अनुसन्धेय और इस प्रकार संशयास्पद बना देता है—यदि अस्तित्वत: नहीं भी हो तो भी कम से कम प्रकारत:। *मैं क्या हूँ? क्या चाहता हूँ? मेरे लिए क्या करणीय है? क्या भावनीय है? क्या ज्ञातव्य है? भावना में क्या है जो भावित होता है? ज्ञान में क्या है जो ज्ञात होता है?* यह सब अनुसंधेय और निश्चेय हो जाता है, अधिगत नहीं होता। सुकरात अपने को अन्यों से बड़ा ज्ञानी इस कारण मानता था कि वह जानता था कि वह कुछ नहीं जानता, जबकि अन्य उसी की तरह कुछ नहीं जानते हुए भी अपने इस अज्ञान को नहीं जाते थे। किन्तु यदि हम सचमुच ही कुछ नहीं जानते तो हमारे सब कर्म, भाव, विचार सन्देहास्पद हो जाते हैं। सच बात तो यह है कि जानने का प्रयत्न करने वाला अपने को इसी कष्टकर परिस्थिति में पाता है। हम सरल रास्ता अपना सकते हैं कि 'महाजन जिस पथ से गए हैं वही गमन के लिए युक्त पथ है।' किन्तु यदि हमारा 'आत्मा' प्रबुद्ध है, वह अपनी अनुकूलता-प्रतिकूलता : स्वधर्म : के प्रति सचेत है, अपना गन्तव्य पाना चाहता है, तो वह अन्य के बताये मार्ग को कैसे सही मान सकेगा? उसे तो अपना दीपक स्वयं होना पड़ेगा। किन्तु तब क्या 'अपना' और 'पराया' का भेद आत्यन्तिक और पारमार्थिक है और मार्ग-निश्चय में युक्त है? ज्ञान के प्रसंग में विषय, या कहें वस्तु, की दृष्टि से क्या ये केवल उपाधियाँ नहीं हैं? इसमें एक मध्यम मार्ग हो सकता है—कि प्रत्येक का मार्ग अपना होने पर भी गन्तव्य सबका एक होना चाहिए, दीपक सबके अपने-अपने होने पर भी प्रकाश्य सबका एक ही होना चाहिए। यह उसी विडम्बना का दूसरा रूप कहा जा सकता है जिसका उल्लेख हमने ऊपर किया है। अब क्या इस विडम्बना से उबरने का कोई उपाय है? या कि यह समझ लेना ही उपाय है कि इस विडम्बना से कोई उबार सम्भव नहीं है?

इस विडम्बना से उबरने का एक उपाय और बताया गया है—भाव, विचार, कर्म इस सबकी धरती ही छोड़ देना, इन्हें इतर : प्रकृति : मानकर इनसे अलग हो जाना, केवली हो जाना, काव्य, शास्त्र और धीमतत्व सब को लीन या निरुद्ध कर देना। किन्तु क्या यह कोई समाधान है? हो भी तो क्या वह अपूर्व अर्थ-राशि, जो काव्य और शास्त्र के अनुभव के रूप में चेतना में आविर्भूत होती है, उसे अस्वीकार कर देने से वह असत् या हेय हो जाती है? यह कैसे जाना जाय कि वह हेय है या उपादेय? इस निर्णय की एक कसौटी उपनिषद् में मैत्रेयी ने दी है—कि जो अर्थ मेरे लिए अमृतत्व के प्रापक नहीं हैं वे असदर्थ हैं। किन्तु यदि उस प्रसंग को थोड़ा ध्यान से देखें तो यह उत्तर कोई स्वत:स्पष्ट दिखायी नहीं देता। उसमें धन-धान्य के बदले में आत्मज्ञान को वरेण्य कहा गया है। यदि इसे इस प्रकार देखा जाय तो इसमें किसी को भी विवाद के लिए कोई अवकाश दिखायी नहीं देगा। धन-धान्य अपने आपमें तो वैसे भी बहुत विपन्न अर्थ हैं। इनकी विपन्नता इनकी इन्द्रियमूलकता के कारण है जो चेतना के अर्थोन्मेष का निम्नतम स्तर है। इसी आधार पर आत्मज्ञान को अर्थोन्मेष का उच्चतम स्तर कहा जा सकता है। किन्तु आत्मज्ञान अर्थोन्मेष का उच्चतम स्तर क्यों या कैसे है यह स्वत:स्पष्ट मान लेने पर भी यह स्वत:स्पष्ट नहीं है कि यह आत्मज्ञान क्या है! इसका एक उत्तर दिया गया है कि अनात्म को अनात्म रूप में जान लेना—अहं एतत् न—यही आत्मज्ञान है, क्योंकि आत्मा तो स्वत:ज्ञप्त है, केवल इसका अपना ज्ञान अनात्म से आवृत रहता है। किन्तु तब यह प्रश्न होगा कि आत्मा पर यह आवरण आता कहाँ से है? कहें, इस आवरण का मूल कहाँ है? यहाँ हम इस प्रश्न पर नहीं जाएंगे, इसका समाधान भी कोई नहीं है। यहाँ यह देखना ही प्रासंगिक है कि हम प्राय: ही अपने को अनात्म से आवृत, अनात्म के सम्मुख पाते हैं। किन्तु कैसे? क्या है यह अनात्म? क्या यह भी आत्म के समान सत्य है या कि यह असत्य है?

यहाँ हम इस प्रश्न की उस तत्त्वमीमांसा में नहीं जाएंगे जो वेदान्त या सांख्य या शून्यवाद आदि की ओर ले जाती है। यहाँ हम साधारण अनुभव की भूमि पर ही रहना चाहेंगे, उसी भूमि पर जिस पर से हमने यह लेख आरम्भ किया था।

ऊपर इन्द्रियार्थों को हमने चेतना के उन्मेष की निम्नतम भूमि कहा। यह निम्नतम भूमि क्यों है, यहाँ हम इस प्रश्न पर भी नहीं जाएंगे। इसे यहाँ मान कर चला जा सकता है। किन्तु निम्नतम भूमि होने पर भी यह है तो चेतना का ही अर्थोन्मेष! तब इसे अनात्म क्यों कहा जाय? शायद इसका उत्तर यह हो सकता है कि इसके अनात्म होने के ज्ञान का बीज चेतना के आत्मचेतन होने पर उदित आत्म-पर-भेद-बोध में है। चेतना का आत्मचेतन होना उसमें प्रत्यङ्मुखता की प्रक्रिया का आरम्भ होना है, जो अपनी ही पराङ्मुखता को पर के रूप में देखती है। आरम्भ में इन्द्रिय-वृत्ति के विषय बाह्याक्षिप्त होकर पर-रूप में ग्राह्य बनते हैं, किन्तु अनन्तर उसी तर्क से वह सब पर-रूप में देखा जाता है जो पराङ्मुखता में विषयकृत हो सकता है। पराङ्मुखगत का यह विषयकरण चेतना की प्रत्यङ्मुख प्रक्रिया की ही उपलब्धि होती है, अन्यथा चेतना पराङ्मुखता में ही निश्शेष रहती है। इस प्रकार इस चेतना के लिए संवेग, अन्त:करणगत संवेद :सुख-दु:ख :, और विचार आदि सब, पर-विषयतया ग्राह्य बनते हैं। परतया ग्राह्य ये विषय प्रेक्षक चेतना के लिए स्वतन्त्र अर्थों के अधिष्ठान बनते हैं। प्रत्यङ्मुख चेतना का वाग्व्यापार इसका उपकरण बनता है। अथवा इन अर्थों को इस चेतना के वाग्व्यापार से अभिन्न भी कह सकते हैं। यद्यपि प्रत्यग्वृत्ति प्रेक्षक रूप में स्वयं अग्राह्य और इस प्रकार वाग्व्यापार की भी अविषय रहती है, किन्तु तब भी वह 'आत्मा' रूप में समझी और वाग्व्यापार का विषय बनायी जाती है। इसे आत्मा का आत्म-प्रकाशन भी कहते हैं। हमने इस आत्मा को ऐसी किसी प्रतिष्ठा से अतीत : स्वरूपत: अतिक्रामी : कहा है।[1] केनोपनिषद् में इसके लिए कुछ बड़े व्यंजक मन्त्र हैं—

> यद्वाचानभ्युदितं येनवागभ्युद्यते,
> तदेव ब्रह्म त्वं विद्धि, नेदं यदिदमुपासते। 1.4 आदि

इन मंत्रों में वही आत्मचेतन चेतना की प्रत्यङ्मुख पार्यन्तिकता की बात ही कही गई है और इस अनन्त प्रक्रिया के अनन्तिम सोपान में अन्तिम का आक्षेप कर उसे आत्मा या ब्रह्म कहा गया है। किन्तु सब वाग्व्यापार, या कहें अर्थों का आविर्भाव, तो इसी प्रक्रिया से प्रतिफलित होता है—आत्मा के अपने बाह्याक्षेप से! अपने में गोता लगाकर चेतना जो बाहर लाती है वही वस्तु, उपादान, यन्त्र, कला, काव्य, दर्शन और धर्म आदि के रूप में अर्थ बनते हैं। तब ये अर्थ अनात्म क्यों? सम्भवत: इसका उत्तर हो सकता है कि इनके इस रूप को इनके यथार्थ रूप में नहीं देख पाने के कारण—इन अर्थों के स्वयं आत्मास्थानीय, या कहें अभिन्नत: आत्मीय हो जाने के कारण। यहाँ यह पुन: उल्लेखनीय है कि स्वयं आत्मा तो किसी अर्थ-रूप में ग्राह्य हो नहीं सकता, इसलिए उसके प्रति आत्मीय भाव भी नहीं हो सकता। किन्तु हम इस आत्मा में भी अर्थ का आधान और आत्मीय भाव का आक्षेप करते हैं जिसके प्रति चेताते हुए बुद्ध ने नैरात्म्य का उपदेश दिया था।[2] किन्तु आत्मीयता की पूर्ण समाप्ति से, पूर्ण वैराग्य से भी, क्या सिद्ध होता है? बुद्ध ही ऐसी सम्बोधि से क्या सिद्ध कर पाये? उन्होंने निर्वाण-स्थिति से पुन: जगत् में लौटने का निर्णय किया—अविद्या-दु:ख से दु:खी जन को अविद्या-दु:ख से उबारने के लिए। यह भी क्या आत्मीयता—राग—नहीं है? दु:खी जीवों के प्रति? और फिर, निरात्म निर्वाण में तो कोई अर्थवत्ता भी नहीं है, क्योंकि अर्थता का आविर्भाव तो चेतना के जगद्भाव में उन्मेष से ही होता है! ये अर्थ सार्थक हैं या निरर्थक, पर्येष्य हैं या हेय, यह बोध भी चेतना में ही होता है! किन्तु यह चेतना जगद्भाव से उबर कर आत्मचेतन हुई चेतना होती है। अवश्य यह चेतना स्वत: अर्थता से परे उनकी प्रेक्षक मात्र होती है, किन्तु उन अपार अर्थ-

---

1. द्रष्टव्य : 'आत्म-चिन्तन' लेख, **उन्मीलन**, जुलाई 2002 तथा **तत्त्व-चिन्तन।**
2. यहाँ यह स्पष्टीकरण आवश्यक है कि हम जब किसी के विचार का उल्लेख करते हैं तो उसे उस विचारक के सिद्धान्त के अन्तर्गत नहीं ग्रहण कर हमारे प्रतिपादन के अन्तर्गत ही देखा जाय, उपनिषदों के पीछे दिये गए उद्धरणों को भी।

राशियों का आविर्भाव, जो अर्थ-राशियाँ इससे पूर्व चेतना की इन्द्रिय-ग्राह्य अर्थों के उन्मेष की सतह के नीचे अतल गुहा में निमीलित रहती हैं, इसी प्रत्यङ्मुख चेतना के निमित्त से होता है।

किन्तु इस चेतना के सम्मुख इन्हीं अर्थों के दो नितान्त भिन्न आयाम भी अपने को अनावृत करते हैं। वे आयाम हैं इनकी सार्थकता-निरर्थकता के और इनके सत्यासत्य के, जिनकी चर्चा हम ऊपर कर चुके हैं। ये दोनों आयाम आत्माविषयक ही होते हैं, जिसका (आत्मा का) अपना अर्थ इन अर्थों की सार्थकता-निरर्थकता, सत्यासत्य के विवेक के माध्यम से अपने को व्यक्त करता है—हम धन-धान्य को सार्थक माने चले जाते हैं किन्तु प्राय: ही एक दबे-छिपे सन्देह के साथ, जो कभी इतना उबर आता है कि इन सब अर्थों को छूँछा कर देता है। इसी प्रकार, हम अपने को अमुक-अमुक प्रकार का, अपनी भावनाओं-इच्छाओं को अमुक-अमुक प्रकार की, माने चले जाते हैं, किन्तु तब पाते हैं कि हम उन्हें ठीक नहीं पहचान रहे थे। ये दोनों आत्म-छल कहे जाते हैं, जो छल 'आत्मा' अपने लिए आयोजित करती है, और तब इससे उबरना चाहती है—जब वह इसे देख पाती है। यह दृष्टि आत्मा के एक स्वरूप को पूर्वगृहीत करती है, जो रूप पुन: अपने को किन्हीं उपाधियों के पीछे से ही प्रकट करता है—अपने अनुपहित स्वरूप का आभास देते हुए। किन्तु अधिकांशत: तो हम किसी विवेचन : विवेक-करण : के झंझट के बिना प्रस्तुत अर्थों की ही सार्थकता और सत्य में आश्वस्त उनके भोग में सुखी या भोग पाने में असफलता से दु:खी ही रहते हैं। सत्य पाना अपने विवेचन द्वारा अपने को पाने में निरन्तर उदग्र रहने की प्रक्रिया में रहना ही कहा जा सकता है। मनुष्य की नियति यही प्रतीत होती है। यों पूर्ण श्रद्धापूर्वक किसी औदात्य में अपने को प्रतिष्ठित करके भी बहुत से लोग अपने को सत्य में प्रतिष्ठित मानते हैं। यह मार्ग अपेक्षाकृत सरल मार्ग है।

सत्य शीर्षक लेख पर मुकुंद जी की टिप्पणी [1]

उन्मीलन के पिछले अंक में छपे शल्य जी के इस लेख में एक नई बात है जो बात के कहने के *स्वर* में है। एक व्याकुलता है, जो उनके दार्शनिक लेखन में अन्यथा नहीं उभरती—दार्शनिक लेखन में यह स्वाभाविक भी है। पर मैं समझता हूँ कि प्रस्तुत लेख में जो *भाव* उभर कर आया है वह शल्य जी के दर्शन से ही उभरा है, हालांकि दर्शन के विवेचन और सिद्धान्त-निष्ठ लेखन में प्रकट नहीं होता। इस लेख में विवेचना की जगह संवेदना प्रखर हो आई है, इसीलिये वेदना भी मुखर है। पर यह भी दिखता है कि जो व्याकुलता यहाँ है वह दार्शनिक की ही व्याकुलता है। उसे एक आधारगत द्विधा-बोध भी कह सकते हैं, एक विरोधमयी उभय-निष्ठता, जो मैं समझता हूँ कि शल्य जी के विचार में ही रूप लेती देखी जा सकती है। यह आगे दिखाने की चेष्टा करूँगा। यों भी इतना तो स्पष्ट ही है कि वेदना यहाँ विचारक की, विचार की, वेदना है। सत्य और जो सत्य प्रतीत होता है, उसके निकष का *विरह* सताता है यहाँ संवेदनशील विचारक को—जो अन्यत्र यों *विरह* के रूप में अभिव्यक्त नहीं होता। विचार के सहज प्रश्नशील, संशयशील स्वरूप को ध्यान में रखें तो यों भी विचार के लिये सत्य का विरह विचार में पिरोया सा रहता है : सत्य के जिन भी आधारों पर पाँव पड़ते हैं वहाँ चोरमिट्टी निकलती दिख सकती है। पर विचार संशय को अपने भीतर ही समोता-झेलता चलता है—भावना की चौखट से दूर ही रखना चाहता है। पर *इस* लेख को पढ़ते हुए मुझे लगा जैसे सत्य के नित्य-विरह की *आकृति* को शल्य जी ने जानबूझ कर यहाँ स्वर दिया है। दार्शनिक का कवि-हृदय बोल रहा है यहाँ।

शल्य जी कहते हैं—कहते रहे हैं—सत्य के बारे में 'सत्य को विषय रूप से जानना' उतना बड़ा प्रश्न नहीं है जितना कि 'सत्य होना' है। वस्तु का अपने स्वरूप में होना, यही सचमुच *सत्य* है। यह दृष्टि 'सत्य' को 'सार्थक' की ओर ले जाती है। सत्य का निकष चेतना-प्रधान हो जाता है और चेतना का अपना सत्य सत्य का मूल प्रश्न हो जाता है।

सत्य का प्रश्न उठता ही मनुष्य की आत्मचेतना में है। शल्य जी के पाठक जानते ही हैं कि आत्मचेतना को ही आधार बना कर शल्य जी ने अपने तत्त्व-दर्शन का विचार-तन्त्र उभारा है। यह भी उनके पाठक जानते हैं कि शल्य जी का तत्त्व-चिन्तन अपनी तरह का अद्वैत-निष्ठ चिन्तन है जहाँ सृष्टि को चित् के आत्मसृजन के रूप में देखा गया है।

उनके चिन्तन में चित् (या आत्म) और उसके स्वरूपगत सृजन-व्यापार का तत्त्वरूपेण प्रतिपादन, आत्मचेतना के अनुभव-विवेच्य स्वरूप के संकेत का विकास कहा जा सकता है। शल्य जी मनुष्य के आत्मचेतन व्यापार को चित् के आत्मसृजन-व्यापार का *प्रतीक* कहते हैं। परम तत्त्व के रूप में चित् के *स्वरूप* का इंगित या उसकी कोई अर्थमयी पहचान हम ढूंढें तो वह हमें हमारी चेतना में मिल सकती है—जो चेतना कि *हम* में यह विशेष प्रवृत्ति रखती है कि वह आत्मचेतन होती है। उसके आत्मचेतन होने का अर्थ है उसका अपने में रहते हुए भी अपने से हट कर रह पाना, अपने प्रति सचेतन होना—अपनी ओर प्रत्यङ्मुख हो पाना। अपनी ओर प्रत्यङ्मुख हो कर वह अपना सत्य भी ढूँढती है। हम पशुओं में देखते हैं कि चेतना विशुद्ध प्रवृत्तिमयी होती है, अपने बाहर ही व्यस्त-व्यग्र रहती है—अपने विषयों में लीन। मनुष्य पशुओं से इस बात में विलक्षण है कि मनुष्य में आकर चेतना बाहर ही नहीं प्रवृत्त रहती अपने भीतर भी अपनी ओर मुड़ जाती है (मैं देखता ही नहीं हूँ, मैं यह

---

1. जनवरी, 2004 में हुई उन्मीलन-गोष्ठी में उन्मीलन के जुलाई, 2003 अंक में प्रकाशित 'सत्य' शीर्षक लेख पर चर्चा हुई थी। मुकुंदजी की यह टिप्पणी उस गोष्ठी के लिए लिखी गई थी।

भी देखता हूँ कि मैं देखता हूँ, और मेरा यह देखना और भी पीछे मुड़ता चला जा सकता है; विचार में तो विचार पर विचार और उस पर विचार, आत्मचेतना का यह प्रत्यङ्मुख स्वरूप साफ ही झलकता है)।

चेतना की सहज प्रवृत्ति में एक ग्राह्य-ग्राहक भाव होता है जो अनात्मचेतन चेतना में चेतना की अपने से बाहर जाती प्रवृत्ति में डूबा रहता है। यह ग्राह्य-ग्राहक भाव चेतना के अपने प्रकाश में तब आता है जब चेतना अपने प्रवृत्ति-सर्वस्व अभिनिवेश से उबर कर अपनी ही ओर निवृत्त होती है। तभी उसका ग्राह्य-ग्राहक भाव उसके अपने लिये *उभर* पाता है—उसके अपने ही आलोक में प्रकाशित हो पाता है। और जब प्रकाशित होता है तो उसका अपना क्षेत्र भी आलोकित होता है, जहाँ वह अपने आप को स्वतन्त्र पाती है—विषय की अधीनता से मुक्त। मनुष्य में यह देखा, अनुभव किया जा सकता है। विषय की अधीनता से हम जितने मुक्त होते हैं उतना ही वह हमारे लिये स्फुट भी होता चलता है। स्फुट होता है तो उसका सत्य भी अस्फुटता के अंधकार से निकलता है। सत्य क्या? यह प्रश्न बन जाता है—अन्वेष्य हो जाता है। ग्राह्य-विषय और ग्राहक-विषयी ये दोनों, और इनके सम्बन्ध अब स्वतन्त्र चेतना के प्रवृत्ति-क्षेत्र बन जाते हैं। कर्त्ता-कर्म, भोक्ता-भोग्य, ज्ञाता-ज्ञेय जैसे भाव अब चेतना की प्रवृत्तियों को प्रत्यङ्मुख चेतना का विवेच्य, और विवेच्य ही नहीं, उसके अपने संधान का, साधना का, साधन बना देते हैं। हमारी प्रवृत्तियाँ अब हमारे लिये ही साध्य हो जाती हैं। मात्र प्रवृत्त ही नहीं होना चाहतीं, अपना *सत्य* साधने की ओर प्रवृत्त होना चाहती हैं।

चेतना के प्रत्यङ्मुख भाव को विशेष से सामान्य की ओर मुड़ना भी कह सकते हैं। चेतना जब विषय-ग्राह से मुक्त हो कर अपने प्रति सचेतन होती है तो केवल अपनी द्रष्टा ही नहीं हो जाती, अपने विषय को सामान्य प्रत्यय के रूप में भी ग्रहण कर पाती है (भाषा में इसका साक्ष्य है; कला की कृतियों का—हमारे कर्म-मात्र की कृतियों का—साधारणीकृत होना, इसका साक्ष्य है)। यही विषय-ग्राह से मुक्ति का स्वरूप है, जिसे हम अपने आप में पाते हैं। विषय-ग्राह से मुक्त मेरा विषयी-स्वरूप भी अपने को विषयी-सामान्य के रूप में पाता है। मैं पाता ही हूँ कि मैं अपने प्रति चेतन होता हूँ तो मेरा स्व एक स्व-सामान्य हो जाता है—तभी मैं अपने को एक स्व-समाज में पाता हूँ, जहाँ अन्य में भी अपने समान स्व की उपलब्धि कर पाता हूं।

हम सामान्य में स्थापित होते हैं तो सामान्यबोध को भी प्रत्यङ्मुख पाते हैं—सामान्यों का एक पीछे हटता और व्यापकतर होता सोपान बनता है। सामान्य अपने परे इंगित करता चलता है जो इंगित किसी परम सामान्य में जाकर भी नहीं थमता—बोध की अनिर्धार्य भूमा का संकेत देता है, जिससे सामान्य मानो उद्भूत होता है। यही चित् का संकेत भी है। चेतना अब विशेष को सामान्य के आलोक में देखती है, और इस आलोक में यह भी पाती है कि सामान्य-बोध में विशेष वस्तुओं के स्वरूप का *वास्तव* (तत्-वस्तु-गत) *सत्* उभरता दिखता है—उनका आदर्श या *यथा-अर्थ* स्वरूप, जैसी वे अपने *सत्* में हैं, चाहे अपने विशिष्ट अस्तित्व में वे अपने यथार्थ से (कम या अधिक) दूर हों। सत् की यह सामान्यात्मकता या प्रत्यय-भाव सत् को अर्थ में बसाता है। साथ ही उसमें वैविध्य की सम्भावना भी खुलती है—वस्तु का सत् अगर उसके सत्-प्रत्यय में है तो वह अनेक रूप ले सकता है, यह हम अपने सृजन में पाते ही हैं : सत्-काव्य में वैविध्य होता ही है; हमारा सृजन-मात्र सत्-संधानी होता है और वैविध्य को घर देता है। अर्थमय आदर्श स्वरूप-स्वभाव से ही अनेक होते हैं। पर साथ ही, क्योंकि स्वभाव से ही सिद्ध नहीं *साध्य* होते हैं इसलिये भ्रान्ति या मिथ्यात्व की वंचना भी पालते हैं। साध्य एक आदर्श होता है जिससे हम चूक भी सकते ही हैं, जिसे पूरा, निरवद्य नहीं पा सकते—वह सदा साध्य ही बना रहता है।

इस बात के मर्म का सबसे तीव्र अनुभव हम अपने आत्म-सृजन में कर सकते हैं। हम विषयों का ही नहीं विषयी के रूप में अपना भी सत्य पाना चाहते हैं। हमारा अपने सत्य का संधान जितना गहरा होता है सत्य की प्रश्नमयता, उसका वंचना-स्वभाव भी उतना ही गहराता है। पर इसी यात्रा में हम सत्य का भी गभीरतम इंगित पाते हैं। इसे चित् का सत् में आत्म-सृजन का इंगित कह सकते हैं, जिसमें यह भी उभरता है कि यह आत्मसृजन एक निरन्तर *व्यापार* है जो अपने आप से उद्भिन्न होता हुआ अपने और अन्तरंग के अतल में उतरता जाता है, पर

किसी ध्रुव-स्थिर सत्य में इसका *अन्त* नहीं दिखता। इस व्यापार के किसी निर्धार्य छोर या स्थाणु उत्स की बात बनती नहीं लगती।

शल्य जी का प्रतिपादन है कि चित्—आत्म—व्यापारमय है और अपने व्यापार में चित् अपने सत्य का विस्तार—बहु-रूप विपुलता—चाहता है। इसके लिये वह अपने को अपने ही आप से उपहित या व्यवहित कर लेता है। यही उसके आत्म-सृजन का बीज है। पर यों आत्म की आत्म-व्यवहिति से आत्म में एक अनात्म भी आत्म-निहित हो जाता है—जो उसकी आत्म-विसृष्टि का माध्यम भी बनता है। आत्म को अपने लिये गवेष्य भी बनाता है।

पर, स्पष्ट ही, अनात्म आत्म में ही समोया हो, और स्वरूप से व्यापारमय हो तो अनात्म से आत्म का विवेक—सत् में असत् परिहार—सदा दुष्प्राप्य, भ्रान्त—या कहें आत्मवंचित—ही रह सकता है।

आत्मचेतना में आत्म के अपनी ओर मुड़ने को हम आत्म-निवृत्ति भी कह सकते हैं। चेतना में अर्थमयता—सत्य की ओर जागरूकता, सत्य की ललक जागती ही तब है जब चेतना में निवृत्ति घर करती है। आत्मचेतन चेतना अपने-आप-से-निवृत्त-हो-सकती चेतना है। पशु में जो चेतना अपने बाहर जाती एक अंध *प्रवणता* भर थी अब निवृत्ति के सहारे ही वह चेतना अपना ही *विषय* , संधान, साधना, हो पाती है। निवृत्ति चेतना की अपनी प्रत्यङ्मुखता ही उजागर नहीं करती है; वह हमारे बोध में प्रवृत्ति को अंध विवशता से—पारतन्त्र्य से—निकाल कर अनात्म से आत्म की ओर बढ़ती भी अनुभूत होती है। अपनी ओर उन्मुख होती हुई चेतना निवृत्ति की ओर गहराती हुई अपनी चिन्मयता का संकेत पाती है। साथ ही यह भी पाती है कि उसकी प्रवृत्ति अंध प्रवृत्ति नहीं, सत् की ओर बढ़ती प्रवृत्ति है। कौन सी प्रवृत्ति कब सत् की ओर बढ़ रही है, कौन सी कब नहीं, इसका निकष चित्-स्पर्शी आत्म ही होता है।

पर आत्म स्वरूपेण ऐसे अनात्म का भी घर हो जो प्रवृत्ति-मात्र के होने का आधार हो तो सत् का निकष सदा ओझल, सदा अनात्म-दिग्ध भी रहता है। यह द्वैधी-भाव शल्य जी के चित्-स्वरूप में ही समोया है—इसका समाधान क्या?

चेतना ज्ञान, कर्म, भाव...सब में *सत्य* की ओर प्रवृत्ति होती है। पर इस प्रवृत्ति में जिस प्रमाण-व्यापार की आवश्यकता होती है वह भी एक निवृत्ति-भाव में बसता है—हर निकष को अपने भी अन्तरंग निकष की सतत आवश्यकता होती है। हमारे लिये यह चेतना की अपने ही भीतर उतरती प्रत्यङ्मुख यात्रा के रूप में उभरता है जो सत्य की पर्येषणा के साथ उसकी प्रमाणीकरण के भी निरन्तर संधान का रूप लेता है। पर प्रमाण हमें मिला या हम उससे वंचित ही रहे, इसका सम्यक् प्रमाण इस व्यापार में उभरता नहीं दिखता। सत्य उभरता है तो संशय लिये उभरता है।

जैसा इंगित कर आया हूँ, शल्य जी के चिन्तन में सबसे बड़ा साध्य मनुष्य स्वयं है। मनुष्य अपने प्रत्यङ्मुख आत्म-*प्रत्यय* में ही यह पाता है कि उसका *प्रदत्त* आत्म असत्य-दिग्ध है। हम अपने को आत्म रूप में पाते हैं तो अनात्म के अध्यास के साथ पाते हैं। तभी आत्म का सत्य अपने ही लिये साध्य हो जाता है। पर मानो अप्राप्य भी। आत्मचेतना के साथ हम अपने को व्यष्टि से व्यक्ति के रूप में पाते हैं। आत्म की अस्मिता आत्मचेतना में ही उभरती है। या यों कहें कि चेतना की प्रवृत्तिमयता में जब अपनी-ओर-पलटती निवृत्ति का बीज जागता है तभी आत्म *उभरता है*—या स्वरूप लेता है। पशु में आत्म की बात ही सार्थक नहीं। हम में आत्म जागता है तो हम यह भी पाते हैं कि हमारा आत्म कोई सिद्ध वस्तु नहीं, हमारी ही चेतना के अपने संधान का भी अंग है—अपने ही द्वारा साध्य है। अपने ही सत्य की इस साधना को निवृत्ति की साधना भी कह सकते हैं—आत्म अपने उपलब्ध रूप से जितना निवृत्त होता है उतना ही अपने को पाता है। पर आत्म के सत्य का (स्वरूप का) साध्य होना ही उसमें अनात्म की उपस्थिति का भी संकेत है। अपनी कर्म-साधना या धर्म-नीति की साधना

में हम इसे एक विशेष गहराई से पाते हैं, जहाँ हमारी देह-मन-प्राण-भाव-ज्ञान-मयी सम्पूर्ण अस्मिता साध्य हो जाती है। पर वहीं सत्य का प्रश्न भी टेढ़ा, विशेष वंचनामय हो उठता है।

हमारी स्वभाव से ही प्रत्यङ्मुख आत्मचेतना अपने को अपने ही आप में स्वप्रतिष्ठ नहीं पाती है। उसकी प्रत्यङ्मुख यात्रा का हर चरण उसे सत्य का अपने से परे संकेत देता है। वह अपने आप को एक पर्यन्त की ओर उन्मुख पाती है, जिसका कहीं अवसान नहीं। यह पर्यन्त ही चित् है। कह सकते हैं कि यह एक ऐसी नाभि के तुल्य है जो अपने ही भीतर विलीन होती जाती है, पर जितना अपने भीतर उतरती है उतना ही अर्थ-वैपुल्य विकीरित करती चलती है—सृष्टि के अरों में अपना उन्मेष-चक्र विकसित करती चलती है। यह विकीरण सामान्य या प्रत्यय के माध्यम से होता है—जो चित् के अनिर्धार्य पर्यन्त से चलते हुए विशेष में अपनी बाहरी परिधि बनाते हैं—जो परिधि भी चित् की तरह ही एक छोर, एक पर्यंत ही होती है—चक्र की नेमि की तरह बँधी-बनी कुछ नहीं। पर इस चित्र में यह भी दिखता है कि सत्य के संकेत का ज्ञान और ग्रहण, दोनों ही चरिष्णु, या कहें कि चल-संकट में रहते हैं।

शल्य जी की दृष्टि में चित् अद्वय है। जो अद्वय हो *उसी के आत्म*-सृजन की बात की जा सकती है । चित् सत् को भी समोये है, जिसका वह सृजन करता है। पर चित् को किसी सृजन की आवश्यकता ही क्या? उसकी स्व-सृष्टि क्यों? सृजन हो तो सृजन के लिये द्वैत की माँग होती है—सृजन किसी कुछ में, किसी कुछ *से*होता है। यह कहाँ से आयेगा?

पर ऐसे प्रश्नों के लिये कहना न होगा कि बात इस स्तर पर आ जाये जहाँ विचार के परे से झाँकते किसी अनिर्धार्य परम तत्त्व या सत्य को व्यक्त करना हो तो विचार को व्यंजना का ही सहारा लेना होता है। जैसा उपनिषदों में है। पर उपनिषदों में व्यंजना के भिन्न संकेत मिलते हैं। शल्य जी अपनी दृष्टि में उभरते तत्त्व को समझाने के लिये उपनिषद् का एक विशेष कथन लेते हैं : *स अकमायत, एकोहं बहु स्याम्*। कहना न होगा, इस लाक्षणिक पदावली में *स:* चित् के प्रति संकेत है। *अकामयत* भी एक ध्वनि ही वहन करता है—क्योंकि चित् में *कामना* की बात का अभिधा में कोई अर्थ नहीं बन सकता। शल्य जी के लिये चित् हमारी आत्मचेतना के व्यापार में संकेत के रूप में आभासित होता है—उसकी बात भी संकेत पर ही निष्ठित हो सकती है। हम जब अपने आत्म को अपने और अपने विषयों में सत्य के उद्घाटन-सृजन के व्यापार के माध्यम के रूप पाते हैं तो इस व्यापार के तत्त्व को, चित् को—या यों कहें कि चित्-व्यापार को—इसी आलोक में व्यंजित कर सकते हैं। शल्य जी इसीलिये आत्मचेना और उसके सत्-संधानी व्यापार को चित् का *प्रतीक* कहते हैं।

यह तात्त्विक दृष्टि आत्मचेतना के संकेतों में बसी है, उसीके व्यापार को अपने तत्त्व-बोध का आधार बनाती है। हम पाते हें कि हमारी काम-प्रवृत्ति जब अपने से निवृत्त हो कर अपने चिदर्थ की ओर मुड़ती है तो प्रेम का रूप लेती है; प्रेम भक्ति में रूपान्तरित हो जाता है—तुलसीदास में ये दोनों गभीरतर गतियाँ देखी जा सकती हैं। यह अनात्म को ही आत्म-सृष्टि का माध्यम बनाने जैसी गति है। यही नहीं, व्यास और कालिदास जैसे कवियों में हम देखते हैं कि मनुष्य का लोभ, मोह, मद, ईर्ष्या, असूया, राग, द्वेष...जब कवि की इनसे-निवृत्त-पर-इनमें-प्रवृत्त संवेदना में ये जागते हैं तो ये ही विपुल अर्थ-गर्भ सृजन के आधार बनते हैं। कर्म में संवेदना की एक सदृश-सधर्म गति देखी जा सकती है—जो गाँधी जी में ऐसे ही मनुष्य-भाव के भीतर ही अहिंसा, सद्भाव, सत्-कर्म की प्रेरणा देखती-जगाती है। जड़-जगत्,जो स्वरूप से ही अनात्म जान पड़ता है, उसके प्रति विशुद्ध उपादेयता की दृष्टि से हम निवृत्त होते हैं तो उसमें सौंदर्य का विराट् देखते हैं, उसके अवगाहन-अन्वेषण में विज्ञान की यात्रा में उतरते हैं। इसे निवृत्त-होती प्रवृत्ति का सृजन-वैभव भी कह सकते हैं—जो हमारी आत्मचेतना में जागृत होता हुआ उसकी गतियों को उन्मिषित-उन्मीलित करता है।

पर दूसरी ओर अनात्म का होना ही सृष्टि को विभीषिका बना देता है। जीव-जगत् की अंध प्रवृत्तियाँ : हिंसा, क्रौर्य, होने की निरर्थक प्रवृत्ति-मात्रता : यही नहीं, इससे भी बढ़ कर मनुष्य का अपना वासना-प्रपंच,

स्वार्थमयता, दंभ, पर-पीड़न, सम्बन्धों के संकीर्ण, झूठे मोह, आडम्बर, अत्याचार, भय, आतंक, अकारण द्वेष, वध, दीनता, दासता, प्राणों की, अर्थ-मात्र की, भंगुरता...ये प्रवृत्ति को निरर्थक ही नहीं वीभत्स बना देते हैं। शल्य जी प्रत्यय के माध्यम से चित् के आत्म-सृजन का प्रतिपादन करते हैं तो इन्हें भी *सामान्य* की श्रेणी में रखा जा सकता है, पर ये प्रत्यय तो नहीं हो सकते हैं—प्रत्यय में अर्थमयता, आदर्शमयता सत्य—निहित है जो उसे चित् से जोड़े। पर इनमें सामान्य भी अनात्मनिष्ठ सामान्य ही ठहरता है। गाँधी जी की अहिंसा को, युधिष्ठिर और कृष्ण के आनृशंस्य को, बोधिसत्त्व की करुणा-मैत्री को प्रत्यय कह सकते हैं—इनमें (वंचना का स्थान हो) पर सत्य का प्रकाश है, लेकिन हिंसा...आदि को प्रत्यय कहना विडम्बना लगता है, चाहे ये सामान्य हों, और बुद्धि के विकल्प-स्वभाव में स्थित हों। ये अनात्म-रूप में ही हम पर आक्रान्त होते हैं। (शल्य जी की टिप्पणी की यहाँ अपेक्षा रहेगी)। अचंभा नहीं कि अर्थ-संधानी आत्म विशुद्ध निवृत्ति में ही सार्थकता साधना चाहता है। प्रवृत्ति-मात्र को निरर्थक समझता है। जैसे बुद्ध। ऐसी निवृत्ति-साधना में भी चेतना अर्थ के विराट् की उपलब्धि करती है। पर यहाँ भी अनात्म से *मुक्ति* मिली या नहीं, यह ठीक कैसे जाना जाये? प्रश्न ही रह जाता है। आत्मवंचना की सम्भावना बनी रहती है।

शल्य जी का विचार प्रवृत्ति और निवृत्ति दोनों के विरोध और दोनों के *सत्य* को—सार्थकता को—देखता है। पर यह विरोध जब संवेदना में जागे तो अन्तर को गभीर में कचोट सकता है। यहाँ बात संशय की नहीं, और गहरी है—आत्मचेतना की जिजीविषा में ही समाये संकट की व्यथा है : क्योंकि जो सत्य-दृष्टि सत्य को निवृत्ति और प्रवृत्ति दोनों के अविनाभाव में देखती हो, और साथ ही निवृत्ति और प्रवृत्ति दोनों में ही पुरुषार्थ की सम्भावना देखती हो, उसकी संवेदना में सत्य क्या? यह प्रश्न सत्य के विरह के रूप में जागे, यह स्वाभाविक है। न जागे तो अचंभा होना चाहिये।

मनुष्य में अर्थ-साधना का यह परस्पर-विरोधी द्वैधी-भाव भी जागरूक आत्मचेतना में स्वरूप-निष्ठ जान पड़ता है। हमारी संस्कृति में तो यह जैसे घुट्टी में पड़ा है।

वैसे भी, *स अकामयत* की उक्ति में भी, चित् के लिये बहु होने की कामना, जिस में प्रवृत्ति का सत् बसा है वह कामना, नहीं भी हो सकती थी—आगन्तुक जान पड़ती है। हमारी चेतना में निवृत्ति का होना ही इसका इंगित देता है : निवृत्ति-बोध गहराये तो हम में यह चेतना जागती रहती है कि यह जो कुछ है, नहीं भी हो सकता था—नहीं ही होता तो अच्छा था, क्योंकि इसमें, इसके सारे ऐश्वर्य में, सत्य की वह भूमा नहीं जिसकी चेतना में प्यास जागती है। यह बात प्रवृत्ति के सारे अर्थ में ही अनर्थ का संकट बींध देती है।

मैंने शल्य जी के चिन्तन के समग्र को—या यह कहिये कि उनकी विचार-दृष्टि के भीतर जागती दिशा को—यहाँ अति-संक्षेप में समेटने की अपनी-सी चेष्टा इसलिये की है कि मैं समझता हूँ उनके लेख में जिस वेदना की विह्वलता प्रकट हुई है उसकी जड़ उनके तत्त्व-चिन्तन में है। प्रश्न हो तो उनके विचार-समग्र पर होना चाहिये। इसका इंगित मेरी बातों में आ गया है; किसी ब्यौरेवार प्रश्नावलि का यहाँ प्रसंग नहीं।

पर इतना कहने के बाद भी एक बात तो कही जा सकती है—जो शायद मेरे कहने में ध्वनित भी हो : यह कि शल्य जी के लेख में सत्य के प्रति द्विधा का जो अनुरणन है वह किसी भी व्यापक, जीवन-में-उतरते विचार-बोध में जागना चाहिये। जिस तत्त्व-दृष्टि में इसकी सम्भावना नहीं वह कमतर ही ठहरती दिखेगी।

मुकुंद जी की टिप्पणी पर स्पष्टीकरण

मेरे 'सत्य' शीर्षक लेख पर मुकुंद जी की विस्तृत टिप्पणी मेरे चिन्तन से उनके गहरे परिचय और उनकी स्वयं की दृष्टि की गहराई की द्योतक है। इससे उनके द्वारा उठाये गए प्रश्न बहुत महत्त्वपूर्ण हो जाते हैं और मेरे लिए ये अपने प्रतिपादनों के स्पष्टीकरण का ऐसा अवसर प्रस्तुत करते हैं जो अन्यथा सम्भव नहीं होता।

स्पष्टीकरण का आरम्भ हम मुकुंद जी की एक टिप्पणी के उद्धरण से करेंगे। उनके अनुसार, "शल्य जी का प्रतिपादन है कि चित् आत्म-व्यापारमय है और अपने व्यापार में चित् अपने सत्य का विस्तार : बहुरूप विपुलता : चाहता है। इसके लिए वह अपने को अपने ही आपसे उपहित या व्यवहित कर लेता है। यही उसके आत्मसृजन का बीज है। पर यों आत्म की आत्मव्यवहिति से आत्म में एक अनात्म भी आत्मनिहित हो जाता है, जो उसकी आत्म-विसृष्टि का माध्यम भी बनता है।" (पृ. 93-94) इसमें कुछ स्पष्टीकरण अपेक्षित है। हमने अपनी पुस्तक *मूल्यतत्त्व मीमांसा* के दूसरे अध्याय 'सृजन और सत्य' में इस पहेली को समझाने के लिए भाषा का उदाहरण लिया है—"भाषा अपने वाच्य को जन्म देती है और उसे अनन्त नाम-रूपात्मक अर्थ-संसार की सृष्टि द्वारा विपुल बनाती है, किन्तु यह नाम-रूप अपने वाच्य से सदैव न्यून रहता है। वास्तव में शब्द-सृष्टि के व्यापार के अनन्त होने का यही रहस्य है।" यहाँ द्रष्टव्य है कि वाच्य से सम्यक् होना, उसे निश्शेषत: व्यक्त कर पाना भाषा के लिए एक साध्य आदर्श होता है, किन्तु यह वाच्य भाषा से पूर्व कहीं नहीं होता। यह भाषा से ही अस्तित्व में आता है, किन्तु उसका यह 'अस्तित्व' इस मेज़ या उस चारपायी के जैसा, या इस कथन के जैसा भी, नहीं होता। यह भी कह सकते हैं कि इस अर्थ में इसका कोई अस्तित्व होता ही नहीं। यह बोले गए या बोले जाने वाले वाक्यों के लिए अभिव्यंग्य होता है, किन्तु उनके लिए केवल अंशत: गम्य रहता है। यह भाषा में वाच्य की आत्मव्यवहिति है। इस व्यवहिति को वाच्य द्वारा स्वरचित कहने में भ्रान्ति का भय है, जो भ्रान्ति सारे वैदान्तिक दर्शन में, श्री अरविन्द-दर्शन सहित, मिलती है। चित् या आत्म को व्यापारमय कहने में भी इसी भ्रान्ति का भय है। पहले तो 'चित्' और 'आत्म' मेरे प्रतिपादनों में पर्यायवाची नहीं हैं, न ये व्यापारमय हैं। व्यापारमयता चेतना में (चित् में नहीं) आत्मचेतन होने पर उत्पन्न होती है। आत्मचेतन चेतना से रहित चेतना भी यों अविभक्त नहीं होती, वह पाँच ज्ञानेन्द्रियों और विषयों की विभिन्नता में विभक्त होती है, किन्तु इस अर्थ में वह अविभक्त भी होती है कि इसमें विषयि-विषय का द्वैत नहीं होता, वह विषय के साथ तदात्म रहती है। यह विभाग उसमें आत्मचेतना के साथ आता है, जिसमें यह विषय से अपने को पृथक् देख पाती है। इसी में इसमें आत्म-व्यवधान का आधान होता है—मैं अपने लिए ज्ञेय हो जाता हूँ—स्वयं अपने को किंचित् ज्ञात, अधिकांशत: परोक्ष, और बहुत बार अपने लिए ही भ्रान्ति-स्थान। इसका अर्थ यह नहीं है कि इस आत्म-विभाग से पहले का अविभक्त भाव अव्यवहितत्व की अवस्था थी। वह अवस्था पूर्ण तमस् की, निमीलितता की अवस्था ही थी, जिसका पता हमें आत्मचेतन होने पर ही चलता है। आत्मचेतना चेतना के उन्मीलन की अवस्था ही है, जिसमें आत्मा सत्ता-लाभ कर अपने को किंचित् देख पाती है, किन्तु इसका वैचित्र्य यह है कि यह उबार इसे स्वयं अपने लिए अतल और अपार पारावार के जैसा बना देता है, जिसमें यह तक भरोसा नहीं रहता कि इसका प्रकट अर्थ इसके वास्तव अर्थ से कोई अनुरूपता भी रखता है या नहीं।[1] किन्तु इसका वास्तव अर्थ दुरवगम्य होते हुए भी अगम्य नहीं होता। यदि अगम्य होता तो उन्मीलन होता ही नहीं। इससे ऐसा भी कह सकते हैं कि अनात्मचेतन चेतना पूर्णत: अनात्म चेतना ही होती है, उमसें आत्मा पूर्णत: अभाव रूप ही रहती है। वहाँ वह व्यवहित नहीं रहती, क्योंकि व्यवधान आत्म-

---

1. आत्मा के स्वरूप पर विस्तृत विचार के लिए द्रष्टव्य — **तत्त्व-चिन्तन** में 'आत्म-चिन्तन' लेख। प्रकाशक, दर्शन प्रतिष्ठान, जयपुर।

विभाग होने पर होता है, वहाँ वह अव्यवहितत्व आत्मा के अभाव, उसकी अविद्यमानता के कारण होता है। आत्मा में आत्म-व्यवहितत्व का आविर्भाव चेतना में ऐसे विभाग से होता है जो उसमें एकसाथ आत्मा और अनात्म को ज्ञेय रूप में जन्म देता है। मनुष्य में, और केवल मनुष्य में ही, उचित-अनुचित, वरेण्य-हेय के विवेक की विद्यमानता इसका प्रमाण है।

यहाँ आत्मा की व्यापारमयता के सम्बन्ध में कुछ स्पष्टीकरण और आवश्यक है। उपलब्ध रूप में आत्म या आत्मा चेतना की प्रत्यङ्मुखता में प्रदत्त आत्म-प्रत्यय का वाचक है। यह आत्मा हमारे संकल्प, विवेक, भावन और विचार आदि का आश्रय और प्रवर्त्तक दोनों कहा जा सकता है। किन्तु इसका मूल प्रत्यङ्मुखता में होने से व्यापारमयता और बहुलता अपनी सार्थकता आत्मा के इस बहुलता से उबार में पाती है, आत्मा के अपने बहुलीकरण में नहीं। स्थूल स्तर पर यह विशेषों के सामान्यों या प्रत्ययों में अन्तर्भाव के रूप में देखा जा सकता है। इस प्रत्यङ्मुखता में स्वयं यह आत्म-प्रत्यय भी आत्मपर्यवसायी नहीं रहकर आत्म-अतिक्रमणीय हो जाता है और पर्यन्त-कल्प आत्मा के लिए प्रतीक मात्र बन जाता है। इस आत्मा के लिए प्रवर्तन-बहुलीकरण साध्य नहीं हो कर आत्मा के अपने को पाने के साधन के रूप में ही उपयोगी हो सकता है, साध्य रूप में यह केवल अनात्म का सन्धान, अपने पर-रूप में भटकाव ही रह जाता है। इस विचार का विवेचन *उन्मीलन* में पीछे प्रकाशित तथा *तत्त्व-चिन्तन* पुस्तक में संकलित मृत्यु-चिन्तन, जगत्-चिन्तन और आत्म-चिन्तन लेखों में विस्तार से हुआ है।

इसके बाद मुकुंदजी ने प्रश्न किया है—"पर यह आत्म स्वरूपेण ऐसे अनात्म का भी घर हो जो प्रवृत्ति मात्र के होने का आधार हो तो सत् का निकष सदा ओझल, सदा अनात्म-दिग्ध भी रहता है। यह द्वैधीभाव शल्य जी के चित्स्वरूप में ही समोया है-इसका समाधान क्या?"

बड़ा गहरा प्रश्न है। पर.यह स्थापना कुछ स्पष्टीकरण की अपेक्षा करती है। हम प्रवृत्ति का आधार अनात्म को नहीं कहना चाहेंगे। प्रवृत्ति चेतना में सहज है। वह स्वत: न अनात्म है, न आत्म। क्योंकि अनात्म आत्म को पूर्वपिक्षित करता है जिसका आविर्भाव चेतना में उसके आत्मचेतन होने पर होता है। आत्म के इस आविर्भाव के अनन्तर कभी, किसी समय, चेतना में इस आत्म-अनात्म-विवेक का आविर्भाव होता है और तब प्रवृत्तिमात्र इन दो रूपों में वर्गीकृत हो जाती है। किन्तु यह बोध सम्यक् है या नहीं : आत्म ही आत्मरूपेण और अनात्म ही अनात्मरूपेण गृहीत हो रहा है या नहीं : यह हमारे लिए अधिकांशत: सन्देहास्पद बना रहता है। पर सन्देहास्पदता का अर्थ है असंदिग्ध ज्ञेयता की सम्भावना। यह सम्भावना प्रवृत्ति में ही होगी। अब, ज्ञेयता अनिवार्य रूप से सम्भव ही बनी रहती हो, कभी सिद्ध नहीं हो पाती हो, यह हो सकता है, किन्तु अधिकाधिक ज्ञेयता की सिद्धि तो इसमें सम्भव है ही। वास्तव में तो ज्ञान का आभास, बल्कि कहें सत्य का साक्षात्कार, ही भ्रान्ति का ज्ञापक होता है, भले ही वह साक्षात्कार पीछे अप्रामाणिक, सन्देहास्पद, या भ्रांत भी, निकले। किसी कृति में दोष उसके निर्दोष, या कम से कम उस अपेक्षा से निर्दोष, रूप के साक्षात्कार के द्वारा ही दिखता है, किन्तु चेतना के आत्मचेतन नहीं होने पर अनात्म ही चेतना में आत्मरूपेण व्याप्त रहता है, और पूर्णत: असंदिग्ध रूप से।

यहाँ प्रश्न हो सकता है कि आत्म-अनात्म के भेद का आधार क्या है? किसी कुछ को अनात्म कहने का औचित्य क्या है? सर्वप्रथम और सर्वाधिक असंदिग्ध रूप से अपनी देह ही आत्मरूपेण गृहीत होती है। वही आत्मा क्यों नहीं है? इस प्रश्न पर भारतीय दर्शनों, विशेषत: अद्वैत वैदान्तिक और बौद्ध दर्शनों में बहुत विस्तार से विचार हुआ है और हमने भी अन्यत्र पर्याप्त विस्तार से विचार किया है। किन्तु यहाँ इस सम्बन्ध में कुछ विमर्श और अपेक्षित है।

जैसाकि हमने कहा, देह की आत्मस्वरूपता आद्य और सहज होती है। ऐसी ही ऐन्द्रिक और चैत्त वृत्तियों की आत्मस्वरूपता भी होती है। किन्तु चेतना के आत्मचेतन होने पर ये क्रमश: विषयरूपेण विषयी से बहिष्कृत हो जाते हैं। ये अनात्म हैं, यह बोध यद्यपि चिन्तन और मनन की सामर्थ्य के पर्याप्त विकास के साथ ही विकसित होता है, किन्तु उचित-अनुचित, श्रेय-हेय का भेद चेतना के आत्मचेतन होने के प्राय: साथ ही चेतना में प्रकट हो

जाता है। यह विवेक सम्यक् होता है या नहीं, यह एक अलग प्रश्न है। स्पष्टत: ही यह सम्यक् नहीं होता, यह भी हम क्रमश: जानते हैं, किन्तु सम्यक् क्या है इसका अन्तिम रूप से निश्चित प्रमाण हमारे लिए अलभ्य ही रहता है। किन्तु हमारा अमुक विवेक सदोष था, यह हमारे पर निरन्तर प्रकट होता रहता है, यद्यपि इसमें हम कभी निश्चित होने की स्थिति में नहीं होते।

इस अनिश्चय और निश्चय का आधार क्या होता है? इसके उत्तर के लिए इस प्रश्न का उत्तर खोजना होगा कि विवेक का आधार क्या होता है? यहाँ हम इस पर विस्तार से विचार नहीं कर सकते, इस पर हमने पीछे सत्य शीर्षक लेख में संक्षेप से विचार किया है और अन्यत्र कई स्थानों पर पर्याप्त विस्तार से विचार किया है। यहाँ हम एक दूसरे प्रसंग पर विचार करेंगे जो इस प्रश्न पर अवान्तर रूप से प्रकाश डाल सकता है, और इसे एक व्यापकतर पृष्ठभूमि दे सकता है। यह प्रसंग हमारी कृतियाँ उपस्थित करती हैं। इस पर विचार मुकुंद जी द्वारा स्पष्टीकरण के लिए आगे उठाये गये 'सामान्य' और 'प्रत्यय' के भेद के प्रश्न पर भी प्रकाश डालेगा।

यों मनुष्येतर जीव-जगत् में भी हम कृतियों की रचना देखते हैं-पक्षी घोंसले बनाते हैं जिनमें एक कौशल-भेद दिखता है-चील का घोंसला अकुशलतम और बया का कुशलतम कहा जा सकता है; चींटियाँ, दीमक आदि बाँबी और मधुमक्खियाँ छत्ता बनाती हैं, और भी बहुत से कृमि अपने घर बनाते हैं। इन्हें 'आवास-प्रत्यय' का क्रियान्वयन कहा जाय या नहीं यह निर्णय कर पाना कठिन होगा, यद्यपि हम इसे यही कहना चाहेंगे। किन्तु स्वयं जीव-जातियों को भी प्रत्यय की अभिव्यक्ति और विभिन्न जैव देहों को कृतियाँ नहीं कहने का हमें कोई औचित्य दिखायी नहीं देता। जीव-जातियों को हमने कुछ इसी प्रकार अपनी पुस्तक *सत्ताविषयक अन्वीक्षा* के 'प्राकृतिक जगत्' अध्याय में देखने का प्रयत्न किया है। जैव देहों को कृतियाँ कहने का औचित्य यह है कि इनमें एक प्रतिमान से सम्यक्ता साधने का प्रयत्न लक्षित होता है। पक्षी अपने घोंसलों में सुधार करते देखे जाते हैं, यों चील से गौरैया के और गौरैया से बया के घोंसले में सुधार तो स्पष्ट है ही। ये 'सुधार' एक प्रतिमान की अपेक्षा के द्योतक होते हैं और कृति की अपने प्रत्यय से न्यूनता की मात्रा के निर्धारक होते हैं। किन्तु जीवों की और प्रकृति की ये कृतियाँ प्रत्ययों के प्रति और अपने कृतित्व के प्रति आत्म अचेतन होती हैं। जीव और प्रकृति अपनी कृतियों में न्यूनता या दोष *देखते* नहीं, यद्यपि उनमें अपनी कृति में 'सुधार' का प्रयत्न इस दृष्टि की अविदित विद्यमानता का संकेत देता है। किन्तु मानव-चेतना असंख्य प्रत्ययों का साक्षात्कार करती है और यह साक्षात्कार न्यूनाधिक आत्मचेतन भी होता है। यहाँ यह प्रष्टव्य होना चाहिए कि इन प्रत्ययों की सत्ता कैसी और कहाँ होती है और कृतियों की सत्ता कैसी और कहाँ होती है, और कृतियों की अपने प्रत्यय से न्यूनता या असम्यक्ता या दोष की सत्ता कहाँ और कैसी होती है?——

ऊपर हमने भाषा और उसके वाच्य के सम्बन्ध को देखा। यह वाच्य भाषा के साथ ही सत्ता-लाभ करता है और भाषा उस वाच्य को व्यक्त करने के क्रम में ही अस्तित्व में आती है। इस वाच्य की सत्ता के दो स्तर कहे जा सकते हैं——एक स्तर जो भाषा विशेष का व्यंग्य होता है और दूसरा जो भाषा मात्र का व्यंग्य होता है। इस दूसरे स्तर की विद्यमानता एक भाषा से दूसरी भाषा में अनुवाद में प्रकट होती है। अब, भाषा का आविर्भाव चेतना के आत्मचेतन होने पर होता है, और इस प्रकार वाच्य का भी, यद्यपि वाच्य का द्वितीय स्तर, वह स्तर जो भाषा मात्र में सामान्य होता है, किसी भाषा के लिए गम्य नहीं होता, यद्यपि चेतना अपनी प्रत्यङ्मुखता में उसका अधिकाधिक आभास पा सकती है। *समाज : दार्शनिक परिशीलन* पुस्तक के भाषा विषयक दो अध्यायों में हमने इस पर कुछ कहने का प्रयत्न किया है। किन्तु वाच्य का प्रथम स्तर भी, जो किसी एक भाषा के लिए व्यंग्य होता है, उस भाषा में कभी पूर्णत: अभिव्यक्ति नहीं पाता। अपने व्यंग्य के लिए भाषा की अपर्याप्तता हम निरन्तर अनुभव करते हैं। अब, भाषा का वाच्य एक अत्यन्त बृहत् प्रत्यय-संस्थान होता है, मनुष्य की अन्य कृतियाँ विशिष्ट प्रत्ययों की व्यंजक होती हैं, किन्तु इनकी सत्ता और अपने व्यंग्य प्रत्यय से इनका सम्बन्ध उसी प्रकार का होता है जैसा भाषा का वाच्य से। यहाँ प्रश्न उठना स्वाभाविक है कि इनकी यह सत्ता किस प्रकार की और कहाँ होती है?

इस प्रश्न पर यहाँ अपेक्षित विस्तार से विचार नहीं किया जा सकता, केवल विचार के लिए दिशा-निर्देश ही किया जा सकता है। प्रत्यय विचार में अभिव्यक्ति-लाभ करते हैं और विचार व्यक्ति-चित्त में अस्तित्व-लाभ करते हैं। एक प्रत्यय अनेक व्यक्तियों के विचारों का विषय हो सकता है और उसकी यह विषयता या ज्ञान विभिन्न- रूप हो सकती है—प्राय: ही होती है। इसे विचारों का दृष्टि-भेद भी कह सकते हैं। इस प्रकार प्रत्यय विचार के लिए पर ही होता है जैसे देशगत वस्तु दृष्टि के लिए। तब इन प्रत्ययों की सत्ता कहाँ होती है? इनकी सत्ता अतिचित्त : आलय-चित्त : में होती है, ऐसा कहा जा सकता है। किन्तु यहाँ एक बड़ा विरोधाभास जैसा उपस्थित होता है—हमने ऊपर कहा कि वाच्य भाषा के साथ ही अस्तित्व में आता है, और भाषा चेतना के लोक-व्यापार के क्रम में ही अस्तित्व में आती है। ऐसी अवस्था में वाच्य के चित्-सत् होने का क्या अर्थ हो सकता है? यह एक अत्यन्त कठिन प्रश्न है, जिसके उत्तर को लेकर हम सारी दार्शनिक परम्परा से, जहाँ तक इस परम्परा का हमें ज्ञान है, भिन्न मत रखते हैं। किन्तु तब भी, एक सर्जक या विचारक के लिए यह एक साधारण अनुभव की बात है कि वह अपने सृजन या चिन्तन में मानो जैसे अतिक्रान्त प्रत्ययों की झलक पाता है। ये प्रत्यय उतने ही अथाह और अपार भासित होते हैं जितना गहरा हम अपने भीतर झाँक पाते हैं। प्लेटो इन प्रत्ययों (आइडियाज़) को किसी अतिलोक में विद्यमान अस्तित्वों के रूप में देखते थे। उनके प्रतिपादन से हमारे प्रतिपादन में बहुत अन्तर है। सब से बड़ा अन्तर तो यही है कि वे सामान्य और प्रत्यय में अन्तर नहीं देखते और दूसरा अन्तर यह है कि हम प्रत्ययों को उस चिदाकाश की अवस्तुओं के रूप में देखते हैं जो प्राकृतिक चेतना के वक्ष में निहित अपनी सीमाओं के अतिक्रमण की आकांक्षा के प्रत्याक्षेप हैं, प्लेटो के वास्तव चिदाकाश में वास्तव वस्तुओं जैसे नहीं। आत्मचेतन चेतना में एक सहज भाव्यात्मकता और आत्म-अतिक्रान्तता रहती है। प्रत्यय उसी भाव्य अलोक की अवस्तुएँ हैं।

इस सत् के स्वरूप को और स्पष्टता से समझने के लिए कृतियों की अपने प्रत्यय से न्यूनता के स्वरूप पर विचार स्थाने होगा—हम एक चित्र बनाते हैं, बनाने के बाद हम उसे देखते हैं और उससे कुछ असंतुष्ट अनुभव करते हैं। तब उस असन्तोष पर विचार करते हैं जो उस चित्र के प्रस्तुत रूप (उसकी रंग-रेखाओं से उभरी आकृति) की उसके अप्रस्तुत (लोक में अविद्यमान यद्यपि कल्पना में किंचित् आभासित) रूप से तुलना से उत्पन्न होता है। यह तुलना चित्र के प्रस्तुत रूप के दोष को प्रकट करती है : जहाँ तक वह करती है : और हम उस दोष को दूर कर देते हैं—रेखाओं को कुछ बदल कर या रंग को कुछ बदल कर। चित्र का वह दोष दूर हो जाता है और सदोष चित्र अस्तित्व से बाहर हो जाता है। अब द्रष्टव्य है कि उस दोष का अधिष्ठान कहाँ था, उसका अस्तित्व कैसा था? उसकी उस सदोषावस्था में उसके निर्दोष रूप का अस्तित्व कहाँ था? और इस निर्दोषता का स्वरूप कैसा है और अधिष्ठान कहाँ है? इन प्रश्नों के उत्तर होंगे कि दोष का अधिष्ठान दोष-दर्शी दृष्टि में था, दोष का अस्तित्व रंग-रेखाओं में था और यह अस्तित्व असत् था, चित्र के निर्दोष रूप का अस्तित्व कहीं नहीं था, इस निर्दोषता की सत्ता चित्रगत दोष के निर्धारक मानदण्ड में है और इसका अधिष्ठान चेतना की आत्म-अतिक्रान्तता में है। यही सब आत्म-अनात्म के लिए भी है। अब, आत्म को अनात्म का अधिष्ठान इस अर्थ में कहा जा सकता है कि आत्म का बोध, या कहें आत्म-बोध का आविर्भाव, ही अनात्म-बोध का हेतु होता है। एक दूसरे प्रकार से यों कहा जा सकता है कि कोई रंग-रेखाएँ किसी प्रत्यय को व्यक्त करने से चित्र बनती हैं, किन्तु यह चित्र अपने प्रत्यय से न्यून भी होता है और न्यूनाधिक असम्यक् भी। इस न्यूनता और असम्यक्ता का अधिष्ठान चित्र होता है, प्रत्यय नहीं, यद्यपि न्यूनता और असम्यक्ता प्रत्यय की अपेक्षा से ही होती हैं। यही बात आत्म के अनात्म का अधिष्ठान होने के सम्बन्ध में कही जा सकती है। अनात्म का अधिष्ठान आत्म नहीं, आत्मभावेन भावित हमारा (जीव मात्र का) जीवन, या यह भी कह सकते हैं कि अस्तित्वमात्र, है जो स्फुट या अस्फुट रूपेण आत्मवत् गृहीत होता है। जिस प्रकार चित्र-कला में नितान्त अशिक्षित व्यक्ति के लिए चित्रगत दोष अवगम्य नहीं होता उसी प्रकार अनात्मचेतन सत्त्वों के लिए अनात्म का कोई बोध नहीं होता। अनात्म-बोध का आविर्भाव आत्म-बोध के आविर्भाव से ही होता है, और जितना आत्म-बोध सम्यक् होता है उतना ही अनात्म का अनात्मरूपेण बोध सम्यक् होता है। इस प्रकार आत्म को अनात्म का अधिष्ठान तो नहीं उसके बोध का हेतु कहा जा सकता है। *यह बोध अनात्म-प्रवृत्ति के होने का आधार नहीं होता, न प्रवृत्ति अनात्म के होने का*

आधार होती है, प्रवृत्ति दोनों बोधों की आधार होती है। एक अन्य प्रकार से कहें तो यह भी कह सकते हैं कि प्रवृत्ति चेतना के आत्मा को पाने के प्रयत्न का ही नामान्तर है, जैसाकि हमने पिछले लेख में सांख्यकारिका की 56वीं कारिका को उद्धृत कर दिखाना चाहा है। (इस पर हमने अन्यत्र भी बहुत से लेखों और ग्रन्थों में यथाप्रसंग विचार किया है।) इसे समझने के लिए बौद्धों की तथागतगर्भ की अवधारणा भी बहुत उपयोगी हो सकती है। इस अवधारणा के अनुसार तथागत : अर्थात् सम्बोधि : बीज रूप में अस्तित्वमात्र में अन्तर्निहित है। ऐसा भी कह सकते हैं कि अस्तित्वमात्र में सम्बोधि निमीलित सम्भावना के रूप में विद्यमान है जो क्रमश: न्यूनाधिक उन्मीलित होती है। उपनिषद् का मन्त्र—"न हि पुत्रस्य कामाय पुत्रं प्रियं भवति, आत्मनस्तु कामाय पुत्रं प्रियं भवति" आदि भी थोड़े रूपान्तर के साथ इसे समझने में सहायक हो सकता है कि पुत्रादि के प्रति आत्मीयता लोक में आत्मभाव की ही अभिव्यक्ति है–जैसे कृति प्रत्यय की। ये अभिव्यक्तियाँ क्रमश: अपने दोष : या कहें दिग्भ्रान्तता : प्रकट कर आत्मा के अभ्रान्त स्वरूप को प्रकट कर देती हैं। यहाँ प्रश्न हो सकता है कि किसी बोध के दिग्भ्रान्त होने, या दिग्भ्रान्तता के बोध के दिग्भ्रान्त नहीं होने, की प्रामाणिकता क्या है? पुत्रादि की आत्मीयता की भ्रान्तता प्रकट होने पर वह बोध भले ही स्वत:प्रमाण जैसा दिखे, किन्तु लैला के प्रति मजनूँ के या महीवाल के प्रति सोहनी के प्रेम में मजनूँ या सोहनी को यदि बाद में दिग्भ्रान्तता का बोध हो तो उसकी प्रामाणिकता के लिए क्या कहेंगे? सम्भवत: इसे बोध नहीं कह कर वृत्ति का भिन्न हो जाना कहना चाहिए और इस दूसरी वृत्ति में पिछली वृत्ति के अनुभव की दिग्भ्रान्तता की प्रतीति को बोध नहीं कहना चाहिए। यदि दूसरी वृत्ति की मन:स्थिति को प्रामाणिक मानकर पिछली के अनुभव को दिग्भ्रान्त कहा जाय तो काव्य और कलाएँ सब दिग्भ्रान्त सिद्ध हो जायेंगी, जो युक्तियुक्त प्रतीत नहीं होता। अवश्य शाक्य मुनि के लिए ये दिग्भ्रान्त चित्त की ही व्यापार होंगी, किन्तु तब भी इन्हें ऐसा मानना स्वत:स्पष्ट तो नहीं ही है। यहाँ कहा जा सकता है कि 'ये लौकिक चित्त के लिए तो सार्थक व्यापार ही हैं, किन्तु जिस चित्त ने लौकिक चित्त का उत्स देख लिया है, जैसे शाक्य मुनि ने यह उत्स वासना में देखा था, उसके लिए काव्य–कलाओं में उन्मीलित अर्थ–राशि की, और उस कला–सृष्टि की उपादानभूत अनुभूतियों की, भ्रान्तता : असत्ता : देख पाना कठिन नहीं है। निश्चय ही हीर–राँझा का अनुभव अपने–आप में प्रामाणिक है, कवि का इस अनुभव का अवगाहन और अर्थ–राशियों का उन्मीलन भी प्रामाणिक और मूल्यवान् है, किन्तु केवल लौकिक चित्त–भूमि पर, जिसे शाक्य मुनि अनादि वासना–प्रवाह कहते हैं। शाक्य मुनि की चित्त–भूमि, या कहें अतिचैत्त भूमि पर इस अनुभूति और इन अर्थ–राशियों की दिग्भ्रान्तता, या कहें असत्–प्रतिष्ठा, स्वत:प्रमाण रूप में प्रकट हो जाती है।

सम्भवत: यह सही है। 'अनादि वासना–प्रवाह' आदि पारिभाषिक पद हैं और सिद्धान्त–दृष्टि की उपपत्तियाँ हैं, इनसे अलग होकर यह कहा जा सकता है कि हीर–राँझा का प्रेम चित्त की अत्यन्त उच्च भूमि है, किन्तु चित्त इसका उत्तरण कर जब भक्ति की भूमि पर आरूढ़ होता है तब पिछली भूमि की अनुभूति का अवमूल्यन किये बिना भी इस नयी भूमि पर उस अनुभूति का उदात्ततर रूप देखता है, और बुद्ध–भूमि पर वह और भी उदात्ततर भूमि पर आरोहण करता है। भूमियों के ये सोपान हम अपने साधारण अनुभव में भी प्रतिपल देखते हैं—अपने घर के पशुओं से आस–पास के मनुष्यों को, मनुष्यों में जन–साधारण से चिन्तकों तथा कलकारों को चित्त की भिन्न भूमियों पर देखते हैं।

मुकुंद जी का आगे प्रश्न है—"शल्य जी की दृष्टि में चित् अद्वय है। जो अद्वय हो उसी के आत्म–सृजन की बात की जा सकती है। चित् सत् को भी समोये है, जिसका वह सृजन करता है। पर चित् को किसी सृजन की आवश्यकता ही क्या? उसकी स्व सृष्टि क्यों? सृजन हो तो सृजन के लिए द्वैत की माँग होती है—सृजन किसी कुछ में, किसी कुछ से होता है। यह कहाँ से आयेगा?"

यहाँ थोड़ी कठिनाई है। 'चित् अद्वय है' यह अद्वैतवैदान्तिक दृष्टि है जो मुझे यथावत् स्वीकार्य नहीं है। किन्तु मुकुंद जी ने मेरे लेख के जिस प्रतिपादन को अपने इस प्रश्न का आधार बनाया है उससे ऐसी भ्रान्ति हो सकती है। वहाँ मैंने **तैत्तिरीय उपनिषद्** का **'सोऽकोमयत् बहु स्याम् प्रजायेयेति'** मन्त्र भी उद्धृत किया है। किन्तु वह मन्त्र वहाँ मेरे लिए केवल उत्प्रेक्षात्मक है। इसी उपनिषद् का आगे एक और मन्त्र है–'असद्वा इदमग्र आसीत्,

ततो वै सदजायत।' मेरे अभिप्राय के यह अधिक निकट है, किन्तु उपनिषद् के विचार-तन्त्र से अलग करके मेरे तन्त्र के अनुसार देखने पर। मेरा अभिप्राय है कि चेतना बहु होने के द्वारा ही होती है, बहु होना ही उसका होना है। बहु होने से पहले वह कुछ नहीं होती, असत् होती है। यों भौतिक विज्ञान की बृहत् स्फोट (बिग बैंग) की कल्पना कुछ ऐसी ही है। किन्तु मुझे इसके लिए सृष्टि के आरम्भ में जाने की आवश्यकता नहीं है, क्योंकि प्रतिपद पर चेतना का अपने सृजन में असत् से सत् होना ही होता है। ब्रह्माण्डीय रूप से भौतिक अस्तित्व को : यदि उसे कोई अस्तित्व स्वीकार किया जाय तो : चेतना की नितान्त सुषुप्ति की अवस्था कहा जा सकता है, जैव अवस्था को उसके सत्ता-लाभ की अवस्था का आरम्भ, सभ्यताएँ-संस्कृतियाँ उसकी विपुलता। मुकुंद जी को मेरा यह मन्तव्य विदित है, वे इससे ऐकमत्य भी रखते हैं, किन्तु उन्होंने यह प्रश्न जिस प्रकार रखा है उसमें मेरा *ब्रह्मसूत्र* के दूसरे सूत्र 'जन्माद्यस्य यत:' [जिससे संसार का जन्म आदि होता है, वह ब्रह्म (अद्वयचित्) है] के जैसा भाव दिखायी देता है, जो ठीक नहीं है। किन्तु मैं चित् की अद्वयता को चेतना में निहित आत्म-अतिक्रमण की पर्यन्तता के रूप में देखता हूँ, उस मूलावस्था के रूप में नहीं जो चेतना और उसके जगद्व्यापार की उपादान और निमित्त कारण है, जैसाकि *ब्रह्मसूत्र* के दूसरे सूत्र में देखा गया है।

आगे मुकुंद जी ने सामान्य और प्रत्यय में जो भेद देखा है वह एकदम सही है। ऊपर हमने प्रत्यय के स्वरूप पर कुछ विस्तार से विचार किया है। सामान्यों को जीव मात्र में आगमनात्मक व्यवहार का आधार कहा जा सकता है। कहते हैं जिस घोड़े ने कभी रीछ को नहीं देखा वह भी रीछ की गंध मात्र से भयभीत हो जाता है। इसे उसके आश्व आलय-विज्ञान में रूढ़ आगमनात्मक संस्कार कहा जा सकता है, जो सामान्यों का ग्राहक है। कृमियों का लगभग सभी व्यवहार इसी प्रकार का होता है और इसे सहज प्रवृत्ति (इन्स्टिंक्ट) कहा जाता है। इस सामान्य को 'यथापूर्वं तथैव पश्चात्' रूप ग्रहण कह सकते हैं। मनुष्य में यह भाषा की भाववाचक संज्ञाओं के रूप में भी ग्राह्य होता है। किन्तु भाववाचक संज्ञाएँ प्रत्ययों की भी वाचक होती हैं, जैसे घटत्व, गोत्व आदि। ये ही संज्ञाएँ सामान्यवाची भी होती हैं-जैसे वार्द्धक्य, धूमत्व, शत्रुता आदि।

यों प्रत्यय भी सामान्य ही होते हैं, जैसे घटत्व, गोत्व, यहाँ तक कि रामत्व भी, किन्तु प्रत्यय की सामान्यता अनेक प्रकार से घटित हो सकने की सम्भावना के अर्थ में होती है, चाहे उनमें घटित हो सकने का प्रत्येक प्रकार नितान्त विशिष्ट ही हो, जैसे रामत्व, कविता, चित्र, एक दार्शनिक सिद्धान्त आदि। दूसरे शब्दों में, उसका अस्तित्व विशिष्ट होने पर भी उसकी सत्ता निर्विशिष्ट होती है। किन्तु आगमनात्मक सामान्य में यह वैशिष्ट्य नहीं रहता, जैसे वार्द्धक्य, शत्रुता, पंकत्व आदि में। इस सामान्य का आधार विशेषों में सादृश्य-दर्शन या सादृश्य का आरोप ही होता है। इनमें एक और अन्तर अभिव्यक्ति या क्रियान्वयन के आधार पर किया जा सकता है—प्रत्यय व्यष्टि रूप में व्यक्त या कृतिरूप में क्रियान्वित होता है, जैसे गोत्व गाय में, आवासत्व भवन से घोंसले तक में, किन्तु आगमनात्मक या सादृश्य-दर्शन- मूलक सामान्य इस प्रकार का नहीं होता, जैसे वार्द्धक्य वृद्धों में व्यक्त या क्रियान्वित नहीं होता, वह वृद्धों में देखे गए सादृश्य से विकल्पित होता है, इसी प्रकार प्रहार-मुद्रा में उठा हुआ दण्ड सादृश्य से गाय में सामान्यात्मक आगमनात्मक व्यवहार को प्रेरित करता है। प्रत्यय और सामान्य में भेद इनके व्यष्टि या विशेष से सम्बन्ध के आधार पर भी देखा जा सकता है, जो उनमें सत्तागत प्रकार-भेद मूलक होता है : ऐसा कहना सही नहीं होगा कि एक वृद्ध वार्द्धक्य को व्यक्त करता है या उसे दर्शित करता है, यह केवल वृद्धों में देखा गया सादृश्य होता है जो शब्द में उद्गृहीत होकर 'वार्द्धक्य' पद-वाच्य होता है। यदि कहें कि 'यह सादृश्य भी पूरा नहीं होता केवल न्यूनाधिक ही होता है, जिसे विट्गिंस्टाइन ने पारिवारिक सादृश्य नाम दिया था', इससे हमारी बात में कोई अन्तर नहीं पड़ता, क्योंकि हम इस सादृश्य में कोई वास्तविकता देख ही नहीं रहे हैं। दूसरी ओर घट घटत्व को वस्तुत: व्यक्त करता है। अभिव्यक्ति के इस रूप को मानव-व्यक्ति के अपने प्रत्यय से सम्बन्ध से अधिक निर्णायक रूप से समझा जा सकता है : राम के सम्बन्ध में कहा जा सकता है कि उनमें रामत्व तब सर्वाधिक रामायत होता है जब वे धर्म की रक्षा के लिए धनुष धारण करते हैं। जब वे हरिण के आखेट के लिए धनुष धारण करते हैं तब वे रामत्व के व्यंजक नहीं होते। यहाँ प्रश्न हो सकता है कि क्या रामत्व राम-व्यक्ति से भिन्न किसी व्यक्ति में भी व्यक्त हो सकता है? इसे कविता या चित्र की उपमा से समझना सहायक होगा। एक

कविता विशिष्ट कविता होती है, किन्तु वह किसी विशिष्ट प्रत्यय को व्यक्त करती है। यह प्रत्यय किसी और कविता के द्वारा भी व्यक्त हो सकता है और इस कविता से अधिक सम्यक्ता और पूर्णता से व्यक्त हो सकता है, यद्यपि ये दो कविताएँ भिन्न होंगी। इनमें भेद प्रत्यय के अवधारण के प्रकार से भी हो सकता है। यही बात राम और रामत्व के लिए भी कही जा सकती है। इधर गाँधीजी में यह देखा गया ही था। खान अब्दुल ग़फ़्फ़ार खाँ सीमान्त गाँधी कहे गए, कुछ और लोगों को भी 'गाँधी' कहा गया।

यहाँ प्रश्न हो सकता है कि क्या गोत्व और गाय-विशेष के सम्बन्ध को भी राम और रामत्व के सम्बन्ध जैसा कहा जा सकता है? दूसरे शब्दों में, क्या गोत्व और रामत्व प्रत्यय एक से हैं? इसका उत्तर स्पष्टत: नकारात्मक होगा, क्योंकि गोत्व एक जैव जाति रूप में अभिव्यक्ति-लाभ करने वाला प्रत्यय है और अनात्मचेतन है जबकि रामत्व जैव प्रत्यय नहीं है इसलिए जाति-रूप नहीं है, यह व्यक्ति के आत्म-क्रियान्वयन में अभिव्यक्ति-लाभ करता है। व्यक्ति-रूप में यह क्रियान्वयन अद्वितीय ही होगा, क्योंकि वह व्यक्ति इसके क्रियान्वयन के द्वारा ही आत्म-लाभ करेगा, किन्तु इस अर्थ में यह सामान्य भी होगा कि यह सबके लिए विचारगम्य और सबके लिए क्रियान्वयनीय तथा आत्म-लाभकर हो सकता है।

इस प्रकार प्रत्यय एक प्रकार के नहीं होते। इन्हें केवल इस अर्थ में एक प्रकार के कहा जा सकता है कि इनकी सत्ता चिद्गत अर्थ-रूप होती है, जाति-प्रत्यय-सहित, जो अर्थ गहराई और व्यापकता में भिन्न हो सकते हैं। किन्तु सब प्रत्ययों में ये दो आयाम होते हैं। किन्तु किसी अर्थ की गहराई और व्यापकता कितनी है, यह उस अर्थ का अवगाहन करने वाली चेतना की दृष्टि-सामर्थ्य पर भी निर्भर करता है, यद्यपि वे प्रत्यय, जो इस दृष्टि के साथ ही अस्तित्व-लाभ करते हैं, उनकी गहराई और व्यापकता अनवगाह्य होती है।

इसी क्रम में मुकुंद जी ने प्रवृत्ति और निवृत्ति को लेकर टिप्पणी की है। उनकी टिप्पणी है "अचंभा नहीं कि अर्थ-संधानी आत्म विशुद्ध निवृत्ति में ही सार्थकता साधना चाहता है। प्रवृत्ति मात्र को निरर्थक समझता है, जैसे बुद्ध। ऐसी निवृत्ति-साधना में भी चेतना अर्थ के विराट् की उपलब्धि करती है। पर यहाँ भी अनात्म से मुक्ति मिली या नहीं, यह ठीक कैसे जाना जाय?" यद्यपि इस प्रश्न पर हम एक दूसरे सन्दर्भ में पीछे विचार कर आये हैं किन्तु यहाँ हम 'अर्थ के विराट् की उपलब्धि' के प्रश्न पर विचार करना चाहेंगे। आत्मचेतना-शून्य जैव चेतना केवल प्रवृत्त चेतना ही होती है, उसके सब अर्थ ऐन्द्रिक विषयों तक सीमित होते हैं, अथवा कहें, उसके लिए इन्द्रियार्थ ही एकमात्र अर्थ होते हैं। आत्मचेतन होने पर चेतना बाह्यार्थों से पृथक् आत्मा का भी प्रत्यक्ष करती है, चाहे बाह्यार्थ के रूप में ही—अब 'मैं' 'भोजन' का 'भक्षण करता' हूँ। चेतना की इस अवस्था में भोजन केवल भक्ष्य ही नहीं रहता, बल्कि वह नाम से व्यवहित हो जाता है। बल्कि कहें वह नाम में निहित होकर ही अपना अर्थ पाता है। यह नामकरण भी यद्यपि विषय को ही प्रस्तुत करता है, किन्तु उस चेतना के लिए प्रस्तुत करता है जो आत्म-निवर्तित होकर विषय को प्रत्ययात्मक सत्ता देती है। इस प्रकार चेतना आत्म-चेतन निवर्तित होने से ही होती है, किन्तु इस निवर्तन में भी चेतना साधारणत: पराङ्मुख ही रहती है : इन्द्रिय-विषयों, भावना-विषयों या विचार-विषयों में। ये विषय सामान्यत: प्रत्यय-मूलक होने से किस प्रकार अर्थ-विपुल होते हैं, इस पर यहाँ विचार करना सम्भव नहीं है, यों कुछ विचार पीछे प्रत्ययों पर विचार के प्रसंग में किया गया है। यहाँ केवल इतना देखना ही पर्याप्त होगा कि इस चेतना के लिए 'भोजन' का भी एक शास्त्र : पाक-शास्त्र : हो सकता है। किन्तु पाक-शास्त्र रचने के लिए चेतना को पराङ्मुख रहते हुए भी प्रत्यङ्मुखता में एक चरण और पीछे हटना होता है। इस निवर्तन में भी चेतना पराङ्मुख वृत्ति के बावजूद अधिकाधिक वैपुल्य और स्वातन्त्र्य-लाभ करती है। (पाकशास्त्र का विषय भोजन या भोज्य वस्तु का भोग नहीं होता बल्कि द्रष्टृता को समर्पित आस्वादमात्रता, अथवा कहें उद्गृहीत आस्वाद होता है, यह भोजन कर्म नहीं होकर रस-ज्ञान का विषय हो जाता है।) किन्तु यदि चेतना की वृत्ति ही प्रत्यङ्मुख हो जाय तब एक दूसरी ही अर्थ-सम्पदा और स्वातन्त्र्य का लाभ होना चाहिए। यहाँ प्रश्न हो सकता है कि इस तरह देखने पर ज्ञान-योग सर्वोत्तम योग ठहरता है, भक्ति-योग और कर्म-योग अपेक्षाकृत नीचे रह जाते हैं, क्योंकि दोनों में एक पराङ्मुखता रहती है। यहाँ हम इस प्रश्न पर नहीं जाएंगे कि भक्ति और कर्म में भी वृत्ति

प्रत्यङ्मुख हो सकती है, यद्यपि अधिकांशत: पराङ्मुख ही रहती है। *श्रीमद्भगवद्गीता* में इनके प्रत्यङ्मुख रूप को ही प्रतिपादित किया गया है और उसे योग कहा गया है। किन्तु यहाँ हम इस प्रश्न पर और आगे नहीं जाएंगे। यहाँ केवल मुकुंद जी के इस कथन पर कुछ कहना चाहेंगे कि "यहाँ भी अनात्म से मुक्ति मिली या नहीं, यह ठीक से कैसे जाना जाय?"

पहले इस सन्देह का अर्थ समझने का प्रयत्न किया जाय। जैसाकि हम जानते हैं, महात्मा बुद्ध ने सम्बोधि में जो देखा महावीर ने वही नहीं देखा, न वैदिक ऋषियों ने वही देखा, न ईसा और मुहम्मद ने, या कबीर और तुलसी ने वही देखा। यह सन्देह का एक पक्ष हो सकता है। दूसरा पक्ष वह हो सकता है जिसकी ओर महात्मा कबीर ने 'माया महा ठगिनी हम जानी' में संकेत किया है। कौन जानता है ऐसा वे स्वयं अपनी चैत्त स्थिति को ही लक्षित करके नहीं कह रहे थे? मैंने 'सत्य' लेख में इसी विपदा की ओर संकत किया है और मुकुंद जी भी उसी को लक्षित कर रहे हैं। किन्तु सन्देह का प्रथम पक्ष भी कम महत्त्व का नहीं है। अब, संबुद्ध पुरुषों में देखे जाने वाले इस दृष्टि-भेद के सम्बन्ध में क्या कहा जाय? कि इनमें कोई भी प्रामाणिक नहीं है? *नैको मुनिर्यस्य मत: प्रमाणम्?* यह कहना युक्त नहीं होगा। सम्बोधि में देखा गया सत्य कवि या चित्रकार द्वारा देखे गए सत्य से उपमेय होता है। एक ही बाह्य दृश्य को दो चित्रकार भिन्न रूप में चित्रित करेंगे, एक ही बाह्य परिस्थिति को दो कवि भिन्न-भिन्न प्रकार से निरूपित करेंगे। उनके चित्रण या निरूपण की प्रामाणिकता बाह्य दृश्य या स्थिति से उसकी सम्यक्ता से निर्धारित नहीं होती बल्कि कवि या चित्रकार की अन्तश्चक्षु की दृष्टि की प्रांजलता से और उस दृष्टि द्वारा साक्षात्कृत के व्यक्त रूप के सम्यक् बोध और उसकी थाह पाने की क्षमता से निर्धारित होती है। यही सम्बोधि के सम्बन्ध में भी सत्य है। कबीर और तुलसी दोनों राम का नाम लेते हैं, दोनों भक्त हैं, किन्तु उनकी 'मति' में आधारभूत भेद है। किन्तु इस सारे भेद के बावजूद दोनों समान रूप से प्रामाणिक हैं। उनकी प्रामाणिकता के लिए यह प्रासंगिक नहीं है कि राम का सगुण रूप वास्तव है या निर्गुण रूप? यही बात बुद्ध और महावीर के प्रतिपादनों के सम्बन्ध में कही जा सकती है। वे प्रतिपादन कहाँ तक युक्त हैं, कहाँ तक अयुक्त, यह देखना दार्शनिक तार्किकों का कार्य है। किन्तु युक्तता-अयुक्तता का यह प्रसंग सम्बोधि के प्रसंग से उसी प्रकार पृथक् होता है जैसे चित्र से बाह्य दृश्य। किन्तु तब भी भ्रान्ति के लिए अवकाश रहता है—आत्मा के ज्ञेय विषय होने से। चित्र के लिए प्रमाण बाह्य साक्ष्य तो नहीं होता किन्तु अन्त:साक्ष्य होता है, जो अन्त:साक्ष्य स्वत:प्रमाण नहीं होता, परत:प्रमाण ही होता है। कबीर ने जो माया को सेठ के घर हीरे के रूप में और निर्धन के घर कानी कौड़ी के रूप में, शिव के घर भवानी और ब्रह्मा के घर ब्रह्मानी के रूप में देखा है, उसके पीछे यही तर्क है।

किन्तु हमने अपने लेख में एक और प्रश्न की ओर भी संकेत किया है : उपर्युक्त पराङ्मुख वृत्ति की प्रत्यङ्मुखता में जो अर्थ-संपदा का हमें साक्षात्कार होता है : काव्य, दर्शन, विज्ञान आदि में : मूल्यवान् तो वह भी होता है। इस सम्पदा को निवृत्तिपरक वृत्ति में साक्षात्कृत सम्पदा से कम मूल्यवान् क्यों माना जाय? इसका उत्तर होगा कि पराङ्मुख वृत्ति की प्रत्यङ्मुखता में दृष्टि का विषय स्वयं आत्मा नहीं होता, जो हमारी अपनी सत्यप्रतिष्ठा होती है, उस अर्थ-सम्पदा में हम आत्म-अप्रतिष्ठ रह कर भी विचरण कर सकते हैं, या कहें अर्थ-सम्पदा का साक्षात्कार कर सकते हैं। यही कारण है कि बड़े से बड़ा कवि, दार्शनिक, वैज्ञानिक कामी, क्रोधी, लोभी और कृपण हो सकता है। ये सम्पदाएँ उसे इस अनात्म से मुक्ति दिलाएँ, यह आवश्यक नहीं होता। किन्तु दूसरी ओर यह भी सही है कि बुद्ध उस सम्पदा को पाने में असमर्थ रह सकते हैं जो वेदव्यास, कालिदास या नागार्जुन को उपलब्ध होती है।

अन्तरार्थ प्रामाण्य–विचार : नैतिक बोध

कहा जाता है कि भारत में तत्त्विचिन्तन जबकि बहुत उत्कृष्ट कोटि का हुआ है, धर्म–नीति या नैतिकता विषयक चिन्तन उस प्रकार से नहीं हुआ है। यह बात इसी रूप में सही कही जा सकती है कि इस विषय पर भारत के दार्शनिक सम्प्रदायों ने विचार नहीं किया, और न नैतिकता विषयक उस प्रकार से दार्शनिक लेखन हुआ जिस प्रकार आधुनिक पश्चिम में हुआ है, किन्तु *श्रीमद्भगवद्गीता* महाकाव्य का भाग होने पर भी नैतिक कर्मविषयक बहुत उत्कृष्ट दार्शनिक ग्रन्थ भी है और यह नैतिक कर्म को एक जीवन–दृष्टि विषयक तत्त्वचिन्तन के अंग के रूप में ही प्रस्तुत करता है। इस पर अनेक भाष्य भी लिखे गये हैं जिनके माध्यम से मानव–जीवन और मानव के कर्म पर गहरा विचार हुआ है। गीता की कर्मविषयक यह तत्त्वमीमांसीय दृष्टि भारत में बहुत व्यापक रूप से स्वीकृत रही है, जिसे वैदिक यज्ञदृष्टि के विकासक्रम में देखा जा सकता है और कर्मविषयक ऋणदृष्टि के आधार में भी देखा जा सकता है। किन्तु तब भी यह कहना ठीक है कि इस पक्ष पर दार्शनिकों ने वैसा व्यवस्थित विचार नहीं किया जैसा ग्रीक दार्शनिकों और आधुनिक पाश्चात्य दार्शनिकों ने किया है। इसका कारण यह कहा जाता है कि यहाँ के दार्शनिक नैतिकता को लोक–व्यवहार का विषय मानते रहे हैं और दर्शन का विषय परमार्थ–विचार को मानते रहे हैं। इस प्रकार कहा जा सकता है कि उन्होंने कर्म का उचित–अनुचित राजनीति आदि व्यवहार–नीतियों में से एक नीति के रूप में ही देखा। उदाहरणत: *छान्दोग्य उपनिषद्* में कहा गया है कि ब्रह्मवेत्ता पाप–पुण्य से ऊपर उठ जाता है, ये उसका स्पर्श नहीं करते। स्वयं *भगवद्गीता* में भी, जिसका विषय कर्म है, यही दृष्टि है। *गीता* में श्रीकृष्ण अर्जुन से कहते हैं कि तू सब धर्मों को छोड़कर यदि पूर्णत: मेरी शरण ही ग्रहण करे तो तू सब पापों से मुक्त हो जायेगा––

> सर्व धर्मान् परित्यज्य मामेकं शरणं व्रज।
> अहं त्वां सर्व पापेभ्य: मोक्षयिष्यामि मा शुच:।।

कहा जा सकता है कि निष्काम कर्मयोग का भी अन्तत: यही अर्थ है, क्योंकि इसके अनुसार निष्काम भाव से आप जो भी करेंगे वह उचित–अनुचित के साधारण मानदण्डों से ऊपर होगा। यह इससे भी सिद्ध है कि निष्कामता को गीता ने निस्त्रैगुण्य से परिभाषित किया है और हमारी शरीर–क्रियाएँ ही नहीं, मन और बुद्धि भी प्रकृति के तीन गुणों के संघात के रूप में ही देखे गए हैं। इस दृष्टि को बहुत से आधुनिक विवेचक इसी रूप में देखते हैं कि इसके अनुसार धर्माधर्म (नैतिक–अनैतिक) सब लोक–व्यवहार है और परमार्थ इससे अलग है। परमार्थान्वेषी मनुष्य को भी लोक में कर्म, या कहें व्यवहार, तो करना ही होता है, वह व्यवहार उसे लोक के नियमों के अनुसार ही करना चाहिए और ये नियम लोक की सुविधा, या लोक–जीवन के सफल संचालन के अनुभव के अनुसार बनते हैं। इस कारण इस धारणा के अनुसार भारतीय दार्शनिकों ने नैतिकता, या कहें धर्म–नीति, पर विचार नहीं किया और नैतिकता के नियमों को स्थिर करने का कार्य इस व्यवहार–परम्परा की संग्राहक स्मृतियों के लिए छोड़ दिया।

किन्तु यह आलोचना ठीक नहीं है। नैतिकता को, जिसे यहाँ धर्म (मनुष्य का धर्म) की संज्ञा दी गई थी, मनुष्य के अवच्छेदक लक्षण के रूप में ही देखा गया था, जैसा कि निम्न श्लोक से स्पष्ट है––

> आहार, निद्रा, भय, मैथुनं च, सामान्यमेतत् पशुभिर्नराणाम्।
> धर्मोहि तेषामधिको विशेष:, धर्मेण हीना: पशुभि समाना:।।

अर्थात् मनुष्य में शेष सब पशुसुलभ लक्षण ही हैं, किन्तु एक लक्षण ऐसा है जो पशुओं में नहीं है, किन्तु मनुष्य में है। वह लक्षण धर्म (सदसद् का विवेक) है। दूसरे शब्दों में, मनुष्य उचित–अनुचित विवेक से ही

परिभाषित होता है। यह दृष्टि चार पुरुषार्थों की अवधारणा में भी देखी जा सकती है। मनुष्य अर्थ और काम का (पशु-सुलभ वृत्तियों के रूप में) भी अनुसरण करता है और करेगा भी, किन्तु ये अनुसरण पुरुषोचित तभी बनते हैं जब ये धर्मानुशासित होते हैं-धर्माविरुद्धो कामोऽहम् (श्रीमद्भगवद्गीता)। किन्तु धर्म (विवेक) का विषय जहाँ लोक-व्यवहार है वहाँ परमार्थ-विचार भी है। वास्तव में परमार्थ-विचार मनुष्य के स्वरूप-विचार से अभिन्न है, जैसा कि चार्वाक के निम्न प्रतिपादन से स्पष्ट है—

> यावज्जीवेत् सुखं जीवेत्, ऋणं कृत्वा घृतं पिबेत्।
> भस्मीभूतस्य देहस्य, पुनरागमनं कुतः।।

इस श्लोक में नैतिकता या धर्म विषयक एक सिद्धान्त का प्रतिपादन है जिसका आधार मनुष्य का स्वरूपविषयक सिद्धान्त है, और मनुष्य के स्वरूपविषयक सिद्धान्त का आधार यह सिद्धान्त है कि सब तत्त्व भौतिक तत्त्व में समाहार्य हैं। इसके ठीक विपरीत **ईशावास्य उपनिषद्** का आरम्भिक मन्त्र है—"ईशावास्यमिदं सर्वं यत्किंच जगत्यां जगत्, तेनत्यक्तेन भुंजीथा, मा गृधः कस्यस्विद्धनम्।" अर्थात् इस गतिमान्-अनित्य संसार में जो भी कुछ है वह परिपूर्ण नित्य चित्तत्त्व से अध्युषित-निवसित है। इसलिए हमें सब वस्तुओं का भोग यह ध्यान में रखते हुए ही करना चाहिए कि ये उस परमात्मा द्वारा प्रदत्त हैं, इसलिए अन्य किसी की भोग्य वस्तु का लोभ नहीं करना चाहिए। इस मन्त्र का प्रथम भाग अस्तित्व मात्र के आधार तत्त्व के स्वरूप विषयक है और दूसरा भाग मनुष्य के कर्त्तव्य के स्वरूप विषयक, और कर्त्तव्य का यह स्वरूप परम तत्त्व के स्वरूप से निगमन के रूप में प्रतिपादित है। यह बात पश्चिम के नैतिक चिन्तन में भी देखी जा सकती है—सुकरात, कांट, हेगल, नीत्शे, हॉब्स, मिल, मूर और तार्किक प्रत्यक्षवादी सब का नैतिक दर्शन उनके तत्त्वदर्शन पर आधारित है। यह बात श्रीमद्भगवद्गीता में भी देखी जा सकती है। वह कर्त्तव्यविषयक धर्म-संकट से उद्विग्न अर्जुन को उस संकट या दुविधा से निकालने के लिये मार्ग-निर्देश का एक प्रयत्न है। वह मार्ग-निर्देश नितान्त व्यावहारिक प्रकार का, आर्थिक (अर्थ पुरुषार्थ मूलक) हानि-लाभ पर आधारित भी हो सकता था, किन्तु गीता विचार के उस स्तर को नहीं अपनाती, वह आरम्भ ही तत्त्वमीमांसीय प्रतिपत्ति से करती है-अर्जुन, तू कर्त्तव्य-निर्णय में जिस प्रतिज्ञा को आधार बना रहा है कि 'कौन मरेंगे और कितने मरेंगे', कर्त्तव्य-निर्णय के लिए यह आधार ही ग़लत है, क्योंकि प्राज्ञ व्यक्ति जीवन-मृत्यु के विचार को कोई महत्त्व नहीं देता—

> अशोच्यानन्वशोचस्त्वं प्रज्ञावादांश्च भाषसे।
> गतासूनगतासूंश्च नानुशोचन्ति पण्डिताः।।

अब यह ऐसी प्रतिपत्ति है जिसके बाद आप जीवन और मृत्यु, स्वरूप और पर-रूप, संसार और परमार्थ सम्बन्धी प्रश्नों से नहीं बच सकते—ठीक उसी प्रकार जिस प्रकार चार्वाक और ईशोपनिषद् की प्रतिपत्तियों के बाद नहीं बच सकते। निश्चय ही साधारणतः हम चेतना के साधारण स्तर पर ही रहते हैं और उस स्तर पर ही उचित-अनुचित का विवेक करते हैं, किन्तु कुछ लोग गहरे में भी उतरना चाहते हैं। 'मनुष्य का उसके मर जाने के बाद कुछ शेष नहीं रहता' यह प्रतिपत्ति किसी को स्वीकार्य हो सकती है, दूसरे को नहीं भी हो सकती। अब, जिसे यह स्वीकार्य नहीं है उसे इसका उत्तर खोजना होगा कि तब मनुष्य देह के अतिरिक्त क्या है और उस अतिरिक्त का क्या स्वरूप है? चार्वाक के समान सार्त्र भी यह नहीं मानते कि हम इस जन्म से पहले भी होते हैं और मरने के बाद भी रहते हैं, किन्तु तब भी वे मनुष्य का अस्तित्व भौतिक नहीं मानते और परिणामतः उनकी नीतिमीमांसा चार्वाकि, हॉब्स और पाश्चात्य तार्किक प्रत्यक्षवादियों-तार्किक भौतिकवादियों से आधारभूत रूप में भिन्न है। इस प्रकार नैतिक चिन्तकों को तत्त्वविचार तो करना होता ही है, या किसी तत्त्वमीमांसा को पूर्वगृहीत करके चलना होता है, जैसे गीता भी मान कर चली है। अब, जो चेतना के व्यावहारिक स्तर से ऊपर के स्तर पर होते हैं उनके कर्मों के औचित्य के लिए व्यावहारिक स्तर के मानदण्ड का उपयोग नहीं किया जा सकता। उदाहरणतः गौम बुद्ध अपनी पत्नी और बच्चे को सोते छोड़ कर वन में 'सत्य की खोज' के लिए निकल गये, उससे पत्नी और बच्चे को कष्ट हुआ, इस प्रकार बुद्ध ने उनके प्रति अपने उत्तरदायित्व का निर्वाह नहीं किया। किन्तु तब भी उनका

'अभिनिष्क्रमण' अकर्त्तव्य-कर्म नहीं कहा जाता, क्योंकि चेतना के जिस स्तर पर से ऐसे कर्म अकर्त्तव्य बनते हैं वे उससे बहुत ऊँची बोध-भूमि पर थे। यहाँ भारतीय नैतिक-दृष्टि या धर्म-दृष्टि पर इस आरोप का उल्लेख अस्थाने नहीं होगा कि यह या तो बहुत परम्परारूढ़ है अथवा बहुत आध्यात्मिक। कुछ इस पर व्यक्तिनिष्ठ-असामाजिक होने का आरोप भी लगाते हैं। किन्तु इस पर ये सब आरोप अयुक्तियुक्त हैं। नैतिकता विषयक भारतीय दृष्टि का तात्त्विक आधार यज्ञ और 'ऋण' को कहा जा सकता है। वास्तव में इन दोनों को पृथक् नहीं कह कर एक ही अर्थ के दो वाचक पद भी कह सकते हैं। अब, पितृऋण और गुरुऋण दोनों कर्त्तव्य-कर्म को समाजमूलक बनाते हैं और देवऋण इसे सम्पूर्ण सृष्टि से सम्बद्ध करता है—जिस सृष्टि का तत्त्व भौतिक नहीं होकर दिव्य है। इस ऋणदृष्टि में यह सिद्धान्त निहित है कि हम जो कुछ हैं वह दूसरों के योग-दान से ही हैं और यह सब अस्तित्व पारस्परिक योगदान पर ही टिका हुआ है। इसलिए इसमें अन्यों को देना, अन्यों के प्रति उत्तरदायित्व का निर्वाह करना, हमारा कर्त्तव्य है। यह दृष्टि ईशावास्य उपनिषद् के उपर्युद्धृत मन्त्र में भी निहित देखी जा सकती है।

यह एक सामान्य जीवन-दृष्टि है जो नैतिकता के लिए सैद्धान्तिक और मानसिक आधार प्रस्तुत करती है। किन्तु व्यक्ति के सामने नैतिक निर्णय की विशिष्ट परिस्थिति प्रस्तुत होने पर वह कैसे निर्णय करे? ऊपर हमने गीता का उल्लेख किया, जिसके अनुसार इसके लिए व्यक्ति अपने अन्तःकरण को देखे कि वह निष्काम है या नहीं! किन्तु मनुस्मृति चार प्रमाणों का उल्लेख करती है—

श्रुति, स्मृति, सदाचारः, स्वस्य च प्रियमात्मनः।
एतच्चतुर्विधं प्राहुः साक्षाद्धर्मस्य लक्षणम्॥

अब, नैतिक रूप से सतर्क व्यक्ति के लिए निर्णय में संकट की परिस्थितियाँ पदे-पदे प्रस्तुत होती हैं; कहें, उसके लिए पूरा जीवन युद्ध-क्षेत्र, धर्म-क्षेत्र होता है, उसमें वह कैसे यह निर्णय करे कि कर्त्तव्य क्या है? उस पर मनु ने ये चार प्रमाण बताये हैं जिनसे व्यक्ति सहायता ले सकता है। किन्तु इसमें अन्त में बताया गया प्रमाण पहले तीन से बहुत भिन्न प्रतीत होता है। इसी को *अभिज्ञान शाकुन्तलम्* में कालिदास ने प्रमाण कहा है-सतांहि सन्देहपदेषु वस्तुषु प्रमाणमन्तःकरणप्रवृत्तयः। धर्माधर्मनिर्णय में सन्देह की स्थिति में शुद्धचित्त व्यक्तियों के अन्तःकरण की प्रवृत्ति ही प्रमाण होती है। इस प्रमाण का स्वरूप क्या है? 'अपने को जो अच्छा लगे' यह तो बहुत भयावह मनमानेपन को मान्यता देने वाली बात हो सकती है। किन्तु वास्तव में ऐसा नहीं है, यह वास्तव में निर्णय करने वाले व्यक्ति पर बहुत बड़ा उत्तरदायित्व डाल देना है। यह उसे 'श्रुति या स्मृति के अनुसार मैंने किया' यह कह कर छुट्टी पाने का अवसर नहीं देता, न किसी के उदाहरण का प्रमाण प्रस्तुत कर छुट्टी पाने का अवसर देता है, यह अन्तिम उत्तरदायित्व उसी पर डालता है। इसका एक बड़ा कारण यह है कि कर्म की प्रत्येक परिस्थिति अनन्य, बहुत विलक्षण होती है, जिस परिस्थिति की जटिल रचना में एक घटक कर्त्ता स्वयं होता है, जो नितान्त अनन्य होता है। ऊपर हमने महात्मा बुद्ध के अभिनिष्क्रमण का उल्लेख किया, जिसे 'महाभिनिष्क्रमण' कहा जाता है और ठीक ही कहा जाता है। उस निष्क्रमण की परिस्थिति के केन्द्रीय घटक स्वयं सिद्धार्थ थे, उत्तरा या राहुल, या दोनों नहीं, जबकि साधारणतः ये दोनों समतुल्य घटक भी हो सकते हैं और अधिक महत्त्वपूर्ण भी हो सकते हैं। वैसी परिस्थिति में निर्णय में श्रुति और स्मृति भी प्रमाण हो सकते हैं। एक-दूसरे लेख[1] में हमने ऐसे ही निष्क्रमण के एक और उदाहरण का उल्लेख किया था- चित्र-कलाकार पॉल गॉगिन का। पॉल गॉगिन भी इसी प्रकार घर छोड़ कर चला गया था। किन्तु वह बुद्ध नहीं था, गॉगिन था, इसलिए उसके कर्त्तव्य-निर्णय की परिस्थिति प्रकटतः सिद्धार्थ की परिस्थिति के अनुरूप होते हुए भी भिन्न थी। उसके निष्क्रमण को किसी ने महाभिनिष्क्रमण नहीं कहा, किन्तु किसी ने उसे श्रुति-स्मृति के प्रमाण पर परख कर कर्त्तव्यच्युत भी नहीं कहा। किन्तु तब भी दर्शन के लिए यह प्रश्न होगा कि 'स्वस्य आत्मनः की प्रियता' का क्या अर्थ है और इसे नैतिक निर्णय में, धर्माधर्म विचार में, प्रमाण कैसे बनाया जा सकता है?

1. 'सत् का स्वरूप : सापेक्षता का प्रश्न'। (पीछे)

इसके लिए सर्वप्रथम 'आत्मा' का अर्थ समझना आवश्यक है। इसका अर्थ समझने के लिए 'आत्मानं विद्धि' और 'अप्प दीपो भव' में 'आत्मा' के अर्थ की ओर ध्यान देना आवश्यक है। इसी आत्मा के लिए 'त्यजेदेकं कुलस्यार्थे, ग्रामस्यार्थे कुलं त्यजेत्, ग्रामं जनपदस्यार्थे, आत्मार्थे सर्वं त्यजेत्' श्लोक में बात की गई है। सो, नैतिक निर्णय में सर्वोपरि प्रमाण होने के लिए जिस आत्मा की बात की गई है उसे स्व-प्रकाश (अप्प दीप) होना चाहिये और उसे जनपद (सम्पूर्ण ब्रह्माण्ड) से भी व्यापकतर होना चाहिये। इस आत्मा तक पहुँचने के लिए जिन आवरणों का उच्छेद करना आवश्यक है उनमें सबसे पहला आवरण अहंकार का है जो मनुष्य को अणु (एक) बनाता है। जहाँ तक श्रुति, स्मृति का सम्बन्ध है, वे भी प्रमाण हो सकते हैं, क्योंकि वे भी ऐसे ऋषियों-द्रष्टाओं के परामर्श हैं जो आत्म-दर्शी हैं। यह बात सदाचार के सम्बन्ध में भी सही है। किन्तु ये सब सहायक ही हो सकते हैं, जिस प्रकार अपने प्रत्यक्ष प्रमाण में अन्यों के प्रत्यक्ष-प्रमाण। द्रष्टव्य है कि साधारण वस्तुओंविषयक निर्णयों में हमें अन्यों के प्रत्यक्षों से पुष्टि की आवश्यकता नहीं होती, किन्तु थोड़ी भी जटिल वस्तुस्थिति के निर्णय में अन्यों के सहयोग की आवश्यकता होती है। फिर नैतिक स्थितियाँ (कर्त्तव्य-निर्णय की स्थितियाँ) तो बहुत अधिक जटिल होती हैं। उदाहरणत: अर्जुन के सामने ही युद्ध-क्षेत्र में जो निर्णय का प्रश्न था उसका गीता में श्रीकृष्ण द्वारा प्रस्तुत समाधान युक्त ही है, यह कोई अन्तिम रूप से नहीं कहा जा सकता। यदि वह युक्त हो भी तो भी वह तभी युक्त हो सकता है यदि कोई उस चित्त-भूमि पर अध्यारूढ़ हो सके जिस पर श्रीकृष्ण थे। किन्तु यहाँ जो बात प्रासंगिक है वह यह है कि अर्जुन किंकर्त्तव्यविमूढ़ होते हैं और श्रीकृष्ण से मार्ग-दर्शन प्राप्त करते हैं। इस प्रकार कर्त्तव्य-निर्णय में श्रुति, स्मृति और सत्-जनों का परामर्श उपयोगी होने की बात ठीक ही है। किन्तु यहाँ भारतीय दृष्टि उन संस्कृतियों, सभ्यताओं से एकदम भिन्न है जो किसी एक तथाकथित युग-पुरुष या धर्म-पुस्तक को प्रमाण मानकर चलती हैं। उपर्युक्त श्लोक में ही जिन श्रुतियों और स्मृतियों की बात की गई है वे इतनी अनेक हैं कि इनकी कोई संख्या नहीं बतायी जा सकती, और वे अनेक हैं तो स्वाभाविक है कि उनमें मतभेद भी होगा—

श्रुतयोऽपि भिन्नाः स्मृतयोऽपि भिन्नाः, नैको मुनिर्यस्य मतः प्रमाणम्।
धर्मस्य तत्त्वं निहितं गुहायां, महाजनो ये गतः स पंथा।।

किन्तु महाजन कौन हैं? कहेंगे वे जिनका बनाया मार्ग धर्म का मार्ग है। किन्तु जब स्वयं इस श्लोक में ही पहले ऋषियों-मुनियों के मतों को अनेक और परस्पर विरुद्ध या भिन्न होने से अप्रामाणिक कह दिया गया है तब ये महाजन दूसरे कौन होंगे? इस प्रकार इस श्लोक में एकमात्र प्रतिपत्ति धर्म के तत्त्व की गुह्यता की है, और ऐसी परिस्थिति में धर्म-निर्णय का एकमात्र स्रोत अप्प-दीप (अन्त:साक्ष्य) ही रह जाता है। किन्तु दीप के प्रकाशक होने के लिए उसका निरावृत होना आवश्यक होता है, अन्त:साक्ष्य के प्रामाणिक होने के लिए अन्त:करण का निर्मल होना आवश्यक होता है। किन्तु यह निर्मलता मनुष्य को बहुत कम ही उपलब्ध होती है। अवश्य यह साध्य होती है और मनुष्य को सहज रूप से इसका बोध सिद्ध है कि इसकी साधना की दिशा क्या है, किन्तु यह सहज बोध साधारणत: नितान्त असम्यक् और नितान्त धुँधला ही होता है। धर्माधर्म-विवेक की इस अत्यन्त दुराराध्यता का यह बोध भी भारतीय परम्परा में बहुत व्यापक रूप से मिलता है। ऊपर उद्धृत श्लोक में इसकी गुह्यता की बात हमने देखी, गीता में यही बात इस गहनता के और गुफा के रूप के सम्बन्ध में संकेत के साथ कही गई है-

किं कर्म किमकर्मेति कवयोऽप्यत्र मोहिता:।। 4.16।।
कर्मणोह्यपि बोद्धव्यं, बोद्धव्यं च विकर्मण:।

अकर्मणश्च बोद्धव्यं, गहना कर्मणो गति:।। 4.17।।
कर्मण्यकर्म य: पश्येदकर्मणि च कर्म य:।
स बुद्धिमान्मनुष्येषु स युक्त: कृत्स्नकर्मकृत।। 4.18।।[1]

1. कर्म क्या है और अकर्म क्या है, इसे समझने में क्रान्त-दर्शी व्यक्ति भी भ्रान्ति में पड़ जाते हैं। कर्म का स्वरूप भी समझना चाहिये और विपरीत कर्म का स्वरूप भी समझना चाहिये और अकर्म का स्वरूप भी समझना चाहिए, क्योंकि कर्म का स्वरूप बहुत गहन है। जो मनुष्य कर्म में अकर्म और अकर्म में कर्म देखता है वही बुद्धिमान् और सब कर्मों को सम्यक् रूप से करने वाला होता है।

इन श्लोकों का साधारण अर्थ हम नीचे दे रहे हैं, किन्तु इनकी व्याख्या अपेक्षित है जो हम यहाँ नहीं कर रहे हैं, क्योंकि इसके लिए तत्त्वमीमांसा विषयक अवान्तर चर्चा में जाना होगा। वह चर्चा अन्यथा अनावश्यक नहीं है, जैसाकि हमने पीछे देखा, क्योंकि मनुष्य के स्वरूपविषयक विचार के बिना कर्म की धर्मानुकूलता के विषय में विचार नहीं किया जा सकता। किन्तु धर्म या नैतिक बोध पर विचार तात्त्विक प्रश्नों के विस्तार में जाये बिना मनुष्य में पाये जाने वाले सहज नैतिक बोध पर विचार से भी आरम्भ किया जा सकता है।

नैतिकता का सम्बन्ध कर्म से माना जाता है। साधारणत: यह ठीक है, किन्तु इसका सम्बन्ध मनुष्य के (व्यक्ति रूप में या सामाजिक रूप में) अपने होने मात्र से भी माना जा सकता है। यों भी मनुष्य का कर्म उसके होने का एक भाग या पक्ष ही होता है। फिर, कर्म के भी ऐसे रूप हैं जो नैतिकता की परिधि में प्रत्यक्षत: नहीं आते। उदाहरणत: 'आज मैं यदि नहीं नहाऊँ तो कैसा रहे?' इस निर्णय में नैतिकता की बात सामान्यत: नहीं आती। किन्तु आ भी सकती है। गाँधीजी ने अपनी पौत्री द्वारा पैर साफ करने का प्रस्तर-खण्ड भूल से छोड़ आने पर उसे उसका प्रमाद माना था। इसी प्रकार निरन्तर तलवार की धार पर रहने वाले व्यक्ति के लिए *ऐसे ही नहीं नहाने* की बात सोचना तो बहुत बड़े प्रमाद की बात होनी चाहिये। और यह व्यक्ति-भेद नैतिकता के प्रश्न से जुड़ा है-'मनुष्य को कैसा होना चाहिए?' इस से। 'मनुष्य को कैसा होना चाहिए?' यह नैतिकताविषयक आधारभूत प्रश्न कहा जा सकता है। विभिन्न संस्कृतियाँ मनुष्य विषयक इस मूल प्रश्न के उत्तर के रूप में एक आदर्श मानव-प्रतिमा की कल्पना के साथ अस्तित्व में आती हैं और उस कल्पना के वास्तवीकरण के प्रयत्नों के रूप में अपने को चरितार्थ करती हैं। यही बात व्यक्तियों के लिए भी कही जा सकती है। व्यक्ति के व्यक्तित्व की प्रतिष्ठा उसकी एक आत्म-प्रतिमा की कल्पना में ही होती है जिसके वास्तवीकरण के प्रयत्नों की सफलता-असफलता में वह अपने को सफल-असफल देखता है। इस प्रतिमा की कल्पना उसमें कितनी स्पष्ट है और इसके वास्तवीकरण का संकल्प उसमें कितना दृढ़ है, यह बात उसके नैतिक व्यक्तित्व को रूप देती है। 'आत्म-प्रतिमा' चेतना के आत्मचेतन होने को पूर्वगृहीत करती है जो कि मानव-चेतना का वैशिष्ट्य है। इस आत्मचेतना को मनुष्य का अवच्छेदक लक्षण भी कहा जा सकता है, जिससे उसमें अन्य बहुत से ऐसे लक्षण प्रकट होते हैं जो अवच्छेदक लक्षण कहे जा सकते हैं।[1] इनमें एक आधारभूत लक्षण नैतिक (धर्म) बोध है।

यह धर्म-बोध क्या है? पीछे उद्धृत 'आहार, निद्रा' आदि श्लोक से जो व्यंजित होता है वह यह है कि चित्त की प्राकृतिक प्रवृत्तियाँ पाशव प्रवृत्तियाँ हैं, उन प्रवृत्तियों का बाध कर प्रवृत्त होना धर्म है। अब, द्रष्टव्य है कि आत्मचेतन व्यक्ति, या समूह भी, ऐसा हो सकता है जो प्राकृतिक प्रवृत्तिपरक हो। क्या ऐसे आत्मचेतन व्यक्ति को, जो धर्माधर्म बोध से नितान्त शून्य हो और प्राकृतिक रूप से ही प्रवृत्त हो, मनुष्य कहा जा सकता है? यहाँ यह द्रष्टव्य है कि धर्माधर्मबोध होना और इस बोध के अनुसार धर्म का आचरण करना और अधर्म के आचरण से विरत होना ये दो अलग बातें हैं। इस प्रकार, एक अर्थ में अधर्म में प्रवृत्त किन्तु धर्माधर्म-विवेक से युक्त व्यक्ति को भी मनुष्य ही कहेंगे, केवल उसे मनुष्यता में असफल या मनुष्यता से भ्रष्ट कहेंगे। द्रष्टव्य है कि मनुष्य में धर्म-बोध या धर्माधर्म-विवेक उतना ही सहज है जितना सत्-असत् (अस्तित्व-अनस्तित्व) का बोध। यह दूसरा बोध जीव मात्र में सामान्य है, यद्यपि विभिन्न जीवों में इसके रूप, इसकी अन्तर्वस्तु में भेद होता है। किन्तु प्रथम बोध अन्य किसी जीव में नहीं है, केवल मनुष्य में ही है, और मनुष्य में यह उतना ही सहज है जितना सत्-असत् का बोध। हमारी इस प्रतिपत्ति से अधिकांश विचारक सहमत नहीं होंगे। यह प्राय: सर्वसम्मत जैसा ही है कि सद्-असद्, धर्म-अधर्म कुछ नहीं होता, यह केवल हमारी धारणाओं का ही आरोप होता है। यह एक प्रकार से ठीक भी है—सद्-असद् गुण ईंट-पत्थर के समान बाह्य देश में नहीं होते। किन्तु ईंट-पत्थर का बाह्य देश में होना हमारी ज्ञानेन्द्रियों की अपेक्षा से और सत्ता-बोध की अपेक्षा से ही होता है, अपने-आप से नहीं होता। इसलिए बाह्य लोक में होना किसी बोध-विषय की वास्तविकता को कोई आधार नहीं देता। यदि ध्यान से देखें तो इन्द्रिय-विषयों के अस्तित्व में भी प्रकार-भेद होता है-पृथ्वी-जल, मेज़-मकान, मूर्त्ति-चित्र-गीत, मनुष्य-पशु इन सबमें

1. द्रष्टव्य-हमारा 'आत्म-चिन्तन' लेख, ***तत्त्व-चिन्तन***, दर्शन प्रतिष्ठान, 2004 में संकलित।

प्रकार-भेद है और सब को स्वायत्त वस्तुएँ नहीं कहा जा सकता। फिर ऐन्द्रिक संवेद, भावनाएँ और विचार आदि हैं, ये बाह्य वस्तुएँ नहीं हैं किन्तु तब भी हैं और अधिक प्रत्यक्षगत हैं। किन्तु किस रूप में? ये विषयिताएँ भी हैं और विषय भी—मेरी वेदना वेदना रूप में भी है और विदित रूप में भी, पशु में यह वेदना वेदना रूप में ही होती है विदित रूप में नहीं। किन्तु मनुष्य के लिए यह वेदाना विदित रूप में ही 'अस्तित्व' धारण करती है, पशु में यह अस्तित्व धारण करती ही नहीं। इस प्रकार अस्तित्व का बोध सहज होने पर भी अस्तित्ववान् की स्वायत्तता या वस्तुता धर्माधर्म की वस्तुता से अधिक ठोस सिद्ध नहीं होती। अब, मनुष्य ने सर्वसामान्य रूप से सभी संस्कृतियों में और वैचारिक विकास के सभी स्तरों पर, अपना स्वरूप दैहिकता-ऐन्द्रिकता के विपरीत किसी प्रकार के अतिलौकिक भावनात्मक, बौद्धिक और आध्यात्मिक अर्थों के अन्वेषण में देखा है '*साहित्य, संगीत, कला-विहीन:, साक्षात्पशु: पुच्छ-विषाणहीन:।*' यह दृष्टि भारत की ही विशेष नहीं है, यह मनुष्य मात्र में सहज है। मनुष्य सहज रूप से आकृष्ट चाहे भोगों की ओर ही होता हो और उन्हीं को पाने में प्रयत्नशील रहता हो किन्तु वह उतने ही सहज रूप से जानता है कि इन एषणाओं को जीवन की सार्थकता का और कर्म के औचित्य का आधार नहीं बनाया जा सकता, और कि मानव-कर्म स्वरूपत: औचित्य-अनौचित्य-बोध से विशिष्ट होता है। इसी प्रकार, यद्यपि वह इस भूमि और इस आकाश के बीच ही रहता है,किन्तु वह अपने अस्तित्व को इस धरती तक सीमित नहीं देख पाता—वह अपने अर्थ (परमार्थ) को अपने ऐहिक रूप में निश्शेष नहीं देख पाता। इसी प्रकार, वह यद्यपि अन्य जीवों के समान वर्तमान काल में ही जीता है, किन्तु वह अपना जीवन वर्तमान-पर्यन्त नहीं देख पाता। उसका काल अतीत में अनादि और भविष्यत् में अनन्त रहता है। इसी से वह मर कर भी नहीं मरता और न वर्तमान जन्म में अपने आरम्भ को देख पाता है। यह बोध चाहे मनुष्य में सर्वत्र उतना स्फुट परिलक्षित नहीं होता हो जितना भारत में, किन्तु यह मनुष्य की सभी आदिम संस्कृतियों में भी विद्यमान देखा जा सकता है। अवश्य ऐसे भी विचारक हैं, और आधुनिक यूरोप में उनकी संख्या पर्याप्त बड़ी है, जो इस लोक और इस जीवन की सीमाओं के बाहर देखना स्वीकार नहीं करते, किन्तु उनका यह विचार मनुष्य के सहज बोध में प्रतिष्ठित नहीं होकर इस बोध के निषेध पर ही प्रतिष्ठित है।

साधारण रूप से मनुष्य में धर्म-बोध अपने दोनों अर्थों (कर्त्तव्याकर्त्तव्य-विवेक और परतत्त्वानुशीलन) में सब संस्कृतियों में विद्यमान दिखायी देता है। नैतिक बोध में धर्म के ये दोनों अर्थ सम्मिलित रहते हैं। नैतिकता विषयक कोई भी सूत्र लें (सत्य, अहिंसा, नि:स्वार्थता, अस्तेय, दम, इन्द्रिय-निग्रह आदि), इनके औचित्य के लिए युक्ति भी दी जाती है, किन्तु इनकी कर्त्तव्यता और श्रेयोमयता का मनुष्य अपरोक्षत: भी साक्षात्कार करता है। अब, यदि इनकी कर्त्तव्यता या पालनीयता के लिए युक्तियों को ध्यान से देखें तो ये अन्ततः श्रेयस् के अपरोक्ष बोध में ही पर्यवासी मिलेंगी। यहाँ किसी एक नैतिक नियम या निर्देश पर विचार स्थाने होगा। इसके लिए नि:स्वार्थता को लिया जा सकता है। नि:स्वार्थता अन्य को स्व के तुल्य देखने की योग्यता को पूर्वगृहीत करती है और यह योग्यता अहं के विषयकरण की और अन्य को उसकी विषयिता में ग्रहण कर सकने की योग्यता को पूर्वगृहीत करती है। मनुष्य की यह योग्यता उसकी भाषा में 'मैं' के सार्वनामिक प्रयोग में अपना ठोस आधार पाती है जिससे 'मैं' पद 'तू' और 'वह' की समकक्षता में स्थित होकर वक्ता के मदीयत्व से मुक्त हो जाता है। यह बोध स्वभावत: परार्थ को स्वार्थ की समकक्षता में देखने की योग्यता देता है, किन्तु यह योग्यता स्वार्थ के परित्याग की योग्यता (आत्मवत् सर्वभूतेषु देखने की योग्यता) नहीं देती। स्वार्थ के परार्थ के लिए परित्याग की योग्यता में एक दूसरे प्रकार का, दूसरे स्तर का, बोध निहित है जिसे वरेण्यता का बोध कह सकते हैं। तब यह बोध परार्थ को स्वार्थ के तुल्य ही प्रतिष्ठित नहीं करता बल्कि परार्थ के लिए स्वार्थ के परित्याग को अपने उच्चतर स्वार्थ के रूप में, वरेण्य के रूप में, आत्म-श्रेयस् के रूप में भी प्रतिष्ठित करता है। यह बोध किसी और प्रतिज्ञा में अपचेय नहीं होता। उदाहरणत: कुछ विचारक परोपकार को इसलिए करणीय मानते हैं क्योंकि यह अन्ततः स्वार्थ की रक्षा और संवर्द्धन के लिए उपयोगी होता है। उनके अनुसार, समाज में व्यवस्था से रहने के लिए दूसरों के स्वार्थों का ध्यान रखना आवश्यक है और यह व्यवस्था व्यक्ति के अपने अर्थों की रक्षा और संवर्द्धन के लिए आवश्यक है। नैतिकता विषयक यह दृष्टि मनुष्य के स्वरूप विषयक इस सिद्धान्त में प्रतिष्ठित है कि 'मनुष्य का स्वरूप और

उसके जीवन का अर्थ वही है जो पशु का है। इनमें भेद केवल यही है कि मनुष्य पशु से अधिक चतुर है। जिस प्रकार पशु रहने के लिए घोंसले या माँद से अधिक कुशल व्यवस्था नहीं कर सकता किन्तु मनुष्य बहुत अधिक कुशल व्यवस्था कर सकता है उसी प्रकार वह अपने अर्थों को बहुत संवर्द्धित और परिष्कृत कर सकता है और उनकी सिद्धि की बहुत कुशल व्यवस्था कर सकता है। परार्थ कर्म उसी व्यवस्था का एक अंग है, एक उपायकौशल मात्र।' किन्तु 'परार्थ' विषयक यह अवधारणा नैतिक बोध के आधारभूत रूप से विपरीत है। सहज नैतिक बोध में परार्थ-भाव निरपेक्षत: ही परार्थपरक होता है, उसमें पर का लाभ स्व की हानि करके भी वरणीय होता है। यह बोध निम्न श्लोक में परिभाषित देखा जा सकता है—

> उपकारिषु य: साधु: साधुत्वे तस्य को गुण:?
> अपकारिषु य: साधु: स: साधु: सद्भिरुच्यते।[1]

यहाँ प्रश्न हो सकता है कि वरेण्यता का यह बोध यदि मनुष्य में सहज मान भी लिया जाय तो भी इसके लिए युक्ति क्या है? क्यों किसी को अपकारी के प्रति भी साधु (उपकारी) होना चाहिए? इसका प्रथम और अकाट्य उत्तर तो यह होगा कि यह बोध एक सर्वथा पृथक् और अन्यानपचेय कोटि विषयक है, उसी प्रकार जैसे सत्-असत् का बोध। वस्तुओं में सत्ता का भाव मूल बोधगत नहीं होने पर अन्य किसी प्रकार से नहीं हो सकता और वस्तुओं के सत् होने या उससे रहित होने के लिए दूसरी कोई युक्ति नहीं हो सकती, इसलिए सब युक्तियाँ इस बोध को पूर्वगृहीत करती हैं। उदाहरणत: 'मेज़ यहाँ है, क्योंक सब को दिखायी दे रहा है,' यहाँ प्रत्यक्ष प्रमाण सत्ता को पूर्वगृहीत कर प्रवृत्त हो रहा है। यही बात नैतिक सद्-असद् के लिए है—परोपकार पुण्यकारक है और पर-पीडन पापकारक (परोपकार: पुण्याय पापाय पर-पीडनम्) क्योंकि ...। यहाँ वाक्य-पूर्ति में जो युक्तियाँ दी जायेंगी वे सद् की वरेण्यता को पूर्वगृहीत करके ही प्रवृत्त होंगी। इस पर कहा जा सकता है कि 'यह बोध केवल मनुष्य में ही उपलब्ध होता है, शेष जीवों में इसका अणु मात्र भी उपलब्ध नहीं होता, और मनुष्य में भी यह सर्वत्र और समान उपलब्ध नहीं होता' तो यह कोई इसके विरुद्ध युक्ति नहीं है, क्योंकि सत्ता का बोध भी जीवों में समान रूप से स्फुट और समान-रूप उपलब्ध नहीं होता।[2] इस प्रकार, यदि यह प्रश्न किया जाये कि 'क्यों हमें अपकारी के प्रति भी साधु होना चाहिए?' तो इसके लिए कोई दूसरी युक्ति नहीं हो सकती सिवाय इसके कि ऐसा व्यक्ति सहज ही इस भाव से वंचित व्यक्तियों से चेतना में अधिक उत्कृष्ट दिखायी देता है। इसे बौद्धिक आधार देने के लिए मानव-जीवन की सार्थकता पर, मनुष्य के स्वरूप पर विचार करना आवश्यक हो जाता है और उसके लिए ऐसी अवधारणाओं को विचार्य स्वीकार करना आवश्यक हो जाता है जिनके अनुसार यह धरती और आकाश अस्तित्व की पर्यन्त परिधि नहीं ठहरते। उदाहरणत: पर के हित को अपने हित के बराबर ही निरपेक्ष महत्त्व देने के लिए यह आवश्यक है कि व्यक्ति अपनी उस प्रवृत्ति का निर्देश अस्वीकार करे जो उसके पाशव जीवन के तारतम्य में होने से उसमें सहज है और कि वह इस प्रकट सत्य की वास्तविकता को अस्वीकार करे कि वह पाशवता के तारतम्य में ही एक जीव है। किन्तु मनुष्य के पशु-जीवन के तारतम्य में नहीं होने को स्वीकार कर लेने पर उसमें वरेण्यता के बोध के लिए यह एक युक्त आधार हो जाता है। द्रष्टव्य है कि भारतीय परम्परा ने मनुष्य को दैहिक रूप से पशु-योनियों में से ही एक योनि माना है, किन्तु चेतना के स्तर पर मनुष्य-योनि को पशु-योनि के विपरीत माना है। इस विपरीतता को यह परम्परा भोग-योनि और कर्म-योनि की संज्ञा देती है। किन्तु यहाँ प्रश्न हो सकता है कि यह भेद स्वीकार कर लेने पर भी इस चेतना के वस्तुपरक होने के लिए क्या युक्ति है? क्यों यह नहीं माना जाये कि उचित-अनुचित का विवेक अवस्तुपरक (काल्पनिक) है? इस प्रश्न के उत्तर के लिए यहाँ यह प्रतिप्रश्न किया जा सकता है कि इस पाशव प्रवृत्ति के वस्तुपरक होने के लिए क्या युक्ति है कि 'स्वार्थ ही साध्य है और ऐन्द्रिक सुख ही अन्वेष्य है?' अब इसके लिए और कोई युक्ति नहीं हो सकती कि यह जीव में, मनुष्य सहित, सहज प्रवृत्ति है

---

1. जो अपने प्रति उपकार करने वालों के प्रति उपकार करता है, उसके उपकार में क्या अच्छाई है? अच्छाई तो उसके उपकार कर्म में है जो अपने प्रति अपकार करने वाले के भी प्रति उपकार करता है।

2. द्रष्टव्य पीछे, लेख सं. 3

कि वह सुख की आकांक्षा ही करता है। किन्तु इस पर प्रतिवाद किया जा सकता है कि पतंगे अपने को आग की भेंट करते भी देखे जाते हैं जो उनके लिए सुखकर नहीं हो सकता। किन्तु हम इस सुखान्वेषण की प्रवृत्ति के लिए इतने आश्वस्त हैं कि हम पतंगों के अपने को आग में झोंकने में भी किसी प्रकार का सुख ही देखेंगे, इसे दु:खान्वेषण की प्रवृत्ति स्वीकार नहीं करना चाहेंगे।

भारतीय परम्परा सुखान्वेषण को निरपवाद प्रवृत्ति मानने के लिए इतनी आश्वस्त है कि वह मनुष्य में भी इसका अपवाद नहीं देखती, जबकि मनुष्य में इसका अपवाद स्पष्टत: देखा जा सकता है। इस अपवाद-दृष्टि का प्रतिकार यह पतंगों के आग में जलने में सुख देखने के जैसी युक्ति से ही करती है। किन्तु वास्तव में मनुष्य में इसमें भी पशु से तारतम्य का विच्छेद है। इस विच्छेद की पराकाष्ठा सांख्य और बुद्ध में देखी जा सकती है। प्रथम सांसारिक सुखों को दु:ख-परिणामी मानता है और द्वितीय संसार को ही दु:ख मानता है और इस संसार से मुक्ति के लिए दोनों सहज सांसारिक सुखों के त्याग और दु:खों के वरण का परामर्श देते हैं। वास्तव में संसार को मिथ्या मानने में भी यही दृष्टि देखी जा सकती है। किन्तु इन दृष्टियों को जाने भी दें, तो भी देखा जा सकता है कि मनुष्य मनोमय और आध्यात्मिक अर्थों के अन्वेषण में पशु-सुलभ सुखान्वेषण के विपरीत जाता ही है और प्राय: ही जाता है। साहित्य, संगीत और कलाओं की साधना, धर्म और अन्य आध्यात्मिक अन्वेषणों के लिए सुखों का परित्याग, बल्कि कष्ट-सहन, यह मनुष्य में प्राय: ही मिलता है। उदाहरणत: धर्म के लक्षण, जो भारतीय परम्परा में ही स्वीकृत नहीं हैं बल्कि सार्वभौमिक मानवीय बोध में निहित कहे जा सकते हैं, वे सब पशु-सुलभ सुखान्वेषी सहज प्रवृत्ति के निरोध-मूलक ही कहे जा सकते हैं। ये लक्षण हैं-धृति, क्षमा, दम, अस्तेय, शौच, इन्द्रिय-निग्रह। इनमें सुख रूप में दृष्ट सहज पाशव प्रवृत्तियों को हेय देखा गया है। अब, पशु में वरेण्यता-अवरेण्यता के इस बोध का नितान्त अभाव और मनुष्य में इस बोध की सहज विद्यमानता को इस बात के लिए प्रमाण कहा जा सकता है कि मनुष्य में पशु से भिन्न एक ज्ञानेन्द्रिय है जो पशु के लिए अगम्य वस्तु धर्म को उसी प्रकार देख सकती है जैसे बहुत से जीव मनुष्य के लिए अदृश्य किरणों को देख सकते हैं। इस इन्द्रिय का कारण चेतना की आत्मचेतनता में है : चेतना की जो शक्ति केवल मनुष्य को ही उपलब्ध है। इस 'इन्द्रिय' के नहीं होने पर मनुष्य में वरेण्यता का, धर्म का, औचित्य-अनौचित्य-विवेक का बोध होना सम्भव नहीं था।[1] वास्तव में यहाँ 'इन्द्रिय' शब्द का प्रयोग लाक्षणिक ही कहा जा सकता है, इसके लिए 'बोध' शब्द का प्रयोग ही युक्त है। बोध इन्द्रिय के समान चेतना की बाह्यार्थ ग्राहक शक्ति नहीं हो कर अर्थों के अन्तर्गत धर्म की ज्ञापक या अर्थों को उनके याथार्थ्य की प्रदायक शक्ति होती है जो चेतना की ज्ञानेन्द्रिय शक्ति से इस अर्थ में भिन्न कही जा सकती है कि इन्द्रिय केवल उन वस्तुओं के लक्षण देखती है जिन लक्षणों को उनका वस्तुपरक आधार चेतना का वस्तु-बोध (अस्तित्व-बोध) देता है, स्वयं इन्द्रिय किसी वस्तु को नहीं देखती। वस्तुसत् विषयक यह बोध न्यूनाधिक विकसित रूप में जीव मात्र में सहज होता है कि जो किसी ज्ञानेन्द्रिय से ग्राह्य है वह सत् है, जब तक वह किसी बाध से असत् सिद्ध नहीं हो जाता। चिड़िया को काँच की दीवार दिखायी नहीं देती इसलिए उसके लिए वह तब तक असत् होती है जब तक वह उसकी गति को बाधित नहीं करती। किन्तु गति की बाधा इन्द्रिय-ग्राह्य होने पर भी सम्भवत: चिड़िया के लिए वस्तु-प्रापक नहीं होती, इसलिए वह उससे बार-बार टकराकर भी उसे सद्वस्तु रूप में ग्रहण नहीं कर पाती। जिसका अर्थ है कि उसके लिए वस्तु-लक्षण रूप में दृश्यता मौलिक है, स्पर्श या बाधा मौलिक नहीं हैं। इसके विपरीत चिमगादड़ के लिए ध्वनि-तरंगें ही वस्तु-प्रापक हैं, जिस कारण वह उड़ते हुए बिना दिखे भी दीवारों से नहीं टकराता। किन्तु चिड़िया की गति तो बाधित होती ही है, जिस बाधा को वह दिखायी देने के वस्तु-लक्षण या वस्तु-लक्षण के अभाव के साथ समन्वित नहीं कर पाती। किन्तु मनुष्य यह समन्वय अपेक्षाकृत सरलता से कर पाता है और आँख से दिखायी नहीं देने पर भी स्पर्श से देखी गयी वस्तु से आँख से उसकी अदृश्यता को समन्वित कर पाता है, और आँख से दिखायी नहीं देने पर टकरा जाने को भ्रान्तिमूलक मान लेता है। इस प्रकार कहा जा सकता है कि वस्तुसत् विषयक बोध दोनों में विद्यमान है, किन्तु मनुष्य में यह बोध अधिक विकसित है।

---

1. धर्म अथवा औचित्य-बोध पर डॉ. मुकुंद लाठ ने ***धर्म-संकट*** पुस्तक में बहुत विशद विचार किया है।

द्रष्टव्य है कि ऐन्द्रिक ग्रहण की योग्यता बहुत से जीवों में मनुष्य से बहुत अधिक विकसित होती है और तत्सम्बद्ध वस्तु–बोध भी उनमें रहता है जो मनुष्य से अतिरिक्त होता है, किन्तु इन्द्रियविषयक वस्तुसत्–बोध मनुष्य में अन्य जीवों की तुलना में बहुत अधिक विकसित होता है। इसका कारण यह है कि ऐन्द्रिक ग्रहण स्वयं में सदात्मक नहीं होता, वह सद्‌बोध के लिए एक संकेत का कारण बनता है। रज्जु में सर्प–भ्रम या सर्प में रज्जु–भ्रम का कारण यही होता है। रज्जु और सर्प दोनों के लिए ऐन्द्रिक ग्रहण संकेत बनते हैं जो भ्रान्त भी हो सकते हैं। किन्तु यह स्पष्ट है कि वस्तुसत्–बोध पशुओं और मनुष्यों में उसी प्रकार सामान्य होता है जिस प्रकार आहार–निद्रा आदि, और यह बोध ही वस्तुसत् के लिए प्रमाण होता है, जब तक दार्शनिक किसी अन्य प्रमाण की माँग नहीं करते। इसी प्रकार वरेण्य–अवरेण्य के बोध की विद्यमानता वरेण्य–अवरेण्य की वास्तविकता के लिए प्रमाण कही जा सकती है और इसमें वस्तु–बोध के समान ही हमें भ्रान्ति भी होती है। यदि वरेण्यता–अवरेण्यता का बोध मानव–चेतना में अन्तर्गत और मौलिक नहीं होता तो वह इसका ऐन्द्रिक कामनाओं से पृथक् ही नहीं बल्कि विपरीत भी ग्रहण नहीं कर सकता था। पशु को अभ्यास से आप बहुत कुछ सिखा सकते हैं–बन्दर, रीछ, हाथी, कुत्ते आदि को बहुत कुछ सिखाया जाता ही है, प्रिय–अप्रिय का चुनाव उनमें सहज होता है और इसे कुछ विकसित जीवों में आगे विकसित भी किया जा सकता है। किन्तु उन्हें वरेण्य का बोध नहीं दिया जा सकता। यहाँ यह द्रष्टव्य है कि मनुष्य में यह बोध सहज होने पर भी असीमत: परिष्कार्य होता है और अधिकांशत: हम इसमें भ्रान्त ही होते हैं। उदाहरणत: दोषी के लिए दण्ड की माँग में हम न्याय देखते हैं जबकि अधिकांशत: उसके मूल में प्रतिशोध की भावना ही रहती है। 'आँख के बदले में आँख' के न्याय में यही रहता है। अब, प्रतिशोध का भाव अनैतिक है और न्याय एक नैतिक बोध है, यह सभी लोग सहज ही मान लेंगे, किन्तु हमारी कौनसी भावना प्रतिशोधात्मक है और कौन सी न्यायात्मक, यह देख पाना हमारे लिए बहुत बार बहुत कठिन होता है। बहुत बार पूरे समाजों में यह दृष्टि भ्रान्त मिलती है और समाज शताब्दियों तक इन भ्रान्तियों से ग्रस्त रहते हैं। हमारी परम्परा ने भ्रान्ति की इस सम्भावना को बहुत अच्छी तरह पहचाना है, जैसाकि हमने पीछे देखा। गीता में 'गहना कर्मणो गति:' इसी अर्थ में, बल्कि इससे भी सूक्ष्मतर अर्थ में, कहा गया है। कर्म का बोध सारधारण कार्यों में उचित–अनुचित विवेक से लेकर बुद्ध की सम्बोधि,गाँधी के सत्याग्रह और अर्जुन के कुरुक्षेत्र में संशय के श्रीकृष्ण द्वारा निवारण तक व्यापक और गहरा है। अर्जुन को कर्त्तव्य–निर्णय करने में सहायता के लिए श्रीकृष्ण ने जो इतना बड़ा विवेचन प्रस्तुत किया और तब भी अन्त में कहा कि—"अब यह निर्णय तुझे करना है कि तुझे क्या करना चाहिए"[1] वह व्यर्थ की बात नहीं है। धर्मविषयक सामान्य सिद्धान्त व्यक्ति से निर्णय करने के विशेष अवसर पर अपनी चेतना में गहरा पैठ कर देखने की अपेक्षा करता है,और व्यक्ति धर्म को उसी सीमा तक सम्यक् रूप में देख पाता है जिस सीमा तक उसकी चेतना उजली और निर्मल होती है।

मनुष्य की धर्म–चेतना दो प्रकार के मलों से आवृत हो सकती है—एक तो पाशव मलों (काम, क्रोध आदि) से और दूसरे सांस्कारिक मलों (शिक्षा, सामाजिक परम्परा आदि) से। दूसरे आवरणों को मल नहीं कह कर आवरण ही कहना चाहिए, क्योंकि ये दूसरे आवरण एकसाथ चेतना के दृष्टि–पथ के अवरोधक भी होते हैं और परिष्कार के हेतु भी हो सकते हैं। शिक्षा और संस्कार के बिना वरेण्य–अवरेण्य का बोध तो अंकुरित भी नहीं हो सकता। किन्तु इस बोध के अंकुरण का हेतु तब आवरण का हेतु हो जाता है जब व्यक्ति की चेतना अपने को अन्तर्गत प्रकाश से प्रकाशित नहीं कर पाती, अथवा समाज ही तन्द्रा में आचरण करता रहता है। उदाहरणत: अद्वय और निर्गुण ब्रह्म को ही सत्य और जगत् को नाम–रूप और मिथ्या मानने वाले भी वेदान्ताचार्य वर्ण–भेद को पारमार्थिकवत् मानते थे और शूद्रों तथा स्त्रियों को वेद का ही नहीं, साधारण पठन–पाठन तक का अधिकारी

1. इति ते ज्ञानमाख्यातं, गुह्याद्गुह्यतरं मया।
विमृश्यैतदशेषेण, यथेच्छसि तथा कुरू।।18.63।।

मैंने तुझे अत्यन्त गहरा–रहस्याच्छन्न ज्ञान बता दिया है। अब तू इस पर सम्यक् रूप से विचार कर स्वयं निर्णय कर कि तुझे क्या करना चाहिए।

भी नहीं मानते थे। इसी प्रकार एक सूक्ष्मतर और व्यापकतर आवरण का उदाहरण बुद्ध के अनुयायी हो सकते हैं। बुद्ध ने सम्बोधि-प्राप्ति के बाद अन्यों को उसके विषय में बताया। उन्होंने वह जो बताया वह अन्यों के लिए एक प्रतिपादित मत ही हो जाता है जिसे उन्होंने दिट्ठी (दृष्टि) कहा। किन्तु उन्होंने अपने शिष्यों को बताया कि वे उनकी या किसी की भी दृष्टि से नहीं बँधें—उनकी उपदिष्ट दृष्टि से भी नहीं—वे अपना दीपक आप बनें —अप्प दीपो भव। अब यह स्पष्टत: एक विरोधाभास जैसा है, किन्तु यह विरोधाभास प्रकट ही है, वास्तव नहीं है, क्योंकि कोई भी सम्बोधि 'दिट्ठी' नहीं होती और सम्बोधि का उपदेश सम्बोधि के सम्प्रेषण के लिए ही होता है। किन्तु सब उपदेशों की यह नियति है कि वे भाषा में व्यक्त हो कर ही अन्यों को सम्प्रेषित हो सकते हैं। किन्तु तब वे उन सब के लिए दिट्ठियाँ ही हो सकते हैं जो सम्बोधि के प्रेषक शब्दों के पार सम्बोधि का साक्षात्कार नहीं कर पाते। इसी से बुद्ध ने अपने शिष्यों को चेताया कि वे किसी दिट्ठी से (स्वयं उनकी दिट्ठी सहित) नहीं बँधें। किन्तु सामान्यत: ऐसा नहीं होता। सामान्य जन आत्म-प्रकाश (अप्प दीप होने) के अयोग्य होते हैं और किसी अन्य के प्रकाश के सहारे ही रास्ता देख पाते हैं। किन्तु बहुत जल्दी वह अन्य से आने वाला प्रकाश भी बुझ जाता है और अनुयायी उस मार्ग पर आँख मूँद कर चलते रहते हैं।

द्रष्टव्य है कि वरेण्य-बोध या धर्म-बोध मनुष्य में सहज होने पर भी यह बोध इसके लक्षण-निर्णय के लिए आधार नहीं हो सकता। किसी कर्म, भाव या परिणाम में वरेण्यता की प्रतीति भ्रामक भी हो सकती है। तब वे कौन से लक्षण हैं जिनसे कोई कर्म या भाव या परिणाम वरेण्य बनता है? अर्जुन को यह स्पष्ट दिखायी दिया कि युद्ध अवरेण्य है, हेय है, विशेषरूप से तब जब अपने किसी लाभ के लिए करना हो। और भी अधिक तब जब वह अपने भाई-बन्धुओं और गुरुजनों से करना हो। महाभारतकार द्वारा अर्जुन के सम्मुख प्रस्तुत धर्म-संकट की स्थिति वास्तव में ही अत्यन्त जटिल और मार्मिक है और उसमें अर्जुन का युद्ध से विरत होना ही अधिक वरेण्य और अधिक साहसपूर्ण विकल्प प्रतीत होता है। हिटलर के आक्रमण पर गाँधी जी ने मित्र राष्ट्रों को युद्ध नहीं करने का परामर्श ही दिया था और चोरीचौरा में किसानों द्वारा हिंसा कर देने पर उन्होंने सत्याग्रह वापिस ले लिया था। किन्तु श्रीकृष्ण अर्जुन को युद्ध करने का परामर्श देते हैं और उसके लिए एक सिद्धान्त प्रतिपादित करते हैं—कर्म को पूर्णत: निष्काम भाव से करने का। यह सिद्धान्त उतना सरल नहीं है, इसके पीछे पूरी तत्त्वमीमांसा है—मनुष्य, जगत् और सत् के स्वरूप विषयक। किन्तु वह तत्त्वमीमांसा स्वीकार कर लेने पर भी अर्जुन के धर्म-संकट का वही समाधान वरेण्य है जो श्रीकृष्ण ने बताया, यह कहना कठिन है। सर्वप्रथम, यह कैसे निश्चय हो, स्वयं अर्जुन और श्रीकृष्ण को भी, कि वे निष्काम हैं?[1] यह निश्चय हो जाने पर भी, युद्ध करना ही कैसे वरेण्य विकल्प है, नहीं करना कैसे नहीं?[2] ये प्रश्न कर्त्तव्य-निर्णय को अत्यधिक जटिल और दुस्साध्य बना देते हैं। किन्तु हमारी परम्परा में गीता पर कभी इन प्रश्नों को ले कर विचार हुआ है, इसकी हमें जानकारी नहीं है।

यहाँ अर्जुन के धर्म-संकट और गीता के समाधान के प्रश्न को छोड़ कर हम वरेण्य के हमारे द्वारा पीछे प्रतिपादित लक्षण पर विचार करेंगे। पीछे हमने देखा था कि प्रवृत्ति की प्राकृतिकता उसके अवरेण्य होने का और उससे विमुखता उसके वरेण्य होने का एक आधारभूत लक्षण कही जा सकती है। निष्कामता, अहिंसा, धृति, क्षमा आदि को वरेण्य कहने में यह स्पष्ट लक्षित है। किन्तु इस पर यदि यह प्रश्न किया जाये कि ये क्यों वरेण्य हैं? तो इसे एक अनुचित प्रश्न नहीं कहा जा सकता। इस प्रश्न के औचित्य के लिए वात्सल्य का उदाहरण दिया जा सकता है, जो उतना ही पशु-सुलभ है जितना काम, किन्तु इसे कोई हेय नहीं कहेगा। न कोई वत्स के वध या उसके प्रति उपेक्षा भाव को श्रेय कहेगा। एक गहरे तात्त्विक अर्थ में, जिस गहराई पर गीता का उपदेश दिया गया है, दया और करुणा भी प्राकृतिक माने जायेंगे, और बहुत से चिन्तक उन्हें सिद्ध योगियों के लिए अतिक्रमणीय भी कहेंगे, किन्तु इन भावों को कोई अवरेण्य नहीं कहेगा। दूसरी ओर अहिंसा को परम धर्म कहते हैं : मा हिंस्यात् सर्व भूतानि : किन्तु गीता में श्रीकृष्ण अर्जुन को शत्रुओं का हनन करने के लिए ही कहते हैं और इसके लिए देह के

1. इस निश्चय की दुराराध्यता के लिए द्रष्टव्य हमारा लेख—'सत्य'। पीछे संकलित।
2. इस पर विचार के लिए द्रष्टव्य यशदेव शल्य — *मूल्यतत्त्व-मीमांसा* में 'धर्म-नीति' अध्याय।

नाश में मनुष्य का वास्तविक नाश देखने को भ्रान्ति कहते हैं। वास्तव में युद्ध धर्म–चेतना के लिए बहुत बड़ी चुनौती है, व्यक्तिगत स्तर पर आत्मरक्षा इसी प्रकार की चुनौती है। यदि अपकारिषु साधुत्व धर्म है तो आत्म–रक्षा के लिए भी पर का हनन अधर्म होगा। ये सब धर्म–चेतना के लिए बहुत चुनौतीपूर्ण प्रश्न हैं। विभिन्न संस्कृतियों को ऐसे प्रश्नों के समाधान के विभिन्न प्रयत्न कहा जा सकता है।

किन्तु विभिन्न संस्कृतियों के धर्म–बोध बहुत भिन्न–भिन्न हैं, जो इस बोध को सापेक्ष या विषयिनिष्ठ बना देते हैं। किन्तु यह ठीक नहीं है। यों वस्तु–बोध या सत्–बोध भी वैसा संस्कृति–निरपेक्ष नहीं होता जैसा सामान्यत: हम समझते हैं। काण्ट ने इन्द्रिय–ग्राह्य सत् के मानवीय रूप की एक रूपरेखा दी है। उसे यदि स्वीकार कर भी लिया जाये तो भी सत् के मानवीय ग्रहण की समग्रता में वह केवल एक और उद्गृहीत रूप ही है। आज के विज्ञाननिष्ठ युग में भी बहुत लोग हैं जो भौतिक अस्तित्व या विषयता को इन्द्रिय–ग्राह्य अस्तित्व की पर्यन्तता नहीं मानते। ईसाई ईसा या मरियम के चित्रों या मूर्त्तियों में अश्रु–स्राव या रक्त–स्राव देखते हैं, अपने सन्तों में बहुत सी चामत्कारिक शक्तियाँ देखते हैं, इसी प्रकार अन्य भी प्राय: सभी धर्मानुयायी लोग दैविक, आसुरी और अन्य प्रकार के अतिभौतिक अस्तित्वों को स्वीकार करते हैं। और सब से बड़ी बात यह कि स्वयं विज्ञान ऐन्द्रिक विषयता को वास्तविक अस्तित्व या सत् का केवल प्रातीतिक रूप ही मानता है और वास्तविक अस्तित्व में वह वे कोटि–रूप स्वीकार नहीं करता जो काण्ट ने इन्द्रिय–ग्राह्य अस्तित्व (सत्) में देखे हैं। फिर अस्तित्व के इन्द्रिय–ग्राह्य मानवीय रूप में यदि एकरूपता मान भी ली जाये तो भी वह मानवीय है, सार्वभौम नहीं, जबकि ऐन्द्रिक ग्रहण तो जीव मात्र में सामान्य है। दूसरी ओर, जैसाकि हमने पीछे देखा, धर्म–बोध में मनुष्यमात्र में कुछ मौलिक समानताएँ दृष्टिगत होती हैं, यद्यपि यह सही है कि इस बोध की स्फुटता में और अन्तर्वस्तु में बहुत अन्तर भी दिखायी देता है। तो भी आनृशंस्य, धृति, क्षमा, सत्य–परायणता, न्यायोचितता आदि गुण सब में समान रूप से नैतिक गुण स्वीकृत मिलेंगे। भेद इनके रूप–निर्णय में दिखायी देता है, और भ्रान्ति तो सर्वसुलभ ही देखी जाती है। इस भेद के सम्बन्ध में यह कहना युक्त लगता है कि इसका कारण मुख्यतया चेतनागत मल या आवरण भी होते हैं और सांस्कृतिक और वैयक्तिक स्वभाव–भेद भी। जैसे, कहा जा सकता है कि बालि–वध श्रीराम के चरित्र से (रामत्व से) प्रकटत: संगत नहीं है, ख़िलाफत आन्दोलन गाँधी के चरित्र से (गाँधीत्व से) प्रकटत: संगत नहीं है। अथवा यह कहना होगा कि राम और गाँधी अपने इन कार्यों में स्वरूप–भ्रष्ट थे। यह भी हो सकता है कि वे कर्म की वरेण्यता को पहचानने में असफल रहे, अथवा यह भी हो सकता है कि उनका प्रकट कर्म वास्तव कर्म का केवल एक बाहरी ओप मात्र हो जिसे उनका सम्पूर्ण कर्म समझना देखने वालों की भ्रान्ति हो। अब, कर्म की इस सम्पूर्णता के कई आयाम हो सकते हैं–बालि–वध राम–रावण युद्ध की समग्रता के एक अंग के रूप में देखा जा सकता है, जो युद्ध स्वयं विष्णु के अवतार लेने के प्रयोजन का एक अंग था और जिसमें बालि–वध केवल एक उपाय था। ख़िलाफत–आन्दोलन भारतीय स्वतन्त्रता–संग्राम के अंग के रूप में देखा जा सकता है। किन्तु समग्रता का एक दूसरा आयाम सिद्धार्थ के पत्नी और बच्चे को सोते छोड़ कर जाने में देखा जा सकता है, जो उसकी चेतना में दिव्य आलोक के आविर्भाव के परिप्रेक्ष्य में उसके उस कर्म को प्रतिष्ठित करता है, और एक तीसरा आयाम श्रीकृष्ण द्वारा अर्जुन को युद्ध करने के लिए कहने में देखा जा सकता है, जिसमें युद्ध केवल एक अवान्तर बात है, मूल बात व्यक्ति–चेतना का भागवत चेतना के स्तर पर उठना है। कर्म को चेतना के साधारण लौकिक आयाम के स्तर पर ही देखते हुए भी यह सहज में ही देखा जा सकता है कि इसके तत्त्व को समझने में संस्कृतियाँ और व्यक्ति बहुत बार भ्रान्त होते हैं। उदाहरणत: स्त्रियों और दासों को 'व्यक्ति' नहीं मान कर 'वस्तु' मानना लगभग सभी बड़ी सभ्यताओं में देखा जा सकता है, राज्य का विस्तार करना राजा का कर्त्तव्य माना जाता रहा है, कर्मकाण्ड या दूसरी औपचारिकताओं का अलौकिक मूल माना जाता रहा है आदि। इस प्रकार कर्म के अनेक नियम हैं जो संस्कृतियों–सभ्यताओं में देखे जा सकते हैं जिन्हें धर्म–दृष्टिगत भ्रान्तियाँ कहा जा सकता है। जहाँ तक व्यक्तियों का प्रश्न है, वे अधिकांशत: इन सामाजिक भ्रान्तियों में तो सहभागी होते ही हैं, व्यक्तिगत स्तर पर वे काम–क्रोधाधि प्राकृतिक प्रवृत्तियों के वश भी कर्म के तत्त्व को देख पाने में असमर्थ रहते हैं। वास्तव में व्यक्ति अधिकांश में तो धर्म–दृष्टि को स्थगित कर व्यावहारिक हानि–लाभ की दृष्टि से ही कार्य करते हैं।

कर्म की धर्मानुकूलता के आधार के सम्बन्ध में भारतीय दृष्टि में एक अद्भुत उदारता है, क्योंकि इसमें कर्त्तव्य-निर्णयविषयक निर्देश केवल सामान्य मार्ग-दर्शक के रूप में ही हैं, किसी एक पुस्तक या व्यक्ति के द्वारा निर्धारित नियमों के रूप में नहीं हैं। सब से बड़ी बात यह कि इन निर्देशों में सब से आधारभूत निर्देश अपने निर्मल चित्त का साक्ष्य पाने का है। यही दृष्टि युक्त भी है, क्योंकि कर्म की धर्मता का, नैतिकता का, निर्णय अनिवार्यत: परिस्थिति की अपेक्षा से होता है, जिस परिस्थिति के घटकों में व्यक्ति का अपना स्वभाव, अपनी पर्येषणा, अपना पुरुषार्थ-बोध भी होते हैं। इसी से नैतिक विचार के लिए जितना दार्शनिक विवेचन सहायक हो सकता है उससे कहीं अधिक कथा-साहित्य हो सकता है। क्योंकि दर्शन जबकि बाह्यत: एक सामान्य तत्त्व-दृष्टि प्रस्तुत करता है, कर्म की परिस्थिति सदैव विशेष होती है। उदाहरणत: हमारे यहाँ आपद्धर्म की बात भी की गई है, जो धर्म किसी सामान्य तत्त्व-दृष्टि में आकलित नहीं हो सकता। काण्ट ने नैतिक कर्म विषयक कुछ सार्वभौम और आकारिक नियम प्रतिपादित किये हैं जिनका मूल सूत्र उसने बनाया है कि उस कर्म को व्यक्ति सार्वभौम नियम के रूप में स्थापित कर सके। इसी से उसने सत्य बोलने का कोई अपवाद स्वीकार नहीं किया, और *सत्य बोलने से अलग सत्य होने* के प्रश्न पर विचार नहीं किया, जबकि शुभ, और इस प्रकार नैतिक वह केवल शुभ संकल्प को ही मानता था। निरपवाद सार्वभौमता में स्वभावत: विशिष्ट व्यक्ति की विशिष्ट परिस्थिति के लिए कोई अवकाश नहीं रहता, जब कि किसी भी व्यवहार की नैतिकता के लिए वह निर्णायक रहती है। दूसरी ओर **महाभारत**, जिसे नैतिकता विषयक विचार के आधार ग्रन्थ के रूप में भी देखा जा सकता है, ऐसे उदाहरणों से भरा पड़ा है जिनमें सामान्य नैतिक नियमों (सत्य, अहिंसा, क्षमा आदि) का स्थूल निर्वाह स्पष्टत: औचित्य का अपघात प्रतीत होता है और स्वयं योगिराज श्रीकृष्ण वहाँ उन नियमों के परित्याग का निर्देश करते हैं। यहाँ महाभारत में सत्य बोलने के सामान्य नियम की परिस्थितिविशेष में परीक्षा का एक उदाहरण लिया जा सकता है। परिस्थिति है कि द्रोणाचार्य के आक्रमण के सामने पाण्डव सेनाएँ असहाय हैं और उनका पराजित होना निश्चित है। जब पाण्डव-सेना की पराजय निश्चित दिखने लगी तब श्रीकृष्ण ने एक उपाय सोचा कि यह घोषणा कर दी जाये कि द्रोणाचार्य का पुत्र अश्वत्थामा, जो कि कौरव-सेना की ओर से लड़ रहा था, युद्ध में मारा गया और यह घोषणा धर्मराज युधिष्ठिर करें जिससे द्रोणाचार्य को इसमें कोई सन्देह नहीं हो। किन्तु युधिष्ठिर यह झूठ बोलने के लिए तैयार नहीं हुए, क्योंकि वे कभी असत्य नहीं बोलने के लिए दृढ़प्रतिज्ञ थे। संयोगवश उस समय सेना में अश्वत्थामा नाम का एक हाथी भी सम्मिलित था। तब श्रीकृष्ण ने उस हाथी को मरवा दिया और युधिष्ठिर को मनाया कि वे ऊँचे स्वर में अश्वत्थामा के मारे जाने की घोषणा करके धीरे से कह दें कि 'शायद हाथी अश्वत्थामा'—अश्वत्थामा हत:, नरो वा कुंजरो वा। सो, युधिष्ठिर ने ऐसा ही किया, जिसे सुन कर द्रोणाचार्य स्तब्ध रह गए और उन्होंने युद्ध बन्द कर दिया। इस प्रकार युधिष्ठिर ने असत्य नहीं बोलने की अपनी प्रतिज्ञा की रक्षा कर ली। किन्तु युधिष्ठिर असत्य नहीं बोल कर भी असत्य तो हो ही गये थे, जिसे महाभारतकार ने स्वीकार करते हुए उनके उनकी पूर्णसत्यनिष्ठा के कारण पृथ्वी से चार अंगुल ऊपर चलने वाले रथ की उच्चता समाप्त कर दी। किन्तु उसी महाभारतकार ने श्रीकृष्ण को योग-भ्रष्ट नहीं बताया, वे पूर्ववत् योगिराज ही रहे, क्योंकि वे सत्यवादी होने के उपचार से ऊपर सत्य-सन्ध थे। वास्तव में महाभारत में ऐसे और भी अनेक स्थल हैं जहाँ श्रीकृष्ण औपचारिक धर्म का वास्तव धर्म के लिए परित्याग करते हैं। इसके पीछे क्या युक्ति है? इसके पीछे युक्ति श्रीकृष्ण की पूर्ण निष्कामता और पाण्डव-पक्ष की धर्मानुकूलता तथा कौरव-पक्ष की अधर्मपरायणता कही जा सकती है।[1] किन्तु वास्तव में मानवीय चेतना की गहराई उससे कहीं अधिक है जितनी गहराई में धर्म-विचार अपनी परिभाषाओं की सीमा में रहते हुए किया जा सकता है। इन गहराइयों का अवगाहन साहित्य करता है। यहाँ एक चलचित्र-कथा का उल्लेख स्थाने होगा जिसमें झूठ बोलना ही चरित्र के गौरव को प्रकट करता है। इस कथा का नाम 'रेन कोट' है। इसमें एक लड़का-लड़की परस्पर बहुत प्रेम करते हैं, किन्तु उनका विवाह नहीं हो पाता, क्योंकि लड़का कोई आजीविका उपार्जन नहीं करता। लड़की का विवाह किसी अन्य से हो जाता है, किन्तु उसका पति भी कुछ उपार्जित नहीं कर पा रहा है।

---

1. *महाभारत* के इस प्रकार के प्रसंगों को उदाहरण बनाते हुए डॉ. मुकुंद लाठ ने अपने *धर्म-संकट* ग्रन्थ में धर्म के स्वरूप का बहुत गहरा विवेचन किया है।

ऐसे में उस लड़की का प्रेमी लड़का कुछ ऋण ले कर अर्थोपार्जन की कोई व्यवस्था करने के लिए मुम्बई पहुँचता है जहाँ कि वह लड़की रहती है। वहाँ उस लड़की से मिलने वह उसके घर जाता है। लड़की इस विचार से उससे अपनी दुर्दशा झूठ बोलकर छिपाती है कि उसे सच्चाई पता चलेगी तो उसे कष्ट होगा, इसी कारण से लड़का भी उससे अपनी दुर्दशा छिपाता है। किन्तु किसी तरह दोनों को दूसरे की दुर्दशा का पता चल जाता है, पर यह पता नहीं चलता कि दूसरे को पता चल गया है, और ऐसे में लड़की दो दिन बाद किराये के मकान से निकाल दिये जाने की सम्भावना के बावजूद उस लड़के से छिपा कर उसकी जेब में सोने का वह आभूषण डाल देती है जो उसके पास बची एकमात्र पूंजी है और लड़का उस लड़की से छिपा कर वह सारा पैसा उसके लिए छिपाकर छोड़ जाता है जो वह कुछ काम करने के लिए ऋण रूप में लाया था। इस कहानी का सार 'प्रेम के स्वरूप को दर्शाना' कहा जा सकता है, जिसमें प्रेमी प्रिय के लिए अपने समर्पण में ही अपनी चरितार्थता देखता है। इसमें 'सच बोलना' और 'झूठ नहीं बोलना' के धर्म बहुत छोटे पड़ जाते हैं। जीवन में ऐसे बहुत से प्रसंग आते हैं जिनसे धर्म के शास्त्रोक्त नियम निरर्थक हो जाते हैं। अब, इस कथा में 'सत्य-भाषण' का परित्याग एक ऐसे भाव-गत सत्य के लिए किया गया है जिसकी वृत्ति राग है, जिसे शास्त्र चेतना का आवरक कहते हैं। किन्तु यही रागात्मिका वृत्ति भक्ति में भी होती है। अब, राग के प्रथम उदाहरण में भी राग को आवरक कहना चाहिए या कि गहनतर बोध का हेतु, यह कहना कठिन होगा। निश्चय ही बुद्ध का पूर्ण निर्मोह चेतना की उच्चतर, या कहें उच्चतम स्थिति है, किन्तु लौकिक चित्त-भूमि पर राग-हीनता या राग की न्यूनता चेतना की अकिंचनता की ही स्थिति होती है। प्रेम को लोक में रागात्मक औदात्य का एक अद्वितीय उदाहरण कहा जा सकता है जो धर्म की सीमाओं का अतिक्रमण करता है और एक निरपेक्ष मूल्य है।

महाभारत में श्रीकृष्ण द्वारा उपाय-कौशल का आश्रयण धर्म के आकारिक नियमों की अकिंचनता एक-दूसरे प्रकार से उद्घाटित करता है। वहाँ प्रसंग इससे नितान्त भिन्न है। वहाँ सद्-असद् से उपलक्षित दो सेनाओं के बीच युद्ध की परिस्थिति है जिसके सामाजिक-ऐतिहासिक परिणाम होने वाले हैं। इसमें धर्माधर्म-विवेक का जो निकष बनता है उसे महाभारत ने आनृशंस्य की संज्ञा दी है। इसमें ऐसी हिंसा को भी आनृशंस्य कहा गया है जो बृहत्तर प्राण-रक्षा और बृहत्तर शुभ की रक्षा में सहायक होती है। किन्तु कोई प्रकटत: धर्म-विरुद्ध कार्य, जैसे उपर्युक्त 'अश्वत्थामा-हत:' प्रसंग में, धर्म-सम्मत है या नहीं, इसका निर्धारण कैसे होगा? अभी पीछे अमरीका-इंग्लैण्ड द्वारा ईराक पर आक्रमण इसी प्रकार के विवेक के दावे के साथ किया गया था, पाकिस्तान उग्रवादी कार्यवाहियाँ इसी विवेक के नाम पर कर रहा है, वास्तव में सब व्यक्ति और समाज प्राय: स्वार्थ का ही अनुसरण करते हैं किन्तु यह कहते हुए ही नहीं बल्कि स्वयं भी यह समझते हुए ही करते हैं कि वे धर्म-नीति का अनुसरण ही कर रहे हैं। ऐसी अवस्था में यह कैसे निर्णय हो कि कार्य धर्म-सम्मत हुआ या नहीं? निश्चय ही इसके निर्णय में तर्क, युक्ति, विश्लेषण का आश्रय ही लिया जायेगा, किन्तु इस आधार-प्रतिज्ञा पर पहुँचने के लिए ही कि कर्त्ता की चेतना क्या थी! कानून अपने निर्णय इस पूर्वप्रतिज्ञा के आधार पर नहीं करता, वह विषयनिष्ठ कसौटियों को ही स्वीकार करता है, किन्तु वह इसलिए कि वह न्याय विषयक सामाजिक निर्णयों में 'कर्त्ता की चेतना' की कसौटी को व्यवहार्य नहीं पाता। महाभारत में भी धर्म के विषयनिष्ठ नियमों के अतिक्रमण का अधिकार केवल योगिराज श्रीकृष्ण को ही दिया गया है, धर्मराज युधिष्ठिर को भी नहीं दिया गया, क्योंकि केवल वही ऐसे हैं जो "कर्म में अकर्म और अकर्म में कर्म देख सकते हैं, जो कवियों को भी सम्भ्रम में डालने वाले कर्म की गुह्यता का अन्तर्दर्शन कर सकते हैं और जिनकी प्रज्ञा प्रतिष्ठित है।"

यहाँ यह द्रष्टव्य है कि गीता में जिस निष्कामता की बात की गई है और जिसे हमने भी धर्म-चेतना के आधार के रूप में देखा है, वह भारतीय धर्म-चिन्तन-परम्परा में कोई सर्वस्वीकृत दृष्टि नहीं है। यह औपनिषद और श्रमण-परम्परा की दृष्टि ही रही है, श्रौत-स्मार्त-परम्परा की दृष्टि नहीं रही है। यहाँ इस परम्परा के प्रतिनिधि के रूप में मनुस्मृति को उद्धृत करना स्थाने होगा। इसके अनुसार—

कामात्मता न प्रशस्ता, न चैवेहास्त्यकामता।
काम्यो हि वेदाधिगमः, कर्मयोगश्च वैदिकः।। 2.22।।

अकामस्य क्रिया काचिद् दृश्यते नेह कर्हिचित्।
यद्यद्धि कुरुते किञ्चित्तत्तत्कामस्य चेष्टितम्।। 2.4।।[1]

मनु की यह दृष्टि वैदिक-धर्म-शास्त्रीय दृष्टि की प्रतिनिधि है और व्यावहारिक-लौकिक चित्त-भूमि पर अभ्युदय और निःश्रेयस् के समन्वित लक्ष्य से निर्दिष्ट है। यह दृष्टि ऋत, यज्ञ और ऋण (पितृ ऋण, ऋषि ऋण और देव ऋण) की अवधारणाओं के अनुसार लोक-जीवन को देवाधिष्ठित और दिव्य नियम से शासित देखती है जिसमें व्यक्ति को पारस्परिकता के भाव से रहते हुए सुखी और समृद्ध जीवन जीना चाहिए। किन्तु गीता की दृष्टि इससे अतिक्रान्त चित्त-भूमि की है। यह दृष्टि पातञ्जल योग, सांख्य, वेदान्त और इनसे भी अधिक श्रमण-परम्परा में स्वीकृत है। द्रष्टव्य है कि गीता ने वेदों को लौकिक चित्तभूमिपरक (त्रैगुण्य विषय) कहा है और अर्जुन को इससे अतिक्रान्त चित्तभूमि पर आरूढ़ होने को कहा है—त्रैगुण्यविषया वेदा: निस्त्रैगुण्यो भवार्जुन। ये दो दृष्टियाँ भिन्न तो हैं किन्तु परस्पर विरुद्ध नहीं हैं। मनु का विषय लोक-चित्त है, लोक-व्यवहार की चित्त-भूमि, जबकि गीता और उपर्युक्त दृष्टियों का विषय लोकातिक्रान्त चित्तभूमि है। नैतिकता, या कहें धर्म-नीति, का सम्बन्ध दोनों भूमियों से है, किन्तु प्रथम भूमि (लोक-व्यवहार की चित्तभूमि) से अधिक है। मनुष्य साधारणत: लोक-चित्तभूमि पर ही रहता है, किन्तु यह भूमि भी प्राकृतिक चित्तभूमि (चेतना के पाशव स्तर) के अतिक्रमण से ही सिद्ध होती है। स्वयं इस भूमि के भी अनेक स्तर होते हैं—पाशव प्राय स्तर से : पूर्ण अतिक्रान्तप्राय के स्तर तक, रोज़ी-रोटी की दौड़ के राग-द्वेष-छल-छद्म में निमग्नता के स्तर से बोधिसत्त्व के स्तर तक। मनु का सम्बन्ध इनमें निम्न स्तरों के उच्च स्तरों के अनुसार नियोजन से ही है। किन्तु मनुष्य स्तरारोहण में पूर्णप्रायता के स्तर, बोधिसत्त्व के स्तर, पर ही नहीं रुकता, वह अपनी पर्येषणा में पूर्णता को, परम बुद्ध के स्तर को, ही लक्षित करता है—भावना के आयाम में वह 'रेन कोट' में निरूपित चित्तभूमि से लैला-मजनूँ की, राधा-कृष्ण की, कबीर और मंसूर की भूमि को, कर्म के आयाम में साधारण समाज-सेवी की भूमि से अशोक, गाँधी और बोधि-सत्त्व की करुणा की भूमि को, और तब उससे आगे की रचना-काय बुद्ध की महाकरुणा की भूमि को, और ज्ञान के आयाम में साधारण आत्मचिन्तक, स्वाध्यायी की चित्तभूमि से परमयोगी की भूमि को लक्षित करता है। भारतीय नैतिक दृष्टि : धर्म-दृष्टि : ऐसी पर्यन्तगामी दृष्टि ही रही है। इस दृष्टि में कर्म का निषेध नहीं है, केवल इसमें कर्म का अर्थ बदल जाता है। औपनिषद ऋषि गृहस्थ भी थे और उनमें से कुछ राजा भी थे, बुद्ध करुणावश निर्वाण से संसार में अवतरित हुए थे, यही बात महावीर के लिए कही जा सकती है, ऐसे ही कबीर थे-गृहस्थ और जुलाहा, गाँधी गृहस्थ और राजनेता, और विनोबा सामाजिक-राजनैतिक कार्यों के नायक। श्रीमद्भगद्गीता को इस दृष्टि से भारतीय धर्म-दृष्टि : नैतिक दृष्टि : का आधार ग्रन्थ कहा जा सकता है। यह 'युद्धक्षेत्रे-धर्मक्षेत्रे' कर्त्तव्य-निर्णय में गम्भीर संकटापन्न अर्जुन को इस धर्म-संकट से उबरने के लिए दिया गया परामर्श है। नैतिक किंकर्त्तव्य-विमूढ़ता पर, धर्म-संकट पर विचार के लिए इससे अधिक मार्मिक परिस्थिति की कल्पना कठिन होगी और पूरे महाभारत-युद्ध में पदे-पदे व्यावहारिक उपाय-कौशल सुझाने वाले श्रीकृष्ण से अधिक उपयुक्त किसी उपदेष्टा की कल्पना असम्भव होगी। किन्तु इससे उबरने के लिए श्रीकृष्ण जो भूमि और परिप्रेक्ष्य प्रस्तुत करते हैं वह उससे एकदम अलग है जिस पर हम अपनी दैनन्दिन गृह-कलहों, या सामान्य सामाजिक, राजनैतिक और व्यक्तिगत समस्याओं और धर्म-संकटों की परिस्थिति में अपने को प्रतिष्ठित पाते हैं। गीता इसके लिए जो परिप्रेक्ष्य प्रस्तुत करती है वह जीवन और मृत्यु से अतीत, इहलोक और परलोक से अतीत, और तीनों भुवनों से अतीत है। इसमें कर्म कर्म-योग है और इसकी थाह पाने के लिए वे उस चित्तभूमि तक जाते हैं जिस पर इसकी सीमाएँ ज्ञान-योग और भक्ति-योग में तिरोहित हो जाती हैं।

1. कर्म-फल की इच्छा करना श्रेष्ठ नहीं है, किन्तु इच्छा के बिना कर्म सम्भव भी नहीं है। वेद का ज्ञान और वैदिक कर्म इनके प्रति कामना होना वाञ्छनीय है। कोई क्रिया काम के बिना दिखायी नहीं देती। मनुष्य जो कुछ भी करता है वह कामना से प्रेरित हो कर ही करता है।

यहाँ प्रश्न हो सकता है कि यह साधारण जन के लिए साधारण परिस्थिति में प्रस्तुत धर्म-संकट से उबार के लिए कैसे सहायक होगा? इसका उत्तर होगा कि उसके लिए परम्परा-प्राप्त दृष्टि और उदाहरणों का (श्रुति, स्मृति और सदाचार का) आश्रय विहित है। किन्तु ये सब उस धर्मानुसन्धानी के लिए सहायक नहीं हो सकते जिसकी चेतना अपनी प्रकाश-किरणों से उन्मीलित हो चुकी है, जिसकी चेतना सहज में ही शास्त्र, परम्परा और संस्कारों की जड़ ओप को भेद कर अपने प्रकाश को देख सकती है, या केवल उसी का भरोसा करती हुई उसी का साक्षात्कार करना चाहती है। उसके लिए इस प्रश्न का समाधान शास्त्र और परम्परा प्रस्तुत नहीं कर सकते कि क्यों कोई कर्म कर्त्तव्य और अन्य अकर्त्तव्य है? क्यों अर्जुन को उस परिस्थिति में युद्ध ही करना चाहिए था जिसमें वह पड़ गया था? क्या अपने बन्धु-बान्धवों का वध तब भी कर्त्तव्य ही है जब वे विपथ पर हैं और उस विपथ को छोड़ने के लिए तैयार नहीं हैं? यदि वध कर्त्तव्य है तो क्या आप यह निर्णय करने के अधिकारी हैं कि वे विपथ पर हैं या नहीं? इस अधिकार के लिए क्या अपेक्षाएँ हैं? गीता उन अपेक्षाओं की बात ही करती है। वह अन्त:प्रकाश आपके पास होने पर आप जो भी कर्म करते हैं वह स्वत:प्रमाण धर्म ही होगा। कृष्ण द्वारा युधिष्ठिर से झूठ बुलाना इसी कारण धर्म है, किन्तु वही युधिष्ठिर के लिए धर्म नहीं है। किन्तु यदि उन अपेक्षाओं के सम्बन्ध में आपकी दृष्टि युक्त भी मान ली जाये तो क्या आपकी चेतना भाव में उन अपेक्षाओं की पूर्ति करती है? किन्तु कोई इसमें कैसे निश्चित हो कि उसकी चेतना उन अपेक्षाओं को पूरा करती है? कि वह वास्तव में किसी गुहागत स्वार्थ, मोह या क्रोध से उपहित नहीं है?

निश्चय ही ये प्रश्न कर्म की परिस्थिति में साधारणतया प्रस्तुत नहीं होते, यदि हों तो कर्म करना असम्भव हो जाये। साधारणत: तो हमें सहज रूप से ही यह बोध होता है कि कर्त्तव्य क्या है और क्या नहीं है। जहाँ दुविधा उपस्थित होती है वहाँ हम अपने अन्त:साक्ष्य का, या ऐसे व्यक्तियों के अन्त:साक्ष्य/अन्त:साक्ष्यों का सहारा लेते हैं जिनकी चेतना को हम निर्मल मानते हैं। श्रुति, स्मृति, सदाचार को धर्म का स्रोत कहने का यही अर्थ है। किन्तु तब भी कठिनाइयाँ उपस्थित होती हैं–अपने अन्त:साक्ष्य को लेकर या कर्म की परिस्थिति को लेकर, जो प्राय: ही विलक्षण होती है। अन्त:साक्ष्य और कर्म की परिस्थिति कितने दुरवगम्य हो सकते हैं इसके लिए महात्मा गाँधी को उदाहरणस्वरूप देखना उपयुक्त होगा, क्योंकि उनके कर्म की परिस्थितियाँ बहुत बार बहुत जटिल होती थीं और वे अपने सम्बन्ध में भी पूर्णत: स्पष्ट हो लेना चाहते थे कि उनका चित्त उनसे छद्म तो नहीं कर रहा है? इसे वे 'आत्मा की आवाज़ सुनना' कहते थे। यह आवाज़ सुनने के लिए कभी-कभी वे पूर्णत: एकाग्र होने के लिए उपवास रख कर पूर्ण एकान्त में बैठते थे। किन्तु तब भी यह कहना कठिन होगा कि गाँधी जी के सब निर्णय निर्भ्रान्त थे, कि स्वयं उन्होंने कभी यह अनुभव नहीं किया होगा कि उन्होंने ग़लती की। गीता में श्रीकृष्ण अर्जुन को परामर्श देते हैं कि—"अपने धर्म में मरना भी वरेण्य है और परधर्म प्रकटत: लाभप्रद होने पर भी भयावह है।" यह परामर्श स्वयं में पूर्णत: युक्त प्रतीत होता है जब 'स्वधर्म' का अर्थ 'व्यक्ति का अन्त:साक्ष्य' हो, जो अन्त:साक्ष्य व्यक्ति-स्वभाव को भी पूर्वगृहीत करता है। किन्तु श्रीकृष्ण का 'स्वधर्म' से अर्थ 'अपना वर्ण-धर्म' है, जो एक बाह्यारोप ही हो सकता है। ऐसे बाह्यारोपों को हम प्राय: ही कर्म की वरेण्यता के निर्धारक गुण मान लेते हैं। त्रैगुण्य का अतिक्रमण करने का परामर्श देने वाले श्रीकृष्ण भी यह नहीं देख सके कि वर्ण-धर्म केवल कर्म की एक बाह्य परिस्थिति बनाता है, यह व्यक्ति का स्वधर्म नहीं हो सकता।[1] इसी प्रकार **अभिज्ञान शाकुन्तलम्** में 'सतां हि सन्देहपदेषु वस्तुषु प्रमाणमन्त:करण प्रवृत्तय:' कहने वाले दुष्यन्त (कालिदास) यह नहीं देख सके कि शकुन्तला के प्रति उनकी अनुरक्ति की धर्मानुकूलता इस बात से प्रमाणित नहीं हो सकती कि वह किस वर्ण की है। वर्ण केवल एक सामाजिक उपाधि है, यह मनोवृत्ति की धर्मानुकूलता के लिए प्रमाण नहीं हो सकता। इस विषय में कबीर का पद

1. यहाँ गीता की ओर से कहा जा सकता है कि उसके लिए वर्ण जन्ममूलक नहीं होकर गुण-कर्म-स्वभावमूलक है। इस प्रकार 'स्वधर्म को वर्ण' से जोड़ने का अर्थ उसे व्यक्ति के 'गुण-कर्म-स्वभाव' का वाचक कहना ही है। यदि गीता की यह व्याख्या स्वीकार की जाय तो यह आपत्ति उस पर नहीं की जा सकती। किन्तु गीता की यह व्याख्या ठीक नहीं जान पड़ती। गीता का प्रतिपादन यह प्रतीत होता है कि समाज में वर्ण-व्यवस्था व्यक्तियों के गुण-कर्म-स्वभाव को आधार बना कर की गयी है, यह नहीं कि व्यक्तियों के वर्ण उनके गुण-कर्म-स्वभाव को देख कर निर्धारित किये जाते हैं। वे तो जन्म से ही होते हैं।

'माया महाठगिनी हम जानी' अत्यधिक व्यञ्जक और विदग्ध है और अन्त:साक्ष्य के अन्वेषी के लिए सहायक हो सकता है। हम कब अपनी उदारता के आवरण में अपने अहंकार की सन्तुष्टि कर रहे हैं, कब परार्थ के आवरण में स्वार्थ की सिद्धि से प्रेरित हैं, कब प्रेम कामुकता के लिए आवरण का काम कर रहा है आदि हम प्राय: ही नहीं जान पाते, बड़े-बड़े प्राज्ञ भी नहीं जान पाते। यही बात श्रुति, स्मृति और सदाचार के लिए है। ये प्राय: ही हमारी जड़ता के, प्रमाद के स्थानीय हो जाते हैं। इनके नाम पर हम (व्यक्ति और समाज समान रूप से) प्राय: ही अपनी धर्म-चेतना को, औचित्य-बोध को स्थगित कर देते हैं। धर्म-दृष्टि को इस प्रकार उपहित करने के उदाहरण प्राय: सभी समयों में सभी समाज प्रस्तुत करते आये हैं, विशेष रूप से एक-डेढ़ सौ साल पहले के हिन्दू और मुस्लिम समाज। हमारी दार्शनिक-धार्मिक दृष्टि प्राय: वैदान्तिक अद्वैतवाद और संसार से परे परमार्थ परक रही है, किन्तु हमने व्यवहार में सामाजिक विभेदों और स्तरों को जैसा पारमार्थिक और इस प्रकार अलंघ्य माना वैसा भेद-दृष्टि रखने वाले भी किसी समाज में नहीं मिलेगा। 'आठ कन्नौजिये, नौ चूल्हे', छूआछूत और जाति-बिरादरी की दीवारें हमारे सामाजिक व्यवहार के ही नहीं, हमारी नैतिक चेतना के भी निर्धारक रहे हैं। अद्वय ब्रह्म को एकमात्र सत्य प्रतिपादित करने वाले हमारे भगवान शंकराचार्य तक वर्ण-भेद को अलंघ्य मानते थे, वेद पढ़ने का कौन अधिकारी है, कौन नहीं इस पर विचार करते हुए वे जगत् के नामाभिधेय मात्र होने की बात भूल जाते थे। मुसलमान शरीयत के नाम पर स्त्रियों पर जैसे अत्याचार करते हैं वह सब कल्पना की पहुँच के भी बाहर है। जो हो, हम भारतीय नैतिक चिन्तन पर विचार कर रहे हैं। 'चिन्तन की इस परम्परा' ने धर्माधर्म विवेक के चार में से दो सहायकों (श्रुति और स्मृति, धर्म-शास्त्र या सामाजिक रूढ़ि) को जैसे अपौरुषेय विधि बना दिया और स्वयं चिन्तन को इनके अधीन कर दिया वह इस बात का द्योतक है कि मनुष्य अधिकांश में नैतिक विवेक का उपयोग ही नहीं करता। वह या तो स्वार्थवश कार्य करता है या रूढ़ियों के अनुसार कार्य करता है।

संस्कृति, विज्ञान और दर्शन

'दर्शन' और 'विज्ञान' ये 'संस्कृति' के समस्तरीय पद नहीं हैं जैसे 'पत्ते', 'शाखाएँ' और 'तना' ये 'वृक्ष' के समस्तरीय पद नहीं हैं। पत्ते आदि वृक्ष के अवयव और वृक्ष अवयवी है। बहुत से दार्शनिक अवयवी का अवयवों से पृथक् या ऊपर कोई अस्तित्व नहीं मानते, हमारे देश में बौद्ध इसके मूलगामी प्रतिपादक हैं। किन्तु बहुत से दार्शनिक अवयवी का अवयवों से ऊपर या अतिरिक्त अस्तित्व मानते हैं। हम भी ऐसा ही मानते हैं। संस्कृति समाज की सम्पूर्ण अन्तश्चेतना के : उसकी अभिवृत्तियों, मूल्यों, व्यक्तियों के परस्पर सम्बन्धों के : रूपों और उनके साथ जुड़े पुरुषार्थों को तथा समाज की भावनात्मक, ज्ञानात्मक और लौकिक तथा पारमार्थिक पर्येषणाओं को, दूसरे शब्दों में उसके काव्य, कला, विज्ञान, प्रौद्योगिकी, धर्म तथा दर्शन इन सबको, अवयवों के रूप में समाहित करती है। संस्कृत का एक श्लोक है—

आकारैः इंगितैर्गत्या, चेष्टया भाषणेन च।
नेत्र वक्त्र विकारेण, ज्ञायते अन्तर्गतं मनः।।

अर्थात् व्यक्ति की मुख-मुद्रा, उसके देखने-बोलने के ढंग और दूसरी चेष्टाओं से उसके मन के भावों का पता चल जाता है। इसे उलट कर ऐसा भी कह सकते हैं कि व्यक्ति की जैसी मानसिकता होती है, जैसी उसकी रुचियाँ और भावनाएँ आदि होती हैं, वैसी ही उसकी चेष्टाएँ और आचरण आदि होते हैं। यही बात संस्कृति के, या कहें किसी समाज के व्यवहार और मूल्यों-पर्येषणाओं के लिए कही जा सकती है। ये समाज की अन्तर्गत मानसिकता के ज्ञापक होते हैं। इस प्रकार विज्ञान और दर्शन संस्कृति के अंग होते हैं—उसकी आत्माभिव्यक्ति के दो रूप।

यहाँ समाज की मानसिकता : समाज-मन : की बात को लेकर सन्देह हो सकता है, कि क्या इसका कोई वास्तविक वाच्य भी हो सकता है या कि यह केवल एक लाक्षणिक पद ही है? हम 'व्यक्ति-मन' की बात सहज रूप से समझते हैं—अपने मन के प्रमाण से, किन्तु समाज-मन की बात समझना सहज नहीं लगता। समाज का अस्तित्व व्यक्तियों के समूह, उनके सम्बन्ध, इस रूप में ही दिखायी देता है, इनसे पृथक् कोई समाज संज्ञक बृहद् व्यक्ति दिखायी नहीं देता। और जो दिखायी नहीं देता वह 'है' कैसे? इस 'दिखायी नहीं देने' से हम ईश्वर तक का अस्तित्व स्वीकार नहीं करते! किन्तु इस मान्यता के पीछे कोई युक्ति नहीं है। यह सही है कि व्यक्ति-देह के समान कोई समाज-देह नहीं होती, किन्तु व्यक्ति-देह ही एक-साथ व्यक्ति-मन और समाज-मन दोनों की आश्रय हो सकती है।

यहाँ इस बात का कुछ विवेचन अपेक्षित है—'मन' का क्या अर्थ है? आवेग, भावनाएँ, कार्य-प्रवृत्ति, अभिवृत्ति, प्रत्यक्षीकरण, स्मृति, विचार, आकांक्षाएँ और आदर्श या मूल्य-बोध आदि ये मनस्क्रियाएँ या मनोवृत्तियाँ हैं और इनके अधिष्ठान को मन कहा जाता है। यह अधिष्ठान अधिष्ठित वस्तु से पृथक् क्या होता है, इस पर हम यहाँ नहीं जाएंगे, यहाँ हम केवल बौद्धों द्वारा इसके अस्वीकार का स्मरण दिलाएंगे। बौद्धों के नैरात्म्यवाद का यही अर्थ है—धर्मों से पृथक् उनके अधिष्ठान रूप में किसी धर्मी के अस्तित्व का अस्वीकार। अब, ये मनस्क्रियाएँ वैयक्तिक और अतिवैयक्तिक दोनों आयामों में होती हैं—'मैं' अनन्य रूप से व्यक्ति-विषयक शब्द है किन्तु सर्वनाम है, और इस प्रकार 'मैं दुःखी हूँ' यह अनन्यरूप से मुझ विषयक नहीं है, क्योंकि ठीक इसी वाक्य का प्रयोग दूसरे के द्वारा होने पर भी मैं इसकी वाचकता को और इसके वाच्य को समझता हूँ। इससे आगे जाकर यहाँ तक कहा जा सकता है कि हमारी देह तक नितांत वैयक्तिक नहीं होती, वह वैयक्तिक होने के साथ-साथ जातीय भी होती है। यही बात मन के लिए भी है। मानव-मन : संज्ञान, बुद्धि, भावनाएँ और इनका अधिष्ठान :

श्वान-मन या बिलाव-मन से जातीय रूप से भिन्न होता है। अब, क्योंकि व्यक्ति ठोस सत्ता के रूप में दिखायी देता है इसलिए हम देह को ही अस्तित्ववान् मानते हैं और उसे वैयक्तिक मानते हैं, जाति को नहीं मानते। किन्तु वास्तव में तो जाति का अस्तित्व भी व्यक्ति के अस्तित्व में अन्तर्निहित रहता है। प्रत्यक्षगम्यता को वास्तवता के लिए अनिवार्य मानना केवल हमारा पूर्वाग्रह है, इसीसे हमारे नैयायिक जाति की सत्ता स्वीकार करते हुए उसे प्रत्यक्ष-विषय मानते हैं और अन्य सम्प्रदाय जाति को केवल काल्पनिक मानते हैं। मन की वैयक्तिकता भी मनुष्य में जितनी वास्तव होती है पशुओं में नहीं होती, कृमियों में तो लगभग नगण्य ही होती है। इंस्टिंक्ट (सहज प्रवृत्ति) जीव की अतिवैयक्तिक प्रवर्तक होती है, मधुमक्खी-व्यक्ति चैत्त रूप से छत्ते की अंग मात्र होती है, उसका व्यक्ति-चित्त छत्ता-चित्त का अंगमात्र होता है। व्यक्ति-चिड़िया घोंसला जातीय चित्त की अधीनता में बनाती है, वह छत्ता बनाने-नहीं बनाने और अन्य प्रकार का बनाने का निर्णय नहीं कर सकती। व्यक्तित्व केवल मनुष्य में होता है, उसमें प्रत्येक व्यक्ति का एक विशिष्ट मनोविग्रह होता है, वह वैयक्तिक रूप से निर्णय कर सकता है। उसके इस व्यक्तित्व का आधार उसका अस्मिता-बोध होता है जो उसकी चेतना के आत्मचेतन होने से आविर्भूत होता है। किन्तु यह अस्मिताबोध जिस आत्मचेतना से प्रतिफलित होता है वह स्वरूपत: प्रत्यय-दर्शी और इस प्रकार सामान्य विषयक होती है—अपनी अस्मिता के सहित। उसका यह अहं सार्वनामिक पद 'मैं' का वाच्य होता है। यह भाषा की बाध्यता नहीं है, यह उसके अस्तित्व का ही स्वरूप है।[1] मानव-चेतना का स्वरूपत: सामान्यात्मक होना उसकी भाषा से भी सिद्ध है। उसकी चेतना भाषा के माध्यम से ही संचरित होती है, अथवा कहें मानवीय भाषा मानवीय चेतना की प्रत्यय-ग्राहिता के कारण ही भाषा-रूप में आविर्भूत हो पाती है, और परिणामत: यह भाषा अशेषत: सामान्यवाची होती है—मनुष्य ऐन्द्रिय प्रत्यक्षों को भी नाम के बिना नहीं देख सकता और ये नाम अशेषत: सामान्यवाची होते हैं। इस तरह व्यक्ति की हमारी जो अवधारणा उसे अनिवार्यत: और अशेषत: देही मानने और देह को देश में अवस्थित ठोस वस्तु के रूप में देखने के कारण है वह युक्तियुक्त नहीं है। वास्तवता या सत्ता-विषयक यह भ्रान्ति सामान्य जन में ही व्याप्त नहीं है, दार्शनिकों में भी बहुत व्यापक है। दर्शन में अनुभववादियों का नाममात्रवाद, बौद्धों का नैरात्म्यवाद और अपोहवाद, नैयायिकों का जाति-प्रत्यक्षवाद, विट्गेंस्टाइन का पारिवारिक अनुरूपतावाद (फैमिली-रिज़ेब्लेंस) ये सब इसी भ्रान्ति के द्योतक हैं। इस प्रकार संस्कृति को व्यक्ति-समूहों में 'इंगित-चेष्टागत अनुरूपता' के जैसा कुछ देखना युक्ति-संगत नहीं है। अतीन्द्रिय अस्तित्व का स्पष्टतम रूप मनुष्य की भाषा में देखा जा सकता है—भाषा व्यक्तियों के बोलने से 'दृश्य' : व्यक्त : होती है किन्तु अपनी सत्ता में वह व्यक्तियों के वचनों का संकलन नहीं होती, ये वचन केवल उसकी अभिव्यक्ति के एक रूप होते हैं। भाषा को 'सामाजिक चेतना का प्रत्यय-धर्मी व्योम' कहा जा सकता है और वह अपनी सत्ता में उतना ही वास्तव होता है जितना बोला गया शब्द। बल्कि बोले गए शब्द की वास्तवता बोलने से परे स्थित भाषा से ही होती है।

इस पर कहा जा सकता है कि 'समाज-मन' का अस्तित्व अतिवैयक्तिक सामाजिक अस्तित्व को ही सिद्ध करता है, यह संस्कृति के स्वरूप को निदर्शित नहीं करता, जैसे व्यक्ति-मन का अस्तित्व मानव-व्यक्ति के मानव के रूप में स्वरूप को निदर्शित नहीं करता। अब 'व्यक्ति' शब्द को ही लें। यह 'मनुष्य' के विशेषण के रूप में तो प्रयुक्त होता है, 'गाय', या 'बंदर' या 'मक्खी' के विशेषण के रूप में प्रयुक्त नहीं होता, जबकि उनमें भी व्यक्ति-जाति का भेद तो होता ही है। वहाँ 'व्यक्ति' शब्द के बजाय 'व्यष्टि' शब्द का प्रयोग युक्त है। यह भेद आधारभूत है। इस भेद की व्याख्या के लिए कुछ विस्तार में जाना आवश्यक है, जिसमें हम यहाँ नहीं जाएंगे। यहाँ हम केवल इतना ही कहेंगे कि व्यक्ति अपने मूल्यों, विवेक और संकल्प से परिभाषित होता है, जिनकी क्षीणता उसमें व्यक्तित्व की क्षीणता की पर्याय होती है। अब, सबसे बड़ा और सब मूल्यों में आधारभूत मूल्य निरहंकारता है और निरहंकारता व्यक्ति की सर्वात्मता में प्रतिष्ठा की पर्याय है। यह सबसे बड़ा मूल्य इसलिए भी है क्योंकि यह

1. इस पर विस्तृत विचार के लिए द्रष्टव्य हमारा लेख 'आत्म-चिन्तन', तत्त्व-चिन्तन, (दर्शन प्रतिष्ठान, जयपुर) में संकलित तथा 'चित् की आत्मगवेषणा' पीछे द्रष्टव्य।

मनुष्य को पाशव व्यष्टिता से ऊपर उठाकर व्यक्तित्व देता है। अब, मूल्य क्या है? इसकी एकमात्र उपयुक्त परिभाषा हो सकती है—'आत्मा के स्वरूप की अनुरूपता की सिद्धि।' इस पर प्रश्न हो सकता है कि 'आत्मा का स्वरूप क्या है?' इसका कोई एक उत्तर नहीं दिया जा सकता। सबसे समीचीन उत्तर हो सकता है कि विभिन्न व्यक्ति और विभिन्न संस्कृतियाँ आत्मा के किसी स्वरूप की कल्पना : साक्षात्कार : के साथ ही प्रवृत्त होते हैं, यह कल्पित स्वरूप ही उनके : व्यक्ति और समाज के : व्यक्तित्व और संस्कृति का अभियोजक, अनुशास्ता और निरूपक होता है। यह स्वरूप सिद्ध नहीं होकर साध्य होता है। हम आज प्रायः ही सुनते हैं कि "भारत अपनी संस्कृति से भ्रष्ट हो रहा है।" इसका अर्थ होता है कि भारत का स्वरूप वह है जो उसके सांस्कृतिक मूल्य हैं और उनसे भ्रष्टता उसका अपने स्वरूप के अनुरूप नहीं रह पाना है। अब, व्यक्ति के लिए भी कहा जाता है कि वह स्वरूप-भ्रष्ट है। इसका अर्थ होता है कि वह अपने को जिस आदर्श से मापता है उसके अनुसार वह अपनी प्रवृत्तियों, भावनाओं, इच्छाओं, कार्यों आदि को नियुक्त नहीं कर पाता। इसे दूसरे शब्दों में उसका अपने अनात्म का वशवर्ती होना, अपना अपने अनधीन होना, संकल्प में दुर्बल होना भी कह सकते हैं। यही अर्थ किसी समाज को आत्म-भ्रष्ट कहने का भी होता है—यह सामाजिक बिखराव, अनुशासन-हीनता, मूल्य-हीनता आदि के रूप में लक्षित होता है।

समाज की संकल्पवत्ता और मूल्यानुसरण उसमें काव्य-कलाओं, विज्ञान, शास्त्र और दर्शन आदि सृजनात्मक तथा ज्ञानात्मक अनुशीलनों के रूप में व्यक्त होते हैं। ये अनुशीलन समाज की संकल्प-ऊर्जा को व्यक्त करते हैं और सदसद्-विवेक तथा सत्यानुसन्धान के माध्यम बनते हैं। द्रष्टव्य है कि ये सभी अनुशीलन मनुष्य से बहुत दूर तक सांसारिक सुख-समृद्धि से उपरति की अपेक्षा करते हैं, वह इनमें ऐन्द्रिक सुखों से परे बौद्धिक और आध्यात्मिक सत्यों का अन्वेषण करता है। यह बात दूसरी है कि वह इसमें विपथों में भटक जाय! यह बात उसके वैयक्तिक और सामाजिक दोनों आयामों में दृष्टिगत होती है। भारत में प्राचीन वाममार्ग, आधुनिक पाश्चात्य ऐन्द्रिकतावाद, जिसकी निष्पित्त हम आज के बाज़ारवाद में देख रहे हैं, तथा प्राचीन भारतीय सन्यासवाद अथवा मुस्लिम एवं ईसाई धर्मान्धतावाद आदि-आदि बहुत से ऐसे अनुसरण हैं जो सामाजिक भटकावों के द्योतक कहे जा सकते हैं। किन्तु द्रष्टव्य है कि इन सबका मूल मनुष्य की परमार्थ-दृष्टि की दिग्भ्रान्तता में होता है। बहुत बार समाज मनोदौर्बल्य से भी ग्रस्त होते हैं जो उनके बिखराव तथा अपराध-बाहुल्य आदि के रूप में दृष्टिगत होता है।

मनुष्य के ज्ञानात्मक अनुशीलन अनेक दिशाओं में अग्रसर होते हैं—शास्त्र, इतिहास, विज्ञान, दर्शन ये इस अनुशीलन के कुछ प्रमुख रूप कहे जा सकते हैं। यों कलाएँ, धर्म और पुराण भी ज्ञानात्मक अनुशीलन ही कहे जा सकते हैं, किन्तु ये अनुशीलन विज्ञान-दर्शन आदि से प्रकारतः भिन्न हैं और सामान्यतः ज्ञानात्मक नहीं कहे जाते। पीछे कुछ समय से पश्चिम के लोगों ने दर्शन को भी इस क्षेत्र से बहिष्कृत कर रखा है और पश्चिम के अनुकारी बहुत से हमारे लोगों ने भी कर रखा है। किन्तु यहाँ इस प्रश्न को छोड़ा जा सकता है। इसके विपरीत हम दर्शन को ज्ञान का उच्चतम अनुध्यायी समझते हैं, जिस मान्यता के औचित्य पर हम आगे विचार करेंगे। इसके विपरीत काव्य और कलाओं को इससे पृथक् रखा जा सकता है। इसका औचित्य यह है कि शास्त्र, विज्ञान और दर्शन आदि जबकि विषयपरक होते हैं, काव्यादि विषयिपरक होते हैं।[1] किन्तु द्रष्टव्य है कि सांस्कृतिक कर्म या सांस्कृतिक अभिव्यक्तियों के रूप में काव्य विज्ञान से बहुत अधिक महत्त्वपूर्ण रहे हैं और दर्शन से भी इन्हें कम महत्त्वपूर्ण नहीं कहा जा सकता। यों पिछले समयों में काव्य और धर्म में पारस्परिकता भी रही है और दर्शन को काव्य अपने अन्तर्गतार्थ रूप में लेकर चलता रहा है, किन्तु तब भी ये परस्पर पृथक् क्षेत्र ही हैं। यहाँ हम विज्ञान और दर्शन के स्वरूप पर संक्षेप में विचार करेंगे।

विज्ञान को स्थूल रूप से *'प्रकृति को मनुष्य के व्यावहारिक उपयोग के लिए समझने और उसे उपयोग में लाने के कौशल के रूप में परिभाषित किया जा सकता है।'* इस दृष्टि से प्रकृति को इन्द्रियों के जड़ विषय के रूप में

1. द्रष्टव्य — *मूल्यतत्त्व-मीमांसा* में कला विषयक अध्याय तथा *काव्य-विमर्श* पुस्तक।

परिभाषित किया जा सकता है। किन्तु जब हम जीवों और मनुष्यों को भी नियोजनीय वस्तुओं के रूप में समझने का प्रयत्न करते हैं तब ये भी विज्ञान-विषय : जड़-रूप : हो जाते हैं। प्राणि-विज्ञान, मनोविज्ञान और समाजविज्ञान आदि ऐसे ही विज्ञान हैं। किन्तु विज्ञान का आदर्श विषय जड़ प्रकृति ही होती है, दूसरे विषयों को हम उनके प्रति दृष्टि बदल कर ही विज्ञान के विषय बनाते हैं, और कहा जा सकता है कि इसमें हम उनके स्वरूप की समझ खो देते हैं। उदाहरणत: कहा जा सकता है कि प्राणी की अन्तरंग समझ काव्य-धर्मी ही हो सकती है, समाज तो स्पष्टत: ही कथा, कहानी और नाटक के रूप में ही अपनी अन्तरंगता में निदर्शित होता है। इसके विपरीत जड़ प्रकृति अन्तरंगता से नितान्त शून्य बहिरंग मात्र होती है। काव्य जब प्रकृति को विषय बनाता है तब उसके स्वरूप को सप्रयोजन आवृत कर देखता है, जिस प्रकार विज्ञान प्राणी, और विशेषत: मनुष्य को, उसकी अन्तरंगता से विच्छिन्न कर देखता है।

किन्तु यहाँ एक मोड़ लेना आवश्यक है—ज्ञान के लिए विषयकरण आवश्यक होता है। हम स्वयं अपने को भी जानने के लिए अपने से अलग होकर अपना विषयकरण करते हैं। यही आत्मज्ञान कहलाता है। यदि हम अपने को अपने से अलग होकर क्रोध, लोभ, मोह आदि अवस्थाओं में नहीं देखें तो हम यह कभी नहीं जान सकते कि हममें कोई दोष है, कि हम कर्त्तव्य-च्युत हुए, उससे भी अधिक, कि हम आत्म-च्युत हुए। इसी की उपमा पर हम अन्य व्यक्तियों की विषयिता को देखते हैं।

यह ठीक है, किन्तु यह विषयकरण वैज्ञानिक विषयकरण से भिन्न प्रकार का होता है। वास्तव में अन्य व्यक्ति को हम उसके साथ तादात्म्य साधे बिना ठीक से नहीं समझ सकते, जैसे अपने को अपने से ताटस्थ्य साधे बिना नहीं समझ सकते। इस प्रकार, अन्य को समझने के लिए हमारे लिए उसके साथ तादात्म्य साध कर उस पर से ताटस्थ्य साधना होता है। हम अपने विषयकरण में अपनी विषयिता के साथ अपने से बाहर आते हैं और अन्य के विषयकरण में उसकी विषयता के द्वार से उसकी विषयिता में प्रवेश कर उससे बाहर आते हैं। कथा इसी विधि को अपनाती है, इस अन्तर के साथ कि वहाँ सामान्य विषयी विशिष्टता में अवतरित होता है—कुछ वैसे ही जैसे अध्यापक द्वारा ब्लैक बोर्ड पर बनाया त्रिकोण या चतुष्कोण। कथा में कथाकार पर-काय प्रवेश कर 'पर के अपनेपन' का अवलोकन करता है, जो पर 'कोई भी पर' होता है, यद्यपि विशिष्ट विषयिता के माध्यम से ही वैसा होता है। जैसे, कथा के राम और रावण उतने ही विशिष्ट होते हैं जितने अपने जीवन में, और इस प्रकार उनके राग-द्वेष भी। इसके विपरीत विज्ञान शुद्ध अविषयिता में अपने को प्रतिष्ठित करता है। इसीसे उसका आदर्श क्षेत्र जड़ प्रकृति होती है।

ज्ञान की यह विज्ञानात्मक विधा मनुष्य के साथ सदा से ही रही है, क्योंकि मनुष्य को विवेकशील या भाषा-भाषी के समान उपकरण-निर्माता के रूप में भी परिभाषित किया जा सकता है। मानव-सभ्यताओं को प्रस्तर-युगीन, ताम्र-युगीन, लौह-युगीन आदि के रूप में जो परिभाषित किया जाता है उसमें उसके मानव के रूप में विकास का मानदण्ड उसका उपकरण-निर्माण-कौशल ही होता है। आरम्भ में मनुष्य के लिए प्रकृति के तीन रूप थे—जड़ रूप, जादुई रूप और देव-रूप। इनमें केवल उसका प्रथम रूप ही विज्ञान-विषय था, जो विषय शुद्ध रूप से विषयपरक कुछ निश्चित नियमों के अधीन था। इन नियमों में कारण-कार्य-नियम प्रमुख कहा जा सकता है। इस नियम का साधन के रूप में उपयोग उपकरण-निर्माण का प्रथम और आधारभूत चरण कहा जा सकता है। किन्तु मनुष्य जड़ जगत् के नियमों और उपकरण-निर्माण में इन नियमों के उपयोग के ज्ञान में निरन्तर आगे बढ़ा, जिस प्रगति में उसने खगोल-विद्या, अंकगणित, ज्यामिति आदि का आविष्कार-अनुसन्धान किया। अंकगणित को ही लें। इसमें अंक का मूल प्रत्यक्षगत वस्तुओं की परस्पर पृथक् और व्यावर्तक उपस्थिति से उनकी व्यावर्तकता का उद्ग्रहण निहित है, अन्यथा 'दो भैंसें', 'एक गाय और एक भैंस', 'भैंस की आंखें' ये समान द्वित्व नहीं हैं, न इनका पार्थक्य या व्यावर्तन ही एक-जैसा है। किन्तु इनके इन भेदों की उपेक्षा कर इनकी व्यावर्तकता का उद्ग्रहण बौद्धिकता के उत्कर्ष की अपेक्षा करता है। फिर इनका योग और घटाव और इनका नामकरण ये सब उत्कर्ष के अगले सोपानों के द्योतक हैं। इस उत्कर्ष-क्रम से अंकगणित-विद्या का आविर्भाव

यह एक अद्भुत बात है। बुद्धि की यह अद्भुत उपलब्धि ही दृश्य विषयों के वर्गीकरण, उनके उपयोग के नियमों के उद्ग्रहण और उन उद्गृहीत नियमों के आधार पर विषयों के उपादानीकरण की आधार बनती है।

किन्तु विज्ञान के इस रूप में इधर सत्रहवीं शताब्दी के यूरोप में तब आमूल क्रान्ति घटित हुई जब उपकरण आगे अन्य उपकरणों के निर्माण में कारण के रूप में प्रयुक्त होने लगे और इस प्रकार स्वत:चालित यन्त्र बने। किन्तु विज्ञान का एक दूसरा आयाम है जो इस उपकरण-निर्माण से अधिक आधारभूत है, वह है इस उपादानात्मक भौतिक जगत् के स्वरूप का ज्ञान। इसकी जिज्ञासा भी मनुष्य में बहुत प्राचीनकाल से देखी जा सकती है। हमारे यहाँ के वैशेषिक दर्शन में इसका पर्याप्त विकसित रूप दृष्टिगत होता है। खगोल शास्त्र इसका दूसरा रूप है।

अब, यह भौतिक जगत् क्या है? इसकी आरम्भिक परिभाषा की जा सकती है—ऐन्द्रिय विषय। किन्तु ऐन्द्रिय विषय अनेक आयाम ले सकता है। इसका एक आयाम जड़ स्वायत्त वस्तुता का है। यह वस्तु विषय-रूप में प्रत्यक्ष किन्तु स्वरूपत: प्रत्यक्ष-निरपेक्ष : स्व-प्रतिष्ठ : होती है। आँखों के सामने होने पर पत्थर दृष्टि-विषय है किन्तु आँखों से परे होने पर स्वप्रतिष्ठ वस्तु है। किन्तु यह इन्द्रिय क्या है—भौतिक या अभौतिक? यदि यह अभौतिक है तो यह विज्ञान की विषय नहीं हो सकती। यहाँ एक बहुत प्रतिष्ठित अमरीकी दार्शनिक क्वाइन को उद्धृत करना उपयोगी होगा। उसके अनुसार "मैं भौतिक विश्व में अवस्थित एक भौतिक वस्तु हूँ। इस भौतिक विश्व की कुछ शक्तियाँ मेरी सतह में प्रविष्ट होती हैं। प्रकाश-रश्मियाँ मेरे दृष्टि-पटल (रेटिना) पर आघात करती हैं, अणु (मॉलीक्यूल्स) मेरे श्रोत्र-पटल और अंगुलाग्रों पर आघात करते हैं, मैं संरचित (स्ट्रक्चर्ड) वायु-वीचियों को प्रसारित करते हुए प्रत्याघात करता हूँ। ये वीचियाँ मेज़ों, कुर्सियों, व्यक्तियों, अणुओं, प्रकाश-रश्मियों, दृष्टि-पटलों, वास्तव संख्याओं (रीयल नंबर्स), असीम वर्गों, हर्ष तथा विषाद और शुभ तथा अशुभ के सम्बन्ध में वार्तालाप का रूप लेती हैं।"[1] अब, इस प्रतिपादन को यदि ध्यान से देखें तो 'भौतिक' इन्द्रिय-विषय नहीं रहता, क्योंकि इसके अनुसार इन्द्रिय स्वयं भौतिक है, परिणामत: वह अपनी विषय स्वयं नहीं हो सकती। यह अन्यथा भी सही है—ज्ञानेन्द्रियों के विषय केवल रूप-रसादि गुण ही हो सकते हैं, गुणी : इनकी आश्रय-भूत वस्तु : नहीं हो सकती। तब फिर भौतिक क्या है? प्रकाश-रश्मियाँ भौतिक हैं किन्तु प्रकाश-रूप में नहीं, क्योंकि प्रकाश तो चाक्षुष संवेदों में प्रतिफलित रूप-गुण है, भौतिक प्रकाश-रश्मियाँ प्रकाश-रहित केवल गणितीय राशियाँ हैं। अब, यद्यपि यह भौतिक वस्तु ज्ञानेन्द्रियों में संवेदित और कर्मेन्द्रियों से नियोजित होकर ही प्रमाणित होती है किन्तु अपने अतीन्द्रिय भौतिक रूप में यह गणितीय राशियों के माध्यम से अद्भुत और चमत्कारी ज्ञान की विषय बनती है और हमारी ज्ञानेन्द्रियों और कर्मेन्द्रियों की अपार शक्ति और विपुल वैभव में प्रतिफलित होती है।

अब, इसे यदि हम केवल इस सीमा में रखकर ही इसका अनुसंधान करते हैं तो निश्चय ही यह अपार ज्ञान और उपयोग का द्वार हमारे लिए खोलता है, किन्तु यदि यह अपनी सीमाओं का अतिक्रमण कर ज्ञान और सत्ता के सम्पूर्ण क्षेत्र पर व्यापक होता है और सत् होने, उससे आगे एक मात्र सत् होने का दावा करता है तो यह दर्शन के क्षेत्र में अतिक्रमण करता है और मनुष्य की अमानुषिकता का हेतु बनता है। 18वीं से 20वीं शताब्दी के पूर्वार्द्ध तक इसमें इस अतिक्रमण की प्रवृत्ति भरपूर दिखायी देती है, जिसकी पराकाष्ठा 20वीं शताब्दी के आरम्भ में आंग्ल-अमरीकी दर्शन में देखी जा सकती है। क्वाइन का ऊपर उद्धृत प्रतिपादन इसी अतिक्रमण का द्योतक है, और क्वाइन समकालीन यूरो-अमरीकी संस्कृति का एक पुरोधा दार्शनिक है। किन्तु यह दृष्टि कितनी विपन्न और घातक है यह यूरोप को भी 20वीं शताब्दी के उत्तरार्द्ध के आरम्भ में ही दिखायी देने लगा था, यद्यपि इससे उबर कर भी यूरोप किसी कूल-किनारे पर पहुँच पाया, यह नहीं कहा जा सकता। किन्तु विज्ञान की दृष्टि के रूप में यह एक सम्यक् दृष्टि है और अपनी दृष्टि को विज्ञान सप्रयोजन इस लक्ष्मण-रेखा के भीतर रखता है, क्योंकि इससे

1. विलर्ड वान् ओर्मान् क्वाइन —'दि स्कोप एंड लेंग्वेज ऑफ साइंस', *ब्रिटिश जर्नल फॉर दि फिलोसोफी ऑफ साइंस*, 1957, पृ. 91

उसका प्रयोजन अधिक सुचारुता से सिद्ध होता है। वह देह को चित्त और आत्मा के वाहक और मस्तिष्क को विचार के यन्त्र के रूप में नहीं देखता बल्कि देह को ही चित्त और आत्मा तथा मस्तिष्क को ही विचारक मानकर चलता है। यह बात दूसरी है कि कुछ लोग सप्रयोजन अपनायी गयी इस दृष्टि को अपनी दार्शनिक दृष्टि ही बना लेते हैं। क्वाइन और राइल जैसे महानुभाव उन्हीं में से हैं। यहाँ कहा जा सकता है कि विज्ञान ने अपनी इस दृष्टि के द्वारा अद्भुत सफलता प्राप्त की है—वैचारिक (थ्योरेटिकल) और व्यावहारिक (टेक्नोलोजीकल) दोनों पक्षों में, दर्शन तो एक कदम भी आगे नहीं बढ़ा है, एक भी प्रश्न नहीं है जिसका दर्शन समाधान कर पाया हो। इसका मूल विषय परमार्थ : परम सत् : का स्वरूप रहा है, या दूसरे भी विषय : जैसे ज्ञान का स्वरूप, या सदसद् का स्वरूप, या इनमें विवेक का आधार : रहे हैं, इनमें कौन सा विषय है जिसमें यह हज़ारों वर्षों के विवेचनों- व्याख्याओं के बाद भी एक कदम भी आगे बढ़ा है? बल्कि उसके लिए इन विषयक विचारों के आद्य प्रवर्तक : औपनिषद ऋषि, बुद्ध या महावीर, या सुकरात, प्लेटो, अरस्तू : ही आज भी प्रमाण बने हुए हैं। तो इस गवेषणा, या मत्थापच्ची कहें, का अर्थ क्या? यह सन्देह पहले कांट में और अनंतर बीसवीं शताब्दी के आरम्भ के आंग्ल दार्शनिकों—रसल, मूर आदि—में उठा भी था और फिर उनके अनुयायियों ने दर्शन को ज्ञानविषयक मानना ही छोड़ दिया। उन्होंने ज्ञान का क्षेत्र केवल विज्ञान को ही मान लिया और दर्शन का कार्य केवल वैज्ञानिकों के प्रतिपादनों का विवेचन मान लिया, उसी प्रकार जैसे भारतीय दार्शनिकों ने श्रुति या आगम को माना था। किन्तु यह दृष्टि मूलगामी दोष से उपहित है। इन दार्शनिकों के अनुसार ज्ञान केवल ऐन्द्रिय प्रत्यक्षमूलक ही हो सकता है और भाषा केवल इन्द्रियार्थों की वाचक ही हो सकती है। (यहाँ द्रष्टव्य है कि भारतीय दार्शनिकों की दृष्टि भी यही कही जा सकती है, इस भेद के साथ कि उनके लिए ज्ञान : वस्तु-साक्षात्कार : विज्ञान से भिन्न आर्ष-प्रज्ञा द्वारा लभ्य है। दर्शन का कार्य उनके लिए भी उस साक्षात्कार का विवेचन ही था।) यह सब कमाल की मतान्धता थी और यूरोप के उस काल के बड़े-बड़े विचारक इस दृष्टि-हीनता के रोग से ग्रस्त थे। इस दृष्टि से आर्षप्रमाणवादी भारतीय दार्शनिक भी दृष्टि-दोषग्रस्त ही कहे जा सकते हैं, किन्तु तब भी उनका प्रमा-क्षेत्र आर्ष प्रज्ञा होने से अपने व्यापकता-क्षेत्र में और गहनता में तो अपार है, विज्ञान-प्रमाणवादियों के क्षेत्र के समान नितान्त विपन्न नहीं।

किन्तु थोड़ा ध्यान से देखें तो हम पायेंगे कि गवेष्य तो इन विज्ञान-दार्शनिकों का भी परमार्थ ही था—सत्ता का स्वरूप, जगत् का स्वरूप, ज्ञान का स्वरूप, सदसद् का स्वरूप, आत्मा का स्वरूप, परमात्मा का स्वरूप आदि। ये दार्शनिक इन पर विचार से यदि इस निष्कर्ष पर पहुँचे कि ज्ञान की साधन केवल इन्द्रियाँ ही हैं, जगत् संज्ञक कोई 'वस्तु' नहीं है और न सदसद्-बोध किसी वास्तव अर्थ का बोधक होता है, तो यह उनका दार्शनिक निष्कर्ष है, वैज्ञानिक दृष्टि या निष्कर्ष नहीं। किन्तु उनके इस विचार का रूप तो वही था—परमार्थ विचार! अब, अपनी समझ में ये दार्शनिक एक आत्यंतिक समाधान पर पहुँच गये थे। किन्तु तब उनका यह समाधान कि 'ज्ञान की साधन केवल इन्द्रियाँ ही हैं' स्वयं निराधार हो जाता है, क्योंकि स्वयं यह प्रतिज्ञप्ति इन्द्रियार्थ वाचक नहीं है। यह प्रश्न उन इन्द्रियार्थ सद्वादी विचारकों के आगे प्रस्तुत हुआ भी था कि "यदि भाषा के सार्थक वचन केवल इन्द्रियार्थ वाचक ही हो सकते हैं तो स्वयं यह वाक्य कि 'केवल इन्द्रियार्थ वाचक वाक्य ही सद्वाचक हैं' कैसे सार्थक होगा, क्योंकि यह तो एक सिद्धान्त वाक्य है, इन्द्रियार्थ-वाचक वाक्य नहीं है।" किन्तु उनका यही एक वाक्य दार्शनिक वाक्य है, इन्द्रियार्थ-वाचक वाक्य तो दार्शनिक वाक्य नहीं होते!

अब, यह वाक्य इन्द्रियार्थ-वाचक वाक्यों से किस रूप में भिन्न है?

यह इस रूप में भिन्न है कि यह इन्द्रियोन्मुखता से विनिवर्तित : आत्मोन्मुख—प्रत्यङ्मुख: दृष्टि विषयक है। अब, उपर्युक्त : ऐन्द्रिय प्रत्यक्षवादी, विज्ञानवादी : दार्शनिकों का दावा है कि यह दृष्टि कोई ज्ञापक दृष्टि नहीं है। किन्तु क्यों? मनुष्य की तो पशु से विशेषता और उत्कृष्टता ही इस बात में है कि उसकी चेतना आत्मचेतन, प्रत्यङ्मुख, चेतना है, वह इन्द्रियार्थों को भी अतीन्द्रियार्थों के माध्यम से ही देखती है! यही चेतना प्रत्यङ्मुखता के उन्नततर स्तरों से 'जगत्', 'आत्मा', 'सत्ता', 'श्रेयस्' आदि 'वस्तुओं' को देखती है। किन्तु ये 'वस्तुएँ' इन्द्रियार्थों से नितान्त भिन्न भी हैं—इन्द्रियार्थ जबकि अशेषत: बहिरंग और इस प्रकार अशेषत: प्रदत्त होते हैं, ये अर्थ

अन्तरंग और इस प्रकार ईषत् प्रकट किन्तु अपारत: गुह्य होते हैं। किन्तु जैसाकि हमने ऊपर कहा, इस चेतना को इन्द्रियार्थ भी साक्षात् प्रस्तुत नहीं होकर प्रत्यङ्मुखीनतया : अध्यवसायात्मकतया : ही प्रस्तुत होते हैं, इसलिए ये भी उपादान-उपादेय रूप होकर स्वरूपावगाहन के विषय हो जाते हैं और भौतिकता के व्यंजक होकर ये विज्ञान के लिए अनन्तत: अनुसन्धेय हो जाते हैं। जहाँ विवेच्य और अनुसंधेय विषय चेतना के अपने गुण-धर्म होते हैं वहाँ उनकी गुह्यता की तो फिर थाह ही कहाँ मिल सकती है? यहाँ इस प्रकार के बहुत छोटे-छोटे प्रश्न देखें—कविता क्या है? प्रेम क्या है? मैत्री क्या है? हममें ईर्ष्या और द्वेष जैसे भाव क्यों उपजते हैं? इन भावों की अवांछनीयता जानते हुए भी हम इनसे उबर क्यों नहीं पाते? इनकी अवांछनीयता किस बात में है?

इन प्रश्नों के विषय प्रकटत: स्पष्ट हैं क्योंकि इनका सम्बन्ध हमारे अपने कर्म और प्रतिपल के अनुभव से है, किन्तु इनके भी उत्तर हम आज तक तय नहीं कर पाये हैं—हज़ारों वर्षों के तर्क-वितर्क और चिन्तन-मनन के बावजूद। ज्ञान और अनुभव के लिए निकटतम विषय आत्मा है, जो साथ ही अविषय भी है, क्योंकि यह विषयिता से अभिन्न भी है। किन्तु चेतना की प्रत्यङ्मुखता में यह विषयतया प्रस्तुत होकर अपारता और गहनता में अप्रतिम अर्थों का आगार बनता है—ज्ञातारं रे केन विजानीयात्? स आत्मा ज्ञातव्यः, मन्तव्यः, निदिध्यासितव्यः। चेतना का यह सर्वाधिक निकट विषय दर्शन का सबसे प्रथम और सबसे मुख्य विषय रहा है। जीवन की सार्थकता-निरर्थकता, सदसद्-विवेक और इसकी प्रामाणिकता-अप्रामाणिकता, कर्त्तव्याकर्त्तव्य-निर्णय का निकष ये सब इस आत्मा के स्वरूप से ही निगमित होते हैं। बहुत से दार्शनिकों ने इस आत्मा को द्रव्य, वस्तु के रूप में देखा है, जैसे आत्मा को मानने वाले सभी पाश्चात्य दार्शनिकों ने; हमारे यहाँ न्याय, वैशेषिक, जैन, नैरात्म्यवादी बौद्ध, सांख्य और सभी धर्मों ने। किन्तु यह दृष्टि-दोष है जिसका मूल याथार्थ्य को वस्तुपरक पदावली के बिना समझ पाने की हमारी सहज असामर्थ्य में है, जैसाकि हमने अन्यत्र विस्तार से आत्मा के स्वरूप विषयक विचार में देखा है।[1] इसी प्रकार के दूसरे प्रश्न, जैसे 'कविता क्या है?' को लें। हम युगों से कविता करते आ रहे हैं, कविता-अकविता का भेद भी लगभग सहज में कर सकते हैं, किन्तु 'कविता क्या है' इस प्रश्न पर भी युगों से विचार करते आ रहे हैं और किसी अविवादास्पद निर्णय पर नहीं पहुँच पाये हैं। अब, 'कविता करने' और 'कविता क्या है' इस प्रश्न पर विचार करने में अन्तर क्या है? इनमें अन्तर यह है कि जबकि प्रथम में 'मानवीय चेतना' सहज प्रवर्तित होती है, दूसरे में प्रत्यङ्मुख होकर उस प्रवर्तन के स्वरूप का विषयकरण करती है, जो स्वरूप अपने अर्थ में अथाह है।[2] इस अर्थ की अथाहता चेतना की अपनी अर्थात्मक अथाहता में है, जो अर्थ उसके लिए अपने विषयकरण से उद्भूत होते हैं। चेतना के स्वरूप की यह अद्भुत बात है कि वह स्वयं अपने से लौटकर अपने लिए अपार अर्थ-भुवनों को रचती, या कहें उन अर्थ-भुवनों में रचित होती है और ये भुवन उसके लिए सदैव ईषत् ही गम्य होते हैं और अपनी शेष अपारता को निरन्तर पीछे हटते क्षितिज के रूप में प्रकट करते हैं। इसी कारण दार्शनिक प्रश्नों का ही नहीं, स्वरूप-विषयक किसी भी प्रश्न का कोई अन्तिम समाधान नहीं मिल सकता, और इसी कारण उसमें उस प्रकार की कोई प्रगति नहीं दिख सकती जिस प्रकार की विज्ञान में। क्योंकि इसमें कोई अन्तिम छोर होता ही नहीं, और न कोई निश्चित पड़ाव हो सकता है जिस पर से आगे बढ़ा जाय। विज्ञान में ये पड़ाव तकनीकीय प्रगति के द्वारा स्पष्ट लक्षित होते हैं। ऐसे प्रश्नों के उत्तरों में केवल गहराई और व्यापकता का अन्तर देखा जा सकता है और यह गहराई आज से हज़ार या दो हज़ार वर्ष पहले के गवेषी की दृष्टि में आज के गवेषी से अधिक भी हो सकती है। उपनिषद् और गीता आज भी हमारे लिए प्रमाणभूत हैं और प्लेटो या नागार्जुन, या वसुबन्धु आज भी उतने ही पठनीय हैं। दूसरी ओर क्वाइन और राइल हैं, और उनसे भी आगे देरिदा तथा फूको आदि हैं जिनमें दृष्टि-दारिद्र्य किसी को भी दिखाई दे सकता है।

---

1. द्रष्टव्य — *मूल्यतत्त्व-मीमांसा* में 'आत्मान्वेषण' अध्याय तथा तत्त्व-चिन्तन में 'आत्म-चिन्तन' लेख।
2. यहाँ द्रष्टव्य है कि काव्य और कलाओं में भी दृष्टि प्रत्यङ्मुखतया ही प्रवर्तित होती है, इसीसे इस दृष्टि का लोक भी अगाध ही होता है, किन्तु इसका लोक विषयिता का लोक होता है। 'कविता क्या है' इस प्रश्न की पृच्छा विषयपरक है और इसका विषय वह दृष्टि है। इस भेद की व्याख्या के लिए द्रष्टव्य हमारे काव्य और कलाओं विषयक लेख।

यहाँ यह प्रश्न हो सकता है कि इस प्रकार के विचार की प्रामाणिकता क्या है? इसमें हम जिन अर्थों को देखते या पाते हैं वे वास्तविक हैं, कल्पना मात्र नहीं हैं, यह हम कैसे कह सकते हैं? इसका उत्तर सीधा देने के बजाय हम वैज्ञानिक प्रगति के सम्बन्ध में यही प्रश्न उठाकर उस पर विचार करने के मार्ग से देंगे।

विज्ञान ने प्रगति की है यह प्रकटत: असंदिग्ध है—हमने भौतिक जगद्विषयक सूक्ष्म से सूक्ष्मतर दृष्टि पायी है और इस दृष्टि के द्वारा अधिक से अधिक सशक्त और कुशल से कुशलतर उपकरणों का निर्माण कर उसकी प्रामाणिकता देखी है। यह प्रकटत: ठीक है। किन्तु इस पर यदि थोड़ा विचार करें तो यह उत्तर सन्देहास्पद दिखायी देता है। 'भौतिक पदार्थ क्या है' इसी प्रश्न को लें। भौतिक विज्ञान इसे लेकर केवल निर्धारित प्रयोगों द्वारा परीक्षणीय अभ्युपगम बनाता है जो भौतिक तत्त्व के स्वरूपविषयक नहीं होकर उस तत्त्वविषयक किसी पूर्वगृहीत धारणा के अन्तर्गत उस अभ्युपगम से लक्षित निष्कर्ष होता है। यह निष्कर्ष भी कोई अन्तिम निष्कर्ष नहीं होता, केवल तात्कालिक ही होता है, क्योंकि ये निष्कर्ष किसी सरल प्रत्यक्ष विषयक नहीं होकर अत्यन्त जटिल सिद्धान्त के अनुसार निर्धारित क्रियाओं के परिणामों द्वारा अनुमेय विषयक होते हैं। इसीसे सैद्धान्तिक विज्ञान (थ्योरैटिकल फिज़िक्स) केवल अभ्युपगम (हाइपोथिसिस) की ही स्थिति में बना रह सकता है, कभी अन्तिम निष्कर्ष तक नहीं पहुँच सकता। जहाँ तक इसके दूसरे पक्ष : उपकरण-निर्माण : का प्रश्न है, वह ज्ञान-विषयक वैसे ही नहीं है, वह मूल्यविषयक है—यह दैहिक सुख, समृद्धि और प्रभुता की ईप्सा से नियोजित अन्वेषण है। इसकी युक्तता के लिए प्रमाण वस्तु-दर्शन या तत्त्व-दर्शन नहीं होता बल्कि दैहिक सुख कितना और कैसा मिला और यह सुख परम साध्य होकर सुख रहता है या नहीं, यह प्रमाण होता है, और यह प्रश्न वैज्ञानिक विचार के बाहर की बात है। इस प्रकार यह दैहिक सुख की पर्येषणा से प्रेरित व्यापार है। इसकी कुशलता के लिए प्रमाण तो कुशलतर उपकरणों के आविष्कार से मिल सकता है, किन्तु यह पर्येषणा की युक्तता के लिए तो प्रमाण नहीं है। इसका साध्य सुख है, किन्तु यह केवल दैहिक सुख ही दे सकता है। अब, दैहिक सुख भी साध्य तो है—हमें रोग और निर्धनता से भी मुक्ति तो चाहिए ही! किन्तु क्या यह परम साध्य भी है? और क्या इसकी सिद्धि भी इस मार्ग से सम्भव है? दैहिक सुख के स्तर पर भी इस विज्ञान की सफलता ने जो समस्याएँ उत्पन्न की हैं—भोगवाद, प्रदूषण, प्राकृतिक सम्पदाओं का क्षय आदि, फिर प्रभुता के लिए शस्त्रास्त्र, तज्जन्य आतंकवाद आदि आदि" वे सर्वविदित हैं। किन्तु इन परिणामों की बात छोड़कर सैद्धान्तिक रूप से भी यह प्रश्न हो सकता है कि क्या यह सुख परम साध्य होकर सुख रहता भी है? इस सुख को वास्तव में दुःख देखने वाले लोग ऋषि और मुनि की चित्त-भूमियों पर आरूढ़ हुए जबकि इस सुख को परम साध्य मानने वाले आसुरी चित्त-भूमियों के अधिकारी बन कर क्लेश, कलह और कलुश के भाजन हुए। क्यों यह सुख नहीं दुःख है, क्यों अकिंचन भाव का वरण करने वाला सन्यासी सबसे बड़ा धनाढ्य, सबसे अधिक वैभवशाली है, ये प्रश्न और इनके सकारात्मक या नकारात्मक, कैसे भी, उत्तर विज्ञान के क्षेत्र में नहीं बल्कि दर्शन के क्षेत्र में आते हैं और इनका कोई भी उत्तर कभी भी अन्तिम नहीं हो सकता, क्योंकि इनका सत्य बाह्येन्द्रिय-गम्य देश-काल में अवस्थित नहीं होकर चेतना की गहन गुहा में अवस्थित है और उसे हम उस गुहा में गहरे उतर पाने की योग्यता के अनुसार ही देख सकते हैं। पश्चिम के इधर के तार्किक प्रत्यक्षवादियों ने इन प्रश्नों को प्रश्न ही मानने से इन्कार किया और इन्हें अपप्रश्न कहा। उनका यह कथन और इस कथन के आधारगत दृष्टि-दारिद्र्य का प्रकाशन ये दोनों बातें भी दर्शन के क्षेत्र के ही अन्तर्गत हैं। कि इन प्रश्नों के उत्तर कभी अन्तिम रूप से नहीं दिये जा सकते, ये प्रश्न फिर फिर और इसी प्रकार उठते रहेंगे, यह बात दर्शन की गति-हीनता, उसकी आत्मवंचना की द्योतक नहीं है बल्कि उसके गवेष्य विषय की अतल गहनता की द्योतक है, जिसमें आप जितना ही गहरा जाएंगे तल उतना ही अधिक दूर दिखायी देगा।

3
मूल्यतत्त्व–मीमांसा

प्राक्कथन

सत्ताविषयक अन्वीक्षा पुस्तक में हमने अस्तित्व को सत् की आत्म-अपर्याप्तता-आत्म-व्यवहितत्व के रूप में और सत् को प्रतिमान, साध्य, आत्म-अव्यवहितत्व या भाव्य के रूप में देखा था। अस्तित्व और सद्विषयक इस दृष्टि के अनुसार वस्तु और मूल्य दो निरपेक्ष-आत्मपर्यन्त कोटियाँ नहीं रह जातीं। प्रस्तुत पुस्तक में यह विचार ही आगे विस्तृत और विवेचित हुआ है। इसीसे इस पुस्तक का नाम मूल्यतत्त्व-मीमांसा रखा गया है। यह नाम मूल्य-तत्त्वमीमांसा भी हो सकता था। इस नाम में हमें केवल 'मीमांसा' शब्द में सन्देह है, क्योंकि यद्यपि हमारे प्रतिपादन की विधि मीमांसात्मक ही है और केवल युक्ति-वितर्क को ही प्रमाण और प्रमेय के बीच सम्बन्ध के आधार के रूप में स्वीकार किया गया है, किन्तु हमारे निष्कर्ष मीमांसा के परिणाम या निगमन नहीं होकर मनन और अनुशीलन के विषय हैं और इस मीमांसा तथा इसके निष्कर्षों के प्रति यह मनोभाव ही इन्हें बोधगम्य बना सकता है। दूसरे शब्दों में, हमारी मीमांसा का प्रयोजन अनुभूति या 'दृष्टि' में निमीलित अर्थों का उन्मीलन मात्र है, किन्तु उतना ही महत्त्वपूर्ण यहाँ यह कहना भी है कि उन्मीलन का यह कार्य केवल तर्क-युक्ति द्वारा सम्पादित होने पर ही वह 'दृष्टि' पद का और उसके अर्थ 'दर्शन' पद के अधिकारी होते हैं।

चेतना मनुष्य में आत्मचेतनता प्राप्त करती है और इससे मूल्य और सत् के नये आयाम प्रकट होते हैं। समाज, नैतिकता, कला, ज्ञान, आत्मा, स्वातन्त्र्य ऐसे ही आयाम हैं। इस प्रकार नैतिकता हमारे लिए सामाजिक व्यवहार की अपेक्षा मात्र नहीं है और न कला आवेग-रेचनोपाय या सौन्दर्य-दृष्टि की तोषक। इसी प्रकार आत्मा भी न अजर-अमर वस्तु-सत् है और न तर्क-सिद्ध या तर्कत: पूर्वगृहीत अनिवार्य अस्तित्व। ये सब चेतना की आत्म-सिद्धि के उपक्रम अथवा आत्म-व्यविहतत्व से उबरने के प्रयत्न के रूप हैं, जिस उबार को चेतना अपार अर्थ-राशि के रूप में आत्म-सृष्ट होकर क्रमशः अर्जित करती है। चेतना-विषयक इस दृष्टि के कारण हमारा प्रतिपादन सैद्धान्तिक रूप से वेदान्त से, और सम्भवत: सभी भारतीय दर्शनों से भिन्न कहा जा सकता है। किन्तु इसका यह अर्थ नहीं है कि यह किसी पाश्चात्य दार्शनिक मत के अनुरूप है। पश्चिम की इसमें कोई झलक भी नहीं है। यह प्रतिपादन स्वतन्त्र होने पर भी मूल अनुभूति अथवा मूल बोध में औपनिषद परम्परा के अन्तर्गत सहज ही रखा जा सकता है। अपनी एक पूर्व प्रकाशित पुस्तक **चिद्-विमर्श** के नाम के साथ हमने विशेषक पद जोड़ा था : वैदान्तिक अनुभव का नवोन्मेष। यह विशेषक वास्तव में हमारी इसके बाद की सभी पुस्तकों के लिए समान रूप से सही है। किन्तु इस पुस्तक के लिए यह पिछली सब पुस्तकों की तुलना में कहीं अधिक सही है।

परिशिष्ट में संकलित 'लोक-साधन' शीर्षक लेख **विवेक-विकास** नामक पत्रिका के अगस्त, 1975 अंक में प्रकाशित हुआ था। यहाँ यह इस पुस्तक की विषय-वस्तु के अनुरूप होने से संकलित कर लिया गया है।

इस पुस्तक की सम्पूर्ण पाण्डुलिपि लेखन के क्रम में ही हिन्दी के मूर्धन्य कवि, कथा-साहित्यकार तथा ललित एवं विचारात्मक निबन्ध-लेखक डॉ. रमेशचन्द्र शाह ने पढ़ी और अपनी प्रतिक्रियाएँ लिखीं, कुछ अध्याय प्रोफेसर गोविन्दचन्द्रजी पाण्डे तथा डॉ. मुकुन्द लाठ ने भी पढ़े। डॉ. लाठ और डॉ. सरला कल्ला (राजस्थान विश्वविद्यालय में सहायक प्रोफेसर) ने कला का अन्वेष्य-1 पर 'उन्मीलन-गोष्ठी' में अपनी समीक्षाएँ भी प्रस्तुत कीं जो **उन्मीलन** के क्रमशः जुलाई, 1990 तथा जनवरी, 1991 अंकों में प्रकाशित हुईं। डॉ. लाठ उत्कृष्ट कोटि के संगीतज्ञ, संगीतशास्त्री, साहित्यशास्त्री और दार्शनिक हैं। पाण्डे जी से भारतीय दार्शनिक जगत् और अन्तर्राष्ट्रीय भारत-विद्याविद् जगत् सुपरिचित ही है। इन तीन से अनुमोदित होकर स्वभावत: ही मैं इस कार्य में अधिक आश्वस्त अनुभव करता हूँ। ऐसे में इनके प्रति तथा सरला जी के प्रति कृतज्ञता व्यक्त करना केवल औपचारिकता का निर्वाह करना नहीं होगा।

भारतीय दार्शनिक अनुसन्धान परिषद् के अध्यक्ष प्रोफेसर बालसुब्रह्मण्यम् के प्रति भी आभारी हूँ जिनके कारण परिषद् की वरिष्ठ अध्येतावृत्ति (15 मार्च 1991 से 14 मार्च 1993 की अवधि में) मुझे मिली और यह पुस्तक लिखने में मुझे सुविधा हुई। परिषद् की सचिव प्रोफेसर (सुश्री) भुवन चंदेल एवं निदेशक डॉ. रंजन के. घोष के प्रति भी मैं बहुत कृतज्ञता अनुभव करता हूँ जिनसे इस दो वर्ष की अवधि में सौहार्द्र का व्यवहार मिला। परिषद् ने इस पुस्तक के प्रकाशन के लिए 50 प्रतिशत अनुदान भी दिया है, जिसके लिए मैं परिषद् के अधिकारियों के प्रति हार्दिक धन्यवाद ज्ञापित करना चाहता हूँ।

—यशदेव शल्य

पी–51, मधुवन पश्चिम,
किसान मार्ग, टोंक रोड, जयपुर ,
14 फरवरी, 1994

तत्त्वमीमांसा का औचित्य : आत्म–तत्त्वान्वेषण

आधुनिक पाश्चात्य दर्शन में तत्त्वमीमांसा बहुत व्यापक रूप से अस्वीकृत रही है। दुर्भाग्वश विश्व के दूसरे समाज पश्चिम को अपना राजनीतिक और वैज्ञानिक नेता ही नहीं सांस्कृतिक नेता भी माने हुए हैं इसलिए यह दृष्टि बहुत कुछ उनमें भी स्वीकृत हो रही है। इस दृष्टि के पीछे यह एक पूर्वमान्यता सी है कि सत् जगत्पर्यन्त है यद्यपि मनुष्य की कल्पना जगत्पर्यवसायी नहीं है। निश्चय ही इस दृष्टि के इधर यूरोप में कुछ अपवाद भी उठे हैं, किन्तु यहाँ हम जिस दृष्टि का प्रस्ताव करना चाहते हैं वह उनसे बहुत भिन्न है।

पश्चिम में 'तत्त्वमीमांसा' का पर्यायवाची शब्द 'मेटाफिज़िक्स'—अतिभौतिकी है जिसका प्रथम प्रयोग अरस्तू के संकलनकर्त्ताओं ने किया था। आधुनिक युग के आरम्भ में ह्यूम, कोंत और कांट ने इसे बौद्धिक कल्पनामूलक सत्ताओं का क्षेत्र कहकर इसके अनौचित्य का प्रतिपादन किया था। कांट ने इस प्रतिपादन को अधिक सुनिबद्ध और व्यवस्थित आधार दिया, जो आधार कठोरतम आग्रह के साथ समकालीन पश्चिम के अनुभववादी–वैज्ञानिकतावादी दार्शनिकों के द्वारा उद्घोषित किया गया। ऐसा नहीं है कि अभौतिकी या परातत्त्वविद्या के औचित्य का प्रत्याख्यान हमारी परम्परा में कभी हुआ ही नहीं हो, चार्वाकों और कुछ बौद्धों ने स्पष्टत: ही यह किया है, किन्तु यहाँ इसे कभी धार्मिक जिहाद का रूप नहीं दिया गया, बल्कि इसे तत्त्वमीमांसा के ही रूप में देखा गया। तो भी चार्वाकों के द्वारा प्रत्यक्षगम्य के अतिरिक्त अन्य सब वस्तुओं की सत्ता का अस्वीकार और कुछ बौद्ध सम्प्रदायों द्वारा चित्तवृत्ति–सन्तान के परे या उसके आधार में, तथा रूप–स्कन्ध या भौतिक क्षण–सन्तान के आधार में किसी वस्तु के अस्तित्व का निषेध कांट और ह्यूम के अनुरूप दृष्टि के द्योतक हैं। किन्तु बौद्धों का व्यवहार से आगे परमार्थ का स्वीकार उन्हें इनसे मूलत: भिन्न कर देता है। किन्तु उपनिषद् का यह कथन कि 'यह सब, जो कुछ भी है, ब्रह्म ही है', अथवा 'यह सब आत्मा है', बौद्धों द्वारा या कांट द्वारा विचारित और निषिद्ध तत्त्व की कोटि में नहीं आते, क्योंकि यह ब्रह्म या आत्मा इस लोक के समानान्तर किसी अन्य लोक में कल्पित वस्तुएँ नहीं हैं। निश्चय ही बुद्ध से किये गये प्रश्न में कि 'आत्मा का अस्तित्व है या नहीं' 'आत्मा' शब्द उसी प्रकार वस्तुवाचक है जिस प्रकार "साथ के कमरे में मेज़ है या नहीं?" किन्तु "सब का तत्त्व ब्रह्म है" में 'ब्रह्म' शब्द इस प्रकार का नहीं है, यह उन्हीं वस्तुओं के स्वरूप के सम्बन्ध में कथन है जो वस्तुएँ इस लोक में प्रस्तुत और लौकिक अनुभवगम्य हैं। इनका स्वरूप ब्रह्म कहने पर वस्तुएँ वहीं की वहीं और ज्यों–की–त्यों रहती हैं और इनकी संख्या में भी कोई वृद्धि नहीं होती। इस पर कहा जा सकता है कि यह अन्य लोक–विषयक वस्तु–कल्पना चाहे नहीं हो किन्तु यह ऐसी कल्पना अवश्य है जिसकी सत्यता या असत्यता के सम्बन्ध में कोई प्रमाण नहीं दिया जा सकता। उदाहरणत: सब वस्तुओं का तत्त्व एक ब्रह्म ही है, या दो अथवा तीन तत्त्व हैं, ये सब जगत् के स्वरूप–विषयक कल्पनाएँ हैं और इनमें से कौन–सी कल्पना युक्त है और कौन–सी अयुक्त, इसके निर्णय के लिए कोई प्रमाण नहीं हो सकता।

इस आपत्ति के दो उत्तर दिये जा सकते हैं : एक यह कि कौन–से दार्शनिक प्रतिपादन के लिये उस प्रकार का कोई प्रमाण दिया जा सकता है जिस प्रकार के प्रमाण की यहाँ मांग की जा रही है? पाश्चात्य तार्किक प्रत्यक्षवादी दार्शनिकों के प्रमाणीकरण–सिद्धान्त के प्रमाणीकरण की असम्भवता का स्वयं उनके द्वारा स्वीकार यहाँ दृष्टान्त के रूप में उल्लेखनीय है। किन्तु दूसरा, और अधिक महत्त्वपूर्ण प्रश्नख यह है कि इस सन्दर्भ में 'प्रमाण' से आपका क्या आशय है? आपने 'यह घर है' इस वाक्य की प्रमाणीकरण–विधि को प्रमाणीकरण का मानदण्ड बना लिया, किन्तु यह मानदण्ड अन्यत्र लागू कहाँ होता है? "यह काव्यकृति है या नहीं?" इसके सत्यापन के लिये कौन–सी विधि है? "अमुक कर्म नैतिक है या नहीं?" इसका प्रमाणीकरण कौनसी विधि से होता है? इन्हें न तो प्रत्यक्ष से प्रमाणित किया जा सकता है, न परिभाषा और निगमन से। किन्तु इनके लिए कुछ दूसरे

प्रकार के प्रमाण हैं : प्रथम के लिये सहृदयता प्रमाण होती है और दूसरे में कर्त्ता की अन्त:कारण-प्रवृत्ति प्रमाण होती है।[1] अब, ये दोनों प्रमाण उस कोटि में नहीं आते जिनकी चर्चा ये दार्शनिक करते हैं, किन्तु इसीलिए ये अयुक्त नहीं हो जाते और न प्रमेय होने के अयोग्य हो जाते हैं। वास्तव में दर्शन के लिए यह प्रश्न अधिक महत्त्वपूर्ण है कि किस प्रकार सहृदय और अन्त:करण-प्रवृत्ति वैज्ञानिक-विधि-विषयक अथवा वस्तुविषयक नहीं होने पर भी युक्त प्रमाण होते हैं। अब ये दोनों प्रमाण चित्त के उस स्वरूप में प्रतिष्ठित होते हैं जिसमें आत्मसाक्षात्कार ही वस्तु-प्रापक होता है। इसके आत्मसाक्षात्कारात्मक होने का अर्थ इसका व्यक्तिनिष्ठ होना नहीं है, क्योंकि व्यक्तिनिष्ठता अहंकारमूलकता है जबकि आत्म-साक्षात्कार का तत्त्व अहकारातिक्रमण होता है। यही कारण है कि ऐसा व्यक्ति ही इस प्रकार के निर्णयों में अन्यों के लिए प्रमाण होता है जो प्राज्ञ और संवेदनशील होने के अतिरिक्त पर्याप्त निरहंकारी भी है। वास्तव में निरहंकारता ज्ञानमात्र में पूर्वापेक्षित होती है, चाहे यह निरहंकारता सन्दर्भ-सीमित ही क्यों नहीं हो। यहाँ यह देखना भी उतना ही महत्त्वपूर्ण है कि ये प्रमाण भी उसी प्रकार भ्रान्त या अभ्रान्त होते हैं जिस प्रकार भौतिक वस्तु-विषयक अथवा वैज्ञानिक ज्ञान-विषयक प्रमाण होते हैं।

किन्तु तत्त्वमीमांसा के लिए यहाँ एक और प्रश्न मौलिक महत्त्व का है और वह यह कि कर्मों के उचित या अनुचित होने के निर्णय का आधार क्या होता है, यह मूल्यांकन या निर्णय किस प्रकार के मूल्यबोध में प्रतिष्ठित होता है और यह मूल्य-बोध किस तथ्य पर आधारित होता है? वास्तव में इस प्रश्न का क्षेत्र नैतिक कर्म तक ही नहीं कर्म मात्र तक व्यापक है : 'मनुष्य क्यों कर्म करता है'? अब कर्म का बाह्य आयाम अभूत को आविर्भूत करना है, और अधिक गहरे जाकर यह भी कह सकते हैं कि यह सत् को जन्म देता है, जो सत् बाह्य के साथ आध्यात्मिक का भी समावेश करता है। यहाँ कर्त्ता अपने तत्त्व को सर्जित और आविर्भूत करता है, उसे विपुल बनाता है। इस प्रकार कर्म का तत्त्व आन्तर-बाह्य का क्रियान्वयन, आन्तर और बाह्य के अभाव का निवारण करना है। कर्म में आन्तर और बाह्य की यह समानान्तरता वास्तव में बाह्य के आन्तर का प्रसार होने की ही द्योतक होती है। कर्म के स्वरूप के इस निरूपण का औचित्य इस बात से स्पष्ट है कि प्रत्येक कृति मूल्यांकन का विषय होती है, अर्थात् वह किसी मानदण्ड से थोड़ी या अधिक न्यून होती है, जिसका अर्थ है कि कर्म उस अलौकिक मानदण्ड को लोकावतरित करने का प्रयत्न होता है जो मानदण्ड वास्तव में कर्त्ता द्वारा अपने अर्थ को तत्त्व के रूप में कल्पित होता है। कला-कर्म या दर्शन-कर्म में तो इस कथन का औचित्य प्राय: स्पष्ट ही है, घट, छायाचित्र या यन्त्र आदि में भी इस कथन की सत्यता तब देखी जा सकती है जब ये उत्कृष्ट या निकृष्ट अथवा इनके मध्यवर्ती के रूप में देखे-परखे जाते हैं : यह मूल्यांकन अन्तत: कर्त्ता के कौशल का, अथवा कुशल कर्त्ता की उस क्रिया में सफलता-असफलता का होता है और प्रत्येक सफलता कर्त्ता के लिए सन्तोषप्रद होती है। उद्योगवाद-पूँजीवाद पर आरोप है कि यह श्रमिक में आत्मपरायापन, आत्म-विलगाव की मानसिकता उत्पन्न करता है। वास्तव में इस आत्म-परायेपन का यही कारण है कि इसमें कर्त्ता कर्म में अपने को घटित होते नहीं पाता, उसका कर्म उसका आत्म-क्रियान्वयन नहीं होता।

कर्त्ता के इस आत्म-क्रियान्वयन का क्या अर्थ है? इसका न्यूनतम अर्थ यह है कि कर्त्ता अपने अस्तित्व में आत्म-अपर्याप्त, आत्म-अभावापन्न है, अथवा कहें वह अपने अस्तित्व में अपने स्वरूप के चरितार्थन में असफल, अपने-आप में अपने मानदण्ड से न्यून है, वह कम से कम अंशत: वह है जो वह नहीं है—आत्म-विपरीत।

अब, यदि हम इस निरूपण को स्वीकार करते हैं तो इसका अर्थ है कि हम तत्त्वमीमांसा के पानी में बहुत गहरे उतरने को तैयार हैं, क्योंकि यह मनुष्य की सम्यक्ता के मानदण्ड का, मनुष्य के स्वरूप का प्रश्न है और इस प्रश्न में मनुष्य का संवेदगम्य प्रदत्त रूप पहले ही बहुत पीछे छूट गया रहता है।

---

1. इस प्रतिपादन के औचित्य पर आगे के अध्यायों में विचार किया गया है।

किन्तु वास्तव में स्वरूप का प्रश्न केवल मनुष्य के सम्बन्ध में ही नहीं किया जा सकता, यह वस्तुमात्र के सम्बन्ध में किया जा सकता है। कोई आपत्ति कर सकता है कि इस पुस्तक या उस मेज़ के सम्बन्ध में आप स्वरूपविषयक क्या प्रश्न कर सकते हैं? किन्तु यह आपत्ति ठीक नहीं है। इनके सम्बन्ध में भी यह प्रश्न उतना ही प्रासंगिक है जितना मनुष्य के सम्बन्ध में, केवल मनुष्य के सम्बन्ध में यह प्रश्न पुस्तकादि के सम्बन्ध में इस प्रश्न की तुलना में असीमत: अधिक गम्भीर और गुह्य होता है। किन्तु तब भी पुस्तकादि-विषयक प्रश्न भी उतने सतही नहीं होते जितने दार्शनिकों ने सामान्यत: बना रखे हैं। भारतीय दर्शन में घट और पट का उदाहरण और पाश्चात्य दर्शन में मेज़ और पैन का उदाहरण भौतिक विषयों के रूप में दिया जाता रहा है। किन्तु हमने अन्यत्र[1] दिखाया है कि इन्हें भौतिक वस्तुओं के उदाहरणों के रूप में प्रस्तुत करना अयुक्त है, क्योंकि ये मनुष्यकृत सृजन हैं और कृतियों के रूप में इनका तत्त्व प्रस्तर-खण्ड के तत्त्व से मूलत: भिन्न प्रकार का हो जाता है। यह स्वरूप और यह स्वरूप-भेद संवेदगम्य नहीं हैं और कृतियों के रूप में इनका स्वरूप किसी भी प्रकार से संवेदन के द्वारा, अथवा तथाकथित वैज्ञानिक-विधि के द्वारा भी प्रमाणीकरणीय नहीं है। जो संवेद या वैज्ञानिक-विधि के द्वारा प्रमाणीकरणीय है भी स्वयं उसके भी इस स्वरूप का निर्धारण संवेद-विषयक या वैज्ञानिक-विधि-विषयक नहीं होता। यह चित्त द्वारा युगपद् रूप से साक्षात्कारात्मक और सृजनात्मक होता है। यहाँ 'साक्षात्कार' शब्द अपेक्षाकृत अधिक गुरु, अधिक भारी प्रतीत हो सकता है, किन्तु वास्तव में किसी भी वस्तु का तत्त्व प्रथमत: साक्षात्कृत और अनन्तर विमृष्ट होता है। यहाँ किसी वस्तु में यह सन्देह युक्त सन्देह नहीं है। प्रत्येक सर्जन आद्यत: साक्षात्कृत तत्त्व का ही क्रियान्वयन होता है : घट घटत्व के और मूर्त्ति मूर्त्तकृत व्यक्ति या वस्तु की आत्मा के साक्षात्कार का ही क्रियान्वयन होते हैं, यह बात दूसरी है कि घट आदि वस्तुओं की रचना कुम्हार के साथ अभ्यास मात्र हो जाती है और उसकी प्रेरणा अगली सुबह की आजीविका का अर्जन। किन्तु उत्तम मूर्त्तिकार के साथ ऐसी बात नहीं होती। इसका अर्थ है कि जो कोई जितना ही अपनी चेतना में प्रबुद्ध होता है वह उतना ही वस्तु के स्वरूप में गहरा पैठ पाता है। सच पूछें तो, किसी वस्तु के स्परूप के कितने आयाम हैं यह हम वहीं तक देख पाते हैं और उनमें उतनी ही गहराई से पैठ पाते हैं जितनी हमारी चेतना प्रबुद्ध या संवेदनशील होती है। उदाहरणत: कवि, चित्रकार, या उपन्यासकार वस्तुस्वरूप के उनसे सर्वथा भिन्न आयामों का साक्षात्कार करते हैं जिन आयामों का एक वैज्ञानिक, एक दार्शनिक अथवा एक जनसाधारण अपने-अपने पक्ष में साक्षात्कार करते हैं।

यहाँ आपत्ति हो सकती है कि कवि या चित्रकार वस्तु-स्वरूप को नहीं देखता बल्कि वस्तुविषयक अपनी भावना को प्रकट करता है। किन्तु यह सही नहीं है, वह या तो भावना के तत्त्व का उसमें अवस्थित होकर अवगाहन करता है अथवा भावना में प्रकाशित वस्तु के तत्त्व का अवगाहन करता है। उदाहरणत: मीरा का काव्य प्रथम श्रेणी में आता है और कालिदास का दूसरी में : उपन्यास में दूसरी श्रेणी के गुण और अधिक होते हैं और किसी दृश्य के चित्र में ये अधिकतम होते हैं।

इसके विरोध में यह कहा जा सकता है कि कवि, कथाकार या चित्रकार के निरूपण व्यक्तिनिष्ठ और इस प्रकार विषयिनिष्ठ होते हैं और यह बात इसका प्रमाण है कि इनके निरूपण वस्तु-विषयक नहीं होते। किन्तु यह बात सही नहीं है। कवि या चित्रकार के निरूपण उसी अर्थ में व्यक्तिनिष्ठ होते हैं जिस अर्थ में दार्शनिक-समाजशास्त्री या सिद्धान्त-वैज्ञानिक के होते हैं। इनके निरूपणों में भी हम विचार की मौलिकता को ही महत्त्व देते हैं, उसकी अनुवृत्ति को नहीं। अब, विचार की यह मौलिकता उसकी आहंकारिकता के अर्थ में व्यक्तिमूलक नहीं होती बल्कि चेतना की वस्तु-ग्राहकता और इस प्रकार अहंकारातीत शुभ्रता के एक नये स्तर की सिद्धि के अर्थ में ही यह व्यक्तिमूलक होती है। दूसरे शब्दों में, वस्तु-साक्षात्कारात्मक प्रतिभा का ही नामान्तर मौलिकता है और यह जितना दार्शनिक या वैज्ञानिक के लिये सत्य होता है उतना ही कवि के लिये भी होता है। यहाँ **ईशोपनिषद्** का

1. द्रष्टव्य **चिद्विमर्श**, अ. 1, दर्शन प्रतिष्ठान, 1994 तथा **सत्ता विषयक अन्वीक्षा**, अ. 2-3, भारतीय दार्शनिक अनुसन्धान परिषद्, 1987

अत्यन्त अर्थगर्भित एक मन्त्र उल्लेखनीय है : "कविर्मनीषीः परिभूः स्वयंभूः याथातथ्यतोऽर्थान् व्यदधात् शाश्वतीभ्यः समाभ्यः।" इसमें ईश्वर तत्त्व को समान रूप से कवि और मनीषी कहा गया है और उसे वस्तुओं को उनके स्वरूप में प्रतिष्ठित करने वाला कहा गया है। 'कवि' शब्द का अर्थ वेद में वस्तु-स्वभाव का साक्षात्कर्त्ता है और इसी के अनुसार श्री अरविन्द ने इसका अनुवाद अंग्रेज़ी में 'सीअर' किया है। 'मनीषी' का अर्थ श्री अरविन्द ने 'विचारक' किया है और यह कवि 'स्वयंभू' अर्थात् आत्मसर्जक और अपूर्वसर्जक भी होता है। इस प्रकार वह वस्तु-स्वभाव का ही नहीं अपने स्वभाव का भी सर्जक होता है। अब यहाँ प्रश्न हो सकता है कि ऐसा मनीषी जो वस्तु-सर्जक है वह वस्तु-द्रष्टा कैसे हो सकता है? यह कैसे हो सकता है यह देखने के लिए विक्षिप्त और कला-सर्जक या दार्शनिक में अन्तर देखना उपयोगी हो सकता है : इनमें यही अन्तर है कि एक आत्म-विस्थापित सर्जक है और दूसरा आत्मस्थ, आत्म-नियामक और आत्मोन्मुख सर्जक, ऐसा चेता जो सत् के अव्यवहित सान्निध्य में है।

यहाँ यह देखना उपयुक्त होगा कि आधुनिक पाश्चात्य अनुभववाद वैज्ञानिक निरूपणों को व्यवहार-सौकर्य से प्रमाणित अभ्युपगमों के रूप में देखता है। इसका अर्थ है कि इस मत के अनुसार विज्ञान का उद्देश्य या साध्य वस्तुदर्शन नहीं व्यवहार-सौकर्य है। यदि हम इस मान्यता को थोड़ा गहराई से देखें तो पायेंगे कि इसमें वस्तु-स्वरूप-विषयक एक अनालोचित पूर्वाग्रह है, और वह यह कि वस्तु स्वरूपतः चक्षुरिन्द्रगम्य प्रकार की है इसलिये उसके ज्ञान का केवल यही एक उपकरण है, अथवा अधिक-से-अधिक, केवल पाँच इन्द्रियाँ ही इसकी उपकरण हैं। किन्तु तब ये लोग पाते हैं कि ये उपकरण वस्तु की सतह का स्पर्श नहीं कर सकते और परिणामतः इसके अनुसार वस्तु अविज्ञेय बनी रहती है। ह्यूम और कांट दोनों में यह पूर्वमान्यता देखी जा सकती है और जी.ई. मूर तथा सी.डी. ब्राड तथा बर्ट्रेण्ड रसल प्रभृति वस्तुओं को तार्किक रचना (लॉजिकल कंस्ट्रक्शन्स) कहकर प्रमाण-प्रमेय के बीच की इस खाई के उस पार को अस्वीकार करके इस खाई को समाप्त करते मिलते हैं, और तार्किक प्रत्यक्षवादी (लॉजीकल पॉज़िटिविस्ट) विषय के रूप में संवेद या वस्तु में से किसे स्वीकार किया जाय इस प्रश्न को पदावली के बीच चुनाव का प्रश्न बताकर इससे मुक्ति पाने का प्रयत्न करते दिखायी देते हैं। विज्ञान को व्यवहार-सौकर्यमूलक ज्ञान-व्यवस्था कहने के पीछे इसी प्रकार की दार्शनिक मान्यता क्रियाशील दिखायी देती है। किन्तु दर्शन की इतिकर्त्तव्यता इन सब चर्चाओं तक सीमित कर देने में दार्शनिक-विमर्श का क्षेत्र क्या अत्यन्त सीमित और अत्यन्त सतही नहीं रह जाता? और तब उस सीमा में भी स्वरूपतः ही पथ-भ्रष्ट? प्रमाण-विचार की दृष्टि से यह सिद्धान्त इस सिद्धान्त से किस प्रकार भिन्न है कि "एकमात्र ईश्वर ही सत् तत्त्व है और वह आध्यात्मिक अनुभूतिगम्य है", सिवाय इस बात के कि यह : भौतिक : तत्त्व इस सिद्धान्त के अनुसार अपने प्रमाण के लिए अगम्य नहीं है? किन्तु द्रष्टव्य है कि जबकि : ईश्वर विषयक : यह सिद्धान्त ज्ञानविषयक तार्किक दृष्टि से इस सिद्धान्त से मूलतः भिन्न नहीं है, इस सिद्धान्त से कहीं अधिक अर्थ-विपुल और कहीं अधिक व्यापक और गम्भीर है, क्योंकि इसका प्रस्थान-बिन्दु ही मानव-पर्येषणा, मानव-अभीप्सा, मनुष्य की अपने और जगत् के अस्तित्व की सार्थकता की जिज्ञासा है। इन्द्रियमूलक सिद्धान्त की विपन्नता इस बात में है कि चित्त की वृत्तियों में इन्द्रिय केवल विषय के रूपात्मक पक्ष तक ही सीमित रहती है और इस रूप के भी केवल सद्यः प्रदत्त क्षण तक। इसके विपरीत गहनतर चित्रकार, संगीतकार, कवि और शिल्पी इस रूप को व्यंजक और प्रतीक बनाकर गहनतर अर्थों का साक्षात्कार करते हैं और भक्त इसमें ईश्वर-तत्त्व की व्यंजना देखते हैं। ये सब आयाम इस सिद्धान्त-दृष्टि के लिए अगम्य हैं।

अवश्य दर्शन के इतिहास में बहुत से दार्शनिक ऐसे प्रतिपादन भी करते रहे हैं जो अलौकिक या पारलौकिक वस्तु-विषयक हैं, और वैसा वे ऐसे अनुमानों के आधार पर करते रहे हैं जिनके लिए उनके पास कोई आधार नहीं होते थे। उदाहरण के लिए यहाँ कर्म-फल का सिद्धान्त, वैयक्तिक ईश्वर तथा आत्मा के अस्तित्व आदि के प्रतिपादक सिद्धान्त दिखाये जा सकते हैं। तार्किक निगमन के आधार पर ईश्वर के अस्तित्व की अनिवार्यता सिद्ध करने का सिद्धान्त भिन्न प्रकार का होने पर भी इसके अन्तर्गत ही गणनीय है, यद्यपि उसमें यह

दुहरी भ्रान्ति है कि उसमें एक तो निगमन को सिद्ध सत्य के रूप में लिया गया है और दूसरे निगमन के निष्कर्ष को वस्तुगत अस्तित्व के रूप में स्थापित किया गया है। ईश्वर विषयक इन सिद्धान्तों का दोष अपने प्रतिपाद्यों को भौतिक वस्तु की अनुरूपता में कल्पित करने में है, किन्तु इन दोषों के कारण सत् को इन्द्रियगम्य तक सीमित करने का औचित्य सिद्ध नहीं होता। वास्तव में यह परिसीमन भी उसी प्रकार की भ्रान्त तत्त्वमीमांसा का ही एक रूप है जिसके निवारण के प्रयत्न में तत्त्वमीमांसा के निषेध का यह सिद्धान्त उद्भूत हुआ। क्योंकि यदि इन्द्रिय-प्रदत्तों से भौतिक वस्तु के अस्तित्व का अनुमान युक्त है तो इन विधियों से ईश्वर, आत्मा और कर्म-फल-परम्परा का अनुमान भी युक्त है : यदि भौतिक वस्तु संवेदप्रदत्तों से तार्किक संरचना और इस प्रकार संवेदोपादान से उपादेय है तो ईश्वर को भी ईश्वरानुभव से उपादेय कहा जा सकता है। किन्तु सबसे महत्त्वपूर्ण बात यह है कि भौतिक वस्तु को बौद्धिक कल्पना के रूप में अपचित करके आप पाते क्या हैं? क्या यह पूर्ण नास्तिक्यवाद (निहिलिज़्म) से भी अधिक विपन्न सिद्धान्त नहीं हो जाता? क्योंकि नास्तिक्यवाद आख़िर जीवन की निरर्थकता के बोध से उत्पन्न होता है और इस प्रकार इसका विषय जीवन और जगत् की सार्थकता का प्रश्न होता है। यदि आप कहें कि ये प्रश्न दर्शन के लिये अप-प्रश्न हैं, इनका स्रोत भावुकता है और इनका समाधान किसी प्रकार के ज्ञानात्मक प्रमाणों के आधार पर नहीं किया जा सकता, तो यह ज्ञान और मात्र ही कहा जा सकता है, युक्तियुक्त विचार नहीं। जीवन और जगत् के अस्तित्व के प्रश्न से उसके अर्थ और उसकी सार्थकता का प्रश्न कहीं अधिक महत्त्वपूर्ण है और दर्शन के लिए वास्तव में यही मुख्य प्रश्न हो सकता है। वास्तव में स्वरूप-विषयक प्रश्न अस्तित्व और अर्थ दोनों को अपने में अवियोज्य रूप से समाहित करता है। वस्तुओं का अस्तित्व है या नहीं, इस प्रश्न की विचारणीयता भ्रम के आकलन की दृष्टि से है : जिसे कभी-कभी हम 'है' समझते हैं उसके कभी-कभी 'नहीं' हैं निकल आने के कारण। किन्तु तब 'जीवन की मृत्यु में पर्यन्तता, मेरे होने के एक तथ्य की मेरे नहीं हुए होने अथवा अन्यथा हुए होने की असंख्य सम्भावनाओं के बीच अवस्थिति', क्या इनके आकलन की कोई आवश्यकता नहीं है? निश्चय ही अधिकांश को इसकी कोई आवश्यकता दिखायी नहीं देती, किन्तु कुछेक को यह दिखायी देती है, और जिन्हें यह दिखायी देती है वे इसके समाधान की मांग की उद्विग्नता से अपने को मुक्त नहीं कर सकते। जिन्हें यह दृष्टि होती है और जिन्हें यह नहीं होती उनमें अन्तर का निरूपण कबीर ने निम्न पद में बहुत व्यंजक रूप में किया है:—

सुखिया सब संसार, खावै औ सोवै,
दुखिया दास कबीर, जागै और रोवै।

भ्रम की सम्भावना वस्तु-विषयक हमारे ज्ञान को सन्देहास्पद बनाती है और इस प्रश्न के समाधान की अपेक्षा को जन्म देती है कि हम कैसे जानें कि हम जब समझते हैं कि हम जानते हैं तब वास्तव में जानते ही हैं, भ्रम में नहीं हैं? किन्तु मृत्यु और परिवर्तन इससे कहीं गहरी और अनेक समस्याओं को जन्म देते हैं, ये स्वयं हमारे अस्तित्व और अन्वेषणों की सार्थकता को सन्देहास्पद बना देते हैं : जो है जब वह नहीं भी हो सकता था तब यह अस्तित्व कैसा है? क्या इस आगन्तुक अस्तित्व को सत् कह सकते हैं? और पुन:, 'नहीं होने' की असंख्य सम्भावनाओं के अन्तर्गर्भ ज्वालामुखी के ऊपर स्थित 'यह है' क्या स्वयं से, अपने ही बल पर, अस्तित्व में अवस्थित रह सकता है? इस ग्रह-नक्षत्र-मण्डल में एक व्यवस्था है, अणु में परमाणुओं की व्यवस्था है, किन्तु क्या यह व्यवस्था गुरुत्वाकर्षण के बिना बनी रह सकती है? और क्या यह गुरुत्वाकर्षण विकर्षण और बिखराव की असंख्य और निरन्तर सम्भवनाओं के बीच अवस्थित नहीं है? इसी प्रकार, यह सुघड़-चटकीला शतदल क्या व्याधियों की असंख्य सम्भावनाओं और आगामी मुर्झाहट की अस्वस्थता को रोककर स्वस्थ, सुघड़ और चटकीला नहीं है? यह वक्र पत्तियों और उदास रंगों वाला फूल और यह शिथिल और दुबला शिशु अस्वास्थ्य और आत्म-अप्रतिष्ठा की वास्तविकता को प्रदर्शित करते हैं, किन्तु इससे कहीं अधिक इस आत्म-अप्रतिष्ठा को मनुष्य अपने भीतर और बाहर पाता है। अब, वस्तुओं का यह सत्त्व अथवा याथातथ्य इस वस्तु-व्यवस्था की ही प्रतिष्ठा है, जिसके बिना वस्तुओं का न कोई अर्थ है और न अस्तित्व। किन्तु इस वस्तु-व्यवस्था के सम्बन्ध में भी तत्त्वमीमांसा-विरोधी इन दार्शनिकों में कम भ्रान्ति नहीं है। निश्चय ही वस्तुत्व का आदर्श यह भौतिक जगत् ही

है। किन्तु तब सब कुछ को वस्तु-रूप में कल्पित ही क्यों किया जाय? भूत-तत्त्व वस्तुओं के अस्तित्व की एक अनिवार्य अपेक्षा हो सकता है किन्तु उनके स्वरूप की वह अपेक्षा नहीं है। और जहाँ तक अस्तित्व का प्रश्न है, भूत तत्त्व के अस्तित्व का पर्याय होने पर सब कुछ के लिये अस्तित्व को आवश्यक ही क्यों माना जाय? और यदि आवश्यक मान ही लिया जाता है तब अस्तित्व को सत् का एक आयाम मात्र क्यों नहीं माना जाय? वास्तव में किसी आयाम को अनिवार्य मानने के लिए युक्ति की अपेक्षा हो सकती है, आगन्तुक मानने के लिए नहीं। उदाहरण के लिए अध्यवसाय बौद्धिक चित्त का एक आयाम है, किन्तु यह उसका अनिवार्य आयाम नहीं है, क्योंकि कला-सर्जन की किसी भी विधा में यह घटित नहीं होता। यही बात अस्तित्व के लिए है। उदाहरणत: घटत्व के लिए मिट्टी, मनुष्यत्व के लिए मानव-देह और विचार के लिए संवेदन अनिवार्य कहे जा सकते हैं, और इस प्रकार कहा जा सकता है कि यद्यपि अस्तित्व इनके स्वरूप का, विशेषत: पिछले दो के स्वरूप का, एक अत्यन्त गौण आयाम है किन्तु इनके लिये यह अनिवार्य है—अस्तित्व में घटित हुए बिना इनका स्वरूप भी अकल्पनीय है : विचारित हुए बिना विचार और मनोदेह के बिना मनुष्यत्व कैसे हो सकता है? किन्तु यह अकल्पनीयता वास्तव में अस्तित्व को आधार में रखकर कल्पना करने के कारण है। वास्तव में हमारे विचार और कल्पनाओं के वस्तु-जगत् के निदर्श पर अभ्यस्त होने के कारण इससे भिन्न प्रकार से देखना हमारे लिए बहुत दुस्साध्य होता है, किन्तु यह निदर्श सब तत्त्वों के लिए युक्त निदर्श नहीं है। उदाहरणत: विचार को यदि हम विचारण के रूप में परिभाषित करते हैं तो विचार-विषय को उसमें अन्तर्भूत नहीं किया जा सकता, क्योंकि विचार को उसका विषय उससे कहीं अधिक अपूर्णत: अवगत होता है जितना प्रत्यक्ष को उसका विषय होता है। और पुन:, प्रत्यक्ष के अवगमन की अपूर्णता जबकि एक-स्तरीय होती है : हम एक बिन्दु और क्षण पर वस्तु के अनेक पक्षों में से एक का ग्रहण कर पाते हैं, शेष का ग्रहण स्थान-परिवर्तन से ग्राह्य होता है : विचार द्वारा विषय के अवगमन की अपूर्णता के दो आयाम होते हैं, एक संस्थानात्म, : दृष्टिकोणगत : और दूसरा अर्थात्मक, और विचार के संस्थानात्मक आयाम के भी असंख्य पक्ष होते हैं और प्रत्येक पक्ष का अपना अर्थ-लोक होता है जो अतल और अनन्त होता है। अब, विचार-विषय के उन पक्षों का जो विचारित या विचार्यमान् नहीं होते, अस्तित्व होता है या नहीं? प्लेटो ने प्रत्ययों का अस्तित्व द्यु-लोक में कहा था, उसमें अस्तित्व की इस समस्या के समाधान का ही सरलीकरण है। किन्तु यदि इस प्रश्न पर थोड़ा गहराई से विचार करें तो हम पायेंगे कि प्रत्यक्ष विषयों में भी अस्तित्व का प्रश्न एक समस्या बन सकता है, क्योंकि यहाँ यह प्रश्न उठाया जा सकता है कि विषय के जो पक्ष प्रत्यक्ष नहीं हो रहे हैं उनका अस्तित्व है या नहीं? निश्चय ही उनका अस्तित्व माने बिना विषय की बहुपक्षता समाप्त हो जाती है : इस दीवार के अप्रत्यक्षगत भागों का अस्तित्व नहीं मानने पर वे मात्र कल्पना हो जायेंगे : किन्तु इससे यह सिद्ध नहीं होता कि उनका अस्तित्व है ही। वास्तव में प्रत्यक्ष-विषयों को रचना या विकल्प कहने में उनके अप्रत्यक्षगत पक्ष के अनस्तित्व की ही स्वीकृति है और इस प्रकार अस्तित्व की आदर्शभूत वस्तु के सत्त्व में भी अस्तित्व का स्थान गौण हो जाता है। इस प्रकार यह प्रश्न किया जाने पर कि बन्द कमरे में पड़ा मेज़ है या नहीं, बर्कले का उत्तर था कि 'है' क्योंकि वह ईश्वर के प्रत्यक्षगत है, किन्तु वसुबन्धु का उत्तर था कि नहीं है, क्योंकि अविज्ञप्त विषय का अस्तित्व नहीं हो सकता, और रसल का उत्तर था कि मेज़ अपने सभी पक्षों में काल्पनिक है और उसकी कल्पना में ही उसका अस्तित्व भी एक अनिवार्य आयाम के रूप में अन्तर्गत रहता है, अन्यथा उसका कोई वास्तव अस्तित्व नहीं है। यहाँ रोचक बात यह है कि अस्तित्व की इस अवधारणा के बावजूद कांट ईश्वर के अस्तित्व का ऐसे निषेध करते हैं जैसे उसे नेस्त-नाबूद कर रहे हों। किन्तु वे इस प्रश्न पर कोई विचार नहीं करते कि अस्तित्व-विधायक वर्गणाओं का और शुद्ध रीज़न का अस्तित्व है या नहीं, और यदि नहीं है तो क्या उनका कोई सत्त्व है या नहीं?

वास्तव में अस्तित्व-विषयक इस भ्रान्ति का इतिहास पश्चिम में बहुत पुराना है : एंस्लम और उसके अनन्तर डेकार्ट ने ईश्वर की पूर्णता के लिए उसके अस्तित्व को अनिवार्य कहा क्योंकि उन्होंने अस्तित्व को एक विधेय के रूप में देखा, और तब स्वभावत: पूर्ण में किसी विधेय की अविद्यमानता या अघटितता उसकी अपूर्णता की द्योतक होगी। कांट ने अस्तित्व को विधेय के पद से हटा कर अस्तित्व को वस्तुगत बना दिया और इस प्रकार

ईश्वर को अवास्तविक सिद्ध कर दिया। किन्तु उसने यह नहीं देखा कि स्वयं वस्तुएँ ही अपने अस्तित्व में अपनी पूर्णता से न्यून होती हैं। अथवा अधिक उपयुक्त शब्दों में, वस्तु-स्वरूप अपनी अभिव्यक्ति के क्रम में भौतिक माध्यम का अवलम्बन करता है और उसकी प्रत्येक अभिव्यक्ति अभिव्यंग्य स्वरूप से न्यून होती है। उत्कृष्टापकृष्टता-अभिव्यंजक वस्तुओं : जैसे मानवीय कृतियों : की असंख्यरूपता और एक-रूप वस्तुओं, जैसे एक जाति के विभिन्न व्यष्टियों : में भी उत्कृष्टापकृष्टता के असंख्य स्तर इस बात के प्रमाण हैं कि कोई वास्तव रूप वस्तु-स्वरूप की अथाहता और उत्कर्ष की अभिव्यक्ति के लिए पर्याप्त नहीं है। इस प्रकार अस्तित्व पूर्णता का इतर माध्यम में अपूर्णावतार या असम्यक् अनुवाद होता है। यहाँ केवल एक ही सीढ़ी यह देखने के लिये और चढ़ने की आवश्यकता है कि केवल उसी का अस्तित्व हो सकता है जो अपने से न्यून हो सकता है, अपने में अनात्म को स्वीकार कर सकता है। ईश्वर वह नहीं कर सकता इसलिए वह ऐसा सत् है जो अस्तित्व में घटित नहीं होता, क्योंकि वह अपने में अनात्म की अवस्थिति स्वीकार नहीं कर सकता। इस सत्य को भारतीय दार्शनिकों ने देखा था, जैसाकि विवर्तवाद और लीलावाद के सिद्धान्त से स्पष्ट है। यह सत्य केनोपनिषद् के निम्न मन्त्रों में अत्यन्त विदग्धता के साथ प्रस्तुत हुआ है:—

> यद्वाचानभ्युदित येन वागभ्युद्यते..., यन्मनसा न मनुते येनाहुर्मनो
> मतं... यच्चक्षुषा न पश्यति येन चक्षूंषि पश्यति...., यच्छ्रोत्रेण न
> शृणोति येन श्रोत्रमिदं श्रुतं...., यत् प्राणेन न प्राणिति येन प्राण:
> प्रणीयते, तदेव ब्रह्म त्वं विद्धि नेदं यदिदमुपासते। (1.4.8)

अर्थात् "जो वाणी के लिये अवाच्य है किन्तु जिसके कारण वाणी वचन-समर्थ होती है, जो मन की मनन-शिक्त के लिए अगम्य है किन्तु जो मन की इस शिक्त का आधार है, जो चक्षु के द्वारा देखा नहीं जा सकता किन्तु जिससे चक्षु दर्शन-समर्थ होती है, जो श्रोत्र के लिए श्रवणीय नहीं है किन्तु जिससे श्रोत्र श्रवण-समर्थ होते हैं, जो प्राण से प्राणवान् नहीं होता किन्तु जिससे प्राण प्रेरित होता है,...उसे ही तू ब्रह्म जान।" अर्थात् ब्रह्म अस्तित्व का आधार है, अस्तित्व उसी से है, किन्तु वह स्वयं अस्तित्व से अतीत है।

यहाँ हम अस्तित्व और सत्त्व के इस प्रसंग को छोड़कर विकल्प के दो महत्त्वपूर्ण पक्षों : विषयावगमन और विषय-सर्जन : पर विचार करेंगे। विषय : घट : हमें प्रदत्त होते हैं किन्तु वर्गणाएँ या विकल्प किस प्रकार प्रदत्त या अवगत होते हैं? स्पष्टत: ये भी विषय ही होते हैं, किन्तु ये विषय-वृत्ति के प्रथम स्तर पर उपलब्ध नहीं होते बल्कि इस वृत्ति पर विचार के स्तर पर प्रदत्त या अवगत होते हैं। किन्तु विषयवृत्ति पर यह विचार स्वयं प्रथम स्तरीय विषय-ग्रहण : घट-पट आदि के ज्ञान : में विषय में विषयी के पार्थक्य को पूर्वगृहीत करता है। किन्तु विषय-ग्रहण में विषय-विषयी का यह पार्थक्य अनिवार्यत: अपेक्षित नहीं होता, विषयता के लिए विषय की विषयी से निरपेक्ष प्रस्तुति ही पर्याप्त होती है। वास्तव में चित्त के अध्यवसाय से निम्नतर स्तर पर विषय की इसी प्रकार की प्रस्तुति होती है और इस स्तर पर हम जितना ही नीचे उतरते हैं विषयी विषयता में उतना ही निश्शेष मिलता है। किन्तु द्रष्टव्य है कि यह निर्विषयि-प्रस्तुति विषय को ठोसपन और स्फुटता देने के बजाय उसे उसी अनुपात में तरल, अस्थिर और अस्फुट बनाती है। विषय को स्फुट और नियत विषयता चित्त के आत्मोन्मुख निवर्तन के क्रम में ही उपलब्ध होती है, जब विषयी अपने विषयावगमन और अवगम्य विषय दोनों पर ही अपना अधिष्ठातृत्व स्थापित कर पाता है। इस निवर्तन के प्रथम चरण में चित्त विषय-ग्राह से मुक्त होकर विषय को उसकी स्वतन्त्र सत्ता में प्रतिष्ठित करता है। उसके अनन्तर वह जितना ही आत्मोन्मुखता के इस सोपान पर आरोहरण करता है विषय की आत्मसत्ता उतनी ही अधिक स्फुट होती जाती है और उसके स्वरूप के उतने ही स्तर और आयाम अपने को प्रकट करते जाते हैं।[1] यहाँ अवांतरत: एक और महत्त्वपूर्ण बात उल्लेखनीय है कि चित्त का यह

---

1. इस पर हमने **सत्ताविषयक अन्वीक्षा** के विशेषत: सातवें अध्याय में और **समाज : दार्शनिक परिशीलन** के प्रथम और चतुर्थ अध्यायों में विस्तार से विचार किया है।

आत्मोन्मुख निवर्तन स्वयं उसकी अपनी चैतसिकता को भी क्षीण से क्षीणतर कर उसे अपने अतिक्रामी स्वरूप : चिद्रूपता : में प्रतिष्ठित करता है। अब, चित्त के असंख्य आयाम और भूमियाँ हैं और चित्त से चित् तक आरोहण के असंख्य स्तर, परिणामत: विषय के भी उसी प्रकार असंख्य आयाम और उसके स्वरूप की गहराई के असंख्य स्तर होते हैं। यहाँ तक कि विज्ञान भी, जो कि विषय-विषयक बाह्यात्मक आकलन है, विषय के रूपात्मक स्तर पर प्रकट वैविध्य की तालिकाएँ नहीं बनाता बल्कि उस ऋत का अन्वेषण करता है जो उस विषय के भौतिक आयाम का याथार्थ्य और उसकी प्रतिष्ठा है और यह याथार्थ्य अथवा याथातथ्य वैज्ञानिक पर अपने को उतना ही प्रकट करता है जितना वैज्ञानिक प्रत्यङ्मुख चित्त की गहराई में उतर पाता है।

इस प्रकार विषय का अर्थ, तन्त्र और प्रतिष्ठा चिन्मूलक हो जाते हैं। किन्तु यहाँ यह स्पष्टीकरण आवश्यक होगा कि विषय की यह चिन्मूलकता उसकी विषयिनिष्ठता नहीं है, उस अर्थ में भी नहीं जिस अर्थ में कांट विषय को जाति-मानव की विषयिता का सापेक्ष कहता है।[1] उदाहरणत: विषय-निर्धारण के अयोग्य चित्त नितान्त विषयाधीन होता है, और जिस सीमा तक वह विषयाधीन अथवा विषय-निर्धारण-असमर्थ होता है उसी सीमा तक वह विषयिनिष्ठ भी होता है। विषयकरण-योग्य चित्त विषय का अपने से पृथक् निर्धारण कर जिस सीमा तक उसकी अधीनता से मुक्त होता है उसी सीमा तक वह विषयिनिष्ठता से भी मुक्त होता है। उदाहरणत: अविकल्पात्मक या अनध्यवसायात्मक चित्त सम्मुख उपस्थित भोज्य पदार्थ से अपनी भूख के अनुसार ही न्यून या अधिक आकर्षित अथवा उदासीन होता है, उस पदार्थ का स्वरूप उसकी तात्कालिक जैव-रासायनिक स्थिति से स्वतन्त्र निर्धार्य नहीं होता, इसके विपरीत अध्यवसायात्मक चित्त अपने देह की जैव-रासायनिक स्थिति तथा चित्त की आवेगात्मक या भावनात्मक स्थिति से स्वतन्त्रत: विषय का निर्धारण करता है। निश्चय ही अध्यवासायात्मक निर्धारण भी विषयिनिष्ठता से और इस प्रकार विषय-ग्राह से पूर्ण मुक्ति नहीं देता, क्योंकि आख़िर इसका निर्धार्य विषय ही होता है, यह मुक्ति अध्यवसायात्मकता के अतिक्रमण के स्तर पर सिद्ध होती है। इस प्रकार आत्मोन्मुखता चित्त द्वारा क्रमशः विषयिनिष्ठता का अतिक्रमण है, जो पूर्णत: शुद्ध चित्त की भूमि पर, जिसे वेदान्त मुक्त या ब्राह्म स्थिति कहता है, पूर्ण वस्तुतन्त्रता की सिद्धि है। यह वस्तुतन्त्रता चित् और सत् की अद्वयता होने से वस्तुता का ही नामान्तर है, जो वस्तुता उस स्रोत की होती है जो विषयिता-विषयता के विभिन्न स्तरों और रूपों में प्रवाहित होता है।

यहाँ आप इस प्रतिपादन के लिए युक्ति की मांग कर सकते हैं। वास्तव में थोड़ा ध्यान देने पर इसकी युक्ति स्वत:स्पष्ट है : सामान्य विशेषों का उपसंहारक होता है और वही विशेषों से क्रियान्वित भी होता है। कुम्भकार घटत्व का साक्षात्कार करता है और घटों की रचना करता है। जो व्यक्ति घटत्व का साक्षात्कार नहीं कर सकता वह घट की रचना भी नहीं कर सकता। इस प्रतिपादन को किसी प्रकार के प्रत्ययवाद के रूप में नहीं देखना चाहिए, जिसमें विषय की वस्तुता का निषेध कर विज्ञप्तिमात्र या अवधारणामात्र को सत् कहा जाता है। किन्तु साथ ही इसमें प्रत्ययवाद के सत्य को स्वीकार करने में भी संकोच नहीं है। वास्तव में प्रत्ययवाद के समानान्तर ही

---

1. कांट चित् में दो स्तर: आनुभविक और अतिक्रान्त: देखने पर भी अपनी इस दृष्टि के आशय को उसकी पूरी गहराई में स्वीकार नहीं कर पाता, वह चित् और सत् को दो भिन्न कोटियों के रूप में देखता है और इस प्रकार चिद्गत को विषयिनिष्ठ मानता है। ऐसा नहीं है कि कांट में चित् और सत् में अभेद की दृष्टि है ही नहीं, वास्तव में नैतिक बोध के विवेचन के प्रसंग में उसकी यही दृष्टि है। यहाँ कांट के विचार को वास्तव में उससे भिन्न रूप में देखा जा सकता जिस रूप में वह उसे देखता है : यहाँ कहा जा सकता है कि विषय-ज्ञान के स्तर पर चित् और सत् का भेद पारमार्थिक नहीं है, केवल प्रतिभासिक है, क्योंकि ज्ञानात्मक चित्, अथवा कहें ज्ञानात्मक वर्गणाओं (केटेगरीज़ ऑफ अंडर्स्टैंडिंग) में प्रतिफलित चित् वह अन्तर्गुहावासी चैतन्य (ट्रांसेंडेन्ट कान्श्यसनेस) नहीं है जो अपने अखण्ड बोध में विश्रान्त है बल्कि जगद्भाव में प्रवर्तित विषयापेक्षी चित् (ट्रांसेंडेन्टल कान्श्यसनेस) है जो स्वरूपत: ही विषय का अपने से पृथक् सत् के रूप में आक्षेप करता है। कांट की दार्शनिक दृष्टि को उसकी समग्रता में इस प्रकार समझना ही युक्त प्रतीत होता है किन्तु वह स्वयं अपनी दृष्टि की इस समग्रता की थाह लेता दिखाई नहीं देता। इस दृष्टि से कांट के विवेचन के लिए द्रष्टव्य हमारा लेख **— इम्मेनुअल कांट, पाश्चात्य दर्शन का इतिहास खण्ड 2**, (सं. डॉ. दयाकृष्ण) प्रका. राजस्थान हिन्दी ग्रन्थ अकादमी, जयपुर 1984 में संकलित।

विषयतावाद भी है, जिसका आधुनिक यरोप में विशेष बोलबाला है। यह प्रत्ययवाद से कही अधिक उपहासास्पद और दुराग्रहग्रस्त मत है, क्योंकि इसमें प्रत्यय का विषय में अन्तर्भाव किया जाता है जो विपर्यास की पराकाष्ठा है। इसके अनुसार 'यह घट है' अध्यवसाय विशेष भाषा-व्यवहार अथवा भौतिक-रासायनिक घटना है। अब यदि आप इसके विरुद्ध मेरे से युक्ति-तर्क की मांग करें तो मैं कहूँगा कि वह मेरे पास नहीं है, न किसी के पास इसके विरुद्ध कोई युक्ति हो सकती है, क्योंकि पूर्ण दृष्टि-हीनता के विरुद्ध कोई युक्ति नहीं हो सकती। अन्यथा यह स्पष्ट है कि विषयता के विभिन्न रूप, आयाम और स्तर चेतना के रूपों, आयामों और स्तरों के बिना किसी भी प्रकार नहीं समझे जा सकते। उदाहरणत: भौतिक विषय विषयता का केवल एक रूप है। यह विषय चित्त को संवेद के माध्यम से उपलक्षित होता है। इसी प्रकार विचारोपलक्षी, कल्पनोपलक्षी विषय भी होते हैं। इनसे एक मूलत: भिन्न प्रकार का विषय होता है जिसे किसी अन्य उपयुक्त नाम के अभाव में हम आत्मोपलक्षी कह सकते हैं। यह प्रत्यङ्मुखता में चित्त द्वारा अपना विषयकरण होता है। विभिन्न प्रकार और स्तरों के ये 'अतिभौतिक' विषय भौतिक विषयों से कम स्वतन्त्र नहीं होते, बल्कि ये चित्त से अधिक विषयनिष्ठता की अपेक्षा करते हैं। उदाहरणत: अपने गुण-दोष, स्वभाव और प्रवृत्तियों आदि का सम्यग्ज्ञान उच्चतम स्तर की विषयनिष्ठता की अपेक्षा करता है। केवल ये विषय चित्त से पृथक् सत्ता का दावा नहीं करते जो कि भौतिक विषय अनुचित रूप से करते हैं। यहाँ हमारा अभिप्राय तर्क और गणित आदि की प्रतिज्ञप्तियों से निर्धारित विषयों से नहीं है जोकि स्पष्टत: विकल्पित होते हैं, बल्कि विकल्प, ज्ञान, ज्ञेय आदि के स्वरूपविषयक विचार-विषयों से है। स्पष्टत: स्वरूप-विचार के ये विषय विकल्पात्मक नहीं होते, बल्कि ये अधिक ठोस सत्य के रूप में अन्वेष्य होते हैं।

वास्तव में विकल्पात्मक विषयों के स्वरूप की सत्यता के सम्बन्ध में भी कुछ आधारभूत भ्रान्तियाँ हैं जिनका निवारण आवश्यक है। हमने पीछे भौतिक विषयों के रूप में घट, पट आदि का उल्लेख किया था। किन्तु वास्तव में घट और पट भौतिक विषय नहीं होकर भौतिक में घटत्व और पटत्व के मानव-कर्म द्वारा क्रियान्वयन होते हैं। इस प्रकार भौतिक विषय वह है जो घटत्वादि की अभिव्यक्ति का उपादान बनता है। यह भौतिक क्या है? यह वह वस्तु है जो संवेदों के माध्यम से हमें प्रकट होती है और जिसका मूल लक्षण अपारदर्शिता और बाह्यता है। यह बाह्यता चाक्षुष के विषयों के लिए स्पर्श द्वारा पुष्टि-योग्यता, स्थायिता और परिप्रेक्ष्यात्मकता, अर्थात् अन्य दर्शकों के लिए समान रूप से ग्राह्यता आदि से लक्षित होती है। अन्य इन्द्रियों के लिए इसके अन्य लक्षण हैं किन्तु सार्वजनीनता इनका एक सामान्य लक्षण है। अब, स्पष्टत: यह वस्तु संवेद-विषय नहीं होती, संवेद द्वारा लक्षित विकल्प-विषय होती है। जिन दार्शनिकों ने इसके इस स्वरूप को जाना है उन्होंने इसे मानव-बुद्धि द्वारा अध्यारोपित अथवा अतिक्रान्तत: कल्पित कहा है, दूसरों ने इसके इस स्वरूप की ओर ध्यान ही नहीं दिया है। उदाहरणत: सांख्यकारिकाकार ईश्वरकृष्ण ने प्रत्यक्ष विषयों को "इन्द्रिय और अध्यवसाय को संयुक्त रूप से प्रस्तुत" के रूप में परिभाषित किया है किन्तु अध्यवसाय के वस्तु-प्रापण के स्वरूप पर विचार नहीं किया है। इसके टीकाकार वाचस्पति मिश्र ने इसकी परिभाषा 'बुद्धि में सत्वोद्रेक' की है। अब, सत्व ज्ञानात्मक गुण है। इससे इसका आशय यह होना चाहिए कि अध्यवसाय इन्द्रिय-में और बुद्धि में संयुक्त सत्वोद्रेक है। इसका ठीक-ठीक क्या अर्थ है यह वाचस्पति मिश्र ने या कारिकाकार ने स्पष्ट नहीं किया है। इसकी एक व्याख्या हो सकती है कि वह विषय जिसे दिङ्नाग विकल्पित के रूप में परिभाषित करते हैं, बुद्धि से प्रकाशित हो इन्द्रिय को प्रस्तुत होता है और इस प्रकार स्वयं में अविकल्पित होता है। किन्तु इसका क्या अर्थ है? प्रकटत: इसका अर्थ होगा कि बुद्धि वस्तु को प्रकाशित कर इन्द्रिय के लिए गोचर बनाती है। किन्तु वास्वत में इसका अर्थ यह नहीं है। सांख्य की व्यवस्था में जगत् एक ही प्रकृति की ग्राहक-ग्राह्य भाव में द्विधाभिव्यक्ति है और इस प्रकार 'बुद्धि' और 'इन्द्रिय' दोनों ग्राहक-ग्राह्यत्व के दो स्तरों के वाचक हैं। विकल्पात्मकता के सिद्धान्त में वस्तु एक स्तर पर प्रदत्त और दूसरे पर रचित होती है और रचनात्मकता का यह स्तर चित् के रचना-कर्म का कार्य बनता है। यह अवधारणा उस सीमा तक अधिक युक्त कही जा सकती है जिस सीमा तक यह वस्तु-जगत् को चित्त के अतिक्रामी रचना-कर्म में, अथवा कहें चित् के सर्जनात्मक प्रवर्तन में, अधिष्ठित करती है, किन्तु इस रचना-कर्म के आधार पर विषय

की वास्तविकता का परिहार करना भ्रान्ति है, उतनी ही जितनी घट के कृति होने से उसे अवास्तविक कहना भ्रान्ति होगी। जहाँ तक 'भौतिक' का प्रश्न है, वह भी इन्द्रिय-विषयता में पर्यवसित नहीं होता, बल्कि यह इन्द्रिय-विषयभूत संवेद-प्रदत्त से संकेतित होता है। यह : भौतिक : एक ओर बाह्य विषयों से उद्गृहीत होता है और इस प्रकार विकल्पित सामान्य होता है और दूसरी ओर सत् के एक प्रकार के रूप में निरूपित होता है : यह 'भौतिक' घटादि विषयों की सत्ता का एक आयाम होता है, जिनकी सत्ता का दूसरा आयाम घटत्व-प्रत्यय होता है।

ऊपर हमने 'एतत्' या 'तत्' के रूप में निर्धार्य विषयों के स्वरूप पर विचार किया और पाया कि इन विषयों की ज्ञानमीमांसा उस तत्त्वमीमांसा में पर्यवसायी होती है जिसका विषय चित्सत् है, वह चित्सत् जो ज्ञान और ज्ञेय का, विषय और विषयी का अतिक्रामी स्रोत है, ऐसा अतिक्रामी स्रोत जो चित्त के प्रत्येक प्रत्यङ्मुख व्यापार में अपने को क्रियान्वित करता है। किन्तु विषयता के अन्य प्रकार भी हैं जो एतत् या तत् के रूप में निर्धार्य नहीं होते। ये भाव्यात्मक, साध्यात्मक, उन्मेषात्मक या अन्तःसाक्षात्कारात्मक होते हैं। ये विषय अन्य व्यक्ति, अपनी या अन्यों की कृतियाँ, मूल्य या पर्येषणाएँ, और सबसे बढ़कर आत्मा : मनुष्य का अपना तत्त्व और स्वरूप : ये होते हैं। इनमें आत्मा सबसे निकट किन्तु तब भी सबसे गुह्य और सबसे सुदूरवर्ती होता है, जिसका अर्थ है कि हमारा प्राप्त रूप सहज पराङ्मुखता का है।

यहाँ हम इन सब विषयों के स्वरूप पर विचार नहीं कर सकते, यहाँ हम केवल आत्मा के स्वरूप पर ही आरम्भिक विचार करेंगे। इस पर और अन्य विषयों के स्वरूप पर विस्तार से विचार आगे के अध्यायों में किया जायगा। आत्मा के स्वरूप पर विचार दर्शन के लिए मौलिक महत्त्व का है और वास्तव में यही विचार दर्शन को उसकी परमोच्च गरिमा देता है। घट और पट के ज्ञान और अस्तित्व के स्वरूप का विवेचन भी निश्चय ही दर्शन ही कर सकता है, किन्तु एक दूसरा महत्त्वपूर्ण अर्थ है जिस अर्थ में इस स्वरूप-विचार का मूल्य संदिग्ध हो जाता है। वास्तव में विज्ञान की अद्भुत प्रगति के इस युग में दर्शन की सार्थकता और उपयोगिता पर पश्चिम में जो गहरा सन्देह व्यक्त किया गया है वह इस प्रकार के मूल्य में सन्देह के कारण ही किया गया है और वह एक सीमा तक युक्त भी है। क्योंकि कुम्हार घट का और बुनकर वस्त्र का निर्माण करता है, ये इनके स्वरूप की सृष्टि करते हैं, ऐसे में दृष्ट घट के अस्तित्व के लिए प्रमाण और घटाभाव के अधिष्ठान की चर्चा ये सब तब तक उपहासास्पद ही रहते हैं जब तक यह विचार ऐसे विचार का अंग नहीं हो हो अपनी उपयोगिता में उस सबसे अधिक महत् और गरिम हो जो उपयोगिता विज्ञान या शिल्प में है। प्राचीन भारतीय, चीनी तथा ग्रीक दार्शनिकों ने इस सत्य को देखा था। भारतीय दार्शनिकों, और सुकरात तथा प्लेटो में यह बोध विशेष रूप से उजागर मिलता है। यों पश्चिम के समकालीन अनुभववादी दार्शनिकों के अतिरिक्त इसका अभाव तो कहीं नहीं मिलता। उन्होंने नीति-मीमांसा के लिए नैतिक बोध की अनपेक्षितता को जिस प्रकार उद्घोष के साथ प्रतिपादित किया उसका दूसरा उदाहरण दर्शन के इतिहास में दुर्लभ होगा।

अब, यह आत्मा क्या है? प्रथमतः, यह व्यक्तिमूलक सब अनुभवों और क्रियाओं का आश्रय और उनका अधिष्ठाता है। किन्तु इसे 'आत्मा' कहने का अर्थ है इसे इतर की व्यावृत्ति में प्रतिष्ठित करना। आधुनिक मनोवैज्ञानिकों ने ठीक ही इस बोध को "भाषा के सहारे सामाजिक व्यवहार के द्वारा अर्जित" के रूप में निरूपित किया है, भारतीय दार्शनिकों ने इसे अहंकारमूलक अस्मिताबोध कहा है। इसे अहंकारमूलक अस्मिता-बोध कहने का अर्थ है कि स्वयं अहंकार अस्मिता-बोध के लिए पर्याप्त नहीं है, क्योंकि अहंकार व्यष्टिमूलक दैहिक अस्तित्व तक का अतिक्रामी आश्रय है और इस प्रकार पाशव अस्तित्व का भी आधार है।[1] आत्मा के लिए अस्मिता-बोध : ज्ञातृत्वाभिमान और कर्तृत्वाभिमान-मैं ज्ञाता हूँ, मैं कर्त्ता हूँ यह बोध : भी आवश्यक है। किन्तु यह वह

1. द्रष्टव्य – **चिद्विमर्श,** में 'आत्म और अनात्म' अध्याय।

आत्मा नहीं है जिसे उपनिषद् ने मन्तव्य और निदिध्यासितव्य कहा है। अस्मिताविषयक यह आत्मा उस आत्मा के लिए केवल प्रतीक बनता है, क्योंकि इस : अस्मिता-बोध विषयक : आत्मा के बिना आत्मविचार का प्रवर्तन ही नहीं हो सकता। आत्मा के इन दो स्तरों को हम 'अवर' और 'वर' के विशेषण दे सकते हैं और इन्हें क्रमशः विषय-विषयी और अतिविषय-विषयी इस प्रकार, यद्यपि कुछ असम्यक् रूप से, निरूपित किया जा सकता है। अब, आत्मा की यह विषयता ही इसके बोध की इससे अतीतता की द्योतक है, नहीं तो मात्र आत्मभाव तो इतर-व्यावृत्ति के द्वारा अस्फुट बोध के रूप में पशु में भी विद्यमान रहता है। विषयभूत या अवर आत्मा अविषय या वर आत्मा के स्वरूप-विषयक जिज्ञासा उत्पन्न करता है, इसी रूप में यह उस आत्मा के लिए प्रतीक बनता है। इस प्रकार जब हम प्रश्न करते हैं कि "मैं क्या हूँ, मेरा स्वरूप क्या है?" तब यद्यपि अवर आत्मा ही वाच्य होता है किन्तु यह व्यंजित उस वर आत्मा को ही करता है जो अविषय और अवाच्य है।

इस प्रतिपत्ति के लिए क्या औचित्य है, यह देखने के लिए इस प्रश्न के और वाच्य या अवर आत्मा के स्वरूप पर थोड़ा विचार आवश्यक है। "मैं क्या हूँ?" यह प्रश्न प्रकटत: इस प्रश्न जैसा ही है कि "भौतिक क्या है?" "शब्द क्या है?" "विषय क्या है?" आदि, किन्तु वास्तव में यह इनसे मौलिक रूप में भिन्न है। दूसरे प्रश्नों के विषय जबकि स्थिर, यथातथ और यथाभूत हैं, आत्मा न अपने अवर स्तर पर इस प्रकार का है और व वर स्तर पर : अपने अवर स्तर पर यह अनुभविता के रूप में विपुल से विपुलतर होता ही है, आत्म विषयक जिज्ञासा के साथ यह अपने से अतिक्रामी भी हो जाता है। इसमें आत्म-अतिक्रमण का यह तथ्य इस 'विषय' को यथाभूत वस्तु से यथाभाव्य बना देता है। इसकी यह अयथाभूत बोध-स्वरूपता इसे एक-साथ पूर्णतागर्भ अपूर्ण, सिद्धि-गर्भ असिद्ध और भावगर्भ अभाव-रूप बना देती है। यद्यपि अभावात्मकता प्राणिमात्र में निहित है[1] किन्तु यह अभावात्मकता भाव-गर्भ और अतिक्रामी नहीं होती, यह भावापेक्षी अवश्य होती है। भावगर्भता केवल उस आत्मा का स्वरूप है जो आत्मातिक्रामी होता है और ऐसी केवल प्रत्यङ्मुख : आत्मचेतन, आत्मोन्मुख : चेतना ही होती है। द्रष्टव्य है कि जैव अभावात्मकता भी कारण-कार्यस्वरूप की नहीं होती, जैसाकि जीवविज्ञानी समझते हैं : भूख और तृप्ति दो रासायनिक स्थितियाँ हो सकती हैं और भूख एक प्रकार की रासायनिक शरीरावस्था की और तृप्ति दूसरी प्रकार की रासायनिक शरीरावस्था की कार्य हो सकती है, किन्तु भूख और तृप्ति का सम्बन्ध अभावानुभूति और अभाव-पूर्ति का ही होता है, जो चेतना की दो अकारण-कार्यात्मक रूप से सम्बद्ध अवस्थाएँ हैं। चेता की स्थितियों के रूप में भूख तृप्ति की अपेक्षी और तृप्ति उस अपेक्षा की पूर्त्तिस्वरूप होती है और इस प्रकार भूख को भी भावगर्भ अभाव कह सकते हैं। किन्तु इसमें और प्रत्यङ्मुख चेतना की भावगर्भता में मौलिक अन्तर है। प्रथम अभाव और भाव चेतना के उस स्तर के हैं जहाँ वह पूर्णत: विषयसात् और इस प्रकार अनात्मोपहित होती है जबकि द्वितीय अभाव और भाव आत्मस्वरूप-विषयक और इस प्रकार अनात्ममुक्तिविषयक होते हैं। इस भेद के कारण ही हमने प्रथम को 'भावापेक्षा' और दूसरी को 'भाव-गर्भिता' कहा है। यहाँ 'अनात्ममुक्ति' और 'स्वरूपोपलब्धि' आदि शब्दों से आप चौंक सकते हैं क्योंकि आज हम वैज्ञानिक अवधारणाओं से सम्बद्ध शब्दावली के लिए अभ्यस्त हैं और 'आत्मा' आदि शब्दों के विरुद्ध हमें आशंकित होने के लिए प्रशिक्षित किया गया है। किन्तु अनात्ममुक्ति या स्वरूपोपलब्धि का अन्वेषण उन सब प्रसंगों में हम करते हैं जिनमें हम 'ऐसा नहीं होना चाहिए था' ऐसा अनुभव करते हैं। यह अन्वेषण तब अधिक प्रत्यक्ष रूप से आत्मविषयक होता है जब प्रसंग नैतिक होता है। ये दोनों स्तर लोक-साधारण हैं, गुह्य प्रसंग विषयक नहीं। किन्तु गुह्य प्रसंगों को भी हेय मानना उचित नहीं हैं। क्योंकि जहाँ अस्मिता, या कहें अनुभूत आत्मा, स्वयं प्रतीक हो जाता है वहाँ प्रसंग की गुह्यता स्वाभाविक है।

---

1. यहाँ बौद्धों की 'तथागतगर्भ' की अवधारणा तुलनीय है, जिसके अनुसार जीवमात्र 'भ्रूणावस्था (अविकसित-विकासमान्) में तथागत' है। द्रष्टव्य (**श्रीमाला सूत्र** तथा **रत्नगोत्र विभाग**)

किन्तु हमारी आत्माविषयक प्रतिपत्ति अन्यों की इस विषयक प्रतिपत्तियों से बहुत भिन्न है : जैसाकि पीछे हमने संकेत किया, ईश्वर अस्तित्ववान् वस्तु नहीं है। वही बात साध्य आत्मा के लिए, या कहें आत्मस्वरूप के लिये, कही जा सकती है। वास्तव में 'साध्य', 'भाव' आदि पद कालमूलक हैं और काल में अनागत का कोई अस्तित्व नहीं होता, सिवाय काल्पनिक के। किन्तु दूसरी ओर अभाव और साधना पूर्णभाव और सिद्धि की परम स्थिति को पूर्वकल्पित करते हैं, जो कि कालतः हो नहीं सकती। यहाँ उदाहरणतः किसी भी रचना को लें : चित्र, काव्य या निबन्ध को। इनके उत्कृष्टतम होने पर भी इनमें सुधार की अपेक्षा रहती है, जो अपेक्षा इनके उस आदर्श स्वरूप के आधार पर ही हो सकती है जो सुधार की अपेक्षा से रहित है। किन्तु यह प्रतिमानभूत निर्दोष स्वरूप अस्तित्व में नहीं होता, दूसरे शब्दों में, यह वास्तविक नहीं होता। किन्तु अस्तित्व-रहित होने पर भी इसे असत् नहीं कहा जा सकता, क्योंकि यही विद्यमान वस्तु की न्यूनता को नापता है। अब इस सत् को भविष्यगत भी नहीं कहा जा सकता, क्योंकि यह आवश्यक नहीं है कि किसी भी कल्पना में इसका पूर्ण सम्यक् रूप हो ही, वास्तव में वह कभी होता भी नहीं। किन्तु तब भी कृति की अपूर्णता और पूर्णता का आविर्भाव कृति के आविर्भाव के साथ ही हो जाता है। अब यह आविर्भूत किन्तु अस्तित्वरहित पूर्णता विद्यमान और अनागत नहीं होने से कालातीत सत् होती है जो अस्तित्व और क्रिया के द्वारा काल में अवतरित होती है। इसी अस्तित्व में यह भाव्यता या साध्यता का आयाम लेती है जो कालात्मक नहीं होकर कालातीत होता है।[1]

यह निरूपण आत्मा के सम्बन्ध में और अधिक सत्य है। यह प्रतीकभूत आत्मा भी वास्तव में कृति ही होती है, इस अतिरिक्त गुण के साथ कि यह आत्मचेतन और आत्मनिरूपक होती है। इसे कृति कहने का अर्थ है कि यह जिस अन्तर्वस्तु के साथ आविर्भूत होती है उसका इसके बाहर और पूर्व कोई दूसरा उपादान नहीं होता जो इसमें परिणत होता हो। हमारे प्राचीन दार्शनिकों ने इसे कृति के रूप में नहीं देखकर कर्म-फल के रूप में देखा, जो कि कर्मकृत नहीं होकर अनादि शृंखलाभूत होता है। किन्तु वैसा होने पर मैं न तो इसके लिए उत्तरदायी हो सकता हूँ और न ही इसमें दोष-निवारण के लिए उद्विग्न हो सकता हूँ। इस प्रकार प्रतीकभूत आत्मा को आत्मकृति, आत्मसंकल्प-मूलक सृष्टि कहना ही युक्त है, जो इसी कारण अपने-आप से न्यून भी होती है। इसे आत्मसंकल्पकृत कहने का यह अर्थ नहीं है कि संकल्प किसी संकल्पकर्त्ता में इससे पूर्वस्थिति होता है। सर्जन का तत्त्व उसकी नितान्त मौलिकता, नितान्त अपूर्वता और अपनी सृष्टि के साथ युगपद् रूप से आविर्भूत होना है।[2] इस तथ्य को सुचारुरूप में तैत्तिरीय उपनिषद् के ऋषि ने कहा है:—

असद्वा इदमग्र आसीत् ततो वै सदजायत, स आत्मानं स्वयमकुरुत। अर्थात् 'आरम्भ में असत् ही था। उससे सत् की उत्पत्ति हुई और उसने अपने को स्वयं रचा।'

अब, निश्चय की असत् से सत् की इस आत्मसृष्टि में कोई अपने से बाहरी विधान नहीं हो सकता और इस प्रकार वह रचना कुछ भी हो सकती है। अर्थात् वह जो है यद्यपि वही वह है, किन्तु वह अन्य कुछ भी हो सकती थी। किन्तु तब भी वह विधान से, नियम से रहित नहीं होती, वह आत्म-विहित होती है। किन्तु इस या किसी भी कृति के सम्बन्ध में यह एक महत्त्वपूर्ण बात है कि वह जबकि कुछ भी हो सकती है, क्योंकि वह कुछ भी होने के लिए स्वतन्त्र है, वह एक-साथ सब कुछ नहीं हो सकती। और यह तथ्य इसे : आत्मा को, आत्मसर्जन के व्यापार और उसकी सृष्टि को : मूलतः ही अनन्त सम्भावनाओं में से किसी एक का क्रियान्वयन बनाता है। यह क्रियान्वयन अनन्त सम्भावनापूर्वक और आत्मतन्त्र होने से एक ओर आगन्तुक होता है और दूसरी ओर कोई एक ही होने की अनिवार्यता से अन्तःसंगत होता है।

---

1. द्रष्टव्य — **सत्ताविषयक अन्वीक्षा** में विशेषतः अध्याय 2-3
2. द्रष्टव्य — **सत्ताविषयक अन्वीक्षा** में मानव-तत्त्व अध्याय

यहाँ एक और महत्त्वपूर्ण तथ्य की ओर ध्यान देना आवश्यक है। क्रियान्वयन जबकि एक सम्भावना का घटित होना है, सम्भावनात्मकता और क्रियान्वयन दोनों के चिदात्मक होने से प्रत्येक क्रियान्वयन में सब सम्भावनाओं का वह सम्पूर्ण क्षेत्र अन्तर्निहित रहता है जिस क्षेत्र से किसी का एक यह क्रियान्वयन होता है। चेतना के प्रत्यङ्मुख होने पर : जैसे मनुष्य में : यह सम्पूर्ण क्षेत्र, अथवा कहें सब अक्रियान्वित सम्भावनाएँ उद्भासित, अवधार्य या अवगम्य होती हैं। इस तथ्य को स्पष्टतम रूप में अभिनय में देखा जा सकता है, यद्यपि सम्पूर्ण कथा-साहित्य और अन्य व्यक्तियों के साथ सम्प्रेषण भी इसी तथ्य के द्योतक होते हैं : इनमें एक वास्तव व्यक्ति अन्य सम्भाव्य व्यक्तियों की भूमिका में अपने को स्थापित कर के देखता है। यह बोध हमें उसी सीमा तक लभ्य होता है जिस सीमा तक हम चेतना के चिदुन्मुख अभिगमन में अग्रसर हो सकते हैं। कहते हैं श्री रामकृष्ण परमहंस ने वैयक्तिक अस्तित्व की अन्य सम्भावनाओं का न केवल बौद्धिक या भावनात्मक स्तर पर साक्षात्कार किया था बल्कि कुछेक की अपने मनोदैहिक अस्तित्व तक में अवतारणा की थी। वास्तव में अभिनेता भी एक भिन्न स्तर पर यही करता है। वह भी बौद्धिक : प्रत्यङ्मुख : चेतना में साक्षात्कृत सम्भावनाओं की मनोदैहिक स्तर पर अवतारणा करता है, किन्तु इस अन्तर के साथ कि वह उन सम्भावनाओं की सम्भावनात्मक रूप में ही अवतारणा करता है, उनमें अस्तित्वत: क्रियान्वित नहीं होता।

सम्भावना-साक्षात्कार के उपर्युक्त उदाहरणों से यह नहीं समझ लेना चाहिये कि इस साक्षात्कार का क्षेत्र केवल वास्तव-सम्भाव्य मानव-व्यक्तियों तक ही सीमित होता है। हम पशु-पक्षियों, वृक्ष-लताओं के अस्तित्व, यहाँ तक कि चित् के भौतिक में क्रियान्वयन के तत्त्व का भी साक्षात्कार कर सकते हैं। वास्तव में अहिल्या की कल्पना में इसका आभास निहित है और योग में इस जाड्य की साक्षात्कारात्मक सिद्धि का विचार स्पष्ट है।

यहाँ एक और महत्त्वपूर्ण प्रश्न का तत्त्वमीमांसा के लिए, विशेषत: मूल्यतत्त्व-मीमांसा के लिए, विचार आवश्यक है और वास्तव में यह प्रश्न मूल्य-तत्त्वमीमांसा के अपने स्वरूप-निर्धारण की दृष्टि से महत्त्वपूर्ण है। वह यह कि यदि आत्मा कृति है और अन्य कृतियों के समान ही अपने स्वरूप से अपर्याप्त और असम्यक् है तो इसके इस दोष-निवारण में तत्त्वमीमांसा का क्या स्थान है और स्वयं इस अपर्याप्तता का तत्त्वमीमांसा के लिए क्या अर्थ है?

वास्तव में जीवमात्र में जितने भी प्रयत्न हैं वे सब आत्मसम्बद्ध अभाव या अपर्याप्तता के निवारण-विषयक ही कहे जा सकते हैं : 'आहार, निद्रा, भय, मैथुनंच' ये सब भी आत्मसम्बद्ध ही हैं। केवल यहाँ आत्मा देहस्वरूप होता है और देहस्वरूप होने से यह आत्मचेतन नहीं होता, परिणामत: यह आत्मा आत्मकृत भी नहीं होता। आत्मचेतना केवल मानव-स्तर पर ही उपलब्ध होती है और परिणामत: इसी स्तर पर आत्मा आत्मकृत होती है। आत्मा की यह आत्मकृतता इसके क्रियान्वयनगत दोषों का बोध और उनके निवारण के लिए उद्विग्नता भी उत्पन्न करती है। इस प्रकार आत्मक्रियान्वयन इस प्रयत्न को मूल्यात्मक बना देता है। कलाएँ, विज्ञान और नैतिक आचरण ये सब इसी प्रयत्न के अन्तर्गत होते हैं और ये अवर आत्मा को वर आत्मा के लिए अधिक से अधिक सम्यक् प्रतीक बनाने के प्रयोजन से ही प्रवृत्त होते हैं। किन्तु द्रष्टव्य है कि साधारणत: नैतिकता के सिवाय अन्य किसी मूल्य का अनुसरण हम प्रत्यत: इस बोध के साथ नहीं करते। किन्तु ये कर्म आत्मसर्जक आत्मा के प्रयत्न होने से कृतिभूत आत्मा-विषयक ही होते हैं और इसकी पूर्त्ति में ही निष्पन्न होते हैं : विज्ञान सत्य के ग्रहण के लिए बुद्धि को व्यवस्थित करता है और कला सत्य-ग्रहण के लिए भावना को अनुशासित और संरचित करती है। इस प्रकार ये दोनों कर्म आत्मा को अपने अर्थ की, अपने याथातथ्य और सत्य की अभिव्यक्ति के लिए उपयुक्ततर और अधिकाधिक पारदर्शी माध्यम बनाते हैं। किन्तु नैतिक कर्म अधिक प्रत्यक्ष रूप से आत्मा-विषयक होता है। "क्या कर्त्तव्य है और क्या अकर्त्तव्य" यह प्रश्न सीधे "मेरे लिए" विषयक होता है : मेरे लिए क्या करना उचित है, क्या अनुचित? अधिक सम्यक् शब्दों में, कौन कर्म आत्मप्रापक है और कौन आत्म-बाधक?

स्वभावत: सब अन्वेषणों में परम अन्वेष्य आत्मा का स्वरूप ही है : मैं क्या हूँ? मेरा उत्स और गंतव्य क्या है? क्योंकि अन्य सब अन्वेषण इस मूल प्रश्न से ही सम्बन्धित हैं और इसी के आधार पर ये प्रमाणित होते हैं। उदाहरणत: वैज्ञानिक, कलाकार, परोपकारी या धार्मिक किसी को भी अपने अन्वेषणों की सार्थकता में सन्देह हो सकता है : "यदि मैं वह सब भी जान लूँ जो विज्ञान के लिए विज्ञेय है, तो भी उससे क्या होगा? वह मुझे किस प्रकार अधिक सार्थकता देगा?" यहाँ यह स्पष्टीकरण आवश्यक है कि यहाँ 'मेरा' से तात्पर्य 'मुझ परक' नहीं है बल्कि वह आत्मा है जो इस सम्बन्ध का विषय नहीं हो सकता, जो अहंकारमूलक सीमाओं से अतीत है। अवश्य अवर आत्मा, कृति-आत्मा अहंकारारूढ़ होता है और इस प्रकार 'मेरा' आदि सम्बन्धों का विषय भी होता है, किन्तु उपर्युक्त प्रश्न इस आत्मा के सम्बन्ध में नहीं होता, इसकी प्रतीकरूपता के सम्बन्ध में होता है। दूसरे, इस प्रसंग में वास्तव में अवर आत्मा भी अहंकारारूढ़ ही होता है, अहंकारात्मक नहीं होता।[1] किसी भी आत्मविचार में अहंकार अतिक्रमित और निरस्त रहता है। मैत्रेयी का प्रश्न है कि "जिससे मैं अमृत नहीं हो सकती उसे पाकर मैं क्या करूँगी?" (येनाहं नामृता स्याम् किमहं तेन कुर्याम्?) यही मूल प्रश्न है—आत्मा से भिन्न सब अन्वेषणों की सार्थकता की संदिग्धता सम्बन्धी प्रश्न, अथवा कहें सब अन्वेषणों की आत्मान्वेषण में ही प्रतिष्ठा का द्योतक प्रश्न। यह सही है कि अधिकांशत: यह प्रश्न अधिकांश लोगों को उद्विग्न नहीं करता। हम लेक्चर हैं तो प्रोफेसर और कुलपति होना हमारा परम साध्य होता है, इसी प्रकार वैज्ञानिक के रूप में अथवा दार्शनिक के रूप में हमारे कुछ साध्य रहते हैं। इनमें आगे, स्वयं इनकी सार्थकता की जिज्ञासा हमें उद्विग्न नहीं करती। किन्तु कुछेक को कभी यह करती भी है। इसके मूर्त्त प्रमाण के रूप में गाँधीजी का उदाहरण द्रष्टव्य है। भारत की स्वतन्त्रता के बाद कौन प्रधानमन्त्री हो और कौन राष्ट्रपति इस प्रसंग में कभी किसी के यह बात ध्यान में भी नहीं आयी कि यह गाँधीजी हो सकते हैं। उनके साथ यही संगत था कि वे प्रधान मन्त्री पद पर नहीं, नोआखली में होते। वास्तव में आत्मा के स्वरूप-विषयक अन्वेषण के अतिरिक्त किसी भी अन्वेषण के प्रति यह सन्देह तर्कत: युक्त है कि 'यह पा भी लिया तो क्या होगा?' और वस्तुत: किसी भी काम्य की उपलब्धि हो जाने पर उसके प्रति हमारी उत्कंठा और उससे अपेक्षित सुख दोनों ही चुक जाते हैं।

यहाँ प्रश्न हो सकता है कि यह आत्मा का अन्वेषण क्या है? इस जिज्ञासा का क्या औचित्य है? किस प्रकार इस अन्वेषण की सिद्धि परम साध्य है?

इस प्रसंग में यहाँ स्मरणीय है कि हमने आत्मा को कृति कहा है, आद्य संकल्प द्वारा सृष्ट कृति। इसे आद्य संकल्प की सृष्टि कहने का औचित्य वैयक्तिक वैशिष्ट्य का कोई बाह्य कारण खोजने की अयुक्तता का और इस आत्मा में न्यूनता का तथा इस न्यूनता की निवार्यता का बोध होना है। इस न्यूनता के बोध में एक ओर इसके प्रति हमारे में उत्तरदायित्व का स्वीकार होता है जो इसकी निवार्यता को हमारा ही कर्त्तव्य बनाता है और दूसरी ओर यह बोध हमें इसके आधार में संकल्पकर्त्ता के रूप में और इसके अन्त में इसके मानदण्ड के रूप में, इसके प्रमाण के रूप में, प्रतिष्ठित करता है। इस पर आपत्ति हो सकती है कि जिज्ञास्य तो केवल भूत वस्तु ही हो सकती है। यहाँ यह द्रष्टव्य है कि आत्मा ही नहीं, जो कि अतिक्रामी संकल्पमूलक है, कोई भी कृति अपने स्वतन्त्र प्रमाण और स्वतन्त्र प्रमाण और स्वतन्त्र ऋत के बिना नहीं होती : सर्जक को सृजन के पूर्व और उसके मध्य उसके ऋत या आधार-तत्त्व का साक्षात्कार करना होता है और जहाँ तक वह यह कर पाता है वहीं तक उसकी कृति प्रामाणिक होती है। निश्चय ही कृति के ऋत और सत्य का यह साक्षात्कार कृतिकार को अपने ही भीतर करना होता है, किन्तु यह वह वहीं तक कर पाता है जहाँ तक वह अपने को उस साक्षात्कार के लिए प्रांजल, पारदर्शी बना पाता है। आत्मा के सम्बन्ध में यह और भी अधिक स्पष्ट सत्य है। कृति के सत्य की यह साक्षात्कार्यता इस बात की पुन: पुष्टि करती है कि सत् चित् से अभिन्न है।

---

1. यहाँ **छान्दोग्य उपनिषद्** 7.25 की इस विचार से अनुरूपता द्रष्टव्य है।

अब, यह तथ्य सब कृतियों को व्यंजक बना देता है, जिनका कि व्यंग्य अपने ऋत में शाश्वत रूप से प्रतिष्ठित होता है, अथवा कहें जिनका व्यंग्य स्वयं वह ऋत ही होता है। इस प्रकार कृति सिद्ध ऋत की पुन: सिद्धि का उपक्रम होती है। सांख्यकारिकाकार ने सृष्टि को पुरुष के विमोक्ष के निमित्त से प्रवर्तित कहा है,[1] उसका यही अर्थ है, क्योंकि अन्यथा तो पुरुष स्वरूपत: ही मुक्त है। आत्मा को अवर और वर इस प्रकार द्विधा कहने का भी यही औचित्य है। किन्तु तब क्या वर आत्मा भी कृति है या कि यह अकृत-सिद्ध वस्तु है? स्पष्टत: सांख्य का उत्तर है कि वह अकृत-सिद्ध वस्तु है और अवर आत्मा का साध्य है। किन्तु सम्भवत: यह उत्तर सन्तोषजनक नहीं है। इस प्रश्न पर हम अगले अध्याय में और अध्याय संख्या 10 और 11 में विचार करेंगे।

1. इत्येष प्रकृति तौ महदादि विशेष भूतपर्यन्तः
प्रतिपुरुष विमोक्षार्थं स्वार्थ इव परार्थ आरम्भः। ईश्वरकृष्णकृत **सांख्यकारिका**॥56॥

सृजन और सत्य : मूल्य की तत्त्वमीमांसा

आत्मा वा इदमेक अग्र आसीत्, नान्यत् किंचनमिषत्।
स ऐक्षत लोकान्नु सृजा इति।[1]

पिछले अध्याय में हमने देखा, किस प्रकार सब सर्जन आत्मसर्जनमूलक होते हैं। यह आत्मसर्जन एक नितान्त अनिर्वचनीय व्यापार है जिसमें अपने से अभिन्न, अपने से अव्यवहित चित्सत् अपने में व्यवधान का आक्षेप करता है और इस प्रकार भाव से भाव्य में रूपान्तरित होकर अपनी भावरूपता या अव्यवहितत्व को एक दूसरे स्तर पर पुन: प्राप्त करने में प्रयत्नवान् होता है। आत्म-चेतना चित्सत् के जीवन में घटित यही घटना है। किन्तु यहाँ यह ध्यातव्य है कि यह अद्भुत और विराट् घटना कोई ऐतिहासिक घटना नहीं है, बल्कि यह सम्पूर्ण जगद्व्यापार मानो इस अघटित घटना को अपने अन्तर में धारण कर इसे घटित करने के निमित्त से ही प्रवृत्त होता है। इस प्रकार यह भी कहा जा सकता है कि यह घटना निरन्तर घटित होती रहती है इसी से यह जगद्व्यापार है, अन्यथा यह जगद्व्यापार हो ही नहीं।

जैसाकि हम जानते हैं, ऐसा भी कहा गया है कि जगद्व्यापार वस्तुत: है ही नहीं, यह केवल कल्पना, प्रतिभास और नाम-रूप है, परमार्थत: यह एक आत्माभिन्न, आत्म-अव्यवहित सत् मात्र है। किन्तु यह कल्पना क्या है जो जगद्रूप में प्रतिभासित होती है? वास्तव में हमारे उपर्युक्त प्रतिपादन में और उपनिषद् की उपर्युक्त दृष्टि में इससे अधिक कुछ अभिप्रेत भी नहीं है कि यह चित् का अपना प्रतिफलन है, उसका अपना घटित होना, उपनिषद् के शब्दों में 'आत्मेक्षण', है। सत् की इस आत्मेक्षा में उसमें आत्मव्यवहितत्व क्यों घटित हो इसका कोई औचित्य नहीं बताया जा सकता, यह एक अनिर्वचनीय रहस्य है। किन्तु यदि यह व्यवहितत्व घटित नहीं हो तो वास्तव में यह ईक्षा, यह कल्पना-व्यापार भी नहीं हो। इस प्रकार आत्म-व्यवहितत्व और आत्मसर्जन ये एक ही व्यापार के दो अवियोज्य पक्ष कहे जा सकते हैं। अब व्यवहितत्व के रूप में जबकि आत्मा में अपने से अपनी दूरी और न्यूनता घटित होती है, सर्जन के रूप में अर्थ-लोकों का आविर्भाव होता है, जिसके द्वारा आत्मा अपनी इस दूरी को भरने का प्रयत्न करता है। उदाहरणत: भाषा अपने वाच्य को जन्म देती है और उसे अनन्त नाम-रूपात्मक अर्थ-संसार की सृष्टि द्वार विपुल बनाती है, किन्तु यह नाम-रूप अपने वाच्य से सदैव न्यून रहता है। वास्तव में शब्द-सृष्टि के व्यापार के अनन्त होने का यही रहस्य है। इसी प्रकार काव्य में उद्वेग भावना में और भावना शाब्दी व्यंजनाओं में अपार वैपुल्य-लाभ करते हैं किन्तु इसी क्रम में यह उद्वेग अपने से व्यवहित होता है, जिस व्यवहितत्व को वह इन व्यंजनाओं द्वारा पाटने का प्रयत्न करता है।

यह व्यवधान आत्मा की आत्म-प्रस्तुति से उत्पन्न होता है जो एक अन्तर्विरुद्ध व्यापार है। आत्मा की आत्म-प्रस्तुति आत्मा को विज्ञप्त बनाती और प्रकाशित करती है, किन्तु यह प्रस्तुति ही उसे अपने में विभक्त और इतर भी बनाती है, उपनिषद् के शब्दों में, आत्मा का लोकावतरण होता है। यह आत्मा अब स्वयं के लिए विज्ञेय बनता है। इससे भी अधिक यह अपने लिए सृजनीय और कलनीय भी बनता है जिसके ज्ञान में भ्रान्ति, सृजन में असम्यक्ता और अप्रामाणिकता और कलन में दोष हो सकता है।

---

1. ऐतरेय उपनिषद्, 1.1

द्रष्टव्य है कि 'ज्ञान' और 'सृजन' प्रकटत: परस्पर विरुद्ध पद हैं। किन्तु वास्तव में चेतना का सम्पूर्ण ज्ञान-व्यापार सृजन-मूलक ही होता है और सम्पूर्ण सृजन-व्यापार ज्ञान-लक्षी होता है। उदाहरणत: विज्ञान रूपात्मक विज्ञप्ति को भौतिक के रूप में कल्पित कर एक अनवगाह्य अवधारणा-व्यवस्था की सृष्टि करता है कि वह उसके तत्त्व को जान सके, और काव्य भावना के तत्त्व के अवगाहन के लिए असंख्य व्यंजनाओं की सृष्टि करता है। इनके बीच दर्शन है जिसमें ज्ञेय और उसके ज्ञान की अवधारणा-व्यवस्था दोनों सृष्ट होते हैं। किन्तु ज्ञान-व्यवस्थाओं तथा ज्ञेय विषय की सृजन-मूलकता इन प्रयत्नों को निराधार नहीं बनाती, जैसाकि इन प्रयत्नों की प्रामाणिकता-अप्रामाणिकता से देखा जा सकता है। इन प्रयत्नों की प्रामाणिकता इनकी आत्मानुरूपता से, आत्मा के साथ आसंगता से, आती है और अप्रामाणिकता इस अनुरूपता और आसंग से च्युति से। यह परिस्थिति काव्य और दर्शन में अधिक सरलता से देखी जा सकती है। काव्यात्मक प्रयत्न की प्रामाणिकता कवि के अपनी भावना के प्रति सच्चा होने से और दार्शनिक प्रयत्न की प्रामाणिकता दार्शनिक के अपनी दृष्टि के प्रति सच्चा होने से आती है और इनके लिए क्रमशः भावना का और दृष्टि का होना आवश्यक होता है। यह होने पर आत्मा की ईक्षा मात्र इन ईक्षितों में अपार अर्थ-राशि को उद्भासित कर देती है। इस प्रकार यह सम्पूर्ण ज्ञान-व्यापार और रचना-व्यापार उस सत्य को उपलब्ध करने का प्रयत्न होता है जो सत्य आत्मा स्वयं है। किन्तु यह आत्मा सिद्ध वस्तु नहीं होकर सृजनोपलभ्य अवस्तु होता है और सृजन के प्रयत्न इस आत्म-प्रस्तुतिजन्य व्यवधान के निरास को इस अवस्तु की अनुकृति की रचना से सिद्ध करने को लक्षित करते हैं। किन्तु आत्मा के अवस्तु होने से उसकी अपनी कोई आकृति नहीं होती यद्यपि यह निराकार अवस्तु ही उन सब अनुकृतियों को प्रमाणित करती है जिन्हें सृजन लक्षित करता है। किन्तु यहाँ यह एक दूसरा अनिर्वचनीय तथ्य द्रष्टव्य है कि यह अनुकृति न केवल अनुकार्य की सम्पन्नता और विपुलता से न्यून ही रहती है बल्कि बहुत बार यह अप्रामाणिक भी होती है। सृजन-कर्म : दर्शन, कला धर्म या नैतिकता : में भ्रान्ति, अविवेक और अयुक्तता हमारे प्रतिदिन के अनुभव हैं। किन्तु क्या ऐसा नहीं है कि सत् की यह प्रामाणिकता, यह आत्मानुरूपता आत्मसर्जन के सभी प्रयत्नों में खो जाती है? यदि ऐसा नहीं हो तो वास्तव में आत्मसर्जन का कोई भी प्रयत्न अप्रामाणिक नहीं हो। जैसाकि हमने देखा, सब सृजन-व्यापार वास्तव में आत्म-व्यवहितत्व के निवारण का प्रयत्न होता है, वह आत्म-व्यवहितत्व जो इस व्यापार के ही कारण और इसके आरम्भ में ही उत्पन्न हो गया रहता है। किन्तु यह कैसी विडम्बना है कि सब सृजन-कर्म सत् या आत्मा के अपने से व्यवहित होने में परिणत हो और तब पुन: खो गए हुए अव्यवहित का, उपहित हो गए हुए सत् का अनुसन्धान आरम्भ हो, जो अनुसन्धान ठीक इसी कारण पूरा नहीं हो सकता क्योंकि अनुसन्धान का यह व्यापार स्वरूपत: सृजन-व्यापार ही है। जैसाकि हम जानते हैं, धार्मिकों और रहस्यवादियों ने परम सत् और उसके साक्षात्कार के अनुभव को अनिर्वचनीय कहा है और भाषा को उस सत् की आवरक कहा है। किन्तु वास्तव में भाषा ही वह यान भी है जिस पर आरूढ़ होकर हम अपनी वैयक्तिक और सामाजिक आत्मा के अन्वेषण की यात्रा आरम्भ करते हैं। अवश्य भाषा आवरक भी है, किन्तु इसकी आवरकता का केवल यही कारण है कि यह चित् का ही आत्मसर्जन है और परिणामत: व्यवहित चित् की आत्मोपलब्धि के प्रयत्न का एक रूप है। इस प्रकार जो आवरकता की बात भाषा के सम्बन्ध में कही जा सकती है वह ज्ञानात्मक, भावनात्मक या आध्यात्मिक सभी प्रयत्नों के सम्बन्ध में समान रूप से कही जा सकती है। दार्शनिक और वैज्ञानिक जिन सत्यों की खोज में प्रवृत्त होते हैं उन्हें योगी और रहस्यवादी विकल्प-जालों की रचनाएँ पाते हैं, जो रचनाएँ जितनी समृद्ध होती हैं उतनी ही सत्य की आवरक होती हैं। साहित्य और अन्य कलाएँ तो वैसे ही सत्य से बचने के उपायों के रूप में देखी जाती हैं। यदि प्लेटो के अनुरूप कला को सत्य की छायाएँ की छायाएँ नहीं भी मानें तो भी यह तो सही ही है कि वह वस्तु की निरूपक नहीं होकर भावना की अभिव्यंजक होती है, और जब वह कहानी या उपन्यास के रूप में निरूपणात्मक भी होती है तब भी वह रूप का भावनात्मक प्रतिरूप रचकर उसके अन्तराल से ही निरूपण करती है, उसके बाह्य यथातथ रूप में नहीं। किन्तु वास्तव में यदि थोड़ा गहराई से देखा जाय तो दर्शन और विज्ञान भी रूपकात्मक ही होते हैं : भावनात्मक रूपकों के बजाय विकल्पात्मक रूपक। इस प्रकार दर्शन और विज्ञान का अनुसन्धेय वस्तुत: अनुसन्धित्सु और अनुसंधान-प्रक्रिया के अन्तर्गत ही सत्य होता है। यह इस तथ्य से भी प्रकट

है कि दर्शन और विज्ञान की विकल्प-सृष्टि जितनी ही जटिल और अमूर्त होती है उतनी ही वह तथ्य के प्रति सम्यक् पायी जाती है। विकल्पात्मक रूपक की सत्यता की एक आधारभूत अपेक्षा उसकी व्यापकता होती है और व्यापकता उस वैविध्य की व्यापकता की सापेक्ष होती है जिसे यह रूपक एक वस्तु-सार या तत्त्व (प्रत्यय) में समाहित दिखा पाता है। यह वस्तु-सार या तत्त्व भाषा द्वारा ही कल्पित और ग्राह्य होता है। यद्यपि यह वस्तु-सार अपने स्वरूप में सरल ही होता है किन्तु इसका व्यंजक रूपक इसकी व्यापकता के अनुपात में ही जटिल होता है। निश्चय ही साहित्य में अभिव्यक्ति की सफलता जटिलता की सहगामिनी नहीं होती किन्तु उसमें यह विदग्धता से लक्षित होती है। यहाँ संस्कृत के चार कवियों का प्रशंसापरक एक श्लोक उद्धरणीय है:—

उपमा कालिदासस्य, भारवेरर्थ गौरवम्,
दंडिनः पद-लालित्यं, माघे सन्ति त्रयो गुणाः।

इसमें कवियों की सफलता सत्य के साक्षात्कार या भावनात्मक आत्म-सान्निध्य में अवस्थित होने में नहीं देखी जाकर एक या दूसरी प्रकार की विदग्धता में देखी गई है। निश्चय ही यहाँ कहा जा सकता है कि ये तीनों गुण आत्म-सान्निध्य में प्रतिष्ठा की प्रापकता से ही काव्य-गुण बनते हैं। किन्तु यहाँ द्रष्टव्य यह है कि विदग्धता स्वयं में व्यवधानात्मक ही होती है : सत् का अपने से भिन्न होकर अपने अन्वेषण में प्रवर्तित होना, अथवा कहें पुरुष द्वारा आत्म-दर्शन के लिए जगत् का प्रवर्तन, ब्रह्म द्वारा आत्म-व्याकरण के लिए माया की इन्दजाल-रचना।

वास्तव में हमारे पूर्वजों ने मानव-इतिहास का विकास जो सतयुग से कलियुग-पर्यन्त देखा और इस विकास को चक्रात्मक कहा उसकी एक व्याख्या मनुष्य के सांस्कृतिक प्रयत्न की इस मौलिक अन्तर्विरोध-ग्रस्तता के द्वारा भी की जा सकती है। इस व्याख्या के अनुसार समाज-मानव अपने सांस्कृतिक प्रयत्न के आरम्भिक चरणों में उस सत्य के निकटतम होता है जिससे वह इस प्रयत्न के क्रम में भ्रष्ट होता है, और तब वह जैसे-जैसे आत्म-साधना के इस प्रयत्न में आगे बढ़ता है वैसे-वैसे अपने से दूर हटता जाता है, और अन्त में वह अपने इस प्रयत्न मात्र की विडम्बना और व्यर्थता को समझकर उसे निरस्त कर देता है। किन्तु उसकी नियति उसे इससे पूर्ण मुक्ति नहीं देती। वह पुनः इस क्रम में ही लौटता है और तब फिर इस भटकाव का वही क्रम चलता है। इस प्रकार इस दृष्टि के अनुसार मनुष्य की सांस्कृतिक यात्रा असत्य में विचरण और असत्योन्मुख प्रगति : दुर्गति : की यात्रा हो जाती है।

किन्तु आरम्भ में उद्धृत उपनिषद् मन्त्र का आशय यह नहीं है। उसमें आत्मा के एक से अनेक होने में आत्मा का अपने सत्य से व्यवहित होना नहीं देखा गया है बल्कि आत्मा के सत् की अपने सत्य में प्रतिष्ठा देखी गई है। निश्चय ही एक के इस अनेक होने में एक व्यवधान उत्पन्न होता है : सत् और सत्य के बीच का व्यवधान : किन्तु यह व्यवधान ही सत् को उसके सत्य से, तथ्य को उसके मूल्य से, अस्तित्व को उसकी अनन्त सम्भावनाओं से और प्रस्तुत को उसके अर्थों से मण्डित करता है। **ईशोपनिषद्** के ऋषि ने ईश्वर (जगत्सर्जक) के लिए जो कहा है कि वह कवि और मनीषी के रूप में वस्तुओं को शाश्वत रूप से उनके सत्य और ऋत में प्रतिष्ठित करता है : 'कविर्मनीषी परिभूः स्वयंभूः याथातथ्यतोऽर्थान् व्यवदधाच्छाश्वतीभ्यः समाभ्यः[1] उसका यही अर्थ है। अर्थात् वस्तुएँ स्वतः अपने सत्य में, अपने याथातथ्य में, प्रतिष्ठित नहीं होतीं, वे उस कवि द्वारा, सृजनात्मक चेतना द्वारा, उसमें प्रतिष्ठित की जाती हैं (जो उन्हें उनके अर्थ और स्वरूप में रचता और देखता है)।

किन्तु सर्जक तब तक सर्जक कैसे हो सकता है जब तक वह आत्मसर्जक नहीं हो? आत्मसृष्ट हुए बिना आत्मा इतर-सृष्ट और इस प्रकार परायत्त हो जायगा और इस प्रकार उसका कोई कर्म भी सृजनात्मक नहीं रहेगा। इस प्रकार सृजन-कर्म की सबसे प्रथम कृति आत्मा ही होती है जो सत् के अपने पर मुड़कर देखने से उत्पन्न होती है। इसे आत्मा का आत्मद्वैधीभाव भी कहा जा सकता है। किन्तु यहाँ पुनः ध्यातव्य है कि आत्म-अव्यवहितत्व

---

1. ईशोपनिषद् मन्त्र 8

व्यवधान से पूर्ववर्ती कोई वस्तुस्थिति नहीं होकर आत्म-सृजन का ही आद्य और साध्य, उसकी पार्यन्तिकता और प्रमाण होता है। इसी से यह अव्यवहितत्व आत्मचेतना-जनित व्यवहितत्व से ऐतिहासिक रूप से प्राग्वर्ती अनात्मचेतन चैत्तावस्था नहीं है। ऐसी अवस्था वास्तव में चित्स्वरूप नहीं होकर पूर्ण कल्मषावृत चैत्त स्थिति होती है। चित् या शुद्ध चैतन्य अथवा आत्म-अव्यवहित आत्मा व्यवहित आत्मा की प्रत्यक्ता की पराकाष्ठा होती है जो चैत्त कल्मषों को आत्म-सृजन में उपादान बनाकर सर्जन के स्वातन्त्र्य में प्रतिष्ठित होती है। यह स्वातन्त्र्य पूर्णत: अकृत, पूर्णत: स्वायत्त होता है जिसमें अवर आत्मा ही नहीं वर आत्मा भी सृष्ट कृति होता है, वह अव्यक्त-अचेतन भूतवस्तु या सिद्ध वस्तु नहीं होता। किन्तु वर आत्मा की कृतिकता अन्य कृतियों से भिन्न प्रकार की होती है। वर आत्मा स्वातन्त्र्य या शुद्ध कर्त्तृत्व है। इस प्रकार वह कृतियों का हेतु होने के साथ आत्म-स्वरूप का भी कर्त्ता होता है।

सृजन की यह नितान्त मौलिकता इस व्यापार और इसकी सृष्ट कृतियों को निराधार या काल्पनिक नहीं बनाती क्योंकि सृजन-कर्म के स्वातन्त्र्य की पहली शर्त उसकी प्रामाणिकता ही होती है। जागृति-लोक की तुलना में स्वप्न-लोक का सर्जक स्व-तन्त्र नहीं होता यद्यपि प्रकटत: वह भौतिक विषयों की नियामकता से स्वतन्त्र होता है। उसके अस्वातन्त्र्य का कारण उसका चैत्त कल्मषों की अधीनता में होना होता है, और जिस सीमा तक वह इनसे स्वतन्त्र होता है उस सीमा तक ही उसका ज्ञातृत्व प्रामाणिक होता है। द्रष्टव्य है कि हमारा यह प्रतिपादन **माँडूक्य उपनिषद्** के विपरीत है,[1] किन्तु हमारे इस प्रतिपादन के आधार में यह युक्ति है कि जागृति में चेतना स्वप्न की तुलना में विषयों से निवृत्त प्रेक्षकत्व में अधिक सम्यक् रूप से अवस्थित, अथवा कहें विषय की नियामकता में अवस्थित, होती है जबकि स्वप्न में इसका प्रेक्षकत्व नितान्त क्षीण और विषयिता वासना, उद्वेग और काम से आवृत होती है जो इसे आत्म-परावृत्त रखते हैं। जागृति-लोक अपेक्षाकृत स्वतन्त्र चित्त का व्यापार होता है और परिणामत: इसके आधार में प्रमाण-प्रमेय-व्यवस्था रहती है। यह व्यवस्था सृजन मात्र में अन्तर्निहित होती है। सब सृजन-कर्म में प्रामाणिकता के उतने ही स्तर रहते हैं जितने चेतना की निष्कल्मषता के रहते हैं।

द्रष्टव्य है कि यह लोक सृजनात्मक और आत्मचेतन होने पर भी आत्म-सृजन अथवा आत्मकृत सृजन का लोक नहीं होता। यह सृजन उस चित्त का होता है जिसे कांट अतिक्रामी कहते हैं और इस प्रकार जो जगदुन्मुख और जगन्मूलक होता है। बौद्ध इसे ठीक ही अनादि वासनामूलक कहते हैं, जिसका अर्थ है अनात्माधीन कारण-कार्य-शृंखला का वशवर्ती होना। किन्तु यहाँ यह ध्यान रखना महत्त्वपूर्ण है कि अनादि वासनाक्षिप्त यह लोक भी मनुष्य में उस सीमा तक ही आत्मचेतन चेतना का विषय होता है जिस सीमा तक वह चैत्त कल्मषों से मुक्त होता है। विज्ञान में यह स्वातन्त्र्य अपनी पराकाष्ठा में उपलब्ध होता है जिसमें चेतना भौतिक ऋत के साक्षात्कार के लिए अपने को शुद्ध प्रत्ययों की भूमिका में प्रतिष्ठित करती है। किन्तु यह स्वतन्त्र सृजन का स्तर नहीं होता, स्वतन्त्र सृजन का स्तर या तो कलाओं में उपलब्ध होता है जहाँ प्रेक्षक विषयी चैत्त कल्मषों को आत्मोन्मुखता में प्रस्तुत कर उनमें अर्थ-सृष्टि करता है, जो सृष्टि उसकी आत्मोपलब्धि की माध्यम बनती है, अथवा दर्शन में, जिसमें वह चैत्त व्यापार मात्र को प्रेक्षकता में प्रत्युपस्थित कर शुद्ध प्रेक्षा-ग्राह्य तात्त्विक अर्थों की सृष्टि करता है।

किन्तु यह एक मूलगामी विरोधाभास प्रतीत होता है कि सृजन द्वारा अन्वेष्य अर्थ स्वयं सृजन के क्रम में ही आविर्भूत हो, यह अर्थ सृजन से प्राक्तन नहीं हो। किन्तु सृजन के आद्य सत् और आद्य अर्थ होने पर अन्वेष्यार्थ सृजन से प्राक् हो भी नहीं सकता। निश्चय ही यह एक विरोधाभास है कि आद्य और आधार ही अन्वेष्य हो, किन्तु यह विरोधाभास सृजन का तत्त्व है। आत्मा की अभिव्यक्ति की, कृति की भाव्यरूपता इस तात्त्विक विरोधाभास से ही सम्भव होती है। किन्तु भाव्य के भाव में पूर्वत: निहित नहीं होने पर भाव भाव्य हो भी कैसे सकता है? उदाहरणत: अपरिष्कृत कृति में उसका पूर्ण परिष्कृत रूप आधार नहीं होने पर उसमें परिष्कार्यता कैसे

---

1. किन्तु यह वैपरीत्य वास्तव में केवल प्रकटत: ही है, वास्तविक नहीं, क्योंकि उपनिषद् यहाँ जागृति को विषयवर्तिता के रूप में देख रही है और सुषुप्ति को विषय से निवृत्त चिदवस्था के रूप में।

हो सकती है? किन्तु इस पर कहा जा सकता है कि परिष्कृत रूप के पूर्वत: विद्यमान होने पर परिष्कृत परिष्कार्य के समान ही विद्यमान होगा और इस प्रकार परिष्कार्य और परिष्कृत दो पृथक् अस्तित्व हो जाएंगे। किन्तु यह युक्त नहीं है, क्योंकि परिष्कृत से पृथक् परिष्कार्य परिष्कार्य ही नहीं रह जाता, परिष्कार्य परिष्कृत की अपेक्षा से ही परिष्कार्य होता है जो परिष्कृत उसका अना ही साध्य स्वरूप होता है। वास्तव में 'आत्मा वै ब्रह्म' में भी यही आत्म-विरुद्ध भेद या अभेद है : अर्थात् आत्मा न तो ब्रह्म से भिन्न है और न अभिन्न, वह भावरूप में ब्रह्म से भिन्न और भाव्य रूप में उससे अभिन्न है। किन्तु कृति या आत्मा के भाव्यात्मक होने का अर्थ उसका भावत: अपने अस्तित्व में भावापेक्षी होना, भाव से न्यून होना है। कोई उसे अभावात्मक भी कहना चाह सकता है। किन्तु वैसा कहना उपयुक्त नहीं है, क्योंकि अभाव के स्वरूप होने पर वह भाव्य रूप से भी निरभाव या निर्दोष भाव नहीं होगा और इस प्रकार भाव्य रूप नहीं होगा। वास्तव में सर्जक में जो अभाव-निवारण की उद्विग्नता दृष्टिगत होती है वह इस बात की द्योतक कही जा सकती है जैसे मानो कृति का अन्यून-निरभाव रूप उसका प्राग्वर्ती और मूल हो, और उसकी अभावरूपता उसका अंशत: आत्मव्यवहित, अंशत: आत्मबाधित रूप हो जिसका बोध ही उसकी उद्विग्नता का कारण हो। किन्तु पूर्णता आद्य या प्राक्तन हो अथवा साध्य या पर्येष्य, कृति का उपलब्ध रूप तो न्यून या सदोष ही होता है और इसमें वास्तव में तत्त्वत: कोई अन्तर नहीं पड़ता कि उसका निर्दोष और अनुपहित रूप आद्य है या साध्य, क्योंकि स्वयं सृजन-कर्म साध्य को आद्य रूप में प्रतिष्ठित करके ही प्रवर्तित हो सकता है।

यहाँ आपत्ति हो सकती है कि कृति सृजन-कर्म की परिणाम होती है स्वयं सृजन-कर्म नहीं, और न्यूनता या अभाव कृतिगत होता है न कि सृजन-गत, इसलिए सृजन को भाव्यात्मक नहीं कहा जा सकता। यह सही नहीं है, क्योंकि जैसाकि हमने पीछे देखा आत्मा, व्यक्ति, कर्त्ता स्वयं भी कृति ही होता है, परिणामत: सृजन-कर्म भी भाव्यात्मक ही होता है। और क्योंकि यह कृति-रूप आत्मा आत्म-व्यवहितस्वरूप होता है इसलिए साध्य अर्थ वह सिद्ध अर्थ ही होता है जो अपने से न्यून हो गया रहता है।

यहाँ कहा जा सकता है कि यह सम्पूर्ण तत्त्वमीमांसा सृजन की वस्तु-स्थिति से असम्बद्ध प्रतीत होती है, क्योंकि आत्मा आत्म-कृत नहीं होकर सामाजिक व्यक्ति को संस्कृति से बाह्यत: उपलब्ध होती है और संस्कृति असंख्य संयोगों का प्रतिफल होती है, उसे आत्म-कृत कहना बहुत दूर की कौड़ी लाने जैसा है। यह आपत्ति वास्तव में वहीं तक सही है जहाँ तक कर्म को उसकी सृजनात्मकता में नहीं देखकर उसकी गतानुगतिकता और जड़ता में देखा जाता है। इस पर कहा जा सकता है कि संस्कृति का अर्थ ही स्वीकृत धारणाओं की परम्परा होता है, जैसाकि हमारे यहाँ विधि-ग्रन्थों को 'स्मृति' कहने से स्पष्ट है। इसलिए सृजनात्मकता संस्कृति का स्वरूपलक्षण नहीं है। और जहाँ तक व्यक्ति का प्रश्न है, वह संस्कृति को आधार बनाकर ही आविर्भूत होता है, असत् में से नहीं। किन्तु यह विचार सही नहीं है। निश्चय ही संस्कृति संस्कार-परम्परा भी है, किन्तु वह इस परम्परा की अनादिता से परिभाषित नहीं होती, बल्कि प्रातिभ से, आत्मा को व्यंजित करने के लिए उपयुक्त प्रतिमा या प्रतीक के साक्षात्कार से, ही परिभाषित होती है, जिस प्रतिमा के अर्थों के अवगाहन और व्याकरण के क्रम को सांस्कृतिक परम्परा कहा जाता है। प्रत्येक संस्कृति अपनी विशिष्ट प्रतिमा और उसके अर्थों के अवगाहन के प्रयत्नों से ही परिभाषित होती है, गतानुगतिकता से नहीं।[1] सहज जैव प्रवृत्ति और संस्कृति में यही अन्तर है। निश्चय ही जीवों में भी नयी परिस्थिति की सम्मुखता में उसके लिए उपयुक्त नयी प्रतिक्रिया देखी जाती है मात्र गतानुगतिकता नहीं, और उस सीमा तक उस प्रतिक्रिया को सृजनात्मक कर्म कहा जा सकता है, किन्तु तब भी यह सृजनात्मकता सांस्कृतिक स्तर की नहीं होती। इस सृजनात्मकता और सांस्कृतिक सृजनात्मकता में यह आधारभूत अन्तर है कि संस्कृति परिवेश के प्रति प्रतिक्रिया से नहीं बल्कि पुरुष-जीवन को धारण करने वाले अर्थ, जगत् को धारण करने वाले गुह्य नियम, और आत्मा में उन्मिषित परम तत्त्व के साक्षात्कार से परिभाषित

1. विस्तार के लिए द्रष्टव्य — **सत्ताविषयक अन्वीक्षा** में 'संस्कृति-तत्त्व' तथा **समाज : दार्शनिक परिशीलन** में 'संस्कृति का स्वरूप' अध्याय।

होती है। इसी से संस्कृति दर्शन, धर्म, नैतिक व्यवस्था और कलाओं से लक्षित होती है, परिवेश के नियोजन से नहीं। इसी प्रकार व्यक्ति उस आत्म-प्रतिमा के साक्षात्कार और उसे क्रियान्वित करने के संकल्प से परिभाषित होता है जो उसकी परमार्थभूत आत्मा को निरूपित करती है, दैहिक बल या उपाय-कौशल से नहीं।

यहाँ आपत्ति हो सकती है कि संस्कृतियाँ विभिन्न और व्यक्ति असंख्य हैं, प्रत्येक के साक्षात्कार भिन्न हैं, ऐसे में प्रत्येक का सत्य निजी हो जायगा जबकि सत्य को सन्मूलक और इस प्रकार एक होना चाहिए। हमारे प्रतिपादन में मनुष्य को, उसके वैयक्तिक और सामाजिक दोनों आयामों में, आत्मविधाता मान लिया गया है और सत्य को यह आत्मविधान। सत्य को इस प्रकार आत्मविहित, सृष्ट और कृत मान लेने पर सत्य कर्म-जन्य और इस प्रकार वस्तु-तन्त्र के विपरीत पुरुष-तन्त्र हो जाता है।

किन्तु हमें ऐसा अभिप्रेत नहीं है, जैसाकि हमारे स्वयं आत्मा को कृति कहने और इस कृति को भाव्यात्मक और आत्म-व्यवहित कहने से स्पष्ट है। आत्मा के कृति होने पर सृजन-कर्म का मूल अहंकार से, बल्कि स्वयं कृतिभूत आत्मा से भी, प्राक्तन हो जाता है, इसलिए यह साक्षात्कार और कर्म यादृच्छिक और पुरुष-तन्त्र नहीं रहता। किन्तु तब आपत्ति हो सकती है कि इस अवस्था में साध्य अर्थ व्यक्ति या संस्कृतिमूलक नहीं हो सकता, स्वयं व्यक्ति तथा संस्कृति और कर्म तथा कृति को अपने से बाहरी, अपने से उत्तरवर्ती प्रमाण की अपेक्षा हो जाती है। यह सही है, हमें वास्तव में यही अभिप्रेत है। साध्यार्थ के वास्तव होने के लिए उसका कर्म से प्राक्तन और कर्म का आधार होना आवश्यक है। कर्म की प्रामाणिकता उसके इस अर्थ के साथ समन्वित होने से ही उपलब्ध होती है। जैसाकि हमने पीछे देखा, जब अर्थ मूल और साध्य दोनों होता है तभी कोई कर्म सृजनात्मक होता है। यह स्थिति 'कृष्णार्पण भाव' अथवा—'निमित्तमात्रता-भाव' से भिन्न नहीं होती, जिसका तात्पर्य है अर्थ की अहंकारातीतता। साक्षात्कार इस अतीत आत्मा के लिए उपलभ्य होता है। किन्तु तब आपत्ति हो सकती है कि ऐसा होने पर अर्थ-भेद के लिए कहाँ अवकाश रह जाता है? क्योंकि कर्म का आधार व्यक्ति-भेद का आधार अहंकार होता है। इसका समाधान यह है कि अर्थ के आद्य होने से वह स्वत:प्रमाण होता है और उसके सृजन-कर्म का मूल होने से वह युगपद्रूप से कर्म का प्रतिष्ठापक और कर्म-समुद्भूत होता है। कर्मों में अर्थ-भेद कर्मों की यादृच्छिकता और अप्रामाणिकता का द्योतक नहीं होता। इसे समझने के लिए कलाकृति का उदाहरण सहायक होगा : एक ही दृश्य को चित्रित करने वाले दो चित्र न यादृच्छिक होते हैं और न भिन्न होने से एक-दूसरे से कम या अधिक प्रामाणिक-अप्रामाणिक। इसी प्रकार किसी परिस्थिति को निरूपित करने वाले दो उपन्यास अथवा किसी मन:स्थिति को निरूपित करने वाली दो काव्यकृतियाँ परस्पर भिन्न होने से यादृच्छिक अथवा एक-दूसरे से कम या अधिक प्रामाणिक-अप्रामाणिक नहीं होतीं। उनकी प्रामाणिकता सर्जक कलाकार की अपने प्रातिभ, अथवा कहें अपने साक्षात्कार से और इस साक्षात्कार के साथ अनुपहित अवस्थिति से आती है और इस प्रातिभ की क्षीणता अथवा उपहितता कृति को अप्रामाणिक बनाती है। इससे 'स्वधर्मे निधनं श्रेय:' के परामर्श का औचित्य भी देखा जा सकता है : स्वधर्म अर्थात् व्यक्ति के आत्मसर्जन का आधारभूत अर्थ, वह अर्थ जिसकी अभिव्यक्ति का माध्यम बनकर व्यक्ति अपने अस्तित्व का सत्य पाता है। यहाँ द्रष्टव्य है कि 'अपने' पर इतना बल 'भेदक अपने' के अर्थ में नहीं है बल्कि लोकातिक्रामी, लोकोत्तर, अहंकारातीत आत्म-तत्त्व के साथ अनुपहित अवस्थिति के अर्थ में है। इसलिए सत्य भी यहाँ व्यक्ति-संकुचित, विभिन्न और यदृच्छात्मक रूप में अभिप्रेत नहीं है बल्कि सार्वभौम, अखण्ड और शाश्वत रूप में ही अभिप्रेत है, जिस सत्य में व्यक्ति और संस्कृति को पूर्ण की असंख्य पूर्णतओं में अभिव्यक्तियाँ कहा जा सकता है। **ईशोपनिषद्** की सहायता से इसे इस प्रकार भी कह सकते हैं : "वह ब्रह्म पूर्ण है और उससे व्यक्त होने वाल भी सब पूर्ण ही है, क्योंकि पूर्ण से पूर्ण ही उत्पन्न हो सकता है। इस पूर्ण से पूर्ण ले लेने पर, अथवा पूर्ण से पूर्ण निर्गत होने पर, भी पूर्ण ही शेष रहता है।"[1] किन्तु ये असंख्य पूर्णताएँ तभी पूर्ण हो सकती हैं यदि ये उस आधार पूर्णता में अपने को उन्मीलित करें जो आत्मसृजन के क्रम में

---

1. ओम् पूर्णमद: पूर्णमिदं पूर्णात्पूर्णमदुच्यते, पूर्णात्पूर्णमादाय पूर्णमेवावशिष्यते। (**इशोपनिषद्,** प्रथम मन्त्र)

इन असंख्य आत्मसर्जनों में प्रवर्तित हुआ है। ऊपर हमने सृजन को जो 'आधार अर्थ का ही साध्य अर्थ होना' के रूप में परिभाषित किया है उसका यही आशय है। यहाँ इस रहस्य की ओर ध्यान देना उचित होगा कि पूर्ण क्यों अपने को अपने से व्यवहित कर साध्य बने। इसका समाधान यह हो सकता है कि यदि पूर्ण साध्य रूप में आत्मव्यवहित नहीं हो तो वह चित् और आनन्दस्वरूप सत् नहीं होगा, तब वह अचित् सत् से अभिन्न होगा, अथवा कहें वह सन्मात्र होगा, सच्चिदानन्दस्वरूप नहीं होगा। अनात्मचेतन स्तर पर सत् का प्रकटत: यही अचिदात्मक स्वरूप लक्षित होता है। किन्तु वास्तव में वहाँ भी वह अनात्म-स्वरूप नहीं होता, बल्कि आत्मा ही अनात्म की कारा में नीरन्ध्र तमसावरण के भेदन के लिए उद्विग्न दिखायी देता है। यदि ऐसा नहीं होता तो अनात्म-चेतना से आत्मचेतना का उद्भव नहीं होता। जड़ से जैव और जैव से आत्मचेतना के स्तर तक की यात्रा आत्मा की आत्म प्राप्ति की ही एक सुदीर्घ यात्रा प्रतीत होती है। आत्मचेतना भी अनात्म से आवृत आत्मा के ईषत् आभास के साथ आविर्भूत होती है और तब अनात्म-निवारण का क्रम आरम्भ होता है : उसी प्रकार जिस प्रकार मूर्त्ति को प्रकट करने के लिए पत्थर काटने का। किन्तु मूर्त्तिकार मूर्त्ति को आविर्भूत करने के लिए, अथवा कहें मूर्त्ति के सर्जन के लिए, केवल पत्थर को ही नहीं काटता, वह अपनी चेतना में साक्षात्कृत आकृति को पूर्ण स्फुटता में पाने के लिए अचिदावरण को भी हटाता है और उसके अनुरूप ही अभिव्यक्ति के बाह्य माध्यम में अपवारण और वरण करता है। प्रत्येक माध्यम के अनुसार अपवारण और वरण के रूप में अन्तर रहता है किन्तु एक बात में समानता रहती है : चेतन को एक ओर अपने भीतर अनात्मावरण अथवा अचिदावरण का अपवारण करना होता है और दूसरी ओर बाह्य माध्यम में अपवारण करना होता है। यही सर्जन है। यही प्रक्रिया आत्मसर्जन में भी होती है। किन्तु यहाँ एक आधारभूत अन्तर रहता है। यहाँ माध्यम रूप अनात्म का ही उसकी आवरणरूपता से माध्यम के रूप में रूपान्तरण घटित करना होता है : इच्छाएँ, उद्वेग, वासनाएँ यही सब आत्मा को आवृत रखती हैं और इन्हीं को आत्मा के स्वरूप की अभिव्यक्ति का माध्यम होना होता है, जो वे धर्म, नैतिकता और कला में बनती हैं। संस्कृति भी इसी प्रकार आत्मान्वेषण और आत्मसर्जन का प्रयत्न होती है, किन्तु व्यक्ति से बहुत अधिक विराट् और महत् प्रयत्न, जिसमें असंख्य व्यक्ति भाग लेते हैं। द्रष्टव्य है कि मनुष्य दोनों स्तरों पर अधिकांशत: अनात्मोपहित ही रहता है, और जहाँ तक वह अनात्क में व्यस्त रहता है वहाँ तक वह व्यक्ति या संस्कृति नहीं होता, और अधिकांशत: वह यह नहीं ही होता है। उदाहरणत: वैयक्तिक स्तर पर अधिकांश मनुष्य प्राय: सम्पूर्णत: अस्तित्व-रक्षा, अस्तित्व-संवर्धन, कामानुधावन आदि में ही व्यस्त और गतानुगतिक ही रहते हैं। इसी प्रकार समाज भी अधिकांशत: चेतना के इसी स्तर पर रहते हैं। आत्मान्वेषण, आत्मसर्जन, अथवा कहें सत्य-सन्धान के क्षण समाजों के जीवन में भी नितान्त दुर्लभ ही रहते हैं। किन्तु तब भी, इन दुर्लभ क्षणों में साक्षात्कृत सत्य ही मानव-इतिहास को धारण करता और नये साक्षात्कारों के लिए सोपान बनता है।

मूल्य की वस्तुतन्त्रता

पिछले दो अध्यायों के सारांश के रूप में मूल्य को ऐसा वरेण्य, पर्येष्य या साध्य पद कहा जा सकता है जो पर्येषक की आत्मसाधना के फल के रूप में उपलब्ध होता है। यह पर्येषणा स्वगत अभाव के बोध और भाव की अपेक्षा के रूप में घटित होती है। यह एक ऐसी प्रदत्त स्थिति होती है जिसके लिए किसी अन्य प्रमाण की अपेक्षा नहीं होती। किन्तु वरेण्य क्या है, कौनसा पद अभाव-राहित्य का पद है, यह एक ऐसा प्रश्न है जो सर्वाधिक दुर्विज्ञेय है और ऐसा भी जिसका ज्ञान ही मनुष्य के लिए सबसे अधिक और सबसे प्रथम जिज्ञास्य होता है क्योंकि प्रत्येक कर्म इस मान्यता के साथ ही प्रवृत्त होता है कि कर्त्ता उस कर्म की वरेण्यता के सम्बन्ध में स्पष्ट है—यह बात दूसरी है कि वस्तुत: हम अधिकांश कर्मों की वरेण्यता-अवरेण्यता को स्वत: स्पष्टवत् मानकर चलते हैं और अन्य कर्मों में वरेण्यता-अवरेण्यता के विवेक की चिन्ता ही नहीं करते। द्रष्टव्य है कि यह अभाव-बोध अभाव की वास्तविक विद्यमानता भी होती है, यह ऐसी विषयिगत स्थिति होती है जो साथ ही वास्तव में भी होती है। यही बात भाव के सम्बन्ध में भी सत्य है। अभाव भाव का केवल तार्किक अपेक्षी ही नहीं होता, वास्तव अपेक्षी भी होता है, यद्यपि तार्किक अपेक्षा वास्तव अपेक्षा भी हो यह आवश्यक नहीं होता। उदाहरणत: 'दायाँ' 'बायें' का तार्किक अपेक्षी होता है, किन्तु यह अपेक्षा वस्तु में स्वगत नहीं होती। किन्तु भूख तृप्ति की वास्तविक अपेक्षी होती है और तृप्ति की वास्तविक सम्भावना के बिना भूख की वस्तुस्थिति नहीं हो सकती। यही बात कर्म के अनौचित्य-बोध के सम्बन्ध में, अपने में दोष-बोध और अपनी कृति में न्यूनता-बोध के सम्बन्ध में कही जा सकती है। इस पर आपत्ति की जा सकती है कि भूख और तृप्ति दो वस्तुस्थितियाँ हैं, किन्तु ऐसा नहीं कहा जा सकता कि तृप्तिकर वस्तु में तृप्तिकारकता का गुण उसी प्रकार स्वगत होता है जिस प्रकार रूपवान् वस्तु में वर्ण, गन्ध आदि होते हैं। यह बात अनौचित्य, दोष, सौन्दर्य, कुरूपता आदि के लिए और भी अधिक स्पष्ट है। इसका उत्तर हो सकता है कि ये चित्तपरक गुण हो सकते हैं जिस प्रकार भूख और तृप्ति देहपरक गुण हैं, और इस प्रकार ये एक दूसरी कोटि के वास्तविक गुण हो जाते हैं। किन्तु जब हम मूल्यों की वास्तविकता की बात करते हैं तब हमारा यह आशय नहीं होता कि ये चित्त को विशेषित करते हैं बल्कि उनका चित्त से स्वतन्त्र सत्त्व होना अभिप्रेत होता है। शैक्सपीअर के हैम्लेट की एक प्रसिद्ध उक्ति है कि "स्वयं में कुछ अच्छा या बुरा नहीं होता, ये विशेषण केवल हमारी धारणाओं के ही आरोप होते हैं।" किन्तु इसके ठीक विपरीत कालिदास ने उचित-अनुचित-विवेक में सन्देह उपस्थित होने पर विषयिता को ही प्रमापक कहा है : सतांहि सन्देहपदेषु वस्तुषु प्रमाणमन्त:करण प्रवृत्तयः। केवल उसने उसके लिए चित्त का सत्य-पूत होना आवश्यक माना है : सतांहि...। किन्तु चित्त की यह सत्य-पूतता पुन: चित्त की स्वकीय अवस्था ही होती है। प्लेटो ने यह प्रश्न यूथीफ्रो संवाद में एक दूसरी तरह से उठाया है। उसमें यूथीफ्रो श्रेयस् को देवताओं की प्रियता से परिभाषित करता है। सुकरात उसे दिखाता है कि यह श्रेयस् के लिए उचित प्रमाण नहीं हो सकता क्योंकि स्वयं देवताओं में इस सम्बन्ध में विवाद है : इससे वह यह आपादित करना चाहता है कि श्रेयस्ता एक स्वतन्त्र, अथवा कहें हमारी या देवताओं की प्रियता से स्वतन्त्र : वस्तुतन्त्र : सत् है।[1]

---

1. यहाँ **महाभारत** का निम्न श्लोक तुलनीय है:—

   श्रुतयः विभिन्नाः स्मृतयोऽपि भिन्नाः, नैको ऋषिर्यस्य मत: प्रमाणम्।
   धर्मस्य तत्त्वं निहित गुहायाम्, महाजनो येन गताः स पंथः।

   इस श्लोक का चतुर्थ पाद प्रथम तीनों का व्याघातक है, क्योंकि यह धर्म के तत्त्व को महाजनों के आचरण में प्रतिष्ठित कर देता है, जिसे प्रथम तीन पादों में गुहा-गत: स्व-तन्त्र: कहा गया है। यह आश्चर्य की बात है कि **महाभारतकार** को महाजन श्रुति, स्मृति और ऋषियों से अतिरिक्त कोई और उच्चतर व्यक्ति प्रतीत हुए।

इनके ठीक विपरीत प्रोफेसर दयाकृष्ण ने मूल्यों की सत्ता या वास्तवता के प्रश्न को अप्रष्टव्य बताते हुए दिखाने का प्रयत्न किया है कि किस प्रकार हमारे मूल्य-निर्णय : मूल्यात्मक प्रतिज्ञप्तियाँ : मूल्य-संस्थान के अन्तर्गत घटित होते हैं, जिसके अनुसार हम उन प्रतिज्ञप्तियों में एक अन्त:संगति की अपेक्षा करते हैं, जो अपेक्षा गणित, विज्ञान आदि ज्ञानात्मक अन्वेषणों के क्षेत्रों को भी लक्षित करती है। '2 + 2 = 4' अथवा 'हवा चल रही है' अध्यवसायों की क्रमशः गणितीय और वैज्ञानिक सत्यता या वास्तवता इनके किसी निरपेक्ष वस्तु-लोक में घटित होने में नहीं होती बल्कि इनके सैद्धान्तिक संस्थानों के अन्तर्गत अन्त:संगत होने में होती है। इसी अन्त:संगति की हम मूल्यात्मक प्रतिबद्धताओं और प्रतिपादनों में अपेक्षा करते हैं।[1] किन्तु यह प्रतिपत्ति युक्त नहीं है, क्योंकि प्रथम दो संस्थानों से तीसरे में यह मौलिक अन्तर है कि जबकि प्रथम दो के अध्यवसाय और उनके संस्थान व्यक्ति-निरपेक्ष और सार्वदैशिक-सार्वकालिक होते हैं, मूल्यात्मक संस्थान व्यक्तिगत होते हैं। इस प्रकार संस्थानात्मकता और अन्त:संगति की अपेक्षा के आधार पर मूल्यात्मक अध्यवसायों को गणित और विज्ञान के अध्यवसायों के समकक्ष नहीं रखा जा सकता। किन्तु यह तथ्य मूल्य-बोध को अवास्तविक, काल्पनिक और निराधार तथा गणित और विज्ञान के अध्यवसायों को साधार नहीं बनाता। वास्तव में जो तथ्य मूल्य-बोध को गणित और विज्ञान से तुलनीय बनाता है वह है इसमें और गणित तथा विज्ञान में भ्रान्ति की सम्भावना का समान रूप से होना, यद्यपि इन तीनों में इस सम्भावना के प्रकार और हेतु सर्वथा भिन्न-भिन्न प्रकार के होते हैं। बोध अथवा ज्ञान[2] में भ्रान्ति की स्व-तन्त्रता के प्रतिपादन पर आपत्ति की जा सकती है कि गणित के अध्यवसाय किसी स्व-तन्त्र वस्तु-लोक विषयक नहीं होकर शुद्ध विकल्पों, उद्गृहीत विषयों और आकारिक सम्बन्धों की व्यवस्था-विषयक होते हैं। किन्तु यह मत युक्त नहीं है। निश्चय ही 2 तथा 4 और इनके बीच सम्बन्ध भौतिक वस्तुविषयक नहीं होते किन्तु इससे इन्हें अवास्तविक नहीं कहा जा सकता। 'वास्तविक' की दूसरी और उपर्युक्त से अधिक आधारभूत परिभाषा 'विषयरूपेण विकल्पित' दी जा सकती है। वास्तविकता को इस प्रकार परिभाषित करने पर ही मनोविज्ञान, नृतत्वविज्ञान, इतिहास और कला-चिन्तन आदि ज्ञान कहे जा सकते हैं। वास्तव में इन्द्रिय-गोचर विषय भी वस्तुता का स्तर विषयतया विकल्पित होने के माध्यम से ही प्राप्त करते हैं।

अब, विषयरूपेण सबसे आद्य और सर्वाधार रूप से विकल्पित चेतना स्वयं ही होती है। इस प्रतिपादन का औचित्य यह है कि विषय-विकल्प आत्मचेतन चेतना का व्यापार है और आत्मचेतन चेतना का अपने प्रति चेतन होना अपना स्वयं का विषयकरण करना होता है। इस प्रकार, 'यह घट है' अध्यवसाय 'मैं घट देख रहा हूँ' का एक भाग है जिसका दूसरा भाग 'यह मैं हूँ' है। देखना 'मैं' और 'घट' के बीच सम्बन्ध का वाचक है। अब, जितना 'घट' वस्तु है कम से कम उतना ही 'मैं' भी है। 'यह घट है' के समान ही 'दु:ख एक मनोभाव है', 'मैंने स्वप्न देखा' आदि अध्यवसाय भी होते हैं जिन में 'दु:ख' और 'स्वप्न' आदि विषय होते हैं। यहाँ आपत्ति की जा सकती है कि 'दु:ख' आदि वस्तु-वाचक पद नहीं होकर विशेषण-मूलक भाववाचक संज्ञाएँ हैं। किन्तु वास्तव में यह आपत्ति उचित नहीं है, क्योंकि विशेषण या गुण भी उतने ही विषय होते हैं जितने द्रव्य विषय होते हैं। न इनकी वस्तुता में ही कोई अन्तर होता है। यहाँ अवान्तर रूप से यह द्रष्टव्य है कि फिनॉमिनलोजीवादी दार्शनिक, जो चेतना को स्वभावत: सविषया कहते हैं, वह सही नहीं है, क्योंकि अनात्मचेतन चेतना सविषया नहीं होकर या तो विषयाविष्ट होती है अथवा, विषय बाह्यत: प्रस्तुत नहीं होने पर वह अस्फुट, अव्यक्त भावेन, होती है। उदाहरणत: जुगाली करती बैठी गाय की चेतना को इसी प्रकार निरूपित करना उचित प्रतीत होता है। इस प्रकार सविषयता (इंटेंश्नेलिटी) केवल आत्मचेतन चेतना की ही विशेषता है। किन्तु आत्मचेतन चेतना को विषयाविष्ट के विपरीत विषय-विनिवृत्त या आत्म-निवर्तित (आत्मोन्मुख निवर्तित) चेतना कहना अधिक उपयुक्त प्रतीत होता है। निश्चय ही मनुष्य में चेतना की विनिवृत्तता के स्तर-क्रम ही मिलते हैं, पूर्ण विनिवृत्तता सम्भवत: अलभ्य या

---

1. प्रोफेसर दयाकृष्ण के लेख — संकलन **दि आर्ट ऑफ कॉंसेप्चुअल** में 'दि नेचर ऑफ वेल्यू जज्मेंट्स', पृ. 17-78 (भारतीय दार्शनिक अनुसन्धान परिषद्, नई दिल्ली, 1989)
2. यहाँ 'ज्ञान' शब्द का प्रयोग हम 'विषयात्मक ज्ञान' के अर्थ में ही कर रहे हैं।

पार्यन्तिक स्थिति ही होती है, किन्तु जिस सीमा तक चेतना आत्मनिवर्तित होती है उस सीमा तक ही इसके विषय स्फुट होते हैं। अब, चेतना विषयाविल हो या आत्मनिवर्तित, इसके विषय इसके अर्थों के आलम्बन ही होते हैं। अनात्मचेतन चेतना के अर्थ आवेगों और जैव अपेक्षाओं तक ही सीमित होते हैं, इसलिए इसके विषय भी उन अर्थों के ही आलम्बन होते हैं और ये विषय केवल बाह्येन्द्रियमूलक होते हैं। किन्तु आत्मनिवर्त्तित चेतना निवर्तन के पहले ही सोपान में न केवल इन्द्रिय-विषयों से निनिवर्त्तित होती है बल्कि आवेगों और अपेक्षाओं से भी निनिवर्त्तित होने में समर्थ होती है और इस प्रकार दोनों प्रकार के विषयों को इन से उच्चतर अर्थ देती है। इनमें पहला अर्थ सत्य का होता है जिससे विषय सत् में प्रतिष्ठित होते हैं। अन्य अनेक प्रकार के अर्थ भी होते हैं, किन्तु स्थूलत: इनको दो वर्गों में रखा जा सकता है, जिनमें एक कमनीयता का है जिससे विषय सौन्दर्य में प्रतिष्ठित होते हैं और दूसरा स्वरूप-बोध का है, जिससे विषय श्रेयस् में प्रतिष्ठित होते हैं। वास्तव में तीसरे वर्ग के अर्थ आरम्भ में लाभ-हानि के रूप में आभासित होते हैं, जिससे विषय ऋद्धि-सिद्धि, शिवत्व या कल्याण में प्रतिष्ठित होते हैं, किन्तु ये ही अर्थ आत्मसम्बद्ध होने पर श्रेयस्त्व का रूप ले लेते हैं। अब, इन तीनों वर्गों के विषय अपने अर्थों के आलम्बनों के रूप में न्यूनाधिक ही सम्यक् और न्यूनाधिक ही पर्याप्त होते हैं। असम्यक्ता या अपर्याप्तता का यह बोध वास्तव में चेतना के अपने तन्त्र में निरीक्षण से ही सम्भव होता है। यहाँ यह देखना महत्त्वपूर्ण है कि विषयों या आलम्बनों का यह स्वातन्त्र्य : इनकी वस्तुतन्त्रता : इनकी प्रदत्तता में नहीं हो कर अपने स्वतन्त्र प्रतिमानगत प्रामाण्य में होता है। ऐसा नहीं है कि ये प्रतिमान निश्चित और स्पष्ट होते हैं, ये वास्तव में नितान्त अस्पष्टत: ग्राह्य होते हैं, किन्तु ये वस्तुत: होते हैं यह वस्तुओं की प्रमाणापेक्षता से स्पष्ट है। उदाहरणत: विचार में सत्य का प्रमाण अन्त:संगति और विचार्य विषय से 'अनुरूपता' होता है और इन्द्रिय-विषय में सत्य का प्रमाण परित: इन्द्रियगम्यता होता है। यद्यपि इन में प्रथम के प्रतिमान को हम तर्कशास्त्र के रूप में निश्चित और स्पष्ट-ग्राह्य बनाना चाहते हैं किन्तु व्यवहार में यह संगति अपने विषय से पृथक् नहीं की जा सकती और स्वयं यह विषय अपने सम्पूर्ण विस्तार और गहराई में कभी ग्राह्य नहीं होता। इसलिए हम केवल किसी विचार की न्यून या अधिक पर्याप्तता ही देख सकते हैं, पूर्ण पर्याप्तता और उस पर्याप्तता के प्रतिमान को नहीं देख सकते।

किन्तु प्रत्येक विचार अपने विस्तार और गहराई में अपरिमेय होता है यह तथ्य चेतना और वस्तुविषयक अद्भुत रहस्य की ओर संकेत करता है। विचार वस्तुस्थितिविषयक होता है, इसका उद्देश्य वस्तु और वास्तव का अवगमन ही होता है, किन्तु यह किसी वस्तुस्थिति का चित्र, या प्रतिबिम्ब, या प्रतिरूप नहीं होता। यह वस्तु या वस्तुस्थितिगत अर्थों का अन्वेषी और निरूपक होता है। किन्तु वस्तुस्थिति इसे प्रस्तुत होने के साथ ही प्रातीतिक और वास्तव में, प्रकट और गुह्य में, प्रतीक और व्यंग्य में अन्तर्विभक्त हो जाती है। अब, यह विचार स्वयं ही अपना विषय भी होता है, जैसाकि आत्मचेतन चेतना के सब व्यापारों के लिए सही है, क्योंकि चेतना का अपने प्रति चेतन होना एक ओर अपना प्रेक्षक होना है और दूसरी ओर अपना प्रेक्ष्य होना। इस प्रकार विचार स्वयं अपने लिये एक वस्तुस्थिति होता है। अब, विचार का इस आत्मप्रेक्षक विचार ही विचार्य नहीं होता बल्कि इस तथाकथित प्रथम स्तरीय विचार का विचार्य भी वास्तव में विचार ही होता है। दूसरे शब्दों में, आत्मप्रेक्षकता आत्मचेतना का अनादि व्यापार होता है। इस कारण आत्मचेन चेतना के अन्वेष्य अर्थ उसमें अन्तर्गर्भ अथवा उससे सृष्ट अर्थ ही होते हैं। उदाहरणत: बाह्यता का आदर्श इन्द्रियगोचर विषयों में उपलब्ध होता है। इनका ही मूल दिङ्नाग और कांट ने स्वलक्षण वस्तु में देखा और इनसे सम्बद्ध संवेदों को निर्विकल्पक या विचारास्पृष्ट घटनाएँ कहा। किन्तु इनकी स्वलक्षणता और निर्विकल्पकता कितने जटिल विचार द्वारा निर्धार्य होती है यह स्वयं दिङ्नाग और कांट के प्रतिपादनों से ही देखा जा सकता है। वास्तव में लोकसाधारण स्तर पर भी इन्द्रिय-विषय विषयरूपेण निर्धार्य होते ही चेतना की अनादि और अतल अर्थ-सृष्टि के अंग हो जाते हैं और यह निर्धारण भी स्वयं इस सृजन का ही क्रियान्वयन होता है। इसी से जैसे-जैसे यह चेतना इस प्रस्तुत को समझने का प्रयत्न करती है वैसे-वैसे ही गहराई में उतरती जाती है और प्रेक्ष्य का सत्य : विषय के सत् का साक्षात्कार : सर्जक का अन्वेष्य मूल्य हो जाता है।

इसी वृत्ति का एक सर्वथा भिन्न आयाम अपने अस्तित्व के अर्थ का अन्वेषण होता है, जिसके प्रसंग से हमारे अस्तित्व के सभी पक्ष, अथवा सभी प्रवृत्तियाँ : क्रियाएँ, विचार, भावनाएँ और एषणाएँ : युक्तता के प्रतिमान से मापित होती हैं। यह भी चेतना की प्रेक्षात्मक वृत्ति ही होती है, किन्तु इसका अन्वेष्य प्रेक्ष्य का सत्य नहीं होकर अपने अस्तित्व के प्रकटरूप से संकेतित स्वरूप, अथवा कहें सत्य, होता है। इसमें जबकि परोपकार और पर-हानि, जीव-दया और जीव-हिंसा, वैराग्य और लोलुपता, समाधि, मनन और स्वाध्याय ये सब कर्म के व्याप्य होते हैं, बैठना-उठना आदि क्रियाएँ इसकी व्याप्य नहीं होतीं और कर्म के औचित्य, या कहें सत्य, का प्रमाण शुद्ध अन्त:साक्षात्कारगम्य होता है। वस्तुगत सत्य और इस आत्मगत या कर्मगत सत्य दोनों के अन्वेषण में निरहंकारता और युक्ति-विवेक दृष्टि के घटक के रूप में अपेक्षित होते हैं। उदाहरणत: किसी घटना के कार्य-कारण को समझने के लिए देश-कालगत अपनी स्थिति का सार्वभौम स्थिति में अतिक्रमण, अपनी धारणाओं का सार्वभौम युक्ति के आगे समर्पण यह सब दृष्टि में संरचनात्मकतया आवश्यक होता है। इनमें प्रथमत: अहंकार अत्यन्त मूलगामी होने पर भी आत्मचेतन चेतना के लिए सहज अतिक्राम्य होता है : उदाहरणत: प्राय: कोई भी मनुष्य सामने पड़ी भौतिक वस्तु को अपने को गोचर अंश तक सीमित नहीं मानता। इस अतिक्रान्त वस्तु को आत्मचेतन दृष्टि के लिए प्रागनुभविकतया उपलब्ध भी कह सकते हैं। जहाँ तक अपनी धारणाओं के सर्वसामान्य युक्ति के आगे समर्पण का प्रश्न है, उसमें जहाँ तक ईर्ष्या, द्वेष, वैमनस्य आदि बाधक होते हैं वहाँ तक यह अहंकारातिक्रमण का नैतिक पक्ष ही होता है, किन्तु जहाँ तक अपने को विदित अंश से अन्य अंशों की समस्तरता की सहज स्वीकृति का प्रश्न है, वह आत्मचेतनागत आद्य अहंकारातिक्रमण कहा जा सकता है, जो आत्मचेतन चेतना में सहज होता है। अब, नैतिक या आत्मगत सत्य के अवगमन में अहंकार के वे पक्ष ही बाधक बनते हैं जो आत्मावत् प्रतीत होते हैं किन्तु अनात्म होते हैं। राग-द्वेष, अथवा कहें काम-क्रोधादि आवेग, आहंकारिक हैं यह बोध अत्यन्त दुरविगम्य होता है, और ये त्याज्य हैं यह बोध और भी अधिक दुरविगम्य होता है। यही कारण है कि वस्तु-ज्ञान में अहंकारातिक्रमण की बात नहीं की जाती और दूसरी ओर कर्म-ज्ञान में इस अतिक्रमण को ही मुख्य साध्य माना जाता है, मानो यह अतिक्रमण और कर्म का सत्य, अथवा आत्मा का सत्य एक ही बात हो। ऐसा मानने के लिए एक औचित्य भी है, वह यह कि आत्मा हमारा स्वरूप होने से सहज सिद्ध ही है, साध्य तो केवल आवरण की, अनात्म की निवृत्ति ही होती है। आवेग सम्यग्ज्ञान में बाधक होते हैं, यह बाह्य वस्तुविषयक भ्रम के प्रसंगों में हम निर्विवाद रूप से देखते हैं : जैसे भयवश रस्सी को साँप समझने या ठूंठ को दैत्य समझने में। सामान्य व्यवहार के स्तर पर भी हम इनकी बाधकता को समझ लेते हैं, विशेषत: तब जब उस व्यवहार के विषय हम स्वयं होते हैं, 'आत्मनः प्रतिकूलानि परेषां न समाचरेत' यह परामर्श इसी स्तर का है और इसका अनुसरण दुष्कर होने पर भी इसकी समझ लगभग उसी प्रकार की होती है जैसी किसी इन्द्रियगोचर वस्तु की विद्यमानता के लिए अन्य व्यक्ति के प्रत्यक्ष को अपने प्रत्यक्ष से समतुल्य मानने की समझ होती है। किन्तु राग-द्वेष की आवरकता या अनात्मता एक पूर्णत: दूसरे स्तर के बोध की अपेक्षी होती है। किन्तु कर्म का औचित्य-अनौचित्य, राग-द्वेषादि की आवरकता और आवरण की अपवार्यता, तथा श्रेयस् और अश्रेयस् का भेद ये अयथार्थ और अवास्तव हैं और इस प्रकार विषयिनिष्ठ, काल्पनिक या संस्कारमात्र हैं, ऐसा मानने का कोई औचित्य नहीं है। इसमें दृष्टि-भेद होने पर निर्णय कठिन होता है और कभी-कभी असम्भव भी, यह बात इन निर्णयों को प्रमाण-प्रसंग-बाह्य नहीं बनाती, क्योंकि इन्हीं में हम एक व्यक्ति को दूसरे से अधिक प्रामाणिक और एक की अपेक्षा पंचायत को अधिक प्रामाणिक मानते हैं, यह भी देखा जाता है।

इसके विरुद्ध कहा जा सकता है कि ऐसे निर्णय एक मूल्य-व्यवस्था के अन्तर्गत तो सहज होते हैं किन्तु दो मूल्य-व्यवस्थाओं के बीच निर्णय दुष्कर ही नहीं असम्भव होता है, जिसका अर्थ है कि उसके लिये कोई निरपेक्ष आधार सम्भव नहीं होता। यहाँ एक प्रतिष्ठित समाजशास्त्री मैक्स-वेबर विषयक एक पुस्तक से उद्धरण देना उपयोगी होगा। उसके अनुसार "वेबर की युक्तियुक्तता (रैश्नैलिटी) की सीमा की अवधारणा उसकी व्यक्तियों और समाजों में मूल्यपरक विरोधों की अवधारणा पर आधारित है। जैसाकि वेबर का तर्क है, यदि मूल्यपरक विरोधों का परिहार सम्भव नहीं है तब कार्यों विषयक निर्णयों के लिए कोई युक्ति-तर्कमूलक आधार बहुत सीमित हो जाते

हैं। केवल मूल्य-विरोधों से बचे हुए क्षेत्रों में ही चयन युक्ति-तर्क से निर्धारित हो सकता है। परस्पर विरुद्ध मूल्य-प्रतिबद्धताओं के बीच निर्णय केवल यादृच्छिक ही हो सकता है।"[1] सर्वप्रथम यहाँ इस उद्धरण की प्रस्थापना द्रष्टव्य है। इसके अनुसार, यह वेबर की व्यक्तिगत मान्यता है, जबकि वेबर का मानना है कि उसकी मान्यता युक्तियुक्त और परिणामत: यथातथ और निरपेक्षत: सत्य है। इस पर कहा जा सकता है कि युक्ति-तर्कमूलक परिस्थितियों में भी मतभेद तो हो सकते हैं किन्तु वे युक्ति-तर्क से निवार्य होते हैं। यह सही है, किन्तु यहाँ दो बातें द्रष्टव्य हैं। प्रथम यह कि क्या मनुष्यविषयक कोई भी परिस्थिति मूल्य-तटस्थ हो सकती है? इस परिस्थिति में क्या स्वयं युक्तपरकता भी एक मूल्य नहीं होती? दूसरे, दो व्यक्तियों के बीच किसी परिस्थिति को युक्तिपरक बनाने के लिए किन्हीं आधारों को तय करना अनिवार्य होता है, किन्तु ये आधार स्वयं युक्तिमूलक नहीं होते। उदाहरण : यह रैशनलिज़्म प्राकृतिकतावाद को स्वीकार करके तो चलता ही है, किन्तु उससे अधिक, इसमें पारस्परिक हित-रक्षामूलक सहमति समाज के अस्तित्व का आधार मानी जाती है और 'हित' से अभिप्राय मनोदैहिक मानव-व्यक्ति के लौकिक सुखों से है। किन्तु इन मान्यताओं की सत्यता के लिए क्या युक्ति-तर्क है? उदाहरणत: प्लेटो, अरस्तू, हेगल और हुस्सर्ल में यह आधार स्वीकृत नहीं है। युक्ति-युक्ततावाद का आधार केवल 'भ्रान्त-अभ्रान्त का विवेक' ही हो सकता है और इसमें निर्णय का आधार निराग्रह आत्मविवेचन हो सकता है, किन्तु इसमें तो मूल्यात्मकता के व्यंजक 'पुरुष का अर्थ', 'परमार्थ', 'पर्येषणा' आदि पद ही आधारभूत होंगे। मूल्य को रुचिमूलक और मूल्यविषयक दृष्टि-भेद को रुचि-भेद, संस्कार-भेद, और रागात्मक पूर्वाग्रह का पर्यायवाची मानना इस बात का द्योतक है कि रैशनैलिटी : युक्तिपरकता : का अर्थ चेतना की आत्मोन्मुख अत्यन्त पारदर्शिता नहीं है,[2] बल्कि एक दूसरे प्रकार की कल्मषता ही है। वास्तव में मूल्य-बोध आत्यन्तिक निराग्रहता, पारदर्शिता, अविवेचित आधार के विवेचन, और इस विवेचन के अनुसारी आत्मनियोजन के निर्मम संकल्प को पूर्वापेक्षित करता है। इस बोध की योग्यता में व्यक्ति-भेद इस बोध के विषय को व्यक्ति-सापेक्ष या रुचि-सापेक्ष नहीं सिद्ध करता। इसका एक आदर्श उदाहरण महात्मा बुद्ध द्वारा योग्यता-भेद के अनुसार उपदेश-भेद में देखा जा सकता है।

महात्मा बुद्ध योग्यता-भेद के अनुसार भिन्न उपदेश देते थे और योग्यता-भेद का अर्थ था चित्त के कल्मषावरण के अनुसार स्तर-भेद। कल्मषावरण की अत्यन्त निवृत्ति का पद शून्यता का, तथागतत्व का पद था जिस पर चेतना की आत्मविविक्तता किसी पद को अविवेच्य स्वीकार नहीं करती और परिणामत: आत्मा, ब्रह्म, बुद्धत्व, तथागतत्व कुछ भी अविविक्त नहीं रहता। यहाँ चित्त की भूमियों का मूल्यों की वास्तवता, अथवा कहें अवास्तवता से सम्बन्ध द्रष्टव्य है। तमसावरण स्वभावत: तत्त्वसाक्षात्कार में बाधक होगा किन्तु चित्त की भूमि के अनुसार, अथवा कहें कल्मषावरण के न्यूनाधिक्य के अनुसार, चित्त तत्त्वसाक्षात्मकार में सक्षम होगा। इस आवरण की पूर्ण निवृत्ति के बिना दृष्टिभेद भी रहेंगे। अब, महत्त्वपूर्ण बात यहाँ यह है कि तत्त्व यहाँ इन्द्रिय-गोचर नहीं है और न चित्त प्राकृतिक है, यद्यपि प्राकृतिकता भी चित्त की भूमि ही है और इसे गम्य विषय भी तत्त्व ही हैं। तभी बुद्ध इन भूमियों पर अवस्थितों को भी उपदेश देते थे। तत्त्व वहाँ वह था जो अन्वेषक के अस्तित्व के रूपान्तरण और तादात्म्य के रूप में साध्य था। इस प्रकार तत्त्व मूल्य भी होता है और सत् भी। वास्तव में प्राकृतिक लोक से भिन्न लोक-विषयक सब दृष्टियों को मूल्यात्मक ही कहा जाता है और उनकी सापेक्षता में प्राकृतिक दृष्टि भी मूल्यात्मक दृष्टि ही हो जाती है, किन्तु इससे ये इर्रैश्नल या पूर्वाग्रही, या यादृच्छिक चेतना के विषय हो जाते हैं, ऐसा कहना उचित नहीं होगा। यहाँ सुकरात और प्लेटो से दो उद्धरण देना उपयोगी होगा जो पाश्चात्य रैश्लैलिटी के प्रतिष्ठापक माने जाते हैं। सुकरात के अनुसार "जब मैं नद पार करके जा ही रहा था तब एक दिव्य संकेत मुझे मिला, जो प्राय: ही मुझे मिलता है—यह मुझे उस कर्म से रोकता है जो मैं करना चाहता

1. रोजर बुकर, **दि लिमिट्स ऑफ रैश्नैलिटी : एन एस्से ऑन दि सोश्यल एण्ड मॉरल थॉट ऑफ मैक्स वेबर**, ज्यार्ज, एल्लन एण्ड अन्विन, लंडन, 1984, पृ. 61

2. 'रैश्नैलिटी' के इस अर्थ के विवेचन के लिए द्रष्टव्य **चिद्विमर्श** में 'दर्शन का आरम्भ बिन्दु' अध्याय और **सत्ताविषयक अन्वीक्षा** में 'दर्शन के आधार' अध्याय।

हूँ... और मुझे लगा जैसे मानो मैंने एक आवाज़ सुनी है जिसने मुझे रोका है।"[1] महात्मा गाँधी प्राय: ही किंकर्त्तव्यता के गहन संकट की घड़ी उपस्थित होने पर इस आवाज़ से निर्देश लेने के लिए निभृत में चले जाते थे और इसे स्पष्ट सुन लेने पर उसके अनुसार कार्य करते थे। उसके राजनीतिक परिणाम क्या होंगे, अथवा अन्य सहयोगी क्या परामर्श देते हैं इसका तब उनके लिए कोई अर्थ नहीं रह जाता था, यह हम जानते ही हैं। इसी प्रकार प्लेटो कहते हैं : "आत्मा में कुछ ऐसा है जो मनुष्य को पीने के लिए प्रेरित करता है और उससे भिन्न दूसरा भी कुछ है जो उसे इससे रोकता है, ऐसा भी कुछ है जो हमें वासनाओं और रोगों के अधीन करता है और दूसरा भी कुछ है जो हमे विवेक (रीज़न) के निर्देश द्वारा इससे रोकता है।"[2] यह 'यन्तर्गुहावासी नियोक्ता' रूढ़ि और संस्कारमूलक अभ्यास का पर्याय होता है, ऐसा कहना मूल्यविषयक स्पष्ट वस्तुस्थिति को देखने से इन्कार करना होगा। निश्चय ही मूल्यविषयक प्रसंगों में अधिकांशत: संस्कार और अभ्यास ही हमारी दृष्टि का स्थान लेते हैं किन्तु इससे यह कहना कि मूल्य का तत्त्व संस्कार और अभ्यासमूलक ही है, युक्तियुक्त नहीं होगा।

यहाँ मूल्यों की संस्कृति-सापेक्षता या वैयक्तिक रुचि-सापेक्षता के प्रश्न पर भी संक्षेप में विचार स्थाने होगा। पीछे हमने प्रोफेसर दयाकृष्ण के अन्त:संगति के सिद्धान्त का उल्लेख किया था। यह वास्तव में प्रकारान्तर से सापेक्षतावाद का ही एक रूप है। इस सिद्धान्त के अनुसार किसी मूल्य-निर्णय की युक्तता मूल्यविषयक एक अन्त:संगत व्यवस्था को आपादित करती है और इस प्रकार दो संस्कृतियों के समान मूल्य-स्थितियों में परस्पर विपरीत निर्णय अपनी-अपनी मूल्य-व्यवस्थाओं में अन्त:संगत होने पर युक्त होते हैं। इस प्रकार, आखेट या मांस-भक्षण युक्त है या सर्वव्यापक अहिंसा युक्त है? इतना ही नहीं, मानव बलि युक्त है या अयुक्त, सति-प्रथा युक्त है या अयुक्त, इनके बीच कोई आत्यन्तिक निर्णय सम्भव नहीं है। जिस प्रकार विरह-भावना-व्यंजक राग भारतीय संगीत-शैली में युक्त है या यूरोपीय या चीनी संगीत-शैली में, खान-पान, रहन-सहन की प्राचीन भारतीय व्यवस्था युक्त है या आधुनिक अमरीकी व्यवस्था, ये प्रश्न अप्रष्टव्य होंगे उसी प्रकार उपर्युक्त प्रश्न भी अप्रष्टव्य होंगे।

इस प्रश्न पर विचार के लिए यह देखना उपयोगी होगा कि यह सापेक्षतावाद वस्तु-सद्विषयक लोक-धारणाओं और वैज्ञानिक सिद्धान्तों के सम्बन्ध में भी प्रतिपादित किया गया है। मनोविज्ञान और जीवविज्ञान में मनविषयक और जीवविषयक वस्तुस्थितियों के सम्बन्ध में नितान्त विपरीत सिद्धान्त-व्यवस्थाओं की तो बात ही क्या भौतिकविज्ञान में भी परस्पर भिन्न सिद्धान्त-व्यवास्थाएँ देखी जाती हैं और उनके बीच निर्णय की कसौटी व्यवहार-सौकर्य और प्रतिपादन की सरलता ही स्वीकार की जाती है। इस प्रकार विज्ञान ने अब सत् की ज्ञापकता का आग्रह छोड़ दिया है। नृतत्ववैज्ञानिकों के अनुसार यही बात सद्विषयक लोक-संज्ञान के सम्बन्ध में भी सही है। वास्तव में ऊपर हमने जो मानव-बलि विषयक दो धारणाओं का उदाहरण दिया है वह मूल्य-कोटि का नहीं होकर ज्ञान-कोटि का ही है : 'मूल्य' और 'ज्ञान' शब्दों का प्रयोग यहाँ क्रमशः आत्म-बोध और वस्तु-बोध के अर्थ में करते हुए : क्योंकि बलि का उद्देश्य कोई कार्य-सिद्धि होता है और परिणामत: यह वस्तुओं और उनके बीच कारण-कार्य-सम्बन्ध के स्वरूप के आधार पर निश्चित उपाय होता है। इस सन्दर्भ में "यह कर्म युक्त है या नहीं" इस प्रश्न का जिज्ञास्य ठीक वैसा ही होता है जैसा अगली फसल अधिक अच्छी होने के लिए इस बार की फसल नहीं बोना, अथवा इस फसल के फल को भूमि में खाद के रूप में मिला देना अधिक लाभ-प्रद होगा या नहीं? वस्तु-जगद्विषयक आदिम सांस्कृतिक अवधारणा युक्त है या आधुनिक भौतिकवादी अवधारणा, यह प्रश्न मूल्यविषयक नहीं होकर वस्तु-स्वरूप-विषयक ही है। वास्तव में आदिम मनुष्य मानव-बलि या पशु-बलि को शुद्ध रूप से कारण-कार्य-व्यवस्था के अन्तर्गत और इससे सम्बद्ध लाभ-हानि के रूप में ही देखता है।

---

1. प्लेटो — **फीड्रस**, 242 बी.
2. **रिपब्लिक**, 439

किन्तु ज्ञानात्मक सन्दर्भ में बोध के गहनतर स्तर के जागरण के साथ यह किस प्रकार मूल्यात्मक सन्दर्भ में रूपान्तरित हो जाता है यह देखना मूल्य और सत् के स्वरूप और सम्बन्ध को समझने में महत्त्वपूर्ण होगा। यह जागरण अन्त:संवेदन का होता है जो संवेदन अन्य मनुष्यों, और उसके आगे जीवमात्र को अपनी लाभ-हानि के उपकरण के रूप में नहीं बल्कि लाभ-हानि के समान अधिकारी के रूप में देख पाता है। द्रष्टव्य है कि यह जागरण केवल मूल्य-दृष्टि का नहीं होता बल्कि उतना ही वस्तु-दृष्टि का भी होता है। उदाहरणत: जगत् को शुद्ध भौतिक व्यवस्था मानकर मानव या पशु-बलि निश्चय ही एक अन्धता सिद्ध हो जायेगी, किन्तु उसमें साथ ही अहिंसा ही नहीं नैतिक दृष्टिमात्र भी एक अन्धता ही सिद्ध होगी। ऐसे में मानव-बलि कानूनी अपराध तो हो जायगी किन्तु वह नैतिक दोष नहीं रहेगी, और जहाँ कानून बाधक नहीं हो वहाँ मानव-वध में कोई दोष नहीं रहेगा। तथाकथित सभ्य मानव राजनीतिक और अन्य अनेक उद्देश्यों से प्राचीन युगों से आज तक भयानकतम नर-संहार करता आ रहा है। सभ्यता के सम्पूर्ण इतिहास में महाराजा अशोक और महात्मा गाँधी के समान कुछ अपवाद ही यह देखने वाले हुए कि यह 'विहित' मानव-वध असन्मूलक है—'सत्' के उस अर्थ में जिसमें वह एकसाथ वस्तु और शिवत्व का आधार होता है। अब, यहाँ द्रष्टव्य है कि अहिंसा के प्रसंग में वस्तु और मूल्य परस्पर अवियोज्यत: सम्बन्धित होते हैं : जगत् के स्वरूपविषयक ऐसी अवधारण के बिना जिसमें भौतिक और जैविक दिव्य और आत्मिक के तारतम्य में हों, अहिंसा मूल्य नहीं हो सकती।

इस पर आपत्ति हो सकती है कि मूल्यात्मक सन्दर्भ में सद्विषयक दृष्टि निश्चय ही प्रासंगिक होती है किन्तु यह प्रसंग परोक्ष होता है। जब हम किसी कर्म को कर्त्तव्य-अकर्त्तव्य, अभीप्स्य-अनभीप्स्य या उत्कृष्ट-निकृष्ट कहते हैं तब उसके ये गुण तीव्र-मन्द, सफल-असफल या पूर्ण-अपूर्ण के समान नहीं होते, इनमें दूसरे जबकि मात्रात्मक और इस प्रकार वास्तविक होते हैं प्रथम उनकी वस्तुरूपता से असम्बद्ध होते हैं। ये कर्त्ता की भावना, जीवन के अर्थ और उसकी सिद्धि-विषयक दृष्टि से सम्बन्धित होते हैं। परिणामत: ये वास्तविक नहीं होकर चित्तपरक ही होते हैं। चित्त और वस्तु का द्वैत तब भ्रान्ति का हेतु होता है जब वस्तुविषयक चित्त वस्तु-अनुरूप नहीं हो। किन्तु जब चित्त वस्तुविषयक हो ही नहीं, केवल स्वकीय वृत्तियों का ही उद्गारक हो तब उस अवस्था में भ्रान्ति का कोई प्रसंग उपस्थित नहीं होता : जब तक हम इस अभिव्यक्ति को चैत्त अभिव्यक्ति, चैत्त भावना के उद्‌गार, के रूप में देखते हैं। किन्तु जब हम इसे वस्तुविषयक मान लेते हैं तब भ्रान्ति की सम्भावना उत्पन्न होती है—जैसे 'यह घट सुन्दर है', 'यह कर्म श्रेयस्कर है', 'यह व्यक्ति शालीन है' आदि में विधेय पद ऐसे ही प्रयक्त हैं जैसे मानो ये उद्देश्य पद को उसी प्रकार विशेषित करते हों जैसे 'घर वर्तुलाकार है', 'यह कर्म अमुक परिणाम का कारण है' आदि। जी.ई. मूर ने श्रेयस् को इन गुणों से प्रकारत: भिन्न किन्तु अस्तित्वत: अनुरूप दिखाने का प्रयत्न किया था।[1] किन्तु मूल्यात्मक विशेषणों या विधेयों के सम्बन्ध में ये दोनों दृष्टियाँ युक्त नहीं हैं। वास्तव में मूल्यात्मक पदों का प्रयोग दो प्रकार से होता है—एक रुचि-अभिव्यंजक के रूप में और दूसरा चित्त के भाव (भावना) की बोधविषयता के रूप में। उदाहरणत: 'घट सुन्दर है' और 'यह व्यंजन बहुत स्वाद है' प्रथम प्रकार की प्रतिज्ञप्तियाँ हैं। किन्तु जब चित्रकार घटाकृति के सौन्दर्य को आरेखित करता है अथवा कोई उस चि-लिखित घट को अथवा वास्तव घट को चित्रकार की चैत्त भूमि पर अवस्थित होकर देखता है तब 'सुन्दर' पद न उद्‌गारात्मक होता है और न विशेषण ही होता है। यह दूसरा पद चेतना की उस भूमि का अभिव्यंजक होता है जिस पर चखना और देखना दोनों एक ही हो जाते हैं, जबकि उद्‌गारात्मक प्रतिज्ञप्ति में विधेय पद केवल चखने वाले की मन:स्थिति का ही अभिव्यंजक होता है। चित्त की इन दो भूमियों को इनके अभिव्यंजक पदों की समानता के कारण एक समझ लेना अनुपयुक्त है।

वास्तव में विभिन्न मूल्यों के सन्दर्भ में भोक्तृत्व के रूप और प्रेक्षकत्व से उसके सम्बन्ध नितान्त भिन्न-भिन्न प्रकार के होते हैं। नैतिक सन्दर्भ में भावनाएँ सांकेतिक और अधिकांशत: निम्य और अतिक्रमणीय की भूमिका में

---

1. जी.ई. मूर — **प्रिंकिपिया एथिका**, अ-6, (कैम्ब्रिज यूनीवर्सिटी प्रेस) 1903

होती हैं जबकि काव्य और कलाओं में ये अनुभूय और निरूप्य की भूमिका में होती हैं। इस प्रकार बहुत सीमा तक उपनिषद् का द्वा सुपर्णा आदि मन्त्र नैतिक बोध में चेतना की स्थिति का सही निरूपक कहा जा सकता है, क्योंकि नैतिक मूल्य में वास्तव में चित्त का भोक्ता अंश ही विवेच्य, नियोज्य और वर्ज्य होता है और इसे यह भूमिका प्रेक्षक चेतना का प्रेक्ष्य बनने से ही उपलब्ध हो सकती है। अब द्रष्टव्य है कि प्रेक्षक-प्रेक्ष्यभाव ज्ञानात्मक सन्दर्भ में भी उपचरित होता है, वहाँ प्रेक्ष्य वस्तुसम्बद्ध होता है, किन्तु नैतिक मूल्यों के सन्दर्भ में प्रेक्ष्य आत्मसम्बद्ध होता है। दूसरे शब्दों में, ज्ञानात्मक सन्दर्भ में विषय वस्तुरूप में निर्धार्य अर्थों के लोक में अवस्थित होता है जबकि नैतिक सन्दर्भ में विषय आत्मसम्बद्ध अर्थों के लोक में। निश्चय ही वस्तु-सम्बद्ध अर्थ-लोक भी मूल्य-विषयता में रूपान्तरित हो सकता है किन्तु इसके लिए उस अर्थ-लोक का आत्म-सम्बद्ध अर्थ-लोक से स्थानान्तरित होना अनिवार्य होता है। किन्तु इस आत्मसम्बद्ध लोक में वस्तु-विषय अपनी विषयता में अन्वेष्य नहीं रह कर सत्य की अन्वेष्यता में अन्तर्भूत हो जाता है, यह बात दूसरी है कि इसमें अन्वेषक इस अन्वेषण के स्वरूप के सम्बन्ध में स्पष्ट रह पाता है या नहीं। उदाहरणत: मन की वृत्तियाँ विषय-रूप में मनस्तत्त्व के सत्य में अन्तर्भूत हो सकती हैं, जिस सत्य का अन्वेषण अन्वेषक के लिए आत्मसिद्धि का द्वार बन सकता है। यही बात भौतिकविज्ञान, जीवविज्ञान आदि के सम्बन्ध में भी कही जा सकती है। किन्तु ये अन्वेषण तभी वास्तव सत्यान्वेषण का पद पा सकते हैं यदि ये चेतना में अर्थ-सम्पदा के प्रकाशन के और चित्त की संस्थिति और सामरस्य के हेतु बन सकें। यदि इस अन्वेषण का हेतु अर्थ, काम आदि की सिद्धि होता है तो यह अनात्म-सिद्धि का ही उपकरण बनता है और वह न वास्तव सत्यान्वेषण होता है और न नैतिक मूल्यानुसरण। यह बात केवल विज्ञान और शास्त्र के सम्बन्ध में ही सही नहीं है, साहित्य और कलाओं के सम्बन्ध में भी सही है। किसी महान् दार्शनिक, वैज्ञानिक अथवा कलाकार में यदि हम कोई नैतिक दोष देखते हैं तब हमें यह आत्मव्याघातक स्थिति-जैसी प्रतीत होती है, क्योंकि ज्ञान, शास्त्र या कला के अनुशीलन का साध्य-मार्ग उससे आत्म-सिद्धि ही होता है। किन्तु बहुत बार ऐसा नहीं भी होता। उस परिस्थिति में इन अनुशीलनों के सफल होने पर भी इन्हें उस सफल व्यक्ति के जीवन के लिये व्यर्थ ही माना जाता है।

पश्चिम में, विशेषत: फ्रांस में, पिछली शताब्दी में 'कला-कला के लिए' सिद्धान्त का प्रतिपादन हुआ था, उसी के अनुरूप बीसवीं शताब्दी के आरम्भ में बट्रंर्ड रसल के नेतृत्व में दर्शन में 'तर्क-तर्क के लिए' अथवा 'विश्लेषण-विश्लेषण के लिए' के सिद्धान्त का प्रतिपादन हुआ। किन्तु इस दूसरे सिद्धान्त में यह अन्तर्निहित आस्था थी (और है) कि तर्क और विश्लेषण ही शुद्ध सत्य के प्रापक होते हैं, इनसे कोई दूसरी अपेक्षा : उत्तम जीवन, नैतिक उत्कर्ष, या सामाजिक नि:श्रेयस् की : इनके मूल उद्देश्य : सत्यान्वेषण : में बाधक होती है। यूरोप में वास्तव में उसके निकट अतीत में नाज़ीवाद और मार्क्सवाद के रूप में दो बड़े उदाहरण भी हैं जिन्होंने दर्शन और विज्ञान का लक्ष्य सत्यान्वेषण के बजाय सामाजिक नि:श्रेयस् को माना और सामाजिक नि:श्रेयस् क्या है इसका निर्धारक अधिनायक (डिक्टेटर) की इच्छा को माना। किन्तु वास्तव में इन 'उपयोगितावादी' सिद्धान्तों का जो दोष सत्य के निष्पक्ष अन्वेषण में बाधक बनता है वह इनकी सत्य के उपयोगी होने की अपेक्षा नहीं है बल्कि अपनी दृष्टि के अन्यों पर बलात् आरोपण का उपक्रम, और अपने को सर्वोच्च प्रज्ञावान् मानने का दम्भ है। अन्यथा जितना 'दार्शनिक सत्य' गुह्य है कम-से-कम उतना ही यह सत्य भी गुह्य है कि 'उत्तम जीवन' क्या है अथवा 'समाज का नि:श्रेयस्' किस में है? किन्तु यहाँ यह एक दूसरी रोचक बात है कि पश्चिम के अधिकांश दर्शन-विषयक सिद्धान्त दर्शन और विज्ञान का अन्वेष्य सत्य को नहीं मानकार कार्य-सिद्धि और उपयोगिता को ही मानते हैं : प्रेग्मेटिज़्म, लोकभाषाविश्लेषणवाद और यूटिलिटेरियनिज़्म इसके स्पष्ट उदाहरण हैं।

निश्चय ही सत्य के अनुसन्धान में निर्लिप्तता और निराग्रह आधारभूत पूर्वपिक्षाएँ होती हैं, किन्तु ये अपेक्षाएँ तो सभी मूल्यान्वेषणों में, नैतिक मूल्यान्वेषण में सर्वाधिक, आधारभूत होती है। किन्तु तब इनकी सिद्धि स्वयं भी सर्वोच्च नैतिक मूल्य है। इसलिए यह सिद्धि सत्यान्वेषण की अनिवार्य पूर्वपिक्षा होने से दार्शनिक और वैज्ञानिक का नैतिक रूप से उत्कृष्ट होना पूर्वपेक्षित होना चाहिए। कुछ भारतीय दर्शनों में ज्ञान के लिए 'अधिकारी'

होना अनिवार्य माना गया है और यह 'अधिकार' नैतिक उत्कर्ष से ही आता है। किन्तु यहाँ आपत्ति की जा सकती है कि वास्तविकता में तो स्थिति इसके अनुरूप नहीं मिलती : नैतिक रूप से अनति उत्कृष्ट भी लोग उच्च दार्शनिक, वैज्ञानिक, गायक, कवि, चित्रकार आदि देखे जाते हैं। वास्तव में कलाकारों का नैतिक रूप से शिथिल होना तो स्वाभाविक जैसा ही माना जाता है। उदाहरणतः खुशवंत सिंह की अभी प्रकाशित एक पुस्तक में कुछ प्रमुखतम दार्शनिकों और कलाकारों की कामुकता के विवरण दिये गये हैं। जैसे अल्डुअस हक्सले, उसके अनुसार पार्क में से लड़कियों को फुसलाकर मैथुन के लिए ले जाता था और ओस्कर वाइल्ड समलैंगिक यौनाचारी था।[1] ये तथ्य खुशवंत सिंह ने इस निर्बन्ध और विपर्यस्त कामुकता का रस लेते हुए उसकी अनुशंसा में लिखे हैं और वह स्वयं भी एक प्रसिद्ध उपन्यासकार है। ऐसी परिस्थिति में इस प्रकट अन्तर्विरोध का समाधान इससे गहरे में कहीं खोजना होगा।

सर्वप्रथम यह द्रष्टव्य है कि दर्शन, विज्ञान, कला आदि के मूल्यान्वेषण होने का क्या अर्थ है? मूल्य की एक परिभाषा हमने 'चेतना के वस्तु-अनुबन्धी होने के विपरीत वस्तु का चेतनानुबन्धी होना' दी थी।[2] इसके विवेचन के क्रम में 'चेतनानुबन्ध' का स्थान 'आत्मानुबन्ध' ने ले लिया। ये वास्तव में मूल्यात्मकता के, अथवा कहें मूल्यात्मकता के आविर्भाव के, दो पद कहे जा सकते हैं। किन्तु प्रथम पद में एक प्रकार की अतिव्याप्ति भी देखी जा सकती है, क्योंकि इसके अनुसार भाषा भी, जैसा हमने इसे देखा है,[3] मूल्य-सिद्धि हो जायगी, क्योंकि भाषा वस्तुओं को पदों के अर्थों के रूप में रूपान्तरित कर देती है जो वस्तुओं का चेतनानुबन्ध है। किन्तु दूसरी ओर वह अन्तर्विरोध है जिसका उल्लेख हमने ऊपर किया है। इसके समाधान के लिए इन दो पदों पर पुन: विचार आवश्यक है।

यहाँ प्रष्टव्य है कि साहित्य, संगीत आदि मूल्य हैं, किन्तु ये स्वयं में मूल्य हैं या कि सर्जक और श्रोता की चेतना की विशेष निष्पत्ति के रूप में मूल्य हैं? दूसरे शब्दों में, गीता के ज्ञान, भक्ति, कर्म के समान ये मार्गों के रूप में मूल्य हैं याकि काव्य काव्यात्मक सृजन के रूप में, संगीत संगीतात्मक सृजन के रूप में मूल्य है, फिर चाहे इससे व्यक्तित्व का कोई परिष्कार हो या नहीं हो, चाहे इससे व्यक्तित्व में असन्तुलन, विकृति और दोष ही क्यों नहीं आये?

जैसाकि हमने पीछे देखा, सृजन वास्तव में चेतना का तमसावरण के भेदन का प्रयत्न और अर्थ-सम्पदा के रूप में आत्मक्रियान्वयन, होता है। इस दृष्टि से भाषा सामाजिक चित्त का एक सर्वाधिक महत्त्वपूर्ण सृजन है और परिणामतः यह एक महत् मूल्य की सिद्धि है। इसी आधार पर साहित्य, संगीत, दर्शन, विज्ञान आदि स्वयं में भी मूल्य होते हैं, क्योंकि ये चेतना के अर्थों के प्रकाश में उन्मीलन के ही विभिन्न रूप हैं। एक उत्कृष्ट कविता के आविर्भाव का अर्थ है भावनात्मक चित्त का नव्य अर्थ-सम्पदा के रूप में उन्मेष, उसके द्वारा आत्मगत अर्थों का उन्मीलन, उनका साक्षात्कार। इसलिए इस कविता का आविर्भाव मूल्य की निरपेक्ष सिद्धि है। अब, यह आविर्भाव उस व्यक्ति-चित्त को गहराई से प्रभावित नहीं करे जिसमें इसका उन्मेष हुआ है यह सम्भव नहीं है, क्योंकि वास्तव में यह उन्मेष उस चित्त के समग्रता में आलोड़न का ही प्रतिफल होता है। किन्तु काव्यात्मक उन्मेष नैतिक संकल्प, कर्म-अकर्म विषयक सम्यग्दृष्टि, दार्शनिक प्रज्ञा और धार्मिक बोध भी दे; इसी प्रकार कर्म-अकर्म-विवेक से अन्य पक्षों में भी चेतना का उन्मेष हो, यह आवश्यक नहीं है। (यह विचित्र बात है कि अधिकांशतः ये उन्मेष एकोन्मुखता भी देते हैं, यद्यपि प्रत्येक उन्मेष चेतना को सर्वात्मतः आलोड़ित कर सब अर्थों के ग्रहण की उत्कृष्टतर योग्यता उत्पन्न करता होना चाहिए।) उदाहरण के लिए काव्य में चेतना भावना और उसके भोक्तृत्व में विमर्श में उन्मीलित होती है, किन्तु कोई भावना और उसके भोक्तृत्व को ही पर्याप्त मानकर दिग्भ्रष्ट भी हो सकता

---

1. खुशवंत सिंह — **नीड फॉर न्यू रिलिज्यन इन इंडिया एण्ड अदर एस्सेज**, यूबी एस, 1991
2. यशदेव शल्य — **समाज : दार्शनिक परिशीलन**, अ-6 (रावत पब्लिकेशंस, जयपुर, 1991)
3. वही, अ-4

है, यदि इस भावना का आलम्बन ऐन्द्रिक हो तब तो दिग्भ्रष्ट होने की सम्भावनाएँ और भी बढ़ जाती हैं। किन्तु निश्चय ही उसके भावनात्मक होने के साथ-साथ भोक्ता और विमर्शक भी होने से उसकी चेतना में प्रांजलता, पारदर्शिता, प्रेक्षकता और उर्वरता भी उस सीमा तक रहती है जिस सीमा तक यह काव्य-बोध की भूमि पर ऊर्ध्वचेतस् होता है। किन्तु ऐसे में भी उसमें संकल्प दुर्बल हो सकता है और वह उस अन्तर्ध्वनि की उपेक्षा कर सकता है जिसका उल्लेख सुकरात, कालिदास और गाँधी ने किया है। अल्डुअल हक्सले, ओस्कर वाइल्ड सम्भवत: संकल्प-दौर्बल्य के ही उदाहरण हैं किन्तु खुशवन्तसिंह चित्त की उस भूमि का उदाहरण है जिसकी भावना का आलम्बन ऐन्द्रिक है और जिस पर यह भावना और उसका भोक्तृत्व ही पर्याप्त होते हैं।

किन्तु द्रष्टव्य है कि जो बात काव्य के लिए सत्य है वह सब कलाओं के लिए सत्य नहीं है। चित्रकार भावना का भोक्ता और विमर्शक नहीं होता, यद्यपि उसमें यह भी अपेक्षित होता है। यही बात मूर्त्तिकार के लिए कही जा सकती है। किन्तु ये दोनों नैतिक-आध्यात्मिक रूप से साहित्यिक के समान ही दिग्भ्रान्त या दुर्बल-संकल्प हो सकते हैं। वैज्ञानिक या दार्शनिक में यह दिग्भ्रान्तता और संकल्प-दुर्बलता और भी अधिक सहज होती है, क्योंकि वह उस बोध से वंचित हो सकता है जिस बोध को भावना चित्त के लिए सहज सुलभ करती है। उदाहरणत: सहानुभूति, प्रेम, वात्सल्य, करुणा ये सब भाव हैं। ये न केवल स्वयं अपार अर्थ-राशियों के आगार हैं बल्कि नैतिक बोध के लिए भी निमित्त बनते हैं जिससे वैज्ञानिक और दार्शनिक न केवल संकल्प-दौर्बल्य के कारण ही वंचित हो सकते हैं बल्कि भ्रान्त दृष्टिवश भी वंचित हो सकते हैं। यों तो दर्शन-इतिहास में इसके अनेक उदाहरण हैं किन्तु आधुनिक पाश्चात्य वैज्ञानिकतावाद-तार्किक भाववाद (साँइटिसिज़्म एवं लॉजीकल पॉज़िटिविज़्म) इसके प्रखरतम उदाहरण कहे जा सकते हैं। किन्तु तब यह विचारणीय है कि ऐसी परिस्थिति में कला, दर्शन आदि को मूल्य कहना कहाँ तक युक्ति-संगत होगा, क्योंकि नीति और आत्मानुसरण-विहीन ये सब सिद्धियाँ विदग्ध असत्यभाषी के भाषा-कौशल से उपमेय होंगी। हमारे विचार में इसका उत्तर होगा कि विदग्धता स्वत: मूल्यवान् है, असत्य भाषण उसका दुरुपयोग है, और वह या तो उस चेतना की संकल्प-विहीनता है जो वैदग्ध्य रूप में प्रकट उसकी प्रांजलता का लाभ अर्जित करने में असमर्थ रही है अथवा केवल क्षेत्रीय प्रांजलता ही है जो वचन-कौशल के सीमित क्षेत्र के आगे उपहित रहती है। किन्तु अधिकांश में महान् कलाकार और दार्शनिक संकल्प-विहीन ही होते हैं दृष्टि-विहीन नहीं, और इस प्रकार वे कला या दर्शन में अपनी सम्यग्दृष्टि का विकास कर पाते हैं चाहे अनुसरण नहीं कर पाते हों। किन्तु दृष्टि असम्यक् होने पर उनकी कृतियाँ विदग्ध तो हो सकती हैं, महान् नहीं। उदाहरणत: रूडोल्फ कार्नप, क्वाईन और राइल को तर्क-विश्लेषण-कुशल तो कहा जा सकता है किन्तु महान् दार्शनिक नहीं कहा जा सकता और परिणामत: उसी रूप में और उस सीमा तक ही उनकी कृतियों का अन्यों के लिए और उनकी चेतना के विकास का उनके अपने लिए मूल्य है। निश्चय ही ऐसा वैज्ञानिक के लिए नहीं कहा जा सकता, वह आध्यात्मिक रूप से नितान्त विपन्न होने पर भी महान् वैज्ञानिक हो सकता है, यद्यपि निश्चय ही वह समग्र व्यक्ति के रूप में नितान्त विपन्न ही होगा।

यहाँ यह विचारणीय है कि सम्यग्दृष्टि और आध्यात्मिक सम्पन्नता क्या है और क्या इनका कोई वस्तुपरक आधार है? सम्यग्दृष्टि के लिए सर्वप्रथम अपेक्षा दर्शन-क्षमता : ईक्षणक्षमता : की होती है जो आत्मचेतन में एक सीमा तक सहज होती है, किन्तु यह प्रमाद या प्रयत्न से घटाई या बढ़ाई जा सकती है। ध्यातव्य है कि 'प्रमाद' और 'प्रयत्न' नैतिक पदावली के ही पद हैं और परिणामत: ये स्वयं भी सम्यग्दृष्टि के पूर्वापेक्षी होते हैं। इस प्रकार यह भी कहा जा सकता है कि नैतिकता-बोध, अथवा कहें सदसद्-विवेक भी आत्मचेतना में एक सीमा तक सहज होता है, एक वर्गणा (केटेगरी) के रूप में इसे आत्मचेतन चेतना में मौलिक भी कह सकते हैं। अब, यह दृष्टि क्या है? इसे पीछे अध्याय 2 में विवेचित अर्थ में चेतना का सृजनात्मक उन्मेष कहा जा सकता है। भाषा, साहित्य, संगीत, कला, दर्शन, विज्ञान आदि सब चेतना के सृजनात्मक उन्मेष ही हैं और इस प्रकार ये चेतना की दृष्टि के विभिन्न रूप हैं। यह दृष्टि जितनी ही पैनी होती है उतना ही सत्ता का रूप इसे सम्यग्ग्राह्य होता है। एक चित्रकार किसी चेहरे के या किसी सूर्योदय के दृश्य के आलम्बन से जो देखता है वह इन आलम्बनों के समान

इन्द्रिय-ग्राह्य नहीं होता, किन्तु न वही इन्द्रिय-ग्राह्य होता है जो मनोवैज्ञानिक (इस शब्द के व्यापक अर्थ में) चेहरे में, भौतिकवैज्ञानिक सूर्योदय में और वनस्पति वैज्ञानिक उस प्राकृतिक वस्तुस्थिति में देखता है। किन्तु इसी कारण ये सब, अथवा इन में से कोई, जो देखते हैं वह काल्पनिक नहीं हो जाता, वास्तव में ये इन्द्रियेतर दृश्य ही ऐन्द्रिक दृश्य के सत्य या याथातथ्य होते हैं—वही गुह्य याथातथ्य जो परिभूः स्वयंभूः इन दृश्यों के आधार में इनके सृजन के साथ इनमें निक्षिप्त करता है।

अब, यदि 'दृष्टि' को इस प्रकार परिभाषित किया जाता है तब प्रत्येक दर्शन ही सम्यग्दर्शन हो जाता है। किन्तु ऐसा होने के लिए दृष्टि के स्रोत का, वस्तुओं के याथार्थ्य-विधायक तत्त्व का, दृश्य में सम्मिलित होना आवश्यक होता है। इस पर यदि आपत्ति की जाय कि द्रष्टा दृश्य नहीं हो सकता, और यदि हो भी सकता हो तो वह मूल दृश्य की सम्यक्ता के लिए अपेक्षित नहीं हो सकता, तो यह युक्त नहीं होगा। क्योंकि सर्वप्रथम, जैसाकि हमने ऊपर देखा, 'दृष्टि' के स्रोत पर लौटे बिना सब दृष्टियाँ केवल अपर्याप्त आत्मदर्शक दृष्टियाँ ही होती हैं। दूसरे, इस आत्यन्तिक आत्मनिवर्तन के बिना अहंकार, आवेगा और वासनाएँ ही स्रोत का स्थान ले लेती हैं और इस प्रकार द्रष्टास्थानीय बन जाती हैं।

धर्म–नीति का तत्त्व

प्रथम अध्याय में हमने देखा था कि आत्म–चेतन चेतना में किस प्रकार अस्मिता–बोध प्रतीकतया आत्म–तत्त्व को लक्षित करता है। यह आत्म–तत्त्व ज्ञान–विषय मात्र नहीं होता, यह वह साध्य भी होता है जिसकी अनुरूपता में अस्मिता को अपने को निरूपित करना होता है, जिसके भाव में उसे अपने को भावित करना होता है। यह बोध अस्मिता को कर्म : आत्मचेतन क्रिया : में रूपान्तरित कर देता है, जो क्रिया अपने कर्त्ता और अधिष्ठाता के रूप में इस आत्म–तत्त्व को प्रतिष्ठित कर अस्मिता को निष्पाद्य और नियोज्य बनाती है। इस निष्पादन और नियोजन की विधि ही धर्म–नीति का तत्त्व बनती है, इसे सदसद्–विवेक भी कहा जाता है। सत् यहाँ आत्मा का और असत् अनात्म का वाचक होता है, और वह सब अनात्म के रूप में लांछित होता है जो आत्म–तत्त्व को उपहित कर तद्–रूप में भासित होता है। आवेगात्मक–रागात्मक चित्त् इन उपाधियों का अधिष्ठान बनता है। द्रष्टव्य है कि अनात्मचेतन चेतना इस उपाधि से समग्रत: आवृत रहती है और मानव–चेतना इससे ईषत् ही उबर पाती है। किन्तु इस उबार के फलस्वरूप वह जो आत्मतत्त्व का किंचिन्मात्र आभास पाती है वही उसे ज्ञान और कर्म की अनेकविध साधनाओं में व्यस्त रखता है।

धर्म–नीति अथवा सदसद्–विवेक मानव–कर्म के किसी प्रतिमान के अनुसार निष्पादन अथवा विवर्जन को कहा जाता है : किं कर्म किमकर्मेति। इसी धारणा के अनुसार इसे अंग्रेज़ी में 'प्रैक्टीकल रीज़न' कहते हैं। किन्तु इस विवेक का यह निरूपण तभी उपयुक्त कहा जा सकता है यदि चेतना के प्रवर्तन मात्र को 'कर्म' के वाच्य के रूप में लिया जाय। इस प्रकार मन में किसी भावना का उदय उतना ही इसकी परिधि में आयेगा जितना किसी अन्य के साथ व्यवहार इसकी परिधि में आता है। किन्तु यह परिधि इतनी व्यापक भी नहीं रखी जा सकती कि चेतना का प्रवर्तन मात्र और किसी अंग का संचालन मात्र इस बोध का स्वत: विषय हो जाय। उदाहरणत: चाय का प्याला सामने आने पर उसका दिखायी देना और उसे देने वाले के हाथ से ले लेना दोनों साधारण रूप से इस बोध की परिधि में नहीं आते। किन्तु चाय देखकर उसके प्रति रुचि और प्याला हाथ में लेते समय उसे गिरा देना आदि इस बोध की परिधि में आ सकते हैं, यद्यपि नहीं भी आ सकते। इस दूसरी भावना और कर्म का इस बोध की परिधि में आना या नहीं आना इस बात पर निर्भर करता है कि इसमें चेतना किस स्तर पर उद्वेलित हुई है। किसी का ध्यान इतना अन्तर्मुख केन्द्रित हो सकता है कि वह बाह्य घटनाओं को देख कर भी नहीं देखे, चाय का प्याला सामने आने पर उसका ध्यान उस ओर नहीं जाय, और दीख जाने पर वह उसके चित्त में कोई संस्कार नहीं छोड़े। चित्त की यह मुखीनता निश्चय ही व्यक्तित्त्व के नैतिक निर्माण को उपलक्षित करती है। इससे ऊपरी के स्तर पर, चाय का स्वाद लगना, अभ्यासवश उसकी अपेक्षा होना ये साधारणत: इसकी परिधि में नहीं आयेंगे, किन्तु ये इस विचार के विषय हो भी सकते हैं कि 'मुझे इस प्रकार इस अपेक्षा के वशवर्ती नहीं होना चाहिए', अथवा 'स्वाद–अस्वाद के प्रति मेरा ऐसा आग्रह उचित नहीं है' आदि। इसी प्रकार, प्याला हाथ से गिरना असावधानी के कारण हो सकता है और असावधानी एक नैतिक दोष है। किन्तु यहाँ पुन: कोई इन्हें नैतिक दोष के रूप में देखने में सहमत नहीं भी हो सकता है, वह इन्हें चेतना के अत्यन्त ऊपरी स्तर से सम्बन्धित और परिणामत: नीति–अनीति के अविषय ही कहना चाहेगा। यहाँ प्रश्न हो सकता है कि क्या असावधानी का उथला स्तर कम गम्भीर अनीति होगा और गहरा स्तर अधिक गम्भीर अनीति? किन्तु स्तर–भेद होने पर भी अनीति तो दोनों ही होंगे। किन्तु प्राय: ही देखने में आता है कि कुछ व्यक्तियों की कुछ असावधानियाँ उनकी अलंकार, : उनके नैतिक उत्कर्ष की सूचक : मानी जाती हैं। यह तब होता है जब ये वास्तव असावधानियाँ नहीं होकर उनके अन्तर्मुखीन और गहनतर अवधान की लक्षण होती हैं। इस प्रकार किसी की वेश–भूषा के प्रति उपेक्षा, व्यंजन में नमक कम–अधिक की ओर ध्यान नहीं जाना, जेब से पैसा निकल जाने पर पता नहीं चलना आदि चेतना के किसी उच्चतर स्तर पर

अवस्थित होने के द्योतक माने जाते हैं और इस प्रकार उच्चतर स्तरीय अवधान के सूचक माने जाते हैं। आईंस्टाइन के लिए किसी ने लिखा है कि उसने उन्हें एक बड़े चैक का उपयोग बुकमार्क के रूप में करते देखा, पैसों की गणना वे प्राय: ही नहीं कर पाते थे। इसके विपरीत गाँधीजी के लिए प्रसिद्ध है कि किस प्रकार उन्होंने अपने आश्रम के आय-व्यय-लेखा में दो आने की गणना मिलाने की चिन्ता में नेहरू जी और सरदार पटेल आदि बड़े-बड़े नेताओं को देर तक प्रतीक्षा में बैठाये रखा था और पेंसिल का एक छोटा टुकड़ा खो जाने पर अपने सहायकों को वह खोजने में लगाया था। इस तरह गाँधीजी का एक छोटी से छोटी चीज़ भी व्यर्थ नहीं जाने देना उसी प्रकार उनकी नैतिक सतर्कता और उत्कर्ष का द्योतक माना जाता है जिस प्रकार आईंस्टाइन का बहुत सी तथाकथित बड़ी बातों के प्रति उदासीन होना।

इन दो प्रकटत: विरोधी उन्मुखताओं में एक अन्तर्निहित साम्य है। वह यह कि दोनों के ये व्यवहार सार्थक जीवन की रचना के प्रति उनके उत्कट और नितान्त प्रमाद-रहित प्रयत्न के द्योतक हैं। इस प्रकार न आईंस्टाइन के उपर्युक्त व्यवहार में प्रमाद है और न महात्मा गाँधी के उपर्युक्त व्यवहार में क्षुद्रता, ये दोनों व्यवहार सार्थकता के प्रतिमान के अनुसार जीवन के नियोजन के अत्यन्त सजग और निरालस प्रयत्न कहे जा सकते हैं। किन्तु ऐसे ही व्यवहार दूसरे व्यक्तियों में क्रमशः प्रमाद और क्षुद्रता के द्योतक माने जाते हैं। 'धर्म-नीति' के प्रसंग में 'कर्म' का यह अर्थ परोपकार, अहिंसा, अस्तेय आदि के पालन से अधिक समीचीन कहा जा सकता है, क्योंकि कोई व्यक्ति इन नियमों का अनुसरण करते हुए भी एक विपन्न, निरर्थक और प्रमादपूर्ण जीवन-यापन करता रह सकता है। इसका अर्थ यह नहीं है कि परोपकार, अहिंसा और अस्तेय आदि अनावश्यक हैं और कोई स्वार्थ, हिंसा, स्तेय आदि को नैतिक जीवन में स्थान दे सकता है, किन्तु अहिंसा आदि जीवन के सार्थक अभियोजन में अनुषंगी भी हो सकते हैं और केन्द्रीय भी। यदि ये केन्द्रीय होते हैं तो ये उत्कट मानस-प्रयत्न को नियुक्त करने योग्य अर्थ के वाहक बनकर ही ऐसे हो सकते हैं।

किन्तु 'किसी अर्थ को केन्द्र में रखकर चित्तवृत्तियों का नियोजन' , अथवा अधिक उचित शब्दों में, 'सार्थकता के प्रतिमान के अनुसार जीवन का नियोजन' को धर्म-नीति के लिए स्वयं में पर्याप्त परिभाषा कहना तो दूर इसे स्वयं में भी इस नीति की दृष्टि से उसी प्रकार किसी निश्चित अर्थ से रहित कहना होगा जिस प्रकार उद्देश्य-विधेयात्मक वाक्य में उद्देश्य के बिना विधेय होता है। इस पद के धर्म नीति की उपयुक्त परिभाषा होने के लिए यह निर्णय आवश्यक है कि वह अर्थ क्या है जो यह प्रतिमान हो सकता है, किस अर्थ का अनुसरण जीवन को सार्थक और आत्म-नियोजन को नैतिक कर्म बना सकता है? उदाहरण के लिए आईंस्टाइन की, 'उसके भौतिक प्रकृति के रहस्य के अन्वेषण में अधिकाधिक नियुक्त रहने के कारण लौकिक अनुसरों के प्रति उदासीनता जबकि नैतिक बोधमूलक कही जा सकती है क्या इसके विपरीत आत्म-नियुक्ति : लौकिक अर्थों के अनुसारण में प्रकृति के रहस्यों को जानने के प्रति उदासीनता : को भी नैतिक कहा जा सकता है? कोई व्यक्ति साज-सज्जा के द्वारा अथवा अन्य किसी उपाय से अन्यों को प्रभावित करने को अपने कर्मों का नियोजक बनाता है, अथवा आर्थिक समृद्धि, शक्ति-संवर्धन अथवा लौकिक सुखों की सिद्धि को अपने कार्यों का केन्द्रीय नियोजक बनाता है तो वह हमारी उपर्युक्त परिभाषा की अपेक्षाओं को सन्तुष्ट कर देगा, क्योंकि वह इन अनुसरणों में इन्हें सार्थक मानकर ही प्रवृत होता है, किन्तु वह नैतिकता की अपेक्षा को पूरा नहीं करेगा। इन अनुसरणों को प्राय: निर्विवाद रूप से ही अनैतिक नहीं तो कम से कम निकृष्ट प्रकार के, किसी सार्थकता से रहित, अनुसरण ही माना जाता है[1]—यद्यपि अधिकांश मनुष्य अधिकांश में इन अनुसरणों में ही प्रवृत्त रहते हैं।

इसका अर्थ है कि सार्थकता का प्रतिमान यथेच्छया निर्धारित नहीं हो सकता, वह अनुसर्त्ता की धारणा और दृष्टि से स्वतन्त्रत: नहीं निर्धारित होता। किन्तु यह अर्थ जीवन-विषयक होने से यह प्रतिमान जीवन-विषयक

1. डूबा बंस कबीर का, उपजा पूत कमाल,
हरि-भजन को छाँडि के, घर ले आया माल।

ही होता है और इसके जीवन-विषयक होने से इसका अनुसरण जीवन का इसके अनुसार क्रियान्वयन होता है। अब क्रियान्वयन के द्वारा साध्य प्रतिमान भूतवस्तुरूप नहीं हो सकता, यह वह होता है जिसे जीवन स्वयं होने के लिए लक्षित करता है और प्रयत्न के द्वारा वह होकर उसे साध्य लक्ष्य से भूत-वस्तुरूप में आविर्भूत करना चाहता है।

किन्तु यह स्थिति तो मूल्य मात्र में ही है। जैसाकि पिछले अध्याय में हम देख आये हैं, एक दार्शनिक चिन्तक के रूप में उत्कृष्ट होने में, वैज्ञानिक प्राकृतिक वस्तुस्थितियों के अर्थ और व्यवहार को समझने की योग्यता को बढ़ाने में और कलाकार भावनाओं का कुशलतम चितेरा होने में ही अपने प्रयत्न की सफलता देखता है। यहाँ द्रष्टव्य है कि यद्यपि ये प्रयत्न भी चेतना के आत्मक्रियान्वयनपरक ही होते हैं किन्तु इनकी सफलता के प्रमाण बाह्य परिणामों में उपलब्ध होते हैं :दार्शनिक की सफलता उसके सिद्धान्त-प्रतिपादन की कुशलता में, वैज्ञानिक की प्रकृति के व्यवहार-विषयक अभ्युपगमों की सफलता में और कलाकार की चित्रण की प्रभावकता में लक्षित होती है, किन्तु नैतिक प्रयत्न की सफलता किसी कार्य के बाह्य परिणाम से लक्षित नहीं होती। नैतिकता की सफलता की कसौटी आत्मसिद्धि, अपने प्रति सच्चाई, कही जा सकती है। किन्तु यह भेद रहने पर भी अपने प्रति सच्चा होने की अपेक्षा उतनी ही अन्य मूल्यानुसरणों : दर्शन, विज्ञान, कला आदि : में भी होती है जो उन्हें वास्तव में मूल्य बनाती है, यह अपेक्षा चाहे परोक्ष ही हो।[1] इस सच्चाई के बिना ये मूल्यात्मक नहीं होते। किन्तु तब इस पक्ष में मूल्यानुसरण मात्र नैतिक व्यक्तित्व का भी सर्जक होता है। धर्म-नीतिपरक कहे जाने वाले सब आचरणों को वास्तव में इस आत्म-सत्य की, अपने प्रति सच्चा होने की, कसौटी पर प्रमाणित होना होता है। इस प्रकार दर्शन, विज्ञान आदि का मूल्य-रूप में अथवा व्यवसाय-रूप में अनुसरण चाहे नैतिक कृत्य नहीं कहा जाय किन्तु यह व्यक्तित्व के नैतिक प्रकार का घटक और द्योतक होता है। इसी प्रकार अन्य की सहायता, मैत्री, वात्सल्य, प्रेम, अहिंसा, अस्तेय आदि आचरण तब तक नैतिक नहीं कहे जा सकते जब तक इन आचरणों में मनोभाव इनके अनुरूप नहीं होता। उदाहरणत: अन्यों की दृष्टि में अच्छा रहने के लिए, अथवा दण्ड-भय से अस्तेय नैतिक नहीं कहा जा सकता, न दुर्बलतावश हिंसा का त्याग नैतिक कहा जा सकता है।

यह 'अपने प्रति सच्चा होना' क्या है? इसे परिभाषित करना तो कठिन है ही इससे भी अधिक कठिन व्यवहार में स्वयं विषयी द्वारा यह जानना होता है कि वह अपने प्रति सच्चा है या नहीं। किन्तु यह कठिन क्यों होता है? इसका समाधान धर्म-नीति के तत्त्व को समझने के लिए महत्त्वपूर्ण है। अब, इस 'ज्ञान' का क्या अर्थ है? यह दुरवगम्य क्यों होता है? विषयिता को तो परिभाषया स्वप्रकाशित, सहज रूप से आत्म-अवगत, ही होना चाहिए। किन्तु ऐसा वास्तव में होता नहीं है यह हम सब जानते हैं। इसका क्या कारण है?

---

1. यहाँ सन्देह हो सकता है कि विज्ञान और कला का, और दर्शन के बहुत से प्रश्नों का भी, आत्म-सत्य से क्या सम्बन्ध हो सकता है? उदाहरणत: एक चित्रकार यदि कुएँ पर पानी भर रही कुछ स्त्रियों का चित्र बनता है तो वह किस प्रकार आत्म-सत्य से सम्बन्धित है? इसी प्रकार, परमाणु की संरचना खोजने वाला वैज्ञानिक अथवा विशेषों और सामान्यों के अस्तित्व विषयक समस्या पर विचार करने वाला दार्शनिक किस प्रकार आत्म-सत्य से सम्बन्धित कहा जा सकता है? यह सन्देह स्वाभाविक है। इसके समाधान के लिए हम प्रतिप्रश्न से आरम्भ करेंगे : उपर्युक्त चित्र के सृजन को मूल्य कैसे कहा जा सकता है? चित्र-निर्माण का उद्देश्य पैसा कमाना भी हो सकता है और कुएँ पर खड़ी स्त्रियों को देखकर उभरे एक प्रत्यय की वर्ण और आकार में अवतारणा भी हो सकता है। अब, इनमें प्रथम स्पष्टत: कलात्मक मूल्य नहीं है, आर्थिक मूल्य है और इसमें आत्मकल्पित अनात्म साध्य होता है। जहाँ तक दूसरे उद्देश्य का सम्बन्ध है, इसमें कलाकार कलात्मक अर्थों के अन्वेषण या सृजन द्वारा अपनी चेतना को विपुल करता और आत्मा को चरितार्थ करता है। यही बात वैज्ञानिक और दार्शनिक के लिए कही जा सकती है। उनके उद्देश्य अवैज्ञानिक और अदार्शनिक भी हो सकते हैं—जैसे दार्शनिक का उद्देश्य प्रकाशित लेखों की संख्या-वृद्धि करना भी हो सकता है। किन्तु तब उसे दार्शनिक मूल्य नहीं कहा जा सकता। इसी प्रकार वैज्ञानिक का उद्देश्य परमाणु-बम्ब-निर्माण अथवा विद्युत्-उत्पादन की नयी विधि की खोज आदि हो सकता है, दूसरी अवस्था में इसे वैज्ञानिक उद्देश्य भी कहा जा सकता है। किन्तु जैसा जिसका उद्देश्य होगा वैसी ही उसकी आत्मा की, अथवा आत्म-कल्पित अनात्म की, साधना होगी जिससे ही ये अनुसरण मूल्य या विपर्यस्त मूल्य बनेंगे।

ऐसा इस कारण होता है क्योंकि चित्तवृत्तियाँ अपने निजी रूप में अवगम्य नहीं होतीं बल्कि विषयता में रूपान्तरित होकर अवगम्य होती हैं, और विषयों का अपना कोई स्वरूप नहीं होता, वे प्रतिमान-सापेक्ष अर्थों : प्रत्ययों : के अधिष्ठान होते हैं। चित्तवृत्तियाँ दो प्रकार की विषयता प्राप्त करती हैं, तटस्थ और आत्मसम्बद्ध। अवश्य एक तीसरे प्रकार की विषयता भी होती है जो कलाओं में रूपायित होती है, इसे विषयि-विषयता कह सकते हैं। यहाँ इस पर हम पृथक् विचार नहीं करेंगे। इसे यहाँ दूसरे प्रकार की विषयता में उपसंहृत किया जा सकता है। तटस्थ विषयता के प्रतिमान व्यावहारिक, वैज्ञानिक या दार्शनिक आदि प्रकार के होते हैं और आत्मसम्बद्ध विषयता के नैतिक। अब, जो आत्मसम्बद्ध चित्तवृत्तियाँ नैतिक प्रतिमानों पर अस्वीकार्य होती हैं (और सहज रूप से ऐसी ही चित्तवृत्तियाँ प्रमुख होती है) उनके सही अर्थ को हम झुठलाने का प्रयत्न करते हैं। उदाहरणत: रूप के आकर्षण को प्रेम और रक्तपात से जुगुप्सा को अहिंसा समझना एक साधारण बात है। किन्तु उन प्रतिमानों का यथार्थ स्वरूप क्या है यह अत्यन्त दुग्राह्य होता है, बल्कि कहा जा सकता है कि इनका अवगमन नैतिक चेतना के विकास के साथ ही गहरा और व्यापक होता है और इनके स्वरूप की अतलता और अपारता को प्रकट करता है।

यहाँ कांट का स्मरण स्थाने होगा। उसके अनुसार चित्तवृत्तियों के अधीन किया गया उचित कर्म भी नैतिक कर्म नहीं होता, क्योंकि वह कर्म प्रतिमान के प्रति निष्ठा के साथ किया गया नहीं होता। इस प्रकार उनके अनुसार पड़ौसी के कष्ट से द्रवित होकर की गई उसकी सहायता नैतिक कर्म नहीं है। यद्यपि कांट यहाँ यह भूल करते हैं कि वे चित्तवृत्तियों को किसी प्रतिमान के अनुसार नियुक्त करने की आवश्यकता को नहीं देखते, जो वास्तव में बाह्य कर्म के नियोजन में अधिक आवश्यक होता है, किन्तु उनकी दृष्टि अपने मूल में पूर्णत: युक्त है कि नीति का तत्त्व प्रतिमान का अतिक्रान्त चित्त-भूमि पर से साक्षात्कार और उस साक्षात्कार के अनुसार अपने को नियुक्त करना ही है। इस साक्षात्कार के अनुसार चित्तवृत्तियों का भी नियोजन अपेक्षित है, यह नहीं देखना उनकी भूल है। किन्तु अनवेगात्मक और रागात्मक चित्तवृत्तियाँ किस प्रकार नैतिक दृष्टि को धूमिल करती हैं इसका अत्यन्त सूक्ष्म उदाहरण महाभारतकार युद्ध-क्षेत्र में अर्जुन के संशय के द्वारा प्रस्तुत करता है। अर्जुन युद्ध-क्षेत्र में अपने प्रिय-जनों और पूज्य-जनों की प्रतिपक्ष में उपस्थिति देखकर उद्विग्न हो उठता है किन्तु युद्ध करने के विरुद्ध वह इस द्रवण को युक्ति के रूप में प्रस्तुत नहीं करता बल्कि युद्ध के परिणामों की अवांछनीयता को प्रस्तुत करता है। कर्त्तव्य-निर्णय में परिणाम-विचार युक्त है या नहीं यहाँ इस प्रश्न को छोड़कर यह देखना महत्त्वपूर्ण है कि अर्जुन उन परिणामों की अवांछनीयता के निरुद्विग्न साक्षात्कार से युद्ध-विरत नहीं हो रहा था। यहाँ यह कहा जा सकता है कि तब दया, सहानुभूति, मैत्री और प्रेम आदि भी नैतिक नहीं रहेंगे, क्योंकि ये भी चित्तगत भाव ही हैं। वास्तव में इसका समाधान यहाँ यह है कि ये चैत्त भावों के रूप में नैतिक नहीं होते बल्कि प्रतिमानानुसारी होने से नैतिक होते हैं। इस प्रकार कुछ भावों को नैतिक और मूल्यवान् और दूसरों को अनैतिक और मूल्य-विरुद्ध कहा जा सकता है, किन्तु नैतिकता का बोध इनके अधीन नहीं किया जा सकता।

यहाँ अर्जुन की दुष्परिणाम-विषयक युक्ति पर भी संक्षेप में विचार स्थाने होगा। अब, मान लें कि अर्जुन जिन परिस्थितियों को युद्ध नहीं करने की परिस्थितियों के रूप में देख रहा था वे वास्तव में वैसी ही थीं। उस अवस्था में उसकी युद्ध से उपरति उचित थी या नहीं? **गीता** का उत्तर यहाँ कांट से भी अधिक निरपेक्षतावादी है। यह उत्तर युक्त है या नहीं यहाँ हम इस प्रश्न को छोड़कर[1] अर्जुन के इस निर्णय के अधिकार पर ही विचार करना चाहेंगे। अर्जुन के निर्णय के अधिकार का प्रश्न उसकी उद्विग्न मन:स्थिति के कारण उत्पन्न होता है। परिणामों के आधार पर कर्त्तव्य-निर्णय के लिए परिणाम-विचार की योग्यता अपेक्षित है जो योग्यता चित्त के राग-राहित्य को पूर्वापेक्षित करती है। यहाँ कुछ दूसरे चिन्तक इसके ठीक विपरीत बात कहते हैं। उदाहरणत: सार्त्र का कहना है कि उद्वेग और राग केवल विषयिनिष्ठ प्रतिक्रियाएँ ही नहीं होते बल्कि वे वस्तु-स्वरूप के उद्घाटक भी होते हैं। उसके

1. कर्त्तव्य-निर्णय में परिणाम-विचार के औचित्य के प्रश्न पर द्रष्टव्य यशदेव शल्य —— **समाज : दार्शनिक परिशीलन** (रावत पब्लिकेशंस, दिल्ली-जयपुर, 1991) में अध्याय 6.

अनुसार 'घृणा, भय, प्रेम या सहानुभूति भी जगत् का सत्य पाने के प्रकार (वेज़ ऑफ डिस्कवरिंग दि वर्ल्ड) होते हैं। ये वस्तुएँ ही होती हैं जो हमारे सम्मुख अपना सत्य घृणीय, प्रेमास्पद, भयावह, जघन्य और कमनीय के रूप में प्रस्तुत करती हैं।[1] निश्चय ही सुन्दर, कुरूप आदि पद वस्तु-गुण-वाचक रूप में ही प्रयुक्त होते हैं और ये गुण भावुक चित्त को ही गम्य होते हैं। किन्तु किस प्रकार? साधारणतः सुन्दर, कुरूप आदि पदों को वस्तु पर भावना के आरोप ही समझा जाता है और ये चित्त के लौकिक धरातल पर वस्तु-आवरक होते भी हैं, किन्तु चित्त के लोकोत्तर धरातल पर ये वस्तुओं के ऐसे अलौकिक गुणों को उद्घाटित करते हैं जो भावना-शून्य या अलौकिक धारतल पर आरोहण में असमर्थ चित्त को गम्य नहीं होते। कवि और चित्रकार तो इसके स्पष्ट उदाहरण हैं ही, गायक, नर्तक, कथाकार, मूर्त्तिकार, यहाँ तक कि कुँभकार और आकृतियों के अन्य सर्जकों को भी उन गुणों के दर्शक कहा जा सकता है। ये आकार भावुक चित्त के लिए ही साक्षात्कार्य होते हैं। किन्तु तब घृणा, भय और कामादि उद्वेग, अथवा कहें इनसे उद्विग्न चित्त, वस्तु-प्रापक नहीं होते बल्कि इन्हें उपादेय रूप में आत्म-समाहित करने वाला अतिक्रामी चित्त ही यह प्रापक होता है। किन्तु एक अर्थ में लौकिक चित्त के उद्वेग भी वस्तु-प्रापक कहे जा सकते हैं—अधिकांश पाशव व्यवहार इन्हीं उद्वेगों से संचालित होता है।

किन्तु नैतिक चेतना जिस तत्त्व या वस्तु के साक्षात्कार को लक्षित करती है उसके लिए भी उद्वेग या भावनाएँ अपने लौकिक अथवा अलौकिक आयामों में वस्तु-प्रापक होती हैं या वस्तु-आवरक यह बात विचारणीय है। अब, जहाँ एक ओर सार्त्र और दूसरे पाश्चात्य फिनोमिनलोजिकीय दार्शनिक उद्वेगों को उनके लौकिक आयामों में भी वस्तु-प्रापक मानते हैं वहाँ दूसरी ओर जैन हैं जो इनके लोकोत्तर आयाम में भी इन्हें वस्तु-आवरक देखते हैं। उनके अनुसार बुद्ध की करुणा भी इस कारण हेय है क्योंकि उसमें राग का लेश है। किन्तु वैराग्य का अपनी इस पराकाष्ठा में क्या अर्थ हो सकता है यहाँ यह देखना उपयोगी होगा। विसुद्धिमग्ग में एक कथा है कि, एक भिक्षु से यह पूछा जाने पर कि इधर कोई स्त्री गई है? वह उत्तर देता है—

> नाभिजानामि अत्थी वा पुरुसो वा इतो गतो।
> अपि च अट्ठि संघातो गच्छति स महा पथे। (1.49, भाग-1, पृ.67)

'इधर से कोई स्त्री या पुरुष गया है यह तो मैं नहीं जानता, किन्तु इस महापथ से एक अस्थि-संघात अवश्य गया है।' यहाँ द्रष्टव्य है कि यह दृष्टि एक अर्थ में उस भौतिकवादी दृष्टि के अनुरूप है जिसमें चित्त भौतिक परमाणु-संघात मात्र में अपचेय होता है, यह बात दूसरी है कि भौतिकवादी गुणों के मात्राओं में इस अपचय का उपयोग वैराग्य के लिए नहीं करके भोगवाद के समर्थन के लिए करता है। किन्तु इस कथा की तुलना शंकराचार्य और चाण्डाल की उस कथा से की जा सकती है जिसके अनुसार शंकर के चाण्डाल को सामने देखकर उसके स्पर्श से बचने का प्रयत्न करने पर उसने शंकर से कहा कि 'जब देहाभिमान मिथ्या होने से मेरी और आपकी देह में कोई अन्तर नहीं है और आत्मा में द्वैत का वैसे ही कोई प्रश्न नहीं हो सकता तब आपका मेरे स्पर्श से बचने का प्रयत्न कैसे युक्तिसंगत कहा जा सकता है?[2] अब, उपर्युक्त बौद्ध कथा और शंकर-चाण्डाल विषयक कथा में दो साम्य हैं—एक तो यह कि दोनों में तत्त्व और प्रतीति-विषयक तत्त्वमीमांसीय दृष्टि का उपयोग प्रतीति-स्तरीय बोध के निषेध के लिए किया गया है और दूसरे, इस निषेध का उपयोग नैतिक दृष्टि-दोष-निवारण के लिए किया गया है। किन्तु ये दोनों कथाएँ एक गहरे अर्थ में भ्रामक कही जा सकती हैं। इनमें प्रथम की भ्रामकता इस बात में है कि स्त्री के रूप के प्रति वैराग्य का आधार स्त्री के निषेध को बनाया गया है। किन्तु स्त्री-रूप से वैराग्य के लिए यह कोई उचित आधार नहीं है। उसके लिए उचित आधार उसकी वशवर्तिता में स्वातन्त्र्य का क्षय होना और उन अनुसरणों का बाधित होना है जो समृद्धतर अर्थों के साक्षात्कार में उपादेय बनाते हैं और इस प्रकार एक उच्चतर

---

1. 'इंटेश्नेलिटी, ए फंडामेंटल आइडिया ऑफ हुस्सर्ल्स फिनोमिनलोजी', जर्नल ऑफ दि ब्रिटिश सोसाइटी फॉर फिनोमिनलोजी, वर्ष 1, अंक 2, पृ. 5
2. द्रष्टव्य, प्रोफेसर के. सच्चिदानन्द मूर्ति — 'राष्ट्रीय श्री शंकराचार्य जयन्ती महोत्सव का उद्घाटन भाषण', पृ. 6-7

नैतिक-धरातल को सिद्ध करते हैं। इसके अतिरिक्त, स्त्री-रूप मिथ्या प्रतीति मात्र होने पर फूल, सूर्योदय, रेतीले विस्तार या वन में नदी पर शान्त प्रकाश विकीर्ण करती चाँदनी सब असत् प्रतीति मात्र हो जाएंगे। शांकर कथा की भ्रामकता इस बात में है कि शंकर के चाण्डाल को अस्पृश्य मानने की अयुक्तता उनके (शंकर और चाण्डाल के) देह-भेद के मिथ्यात्व में देखी गई है जबकि वास्तव में इसकी अयुक्तता इस बात में है कि उनमें वर्ण-भेद को तात्त्विक सत्य के रूप में देखा गया है जबकि यह भेद केवल समाज-व्यवहारमूलक है और यह व्यवहार किसी को अस्पृश्य बनाने के लिए उचित आधार नहीं हो सकता। निश्चय ही किसी के मलिन और दुर्गन्धित होने पर, जो कि चाण्डाल अन्यायपूर्ण समाज-व्यवस्था के कारण होते थे, उसे अस्पृश्य मानना उचित हो सकता है, किन्तु यह अस्पृश्यता स्थायी नहीं हो सकती। किन्तु 'मलिन होने के कारण किसी के प्रति घृणात्मक प्रतिक्रया और घृणात्मक प्रतिक्रिया द्वारा प्रस्तुत विषय (घृणीय-अस्पृश्य विषय) परक दृष्टि सत्त्व (सद्-दृष्टि) नहीं है', इस सत्य को नैतिक बोध उद्घाटित करता है और इस बोध के अनुसार अपनी सहज प्रतिक्रियाओं को निरुद्ध कर उस मलिन व्यक्ति के मलिन होने के प्रति करुणा और उसे मल से मुक्ति दिलाने का प्रयत्न, आवश्यकता होने पर आत्मीय भाव से उसकी सेवा ये सब नैतिक आचरण माने जाते हैं। अब, प्रथम को अनैतिक, असद् और असत्य दृष्टि तथा दूसरी को नैतिक, सद् और सत्य दृष्टि कहने का क्या औचित्य है?

यहाँ इस प्रश्न के औचित्य के सम्बन्ध में भी प्रश्न उठाया जा सकता है, और वास्तव में दार्शनिक विचार की दृष्टि से यह प्रश्न अनिवार्य और आधारभूत महत्त्व का कहा जा सकता है। इस प्रश्न का अर्थ है कि क्यों घृणा-दृष्टि को असत्य और निर्घृण दृष्टि को सत्य माना जाय? इसके लिए कसौटी क्या है? और उस कसौटी की प्रामाणिकता का क्या आधार है?

इसका एक उत्तर इस प्रश्न की तुलना सत्य-विषयक एक दूसरे प्रश्न से करने के द्वारा दिया जा सकता है : 'भूतल पर घट है' इस अध्यवसाय की सत्यता के लिये क्या प्रमाण है? यदि उत्तर दिया जाय कि 'इन्द्रिय-सन्निकर्ष' तो इस पर प्रश्न हो सकता है कि इस प्रमाण की प्रामाणिकता का क्या आधार है? दर्शन के इतिहास में इस प्रमाण की प्रामाणिकता को प्राय: ही चुनौतियाँ दी गई हैं। किन्तु इससे आगे भी एक प्रश्न हो सकता है कि इस प्रमाण की अपेक्षा के लिए क्या औचित्य है? दूसरे शब्दों में, यह प्रश्न ही क्यों है कि 'भूतल पर घट है' यह अध्यवसाय सत्य है या असत्य? इस प्रश्न का प्रष्टव्य क्या है? इसका उत्तर होगा कि यह चेतना का आद्य भाव है, चेतना प्रस्तुत विषय की स्वकीय सत्ता के प्रति आस्था के साथ ही प्रवृत्त होती है और इस आस्था के बाधित होने पर उसकी इस आस्था के लिए आस्था से बाहर प्रमाण खोजने की आवश्यकता होती है। अब, यदि कोई प्रश्न करे कि 'चेतना के सत्यासत्य सन्दर्भगत इस आद्य भाव के लिए क्या युक्तता है' तो इसका क्या उत्तर हो सकता है? अब, इस आद्य भाव के अर्थ का विवेचन और निरूपण तो हो सकता है किन्तु इसके होने के औचित्य-विषयक सन्देह के निवारण की मांग नहीं की जा सकती। यही बात प्रवृत्तियों की उचितानुचित साँदर्भिकता के सम्बन्ध में कही जा सकती है। इस प्रश्न की अप्रष्टव्यता का अर्थ है कि प्रवृत्तियों के औचित्य का प्रश्न चेतना का आद्य भाव है। यदि यहाँ आपत्ति की जाय कि यह चेतना मात्र का आद्य भाव तो नहीं है, तो यह सही है किन्तु इसका उत्तर होगा कि यह उस चेतना मात्र का आद्यभाव है जो आत्मचेतन है, जो अपने को ज्ञेय रूप में उत्सृष्ट करती है। इस चेतना के लिए अपने प्रवर्तनों की सार्थकता, युक्तार्थता उसी प्रकार प्रष्टव्य होती है जिस प्रकार अपने प्रत्यक्षों की सत्यता प्रष्टव्य होती है। अन्यथा 'मेरा यह भाव, यह प्रवृत्ति, यह आचरण उचित है या नहीं' यह प्रश्न ही प्रस्तुत नहीं हो सकता। इस प्रश्न का होना मात्र इसकी आद्यता और साधारतता का प्रमाण है, उसी प्रकार जिस प्रकार सत्यासत्य के प्रश्न का होना उस प्रश्न की आद्यता और साधारण का प्रमाण है।

किन्तु यहाँ आपत्ति हो सकती है कि प्रवृत्तियों की युक्तार्थता-अयुक्तार्थता, अथवा कहें उचितता-अनुचितता विषयक बोध आद्य होने पर भी इनकी युक्तार्थता का क्या लक्षण है, यह स्वत:स्पष्ट नहीं होता, जिस प्रकार प्रत्यक्ष की सत्यासत्यता का बोध आद्य होने पर भी उसके लिए प्रमाण की युक्तता का लक्षण स्वत:स्पष्ट

नहीं होता। किन्तु वास्तव में ऐसा भी नहीं है। इन दोनों बोधों में स्वत:स्पष्टता की न्यूनता केवल आत्मचेतन रूप से प्रस्तुत होने, अथवा कहें लक्षणों के विवेच्य रूप से अवगम्य होने, की न्यूनता होती है। इसी से यह स्फुटता भी इन्हें कहीं बाहर से प्राप्त नहीं होती, बल्कि चेतना की आत्मविषयक स्फुटता से, चेतना के आत्ममंथन से, ही मिलती है। उदाहरण के लिए 'यह व्यवहार अन्यायपूर्ण है' यह बोध व्यवहारगत न्याय के लक्षण-बोध के पूर्ण अभाव में प्रकट नहीं हो सकता, कहना चाहिए कि यह आद्य बोध यह लक्षण-बोध ही होता है, केवल ये लक्षण अपनी सम्यक्ता और सम्पूर्णता में अवगम्य नहीं होते। वास्तव में सम्यक्ता और सम्पूर्णता की इस मांग के दो अर्थ हो सकते हैं। एक तो यह कि न्याय-अन्याय विषयक सब परिस्थितियों में कौन-से लक्षण किसी कर्म को न्यायसंगत बनायेंगे और दूसरा यह कि परिस्थिति विशेष में कौन-सा कर्म न्यायसंगत होगा इसके लक्षणों का स्पष्टतया अवगत होना। स्पष्टत: ये दोनों अर्थ चेतना के उस स्तर से उबरने पर जन्म लेते हैं जिस स्तर पर वह सम्पूर्णत: बाह्य उद्दीपनों की वशवर्ती होती है। चेतना का यह स्तर प्राय: अहंकारात्मक, आवेगात्मक और रागात्मक होता है। इस स्तर से उबार का अर्थ है अहंकार, आवेगात्मकता और रागात्मकता का अतिक्रमण, चेतना का अहंकार-विहीन, आवेग-विहीन, राग-विहीन हो जाना और अपनी वशवर्तिता का प्रेक्षक हो सकना। किन्तु प्रेक्षण की यह सामर्थ्य सिद्ध हो जाने पर भी चेतना को रागात्मक स्तर से मुक्ति नहीं मिल जाती। औचित्य-अनौचित्य के विवेक का आधार चेतना की यही स्तर-द्वयता है। द्वितीय : प्रेक्षण-सामर्थ्य के : स्तर पर चेतना को जिन तत्त्वों का साक्षात्कार होता है वे चेतना को अपने सत्य के रूप में प्रकट होते हैं, ऐसा सत्य जिसकी मानो वह शाश्वत रूप से खोज में थी। किन्तु यह स्तर वास्तव रूप में प्रथम स्तर से ईषत् ही उबर पाता है, और यह जितना ही उबर पाता है उतना ही प्रथम स्तर अवांछनीय के रूप में और इसके अधीन कर्म और प्रवृत्तियाँ अनुचित के रूप में लांछित होते हैं। ऐसा नहीं है कि ये लांछन दूसरे स्तर द्वारा प्रथम पर अपने प्रतिमानों के बाह्यत: आरोप होते हैं। इसके विपरीत, ये प्रथम स्तर के स्वरूप के उद्घाटक होते हैं, जो उद्घाटन चेतना के उस स्तर पर रहते घटित नहीं होता। ऐसा नहीं है कि अहंकार, आवेग और राग का स्वरूप केवल अनौचित्य और अवांछनीयता का ही होता है, अपने स्वकीय स्तर पर यह जीवन की सृष्टि और स्थिति का और रूप, रस, गंध आदि के अनुभूति-वैभव का आधार होता है। वास्तव में रूप, रस, गंध, स्पर्श और शब्द ऐसे आविर्भाव हैं जो जीवन के अस्तित्व के लिए अनिवार्य नहीं कहे जा सकते। यदि इन्हें उत्प्रेक्षया आनन्द-सृष्ट अर्थ-वैभव, अथवा चेतना के आनन्दातिरेक की अभिव्यक्ति कहा जाय तो यह अयुक्तिसंगत नहीं होगा : रूपं रूपं प्रतिरूपो बभूव। इनके इस वैभव को प्रेक्षकता का ऊर्ध्वतर स्तर विकल्पात्मक या कलात्मक अर्थों में रूपान्तरित कर जिस वस्तु-लोक या सौन्दर्य-लोक की सृष्टि कर पाता है वह लोक अथाह और अपार होता है। निश्चय ही प्रकृति का अपना वैभव गाम्भीर्य और विस्तार में कम सम्पन्न नहीं है, किन्तु वह चेतना के रूपपंचक के बिना तमसावृत ही रहता है। किन्तु यह रूप-पंचक अप्रेक्षात्मक : अनात्मचेतन : चेतना के स्तर पर अपने उस अर्थ-वैभव को प्रकट नहीं कर पाता जो अर्थ-वैभव प्रेक्षात्मक चेतना के स्तर पर अपने अथाह गाम्भीर्य और विस्तार का दर्शन कर पाता है। विज्ञान और कला-सृष्टि में यही वैभव दो भिन्न आयामों में अवगाह्य बनता है।

अब यहाँ सार्त्र के पूर्वोल्लिखित मत की भ्रान्तता देखी जा सकती है : निश्चय ही जैव अपेक्षाएँ, उद्वेग और राग-द्वेष वस्तु-प्रापक होते हैं : भूख घास की भोज्यता को और रसना उसकी आस्वाद्यता को प्रकट करती है और इनमें दूसरा गुण : आस्वाद्यता : अपनी विषयिता में उतना ही वास्तव होता है जितना प्रथम अपनी विषयता में, किन्तु ये दोनों गुण चेतना की अहंकाराधीन वृत्ति में यह देखने में बाधक होते हैं कि क्यों दूसरों के भूखा होने पर मेरा न्यूनतम आवश्यकता से अधिक खाना और स्वाद-तृष्टि के लिए इस तथ्य की उपेक्षा करना क्यों दोष है? अब, ये क्यों दोष हैं? इसका उत्तर होगा कि ये इसलिए दोष हैं क्योंकि इनमें चेतना प्रथम स्तर को उत्तीर्ण कर, अर्थ-वैभव के साक्षात्कार-जन्य सुख के उपभोग के सामर्थ्य रहते भी अर्थ-दरिद्र अवर लोक के तमस् से आवृत रहती है। इसीसे इस बात का अर्थ भी समझा जा सकता है कि क्यों 'तेन त्यक्तेन भुंजीथाः' का निर्देश नैतिक और निरपेक्ष है और इसकी अधीनता स्वातन्त्र्यप्रद और सुखकर है, और इसके विपरीत भाव अनैतिक और उसकी अधीनता पारतन्त्र्य, सुख से वंचितता तथा दु:ख है।

नैतिक निर्देश के अनुसरण को सुखकर कहना सहज ही सुखवाद को और इस प्रतिज्ञा को अपना आधार बनाता है कि 'मनुष्य सहज रूप से सुख-कामना से ही प्रवृत्त होता है। जब सुखान्वेषी के लिए अन्य व्यक्तियों से अपने को समायोजित करना अनिवार्य हो जाता है तब एक सामाजिक नियम और व्यवस्था का जन्म होता है। इस व्यवस्था को ही नैतिक नियम कहा जाता है। यह व्यवस्था व्यक्तियों द्वारा सुखान्वेषण की प्राकृतिक बाधाओं और पारस्परिक संघर्षों से सुरक्षित करने के लिए ही आविष्कृत की जाती है। जहाँ व्यक्ति परोपकार, पर-हित, दया, त्याग आदि से प्रेरित भी प्रतीत होता है वहाँ भी वास्तव में वह अचेतन रूप से सुख-कामना से, अथवा दुःख, उद्विग्नता, व्याकुलता-निवारण के उद्देश्य से ही प्रेरित होता है।' यह सिद्धान्त आधुनिक पश्चिम में बहुत व्यापक रूप से प्रचलित रहा है,[1] और यद्यपि दार्शनिक स्तर पर इसका प्रतिवाद भी बहुतों ने किया है किन्तु सांस्कृतिक रूप से आधुनिक पश्चिम की नैतिक दृष्टि का यही प्रतिनिधि कहा जा सकता है। अब, यह सिद्धान्त मनुष्य को पशु से किसी भी प्रकार भिन्न नहीं करता, परिणामत: यह उस सुख को देख ही नहीं पाता जो अतिक्रान्त चित्त को गम्य होता है और निरुद्विग्न, शान्त और निरपेक्ष होता है। निश्चय ही बहुजन-हितवाद नैतिक कर्म को वैयक्तिक सुखान्वेषण-परक और सुख को मात्र जैव चित्त-परक नहीं मानकर कर्म को सुख-संवर्द्धन के निर्वैयक्तिक उद्देश्य से प्रेरित मानता है और इसमें परार्थ की अन्वेष्यता और नैतिक बोध की आधारभूत अतिजैवता की स्वीकृति भी है जो इसे सुखवाद की तुलना में स्वरूप के समीपतर लाती है, किन्तु तब भी यह वास्तव में नैतिक पर्येषणा के सत्य के सम्बन्ध में आधारभूत भ्रान्ति से ग्रस्त है। नैतिक पर्येषणा का लक्ष्य श्रेयस्, चेतना का आध्यात्मिक उत्कर्ष है, सुख नहीं। हमने पीछे जो सुख की बात की उसमें सुख श्रेयस् से ही परिभाषित होता है श्रेयस् सुख से नहीं, जैसाकि सुखवाद और बहुजन-हितवाद दोनों में लक्षित है। 'अधिकाधिक संख्या का अधिकाधिक सुख' के इस सिद्धान्त में आधिक्य मात्रात्मक और हित अर्थ-मूलक रूप में ही कल्पित है, आध्यात्मिक श्रेयस् के रूप में नहीं, जो कि नैतिक चेतना का अन्वेष्य है। निश्चय ही श्रेयान्वेषी 'सबको सुखी और सबको निरामय' देखना चाहेगा ही और अपने कर्म के सत् होने के लिए इसे भी एक कसौटी बनायेगा, किन्तु यह कसौटी उसके लिए श्रेयस् की उच्चतर दृष्टि में एक अंगभूत ही हो सकती है, उसकी आधार और साध्य नहीं।

यहाँ आध्यात्मिकता और श्रेयान्वेषण का अर्थ वैयक्तिक सिद्धि का अन्वेषण नहीं है, जैसाकि मोक्ष या निर्वाण के अन्वेषण पर प्राय: ही आरोप लगाया जाता है। बुद्ध की जीवन-चर्या, जिसे ठीक ही रचना-काय कहा जाता है, और गाँधी की जीवन-चर्या, जिसकी मुख्य प्रेरणा मानव-मुख पर हर्ष की झलक देखना ही थी, इसके आदर्श उदाहरण कहे जा सकते हैं। यही बात शंकराचार्य और श्री अरविन्द के तथा विवेकानन्द और दयानन्द के सम्बन्ध में भी कही जा सकती है। किन्तु यदि इनकी चर्याओं को 'समाज-कल्याण' की बहुजन-हितवादी अवधारणा के अनुसार परिभाषित किया जाय तो इससे बड़ी भ्रान्ति दूसरी नहीं होगी। बुद्ध का बुद्धत्व सम्बोधि में और अपने मनोभौतिक विग्रह का स्वातन्त्र्य में धारण करने में है, जन-कल्याण के प्रयत्नों में नहीं, यद्यपि वे मनुष्य के आध्यात्मिक कल्याण के प्रति भी समान रूप से चिन्तित थे। महात्मा गाँधी की चिन्ता भी मनुष्य के आध्यात्मिक कल्याण के प्रति ही थी, यद्यपि वे उसके आर्थिक-सामाजिक दारिद्र्य और दुःखों के प्रति भी समान रूप से चिन्तित थे। नैतिक सन्दर्भ में सुख का वास्तव में यही अर्थ है—मन के मालिन्य का क्षय। किन्तु इसका यह अर्थ नहीं है कि नैतिक व्यक्ति अपने कर्म में अन्य के लौकिक दुःखों की उपेक्षा कर सकता है, उसका कर्म अन्य के दुःख का कारण हो यह तो उसके अनुसार किसी भी प्रकार विहित नहीं हो सकता। इसी से अहिंसा, अस्तेय, क्षमा, परोपकार, सहानुभूति, करुणा आदि नैतिक कर्म के उतने ही आधारभूत गुण हैं जितने आत्म-मलों के निवारण के दूसरे प्रयत्न हैं। जो व्यक्ति जिस सीमा तक अहंकार और राग से मुक्त हो सकता है वह उसी सीमा तक अन्य के अधिकारों को अपनी लाभ-हानि से ऊपर देख सकता है, और यह मुक्ति वैयक्तिक अभ्युदय में

1. ऐसा नहीं है कि भारत या ग्रीस में इस सिद्धान्त के प्रतिपादक नहीं रहे, किन्तु इन संस्कृतियों में इसे कभी व्यापक स्वीकृति नहीं मिली, न आधुनिक युग से पूर्व कभी पश्चिम में ही मिली। इसको सिद्धान्त का एक निश्चित रूप सर्वप्रथम जेरेमी बेंथम (1748-1832) द्वारा मिला।

उतनी ही पूर्वापेक्षित होती है जितनी अन्य विषयक उदारता, क्षमा, न्याय-परायणता में। अथवा कहें मन, वाणी और कर्म से अहिंसक और न्यायशील होना उतना ही वैयक्तिक साधना के लिए अपेक्षित होता है जितना समाज के प्रति निष्ठावान् होने के लिए। अब, हिंसा का त्याग हिंसक मनोवृत्ति का ही त्याग होता है और मन में हिंसा-भाव नहीं मिटने पर विचार में उसका त्याग और तदनुसार कर्म में उसका निरोध मनोवृत्ति के क्रियान्वयन का निरोध होता है। इस प्रकार यह उतनी ही आत्मकेन्द्रित आत्म-साधना होती है जितनी मोक्ष के लिए गुफा में समाधिस्थ होकर की गई आत्मसाधना होती है। अब, निश्चय ही इनमें प्रथम में अनिवार्यत: अन्यविषयकता भी रहती है जबकि दूसरी में नहीं रहती, किन्तु यह अन्यविषयकता किस प्रकार की होती है? इसके उत्तर के लिए यह देखना उपयोगी होगा कि हिंसा से क्यों विमुख होना चाहिए? नैतिक कर्म के प्रसंग में व्यक्ति और समाज के भेद को लाने वाले और नैतिक कर्म को समाजपरक देखने वाले[1] इसका इससे भिन्न कोई उत्तर नहीं दे सकते कि मेरा हिंसक कर्म प्रतिहिंसक कर्म का जनक होगा और इस प्रकार स्वयं मेरे लिए भी घातक होगा। किन्तु नैतिक कर्म-विषयक यह दृष्टि इसे मौलिक रूप से स्वार्थमूलक बना देती है, क्योंकि इसमें अन्य के अहित से अपने को रोकने का प्रयोजन अपने हित की रक्षा है। इसके विपरीत हिंसक मनोवृत्ति की निरोध्यता देखना हिंसा को चेतना के कल्मष के रूप में देखना है और कल्मष मूलत: अहंकार-मूलक और इस प्रकार स्वार्थ में लिप्त करने वाला : समाज-विरोधी : होता है। इस प्रकार नैतिक बोध होने पर न केवल अहिंसा ही मूल्य हो जाती है बल्कि समाज भी मूल्य हो जाता है : स्वयं व्यक्ति की अपनी चेतना के सार्वभौमीकरण के द्वारा उत्कर्षोपलब्धि के रूप में, अद्वैत की भाषा में, ब्रह्म-भाव, भूमा-भाव की ओर एक चरण के रूप में। किन्तु यदि समाज को इतर की क्लिष्ट उपस्थिति के रूप में देखा जाता है और धर्म-नीति को इस उपस्थिति से निपटने के लिए, इसके समाधान के लिए देखा जाता है तब न केवल नैतिक बोध एक मूल्य-बोध ही नहीं रहता बल्कि इसमें अल्पव्याप्ति-दोष भी होता है। क्योंकि इस प्रकार व्यक्ति के ऐसे सब प्रयत्न इसके क्षेत्र से निकल जायेंगे जो अन्यथा इसके अन्तर्गत ही देखे जाते हैं।

उदाहरणत: इस दृष्टि के अनुसार विद्यार्थी का विद्याभ्यास में आलस्य, किसी का रूप-रसादि में अति आसक्तिवश तदनुकूल अनुसरणों में निमग्न रहना, अथवा दूसरे निरर्थक व्यसनों में लिप्त रहने के कारण सार्थक अनुसरणों से विरत रहना, ये सब अनैतिकता की परिधि में नहीं आयेंगे, जबकि, जैसाकि हमने पीछे देखा, ये मनुष्य के नैतिक व्यक्तित्व की विप्रकृष्टता के ही घटक होते हैं। इन सब अनुसरणों या अननुसरणों को अनैतिक कहने के पीछे युक्ति यह है कि ये चेतना में अधिष्ठातृत्व की, आत्म-नियामकत्व की क्षीणता के द्योतक होते हैं और व्यक्ति का अस्तित्व इस अधिष्ठातृत्व का ही अस्तित्व होता है। 'अधिष्ठातृत्व' और 'स्वातन्त्र्य' पर्यायवाची शब्द हैं, जिसका अर्थ है कि ऊपर 'अनैतिक' विशेषण से विशेषित अनुसरण चेतना के पारतन्त्र्य के विधायक होते हैं। अब, यह व्यक्तित्व नैतिक कर्म की पूर्वापेक्षा होता है। 'कोई कर्म नैतिक है' का अर्थ है कि वह आत्म-नियामक चेतना द्वारा आचरित है। किन्तु तब समाज भी नैतिक अस्तित्व, नैतिक सत्त्व ही हो जाता है : व्यक्ति के लिए नैतिक कर्म के एक क्षेत्र रूप में और अपनी व्यापकता की साधना के रूप में तथा मानव-चेतना के एक दूसरे आयाम के रूप में।[2] इसका अर्थ यह नहीं है कि अन्यत्व अन्य व्यक्ति के रूप में और समाज के रूप में होता ही नहीं और नैतिक चेतना में उसकी कोई भूमिका ही नहीं होती। निश्चय ही व्यक्ति मनोदैहिक रूप से देश-कालावच्छिन्न अन्य-व्यावृत्त अस्तित्व ही होता है, इसी प्रकार नैतिक निर्णय के गम्भीर और जटिल अवसरों पर व्यक्ति अपने को अकेला, अन्यों द्वारा अपने उत्तरदायित्व के लिए अपने ही पर छोड़ दिया गया हुआ, पाता है।

---

1. द्रष्टव्य प्रोफेसर दयाकृष्ण — **सोश्यल फिलोसोफी : पास्ट एण्ड फ्यूचर**, इंडियन इंस्टीट्यूट् फार एडवांस्ड स्टडी, शिमला, 1970, अध्याय 2-3, तथा मार्ल्यू पोंती — **दि प्राइमेसी ऑफ परसेप्शन एण्ड अदर एस्सेज**, सं. जे. एम. इडी अवॉस्टन, नार्थ वेस्टर्न यूनिवर्सिटी प्रेस, 1964, पृ. 26.

2. मानव के समानरूप से दो आयाम हैं—वैयक्तिक और सामाजिक। इस प्रकार मानव व्यक्ति-मानव और समाज-मानव दोनों होता है। यह वह एक-साथ भी हो सकता है और पृथक्त: भी। इस पर विस्तृत विचार के लिए द्रष्टव्य यशदेव शल्य — **समाज : दार्शनिक परिशीलन**, प्रथम अध्याय।

यहाँ **गीता** में स्वयं श्रीकृष्ण द्वारा सब तत्त्वों का ज्ञान दे देने के बाद अर्जुन को कर्म के निर्णय के लिए अपने पर छोड़ देना[1] नैतिक सन्दर्भ में अन्य की भूमिका देखने के लिए विशेष उद्‌बोधक हो सकता है। किन्तु उत्तरदायित्व का यह एकाकी वाहक उत्तरदायित्व-बोध के लिए अन्य का अपेक्षी नहीं होता, अन्य इसमें क्षेत्र या भूमि भी नहीं बनता, वह प्रतिरोधक या भयास्पद तो सर्वथा नहीं होता। वह केवल नैतिक सत्य के साक्षात्कार के निमित्त अन्तर्गुहा में निवर्तन के प्रसंग में बाह्यता बनता है, ऐसी बाह्यता जो आन्तरता के लिए संकेत बनती है। कृष्ण : दिव्य सखा : की अर्जुन से अन्यता दूसरे किस प्रकार की हो सकती है?

नैतिक कर्म के औचित्य-अनौचित्य-निर्णय के आधार स्पष्ट होने पर भी वास्तव परिस्थितियों में कर्त्तव्य-निर्णय अत्यन्त कठिन होता है। 'गहना कर्मणो गतिः', 'कवयोऽप्यत्र मोहिताः' ये कथन विशिष्ट परिस्थितियों में कर्त्तव्य-निर्णय के सम्बन्ध में ही हैं। यहाँ सर्वप्रथम यह द्रष्टव्य है कि नैतिक कर्म का सन्दर्भ प्रायः बाह्य ही देखा गया है जबकि, जैसाकि हमने ऊपर देखा, नैतिक कर्म चित्त-वृत्ति मात्र पर व्यापक होता है, निरहंकारता और वैराग्य बाह्य कर्म और चित्त-वृत्ति दोनों के नियमन और नियोजन के लिए अनिवार्य होते हैं। किन्तु कोई भाव इनसे मुक्त है या नहीं यह देख पाना बहुत कठिन होता है। उदाहरणतः अभिज्ञान शाकुन्तलं में दुष्यन्त यह ज्ञात होने पर कि शकुन्तला क्षत्रिय-कन्या है, ब्राह्मण-कन्या नहीं, इस तथ्य को उसके प्रति अपने आकर्षण के उचित होने की पुष्टि के रूप में देखते हैं। अब, इसमें दो पूर्वमान्यताएँ स्पष्ट हैं। प्रथम, कि कोई चित्त-प्रवृत्ति केवल अधिष्ठातृत्व के अधीन प्रवृत्त होने पर ही उचित हो सकती है। और दूसरे कि, औचित्य-निर्णय के लिए स्थिर नियम हो सकते हैं, और ये नियम संस्कृति द्वारा साक्षात्कृत, अर्थात् व्यक्ति के लिए बाह्यतः प्रदत्त, हो सकते हैं। यहाँ, शकुन्तला के प्रति दुष्यन्त का आकर्षण उचित था या नहीं इसके लिए कालिदास यद्यपि अन्तःकरण के साक्ष्य को ही प्रमाण मानते हैं, किन्तु केवल सद्‌व्यक्त के अन्तःकरण के साक्ष्य को, अर्थात् संस्कार-पूत अन्तःकरण के साक्ष्य को ही। किन्तु यहाँ 'संस्कार' का अर्थ अपनी सांस्कृतिक परम्परा द्वारा निश्चित व्यवहार के नियमों से है, अपनी आत्मा के साथ अव्यवहितत्व से नहीं। किन्तु 'आत्म-अव्यवहितत्व' का, अपने भाव की सच्चाई का, उस सच्चाई का जिसे अस्तित्ववादी 'आथंटिसिटी' कहते हैं, क्या अर्थ है? किसी पुरुष का किसी स्त्री के लिए कोई आकर्षण उचित और सच्चा है या नहीं, इसका उस पुरुष को कैसे पता चलेगा? आकर्षण की तीव्रता से? या कि इससे कि यह आकर्षण उस स्त्री के रूप के प्रति नहीं बल्कि उसके रूप से परे उसके 'व्यक्तित्व' के प्रति है? अब, पहले तो उस 'व्यक्तित्व' का क्या अर्थ है यह स्पष्ट नहीं है, और दूसरे, यदि इसका कोई अर्थ हो तो कैसे आकर्षण का यह विषय रूप-सौन्दर्य से अधिक उचित विषय है? इसी प्रकार, परोपकार में अन्य के प्रति आर्द्रता इस कर्म की सच्चाई में उचित भाव है या नहीं? **गीता**, जैन चिन्तक और कांट स्पष्टतः इसे अनुचित मानते हैं। किन्तु क्या आर्द्रता 'अनुचित' होती है या कि यह केवल अप्रासंगिक होती है? अथवा यह दोनों नहीं होकर उचित दृष्टि के साथ चित्त की अनुकूलता की, सामरस्य की, द्योतक होती है? यदि आर्द्रता मात्र अनुचित हो तब प्रेम, मैत्री, भक्ति और वात्सल्य आदि में भी यह अनुचित होनी चाहिए जबकि इनमें यही आधार होती है। या फिर इन्हें भी धर्म-नीति के विपरीत होना चाहिए। इसी प्रकार, कर्म में परिणाम-विचार प्रासंगिक होता है या अप्रासंगिक, अयुक्त अथवा अयुक्त? भारत में धर्म-नीति-विषयक विचार की सर्वाधिक सम्मानित पुस्तक **गीता** स्पष्टतः इसे अप्रासंगिक कहती है, इसी प्रकार कांट तथा अन्य भी बहुत से चिन्तक कहते हैं, किन्तु परिणाम के अप्रासंगिक होने पर परोपकार की कर्त्तव्यता का कोई अर्थ नहीं रहता। 'परोपकार' का अर्थ ही है अन्य के लाभ के विचार से, विशेषतः कष्ट-निवारण के विचार से, किया गया कार्य। निश्चय ही यहाँ पर कठिनाई है कि परिणाम के सम्बन्ध में हम निश्चित नहीं हो सकते, न आत्यंतिक रूप से यही जान सकते हैं कि जिसे हम सुख या दुःख समझ रहे हैं वे वास्तव में ही वैसे हैं। किन्तु अनिश्चय रहने पर परोपकार में प्रवृत्ति भी सम्भव नहीं हो सकती। परोपकारार्थ कर्म में प्रवृत्त होना तो तभी सम्भव है यदि पर-हित को लक्षित करके हम कर्म में प्रवृत्त हों और परिणाम में वह प्राप्त करना

1. इति ते ज्ञानमाख्यातं। गुह्यात्गुह्यतरंमया।
विमृश्येतदशेषेण यथेच्छसि तथा कुरु। गीता 18.63

चाहें। इस पर **गीता** का समाधान है कि योग-क्षेम का निर्णायक और विधायक ईश्वर है, इसलिए हमें तो अपने कर्म में निमित्त मात्र होना चाहिए, कर्त्तृत्वाभिमानी नहीं। (निमित्त मात्रं भव सव्यसाची)। किन्तु तब स्थिति-विशेष में, अथवा सामान्यत: भी, कर्त्तव्य-अकर्त्तव्य का निर्णय कैसे होगा? उदाहरणत: **गीता** ने जो प्रसंग प्रस्तुत किया है : युद्ध क्षेत्र : उसमें उसका प्रतिपादन है कि क्षत्रिय का कर्त्तव्य केवल युद्ध करना है और युद्ध का प्रयोजन न्याय की रक्षा करना है। किन्तु तब कर्त्ता अपने कर्म द्वारा परिणाम में अन्याय का निवारण और न्याय की प्रतिष्ठा करना चाहेगा। दूसरे, कर्त्तव्य-कर्मी को न्याय-अन्याय का विवेक होना चाहिए। अब, यह विवेक कैसे होगा? कर्त्ता अपने पक्ष के सम्बन्ध में कैसे स्पष्ट हो सकता है? यदि परिस्थिति केवल बाह्य हो तब तो निर्णय उतना दुष्कर नहीं होगा, किन्तु यदि उसका आयाम अन्य कर्त्ता के अन्तर तक व्यापक हो तब निर्णय कैसे होगा? अपने पक्ष के सम्बन्ध में भी कोई तब तो निश्चित हो सकता है जब वह अकेला ही कर्त्ता हो, किन्तु यदि उसका कार्य सामूहिक हो तो वह अपने पक्ष के अन्य कर्त्ताओं के सम्बन्ध में कैसे स्पष्ट हो सकता है? उदाहरणत: अर्जुन के पक्ष के न्याय-सम्मत होने के लिए जितना आवश्यक यह है कि उसका अधिकार-क्षेत्र स्पष्ट हो उतना ही यह भी आवश्यक है कि वह हृदय से स्वच्छ, निष्काम और निर्वैर हो। किन्तु उसका पक्ष तो केवल उस तक सीमित नहीं है, उसके भाई और पत्नी द्रौपदी भी उसके पक्ष के अनिवार्य अंक हैं। उनके स्वच्छ और निष्काम हुए बिना तो उसका पक्ष न्यायसंगत नहीं हो सकता। गाँधीजी भारत की स्वाधीनता के लिए संघर्ष में सत्य और अहिंसा को आवश्यक मानते थे किन्तु उनके सहयोगियों का सत्य और अहिंसा-परायण होना उनके कार्य के कर्त्तृत्व का अंग था या नहीं? स्पष्ट है कि उस संघर्ष के कर्त्तृत्व के वे सब भी अंग थे। किन्तु सत्य और अहिंसा में उनका कोई विश्वास नहीं था यह गाँधीजी भी जानते थे।

कहा जा सकता है कि गाँधीजी इस कर्म द्वारा अपने सहयोगियों को भी नैतिकता की शिक्षा देने का प्रयत्न कर रहे थे। किन्तु स्वतन्त्रता-संघर्ष का कर्म नैतिक शिक्षा के लिए नहीं था, वह तो न्याय की प्राप्ति के लिए था, जिस प्राप्ति के लिए कर्त्ताओं का संघर्ष के लिए उपयुक्त नैतिक व्यक्ति होना अपेक्षित था। किन्तु वास्तव में अन्त:करण की स्वच्छता विषयक कठिनाई सहयोगियों के सम्बन्ध में ही नहीं होती, उससे कहीं अधिक वह अपने सम्बन्ध में होती है। प्राय: ही प्रकटत: परोपकारार्थ किये जा रहे कर्म का वास्तविक प्रेरक अहंकार का सन्तोष ही होता है जिसका हमें ज्ञान नहीं होता। अधिकांश दान इसी प्रेरणा से दिया जाता है। इसी प्रकार, प्रकटत: परार्थपरक कृत्यों के मूल में स्वार्थ ही रहता है जिसे स्वयं उन कृत्यों का कर्त्ता नहीं जानता। उदाहरणत: किसी की सहायता करते हुए हमारा वास्तव प्रयोजन यह होता है कि आवश्यकता पड़ने पर वह हमारी सहायता करेगा, अथवा दूसरे हमें परोपकारी के रूप में जानें, इसके अतिरिक्त कि उस कृत्य से हम स्वयं अपनी दृष्टि में प्रशंसनीय बनना चाहते हैं। पूर्णत: निस्स्वार्थ भाव से कर्म नितान्त अपवाद रूप में ही कभी कोई करता है। चित्त में निरहंकारता, पूर्ण निस्स्वार्थता की सिद्धि चित्तवृत्ति-निरोध से कहीं अधिक कठोर तपस्या की अपेक्षी होती है।

अब **गीता** में परिणाम-निरपेक्ष होकर कर्म करने के उपदेश में इस पूर्ण निरहंकार भाव की सिद्धि अपेक्षित है। यह भी कहा जा सकता है कि वास्तव में परिणाम-निरपेक्षता ही निरहंकारता है, क्योंकि परिणाम-सापेक्षता में यह भाव निहित हो सकता है कि 'इस परिणाम को घटित करने वाला मैं हूँ : इस दु:खी व्यक्ति को दान देने वाला और इसका दु:ख निवारण करने वाला मैं हूँ।' 'भोग्य वस्तुओं को ईश्वर के द्वारा प्रदत्त मानकर उनका उपभोग करो' का उपदेश वास्तव में अहंकार-मुक्ति की सिद्धि का उपदेश ही है : 'वह विपन्न और मैं सम्पन्न, यह बात ही अविचार्य है क्योंकि धन का वास्तव स्वामी तो ईश्वर ही है', अथवा, 'यह एक आगन्तुक और बाह्य उपलब्धि है जिससे कोई भी वंचित हो सकता है। परिणामत: विपन्न को देना केवल देने के कार्य का निमित्त होना है, उसका उपकरण होना है।' कृष्ण अर्जुन को युद्ध करने के लिए कहते हुए अन्तत: अपने विराट् रूप का जो प्रदर्शन करते हैं उसका यही आशय हो सकता है : मारने के कर्म के कर्त्तृत्व से अर्जुन को मुक्त करना।

किन्तु कर्म का परिणाम तो कोई होगा ही। वास्तव में एक कर्म के अनेक परिणाम होते हैं, कर्म उनमें से कम से कम एक को लक्षित करके किया जाता है, अन्यथा कर्म निरुद्देश्य होगा, जोकि वदतोव्याघात कहा जा सकता है। 'फल के प्रति निष्काम-भाव' में वास्तव में कर्म की निरुद्देश्यता या परिणाम-निरपेक्षता विवक्षित नहीं है बल्कि

केवल 'उद्देश्य की सिद्धि नहीं होने पर दुःख और सिद्धि होने पर सुख' से ताटस्थ्य विवक्षित है। अब, यदि कर्म सोद्देश्य होता है तो 'कर्म के सम्भावित फल' के उत्तरदायित्व से हम नहीं बच सकते, यह उत्तरदायित्व-बोध कर्म की नैतिकता का अनिवार्य अंग हो जाता है। 'दृष्टि-पूतं न्यसेत् पाद' (चलते हुए पैर ध्यान से रखना चाहिए) इस विधान में परिणाम के प्रति सतर्कता का ही निर्देश है, और हमारे कर्म का परिणाम अवांछित हो जाने पर यदि हम पाते हैं कि यह परिणाम हमारे प्रमाद से, असावधानी से, हुआ तो उसके लिए अनुताप से हम केवल नैतिक बोध से रहित होकर ही बच सकते हैं। आसक्ति या तो कर्म के अनुचित फल का ज्ञान होने पर भी उस कर्म में हमें प्रवृत्त करती है अथवा परिणामों के सम्बन्ध में हमारी दृष्टि को आवृत कर ऐसे अकर्म की हेतु बनती है जो कर्म परिणाम का स्पष्ट ज्ञान रहने पर हमने नहीं किया होता। इस प्रकार कर्म के परिणाम के उत्तरदायित्व से हम केवल तभी बच सकते हैं यदि हम अनासक्त भाव से पूर्णत: सतर्क और प्रमाद-रहित होकर परिणाम-विचार-पूर्वक कर्म करते हैं किन्तु तब भी फल विपरीत हो जाता है। ईश्वर के विराट् रूप-दर्शन का लाभ केवल यह अनासक्ति-लाभ ही हो सकता है। सम्भावित परिणामों का ज्ञान रहने पर भी उनमें वांछनीय-अवांछनीय, शुभाशुभ का विवेक नहीं करना, और यह विवेक होने पर भी वांछनीय नहीं करना और अवांछनीय से नहीं रुकना, इनके उत्तरदायित्व से मुक्त नहीं हुआ जा सकता। किन्तु **गीता** के 'विराट् रूप-दर्शन' में कर्म के सम्भावित परिणाम में विवेक के प्रति भी तब औदासीन्य विवक्षित प्रतीत होता है जब कृष्ण कहते हैं कि 'जिनके मरने की सम्भावना से तू विचलित हो रहा है वे तो पहले ही मेरे द्वारा हत हैं।' अब, निश्चय ही सब मरते हैं, किन्तु इससे हमारे कर्म के फल के रूप में किसी की हत्या के उत्तरदायित्व से हम मुक्त नहीं हो जाते।

कर्म के दो अनिवार्य पक्ष हैं : यथाभूत का यथाभाव्य में रूपान्तरण और कर्त्ता द्वारा अपना क्रियान्वयन। **गीता** एक प्रकार से कर्म को इन दोनों पक्षों से वियुक्त करती है : प्रथम पक्ष में विराट् रूप-दर्शन द्वारा और दूसरे में कर्म को प्रकृति का अनिवार्य और पुरुष को तटस्थ प्रवर्तक बताकर। किन्तु कर्म का तत्त्व कर्त्ता के अपने को घटित करने और जगत् को घटित करने के प्रति उत्तरदायी होने में है, इसी में पुरुष का पुरुषार्थ होता है। द्रष्टव्य है कि 'नैतिक कर्म' 'कर्म' का केवल एक विशिष्ट क्षेत्र है और इस प्रकार नैतिकेतर कर्म भी होता है। कर्म के इन धर्म-नीत्येतर आयामों में 'निष्कामता', 'फल निरपेक्षता' आदि पद प्रासंगिक भी नहीं होते। एक गायक न ध्वनि से निस्संग होता है और न अपने कर्म के परिणामों से, और इस कर्म के द्वारा वह अपने को क्रियान्वित करता है। कहा जा सकता है कि नैतिक कर्म में निष्कामता की साधना ही आत्मक्रियान्वयन का कर्म होता है और अपने प्राकृतिक अस्तित्व :चित्त-वृत्तियों : का औचित्य के अनुसार नियोजन यथाभूत का यथाभाव्य के अनुसार रूपान्तरण होता है। किन्तु नैतिक कर्म इस दृष्टि से कर्म के अन्य आयामों से भिन्न होता है कि यह अन्यविषयक भी हो सकता है, और जब यह अन्यविषयक होता है तब कर्म के अन्य विषयक परिणामों का आकलन भी इस कर्म की युक्तता का अनिवार्य अंग होता है। इस युक्तता का दूसरा और अधिक महत्त्वपूर्ण अंग निश्चय ही कर्त्ता की अपनी चित्तवृत्ति की युक्तता होता है, किन्तु अन्य पर प्रभाव का आकलन भी उसका अनिवार्य अंग होता है। और यह 'अन्य' सम्पूर्ण जीव-सृष्टि ही होती है। नैतिक कर्म के प्रतिमानों में अहिंसा को स्थान देने के पीछे यही युक्ति है। किन्तु प्रत्येक कर्म का आद्य तत्त्व आत्मक्रियान्वयन होने से कर्म की परिस्थिति इतनी जटिल हो जाती है कि प्राय: ही एक कर्त्ता व्यामिश्रग्रस्त हो जाता है। **गीता** के आरम्भ में अर्जुन का संशय इसका एक बहुत अच्छा उदाहरण है : एक ओर असत्य और अघ का पक्ष है जिसके विरुद्ध खड़े होना अनिवार्य है, दूसरी ओर हिंसा है, रक्तपात है। यह रक्तपात भी अपने तक सीमित परिणामी नहीं है, इससे समाज का विशृंखलन भी होने वाला है। श्री कृष्ण हिंसा और सामाजिक विशृंखलन को अर्जुन के कर्त्तव्य-निर्णय के लिए अप्रासंगिक मानते हैं। इसमें उनकी युक्ति के दो अंग हैं। एक यह कि 'उसका बुद्धि से देहपर्यन्त अस्तित्व प्राकृतिक है और प्राकृतिक होने से उसका कर्म में प्रवृत्त नहीं होना उसके वश में नहीं है।' दूसरा यह कि, 'वह क्षत्रिय है और क्षत्रिय होने से उसका कर्म युद्ध ही हो सकता है।' किन्तु तब क्या कोई रक्तपात भी कर सकता है? हिंसा भी कर सकता है? इसका समाधान श्रीकृष्ण इस युक्ति से करते हैं कि जीवन और मृत्यु आत्मा के लिए आगन्तुक हैं, वे उसके तत्त्व नहीं हैं। इसलिए किसी के मरने से क्या अन्तर पड़ता है? जैसाकि पीछे हमने देखा, आगे वे जीवों के जीवन-मरण का विधाता

ईश्वर को कहकर अर्जुन को युद्ध-कर्म के परिणाम से मुक्त कर देते हैं। किन्तु तब हिंसा-अहिंसा का क्या अर्थ रहेगा? 'अन्य' के शुद्ध आत्मा होने पर अन्यत्व का क्या अर्थ रहेगा? निश्चय ही कोई सम्पूर्ण जगद्व्यापार को ईश्वरीय लीला के रूप में देखते हुए अपने और अन्य के सुख-दु:ख से तटस्थ हो सकता है, किन्तु तब भी क्या इस चित्त-भूमि पर अवस्थिति के आधार पर उसके द्वारा दूसरों की हत्या को उचित स्वीकार किया जा सकता है? इसका एक उत्तर हो सकता है कि धर्म-नीति व्यावहारिक चित्त-भूमि का विषय है और 'परिणाम' आदि की बात इस भूमि से ही सम्बन्धित है जबकि **गीता** का विचार पारमार्थिक चित्त-भूमि से सम्बन्धित है। किन्तु यह उत्तर युक्त उत्तर नहीं कहा जा सकता, क्योंकि जैसाकि हमने इस अध्याय के आरम्भ में देखा, धर्म-नीति वास्तव में परमार्थ-बोध की भूमि पर से ही व्यवहार का नियोजन है।

धर्मनीतिगत प्रामाण्य का स्वरूप

पिछले अध्याय में हमने देखा कि विषय जिस प्रकार सत्यासत्यात्मक प्रमाण-सन्दर्भ में प्रस्तुत होते हैं चित्तवृत्तियाँ उसी प्रकार सदसदात्मक प्रमाण से सन्दर्भ में प्रस्तुत होती हैं। इस दूसरे सन्दर्भ के प्रमाण क्या हैं? कौन-से गुण या लक्षण किन्हीं चित्तवृत्तियों को सद् बनाते हैं और दूसरे कौन-से गुण या लक्षण दूसरी चित्तवृत्तियों को असद् बनाते हैं? द्रष्टव्य है कि विषयों की सत्यासत्यता वस्तुमूलक नहीं होकर ज्ञान या अध्यवसायमूलक ही होती है। दूसरे शब्दों में, वस्तुएँ या विषय सत्यासत्य नहीं होते उनके सम्बन्ध में हमारा ज्ञान ही सत्य या असत्य होता है। इस प्रकार सत्य और असत्य चेतनामूलक ही ठहरते हैं, वस्तुमूलक नहीं। किन्तु सद्-असद् या उचित-अनुचित के सम्बन्ध में ऐसा नहीं कहा जा सकता, ये गुण हमारी चित्तवृत्तियों को ही लक्षित करते हैं, उनके सम्बन्ध में हमारे निर्णयों या बोध को नहीं। किन्तु सदसद्-विषयक हमारे निर्णय सत्य या असत्य और इस प्रकार ज्ञानात्मक भी कहे जा सकते हैं। इस प्रकार, 'मेरा अमुक व्यवहार, कर्म, भाव या प्रवृत्ति सद् है या असद्?' इस प्रश्न का उत्तर सत्य या असत्य, सही या भ्रान्त ही कहा जायगा सद् या असद् नहीं, जबकि सद्-असद्-विधायक गुण कर्म-गत या भाव-गत कहे जाएंगे, यह बात दूसरी है कि चित्तवृत्तियों की सदसदात्मकता उन विषयक हमारी ज्ञानात्मक दृष्टि को भी प्रभावित करती है। किन्तु यह प्रभाव केवल हमारे सद्-असद्-विषयक निर्णयों के ही सही या भ्रान्त होने पर नहीं पड़ता बल्कि वस्तु-विषयक निर्णयों के भी सत्य-असत्य होने पर पड़ता है। असद्-वृत्तियों वाले व्यक्ति की सत्यासत्य-विषयक दृष्टि प्रायः ही धूमिल और विषयिनिष्ठ होती है। किन्तु सदसद्-विषयक निर्णयों में यह प्रभाव केवल एकोन्मुख ही नहीं होता, चित्तवृत्तियों विषयक हमारे निर्णय भी हमारी चित्तवृत्तियों को प्रभावित करते हैं। हमारी किसी प्रवृत्ति का असद् अंकित होना उसका निरोध्य रूप में मूल्यांकित होना भी होता है, चाहे हम उसका निरोध सरलता से नहीं कर पायें। किन्तु निरोध्य अंकित हो जाने पर चित्तवृत्ति अपने बल में तो क्षीण हो ही जाती है।

किन्तु यहाँ यह देखना महत्त्वपूर्ण है कि अनात्मचेतन जीवों की चित्तवृत्तियाँ सद् या असद् नहीं कही जातीं। अब यदि इन चित्तवृत्तियों को सद् या असद् कहना युक्त नहीं है तो इसका अर्थ है कि चित्तवृत्तियों में सदसद्‌ता के गुण स्वकीय नहीं होते बल्कि ये निर्णय-दृष्टि के द्वारा ही इन पर आरोपित होते हैं। यदि ये गुण चित्तवृत्तियों के ही माने जाएँ तब अनात्मचेतन जीवों की चित्तवृत्तियाँ भी उतनी ही सद् या असद् कही जानी चाहिएँ जितनी आत्मचेतन जीवों की कही जाती हैं। इसका समाधान यह है कि सद्-असद् गुण प्रतिमान की सापेक्षता में ही निर्धारित होते हैं और उस अपेक्षा से ही पोषणीय या हेय बनते हैं। ये प्रतिमान निर्णय-समर्थ चेतना के लिए ही अवगम्य हो सकते हैं, इसलिए अनात्मचेतन जीवों की चित्तवृत्तियाँ प्रतिमान के अभाव के कारण सदसद्रूप में मूल्यांकित नहीं होतीं। किन्तु यदि यह कहा जाय कि इस प्रतिमान के अवगमन की नितान्त अयोग्यता इन चित्तवृत्तियों को मौलिक और अनिवार्य रूप से असद् बना देती हैं तो यह अनुपयुक्त नहीं होगा। यह अयोग्यता चेतना में प्रकाश के नितान्त अभाव की, चेतना के नितान्त तमसावृत होने की द्योतक होती है, यद्यपि मानव-चेतना में आत्मप्रकाश की योग्यता के आविर्भाव से चेतना मात्र में तमस् से मुक्ति, अथवा कहें प्रकाश में उन्मीलित होने के लिए निरन्तर उद्विग्नता का अनुमान युक्तियुक्त प्रतीत होता है। चेतना में प्रकाश के लिए प्रयत्न के इस अभ्युपगम से चेतना की इस प्रकाश के आविर्भाव से पूर्व की अवस्था को पूर्ण असद् की, यद्यपि सद् के आभास से अन्तर्गर्भ, अवस्था ही कहा जा सकता है और मनुष्य में असद् की विद्यमानता को इस तमस् से मुक्ति की अपूर्णता की द्योतक कहा जा सकता है। मनुष्य को असद् केवल धर्म का ज्ञान रहते हुए भी अधर्माचरण में प्रवृत्त रहने पर ही नहीं कहा जाता बल्कि धर्माधर्म का विवेक नहीं रहने पर भी कहा जाता है, यह बात दूसरी है कि उसे अभियोग का अधिकारी कहा जाना चाहिए या नहीं, यह बात विवादास्पद हो सकती है। किन्तु तब भी, पशु में

विवेक और आत्मनियमन की योग्यता का नितान्त अभाव होने से उसके आचरण को सद् या असद् नहीं कहा जा सकता।

प्रकाश के अभाव अथवा अज्ञान के तीन रूप कहे जा सकते हैं—1. इन्द्रियासन्निकर्षमूलक, 2. विषयस्वरूपमूलक, और 3. आत्मस्वरूपमूलक। इनमें प्रथम प्रकारक अज्ञान को उचित रूप में अज्ञान नहीं कहा जा सकता, क्योंकि इसका मूल हमारे अस्तित्व के सीमित स्वरूप में निहित है : हम सम्मुख प्रस्तुत वस्तुओं को भी असंख्य में से केवल एक दृष्टिकोण से ही देख सकते हैं, अप्रस्तुत देश और काल में स्थित वस्तुओं की तो फिर बात ही क्या है। और इससे भी बड़ा वैचित्र्य यह है कि इन्द्रियों के लिए वस्तुएँ इस सीमितता से निर्धारित होकर ही गम्य हो सकती हैं, इस सीमितता का अतिक्रमण करके नहीं। उदाहरणत: यदि किरणें अपने सब भंगों में एकसाथ या भंग-रहित रूप में हमें प्रस्तुत हों तो हम वर्णों को नहीं देख सकते, अथवा यदि वस्तुओं के सभी पक्ष एक-साथ हमें दृश्य हों तो वस्तुओं के आकार नहीं हो सकते। दूसरे, इन्द्रिय-सन्निकर्ष स्वत: कोई ज्ञान भी नहीं देता, यह सन्निकर्ष ज्ञान का केवल उपकरण बनता है। निर्विकल्पक इन्द्रिय-सन्निकर्ष चेतना का प्रकृति से तादात्य-भाव है जिस प्रकार निर्विकल्पक आत्म-सन्निकर्ष आत्मा से तादात्म्यभाव है। अनात्मचेतन चेतना में यह सन्निकर्ष भोज्याभोज्य, उपयोग्यनुपयोगी आदि के ज्ञान का उपकरण बनता है और आत्मचेतन चेतना में सृजनात्मक अर्थों का। ज्ञान चेतना में प्रकाश का होना है। इसी से एक ही इन्द्रिय-सन्निकर्ष पशु, जन-साधारण, और वैज्ञानिक में ज्ञान के तीन भिन्न स्तर प्रस्तुत करता है। यहाँ आपत्ति की जा सकती है कि इन्द्रिय-सन्निकर्ष भी ज्ञान का एक मौलिक स्रोत है जो वास्तव में तथाकथित सृजनात्मक अर्थों से व्यवहित होता है और इस प्रकार पशु में जबकि यह इन्द्रियगम्य विषयों के अव्यवहित ज्ञान का स्रोत होता है, मनुष्य में यह व्यवहित होता है। इस दृष्टि में चेतना का यह अध्यवसायात्मक और सृजनात्मक व्यापार प्रकाशात्मक नहीं होकर प्रकाश का आवरक ही ठहरता है और विकल्प कहा जाता है। इस विकल्प-व्यापार का यह निरूपण एक प्रकार से तो सही है : इसमें इन्द्रिय-सन्निकर्ष निश्चय ही व्यवहित हो जाता है, किन्तु इसे ज्ञान में व्यवधान कहना उचित नहीं है। इसके समर्थ में पशु-व्यवहार के ऐसे उदाहरण दिये जा सकते हैं जिसमें व्यवहार अप्रस्तुत वस्तुस्थितियों से निर्धारित होता है, जैसे पशु-पक्षियों की प्रवास-यात्राएँ सुदूर स्थित गन्तव्य स्थान के जलवायु से निर्धारित होती हैं जो इन्द्रिय-असन्निकृष्ट होते हैं। यहाँ यह भी नहीं कहा जा सकता कि गन्तव्य स्थानों के जल-वायु की कल्पना उन पक्षियों की चेतना में रहती है। इसका एक समाधान यह हो सकता है कि उसकी स्मृति जातीय चेतना में रहती है, और दूसरा समाधान यह हो सकता है कि वायु और सूर्य से संकेतित तापमान इन्द्रिय-सन्निकर्ष के द्वारा उन्हें नियुक्त करते हैं। जो भी हो, ये प्राकृतिक चेतना को विकल्पात्मक कोटियों द्वारा समझने के प्रयत्न ही हैं। इस चेतना के व्यापार का सहज प्रवृत्ति (इंस्टिंक्ट) के रूप में भी निरूपण किया गया है, जो उचित जान पड़ता है। यह सहज प्रवृत्ति भोज्याभोज्य और उपयोग्यनुपयोगी के वैसे 'ज्ञान' में कैसे समर्थ होती है जो विकल्प बुद्धि के लिए सहज गम्य नहीं है, इस पर यहाँ विचार अस्थाने होगा, किन्तु यह स्पष्ट है कि विकल्प-बुद्धि के द्वारा यह सहज 'ज्ञान' व्यवहित हो जाता है। किन्तु यह व्यवधान विकल्प-बुद्धि के लिए उन अद्भुत अर्थ-लोकों का उद्घाटन करता है जो लोक इस सहज चेतना के लिए अगम्य रहते हैं। विज्ञान, शास्त्र, दर्शन, धर्म, नीति, कला इन विभिन्न अर्थ-लोकों की ही संज्ञाएँ हैं। इन लोकों को कल्पनात्मक और इन लोकों की अवगन्तृ चेतना को व्यवहित कहने के पीछे बाह्य लोकावस्थित भूतवस्तु की अवधारणा है जिस वस्तु से चेतना का अव्यवहित सन्निकर्ष उसका प्रापक होता है। पाशव चेतना में ऐन्द्रिक सन्निकर्ष का तथाकथित अव्यवहितत्व इसका एक आदर्श उदाहरण प्रस्तुत करता है। किन्तु यह बहुत बड़ी भ्रान्ति है।

चेतना के वस्तु-सन्निकर्ष के लिए उसमें पूर्ण वृत्ति-विहीनता अपेक्षित होती है जबकि इन्द्रियाँ स्वयं वृत्तियाँ हैं। इन्द्रिय-वृत्तियों से सन्निकर्ष को अव्यवहित कहना बहुत बड़ी भ्रान्ति है। इन्हें शुद्ध रूप से जगद्परकवृत्तियाँ कहा जा सकता है। जहाँ तक पशुओं का प्रश्न है, उनमें ये वृत्तियाँ भी आवेगों के लिए उद्दीपक और भोगात्मक वासनाओं के लिए संकेत से अधिक कोई अर्थ नहीं रखतीं। इस प्रकार उनमें वास्तव में इन्द्रियों का वस्तु-सन्निकर्ष

पूर्णरूप से व्यवहित होता है। वस्तु का वस्तुत्व केवल चेतना के वृत्ति-अतिक्रमण से ही उपलब्ध होता है जो अतिक्रमण चेतना उसी सीमा तक सिद्ध कर पाती है जिस सीमा तक वह अपने में निवर्तित हो पाती है। इसमें एक स्पष्ट अन्तर्विरोध प्रतीत होता है। किन्तु जैसाकि हम जानते हैं, इन्द्रिय-विषयों का वस्तुत्व भी इन्द्रिय-वृत्तियों : रूप, रस, गन्ध आदि : के अतिक्रमण से ही उपलब्ध होता है, इनकी अधीनता से नहीं। इस प्रकार इन्द्रियगम्य वस्तु का स्वरूप भौतिक है और यह स्वरूप हमें उतना ही पूर्णता और प्रांजलता में उपलब्ध होता है जितनी हम भौतिक विज्ञान में प्रगति करते हैं। द्रष्टव्य है कि यह प्रगति क्रमशः अपने विगत चरणों को अप्रमाणित करती चलती है। किन्तु इसे इधर विज्ञान-दार्शनिकों ने विकल्प-जालों की क्रमिक दक्षता ही कहा है जिनकी सत्यता की कसौटी वस्तु-प्रापकता नहीं होकर व्यवहार-सुकरता होती है। इन दार्शनिकों के अनुसार वस्तु एक अनावश्यक कल्पना मात्र है। वास्तव में इस मत के आधार में वस्तु की वही बाह्य देश में स्वतन्त्र अवस्थिति की अवधारणा ही है जो वस्तु विज्ञान के लिए अनुपलभ्य रहने से उसके लिए विचारणीय नहीं रहती। किन्तु यदि सत्य को हम ज्ञान की आत्म-बाह्य वस्तु से अनुरूपता में नहीं देखकर चेतना के अपने सृजन-स्रोतों से सन्निकर्ष के रूप में देखें तो विज्ञान के क्रमिक चरण भी इस सन्निकर्ष की सिद्धि के क्रमिक सोपानों के रूप में देखे जा सकते हैं। वैज्ञानिक सन्दर्भ में यह बात इसलिए अटपटी लगती है क्योंकि विज्ञान का अन्वेष्य ऐन्द्रिय जगत् का नियमन है जो जगत् हमारी सहज चेतना के लिए भोज्याभोज्य और विकल्पात्मक चेतना के लिए बाह्य है। किन्तु इस नियमन की सफलता को बाह्य वस्तु-विषयक सफलता नहीं देखकर विकल्प-विषयक सफलता देखना इसी बात का द्योतक है कि यह सफलता भी चेतना के अपने सृजन-स्रोतों की सन्निधि में लौटने से ही सिद्ध होती है। किन्तु विज्ञान में चेतना की जो सृजनात्मकता प्रतिफलित होती है उसका विषय जगत् है और उसकी मूल वृत्ति ऐन्द्रिक है। इसलिए इसके सृजन-स्रोतों में लौटकर भी चेतना तब तक इसमें अपने को नहीं देख सकती जब तक वह इस सृजन-कर्म में प्रवर्तित आत्म-मूल को लक्षित नहीं कर इस प्रवृत्ति के विषय जगद्भाव में ही व्यस्त रहती है। इस प्रतिपादन की युक्तता तब अधिक स्पष्ट दीखने लगती है जब सत्य का सन्दर्भ हम इन्द्रिय-विषय या व्यवहार-सौकर्य से बदल कर दार्शनिक, धार्मिक, आचार-नीतिपरक या आध्यात्मिक कर देते हैं। यहाँ आपत्ति हो सकती है कि तब भ्रम और संशय के लिए कोई स्थान शेष नहीं रहेगा। किन्तु यह आपत्ति युक्त नहीं है। भ्रम और संशय सत्यविषयक दृष्टि के सापेक्ष ही होते हैं और इस प्रकार चेतना के उस स्तर पर निर्णय सत्य के अनुषंगी होते हैं। उदाहरणत: रज्जू-सर्प-भ्रम भौतिक तत्त्व के वैज्ञानिक स्वरूप-निर्धारण के स्तर पर घटित नहीं होता, यह सहज इन्द्रियज्ञान-मूलक व्यवहार के सन्दर्भ में ही घटित होता है। सत्य-दर्शन का यह स्तर-भेद उपनिषद् की उस कथा में बहुत सुन्दर रूप में निरूपित है जिसमें ऋषि इन्द्र और विरोचन द्वारा आत्मा के स्वरूप-विषयक जिज्ञासा करने पर उत्तर देता है कि 'देह ही आत्मा है' और इस उत्तर से विरोचन सन्तुष्ट होता है किन्तु इन्द्र सन्तुष्ट नहीं होता। इसी प्रकार महात्मा बुद्ध के उपदेश भी होते थे—श्रोताओं की चेतना के स्तर-भेद के अनुसार भिन्न। निश्चय ही विरोचन के सन्तोष को 'मूलगामी भ्रान्ति में सन्तोष' भी कहा जा सकता है, किन्तु इसे अल्प सत्य में सन्तोष भी कहा जा सकता है, और यह दूसरा कथन ही वास्तव में अधिक उपयुक्त है। क्योंकि 'देह ही आत्मा है' यह उत्तर 'आत्मा क्या है' इस जिज्ञासा का उसके लिए वास्तव में ही, और सही, समाधान करता है जो आत्मा के विपुलतर स्वरूप को देख पाने में असमर्थ होता है। इस परिस्थिति को समझने के लिए एक दूसरा उदाहरण देखें : 'जो जन्मता है वह अवश्य मरता भी है' (जातस्य हि ध्रुवं मृत्यु:)। यह एक तथ्य का कथन करने वाला वाक्य है। इस रूप में इस कथन पर यह मतभेद भी सम्भव है कि यह वाक्य विश्लेषणात्मक है या संश्लेषणात्मक, प्रागनुभविक संश्लेषणात्मक है या आनुभविक संश्लेषणात्मक? अरस्तू के निगमन तर्क के उदाहरण में इसका उपयोग इसी रूप में हुआ है : सब मनुष्य मरणधर्मा हैं, इसलिए अरस्तू का मरना भी अनिवार्य है। किन्तु 'जातस्य हि ध्रुवं मृत्यः' कथन का अर्थ इतना मात्र ही हो अथवा इससे विपुलतर यह चेतना की बोध-भूमि पर, उसकी दृष्टि-सामर्थ्य पर, निर्भर करता है। इसका अर्थ इस तथ्य का उदाहरण होने मात्र : जन्मने और मरने के तथ्य मात्र : से लेकर (जो कि सब जीवों की स्वाभाविक स्थिति है) अर्जुन द्वारा ईश्वर के विराट् रूप-दर्शन से उत्पन्न बोध तक, अथवा सिद्धार्थ की सम्बोधि तक विस्तृत है।

द्रष्टव्य है कि 'जो जन्मता है वह अवश्य मरता भी है' का अर्थ–वैपुल्य इस वाक्य के वाच्य के रूपान्तरण से फलित हुआ है। इसका प्रथम वाच्य घटनाओं का कारण–कार्यात्मक सम्बन्ध है जबकि दूसरा वाच्य जीवन का अर्थ, मनुष्य की एषणाओं और मूल्यों की सार्थकता का प्रश्न है। इस दूसरे अर्थ के सम्बन्ध में ठीक ही कहा जाता है कि इसका कोई विषयनिष्ठ आधार नहीं होता। किन्तु इससे यह आपादन कि इस कारण इस सम्बन्धी निर्णयों का कोई युक्त आधार नहीं होता, या ये प्रामाणिक नहीं होते, भ्रान्ति है। ये निर्णय जिस वस्तु को विषय बनाते हैं वह वस्तु चेतना स्वयं ही होती है और परिणामत: चेतना जितनी ही अपनी सन्निधि में होती है उतने ही इसके निर्णय प्रामाणिक और समृद्ध होते हैं। उदाहरणत: 'जो जन्म लेता है वह अवश्य मरता भी है' इसके दूसरे अर्थ : कि तब एषणाओं और लौकिक मूल्यों की क्या सार्थकता है? : के विभिन्न विवेचनों को देखें। इसका सरलतम और सहजतम विवेचन चार्वाकों ने 'यावज्जीवेत सुखं जीवेत' द्वारा किया है। यह उत्तर उस चेतना के लिए प्रामाणिक भी है जो अपने से नितान्त बहिष्कृत है, जिसका सुख ऐन्द्रिक अतृप्तियों की पूर्ति तक सीमित है। किन्तु स्पष्टत: यह उत्तर उसे भी सन्तोष नहीं दे सकता जो चेतना के अन्नमय से आगे मनोमय स्तर पर है और देखता है कि मृत्यु के इस तथ्य का प्रथम सम्बन्ध तो इन्द्रियों से ही है। तब या तो मृत्यु का होना एक भौतिक घटना से आगे कोई अर्थ नहीं रखता और इस प्रकार 'जब तक जीये सुख से जीये' मूल्य–बोध या पुरुषार्थ–बोध भी इसके उत्तर के रूप में अप्रासंगिक हैं, या फिर यह पुरुषार्थ–बोध प्रासंगिक है और यह किसी अन्य जिज्ञासा को भी जन्म दे सकता है और वह जिज्ञासा ही वास्तव में युक्त जिज्ञासा है। तब इसका यह उत्तर कि 'इसलिए इन्द्रियों की तृप्ति ही अन्वेष्य है' युक्त उत्तर नहीं हो सकता। और इस उच्चतर जिज्ञासा की युक्तता तो इस उत्तर में भी स्वीकृत है कि 'जब तक जीये सुख–लाभ के लिए ही जीना चाहिए।' इसका एक दूसरा उत्तर भी हो सकता है कि 'जीवन जब आगन्तुक है और मृत्यु कभी भी हो सकती है तब जीना मात्र न तो जीवन का अर्थ हो सकता है और न उसका जो जीता है। इसलिए उस अर्थ को जानना चाहिए जो जीवन का और जीने वाले का है और उस अर्थ के अनुसार ही जीना चाहिए।' अब, इस उत्तर का एक अनिवार्य आपादन मृत्यु से निर्भयता है जबकि प्रथम का आपादन जीवन को किसी प्रकार बनाये रखने का प्रयत्न और परिणामत: मृत्यु–भय है। अब, मृत्यु से निर्भयता सहज प्रवृत्ति के पूर्णत: विपरीत है किन्तु मृत्यु की अनिवार्यता और जीवन की नितान्त आगन्तुकता इस भय को उस अर्थ के प्रतिकूल प्रदर्शित करती है जो अर्थ इस तथ्य पर विचार से प्रकट होता है। इससे यह सहज प्रवृत्ति अनुसरणीय नहीं रहती, अनुसरणीय इस पर विजय ठहरती है। किन्तु द्रष्टव्य है कि यह अनुसरणीयता–अननुसरणीयता का विवेक चेतना के इतिहास में एक नितान्त क्रान्तिकारी घटना है यद्यपि विचार के आविर्भाव के साथ इसका आविर्भाव उतना ही सहज है जितना सहज दैहिक जीवन के आविर्भाव के साथ मृत्यु–भय का आविर्भाव है। किन्तु यह विवेक विचार के साथ सहज होने पर भी तर्कत: अनिवार्य नहीं है, विचार यथातथ के विवेचन तक भी सीमित रह सकता है। ह्यूम का यह प्रतिपादन कि 'यथातथ' से 'यथोचित' पूर्णत: असम्बद्ध है और प्रथम से दूसरा अनुगत नहीं होता इस तरह से सही है, किन्तु यह तर्कत: अनुगत नहीं होने पर भी मनन–वृत्ति में वस्तुत: अनुगत होता है यह हम सर्वत्र देखते हैं। अब, विचार और अनुसरणीय–अननुसरणीय के विवेक की सार्वभौमिक सहवर्तिता का क्या कारण है? वास्तव में प्रवित्त ही इसका कारण है। प्रवृत्ति क्रिया–प्रवर्तक होती है और क्रिया प्रतिकूल या तटस्थ को अनुकूल बनाने के निमित्त से होती है। अब, प्रतिकूल क्या है और अनुकूल क्या है यह अर्थ उस से निर्धारित होता है जो अर्थ चेतना को क्रिया में प्रवर्तित करता है। चेतना का स्तर जैव या अन्नमय होने पर उसके अर्थ भी जैव होंगे और ऊर्ध्वतर : मनोमय या विज्ञानमय : होने पर अर्थ भी ऊर्ध्वतर होंगे, और इन स्तरों के अनुसार ही अनुकूल–प्रतिकूल भी निर्धारित होंगे। इस प्रकार, 'जिसे पाकर मैं अमर नहीं हो सकती उसे पाकर मैं क्या करूँगी?' गार्गी का यह प्रश्न उसमें अन्नमय–प्राणमय अर्थों की प्रवर्तकता चुक जाने का ही द्योतक है।

अब यहाँ ह्यूमीय प्रतिपादन की भ्रान्तता सहज ही देखी जा सकती है : निश्चय ही यथाभूत से यथाभाव्य, अस्ति से वांछनीय अनुगत नहीं होता किन्तु चेतना के लिए 'अस्ति' कभी अपने तक पर्याप्त होता ही नहीं, वह काँक्ष्य या वांछनीय के अन्तर्गत एक कड़ी मात्र होता है, आत्मपर्यन्त अस्ति केवल एक उद्ग्रहणात्मक कल्पना ही कहा जा सकता है।

यहाँ कहा जा सकता है कि 'क्रिया सप्रयोजन ही हो, वह यथाभूत के यथाभाव्य में प्रवर्तन के लिए ही प्रवृत्त हो, यह आवश्यक नहीं है। उदाहरणत: कला-कर्म में चेतना केवल अपनी अभिव्यक्ति के लिए प्रवर्तित होती है किसी यथाभाव्य की सिद्धि के लिए नहीं। वैश्व स्तर पर तो चेतना की यह निष्प्रयोजन सृजनात्मकता ही लक्षित होती है। जगत्सृष्टि और कला-सृष्टि दोनों में यथाभूत (तत्त्वों) की अनुकृतियों की रचना ही क्रिया का प्रयोजन परिलक्षित होता है यथाभाव्य की अवतारणा का प्रयत्न नहीं, यह बात दूसरी है कि कृति के लिए यथाभूत अनुकार्य उसका यथाभाव्य होता है।' किन्तु यह सही नहीं है। सृजन का तत्त्व ही नव्य का आविर्भाव करना होता है, यद्यपि साथ ही इस आविर्भाव के लिए प्रामाणिक होना भी उतना ही अनिवार्य होता है। नव्यता और प्रामाणिकता किसी प्रतिमान की अपेक्षा करते हैं : क्योंकि यथाभाव्य भूत-भाव की न्यूनता के निवारण की प्रक्रिया की भावी परिणति ही होता है, अथवा कहें वह ऐसा प्रतिमान : आदर्श स्थिति : होता है जो यथाभूत की न्यूनता को नापता है। किन्तु सृजन की विशेषता यह है कि इसमें यथाभूत कुछ होता ही नहीं, यह सर्जक द्वारा ऐसे यथाभूत की अवतारणा की प्रक्रिया होती है जो सृजन-क्रिया के लिए अभूतपूर्व और भाव्य होता है। इस प्रकार सृजन केवल इस अर्थ में ही निष्प्रयोजन होता है कि इसका कोई अपने से बाहर प्रयोजन नहीं होता, किन्तु इस अर्थ में यह सप्रयोजन ही होता है कि वह यथाभाव्य को आकृति में अवतरित करने को लक्षित करता है, जो आकृति इस अर्थ में नव्य होती है कि उसका कोई पूर्वत: विद्यमान यथाभूत रूप नहीं होता, उसका आविर्भाव ही यथाभाव्यता का आविर्भाव होता है और कृतिरूप में अपनी निष्पन्न यथाभूतता में यथाभाव्यता का व्यंजक होता है।[1] द्रष्टव्य है कि 'आकृति' से यहाँ वर्ण और संस्थान ही अभिप्रेत नहीं है बल्कि अभिव्यक्ति का कोई भी रूप अभिप्रेत है। इस प्रकार संगीत और काव्य एक ओर और भावों तथा विचारों के साथ व्यक्ति दूसरी ओर इस पद के वाच्य हैं, क्योंकि दोनों अपने से अतिक्रामी तत्त्वों के व्यंजक होते हैं। सृजन का जो रूप वैश्व स्तर पर जगत्-सृष्टि[2] में लक्षित होता है वही रूप मानवीय स्तर पर कला-सृष्टि में लक्षित होता है।

अब, आकृति-रचनाओं में यथाभूत का आदर्श प्रत्यय नहीं होते क्योंकि प्रत्ययों को स्वयं कोई आकृतियाँ नहीं होतीं, बल्कि प्रत्ययों से सम्यक्ता आदर्श होती है जिस सम्यक्ता की मात्रा आकृतियों की व्यंजकता की मात्रा का ही नामान्तर होता है। यहाँ यह जोड़ना आवश्यक है कि ये प्रत्यय विषयितया साक्षात्कृत विषयिता के होते हैं। किन्तु इस प्रतिपत्ति पर हम अगले अध्यायों में ही विस्तार से विचार करेंगे, यहाँ केवल इतना कहना ही पर्याप्त होगा कि कला-सृजन की प्रतीयमान निष्प्रयोजनता का कारण उसके प्रत्ययों की यह विषयिवृत्तिकता ही होती है।

अब, यह एक नितान्त विचित्र बात होगी कि आचार या धर्म-नीति में कला-सर्जन से इस बात में एक मौलिक अनुरूपता होती है कि इसमें भी एक व्यंजक आकृति का नव सर्जन ही साध्य होता है और इस आकृति की व्यंग्य से अनुरूपता की सम्यक्ता ही अभीष्ट होती है। इसमें व्यंजक आकृति सर्जक की अपनी अस्मिता होती है और व्यंग्य वह वर आत्मा होती है जो इस व्यंजक आत्मा के लिए प्रतिमानभूत होती है। यही वह आत्म-नियोजन है जिसके द्वारा सर्जित आत्म-आकृति की वह प्रामाणिकता सिद्ध करनी होती है कि जिससे वह अपने आदर्श भाव्य रूप की सम्यक् व्यंजक हो सके। अब, यहाँ कहा जा सकता है कि यह आत्म-आकृति हमें प्रदत्त रूप में ही उपलब्ध होती है, सृष्ट नहीं होती। किन्तु जैसाकि हमने अन्यत्र[3] देखा है, यह सही नहीं है। प्रत्येक आत्मचेतन व्यक्तित्व आत्मसृष्ट आकृति : आत्म प्रतिमा : की न्यूनाधिक सम्यक् अनुकृति ही होता है, यद्यपि इसका सर्जन चेतना के किन्हीं गुह्य या अतिक्रान्त स्तरों पर ही होता है। इस दृष्टि से यह जगत्सृष्टि के अनुरूप और कला-सृष्टि से भिन्न होती है : यद्यपि जैसाकि हम आगे[4] देखेंगे, कला-सृष्टि में व्यंजक आकृति का रूप कलाकार

---

1. इस पर आगे के तीन अध्यायों में विस्तार से विचार किया गया है।
2. जगत्सृष्टि के स्वरूप विषयक विवेचन के लिए द्रष्टव्य यशदेव शल्य — **सत्ताविषयक अन्वीक्षा** में 'प्राकृतिक जगत्' अध्याय।
3. द्रष्टव्य **सत्ताविषयक अन्वीक्षा**, अ. 11
4. आगे अध्याय 8

की इच्छा के अधीन नहीं होता। किन्तु इसमें कला-सर्जन से एक अन्य मौलिक भेद रहता है, कि इसमें चेतना विषयिवृत्ति में उपचरित नहीं होकर विषयवृत्ति में उपचरित होती है यद्यपि इसमें व्यंग्य आत्मा ही होती है। इसमें विषयी विवेच्य और विषय नियोज्य होता है। किन्तु इसमें कला-सर्जन से दो आधारभूत अनुरूपताएँ भी रहती हैं। एक तो सर्जनात्मता में, जिसमें सृज्य स्वयं आत्मा ही होता है और दूसरे सृजन की प्रामाणिकता की विषयिमूलकता में—विषयी की आत्मानुरूपता की सिद्धि में। 'मेरा अमुक आचरण या अमुक प्रवृत्ति धर्म-नीति से संगत है या नहीं' इसमें आचरण या प्रवृत्ति विषयरूपेण निरीक्ष्य होते किन्तु ये विषयिरूपेण साक्षात्कार्य प्रतिमान से प्रमाणित होते हैं। यहाँ आपत्ति की जा सकती है है कि यह प्रतिपादन नैतिक निर्णयों को विषयिनिष्ठ बना देना। किन्तु यह सही नहीं है। इसके लिए विषयिता के दो भेद किये जा सकते हैं : प्राकृतिक विषयिता और अतिक्रान्त विषयिता। आवेग, वासना, संस्कार और आन्तर तथा बाह्य संवेद में चेतना को प्राकृतिक विषयी कहा जा सकता है और विवेक, मनन, निदिध्यासन, संकल्प और आत्मसाक्षात्कार में अतिक्रान्त विषयी। इनमें विषयिनिष्ठ केवल चेतना की प्रथम वृत्ति को ही कहा जा सकता है, दूसरी को नहीं। प्रवृत्ति के अनुसार विवेक को निर्धारित करने वाली चेतना को ही विषयिनिष्ठ कहा जा सकता है, इससे अनिर्धारित विवेक से प्रवृत्ति की सदसद्रूपता का निर्णय और नियोजन करने वाली चेतना को नहीं। इसमें भ्रान्ति केवल निर्धारित विवेक को अनिर्धारित समझ लेने की होती है जिसका निवारण मनन और निदिध्यासन आदि से किया जा सकता है।

सदसद्-विवेक के विषयनिष्ठ आधार खोजने का अर्थ है सदसद् को इन्द्रियात्मक प्रमाणों का विषय बनाना। यदि कहा जाय कि इन्द्रियात्मक नहीं तर्कात्मक प्रमाणों का विषय बनाना अभिप्रेत होता है, तो यह युक्त नहीं होगा, क्योंकि तर्क या तो अनुभवात्मक अर्थों की भूमि पर उपचरित होता है अथवा साक्षात्कारात्मक तत्त्वों के लिए संकेत बनता है। उदाहरणत: 'समाज में न्यायसंगत आचरण अनिवार्यत: वरणीय है या नहीं' यह निर्णय कैसे होगा? यह या तो परिणामों के निरूपण से होगा जिनका अन्तिम साक्ष्य समाज का प्राकृतिक सुख-दु:ख होगा अथवा चेतना की वृत्तियों के स्वरूप पर मनन से, जो मनन उन वृत्तियों की आत्मा से अनुरूपता-प्रतिरूपता को प्रकट करता है। इनमें प्रथम को व्यवहार-नीति कहा जा सकता है, जिसका कारण इसमें औचित्य-निर्णय का मानदण्ड कार्य की परिणाम-उत्पादन में सफलता का होना है। किन्तु धर्म-नीति में औचित्य का मानदण्ड चित्तवृत्तियों की आत्मा के स्वरूप से अनुरूपता का होना ही होता है। ऐसा नहीं है कि धर्म-नीति में व्यवहार-नीति का कोई स्थान ही नहीं होता। जैसाकि पिछले अध्याय में हमने देखा,[1] सामाजिक सन्दर्भ में परिणामों का ध्यान रखना भी प्रासंगिक होता है, किन्तु यह ध्यान धर्म-नीति का तत्त्व नहीं होता। दूसरे, सामाजिक सन्दर्भ में कुछ सन्दर्भों में परिणाम-विचार के लिए कोई स्थान नहीं होता। उनमें अन्त:साक्ष्य ही एकमात्र प्रमाण होता है। उदाहरण के लिए 'मेरी अमुक चित्तवृत्ति उचित है या अनुचित?' इसका निर्णय किस मानदण्ड से होगा? चित्तवृत्तियों के औचित्य का प्रश्न धर्म-नीति का सर्वाधिक मौलिक प्रश्न है। कांट ने इसके लिए सार्वभौमता आदि आकारिक प्रमाणों की व्यवस्था की है जिसकी अयुक्तियुक्तता हमने पिछले अध्याय में देखी थी। यहाँ उसकी अनुपयुक्तता और देखी जा सकती है : 'मित्र के प्रति मित्रभाव में सच्चाई सद् है और यह भाव पूर्ण नि:स्वार्थता और प्रेम का पर्यायवाची है' यह किस आकारिक व्यवस्था से जाना जायगा? और 'मेरे हृदय में अमुक के प्रति यही भाव है, मैं इन भावों को यह नाम देने में आत्मछल नहीं कर रहा हूँ' यह कैसे निश्चित होगा? मान लें कि इनमें पहले प्रश्न को आकारिक नियम का रूप दिया जा ही सकता है, किन्तु यह नियम मित्र-भाव का परिभाषक है और सद् है यह कैसे जाना जायगा? मैं इस भाव में सच्चा हूँ या नहीं यह हम केवल अपनी सन्निधि में लौट कर ही जान सकते हैं और वास्तव में उस सन्निधि में ही इस भाव की उन्नायकता और दिव्यता को देख सकते हैं, किसी आकारिक नियम से नहीं। अब, यहाँ यह देखना महत्त्वपूर्ण है कि इस विषयिता के सान्निध्य में लौटने के लिए प्राकृतिक-लौकिक विषयिता का अतिक्रमण करना अपेक्षित होता है जिसका लक्षण ममत्व या अहंकार है। यह विषयिता

1. इस पर विशेष विस्तार से विचार के लिए द्रष्टव्य यशदेव — **समाज : दार्शनिक परिशीलन**, अध्याय 6

शुद्ध विषयिता को उपहित करती है। इस दूसरी विषयिता को सार्वभौमता भी कह सकते हैं। यह सार्वभौमता सर्वमान्य होने के अर्थ में नहीं होती बल्कि नितान्त मूलगामी अर्थ में होती है। यह इस अर्थ में सार्वभौम होती है कि इसमें अहंकार पूर्णत: अतिक्रान्त रहता है। 'सर्वसामान्य' विभिन्न अहंकारियों के बीच समानत: स्वीकृत शब्द या नियम भी हो सकता है, 'अन्तर्विषयिता' (इंटर्सब्जेक्टिविटी) इसके लिए उपयुक्त पद है, किन्तु यह सार्वभौमता स्पष्टत: मूलगामी नहीं होती। मूलगामी सार्वभौमता चेतना के पूर्ण अहंकारातिक्रमण में ही उपलब्ध होती है और इसकी उन्नायकता और दिव्यता आत्मसाक्षात्कारात्मक होती है। धर्म-नीति इसी मूलगामी-अहंकारातीत सार्वभौमता को विषयिता में सिद्ध करने को लक्षित करती है। 'अमुक व्यक्ति के प्रति मैं सच्चा हूँ या नहीं' इसमें अपनी भावनाओं का विवेचन अपेक्षित होता है और इस विवेचन में एक ओर मित्रभाव का प्रतिमान रूप में साक्षात्कार अपेक्षित होता है और दूसरी ओर अपनी उन भावनाओं की पहचान जो मित्रभाव के छद्मवेश में हो सकती हैं। यह बोध विषयकृत केवल विषयिता के आत्म-प्रेक्षण में ही हो सकता है और प्रेक्षक केवल विषयी ही हो सकता है, किन्तु केवल वह विषयी जो विषयिनिष्ठता या अहंकार से पूर्णत: मुक्त सार्वभौम बोध में प्रतिष्ठित है।

यहाँ आपत्ति की जा सकती है कि मित्रभाव का प्रतिमान साक्षात्कार का विषय नहीं होकर परम्परागत धारणाओं का स्वीकार होता है, और जहाँ तक अपनी भावनाओं के विवेक का प्रश्न है, ये विषयतया प्रेक्ष्य होने से सम्प्रेषणीय होती हैं और परिणामत: उनके सम्बन्ध में विषयनिष्ठ निर्णय सम्भव होते हैं, इन भावनाओं के स्वरूप का विवेक बहुत बार दूसरे लोग अधिक सम्यक् रूप से कर पाते हैं बजाय स्वयं भावक के। यह आपत्ति बहुत दूर तक सही है, किन्तु केवल उस सीमा तक जिस तक विषयी साहंकार है। अब, इसमें दूसरों का विवेक वहीं तक सहायक हो सकता है जहाँ तक हम स्वयं इस अहंकार से मुक्त होने को तैयार होते हैं, और केवल वही दूसरा सहायक हो सकता है जो स्वयं निरहंकार विषयिता में, प्रेक्षकभाव में, प्रतिष्ठित हो सकता है। जहाँ तब प्रतिमान के परम्परागत होने का प्रश्न है, यह केवल साक्षात्कारी प्रज्ञा का आत्मविवेचक व्यक्ति से आत्मविवेचक परम्परा में स्थानान्तरण करना मात्र है, क्योंकि मित्रभाव की मूल्यात्मकता अन्तत: साक्षात्कार की विषय ही हो सकती है किसी शाब्दिक परिभाषा की स्थापना नहीं, और भावना का सम्प्रेष्य और सर्वसामान्य विषय-रूपेण विवेच्य होना सम्प्रेषणात्मक चेतना की अतिक्रान्त विषयिता का ही द्योतक होता है विषयिता के विषयता में अन्तर्भाव्य होने का नहीं। कला में तो भावना विषयता में संक्रमित हुए बिना ही सम्प्रेष्य और विवेच्य हो पाती है।

अब यहाँ एक महत्त्वपूर्ण प्रश्न उपस्थित होता है, कि विषयी विषय कैसे हो सकता है और विषय होने पर वह असद् कैसे हो सकता है? विषयता में एक प्रकार की बाह्यता और निवार्यता आपादित होती है जो कि विषयी में नहीं होती, और असद्‌ता में प्रतिकूलता आपादित रहती है। अब, क्या विषयी की विषय-रूप में अरूपान्तरणीयता और आत्म-प्रतिकूलता को ही सदोषता और आत्म-बाधितता कहा जाय, यद्यपि ऐसी सदोषता और आत्म-बाधितता जो निर्दुष्टता और आत्म-तादात्म्य से परिभाषित होती है और इस प्रकार भाव्यात्मक है? इस सम्बन्ध में हमारे प्राचीन दर्शनों : वेदान्त, सांख्य और महायानी बौद्धों : में पर्याप्त गहन चिन्तन उपलब्ध होता है। इन सबका यही उत्तर है कि आत्मा का स्वरूप शुद्ध विषयिता का ही है : 'ज्ञातारं रे, केन विजानीयात्?' किन्तु यह विषयिता विषयता-दोष और मल से उपहित है। महायानी बौद्धों के एक सम्प्रदाय में इस स्थिति के निरूपण के लिए एक अद्भुत प्रतीक की कल्पना मिलती है—तथागत गर्भ की, जिसके अनुसार जगत् तथागत (अनात्म से अबाधित आत्म) की ही भ्रूणावस्था है।[1] अब, इन उत्तरों में दोष या अनात्म-बाधा को असत् उपाधि के रूप में ही देखा गया है और आत्मा को यथाभूत और अबाधितस्वभाव स्वीकारा गया है, परिणामत: इनमें न दोष-बाधा की विद्यमानता की युक्त व्याख्या सम्भव है और न सृजनात्मकता के लिए कोई अवकाश रहता है। जैसाकि दूसरे अध्याय में हमने देखा, सृजन, अथवा कहें आत्म-क्रियान्वयन, अपने को

1. द्रष्टव्य — **श्रीमाला सिंहनाद सूत्र**।

उपादान कर उसमें अपनी प्रतिमा की रचना करना होता है। एक प्रकार से हमारे सारे कर्मों : भ्रान्त दिशोन्मुख या अभ्रान्त दिशोन्मुख : में यही एक प्रेरक होता है—आत्मनस्तु कामाय सर्वं प्रियं भवति—किन्तु धर्म-नीति में यह अधिक स्पष्ट और प्रत्यक्ष रूप से रहता है। इसमें अध्यासभूत आत्मा : पुत्र, कलत्र आदि : अन्वेष्य नहीं होकर अनध्यस्त या वर आत्मा ही मन्तव्य और निदिध्यासितव्य होता है यद्यपि यहाँ भी भ्रान्ति के लिए कम अवकाश नहीं रहता। यहाँ प्रश्न हो सकता है कि इस में भ्रान्ति-अभ्रान्ति का निर्णय कैसे हो सकता है? इसका उत्तर होगा कि यह निर्णय प्रांजल चेतना के आत्मनिरीक्षण से होता है : भरि भरि उदर विषय की ओर धावन करने वाले शूकर को सूरदास की उस आत्म-गर्हणा का अर्थ कौन समझा जा सकता है जिससे वह (सूरदास) गहन कष्ट में हैं? और सूरदास को अपनी इस गर्हणीयता के प्रत्यक्ष-दर्शन और तज्जन्य कष्ट से कौन बचा सकता है?

कला का अन्वेष्य – एक

कला को भावना का आत्म–निरूपण, अथवा आत्मचेतन भावना का अर्थ–विजृंभण, अथवा विषयिता का विषयिता–प्रत्यय, विषयिता–सामान्य के रूप में अवगमन कहा जा सकता है। निरूप्य अथवा अवगम्य की विषयरूपेण विषयी से पृथक् विद्यमानता, विषयी का विषय से ताटस्थ्य, विरक्त प्रेक्षक भाव, ज्ञान का यह सहज स्वीकृत रूप है। इसका आदर्श इन्द्रिय–प्रदत्त विषयों में चरितार्थ होता है। ज्ञाता और ज्ञेय का द्वैत और इस द्वैत की 'प्रकृति–पुरुष' संज्ञा के मूल में ज्ञान का यह निदर्श ही प्रतीत होता है। किन्तु प्रेक्षक–प्रेक्ष्य का यह द्वैत विषयी को अपने को लेकर भी होता है : अपनी संवेदनाओं, भावनाओं, यहाँ तक कि अपने ज्ञानात्मक ग्रहणों का विषयकरण और इनसे तटस्थ प्रेक्षक भाव यह भी आत्मचेतन चेतना में सहजत: घटित होता है। इसी से सांख्य में चेतना की बुद्धि–पर्यन्त वृत्तियाँ प्रकृति रूप में ही आकलित की गई हैं। धर्म–नीति और दर्शन में चेतना की इस ज्ञान–वृत्ति का चरम प्रकर्ष उपलब्ध होता है। किन्तु विज्ञान भी इसी का एक अवरतर रूप है, क्योंकि इसमें भी इन्द्रियगोचरता का तत्त्व विमृश्य होता है, इन्द्रिय–गोचर विषय विमृश्य नहीं होता। विषयिता के विषयकरण के बिना, उसका उसके अपने ही तत्त्व में विमर्श, उसके अपने ही तत्त्व में उसका अवगाहन, आत्मचेतन चेतना का यह एक दूसरा और ज्ञानात्मक से भिन्न आयाम है। किन्तु यह आयाम भी आत्मचेतन चेतना का ही होने से इसमें भी चेतना अपने में अपने से विलग, आत्मनिरूपण के लिए अपने से अपने में तटस्थ होती है। केवल इस विलगाव में अपने से विलग हुआ पक्ष विषय–रूपेण प्रस्तुत नहीं किया जाकर विषयिरूप में ही रहता है और इसमें विलगाव की दूरी एक साध्य मूल्य नहीं होती, क्योंकि इसमें विषयिरूपेण घटित होकर और विषय–रूपेण अपने से विलग हुए बिना ही चेतना को अपने लिए निरूप्य होना होता है। इसमें मानो प्रेक्षणात्मक चेतना विलगाव को सिद्ध कर उसे निरस्त कर देती है। यह आत्म–विलगता विषयिता के उसकी निजता में विमर्श की एक अनिवार्य अपेक्षा है। इसीसे हमने कला को भावना का निरूपण, भावना पर विमर्श, नहीं कह कर भावना का आत्मनिरूपण, भावना का आत्मविमर्श कहा है। ऐसा नहीं है कि कला में विचार और वितर्क निषिद्ध रहता है, किन्तु यह भावनात्मक विषयिता के अवयव के रूप में, अथवा विचारात्मक विषयिता के रूप में ही रहता है, विषय के विवेचन अथवा अन्वेषण के रूप में नहीं। उदाहरणत: उपन्यासों में पात्रों द्वारा किया गया विचार अथवा दो पात्रों में परस्पर तर्क–वितर्क विवेचन के रूप में प्रस्तुत नहीं होकर पात्रों के विचारों–धारणाओं और चारित्रिक गुणों के निदर्शक रूप में प्रस्तुत होते हैं। किन्तु कला में तर्क एक दूसरे रूप में विद्यमान रहता है : भावना के आत्मविवेचन के रूप में। यह तर्क कला–कृतियों में उनकी आवयविकता, अथवा कहें सरंचनात्मकता के रूप में लक्षित होता है और उन अवयवों की संवादिता, अन्त:संगति और आत्मविवेचन की सफलता की मात्रा के रूप में चरितार्थ होता है।

यहाँ दो बातें देखने की हैं : एक तो यह कि कला का क्षेत्र भावना है, वितर्क, निरीक्षण या नियम का अन्वेषण नहीं है, और दूसरे यह कि इसमें भावना अपने में निगूढ़ अर्थ का विमर्श अपने को विषयरूपेण प्रस्तुत कर नहीं करती बल्कि अपने में पुनर्निविष्ट होकर, अपने साथ तदात्म होकर, करती है। इस प्रकार 'भावना के अर्थ–विजृंभण' का तात्पर्य 'भावना का आत्म–विजृंभण द्वारा अर्थ प्राप्त करना' भी समझा जा सकता है। कला को जो सृजनात्मक कहा जाता है उसका यही तात्पर्य है कि इसमें स्वयं भावना अर्थ–रूप में विवर्तित होती और इस विवर्तन की साक्षात्करी होती है। इसे बहुत कुछ स्मृत संवेद के पुन: संवेदन जैसा कहा जा सकता है। स्मृत संवेद निरीक्ष्य होकर अपने आकार में ग्राह्य होता है, और इस स्मृत के पुन: संवेदन का अर्थ है इस आकार का संवेदन करना, आकार के साथ तादात्म होना और उसमें जीना। इस प्रकार चाहे कलाकार मीरा के रूप में 'हे री मैं तो प्रेम–दीवानी, मेरा दरद न जाने कोय' गाये और चाहे कालिदास के रूप में इन्दुमती की मृत्यु पर अज के विलाप का 'वर्णन' करे, दोनों में वह समान रूप से विरह–वेदना से विलग और अविलग होता है। इस विलगाव

और अविलगाव को इस बात से भी देखा जा सकता है कि इस वेदना के निरूपण के लिए कवि अलग-अलग अभिव्यक्ति-रूप अपनाते हैं और ये अभिव्यक्तियाँ एक-दूसरी से न्यून या अधिक उपयुक्त होती हैं, और इसी प्रकार सब में एक भाव-तन्मयता होती है जो न्यून या अधिक होती है। अभिव्यक्ति की यह उपयुक्तता भावना के अर्थत: विवर्तन की उपयुक्त प्रस्तुति से आती है और भाव-तन्मयता इस अर्थ के भावन से। किन्तु द्रष्टव्य है कि यह अर्थ-विवर्त स्वयं अभिव्यक्ति ही होता है जो चिति की न्यूनाधिक उपयुक्त और न्यूनाधिक पर्याप्त विवृति होता है। इसे प्रत्यभिज्ञा दर्शन की पदावली की सहायता से कहें तो कहा जा सकता है कि विमर्श प्रकाश के द्वारा अपने स्वरूप के साक्षात्कार के प्रयत्न के रूप में स्फुरित होता है जो प्रयत्न न्यूनाधिक ही सफल होता है। यह न्यूनाधिक्य ही अभिव्यक्तियों में भेदों का कारण होता है। अभिव्यक्ति का यह भेद एक ओर एक ही माध्यम के अन्तर्गत होता है और दूसरी ओर भिन्न-भिन्न माध्यमों के रूप में : जैसे विरह-वेदना के विभिन्न काव्यात्मक वर्णनों में एक ओर और कला की विभिन्न विधाओं में इसके निरूपणों की भिन्न-रूपता में दूसरी ओर। इस प्रकार कला वास्तव में ही अनुकरणात्मक होती है, किन्तु 'प्रत्ययों के इन्द्रिय द्वारा विकृत रूपों की' नहीं, जैसा प्लेटो ने कहा है, बल्कि भावना के आत्मावगाहन में आविर्भूत प्रत्यय या अर्थ की। यहाँ द्रष्टव्य है कि हमने 'अर्थ' के साथ 'आविर्भाव' पद का प्रयोग किया है, 'प्रकट होने', 'अनावृत होने', का नहीं। विचारात्मक अवगाहन में जबकि ऐसा ही प्रतीत होता है जैसे मानो विस्मृति में आच्छन्न अथवा अनवधान से परोक्षभूत अर्थ ही प्रकट हो रहे हों, भावनात्मक अवगाहन में वैसी बात नहीं होती, उसमें अर्थ चेतना के रूपान्तरण के रूप में नव्योत्पन्न जैसे ही प्रतीत होते हैं। किन्तु ये अर्थ विचारात्मक अवगाहन में प्रकट अर्थों से भिन्न कल्पित और अवास्तव नहीं होते, वे उतने ही वास्तव और स्वायत होते हैं जितने विचारात्मक अर्थ। इसी प्रकार कला ज्ञान में ऐन्द्रिक प्रत्यक्ष के समान बाह्यार्थों को भी लक्षित करती है, जैसे किसी व्यक्ति अथवा दृश्य के चित्र में या कथात्मक निरूपण में, यद्यपि वहाँ भी इसके अर्थ इन्द्रियगम्य नहीं होकर प्रतिभागम्य ही होते हैं। इस प्रकार कला सत्य को ही लक्षित करती है, सौन्दर्य या रस को नहीं, जैसाकि प्राय: ही उसके सम्बन्ध में समझा जाता है। और क्योंकि इसका लक्ष्य सत्य ही होता है, इसलिए उसे निरूपित करने के लिए स्वीकृत या रचित माध्यम भी उसके अर्थ के उपयुक्त ही होता है, सुन्दर या रसात्मक नहीं। उदाहरणत: किसी कुरूप किन्तु उदात्त-चरित व्यक्ति के चित्र को एक ओर और कुरूप तथा दुरात्म व्यक्ति के चित्र को दूसरी ओर लें। चित्रकार यदि प्रथम में उसकी आकृतिगत कुरूपता के पीछे उसकी चरित्रगत सुरूपता को लक्षित करता है तो दोनों के लिए उसे रंगों और रेखाओं का ही सहारा लेना होता है और उसकी सफलता इसी में होती है कि आकृतिगत कुरूपता को नकारे बिना चरित्रगत सुरूपता को व्यक्त कर दे—जो बहुत सीमा तक वास्तव में भी उस व्यक्ति के चेहरे में झलकती है। इसी प्रकार दूसरे व्यक्ति के चित्र में भी उसकी सफलता आकृतिगत और चरित्रगत कुरूपताओं के सामरस्य को निरूपित कर देने में ही होती है। इस दूसरे चित्र को कुरूपता का चित्र ही कह सकते हैं, यह चित्रण ही इसमें चित्रकार को अभिप्रेत होता है। अब, कहा जाता है कि जबकि दूसरा व्यक्ति सर्वत: कुरूप ही है, उसका चित्र सुन्दर ही होता है, क्योंकि वह कुरूपता की प्रतिक्रिया उत्पन्न नहीं करता, बल्कि अपने चित्रण-कौशल से चमत्कृत ही करता है। अब, जबकि यह सही है कि वह चित्र कुरूपता की प्रतिक्रिया उत्पन्न नहीं करता यह सही नहीं है कि वह चित्र अपने चित्रण-कौशल से जो चमत्कृत करता है वह चमत्कृति सौन्दर्यात्मक होती है। वह चित्र कुरूपता के अर्थ-निरूपण को ही लक्षित करता है, सौन्दर्योत्पादन को नहीं, और उस अर्थ की व्यंजना में ही उसकी सफलता होती है। इस अर्थ की अभिव्यक्ति के लिए वह रूप की विकर्षकता को ही माध्यम बनाता है और इस प्रकार वह चेहरा कुरूप ही होता है। यह चित्र जुगुप्सा भी उत्पन्न कर सकता है : यदि उसका प्रयोजन जुगुप्सा उत्पन्न करना है तो वह उत्पन्न करने में ही उसकी सफलता होगी। किन्तु निश्चय ही वह जुगुप्सा, संवेदनात्मक नहीं होकर अर्थ-बोधमूलक होगी। किन्तु यह अर्थ चित्र के साथ आविर्भूत नहीं होता, इस अर्थ को स्वयं वह दृश्य ही चित्रकार पर प्रकट करता है और चित्रकार उस साक्षात्कृत अर्थ को स्थायी और मूर्त्त रूप देने के लिए उस चित्र की रचना करता है। किन्तु दृश्य अर्थ-व्यंजक होने पर भी सहजत: और अस्तित्वत: व्यंजक नहीं होता, अस्तित्वत: तो वह दृश्य अर्थ से स्वतन्त्र होता है। इसके विपरीत चित्र अस्तित्वत: ही अर्थ-व्यंजक होता है। निश्चय ही इस अर्थ और इसके बोध को सुन्दर भी कहा जा

सकता है और इससे उस चित्र को भी, किन्तु यह सौन्दर्य उस अर्थ में सौन्दर्य नहीं होता जिस अर्थ में इस शब्द का साधारणत:, और कला के प्रसंग में भी, प्रयोग होता है, क्योंकि इस अर्थ में कोई भी साक्षात्कृत अर्थ सुन्दर कहा जा सकता है। इसके अतिरिक्त, चित्रकार का उस चित्र-रचना में प्रयोजन सुन्दर आकृति की रचना करना और उसके द्वारा सौन्दर्य-दर्शन की आकांक्षा को सन्तुष्ट करना नहीं होता बल्कि उस बोध को, उस साक्षात्कार को, उस अर्थ-वैभव को विवृत और स्फुट करना होता है जो उसकी पश्यन्ती चेतना में उस दृश्य ने उद्भासित किया होता है।

वास्तव में 'दृष्टि', 'साक्षात्कार', 'प्रत्यय' 'अर्थ' ये सब शब्द, सबसे अधिक 'सत्य' शब्द साधारणत: चेतना की विषय-वृत्तिकता से सम्बन्धित हैं। किन्तु भाषा मात्र ही अपने मुख्य अर्थ में विषय-वृत्तिकता से सम्बद्ध होती है, जैसाकि मुख्यार्थ के अभिधात्मक होने से स्पष्ट है। किन्तु काव्य में भाषा का प्रयोग अभिधात्मक रूप में नहीं होता: काव्य की गद्यात्मक विधाओं में भी नहीं, न चित्रकार या मूर्त्तिकार चित्र या मूर्त्ति में दृश्य रूप की अनुकृति प्रस्तुत करने को लक्षित करता है। संगीत में तो कथ्य पूर्ण रूप से ही 'कथन' में अन्तर्भूत हो जाता है और कथ्य भावित अर्थ मात्र होता है। कला में विमृष्ट अर्थ अविषयात्मक होने से कला को सृजनात्मक और अर्थ को कल्पित कहा जाता है। अब जबकि कला और उसके अर्थ के ये निरूपण सर्वथा उपयुक्त हैं, इसका अर्थ समझने में प्राय: ही भ्रान्ति देखी जाती है। विषय विषयी से स्वतन्त्र और इस प्रकार उसका ज्ञान सत्य अथवा असत्य कहा जाता है। ज्ञान की सत्यता उसकी रूप के सत् से अनुरूपता में और असत्यता इस अनुरूपता के अभाव में देखी जाती है। स्वभावत: ज्ञान की विषयगत सत् से भिन्नता का यह स्रोत विषयी में ही होना चाहिए। इसी कारण ऐसे ज्ञान को विषयिनिष्ठ कहा जाता है। किन्तु तब निर्भ्रान्त ज्ञान का स्रोत भी विषयी में होना चाहिए। किन्तु इस स्रोत को विषयिगत नहीं कह कर विषयि-चेतना की निर्मलता कहा जाता है और इस ज्ञान को विषयनिष्ठ-विषयानुरूप कहा जाता है। इस प्रकार चेतना की विषयानुरूपता ज्ञान की सत्यता और विषय-प्रतिरूपता भ्रान्ति कही जाती है। किन्तु भ्रान्ति में चेतना उतनी ही विषयोद्दिष्ट होती है जितनी निर्भ्रान्त ज्ञान में। वास्तव में भ्रान्ति चेतना की इस वृत्ति में विपर्यास हो ही आती है। किन्तु तब क्या भ्रान्ति में चेतना के सम्बन्ध में यह कहा जाय कि यह जबकि वस्तुत: विषयोद्दिष्ट नहीं होकर आत्मोद्दिष्ट होती है यह समझती अपने को विषयोद्दिष्ट है? विषयिनिष्ठता का कुछ ऐसा ही अर्थ प्रतीत होता है। किन्तु भ्रान्त चेतना को आत्मोद्दिष्ट कहना भी उपयुक्त नहीं है, क्योंकि भ्रान्ति वास्तव में इसे अपनी उद्दिष्टता में नहीं होती उद्दिष्टता की अनुपलब्धि में होती है। किन्तु विषयोद्दिष्ट होने पर चेतना को विषयगत सत् की कभी उपलब्धि और कभी अनुपलब्धि क्यों होती है? इसका कारण चेतना के आवेशों, इच्छाओं, वासनाओं या संस्कारों से उपहित होने को कहा जाता है। किन्तु द्रष्टव्य है कि यह सब जबकि इन्द्रिय-विषयज्ञान में स्पष्ट जैसा लगता है अनिन्द्रिय विषयज्ञान में वैसा स्पष्ट नहीं लगता। उदाहरणत: वैज्ञानिक, ऐतिहासिक, शास्त्रीय और दार्शनिक सन्दर्भों में वस्त्वनुरूपता का यह निदर्श लागू नहीं होता। किन्तु ज्ञान के इन सन्दर्भों में भी चेतना का आवेगादि से अनुपहित होना उतना ही अपेक्षित होता है जितना इन्द्रिय-विषयज्ञान में, और वास्तव में इन सन्दर्भों में इन वृत्तियों के आवरण कही अधिक सूक्ष्म और दुर्निवार होते हैं। किन्तु इन सन्दर्भों में ये आवरण नहीं रहने पर भी सत्य की अनुपलब्धि हो सकती है। अनुपलब्धि का यह रूप इन विषयों और इनके सत्यों को एक सर्वथा दूसरा रूप दे देता है। इनमें हम कभी भी यह नहीं कह सकते कि हमने सत् को पा लिया, इतना ही नहीं, हम यह भी नहीं कह सकते कि हम सत् की ओर ही उन्मुख हैं। इस कारण से इनके सम्बन्ध में बहुत लोग यह भी मानते हैं कि इनमें सत् का और परिणामत: सत्य का कोई अर्थ नहीं होता, इनमें सत् कल्पना द्वारा आक्षिप्त होता है यद्यपि यह आक्षेप इस प्रकार का होता है कि सत्य, न्यून या अधिक सत्य, और भ्रान्ति की स्थितियों को सम्भव करता है। किन्तु सत् का यह आक्षेप पूर्णत: यादृच्छिक होता है।

किन्तु यदि यह सही हो तो सत् केवल इन्द्रियगम्य ही रह जाता है और सत्य इन्द्रियगम्य के साथ चित् की इन्द्रियवृत्ति की अनुरूपता। किन्तु जैसाकि हम जानते हैं, यह इन्द्रियगम्य सत् ही वैज्ञानिक और ऐतिहासिक विचार का विषय बनता है और आगे अपने सम्बन्ध में दार्शनिक प्रश्नों को जन्म देता है। इस सब में विषयवृत्तिक चेतना

का विषय के अवगमन के लिए अपने अतलान्त के अवगाहन का उपक्रम ही परिलक्षित होता है। इस अवगाहन में ही सत् अपनी प्रतिष्ठा पाता है। किन्तु इसमें विषयिता का पक्ष पूर्णत: छूट जाता है।

जैसाकि हमने पीछे देखा, चेतना की सहज प्रवृत्ति विषयात्मक है। इसे चेतना के जगद्भाव का पक्ष कहा जा सकता है जो चेतना के जैव प्रवर्तन का मूल प्रवर्तक है। स्वभावत: चित्त की सब प्रवृत्तियाँ इस प्रयोजन की ही उपकारक बनती हैं। चेतना के आत्मचेतन स्तर पर चेतना और चित्त की प्रवृत्तियाँ भी विषयता में रूपान्तरित हो जाती हैं और इस प्रकार सुख-दु:ख, क्रोध-प्रेम और देखने तथा उद्विग्न होने वाला 'मैं' विषय बनते हैं। किन्तु इन प्रवृत्तियों का एक अपना पक्ष भी रहता है जो विषय-वृत्तिक चेतना के लिए बाध या आवरक बनता है। वास्तव में विषयात्मक चेतना के लिए यह आवश्यक ही होता है : राग और द्वेष अन्य व्यक्तियों के व्यवहार-विषयक विवेक में भी भ्रान्ति के हेतु होते हैं और स्वयं अपने प्रयोजनों के यथार्थ निणर्य में भी भ्रान्ति के हेतु होता है। किन्तु प्रत्यवेक्षी चेतना जब अपनी सहज विषय-वृत्तिकता को स्थगित कर इन चित्तवृत्तियों में अन्तर में प्रविष्ट होती है तब ये वृत्तियाँ साधक-बाधक नहीं रह कर स्वकीय अर्थों से मण्डित हो जाती हैं। ये अर्थ ही कलाओं के माध्यम से अपने को प्रकाशित करते हैं।

इसका अर्थ यह नहीं है कि कलाकार आवेगों के अथवा राग-द्वेष के वशवर्ती होकर कला-सर्जन में प्रवृत्त होता है, यद्यपि कलाकारों को इनके अधीन भी देखा जाता है और बहुत से लोग समझते हैं कि वैसा होना कलाकार के लिए अनिवार्यत: अपेक्षित भी होता है। किन्तु यह सही नहीं है। इसके विपरीत कलाकार के लिए उसी प्रकार इनका अतिक्रमण कर इनके तत्त्व या अर्थ में प्रतिष्ठित होना अपेक्षित होता है जिस प्रकार वैज्ञानिक के लिए प्रत्यक्षगत का अतिक्रमण कर उसके तत्त्व या अर्थ में प्रतिष्ठित होना अपेक्षित होता है। उदाहरणत: क्रुद्ध लक्ष्मण का वर्णन करते हुए वाल्मीकि या तुलसीदास स्वयं क्रोधाभिभूत नहीं होते, यद्यपि लक्ष्मण के साथ उनके लिए एक तादात्म्य स्थापित करना भी आवश्यक होता है। किन्तु उतना ही तादात्म्य उन्हें परशुराम के साथ भी स्थापित करना होता है। यह जगत्-सृष्टि में ईश्वर द्वारा अपने को उपादान बनाने, रूप-कल्पना करने और इन दोनों स्थितियों के प्रेक्षक होने जैसा व्यापार होता है : सोऽकामयत/बहु स्यां प्रजायेयेति/स तपोऽतप्यत/स तपस्तप्त्वा इदं सर्वमसृजत यदिदं किंच/तत्सृष्ट्वा तदेवानुप्राविशत।[1] ऐसा नहीं है कि यह अन्य पात्रों के चित्रण या निरूपण में ही होता है, यह अपनी भावनाओं की अभिव्यक्ति में भी होता है! चित्रकार द्वारा अपना पोर्ट्रेट बनाने में यह प्रत्यक्षत: भी देखा जा सकता है। किन्तु, गीत-रूप में अपनी भावना की अभिव्यक्ति में भी यही होता है। वास्तव में उसकी अपना पोर्ट्रेट बनाने की सामर्थ्य : सृजन-कौशल : ही उसे अन्य पात्रों की सृष्टि करने में समर्थ बनाती है। कलाकार का यह कर्म पर-काय-प्रवेश-योग से उपमेय है : पर-काया में वही प्रवेश कर सकता है जो अपनी काया से मुक्त हो सकता है और उसे अन्य कायाओं के समान बाह्यत: प्रवेश्य बना सकता है। पर-काय-प्रवेश में और अपने पात्रों के व्यक्तित्व में कलाकार के प्रवेश में इतना ही अन्तर होता है कि कलाकार के प्रवेश की यह काया भौतिक नहीं होकर चैत्त होती है। किन्तु द्रष्टव्य है कि अभिनेता भौतिक काया की विषयिता में भी प्रवेश करता है, और एक प्रकार से चित्रकार भी यह करता है। चित्रकार केवल मनुष्यों के ही नहीं वनस्पतियों और भौतिक वस्तुओं की काय-विषयिता में, भी प्रवेश करता है। इसी प्रकार 'अभिनेता मूल पात्र का अनुकरण करता है' यह कहना युक्तिसंगत नहीं होगा, क्योंकि मूलपात्र, :रामः कभी देखा गया नहीं होता। और फिर सब नाटक ऐतिहासिक भी नहीं होते। नाटककार जिस व्यक्ति के चरित्र का चित्रण करता है अभिनेता उस चरित्र को अपने देह में अवतरित करता है और इस प्रकार अन्य दैहिक विषयिता को, अन्य देहात्म को,[2] धारण करता है। चित्रकार

---

1. उस ईश्वर ने कामना की कि मैं उत्पन्न होऊँ, अभिव्यक्त होऊँ और अनेक हो जाऊँ। इसके लिए उसने अपने को तपाया और इस प्रकार वह सब सृजित किया जो यह सब है। उसका सृजन कर वह उसीमें प्रविष्ट हो गया। — **तैत्तिरीयोपनिषद्** 2.61

2. 'देहात्म' के स्वरूप पर विचार के लिए द्रष्टव्य यशदेव शल्य — **विषय और आत्म** में 'विषय' शीर्षक अध्याय (अखिल भारतीय दर्शन परिषद्, 1972)

आकृतियों में अभिव्यक्त चरित्र का साक्षात्कार करता है और उस आकृतिगत, अथवा कहें आकृति-रूपेण व्यक्त, विषयिता को चित्रांकित करता है। द्रष्टव्य है कि चित्रकार भी केवल प्रत्यक्षगत आकृतियों को ही चित्रित नहीं करता, वह कल्पित आकृतियों को भी चित्रित करता है और उन आकृतियों में विषयिता को चित्रित करता है। ये 'पर-काय-प्रवेश' अस्तित्वात्मक नहीं होकर कल्पनात्मक होते हैं यह तथ्य इस 'प्रवेश' को चेतना के गहनतर स्तर पर स्थापित कर देता है : तत्त्वों या अर्थों के स्तर पर। और जैसे पर-काय-प्रवेश में योगी के लिए अपनी काया भी अतिक्राम्य होती है उसी प्रकार कलाकार के लिए पर-चित्त-प्रवेश के लिए अपना चित्त और पर-काय-प्रवेश के लिए अपनी कायिक विषयिता अतिक्राम्य होती है।

किन्तु यहाँ आपत्ति हो सकती है कि विषयिता की अतिक्राम्यता के प्रतिपादन में आत्मा में विषयिता की औपाधिकता पूर्वगृहीत होती है जबकि विषयिता को व्यक्ति के चैतसिक-आध्यात्मिक अस्तित्व की प्रतिष्ठा, उसका स्वरूप समझा जाता है। इस विषयिता को कम से कम उस आत्मा से अभिन्न भी कहा जा सकता है जिसे हमने प्रथम अध्याय में अवर आत्मा कहा है। निश्चय ही यह आत्मा वर आत्मा के लिए औपाधिक ही होती है, किन्तु वृत्ति के स्तर पर यह उपाधि निवार्य नहीं हो सकती, और कलाकार वृत्ति के स्तर पर ही रहता है, वह उसका अतिक्रमण नहीं कर सकता। दर्शन में यह अतिक्रमण कम से कम आदर्शत: सम्भव होता है, क्योंकि दर्शन शुद्ध प्रेक्षकभाव को लक्षित करता है। किन्तु कला प्रेक्षकभाव को लक्षित नहीं करती, वह विषयिता की विमर्शक होने पर भी विषयिता में ही प्रतिष्ठित रहती है और उसी को लक्षित करती है।

किन्तु यह आपत्ति सही नहीं है। आत्मचेतन चेतना वृत्तियों में अवस्थित रहते हुए भी उन्हें उपाधियों के रूप में ही देखती है और इस प्रकार वह विभिन्न विषयिताओं में संक्रमण करने में समर्थ होती है। यद्यपि वह निर्विषयी नहीं हो पाती किन्तु कोई भी विषयिता अपनी संरचना और भोक्तृत्व की समग्रता में व्यक्ति-रूप में उसके लिए एक सम्भावना का रूप ले लेती है जिसे वह यथेच्छया अपना सकती या छोड़ सकती है। अथवा कहें, वह सर्वान्तर्यामिता की सामर्थ्य पा लेती है और कथा के विभिन्न पात्रों, विभिन्न चित्रित व्यक्तियों, दृश्यों या स्थितियों की विषयिताओं में अवतरित होकर उनके अनुभवों की भोक्ता या आस्वादक, विचारों की विचारक और ऊहापोहों में अनिर्णयाकुल हो पाती है। कहते हैं शंकराचार्य को रति के अनुभव को 'देखने' के लिए अपनी देह से निकल कर अन्य देह में प्रवेश करना पड़ा था क्योंकि वे एक ओर ब्रह्मचर्य का त्याग नहीं करना चाहते थे और दूसरी ओर रति के अनुभव को 'देखना' चाहते थे। किन्तु इस कल्पना में एक गहरी भ्रान्ति ही प्रतीत होती है, क्योंकि कोई भोग की वस्तुता में अस्तित्वत: अवतरित होकर ब्रह्मचारी नहीं रह सकता, वह अवतरण चाहे कायान्तर के माध्यम से ही क्यों नहीं हो। किन्तु कलाकार यह कर पाता है, क्योंकि वह विषयिताओं का कल्पना द्वारा सृजन कर उनमें उनक सर्जक के रूप में ही अनुप्रविष्ट होता है और उनका साक्षात्कारात्मक भोग करता है। उसका यह कृत्य उपनिषद्-निरूपित उपर्युक्त ईश्वरीय आत्म-सर्जन से उपमेय होता है।

यहाँ कला को 'कल्पनात्मक सृजन' और 'साक्षात्कारात्मक भोग' कहने के औचित्य का कुछ और स्पष्टीकरण अपेक्षित है। ऊपर हमने कला को 'भावना का आत्मनिरूपण' कहा। यह परिभाषा जबकि संगीत और गीति-काव्य के लिए सहज उपयुक्त प्रतीत होती है चित्र, मूर्त्तिकला और कथा-साहित्य के लिए दूराकृष्ट सी ही लगती है। इन कला-रूपों में एक विषयानुरूपता अपेक्षित होती है, बहुत से कथा-साहित्य में तो जीवन का एक अत्यन्त व्यापक परिप्रेक्ष्य भी निरूपित होता है जिसमें कलाकार बहुत बार विषय-प्रेक्षक की भूमिका में ही रहता है। हास्य-व्यंग्यात्मक रचनाओं में यह विशेष रूप से होता है। इस विषयनिष्ठता के लिए घटनाओं और सम्बन्धों की व्यवस्था के तर्क का अनुसरण भी अपेक्षित होता है। ऐसे में 'कल्पना', 'सृजन' और 'भोग' आदि शब्द

अतिशय सरलीकरण जैसे लगते हैं। दूसरी ओर कल्पनात्मक सृजन स्वप्न और अनुकरणात्मक बाल-क्रीड़ाओं[1] में भी परिलक्षित होता है। स्वप्न में कल्पना आत्मचेतन नहीं होने से कला की कल्पना उससे भिन्न प्रकार की कही जा सकती है किन्तु बाल-क्रीड़ा में कल्पना कलात्मक कल्पना के अनुरूप सायास होती है। वास्तव में बाल-कल्पना और कलात्मक कल्पना में अद्भुत साम्य होता है : बच्चे किसी वस्तु को अन्य वस्तु की स्थानीय बनाकर उसके साथ ऐसा व्यवहार करते हैं मानो वह वही वास्तव व्यक्ति या वस्तु हो। अनुस्थित व्यक्ति को लक्षित कर वे उसके/उनके स्थानीय के रूप में अपने को प्रतिष्ठित कर लेते हैं। किन्तु आवश्यकता होने पर वे भौतिक वस्तुओं में भी व्यक्तित्वाक्षेप कर लेते हैं। किन्तु दूसरी ओर बाल-कल्पना और कलात्मक कल्पना में यह अन्तर रहता है कि बाल-कल्पना में कल्पना द्वारा स्थापित विषय में लक्षित विषय की अनुरूपता निर्मित करने का कोई प्रयत्न नहीं रहता, उसमें भौतिक या संरचनात्मक किसी भी अनुरूपता की अपेक्षा नहीं की जाती। यदि प्रतीक की परिभाषा यह की जाय कि 'उसका अस्तित्व प्रत्यय को व्यंजित करने के लिए होता है अपने लिए नहीं,[2] तो बाल-क्रीड़ा में प्रतीक-रचना अपने आदर्श रूप में देखी जा सकती है।

कला-सर्जन में इसके विपरीत कला-कृति में व्यंग्य से अनुरूपता लाने का प्रयत्न किया जाता है और व्यंग्य स्वयं प्रत्यय के व्यंजक के रूप में कल्पित होता है। पोर्ट्रेट और प्रकृति-चित्र इस प्रतिपादन के स्पष्टतम उदाहरण कहे जा सकते हैं। पोर्ट्रेट जिस आकृति को चित्रित करता है वह यदि अपने भौतिक आकार में चित्रणीय हो तो कलाकृति छाया-चित्र की एक असम्यक् स्थानापन्न होगी। किन्तु कलाकृत चित्र आकृति के भौतिक अस्तित्व का अनुकारक होता ही नहीं, वह व्यंजक आकृति की अनुकृति होता है जिसका व्यंग्य कलाकार द्वारा साक्षात्कृत प्रत्यय या अर्थ होता है। इस साक्षात्कार का उपकरण प्रतिभा बनती है। इसी अर्थ की व्यंजना जब चित्रकार किसी वास्तव व्यक्ति आदि की आकृति के माध्यम के बिना करता है तब वह अर्थ अपनी व्यंजक आकृति के साथ ही साक्षात्कार के लिए प्रस्तुत होता है। परिणामत: यह आकृति बाल-क्रीड़ा में कल्पना द्वार प्रतीकीकृत वस्तु के समान यादृच्छिक और अपनी आकृति में अप्रासंगिक नहीं होती बल्कि कलाकार की साक्षात्कारी प्रतिभा को अर्थ के बाह्य विग्रह के रूप में प्रस्तुत होती है जो एक-साथ सत्य और कल्पित होता है। सत्य इस कारण कि वह चित्रकार की चेतना में प्रत्यय के वास्तव आकार के रूप में बर्बस आविर्भूत होता है और कल्पित इस कारण कि वह चेतना के रचनात्मक व्यापार का प्रतिफल होता है। कला की अन्य विधाओं में भी प्रत्यय और कलाकृति के बीच सम्बन्ध का रूप थोड़े भेद के साथ यही होता है। उदाहरण के लिए नाटक को लें। मान लें कि नाटककार किसी सामाजिक परिस्थिति को प्रदर्शित करना चाहता है। तब सर्वप्रथम वह परिस्थिति किसी मूल्यात्मक प्रत्यय के रूप में भावित होती है और यह भावित प्रत्यय विभिन्न व्यक्तियों के परस्पर क्रिया-प्रतिक्रियात्मक व्यवहार की व्यवस्था के रूप में आकारित होता है। यद्यपि इन व्यक्तियों की आकृतियाँ और मुद्राएँ कलाकार को दृष्टिगम्य रूप में पूर्ण स्फुटता के साथ प्रदत्त नहीं होतीं, किन्तु वे निश्चित आकृतियाँ और मुद्राएँ होती हैं जो कलाकार को न्यूनाधिक स्फुटता के साथ सहज प्रदत्त होती हैं। यह स्फुटता कलाकार की प्रतिभा और अवधान-क्षमता के अनुसार होती है। अब, ये आकृतियाँ, विशेषत: उनकी मुद्राएँ, जबकि अंशत: कलाकार के संस्कारों से भी निर्धारित होती हैं ये उस नाटक की कल्पना में निरूप्य प्रत्यय से ही निर्धारित होती हैं और वह उनका साक्षात्कार उस प्रत्यय के कल्पित भौतिक विग्रह के रूप में करता है। किन्तु आकृतियों और मुद्राओं का

1. बच्चों की सब अनुकरणात्मक 'रचनाओं' के लिए 'क्रीड़ा' शब्द का प्रयोग सम्भवत: उपयुक्त नहीं है। अनुकरणात्मक कुछ 'रचनाएँ' जबकि विनोदात्मक होती हैं, कुछ अन्य 'रचनाएँ' आवेग-व्ययात्मक होती हैं। इन दूसरी 'रचनाओं' के विनोदात्मक नहीं होने से इन्हें 'क्रीड़ा' कहना उपयुक्त प्रतीत नहीं होता। इनमें एक बाह्य रचनात्मक भेद भी होता है। विनोदात्मक रचनाओं में जबकि पर अनेक बच्चे सम्मिलित होते हैं, आवेग-व्ययात्मक 'रचनाओं' में एक बच्चा भी रह सकता है और शेष पात्रों का प्रतिनिधित्व वस्तुएँ करती हैं। किन्तु अन्य उपयुक्त शब्द के अभाव में हम सब 'रचनाओं' के लिए 'क्रीड़ा' शब्द का ही प्रयोग कर रहे हैं।

2. द्रष्टव्य आनन्दकुमार स्वामी — **ह्वट इज़ सिविलिज़ेशन** (इन्दिरा गाँधी नेशनल सेन्टर फॉर आर्ट्स, नई दिल्ली, 1989), पृ. 125

निर्धारण भी ऐसी आधार आकृतियों (आर्किटाइप्स) और मुद्राओं के रूप में होता है कि एक सीमा में अनेक प्रकार की आकृतियों वाले अभिनेता स्वीकार्य हो सकते हैं और एक सीमा में अनेक प्रकार की मुद्राएँ अभिनेय स्थितियों की व्यंजना के लिए उपयुक्त हो सकती हैं। किन्तु यह सीमा उन आधार आकृतियों और मुद्राओं से पूर्णतः निर्धारित होती हैं जिनका साक्षात्कार नाटककार नाटक में अभिव्यंग्य प्रत्यय के साथ करता है। द्रष्टव्य है कि प्रायः ही नाटकों में एक ही प्रत्यय के व्यंजक अनेक पात्रों की आवश्यकता होती है—जैसे दास, मन्त्री, लिपिक, नेता, राज्याधिकारी आदि—और इन पात्रों की आकृतियाँ भिन्न-भिन्न होना अपेक्षित होता है। किन्तु साथ ही उनमें एक आधार एकता भी अपेक्षित होती है। यह एकता आधार-आकृतिगत ही होती है जो उन भेदों का धारण करती है। द्रष्टव्य है कि अधिकांश में नाटककार, नाटक का अभिनय-निर्देशक और उसके अभिनेता भिन्न-भिन्न होते हैं। जबकि अभिनेताओं का उनकी आकृतियों के अनुसार चयन निर्देशक को करना होता है, वह उन अभिनेताओं को उनकी मुद्राओं के सम्बन्ध में एक सीमा तक ही निर्देश दे सकता है और अन्ततः उसे अभिनेताओं की अपनी प्रतिभा पर ही उन मुद्राओं के औचित्य के साक्षात्कार और अभिव्यक्तियों के निए निर्भर करना होता है। इस प्रकार नाटककार और उसके निर्देशक के बीच और निर्देशक तथा अभिनेताओं के बीच आकृतियों और मुद्राओं का साक्षात्कार सम्प्रेष्य होता है और वे इन साक्षात्कृत आकृतियों और मुद्राओं की आधार-आकृतियों और मुद्राओं से सम्यक्ता के सम्बन्ध में परामर्श कर सकते हैं। भावाभिव्यंजक चित्र के सामान ही भावाभिव्यंजक काव्य भावित प्रत्यय : प्रेम, निराशा, सुख, दुःख, आदि : का उपमान, पद-योजना और छन्द आदि के माध्यम से साक्षात्कार करता है और इन माध्यमों का चित्रकला तथा नाटक के माध्यमों के समान ही अयादृच्छिक और अपने प्रत्यय से सम्यक् होना अपेक्षित होता है। इनकी सम्यक्ता कलाकार की प्रत्यय के भावन में प्रामाणिकता और साक्षात्कारी प्रतिभा की प्रांजलता और ऊर्जा इन सब पर निर्भर करती है और प्रत्यय के व्यंजक प्रतीक का रूप स्वयं प्रत्यय के स्वरूप और कवि के साक्षात्कार की परिस्थिति (उसके संस्कार, युग, समाज और तात्कालिक परिवेश) का संयुक्त प्रतिफल होता है। इस कारण कला-कर्म कला-कृति में अपनी सफलता-लाभ करता है और इस सफलता-विफलता को पाठक या दर्शक उतने ही अधिकार से देख सकता है जितने अधिकार से स्वयं कलाकार देख सकता है। बाल-क्रीड़ा में जबकि लकड़ी घोड़े का स्थान ले सकती है और एक बच्चा (लड़का या लड़की कोई भी) अध्यापक-अध्यापिका, और दूसरा बच्चा अथवा बच्चे, अथवा कुछ भी, विद्यार्थियों का स्थान ले सकते हैं, नाटक में इसके विपरीत यथासम्भव अनुरूप पात्रों को ही रखने का प्रयत्न होता है।

इस पर आपत्ति हो सकती है कि नाटक में अनुरूपता केवल वांछनीय होती है अनिवार्य नहीं, और वैही बाल-क्रीड़ा में भी होती है। इसका उत्तर होगा कि बाल-क्रीड़ा में किसी कृति का सृजन लक्षित नहीं होता, उसमें केवल विनोद या उद्वेग-व्यय ही लक्षित होता है। कला-कर्म में ये दोनों ही लक्षित नहीं होते, उसमें कृति का सृजन लक्षित होता है, सृजन में साक्षात्कृत विषयि-प्रत्यय को निरूपित करना, रूप और आकार देना लक्षित होता है। कुछ विचारक कला का भी उद्देश्य आवेग-व्यय (रेचन-कथार्सिस) ही मानते हैं, कुछ इसे सौन्दर्य-सर्जन (सौन्दर्यान्वेषण, सौन्दर्याकांक्षा का सन्तोष) मानते हैं, और कोई रसोत्पादन को कला का साध्य मानते हैं। किन्तु कला के सम्बन्ध में ये दृष्टियाँ भ्रान्तिमूलक ही कही जा सकती हैं, यद्यपि क्रमशः उत्तरोत्तर दृष्टि पूर्व से कम भ्रामक कही जा सकती है। उदाहरण के लिए **गोदान** उपन्यास में प्रेमचन्द या **किस्सा गुलाम** में रमेशचन्द्र शाह न किसी आवेग से मुक्ति खोज रहे हैं और न किसी सौन्दर्य की संकल्पना, रचना या अन्वेषण कर रहे हैं, और न किसी एक रस-विशेष अथवा रस-समवाय की निष्पत्ति उनका उद्देश्य है। **गोदान** में प्रेमचन्द ग्रामीण-जीवन की आर्थिक-मानसिक विपन्नता के चित्रण के माध्यम से समाज को एक मूल्य-निद्रा से जगाना चाहते हैं। किन्तु इस उपक्रम में प्रवृत्त होते ही उनके सम्मुख ग्राम-जीवन का एक व्यापक चित्र-पट विशिष्ट व्यक्तियों और उनके सम्बन्धों के तर्क के साथ अस्तित्व ले लेता है और वे मानो उसका विवरण मात्र प्रस्तुत करते चलते हैं। केवल यह विवरण विषयपरक नहीं होता, इसमें लेखक पात्रों और सम्बन्धों की विषयिता का विवरण प्रस्तुत करता है, जो विवरण

'बाह्यत: देखकर' नहीं 'आन्तरत: तदात्म होकर' ही प्रस्तुत करना सम्भव होता है। अब इस प्रस्तुति की विलक्षणता द्रष्टव्य है : इसका निरूपण न विशेष होता है और न सामान्य, वह विशेष में आविर्भूत ऐसा सामान्य होता है जो विशेष में ठोस और सीमित होकर सामान्य की असीमता में खुला रहता है, अथवा कहें, वह वास्तवता की उपाधि में स्वेच्छया अवतरित सम्भावनाओं का स्वातन्त्र्य होता है।

लाइब्नीज़ ने जगत् को सब सम्भव जगत्सृष्टियों में उत्कृष्टतम सृष्टि कहा है। सम्भव की वास्तवता होने से इसका प्रत्यय अनवच्छिन्न है, किन्तु कृति होने से यह अवच्छिन्न होने को बाध्य है। इसी से इसका कर्त्ता इसमें अपने स्वातन्त्र्य की अभिव्यक्ति देख सकता है, अथवा कहें अनुपहित चेतना इसमें उपाधियों का स्वतन्त्र सृजन देख सकती है। यहाँ इसे डॉ. रमेशचन्द्र शाह के **गोबर गणेश** उपन्यास के उदाहरण से समझना उपयोगी होगा। यह एक आत्मकथात्मक उपन्यास है और इसका नायक विनायक लेखक स्वयं है। विनायक का चाचा जगन यद्यपि पूर्णत: कल्पना-प्रसूत चरित्र है किन्तु उसकी डायरी रमेशचन्द्र शाह की अपनी डायरी है जो उपन्यास की योजना में विनायक की नहीं रहकर जगन की हो जाती है। शाह की कोई बड़ी बहन नहीं है किन्तु विनायक की एक बड़ी बहन भी है जो इस उपन्यास में उतनी ही सजीव, ठोस और अनिवार्य उपस्थति है जितना विनायक स्वयं है। अब, 'आत्मकथा' में इन परिवर्तनों का अर्थ है कि इस आत्मकथात्मक उपन्यास में लेखक की आत्मा अपनी कथा की पुन: रचना करती है और उसके अपने वास्तव जीवन को एक सम्भावना के ऐसे आविर्भाव में रूपान्तरित कर देती है जो घटित होकर उसके पारतन्त्र्य में अवच्छिन्न हो गया है। इस उपन्यास के माध्यम से वह अपने इस स्वातन्त्र्य की पुन: प्रतिष्ठा करता है। द्रष्टव्य है कि आत्मचेतन होने से यह स्वातन्त्र्य मनुष्य को सदैव उपलब्ध रहता है जो अपने आलोचक के रूप में उसमें प्रकाशित होता है। कलाकृति के रूप में यह स्वातन्त्र्य क्रियान्वित और चरितार्थ होता है। कलाकार विभिन्न पात्रों, दृश्यों या चित्रों के माध्यम से अपने को पुन: रचित करता है—जैसे ईश्वर जगत् के माध्यम से, 'यदिदं किंच' है उसमें अनुप्रवेश करके, अपने को बहु करता है। संगीत में भी स्थिति मूलत: भिन्न नहीं होती। किसी स्वर-संस्थान की रचना के समय संगीतकार किसी आवेग या भावना में विह्वल या आप्लावित होता है, ऐसा नहीं कहा जा सकता, वह भावना का स्मृति में आह्वान कर उसके अर्थ, उसके प्रत्यय के साथ अपना तादात्म्य स्थापित करता है और उस अर्थ का स्वर-संस्थान के रूप में साक्षात्कार करता, अथवा कहें उस स्वर-संस्थान के रूप में उस अर्थ को चरितार्थ करता और उसके असंख्य सम्भव रूपों में से एक को आविर्भूत करता है। किन्तु साथ ही वह उस सम्भावना-स्वातन्त्र्य में अपने को अधिष्ठित भी रखता है : जैसे ईश्वर जगत् को रचकर उसमें तदाकार और निश्शेष नहीं होता, बल्कि उसे रचकर उसमें अनुप्रविष्ट होता है। इस सर्जन में वह अपने से भिन्न और पृथक् भी होता है, जो पार्थक्य वेदना के स्मृति बनते ही उत्पन्न हो जाता है। इस पार्थक्य में ही असम्यक्ता और अप्रामाणिकता के आविर्भाव की सम्भावना भी बनती है जिसे वह उस सीमा तक ही मिटा पाता है जिस सीमा तक वह स्वर-संस्थान का स्मृति से और स्मृति का वेदना से तादात्म्य सिद्ध कर पाता है।

इस प्रकार कलाओं में अर्थावगाहन साध्य होने से कलाओं का अन्वेष्य सत्य ही ठहरता है सौन्दर्य नहीं, और परिणामत: सौन्दर्य के लक्षित होने पर भी अन्वेष्य सौन्दर्य नहीं होता बल्कि सौन्दर्यगत अर्थ या सत्य ही अन्वेष्य होता है। जहाँ स्वयं सौन्दर्य ही साध्य होता है वहाँ उसे उचित रूप से कला नहीं कहकर शिल्प कहा जाय तो अधिक उचित होगा। उसमें रचना की भूमिका सदैव गौण होती है। उदाहरण के लिए मनुष्य उपयोग की सब वस्तुओं को नयनाभिराम, रसनाभिराम या श्रवणाभिराम भी बनाने का प्रयत्न करता है। इन प्रयत्नों में सौन्दर्य स्वयं साध्य नहीं होता, इनमें यह उपयोगी साधन ही होता है। इस पर कहा जा सकता है कि सौन्दर्य की यह समानता एक गहरे अर्थ में इसकी साध्यता की ही द्योतक होती है, क्योंकि इसका उपयोग वस्तु को ग्राह्य या अधिक मूल्यवान् बनाने में इसलिए किया जाता है क्योंकि वह स्वयं मूल्यवान् और अनुपयोगी होता है। हम इसका स्पष्टत: अनुपयोगी के रूप में सृजन भी करते हैं, जैसे ग्रामीण और आदिम सभ्यताओं में भित्ति-चित्रों और वस्त्र-सज्जाओं आदि में सौन्दर्य का उत्पादन स्वयं में साध्य होता है और इसके उत्पादन को भी कला कहा जा सकता

है। सौन्दर्य को अपने इस शुद्ध रूप में 'प्रतीतिसार' कहा जा सकता है। यह सौन्दर्य चित्त का प्रसादक और उन्नायक होता है, परिणामत: यह मूल्यवान् होता है। किन्तु इसकी साधक कला उस कला से निम्नतर स्तर की ही कही जायगी जिसमें अन्वेष्य सौन्दर्य नहीं होकर ऐसा अर्थ होता है जो विषयिता की गहन गुफाओं में निमीलित जैसा रहता है और जिसका साक्षात्कार हम आत्मयौगपद्य द्वारा, आत्मतादात्म्य द्वारा ही कर सकते हैं। कला-समीक्षक सम्भवत: इसी को सौन्दर्य कहते हैं। सौन्दर्य-विषयक इस दृष्टि के उदाहरण के रूप में यहाँ पाण्डे जी की **मूल्यमीमांसा** पुस्तक से एक उद्धरण देना उपयोगी होगा। उनके अनुसार "प्राकृतिक सौन्दर्य-बोध में दृश्य का एक कल्पनायोजित प्रतिभास होना इस बात से भी सिद्ध होता है कि यह सौन्दर्य-बोध कहीं भी हो सकता है। सूर्यास्त अथवा फूल सबको सदा सुन्दर नहीं लगते। दूसरी ओर जिस समय मन एक अवस्था विशेष में होता है और हमारी दृश्य-कल्पना अभ्यस्त और रूढ़ सरणियों की उपेक्षा करती है, सामान्य से सामान्य विषय अपूर्व सौन्दर्य की झलक देने लगते हैं—टूटा हुआ तांगा, गंदी गली, बुझती सिगरेट। न सिर्फ वे विषय जो पहले सौन्दर्य-हीन लगते थे, बल्कि वे भी जो पहले कुरूप लगते थे, दृष्टि-परिवर्तन से क्षण भर में रूपान्तरित हो जाते हैं।'[1] अब, जबकि इसमें यह स्पष्टत: सही है कि ये चित्रांकित विषय दृष्टि-परिवर्तन के साथ रूपान्तरित हो जाते हैं यह सही नहीं है कि ये 'सुन्दर' हो जाते हैं। चित्र को इस रूप में 'सुन्दर' भी कहा जा सकता है कि वह दीवार पर लटका होने पर दीवार को अलंकृत करता है, उसकी रमणीयता में वृद्धि करता है, किन्तु ऐसा किसी भी अर्थ में सही नहीं कहा जा सकता है कि चित्रगत गन्दी गली 'सुन्दर' लगती है। चित्रकार का उद्देश्य भी वहाँ सुन्दर दृश्य प्रस्तुत करना नहीं होता जो सूर्योदय और उसके चित्र में प्रस्तुत करना होता है। चित्रकार उस चित्र में या तो अपनी किसी ऐसी स्मृति को व्यंजित करना चाहता है जो उसके चित्त में अर्धस्फुट, श्लिष्ट और गुहागत भावनात्मक अर्थों से मण्डित हो गई रहती है अथवा मानव-जीवन की कुरूप, अवांछनीय और हताश परिस्थिति को प्रस्तुत कर उस पर अपनी टिप्पणी करना चाहता है, अथवा ऐसे ही कोई अन्य अर्थ सम्प्रेषित करना चाहता है। इसी प्रकार टूटे हुए तांगे और बुझती सिगरेट के चित्रण में भी उनका व्यंग्य कोई मार्मिक अर्थ ही होता है। चित्रकार इनके चित्रण में कोई रमणीयता उत्पन्न नहीं करना चाहता, उसे वैसा करना अभिप्रेत हो तो वह टूटे तांगे या बुझते सिगरेट का दृश्य प्रस्तुत नहीं करेगा। वह स्वयं भी इन दृश्यों को देखकर किन्हीं अबोधपूर्व श्लिष्ट अर्थों के लोकोत्तर लोक में प्रस्थित हो जाता है और रंग-रेखाओं में उसी अर्थ को अवतरित करना चाहता है। कला में चित्रित सौन्दर्य भी इसी प्रकार अर्थ-व्यंजना का एक माध्यम बनता है। निश्चय ही कला में सौन्दर्य स्वयं में भी निरूप्य होता है—"कुछ आप हँसे, कुछ नयन हँसे, कुछ नयनन बीच हँसे कजरा"—किन्तु जैसाकि हमने ऊपर कहा, यह कला का हीनतर रूप ही कहा जाना चाहिए।

यहाँ सौन्दर्य के स्वरूप और कला में उसके निरूपण पर संक्षेप में विचार स्थाने होगा। जैसा यान्त्रिकतावादी-भौतिकवादी जीववैज्ञानिक समझते हैं, ऐन्द्रिय संवेदन का तत्त्व जीवन के संरक्षण या पोषण में उपयोगी होना नहीं है, कम से कम इतना मात्र उसका तत्त्व नहीं है। उदाहरणत: बहुत से कृमि दृष्टि होने पर भी उसका उपयोग नहीं करते। खाने और उदर भरने के बीच रसना भी हो, यह बिल्कुल भी आवश्यक नहीं है। यह युक्ति कि स्वाद भोज्याभोज्य का सूचक होता है प्राय: सब औषधियों को अभोज्य सिद्ध कर देगी। इस प्रकार इन्द्रियाँ चेतना में किसी अन्य अर्थ की अभिव्यक्तियाँ होनी चाहिएँ। ज्ञान ऐसा ही एक अर्थ है। इस दूसरे अर्थ की विद्यमानता का समर्थन इन अर्थों की स्वतन्त्र मननीयता से भी होता है : चित्र, संगीत और पाक-कलाएँ क्रमशः रूप, ध्वनि और रसमूलक मनन या विमर्श का ही प्रतिफल हैं। काव्य और चित्र-कलाओं में स्पर्श का भी विमर्श होता है। यह विमर्श उद्गृहीत इन्द्रियार्थों का शुद्ध विमर्श कहा जा सकता है। इन्द्रियार्थों का यह शुद्ध विमर्श भी कला ही है। अब, यह विमर्श केवल रमणीयता उत्पन्न करने तक भी सीमित रह सकता है और गहनतर और

---

1. प्रोफेसर गोविन्दचन्द्र पाण्डे — **मूल्यमीमांसा**, राजस्थान हिन्दी ग्रन्थ अकादमी, जयपुर 1973 पृ. 191

व्यापकतर अर्थ-सम्पदा की व्यंजना का माध्यम भी बन सकता है। बुझती सिगरेट का चित्र बुझती हुई वास्तव सिगरेट से विच्छिन्न दृश्य का उद्ग्रहण कर अन्य अर्थों की व्यंजना का माध्यम बन पाता है, जो अर्थ उतने ही व्यापक और गहन हो सकते हैं जितने किसी कविता, नाटक या कहानी में अथवा किसी निबन्ध में। सौन्दर्य या रमणीयता इस दृश्य में न निरूप्य होती है और न व्यंग्य। निश्चय ही दृश्य के समान ही दृश्य का सौन्दर्य भी व्यंग्य हो सकता है और वह गहनतर अर्थ-वैभव को भी धारण कर सकता है। मोनालिसा-चित्र या ताजमहल अपनी व्यंजनात्मकता से ही महत्त्वपूर्ण हैं, केवल नयनाभिरामता से नहीं। काव्य में यह और भी स्पष्टता से देखा जा सकता है। काव्य में सौन्दर्य-वर्णन एक व्यापकतर सौन्दर्य का अंग भी हो सकता है, बल्कि, उसके अपने तक सीमित रहने पर वह काव्य उत्कृष्ट काव्य कहलाने का अधिकारी नहीं बन पाता। और वास्तव में अलंकरण के प्रयोजन से बनायी गई पच्चीकारी, अथवा नख-शिख वर्णन-परक दोहों के अतिरिक्त ऐसी कोई कलाकृति दुर्लभ ही होगी जो मात्र इन्द्रियाभिरामता को लक्षित करती हो। वास्तव में 'सौन्दर्य' पद भी मानव के विशेषण के रूप में इन्द्रियाभिरामता से न केवल व्यापकतर अर्थ ही पा लेता है बल्कि भिन्न अर्थ भी पा लेता है। पुष्प का सौन्दर्य उसके वर्ण और रचना-सौष्ठव तक सीमित अवधारणा है और इसी प्रकार पशु का सौन्दर्य भी,[1] किन्तु मनुष्य का सौन्दर्य वर्ण और आकृति-सौष्ठव तक सीमित अवधारणा नहीं है। यह अवधारणा केवल सौन्दर्य-प्रतियोगिताओं में ही स्वीकृत होती है। नारी का सौन्दर्य शील आदि गुणों का भी समावेश करता है और पुरुष का सौन्दर्य धैर्य, औदात्य आदि गुणों का। बहुत से व्यक्ति अपनी युवावस्था की तुलना में अपने वार्द्धक्य में अधिक 'सुन्दर' लगते हैं जिसका कारण उनकी मुख-मुद्रा में मानवोचित गुणों की व्यंजकता का बढ़ जाना होता है। यह बात श्री अरविन्द और महात्मा गाँधी के यौवन और वार्द्धक्य के छाया-चित्रों में सहज ही देखी जा सकती है। किन्तु जैसाकि हमने पीछे देखा, कला इस आकृतिगत सौन्दर्य-निरूपण तक सीमित नहीं रहती, वह जीवन को उसकी सम्पूर्ण व्यापकता में समझने का प्रयत्न करती है। जो बात सौदर्य के सम्बन्ध में सही है वह रस के सम्बन्ध में उससे भी अधिक सही है।

निश्चय ही कोई कला-कृति युक्ति-तर्क का सहारा नहीं लेती। भाषा का माध्यम नहीं अपनाने वाली कलाओं में तो युक्ति-तर्क के लिए कोई अवकाश भी नहीं होता। कहा जा सकता है कि संगीत में भावना के अतिरिक्त कुछ और विमृश्य भी नहीं होता। किन्तु इससे कला की सब विधाओं को और उन विधाओं में सब प्रकार की कृतियों को रसात्मक कहना युक्ति-संगत नहीं कहा जा सकता। उदाहरणत: एक दोहा भी कलाकृति है और एक महाकाव्य भी, गल्प और कहानी भी कलाकृति हैं और एक बृहत् उपन्यास भी। इन सब में कलात्मकता का तत्त्व रस में देखना उसी प्रकार युक्ति-संगत नहीं जान पड़ता जिस प्रकार रमणीयता में। उदाहरणत: **महाभारत** को लें जिसे अभिनवगुप्त ने शान्त रसात्मक कहा है। अब, **महाभारत** में असंख्य पात्रों के सभी प्रकार के चरित्र और उनके परस्पर सम्बन्ध निरूपित हैं। उसमें उतने ही विचार, युक्ति-तर्क और ऊहापोह हैं जितने संवेग, भावनाएँ और अनुभूतियाँ। ऐसे में उसे एक शान्त रसात्मक कृति कहना कैसे उपयुक्त होगा? इसका उत्तर होगा कि ये सब शान्त रस के लिए संचारी भावों का कार्य करते हैं। यह सही है, किन्तु यह सब ऐसे ही सही है जैसे असंख्य सफलताओं-असफलताओं, राग-द्वेष, नीति-अनीति, विचार-वितर्क और चिन्तन-मनन के जीवन की सुदीर्घ यात्रा के अन्त में विगतस्पृह व्यक्ति का चित्त शान्त होता है। यह चित्त-शान्ति जगद्भाव की निरर्थकता के बोध से निष्पन्न भाव है, इसे चर्वणा से निष्पन्न रस कहना युक्त प्रतीत नहीं होता, न इसकी निष्पत्ति में कारणभूत भावों को संचारी भाव कहना युक्त प्रतीत होता है। अब, यदि थोड़ा गहराई से देखें तो जिस तर्क से **महाभारत** को शान्त रस का काव्य कहा गया है उससे शायद ही किसी महान कृति को शृंगार, हास्य या रौद्रादि रसात्मक कहा जा सकेगा।

---

1. किन्तु यह आवश्यक नहीं है। पुष्प, पुष्प-राशि, पशु और प्राकृतिक दृश्य केवल संकेत बनकर एक अलौकिक अनुभूति के उद्दीपक भी बन सकते हैं। किन्तु तब ये दृश्य स्वयं में गौण हो कर व्यंजक मात्र हो जाते हैं।

शृंगार रस के कवि-शिरोमणि कहे जाने वाले कालिदास तक की किसी कृति को भी शृंगार रस की कृति नहीं कहा जा सकेगा, यद्यपि रघुवंश या कुमारसम्भव को शान्त रस की कृतियाँ कहना भी कठिन ही होगा। तो भी, यदि कोई एक रस ही इनमें देखना हो तो वह शान्त ही बनेगा, अभिज्ञान शाकुन्तलम् का तो कोई दूसरा रस कहा जा ही नहीं सकेगा। किन्तु एक कृति का उसकी सम्पूर्णता में कोई एक रस कहने की अपेक्षा यह कहना अधिक उपयुक्त होगा कि उसमें कलाकार विभिन्न भावनाओं, विचारों, उद्विग्नताओं और मननों की प्रक्रिया में जीवन का, अथवा उसके किसी पक्ष का अर्थ समझने का प्रयत्न करता है, अथवा कहें, वह किसी अर्थ को व्यक्त करने के लिए विभिन्न-विषयिताओं और उनके सम्बन्ध में एक संस्थान का सृजन करता है। जीवन की यह अनेकपक्षता लघु कृतियों में नहीं देखी जा सकती; एक दोहे, एक गीत, एक राग और एक चित्र में एक ही भाव अभिव्यक्ति पाता है; किन्तु इस भाव को भी सदैव रस की संज्ञा देना सम्भवत: उपयुक्त नहीं होगा। यहाँ हम इसे अज्ञेय की एक कविता के उदाहरण से स्पष्ट करेंगे। कविता का शीर्षक है **माहीवाल से।**

शान्त हो
काल को भी समय थोड़ा चाहिए।
तेरी सोहनी को चन्द्रभागा की उफनती छालियों में
उन्हीं में से उसी का जल अनन्तर तू पी सकेगा
औ' कहेगा, "आह कितनी तृप्ति!"
क्रौंच बैठा हो कभी वाल्मीक पर
तो मत समझ
वह अनुष्टप बाँचता है संगिनी के स्मरण के-
जान ले, वह दीमकों की टोह में है।
कविजनोचित न हो चाहे, यही सच्चा साक्ष्य है,
एक दिन तू सोहनी से पूछ लेना।[1]

इस कविता में जीवन के लौकिक याथार्थ्य के सम्मुख प्रेम की अलौकिक मूल्यवत्ता की पराजय के कटु अनुभव की : जो अनुभव अकविजनोचित वास्तव साक्ष्य से उत्पन्न बोध का परिणाम है : अभिव्यक्ति है। यह अनुभूति विचारशील, विषयनिष्ठ, भावुकता से ऊपर उठकर देखने में समर्थ दृष्टि-सम्पन्न व्यक्ति के संवेदनशील हृदय में जीवन की एक दैनन्दिन वास्तविकता के गहन, श्लिष्ट और जटिल अर्थ से आलोकित हो उठने की परिणाम कही जा सकती है। इस अनुभूति की अभिव्यक्ति विषय-प्रत्ययात्मक, निर्वचनात्मक पदावली में भी हो सकती थी। तब इसे दार्शनिक प्रतिपादन कहा जाता।...किन्तु इस कविता में अभिव्यक्ति विशिष्टपरक रूपक के माध्यम से हुई है। प्रथम प्रकारक अभिव्यक्ति में जबकि सार्वभौमता-निरपेक्षता अपरोक्ष होती है, संवेदन परोक्ष रहता है, दूसरे प्रकार की अभिव्यक्ति में संवेदन अपरोक्ष होता है किन्तु सत्य की प्रत्ययात्मकता-सार्वभौमता परोक्ष रहती है। इस प्रकार इसकी काव्यात्मकता और रूपकात्मकता परस्पर की हेतु हैं। कवि-हृदय में इस सत्य का बोध ही इस प्रकार जन्म लेता है। कथन या प्रतिपादन से इसका यह अन्तर है कि यह न किसी वास्तव घटना का वर्णन है, न वास्तव घटना से आंशिक साधारणीकरण, और न सार्वभौम सत्य का प्रतिपादन। यह किसी घटना, कुछ घटनाओं, या विचार मात्र से प्रेरित मन:स्थिति द्वारा, अपनी विषयिता को खोये बिना, अभिव्यक्त होने के क्रम में पाया गया एक बिम्ब है। एक प्रकार से कला में बिम्ब का स्थान वैसा ही होता है जैसा भाषा में माध्यम का। यहाँ सन्देह हो सकता है कि चित्र और संगीत को बिम्बात्मक और रूपकात्मक कैसे कहा जा सकता है? क्योंकि प्रथम में बाह्याकृति आधार होती है और दूसरी में कोई आधार ही नहीं होता। किन्तु यह सन्देह युक्त नहीं है। चित्रकला में

1. **हरी घास पर क्षण भर** कविता संग्रह, 1949, पृ. 45.

बाह्य आकृति भी भावनात्मक चित्र में प्रतिभासित अर्थों की संकेत और आलम्बन ही बनती है और ये अर्थ अभिव्यक्ति के लिए अपना प्रतिबिम्ब रचते हैं। परिणामत: चित्र चित्रित व्यक्ति की बाह्याकृति की अनुकृति नहीं होकर चित्रकार की अन्तर्दृष्टि की अभिव्यक्ति देता है। और अधिकांश में चित्रकार किसी बाह्य आकृति या दृश्य को आलम्बन भी नहीं बनाता। संगीत में अभिव्यक्ति का माध्यम ध्वनि होने से बिम्ब स्वर-योजना का रूप लेता है। कला की यह बिम्बात्मकता और उसकी अभिव्यक्ति की रूपकात्मकता इसमें प्रतिभासित और अवगत सामान्य को एक अनिवार्य विशिष्टता और मूर्त्तिमत्ता दे देती है जिससे वह अपने कथन में सीमित और विशेषपरक हो जाता है, किन्तु दूसरी ओर इसका यह विशेष निरपेक्ष और सामान्य हो जाता है। उदाहरणत: युग-परिस्थिति से उद्विग्न वाल्मीकि के हृदय में प्रकाशित नैतिक सत्य अपनी सार्वभौमता में निर्बाध है किन्तु अपनी विषयिता में वह अपनी अभिव्यक्ति विशिष्ट व्यक्तियों के विशिष्ट चरित्रों के माध्यम से ही कर सकता है और इस प्रकार वह असंख्य सम्भव 'जगद्-रचनाओं' में से एक हो जाता है। ये अर्थ विषयात्मक सामान्यों के रूप में प्रस्तुत होने पर रामायण की कथा का रूप एक उदाहरण का होता है किन्तु विषयिता में प्रस्तुत होने पर रामायण-कथा एक उदाहरण रूप नहीं होकर अर्थ का निजी विग्रह बन जाती है, जो विग्रह अनिवार्यत: मूर्त्त और विशिष्ट है।

कला का अन्वेष्य – दो

इस अध्याय में हम पिछले अध्याय में प्रस्तुत विचारों की पुष्टि और व्याख्या के लिए प्रोफेसर गोविन्दचन्द्र पाण्डे के दो लेखों 'सौन्दर्यबोध और कला' तथा 'अनुभूति और अभिव्यक्ति' को यहाँ पूर्वपक्ष के रूप में प्रस्तुत कर उनकी समीक्षा करेंगे। ये लेख क्रमशः उनको दो पुस्तकों **मूल्यमीमांसा**[1] और **भारतीय परम्परा के मूल स्वर**[2] के अध्याय हैं। पूर्वपक्ष के रूप में इन लेखों को चुनने का कारण यह है कि इनमें कला की सौन्दर्यात्मकता और रसात्मकता का विचार सूक्ष्म युक्ति और स्पृहणीय विदग्धता के साथ विवेचित हुआ है, इसलिए उनकी समीक्षा पूर्व प्रतिपादित हमारे सिद्धान्त के स्पष्टीकरण में सहायक होगी। वास्तव में दूसरे लेख की प्रतिपत्ति हमारी प्रतिपत्ति से मूलतः उतनी भिन्न नहीं है जितनी स्वर में भिन्न है।

पिछले अध्याय में हमने इस प्रचलित मत की अनुपयुक्तता देखी कि कला का अन्वेष्य सौन्दर्य है, अथवा यह सौन्दर्य-बोध की पर्याय है, अथवा यह भी कि सौन्दर्य इसका साधन है चाहे साध्य सत्य ही हो।[3] किन्तु जैसाकि पाण्डे जी के प्रथम लेख के शीर्षक से स्पष्ट है वे कला को सौन्दर्य का पर्याय मानते हैं, अथवा सौन्दर्य को कला का अन्वेष्य मानते हैं। अब, यह सौन्दर्य क्या है? पाण्डे जी के अनुसार इस पद का प्रचलित अर्थ 'मन को आकृष्ट करने वाला' होता है किन्तु यह सर्वत्र भोग के लिए आकृष्ट करने वाला दिखायी नहीं देता। उदाहरणतः बहुत सी प्राकृतिक वस्तुएँ और बहुत से प्राकृतिक दृश्य भी हमें सुन्दर लगते हैं और इस प्रकार आकर्षित भी करते हैं किन्तु इनका यह आकर्षण भोगार्थक नहीं होता। मानव-शिशु और भाई-बहिन आदि भी हमें सुन्दर लग सकते हैं किन्तु ये हमें भोगात्मक रूप से आकृष्ट नहीं करते। इस प्रकार स्पष्टतः सौन्दर्य का भोग से कोई अनिवार्य सम्बन्ध नहीं है। किन्तु इस पर कहा जा सकता है कि कम से कम कुछ अवस्थाओं में सौन्दर्य का लुभावनापन, उसकी आकर्षकता, भोगपरक होती ही है, इसलिए क्या यह कहना उपयुक्त नहीं होगा कि सौन्दर्य के ये दो सर्वथा भिन्न प्रकार हैं? एक वह जिसकी आकर्षकता भोगार्थक हो और दूसरा वह जिसकी आकर्षकता इस अर्थ से असम्बद्ध हो? पाण्डे जी इसे स्वीकार नहीं करते। उनके मत में भोगार्थकता सौन्दर्य के प्रतिकूल ठहरती है। वे 'इस मूल वासना के दमन और उदात्तीकरण में ही सौन्दर्य-बोध और कला-सृजन' की सम्भावना स्वीकार करते हैं। यह उदात्तीकरण उनके अनुसार प्रकृति का कार्य नहीं होकर संस्कृति का कार्य होता है। (186) इसी विचार का आगे अनुसरण करते हुए पाण्डे जी सौन्दर्य को 'भावना, विवेक, प्रज्ञा, प्रतिभा आदि साक्षात्कारात्मक बुद्धि के गोचर गुणों' में से एक मानते हैं। (187) द्रष्टव्य है कि पाण्डे जी के अनुसार सौन्दर्य के प्रत्यक्षीकरण के लिए बुद्धि की ये चारों ज्ञान-शक्तियाँ उसी प्रकार अपेक्षित हैं जिस प्रकार धर्माधर्म-ज्ञान के लिए। पाण्डे जी अपने इस मत के विरुद्ध यह पूर्वपक्ष प्रस्तुत करते हैं कि प्रकृति में भोगार्थक आकर्षण के लिए 'सौन्दर्य' शब्द का 'उपयोग' होता है। रति-काल में मोर के पंखों का और अन्य जीवों में अन्य आकर्षक रूपों का आविर्भाव इसके प्रमाण हैं। इस मत का प्रत्याख्यान करते हुए वे प्रकृतिगत इस प्रकार की संरचनाओं को मात्र भौतिक कहते हैं। 'प्रकृतिगत सौन्दर्य' पद उनके अनुसार उसी प्रकार औपचारिक प्रयोग है जिस प्रकार 'प्रकृति की बुद्धिमत्ता' प्रयोग औपचारिक होगा।

---

1. **मूल्यमीमांसा**, राजस्थान हिन्दी ग्रन्थ अकादमी, जयपुर, 1973
2. **भारतीय परम्परा के मूल स्वर**, नेशनल पब्लिशिंग हाउस, नई दिल्ली, द्वितीय संस्करण, 1989
3. महादेवी वर्मा के **दीपशिखा** काव्य-संग्रह की भूमिका का प्रथम वाक्य — 'सत्य काव्य का साध्य और सौन्दर्य उसका साधन है।'

यह मत हमें ठीक इस रूप में स्वीकार्य नहीं है, इसका संकेत छठे अध्याय में हमारे ऐन्द्रिय रूपों की स्वतन्त्र रसात्मकता के प्रतिपादन में देखा जा सकता है। किन्तु यहाँ हम इसके सम्बन्ध में एक दूसरी युक्ति काव्य से ही देना चाहेंगे। कवियों ने सर्वत्र नर-नारी के भोगाकर्षण और उससे गम्भीरतर भाव प्रेम का प्रथम निमित्त दैहिक सौन्दर्य को और इस सौन्दर्य के आकर्षण को ही देखा है। स्वयं पाण्डे जी ने दूसरे लेख—'अनुभूति और अभिव्यक्ति' में कहा है कि "विषय-रस तक में वही (ब्रह्मानन्द-रस) है किन्तु वृत्ति-मालिन्य से वह प्राय: आच्छन्न रहता है।"(106)[1] कला-गत सौन्दर्य भोगार्थक है या नहीं यह एक दूसरी बात है, किन्तु उसके द्वारा निरूपित और वर्णित सौन्दर्य भोगार्थक है या नहीं यह दूसरी बात। पाण्डे जी की युक्ति है कि हम पुत्री, बहन और माता में भी सौन्दर्य देख सकते हैं, किन्तु वह भोगार्थक नहीं होता। किन्तु इसका उत्तर हो सकता है कि जिस प्रकार पुरुष-स्त्री के सौन्दर्य की भोगार्थकता से भाई-बहन का सौन्दर्य भोगार्थक सिद्ध नहीं होता उसी प्रकार भाई-बहन में दृष्ट सौन्दर्य की अभोगार्थकता से प्रथम सौन्दर्य-दर्शन की अभोगार्थकता सिद्ध नहीं होगी। यहाँ रवीन्द्रनाथ ठाकुर की **चित्रांगदा** नाटिका उल्लेखनीय है जिसमें चित्रांगदा अर्जुन को अपना 'यथार्थ' व्यक्तित्व दिखाने के लिए एक वर्ष के लिए रूप-सौन्दर्य का वरदान माँगती है। यह सौन्दर्य भोगार्थक ही है। अवश्य इससे यह सिद्ध होता है कि सौन्दर्य और भोगार्थकता में अनिवार्य सम्बन्ध नहीं है, किन्तु यह सिद्ध नहीं होता कि इनमें विरोध-सम्बन्ध है, जैसाकि पाण्डे जी ने कहा है।

अब, यह सौन्दर्य क्या है? पाण्डे जी इसे कम से कम दो प्रकार से परिभाषित करते हैं जिन प्रकारों को परस्पर पूरक भी कहा जा सकता है। इनमें एक प्रकार शुद्धत: रूप-निष्ठ है और दूसरा भाव-निष्ठ। प्रथम प्रकारक की परिभाषा पाण्डे जी के शब्दों में इस प्रकार है : "ऋजु रेखा, बहुकोण, वृत्त, अण्डाकार, परवलय आदि मूल ज्यामितीय संस्थानों में स्वत: सौन्दर्य की अनुभूति नहीं होती। सुन्दर प्रतीत होने के लिए सांस्थानिक रूप से विभेदों की ऐसी समन्विति चाहिए जो जटिल होते हुए भी सरल प्रतीत हो, जिसमें देखने वाले की एक भाग को देखने से उत्पन्न शेष की ओर प्रत्याशा अप्रत्याशित से चमत्कृत हो। ऐसा प्रतीत होता है कि सौन्दर्यशाली रूपों के सौन्दर्य-विधायक तत्त्व उनकी रचना में निहित होते हैं, न कि उनकी प्राकृतिक प्रदत्तता में अथवा तान्मात्रिक विशेषता में।" (187-188) सौन्दर्य का यह निरूपण सुन्दररूपेण दृष्ट विषयमात्र के लिए बहुत उपयुक्त और सम्यक् कहा जा सकता है—अनिर्मित आकृतियों के लिए उतना ही जितना कला-कृतियों के लिए, यद्यपि अनिर्मित आकृतियों के लिए कम। किन्तु पाण्डे जी का परिभाष्य यहाँ प्रथम का सौन्दर्य नहीं होकर केवल दूसरे का सौन्दर्य ही प्रतीत होता है, क्योंकि वे कहते हैं : "सौन्दर्य-शास्त्रीय ग्रन्थों में रचना-सौष्ठव के तत्त्वों का अनेकधा विश्लेषण किया गया है।...इस प्रकार के विश्लेषण में एब बड़ी कमी है कि यद्यपि उसके विश्लेषित रूप उपलब्ध सौन्दर्य के वर्णन में सहायक होते हैं, स्वयं उनसे सौन्दर्य-रचना असम्भव है। आलंकारिक सिद्धान्तों के सहारे टुकड़े जोड़कर रूढ़ और नीरस रचनाएँ ही बन पाती हैं, मानो वे प्राण-हीन ढाँचे हों। सौन्दर्यशाली रचनाओं में एक अपूर्व और अविश्लेष्य समन्विति होती है जो अवयवों और उनके सम्बन्धों से परे किसी अविभाज्य अर्थ का संकेत करती है। जब नीली रेखा आसन्न पीली रेखा में अथवा कोमल निषाद परवर्ती शुद्ध धैवत में एक नये प्रभाव को व्यक्त करते हैं तो उन्हें 'मूर्त्तिमान् आकारिक संकेत' कहा जा सकता है। इस प्रकार की अन्तर्विभक्त अखण्डता और सांकेतिकता के बिना सौन्दर्य-बोध सम्भव नहीं है। जो रूपनिष्ठ गुण सौन्दर्य की प्रतीति के हेतु होते हैं वे किसी स्वभावनिष्ठ कारणता से वैसे नहीं होते, अपितु सन्दर्भ विशेष में वे मूर्त्त संकेत बन जाते हैं, अपनी रचनात्मक समग्रता के और उसकी सार्थकता या मूल्य के। अतएव रूप के सुन्दर होने के लिए उसमें रचना-सौष्ठव और सांकेतिकता या व्यंजकता दोनों का अविभाज्य रूप में समावेश होना आवश्यक है।"(189) इसमें अन्तिम वाक्य में जबकि रूप मात्र के सौन्दर्य का विधान है इससे पहले का और इसके बाद का निरूपण-विवेचन केवल कला-

1. ये पृष्ठ संख्याएँ उन पुस्तकों की हैं जिनके ये लेख अध्याय हैं।

कृतियों विषयक ही है। यहाँ कहा जा सकता है कि अन्तिम वाक्य भी केवल कलाकृतिगत सौन्दर्य के सम्बन्ध में ही होता है क्योंकि इसमें रचना-सौष्ठव और सांकेतिकता की बात की गई है, तो इसका समाधान होगा कि अनिर्मित आकृतियों और दृश्यों में भी सौन्दर्य का बोध उन्हें रचना-कौशल की व्यंजक रचनाओं में ही रूपान्तरित कर देता है। जहाँ तक 'व्यंजकता और सांकेतिकता' का सम्बन्ध है, वह भी अनिर्मित रूपों का उतना ही गुण कहा जा सकता है जितना निर्मित रूपों का। पाण्डे जी ने स्वयं भी आगे पंतजी की पंक्ति : 'न जाने नक्षत्रों से कौन, निमन्त्रण देता मुझको मौन' उद्धृत करके रूप मात्र के सौन्दर्य की यह विशेषता कही है। इतना ही नहीं, वे आगे कहते हैं : "किन्तु जिस समय हमारी कल्पना व्यावहारिकता अथवा अभ्यस्त रूढ़ियों से मुक्त होकर स्वच्छन्द रूप में विहार करती है उस समय प्रकृति हमारे समक्ष एक अपूर्व 'दृश्य' बन जाती है। उसका प्रकृति पक्ष, विकार्य वस्तु-पक्ष, भूल जाता है। उसकी औपादानिकता आकृति के अभिव्यंजन में परिसमाप्त हो जाती है।"(191) यह सही है, किन्तु दृश्यों की यह अपूर्वता और व्यंजकता उनकी सुन्दरता का नामान्तर नहीं कही जा सकती। आगे उनके द्वारा उदाहरण रूप में प्रस्तुत 'टूटा तांगा, गंदी गली और बुझता सिगरेट' केवल चित्र में ही नहीं अचित्रित रूप में भी कल्पना-रूढ़ होने पर निश्चय ही हमें लोकान्तर में प्रतिष्ठित कर देते हैं, किन्तु वे 'सुन्दर' पद के किसी अर्थ में 'सुन्दर' भी होते हैं, यह कहना युक्ति-संगत नहीं लगता। सौन्दर्य भी इसी प्रकार लोकोत्तर लोक का व्यंजक होता है यह सही है किन्तु यह सही नहीं है कि जो भी इस प्रकार व्यंजक होता है वह सुन्दर होता है। इसी प्रकार यह भी सही है कि गंदी गली या टूटे तांगे की इस व्यंजकता का सफल चित्र 'सुन्दर' भी कहा जा सकता है किन्तु स्वयं ये चित्रस्थ रूप सुन्दर नहीं कहे जा सकते। जहाँ तक चित्र की सुन्दरता का प्रश्न है, वह उसकी सफल व्यंजकता से भिन्न कुछ नहीं है।

ये व्यंग्यार्थ उसी प्रकार चेतना की उर्वरता के सूचक और विपुलता के विधायक होते हैं जिस प्रकार विकल्प-बुद्धि द्वारा आक्षिप्त अथवा विषय-बुद्धि द्वारा प्रत्यक्षीकृत अपूर्व अर्थ होते हैं, और परिणामत: उसी प्रकार मूल्यवान् भी होते हैं। किन्तु ये अर्थ ज्ञान-स्वरूप नहीं होकर अनुभूति-स्वरूप होते हैं और यह अनुभूति मानो चेतना को उसके दूर छूट गए घर का स्मरण-सा कराती है। अनुभूतिगत इस अर्थ के स्वरूप और उसकी अभिव्यक्ति का निरूपण पाण्डे जी ने बहुत विस्तार और बहुत विदग्धता के साथ किया है। 'रूप और लक्षण' शीर्षक के अन्तर्गत वे कहते हैं—"अपारदर्शी असांकेतिक रूप अपने में परिसमाप्त लक्ष्य मात्र होता है।...इसका अर्थ यह नहीं है कि रूप आवश्यकतया किसी बाह्य बिम्ब की अनुकृति होता है। रूप किसी अन्य का प्रतिरूप न होकर स्वयं ही बिम्ब हो सकता है, किन्तु ऐसी स्थिति में भी उसकी अर्थ-प्रतिबिम्बता नष्ट नहीं होती। रूप जिस ओर संकेत करता है वही उसका अर्थ है और उस अर्थ का रूप लक्षण या मूर्त्तिमान् संकेत होता है।"(193) रूप को यहाँ कृत या अकृत दोनों अर्थों में समान रूप से लिया जा सकता है, केवल इसके लिए उसका कल्पनायोजित होना, कल्पनात्मक चित्त में अपूर्व अर्थों की रश्मि-लीला का आलम्बन होना अपेक्षित होता है। किन्तु यह रूप ही कला-दृष्टि का विषय, कला-कृति का अनुकार्य और उसका व्यंग्य होता है। इस प्रकार इस रूप को कलात्मक रूप भी कह सकते हैं। इसकी परिभाषा करते हुए पाण्डे जी कहते हैं : **"रूप की परिभाषा दृश्य सामान्य न होकर मूर्त्त संकेत या लक्षण करनी चाहिए। लक्षण एक सांस्कृतिक व्यापार है जिसके साधक-बाधक के रूप में मेल-बेमेल, सुडोल-बेडौल, आदि गुण-दोष निर्धारित किये जा सकते हैं। इसमें एक दृष्टि-परिवर्तन आवश्यक होता है : सौन्दर्य का सामान्य रूप नहीं होता है जो कि उसकी प्रतिविशिष्ट मूर्त्ति में प्रतीयमान अर्थ या मूल्य होता है।**[1] किसी भी रूप को एक भाव-व्यंजक लक्षण की तरह प्रस्तुत करना ही उसके सौन्दर्य का मूर्त्ति-विधान है। मूर्त्त संकेत या 'लक्षण' बनते ही वह एक आबदार मोती की तरह किंचित् पारदर्शी अर्थवाही रूप बन जाता है और सौन्दर्य-बोध को जन्म देता है।"(194)

1. रेखाकंन हमारे द्वारा

इसी प्रकार वे आगे कहते हैं : "सौन्दर्यानुभूति का विषय व्यंजक रूप या लक्षण कहा जा चुका है और हमारी व्याख्या के अनुसार इसका अर्थ है कि रूप या लक्षण स्वयं मूर्त्त संकेत बनकर एक रहस्याच्छन्न अर्थ की भावमय प्रतीति करता हुआ उसका प्रकाश-सा प्रतीत होता है।"(198) यहाँ अन्तिम वाक्य द्रष्टव्य है। 'सौन्दर्यानुभूति' पद यहाँ केवल एक परिभाषित पद रह जाता है और इसका इसके साधारण प्रयोग से कोई सम्बन्ध नहीं रहता। रहस्याच्छन्न लोक की भावमय प्रतीति सुन्दर प्रतीति ही हो, यह कोई आवश्यक नहीं है, किन्तु यदि 'सुन्दर' को परिभाषित ही इस प्रकार कर लिया जाय तो दूसरी बात है। आगे पाण्डे जी 'सौन्दर्यनुभूति' और 'सौन्दर्य' शब्द का प्रयोग पर्यायवाची रूप में करते हैं (पृ. 200) जिससे स्पष्ट है कि यहाँ 'सौन्दर्य' शब्द का प्रयोग एक प्रचलित परिभाषा के अनुसार हुआ है जिस प्रचलन का मूल कला-समीक्षा का 'इस्थेटिक्स' शब्द है। निश्चय ही भारतीय कला-समीक्षा में भी रमणीयार्थता या रस को ही काव्य की आत्मा कहा गया है किन्तु पाण्डे जी के विवेचन में कला का अनुसन्धेय सत्य ही प्रतिष्ठित होता है जिसे पाण्डे जी ने उसकी विषयिपरकता-भावपरकता के कारण 'सौन्दर्य' नाम दे दिया है। किन्तु नामान्तर के कारण इस विवेचन में यह तथ्य परोक्ष हो जाता है। ऊपर के उद्धरण में रेखांकित वाक्य द्रष्टव्य हैं। वहाँ सौन्दर्य के सामान्य विधायक तत्त्व 'सुडौलपन' और 'मेल' स्वयं लक्ष्य नहीं रहकर अर्थ के प्रापण में उपयोगी के रूप में ग्राह्य होते हैं। यहाँ एक और वाक्य देखें— 'जीवन्मुक्त की सम्भवत: यही स्थिति हो कि वह समस्त यथार्थगत भावों को रज्जु-सर्पवत् आरोप्य समझता हुआ उनका तटस्थ साक्षात्कार करे। यदि यह सच है तो कला कृत्रिम उपायों में इसी स्थिति को दर्शक तक उपनीत करती हुई मानी जानी चाहिए।"(201) इसी प्रकार, "व्यंग्य विषय अनुभूति विशेष का मानस-साक्षात्कार या निमित्त प्रतिभास होता है जो कि प्रत्यक्ष और अनुमान, स्मृति और कल्पना से भिन्न होता है।"(205) यहाँ व्यंग्य विषय की प्रत्यक्षादि से भिन्नता के प्रतिपादन में इन दो प्रकारों में एक अनुरूपता भी आपादित है जिसको लक्षित करके ही इनमें भेद दर्शाने की आवश्यकता हुई है। यह आधारगत एकता इनकी अर्थवत्ता और अर्थों की सत्यासत्यता में है।

किन्तु वास्तव में इन्द्रिय-गोचर और विकल्प-गोचर अर्थों में तथा भावना-गोचर अर्थों में यह समानता होते हुए भी इनमें मौलिक भिन्नता है जिसे हमने छठे अध्याय में दिखाने का प्रयत्न किया है। किन्तु पाण्डे जी के निम्न उद्धरण में यह भेद अत्यन्त विदग्ध रूप में विचेचित हुआ है। वे कहते हैं : "भावना एक प्रकार का काल्पनिक अनुसन्धान है जो कि अपनी तन्मयता और निमित्तस्फुटता के आग्रह में ध्यान की एकतान प्रतीति के सदृश होता है। विकल्प या अवधान में चित्त सम्बन्धावगाही और तुलनात्मक होकर इतस्तत: परिस्पन्दित होता है। वह प्रत्यक्ष-गोचर विशेष को सामान्य तत्त्वों में विशेषित और उन तत्त्वों को सम्बन्धित कर पुन: एक करना चाहता है। भावना या कल्पना का प्रकर्ष अपने विषय को स्फुट रूप में प्रस्तुत कर एक मानसिक साक्षात्कार या अनुभूति को जन्म देता है। इस आंतरिक अनुभूति का विषय किसी बाह्य रूप का प्रतिबिम्ब लग कर स्वयं एक स्वतन्त्र विशेषात्मक अर्थ या बिम्ब लगता है जिसमें **यथार्थ अनुभव का बेडौल, अस्पष्ट बिखराव, उसका अधूरापन, सँवर जाता है और साफ हो जाता है, और उसका सत्य या मूल्य सम्मुख आ जाता है, मानो एक तत्त्व प्रकट हो गया हो, एक महत्त्वपूर्ण सम्भावना का रूप स्पष्ट हो गया हो। इस स्थिति की सघन और प्रकाशमान् चेतना को सत्त्वोज्ज्वल भाव-परामर्श से अलग करना दुष्कर है।"**(207) यहाँ रेखांकित वाक्य विशेष रूप से द्रष्टव्य है। इसमें यथार्थ अनुभव में ग्राह्य विषय का सत्य स्वयं उस अनुभव के लिए अगम्य किन्तु कल्पनात्मक चेतना : साक्षात्कारी सृजनात्मक प्रतिभा : के लिए गम्य कहा गया है। वास्तव में यथार्थ अनुभवगत विषय अनेक आयामात्मक होता है : वह भौतिक उपयोगात्मक, तात्त्विक और भावनात्मक सभी आयामों का केन्द्र होता है। किन्तु किसी भी आयाम का सत्य 'यथार्थ-दृष्टि' को सहज प्रकट नहीं होता, उसके लिए वह गुहागत ही रहता है, जिसे वैज्ञानिक, शिल्पी, दार्शनिक और कलाकार 'उद्घाटित' करता है। उदाहरणत: 'गोधूली' के सत्य को भारतीय संस्कृति से भावनात्मक तादात्म्य में अवस्थित, गोधूली से भावोद्दीप्त कल्पना-प्रवण

कलाकार का हृदय ही 'देख' सकता है और यह सत्य वैज्ञानिक को लभ्य सत्य के तुल्य ही प्रामाणिक किन्तु उससे भिन्न लोकवासी होता है। यहाँ 'दृश्य' के साथ 'कलाकार' विशेषण लगाना इसलिए आवश्यक है क्योंकि इस 'अवगमन' का स्फुट ग्रहण अभिव्यक्ति के असाधारण कौशल की अपेक्षा करता है, और अभिव्यक्ति अन्य को सम्प्रेषण के लिए ही आवश्यक नहीं होती, वह स्वयं अपने को अवगमन के लिए भी आवश्यक होती है, और वास्तव में वह 'सत् के आविर्भाव', के लिए भी आवश्यक होती है। ऊपर उद्धरण में 'सत्त्वोज्ज्वल' पद विशेष रूप से ध्यातव्य है, क्योंकि 'सत्त्व' ज्ञानात्मक गुण है।

किन्तु पाण्डे जी का लेख कलाविषयक केवल इस प्रश्न तक सीमित नहीं है। उन्होंने अत्यन्त सम्यक्, स्फुट, परिमित और विदग्ध भाषा में 39 पृष्ठों के 16 उपशीर्षकों में विभक्त इस लेख में कला के प्राय: सभी पक्षों का विवेचन प्रस्तुत किया है। ऊपर उद्धृत विचार केवल 14 उपशीर्षकों में विभक्त विवेचन में से लिये गये हैं। आगे 'कलात्मक मूल्य के आयाम' शीर्षक से पाण्डे जी ने 'कला कला के लिए' मत पर विचार किया है। सर्वप्रथम, इस पद का क्या तात्पर्य है? यह सिद्धान्त क्या है? पाण्डे जी के अनुसार "किसी कला-कृति का विशिष्ट कलात्मक मूल्य उसके चमत्कार-विधायक रचनात्मक तत्त्वों पर निर्भर करता है। किसी कृति की निर्दोष रचना से चमत्कृत होकर हम उसे अपने ढंग की अनूठी मान सकते हैं। रोमन कवि कुतुल्लुख की शृंगारिक कविताएँ अपने ढंग की बेजोड़ हैं, अपनी अनुभूति और परिधि के अन्दर उसकी रचनात्मक कल्पना गुण-सम्पदा से आढ्य और निर्दोष है। किन्तु यह कमाल या सिद्धि (परफैक्शन) कला के मूल्य के विशिष्ट आयाम की होती हुई भी जिन जीवन-मूल्यों के सन्दर्भ में विग्रहवती हुई है उन्हें सत्य की दृष्टि से गम्भीर अथवा नैतिक दृष्टि से उदात्त या प्रशस्त नहीं कहा जा सकता। इसके विपरीत कबीर की कविताओं में कलात्मक रचना के दोष होते हुए भी उनके व्यंग्य अर्थ का मूल्य उन दोषो को गौण बना देता है।"(211) "कला-मूल्यों की विशुद्धता को ही उनका उत्कर्ष मानने वाले 'कला के लिए कला' के पक्षपाती और कला को जीवन-सम्बन्धी मूल्यों का निरूपण और व्याख्या मानने वाले 'जीवन के लिए कला' के पक्षपाती दोनों ही कला की उभयात्मकता को ठीक से नहीं देखते। 'कोई कृति कला-कृति है अथवा नहीं' यह एक प्रश्न है, 'कोई कलाकृति उत्तम है अथवा नहीं' यह दूसरा प्रश्न है।...जातीय गुणों के समान कलात्व के अवच्छेदक गुण स्वत: सत्ताशाली नहीं होते। वे कलाकृति की विशिष्ट विषय-वस्तु का आश्रय लेकर ही व्यक्त होते हैं और इस प्रक्रिया में अपने आश्रय से उपरक्त होकर ही स्वरूपवान् बनते हैं। यह विषयवस्तु स्वयं मूल्यात्मक होती है, चाहे ये मूल्य स्वयं कलात्मक हों अथवा तद्व्यतिरिक्त। कलात्मक अथवा अन्य मूल्यों को अपना विषय बनाती हुई कला के बोध की कलायामिक विशेषता और उसकी अन्तर्दृष्टि, उसका 'रूप' और उसका 'अर्थ' दोनों एक ही अनुभूति में नीर-क्षीर के समान मिले-जुले रहते हैं। **कोमेडिया** या **रामचरितमानस** में क्या यह स्पष्ट नहीं होता कि उनकी रचनागत उपलब्धि उनके 'भाव से सारवान् और समुज्ज्वल बनती है?"(21-213) "कला कला के लिए अथवा कला जीवन के लिए?" इस प्रश्न द्वारा प्रस्तुत समस्या का इसमें बहुत ही युक्त समाधान है। किन्तु रूप और अर्थ एक ही अनुभूति में 'नीर-क्षीर के समान मिले-जुले होते हैं,' कहने के बजाय यह कहना सम्भवत: अधिक उपयुक्त होगा कि ये वर्ण और आभ के समान पृथक् अवधार्य किन्तु अवियोज्य होते हैं। वास्तव में कलायामिक अर्थ और तद्व्यतिरिक्त अर्थ में वही भेद है जो 'सत्य-निष्ठा' और 'सत्य की परिभाषा' में। जिस प्रकार नैतिक उपदेश छन्द-बद्ध होने पर कविता नहीं हो जाते उसी प्रकार रचना के सिद्धान्तों के अनुसार रचित पद 'चमत्कार-विधायक रचना-तत्त्वों' के उदाहरण प्रस्तुत करते हुए भी काव्य नहीं कहलायेंगे।

इस प्रसंग में स्पष्टीकरण के लिए मैथिलीशरण गुप्त के दो पद सहायक हो सकते हैं। 'कला कला के लिए' सिद्धान्त के विरुद्ध उनका एक पद है 'केवल मनोरंजन ही न कवि का कर्म होना चाहिए, उसमें उचित उपदेश का भी मर्म होना चाहिए।' इसमें कला को 'मनोरंजक रचना' के रूप में ही देखा गया है और कवि से 'उचित उपदेश का प्रयोजन सिद्ध करने' की मांग की गई है। किन्तु न तो 'मनोरंजक रचनाएँ' उचित रूप से कलाकृतियाँ होती हैं

और न 'उपदेश का प्रयोजन सिद्ध करने वाली' रचनाएँ। इससे सर्वथा भिन्न प्रसंग में किन्तु इस प्रसंग का सही निदर्शक उनका एक कथन है : "राम, तुम्हारा चरित स्वयं ही काव्य है, कोई कवि बन जाय सहज सम्भाव्य है।" अब, राम के चरित की काव्यमयता सचमुच अद्भुत और अद्वितीय है, क्योंकि उसमें सत्य जीवन में और जीवन से महत् बनता है। और यह जीवन इतनी गहराई से अनुभूति-कथा बन गया है कि इसकी विवरणात्मक प्रस्तुति सम्भव ही नहीं रह गई है। पाण्डे जी का भी वास्तव में "रूप और अर्थ को एक ही अनुभूति में सम्मिलित" कहने का यही अभिप्राय है, शेष केवल कला-विषयक प्रचलित धारणा की पदावली का निर्वाह है। हमारी यह व्याख्या वास्तव में उनके मन्तव्य का ही स्पष्टीकरण करती है। आगे पाण्डे जी इसी बात को और सुन्दर ढंग से कहते हैं, "काव्यादि न्यूनाधिक सादृश्य के द्वारा : कुछ नहीं तो, पदों और वाक्यों की वाचकता के द्वारा : बाह्य यथार्थ का उल्लेख करते हैं परन्तु वे अपने व्यंग्य मूल्य को अपने अन्दर ही प्रदर्शित करते हैं। काव्यादि के कल्पित रूप या बिम्ब को ऐसा 'मूर्त्त संकेत' कहा गया है जो बाह्यार्थ का वाचक होते हुए भी स्वयं अपने स्वरूप-सिद्ध मूल्य का संकेत होता है।"(213) और आगे, "अमूर्त्त रूप कलाओं, नृत्य और विशेषत: संगीत के विषय में ऐसा लगता है कि उनकी अनुभूति केवल कलात्मक मूल्यों की ही अनुभूति होती है।... वस्तुत: संगीत को निरूपेण की आवश्यकता नहीं है, क्योंकि उसके तत्त्व भावों का उद्बोधन साक्षात् से ही कर सकते हैं। यों कहा जा सकता है कि संगीत चित्त की अन्तस्सत्ता को व्यक्त करता है। विशुद्ध सन्दर्भ-रहित संगीत भी रूप-सौष्ठव और रचना-कौशल के साथ एक अन्तर्मुख बोध व्यक्त करता है जिसका साम्मुख्य एक मूल्य है।"(214) हमने इस बोध को भी पिछले अध्याय में अर्थान्वित भावना का विषयि-आत्मक बोध कहा था। यहाँ महत्त्वपूर्ण बात यह है कि पाण्डे जी कला को रूप मात्र स्वीकार नहीं करते। वास्तव से कला में रूप और अर्थ का सम्बन्ध बहुत कुछ भाषा में शब्द और अर्थ के सम्बन्ध में तुलनीय होता है। शब्द और अर्थ पृथक्त: अवधार्य होते हुए भी वस्तुत: वियोज्य नहीं होते। अब, ऐसा भी होता है कि हम किसी भाषा के प्रयोग को शब्द-बहुल और दूसरे को शब्द-लघु अथवा अर्थ-विपुल प्रयोग कहते हैं, किसी को ललित पदात्मक और किसी को कर्कश कहते हैं, किन्तु वास्तव में इन भेदों में ऐसा नहीं होता कि अर्थ-पक्ष के एक ही रहते केवल शब्द-पक्ष ही भिन्न होता है—इनमें ये दोनों पक्ष समान रूप से भिन्न हो जाते हैं। यही बात कला में है। 'कला कला के लिए' तभी होती है जब कलाकार बोध और दृष्टि में दरिद्र होता है, अथवा अनुभूति में निर्जीव होता है। केशवदास केवल **रामचरित मानस** लिखने में ही असमर्थ नहीं थे वे **कवितावली** लिखने में भी असमर्थ थे, और इसी प्रकार तुलसीदास रामचन्द्रिका लिखने में 'असमर्थ' थे। तुलसीदास की यह 'असामर्थ्य' चमत्कार उत्पन्न करने की असामर्थ्य नहीं थी बल्कि अपनी दृष्टि में दरिद्र होने की असामर्थ्य थी। इस प्रसंग में पाण्डे जी का एक और वाक्य उद्धृत कर हम आगे बढ़ेंगे। वे कहते हैं "कला का मूल्य न उत्तेजना में है, न मनोरंजन या दु:ख-विनोदन में, न तत्त्व-प्रतिपादन, शिक्षण, अथवा प्रचार में। कला के मूल्य का 'अर्थ' है रचना की अपूर्वता और 'इति' है मानवीय आत्मसाक्षात्कार।"(219) द्रष्टव्य है कि किसी भी वस्तु के स्वरूप में ये पक्ष : अथ और इति : परस्पर वियोज्य नहीं होते, ये केवल उसके अस्तित्व में ही वियोज्य होते हैं।

यहाँ अन्त में इस उद्धरण में परिभाषित कला के इस 'इति' पक्ष के सम्बन्ध में हम दो शब्द कहना चाहेंगे। यों 'आत्म-साक्षात्कार' का अर्थ बहुत साधारण भी हो सकता है, जिसमें आत्मचेतन चेतना का कोई भी व्यापार आत्मसाक्षात्कारात्मक कहा जा सकता है। विषयित्व में आत्मचेतना, अर्थान्वित भावना का बोध, ये सब तो और भी अधिक इस निरूपण के अधिकारी हो जाते हैं। किन्तु पाण्डे जी का अभिप्राय यहाँ इससे गुरुत्तर प्रतीत होता है। इससे पहले वे रस के स्वरूप का विवेचन करते हुए कहते हैं : "रस स्वयं चेतना का आत्म-परामर्श है, भाव नहीं है, भाव उसका विषय और उपाधि होता है। भाव चित्त की अर्ध आत्म-निमग्न, आत्मोल्लेखी अवस्था है, किन्तु अविद्यावश परिमित अन्धकार और जाड्याभिभूत विषय के आध्यासिक सम्बन्ध के रूप में वह प्रकट होता है। इस समस्त स्थिति के एक मनोगत बिम्ब में विषयिभाव से, जो कि एक प्रकार से विषय का चिद्ग्रास या

जाड्यनिरास है, चित्त में आत्मा और उसकी स्थिति के प्रति एक द्रष्टा का भाव उदित होता है जिससे अविद्यावरण का तात्कालिक भंग होता है। इस निरावरण प्रतीति में आत्मांश का भान चिदानन्द की सात्त्विक स्फूर्ति और स्थित्यंश का भाव उसकी भावमय उपाधि होती है।"(218) इस सबके तत्त्वमीमांसीय पक्ष के सम्बन्ध में हमें यहाँ कुछ नहीं कहना है, क्योंकि उसके लिए विस्तृत विवेचन की अपेक्षा होगी, जो यहाँ प्रासंगिक नहीं होगा। हमें यहाँ केवल इसके कला-विषयक पक्ष के सम्बन्ध में कहना है कि यह प्रतिपादन उस पर लागू नहीं होता। किसी कविता, कहानी या नाटक में, अथवा चित्र या राग में, कलाकार की चेतना का निरूपण 'चित्त में आत्मा और उसकी स्थिति के प्रति एक द्रष्टा का भाव' के रूप में किसी भी प्रकार से युक्त नहीं लगता। एक सम्मुख स्थित व्यक्ति अथवा दृश्य की चित्र-रचना में निरत चित्रकार की चित्त-स्थिति को लें। निश्चय ही वह चक्षु और विकल्प-बुद्धि को प्रस्तुत दृश्य मात्र को ही नहीं देखता। दूसरे शब्दों में, वह विषयनिष्ठ नहीं होता, बल्कि उसके 'परे' और 'भीतर' देखता है जिसका निरूपण 'मनोगत बिम्ब का विषयिभाव' इस प्रकार पूर्णत: उपयुक्त और अत्यधिक अर्थगर्भित है। किन्तु इसे 'आत्मा के प्रति द्रष्टाभाव' कहने का कोई औचित्य दिखाई नहीं देता। इसमें आत्मा का कोई भान होता है, ऐसा कहना युक्त प्रतीत नहीं होता, उसके प्रति द्रष्टाभाव होता है यह कहना तो युक्तता से और भी अधिक दूर की बात लगती है। यहाँ पाण्डे जी यह एक तत्त्वमीमांसीय सिद्धान्त के प्रभाव में लिख रहे हैं जिससे कला-सर्जन या कलात्मक अनुभूति की वास्तविक स्थिति ओझल हो गई प्रतीत होती है। वास्तव में कला एकमात्र ऐसा क्षेत्र है जिसमें मनुष्य का आवेगात्मक-भावनात्मक जीवन निर्बाध स्वीकृति पाता है और निजी अर्थ तथा मूल्य के बोध में उन्मीलित होता है। अन्यथा कर्म, विज्ञान, धर्म और दर्शन किसी भी क्षेत्र में उसके लिए स्थान नहीं है। निश्चय ही धर्म-नीति और तत्त्व-बोध इस चित्त-भूमि को समृद्ध और उज्ज्वल बनाते हैं और अन्तस् की उज्ज्वलता भावना के अर्थों में उन्मीलन के लिए अनिवार्यत: अपेक्षित होती है, किन्तु उसका अनुसन्धेय स्वयं भावक चित्त का अर्थात्मक उन्मेष ही होता है आत्मा के प्रति द्रष्टा-भाव की सिद्धि नहीं। यहाँ मिर्ज़ा ग़ालिब का स्मरण स्थाने होगा जिसका जीवन केवल भावनाओं के ज्वार में तपना और अद्भुत समृद्धिपूर्ण रूपों-आकृतियों में ढलना था। ऐसा नहीं है कि ग़ालिब अपवाद हैं, वे केवल एक स्पष्ट और प्रकृष्ट उदाहरण हैं। बहुत कुछ ऐसे ही उदाहरण निराला और मीरा को भी कहा जा सकता है। मीरा और ग़ालिब में अन्तर केवल आलम्बन का है और उसी रूप में चित्त-वृत्ति का भी, किन्तु चित्तवृत्ति के रूप का नहीं। इसलिए यदि 'रस चेतना का आत्मविमर्श है और भाव उसकी उपाधि' तो काव्य का लभ्य रस नहीं है जो शुद्ध चिद्धौमिक है, बल्कि भाव ही है जो उपहित चिद्धौमिक : चित्त भौमिक : है। किन्तु यदि रस भाव की वह पराकाष्ठा है जिसमें परिमित अहंकार की परिधियाँ निमज्जित हो जाती हैं, तो वही काव्य तथा कलाओं का लभ्य है।

कला विषयक पाण्डे जी के दूसरे लेख का सन्दर्भ कला का स्वतन्त्रत: स्वरूप-विवेचन नहीं होकर कला-विषयक भारतीय परम्परा का विवेचन है। किन्तु पाण्डे जी का परम्परा का विवेचन कभी भी उसका 'इतिवृत्त' या 'इत्युक्त' प्रस्तुत करने के रूप में नहीं होता बल्कि उसमें निहित दृष्टि और अनुभूति का सृजनात्मक आत्मसात्करण कर उसे समकालीन पदावली में प्रस्तुत करने के रूप में होता है। उदाहरणत: अन्यों के द्वारा किये गये रस-विवेचन के सम्बन्ध में वे कहते हैं : "यह सही है कि कुछ विद्वानों ने उसकी शास्त्रीय चर्चा को फिर से प्रस्तुत करने का श्लाघनीय प्रयत्न किया है, किन्तु उसके अभी पुरानी पारिभाषिकता के दुर्ग से न निकलने के कारण इसको एक जीवन्त प्रत्यय के रूप में प्रस्तुत किया जा सकता है, यह कहना कठिन है।"(102) पाण्डे जी यह सहज रूप से ही करते हैं इसलिए इसमें उनके कम या अधिक सफल होने की बात नहीं है। परम्परा उनके लिए इतिहास नहीं है, वह उनके लिए जीवन्त वर्तमान है। अस्तु।

इस लेख का शीर्षक 'अनुभूति और अभिव्यक्ति' है और इसमें उन्होंने कला को सौन्दर्यविषयक नहीं देखकर सत्यविषयक : अनुभूतिगत सत्यविषयक : ही देखा है और इस प्रकार वे इस लेख में हमारे दृष्टिकोण के बहुत समीप हैं। इस प्रसंग में उन्होंने वेद और उत्तरवर्ती बौद्ध काव्य की चर्चा की है जिनका अभिव्यंग्य सौन्दर्य नहीं

होकर सत्य ही हो सकता था। कला-विषयक अपने स्वतन्त्र विचार के प्रसंग में भी उन्होंने इस लेख में, एक अपवाद को छोड़कर, कहीं 'सौन्दर्य-बोध' पद का प्रयोग नहीं किया है। उदाहरणत: रस-विवेचन के प्रसंग में वे कहते हैं "लोकानुकृति-रूप नाट्य के द्वारा अर्पित अनुभूति यदि लौकिक जीवन के भावगत सत्य को ग्रहण नहीं करती तो उसकी मूल्यवत्ता का एक आयाम, जो कि उसकी पुरुषार्थकता है, वह नष्ट हो जायगा। कला जिस सत्य का अनुसन्धान करती है वह सम्बन्धात्मक सत्य नहीं है, वह प्रतिविशिष्ट तथ्य का सत्य है। यह तर्क-गोचर न होकर भाव-गोचर है।"(105) आगे रस के सम्बन्ध में वे कहते हैं; "रस के स्वरूप का वर्णन साहित्यिक मूल्य, मनोवैज्ञानिक तत्त्व एवं आध्यात्मिक तत्त्व के रूप में किया गया है। साहित्यिक मूल्य के रूप में एक विशिष्ट आधुनिक आलोचक ने रस को कृति का सम्पूर्ण प्रभाव कहा है। उसे कृति का असंलक्ष्यक्रम अखण्ड व्यंग्य अर्थ कहा जा सकता है, जिसमें उसके सभी अंशों की सांकेतिकता उपचित होकर एक संपिंडित भाव सम्प्रेषित करती है। मनोवैज्ञानिक तत्त्व के रूप में रस को मतभेदपूर्वक उपचितभाव, अनुकृत भाव, व्यक्त एवं चर्चित भाव, कहा गया है। इस स्तर पर इसी प्रकार रस को सुखात्मक, सुख-दु:खात्मक अथवा सुख-दु:ख-मोहात्मक बताया गया है। किन्तु यह स्मरणीय है कि वस्तुत: उद्‌बुद्ध या उत्पन्न न होकर केवल व्यंग्य होता हुआ भाव स्वयं मनोवैज्ञानिक यथार्थ न होकर तदाकारक सम्प्रेषणीय अर्थ ही ठहरता है।"(106) 'रस' का यह अर्थ इसके परम्परागत अर्थ से कुछ भिन्न है और यह कला की हमारी परिभाषा 'विषयी का विषयि-प्रत्यय के रूप में अवगमन' से शब्दश: मिलता है। इसी प्रकार वेद की काव्यमयता और उस काव्यत्व के स्वरूप का विवेचन करते हुए वे उसकी विधि-वाक्यता (तथा ज्ञापक वाक्यता) का निराकरण कर और अपौरुषेयता की अप्रासंगिता बताकर कहते हैं : "उनमें जो विशेषता लक्षित होती है वह तो उनकी अनेक स्तरीय व्यंजकता है जो कि उत्तमोत्तम काव्य का लक्षण कहा जा सकता है। वेद में काव्य की मूलभूत शक्ति, साक्षात् ज्ञान और मनीषा को एकात्मक माना जाता था।... मानव कवि दिव्य कवि का मात्र प्रतिनिधि था। साक्षात्कार, सर्जन-शक्ति, रचना और छन्द ये वस्तुत: दिव्य चेतना की सम्पत्ति हैं। देवताओं को कवि, द्रष्टा और रूपनिर्माता माना जाता था। मनुष्य देवताओं का अनुकरण ही कर सकता था, शब्द-साम्राज्य में स्त्रष्टा का पद ग्रहण कर सकता था। किन्तु कवि जिसकी सृष्टि करता है वह देवेषित होने के कारण प्रामाणिक अथवा सत्य-संहित होना चाहिए।"(108) वैदिक काव्य का यह अत्यधिक समीचीन और अन्तर्दृष्टिपूर्ण निरूपण है। किन्तु जो तत्त्व वेद को आदर्श काव्य बनाता है वही लोक में भी काव्य का आदर्श होगा। पाण्डे जी ऐसा ही मानते हैं इसमें कोई सन्देह नहीं है। किन्तु तब उनके अनुसार काव्य का अन्वेष्य सौन्दर्य नहीं ठहरता, सत्य और उसके साथ तादात्म्य ही ठहरता है।

किन्तु पाण्डे जी का यह लेख कला-निरूपण तक सीमित नहीं है। इस लेख में उन्होंने अनुभूति और अभिव्यक्ति के स्वरूप का प्रत्यभिज्ञा दर्शन तथा भर्तृहरि के भाषा-दर्शन की पृष्ठभूमि पर अत्यन्त सूक्ष्म और गहन विवेचन किया है। किन्तु यह विवेचन जबकि तात्त्विक सन्दर्भ में : चैतन्य के जगत्-रूप में आविर्भाव के प्रसंग में : बहुत उत्कृष्ट है, कला के सन्दर्भ में यह बहुत प्रासंगिक नहीं प्रतीत होता। किन्तु पाण्डे जी कला को इसी सन्दर्भ में देखते हैं जिससे इस अध्याय में उनका कला का विवेचन कलात्मक अनुभव से कुछ दूर हटा हुआ प्रतीत होता है। उदाहरणत: नाटक के सम्बन्ध में वे कहते हैं : "नाट्य के सन्दर्भ में रस की कल्पना उसकी अनुभूति-रूपता को स्पष्ट करती है। नाट्य लोकानुकृति है, लोक-जीवन के अनुभवों में व्यासक्त पात्रों की मनोदशा के माध्यम से आत्मसाक्षात्कार ही उसमें रस की प्रतीति है। इसमें चेतना की आत्मविश्रान्ति और भाव-सत्य की साक्षिता, दोनों ही युग-नद्ध रहते हैं।"(104) इसमें 'आत्मसाक्षात्कार' पद में 'आत्मा' पद विषयिता मात्र का वाचक भी हो सकता है, किन्तु सम्भवत: ऐसा नहीं है। यदि है तो यह प्रयोग भ्रामक प्रतीत होता है। 'विषयिता' के साथ 'आत्मसाक्षात्कार' पद-प्रयोग में 'आत्मा' पद अहं-प्रत्यय अथवा उसके द्वारा निर्दिष्ट चित्स्थिति का वाचक ही प्रतीत होता है शुद्ध आत्म-चैतन्य का नहीं, जो यहाँ पाण्डे जी को अभिप्रेत प्रतीत होता है। अगले वाक्य में 'भाव-सत्य' पद का प्रयोग है जो हमारे प्रयोग के अनुरूप है। किन्तु इसमें चेतना की 'आत्म-विश्रान्ति' पद का

प्रयोग है जो न नाट्य-रचना में चेतना की स्थिति कही जा सकती है और न नाट्य-दर्शन या काव्यास्वादन में। कला में चेतना सृजनात्मक उन्मेषात्मक और सक्रिय होती है, एक प्रकार से विषयोन्मुख भी, चाहे यह उन्मुखता विषयानुबन्धात्मक नहीं होकर भावानुबंधात्मक ही होती है।

सम्भवत: पाण्डे जी इस लेख में पूर्णत: स्वतन्त्र रूप से विचार नहीं कर रसवाद की अभिनवगुप्त-प्रतिपादित परम्परा को सृजनात्मक रूप में व्याख्यायित करते हुए प्रस्तुत कर रहे हैं। उस दृष्टि से देखने पर उनके इस लेख का महत्त्व और भी बढ़ जाता है, क्योंकि इसमें उन्होंने भारतीय संस्कृति के मूल भाव-बोध में प्रतिष्ठित होकर प्रत्यभिज्ञा-दर्शन की पृष्ठभूमि में कला के स्वरूप का विवेचन प्रस्तुत किया, जो विवेचन विवरणात्मक नहीं होकर सृजनात्मक है। वास्तव में संस्कृति के सन्दर्भ में जो उन्होंने कला के सम्बन्ध में कहा है वह उसके सम्बन्ध में सही हो या नहीं हो उनके इस लेख के सम्बन्ध में अवश्य सही है। उनका कहना है "यदि संस्कृति को आत्मा का व्यक्त ऐतिहासिक रूप कहा जाय तो कला और साहित्य संस्कृति का वह तत्त्व है जिसमें वह अपनी अव्यक्त शक्ति अखण्डतया प्रतिबिम्बित करती है और साथ में इस प्रतिबिम्ब के मूल्य को भी प्रतिबिम्बित करती है।"(102) विज्ञ पाठक पाण्डे जी के इन दो लेखों में सहज ही देख सकते हैं कि इनमें भारतीय संस्कृति की अन्तर्निहित शक्ति किस प्रकार अखण्डत: प्रतिबिम्बित हुई है। इन लेखों में अभिधात्मकतया जितना उक्त है उससे कहीं अधिक व्यंजनात्मकतया संकेतित है।

अब हम इस दृष्टि से उनके कलाविषयक प्रतिपादन को प्रस्तुत करेंगे। सर्वप्रथम, अभिधानात्मक रूप से व्यापारित विकल्प-बुद्धि और व्यंजनात्मक रूप से व्यापारित कला-बोध का भेद बताते हुए वे लिखते हैं : "चेतना के आत्मपरामर्श की सात्त्विक उपाधि ही उसका व्यंजक संकेत होती है और व्यंग्य होती है उसकी सविशेष एषणीयता। विश्व की अभेदमूलता एवं प्रतीत मात्र की आत्मविषयता का यही तात्पर्य है।"(97) इन वाक्यों में उपनिषद् के 'रसो वै सः' आदि तथा 'आत्मनस्तु कामाय सर्वं प्रियं भवति' मन्त्र पृष्ठभूमि में हैं और उनका गम्भीर अभिप्राय कितना सहज और समग्र रूप में प्रस्तुत हुआ है यह देखा जा सकता है। इसी क्रम में आगे वे अनुभूति और उसकी अभिव्यक्ति, जो कला है, के सम्बन्ध में कहते हैं : "आत्मपरामर्श ही मौलिक अनुभूति है जिसमें अपनी अभिव्यक्ति अपने लिए होती है। उपाधि एवं संकेत के भेद से अनुभूति में तनुता एवं सघनता एवं अभिव्यक्ति-वैचित्र्य सम्पन्न होते हैं। सात्त्विक और अन्तर्मुख मनोवृत्ति में अपने अनुरूप प्रस्फुट विषय की उपलब्धि से जिस सघन आत्मानुभूति का सूत्रपात होता है वही काव्य और कला की प्रेरणा बनती है।"(98)

"ज्ञान में स्व तिरस्कृत रहता है, कर्म में स्व और विषय का सम्बन्ध सिद्ध न होकर साध्य बन जाता है। स्वरूपत: भाव ज्ञान की अस्वस्थता एवं कर्म की असिद्धता से मुक्त होता है। इसमें विषय मानो आत्मा की खोज को साकार करता है।"(99) ज्ञान में वस्तुतन्त्रता आकांक्ष्य होती है, इसलिए उसमें 'स्व' केवल आवरक के रूप में ही देखा जाता है और कर्म के लक्ष्य-सिद्धिपरक होने से विषय भविष्य में साधना-साधन के परिणाम के रूप में प्राप्त होता है, केवल कला में 'स्व' और 'विषय' समंजस और समान रूप से केन्द्रस्थ होते हैं।" आगे वे इसका स्वरूप इस प्रकार निरूपित करते हैं : "अनुभूति न तटस्थ ज्ञान या स्मृति है, न मात्र भावोत्तेजना या सुख-दु:ख का अनुभव। किन्तु भाव-संस्कारित हृदय की अवस्था-विशेष में आत्म-प्रतीत की सघनता ही अनुभूति है। सामान्यतया 'रस' शब्द से इस प्रकार की अनुभूति ही अभिप्रेत है।"(104) स्पष्टत: इसमें रस की आस्वाद्यता विवक्षित नहीं हो सकती, इसमें रस 'भाव-सत्य की साक्षिता' का वाचक ही हो सकता है।

कलात्मक अनुभव की 'अलौकिकता' किन्तु तब भी कला के 'जीवन का दर्पण होने' के दो विपरीत विचारों में किस प्रकार आधारगत एकता है इसका निरूपण उन्होंने इस प्रकार किया है : "रति, शोक आदि परिमित अहंकार से मानसिक स्तर पर उत्पन्न होते हैं। उनके कारण उपस्थित होने पर उस परिस्थिति में कर्मात्मक प्रतिक्रिया प्रधान हो जाती है। भाव की सघनता का अवसर ही नहीं उत्पन्न होता। काल्पनिक विभावादि से उद्‌बुद्ध

भाव अनुसन्धान-काल में सघन होकर सविशेष आत्मप्रतीत की उपाधि बनता है। कल्पनामूलक भाव का सम्बन्धी होना रस को अलौकिक बनाता है। किन्तु इस कल्पना में लोक-सिद्ध मानवीय स्वभाव और स्थितियों का सार संग्रहीत होने के कारण अभिव्यक्ति में अलौकिक होने पर भी भावोपाधिक रस लोक के सत्यांश से विच्छिन्न नहीं रहता।"(105) यहाँ रति, शोक आदि के साधारण चैत्त-रूप और इनके रसात्मक रूप में अन्तर का तथा सृजनात्मक कल्पना द्वारा यथार्थ के तत्त्व-साक्षात्कार का निरूपण अपनी स्फुटता, लाघव और सम्यक्ता में अद्वितीय है। इसमें अत्यन्त विस्तृत बात इतने थोड़े शब्दों में, किन्तु तब भी एक भी पक्ष को छोड़े बिना कह दी गई है। 'भाव का काल्पनिक विभावादि से उद्‌बोध', उसका 'सविशेष आत्म-प्रतीति की उपाधि बनना', 'कल्पना का यथार्थ का सार-संग्राही होना' ये तीनों अत्यधिक अर्थ-गर्भित पद-प्रयोग हैं। रति, शोक आदि का अहंकार से उत्तीर्ण चेतना में भाव बनना और तब भी आत्म-प्रतीति की (आत्मा की नहीं) सविशेष उपाधि बनना, कलात्मक अनुभव का यह निरूपण प्रत्यभिज्ञा-दर्शन के अनुसार साधारण होने पर भी अपने अभिव्यक्ति-वैदग्ध्य में असाधारण है। इसी क्रम में चैतन्य के जगद्रूप में आविर्भाव का निरूपण भी उल्लेखनीय है : "विश्व रूप में आभासमान् चिति-शक्ति या आत्मा स्वयं ही अपने को नाना रूपों में अवच्छिन्न करती है। ये रूप उसके आत्मविमर्श के ही रूप हैं, न कि अनात्मिक उपाधियाँ : रूपं रूपं प्रति रूपो बभूव। उस आत्मा का साध्य-साधक भेद से लीला-रस और भक्ति-रस के रूप में प्रकाश रस को उसका स्वरूप ही सिद्ध करता है। विभाव आदि के अर्पण के द्वारा सभी काव्य नाट्यात्मक ही होते हैं। नाट्य का सार ही लीला है।"(106) इस प्रकार ऊपर के उद्धरण में आत्म-प्रतीति की भावोपाधि अनात्मोपाधि नहीं ठहरती बल्कि आत्म-विमर्श का ही एक रूप ठहरती है। इसी प्रकार कला की कल्पनात्मकता, भावात्मकता और विषयि-परकता गहनतर याथार्थ्य की रूपक हो जाती है।

अब, 'रसो वै सः' इस औपनिषद वाक्य में प्रयुक्त 'रस' पद का काव्य-सन्दर्भ में प्रयुक्त 'रस' पद से भेद देखें : "वास्तविक भाव तो स्वसंलग्न संवेदना या प्रतिक्रिया के रूप में प्रतीत होता है और उसमें साधारणीकरण या निर्वैयक्तिकता सम्भव नहीं है। आध्यात्मिक स्तर पर रस को संवित्-स्वरूप या आनन्द-स्वरूप कहा गया है जो न विषयानन्द है, न भावुकता का स्वाद, न ब्रह्मानन्द। वह स्वरूप-विश्रान्ति से अभिन्न है। विशेषालम्बन और भावोपाधिक होने के कारण उसे शुद्ध आत्म-संवित् से भिन्न कहा गया है। इस दृष्टि से 'रसो वै सः' में रस को काव्य-रस से भिन्न ठहराया गया है। किन्तु यह भेद वैसा ही है जैसे कोई शुभ्रज्योति को रंगीन कांच के माध्यम से देखे। विषय-रस तक में वही रस है किन्तु वृत्तिमालिन्य से वह प्राय: आच्छन्न रहता है।"(106) यहाँ यह स्मरणीय है कि प्राय: सर्वत्र स्त्री-पुरुष के बीच उत्कट प्रेम को ईश्वर-प्रेम के तुल्य ही देखा गया है और भक्त कवियों ने स्त्री-पुरुष के प्रेम के रूपक का ही आश्रय लिया है। भागवत धर्म में तो राधा-कृष्ण के प्रेम-निरूपण में मानवीय और दिव्य प्रेम का भेद लुप्त ही हो गया है। किन्तु आगे पाण्डे जी रस के इन दो रूपों में एक दूसरा भेद करते हैं : "रसानुभूति का आत्मानुभूति से भेद सविशेष के कारण नहीं है, बल्कि इस कारण है कि साहित्य में आत्मानुभूति बुद्धि-वृत्ति से अवच्छिन्न चेतना के लिए एक व्यंजना-सम्प्रेष्य अर्थ है न कि वृत्ति-निरोध के उपरान्त स्वरूप-स्थिति।" (106-107) रसानुभूति के आत्मानुभूति से भेद का यह निरूपण वेदान्त, सांख्य, योग और प्रत्यभिज्ञा सम्प्रदाय की पदावलियों के सर्वथा अनुरूप है, किन्तु तब एक प्रश्न यहाँ प्रासंगिक जान पड़ता है कि ऊपर दो उद्धरणों में काव्य के प्रसंग में 'आत्म-विश्रान्ति' पद का क्या अर्थ है?

दूसरे लेख के इस सारांश से यह सहज में देखा जा सकता है कि इसमें रस-सिद्धान्त का दार्शनिक पक्ष कितनी विदग्धता और सूक्ष्मता के साथ प्रस्तुत किया गया है। इस दार्शनिक सिद्धान्त का एक तत्त्वमीमांसीय पक्ष है और एक काव्यमीमांसीय पक्ष। इसके तत्त्वमीमांसीय पक्ष से साधारणत: हमारा कोई मतभेद नहीं है किन्तु काव्यमीमांसीय पक्ष हमें तत्त्वमीमांसीय पक्ष के प्रभाव में एक सीमा तक युक्त प्रतीत नहीं होता। ऐसा क्यों, इसकी ओर हमने ऊपर संकेत किया है, यद्यपि केवल संकेत की किया है। किन्तु इस दूसरे लेख से इस दृष्टि से हमारा

मतैक्य प्रथम की तुलना में अधिक है कि इसमें पाण्डे जी ने कला का अन्वेष्य अधिक स्पष्ट रूप से सत्य को ही देखा है। निश्चय ही काव्य के अन्वेष्य विषयक यह दृष्टि बहुत कुछ अभिनवगुप्त की भी है, किन्तु यह दृष्टि पाण्डे जी के लेखों में अधिक स्पष्ट रूप से उभर कर आयी है, यह असंदिग्ध रूप से कहा जा सकता है।

यह समीक्षा मैंने पाण्डे जी को अवलोकनार्थ भिजवायी तो उन्होंने इस पर अपनी निम्न प्रतिक्रया लिखी : "वास्तव में **मूल्यमीमांसा, भारतीय परम्परा के मूल स्वर,** एवं **भक्तिदर्शन विमर्शः** में सन्दर्भ-भेद और दृष्टि-भेद से एक अवान्तर भेद है। **मूल्यमीमांसा** में सौन्दर्य-बोध और उसकी विशिष्ट प्रक्रिया अथवा व्यंजकता के व्यापार की ओर विशेष ध्यान है। उसमें व्यंग्य विविध मूल्यों के रूप में ही निर्दिष्ट है। मूल स्वर में व्यंग्य मूल्य को चेतना के आभ्यन्तर आदर्शों के रूप में देखने का प्रयत्न है। भक्ति-दर्शन में प्रायः इन आदर्शों की आत्मिक सत्य के रूप में अवधारणा है, जिसमें भाव विषयि-सत्य का प्रमाण बन जाता है और आलम्बन उस सत्य का एक प्रतिबिम्ब। सौन्दर्य और सत्य को मैं परमार्थतः भिन्न नहीं मानता : टूथ इज़ ब्यूटी ब्यूटी ट्रुथ। किन्तु काव्य-सम्प्रेषित सत्य परमार्थतः रसिकों के सौन्दर्यवाद का उतना ही अतिक्रमण करता है जितना वह तार्किकों के तत्त्ववाद का। आर्ष वाक् के स्वायत्त अर्थ में मूल चैतन्य अपने को प्रतिबिम्बित करता है, इस धारणा के अनुसार ही काव्य में सत्य अन्वेष्य प्रतीत होता है। मानवीय कल्पना और ईश्वरीय कल्पना का सारूप्य-समानच्छन्दता—ही सत्य का लक्षण हो सकता है और यह सारूप्य संवित्-लग्नता के द्वारा ही सम्भव है।"

पाण्डे जी यहाँ जो कह रहे हैं उससे मैं शब्दशः सहमत हूँ, किन्तु यह कला से अतिस्तर का विषय है जिसमें सभी अन्वेषण समान रूप से भाग लेते कहे जा सकते हैं, केवल काव्य-सम्प्रेषित सत्य ही नहीं। मेरा विवेच्य यहाँ कला का सम्प्रेष्य है जिसे मैं सामान्य धारणा से भिन्न 'सत्य' कह रहा हूँ और उस सत्य के वैशिष्ट्य को प्रदर्शित करने का प्रयत्न कर रहा हूँ। यह बात पिछले अध्याय के पहले पृष्ठ पर ही स्पष्ट हो जाती है। पाण्डे जी के उपर्युद्धृत स्पष्टीकरण में मुझे एक और दोष दिखायी दिया, वह है सत्य और सौन्दर्य की अभिन्नता का। मैंने उन्हें लिखा कि दोनों में अभेद-प्रतिपादन दोनों को अतिव्यापक बना देता है। इसके उत्तर में उन्होंने लिखा "23.03.92 के अपने पत्र में आपने सत्य और सौन्दर्य की अभिन्नता पर आपत्ति की है। मुझे यह बात जँचती है कि सभी आदर्श मूल्य एक ही पारमार्थिक मूल्य के आभास हैं जैसे पहाड़ के पहलू एक शिखर पर जा कर मिलते हैं। इससे उनका आपाततः भेद निरस्त नहीं होता। दर्शन, विज्ञान और कला का भेद तो मुख्यतः विधागत है। दर्शन अन्वीक्षात्मक, विज्ञान निरूपणात्मक, कला व्यंजनात्मक विधा है। फिर, सत्य और सौन्दर्य की अवधारणाओं के मूल्यात्मना पारमार्थिक अभेद का अर्थ यह नहीं है कि इन शब्दों के प्रयोग परिवर्तनीय होने चाहिएँ।"

पाण्डे जी के इस स्पष्टीकरण में 'पारमार्थिक' शब्द का प्रयोग कठिनाई पैदा करता है। यहाँ पाण्डे जी का अन्तिम कथन लें। हम कहना चाहेंगे कि पद-प्रयोग के जिस स्तर पर 'सत्य' और 'सौन्दर्य' पदों के कुछ प्रयोगों में अभेद स्वीकार किया गया है उस स्तर पर इनके सभी प्रयोग परस्पर परिवर्तनीय होते हैं, ऐसा भी कहा जा सकता है, क्योंकि परमार्थ में अद्वय भाव है। किन्तु यदि भाव और लोक में यह भी सही हो कि 'जो जो सुन्दर है वह वह सत्य भी है' तो भी इनमें अभेद स्थापित नहीं होता, जिस प्रकार 'जो जो विस्तारवान् है वही वही वर्णवान् भी है' इनमें 'वर्णवान्' और 'विस्तारवान्' में अभेद स्थापित नहीं होता। उदाहरणतः 'सत्य का सौन्दर्य' और 'सौन्दर्य का सत्य' ये पद-प्रयोग अप-प्रयोग नहीं कहे जा सकते। पाण्डे जी के प्रतिपादन की विषमता विधागत भेद को वस्तुगत भेदमूलक नहीं देखने से और स्पष्ट हो जाती है। विधागत भेद के कारण सत् के अनेक आयाम हैं जो विज्ञान के लिए अगम्य हैं और विज्ञान के लिए केन्द्रीय आयाम दर्शन के लिए केवल गौण और आंगिक हैं। जहाँ तक दर्शन और कला का सम्बन्ध है, इनमें यदि विस्तारात्मक समानता स्वीकार कर भी ली जाय तो भी गुणात्मक

समानता कहीं स्वीकार नहीं की जा सकती, जैसे यदि दृश्य और आस्वाद्य सर्वत्र एकस्थ हों तो भी इनसे वस्तु की एकता अनुमेय होगी, न कि वस्तु से इनकी एकता प्रमाणित होगी।

किन्तु **भक्तिदर्शन विमर्श:** पुस्तक में पाण्डे जी के रस-विषयक प्रतिपादन से ऐसा लगता है कि पाण्डे जी का और मेरा मतभेद वास्तव नहीं होकर केवल शाब्दिक है और पाण्डे जी की प्रथम पत्र में लिखी यह बात सही है कि उनके उपर्युक्त दो पुस्तकों में प्रतिपादित मत का तीसरी में प्रतिपादित मत से भेद केवल सन्दर्भगत और अवान्तर है। **भक्तिदर्शन विमर्श:** में वे कहते हैं : "रस केवल मनोरंजन मात्र या काल्पनिक सुखास्वाद मात्र नहीं है न लौकिक भाव के अनुसारी मन द्वारा विषयास्वाद अथवा स्वाभाविक या चिदानन्दात्मक आस्वाद ही है। वह भाव द्वारा व्यंग्य सत्य का साक्षत्कार अथवा आत्मा का अवभास है।.... जिस प्रकार दार्शनिक सत्य मूल प्रतिपत्ति के अधीन और तर्कान्वित होता है उसी प्रकार रसानुभूतिगत सत्य भाव-समाश्रित तथा व्यंजना-व्यापार से अन्वित होता है। प्रतिभा द्वारा साक्षात्कृत भाव-सत्य की अनुभूति ही रस है और यह वाद तत्त्व-दर्शन के विवादों से निरपेक्ष है।"[1] (112-113) पाण्डे जी का रस विषयक यह प्रतिपादन पिछले अध्याय में प्रतिपादित हमारे मत के पूर्णत: अनुरूप कहा जा सकता है।

---

1. **भक्तिदर्शन विमर्श:** सम्पूर्णानन्द संस्कृत विश्वविद्यालय, वाराणसी, 1991

कलान्वेष्य सत्य का स्वरूप

कला को ऐसे सृजन-कर्म के रूप में ही देखा गया है जो नितान्त विलक्षण और नव्य कृति में प्रतिफलित होता है और ऐसी अनुकृति के रूप में भी जो किसी अव्यक्त अथवा द्यु-लोकवासी सत्त्व की आकृति को व्यक्त करती है। स्पष्टत: ये दो परस्पर विरुद्ध मत हैं। अनुकृतिवादी मत चित्र, मूर्त्ति और नाटक के प्रसंग में सहज रूप से सही प्रतीत होता है, यद्यपि अनुकृतिवादी संगीत तक में भी पूर्वत: विद्यमान आकृति की अनुकृति ही देखते हैं।[1] वास्तव में थोड़ा गहराई से देखें तो संगीत और चित्र दोनों ठीक ही समानरूप से अनुकरणात्मक कहे जा सकते हैं। चित्रकार को यदि बाह्य आकृतियों की प्रतिकृतियों का निर्माता भी माना जाये तो भी प्राकृतिक आकृतियों के सम्बन्ध में यह प्रश्न हो सकता है कि वे आख़िर किसकी प्रतिकृतियाँ हैं? इस प्रश्न को अपप्रश्न कह कर उपेक्षित करना युक्त नहीं होगा। सब आकृतियाँ आकार-कल्पना को पूर्वापेक्षित करती हैं और आकार-कल्पनाएँ सृजनात्मक प्रतिभा को। इस सृजनात्मक प्रतिभा का न वैयक्तिक होना आवश्यक है और न आत्मचेतन होना। अनेक कवि इसके साक्षी होंगे कि उनकी कृतियाँ उनसे अतिक्रान्त किसी स्रोत से उनकी चेतना में अवतरित होती हैं, मानो कोई उनका माध्यम के रूप में उपयोग कर रहा हो। देव-प्रतिमाएँ बनाने वाले भी देवता की आकृति के अन्तश्चक्षु से साक्षात्कार की बात ही कहते हैं। देवताओं की आकृतियाँ उस प्रकार प्रदत्त नहीं होतीं जिस प्रकार प्राकृतिक आकृतियाँ होती हैं, किन्तु तब वे निराधार कल्पनाएँ भी नहीं कही जा सकतीं। कलाकार उनके प्रत्यक्षीकरण का ही दावा करते हैं जिस दावे की सत्यता प्रतिमा की सहज विश्वसनीयता से प्रमाणित होती है। किन्तु तब भी यह सही है कि देवता की स्वत: कोई आकृति नहीं होती, वह केवल 'ऋषि' की साक्षात्कारात्मक प्रतिभा में आकृति के माध्यम से अपने को प्रकट करता है। प्रकृतिगत आकृतियों को हम जड़ आविर्भाव मानते हैं, जो युक्त प्रतीत नहीं होता। ये आकृतियाँ स्पष्टत: प्रत्ययों को रूपायित करतीं और प्रतिविशिष्ट आद्य प्ररूपों (आर्किटाइप्स) के विभिन्न निरूपणों जैसी प्रतीत होती हैं। महान् कलाकार भी वास्तव में यही करता है, तब भी जब वह प्रकटत: किसी सम्मुख प्रस्तुत व्यक्ति को चित्रित करता है। रेंब्रां ने अनेक आत्म-चित्र बनाये किन्तु उसके वार्द्धक्य-काल के आत्म-चित्र उसकी अपनी आकृति के अनुकारी नहीं होकर सुखी, दु:खी, शोकाकुल, उल्लसित, मूढ़, प्राज्ञ मानव के चित्र हैं जिनमें से कोई-कभी उसकी अपनी आकृति के अनुरूप भी हो सकता है।'[2] वास्तव में इस दृष्टि से ये चित्र ज्यामितिक प्रत्ययों के उदाहरण रूप में प्रस्तुत आकृतियों के जैसे होते हैं, जिनमें रेखाएँ और कोण अपने निरूपक नहीं होकर पूर्णत: पारदर्शी होते हैं। निश्चय ही यह उपमा केवल आंशिक है, क्योंकि चित्र आत्मनिरूपक भी होते हैं और वे आकारावतरित प्रत्ययों को ही चित्रित करते हैं, जो आकार साक्षात्कार के क्षणों के साक्षी होते हैं। इसलिए यह आवश्यक है कि प्रत्यय को व्यंजित करने वाला चित्र उस 'वास्तव' आकृति का ही चित्र हो जो उस प्रत्यय को धारण करती है। चित्रकार की प्रतिभा इस 'वास्तव आकृति' के साक्षात्कार और कुशलता इस आकृति के सम्यक् चित्रण में देखी जाती है। यही बात, और ठीक इसी प्रकार से, संगीत के सम्बन्ध में भी सही है। यहाँ प्रत्यय, आकृति और उसकी प्रतिकृति को एक उदाहरण द्वारा समझना उपयोगी होगा : घट घट-प्रत्यय का निरूपक होता है, जो प्रत्यय स्वरूप : आकार-विहीन होता है। किन्तु यह प्रत्यय ऐसा होता है जिसका साक्षात्कार केवल आकृति के माध्यम से ही हो सकता है और जो विशिष्ट घटों के

---

1. "नू के महान् लेखक और आलोचक जापान के सेअमी (Seami) का दावा है कि संगीत और नृत्य कलाएँ भी पूर्णत: अनुकरणात्मक ही होती हैं।"

— द्रष्टव्य कुमारस्वामी — **दि ट्रांस्फर्मेशन ऑफ नेचर इन आर्ट**, मुंशीराम मनोहरलाल, नई दिल्ली, पृ.10

2. विवेक दत्त — 'इन ल्यू ऑफ ए रिव्यू', **जे.आई.सी.पी.आर.**, वर्ष 8, अंक 2, जनवरी-अप्रेल, 1991, पृ.161

रूप में ही चरितार्थ हो सकता है। कलाकार की प्रतिभा इस प्रत्यय के साक्षात्कार में और आकृति द्वारा इसके निरूपण-कौशल में प्रदर्शित होती है। यह निरूपण अनेक प्रकार की आकृतियों में हो सकता है, किन्तु जिस भी आकृति में वह हो उस आकृति का कुशलतम प्रतिरूपन वांछनीय होता है और इस प्रतिरूपन की सफलता प्रत्यय को सम्यक्तम रूप में अन्तश्चक्षुगम्य बनाने में होती है। अब, संगीत, नाटक या काव्य में आकृति चक्षु-ग्राह्य नहीं होती किन्तु संगीत में ध्वनि-योजना और नाटक में चरित्र, क्रिया और घटना की योजना होती है और ये योजनाएँ गेय या अभिनेय प्रत्यय की न्यूनाधिक सफल प्रतिकृतियाँ प्रस्तुत करती हैं। एक गान किसी प्रत्यय की आकृति को व्यंजित करता है यह हम गान सुनकर उसकी स्वर-योजना की भाव से अनुकूलता-प्रतिकूलता के अथवा न्यूनाधिक भावानुकूलता-प्रतिकूलता के रूप में देखते हैं। उदाहरणत: मीरा का 'जोगी, मत जा, मत जा, मत जा, पाँव पड़ूँ मैं तोरे, बहुत से रागों में गाया गया है। ये सब राग संगीतकार द्वारा इस गीत के भाव की संगीतात्मक आकृति के साक्षात्कार की न्यूनाधिक सम्यक्ता-असम्यक्ता को व्यक्त करते हैं और यह साक्षात्कार गायक के गायन में कृतकार्य होता है। गायन इस स्वर-योजना का निर्वाह कितनी सफलता से कर पाता है यह गायक के प्रत्यय-साक्षात्कार, राग की समझ और कंठ के कौशल तीनों पर निर्भर करता है। इस प्रकार संगीत उतना ही अनुकृति प्रस्तुत करने का प्रयत्न करता है जितना चित्रकला करती है।[1] किन्तु यह प्रतिकृति इन्द्रियगम्य आकृति की नहीं होकर प्रत्यय की होती है, यह बात दूसरी है कि चित्र-ग्राह्य प्रत्यय चक्षु-ग्राह्य आकृति के माध्यम में व्यक्त होता है और संगीत-ग्राह्य प्रत्यय श्रोत्र-ग्राह्य आकृति के माध्यम में। स्वयं प्रत्यय का आकार चित्रात्मक या संगीतात्मक नहीं होता किन्तु तब भी चित्र या राग उस प्रत्यय की ही अनुकृतियाँ प्रस्तुत करते हैं जो अनुकृतियाँ न्यून या अधिक सम्यक् और न्यून या अधिक सम्प्रेषण-समर्थ होती हैं। सम्यक्ता की इसी सम्भावनात्मक अनन्तता में कलाकार की सृजनात्मकता के लिए अवकाश होता है। कोई चित्रकार चिन्तन या प्रज्ञा को आकार देने के लिए किसी पशु की आकृति का उपयोग नहीं कर सकता, उसके लिए वह मानवाकृति का ही उपयोग कर सकता है, किन्तु यह आकृति कैसी होगी और उसकी मुद्रा कैसी होगी, यह पूर्वनिर्धारित नहीं होता। और मानवाकृति की अनिवार्यता भी वास्तव में उसकी सृजनात्मकता की बाधक नहीं होती। क्योंकि जैसाकि आरम्भ में हमने देखा, स्वयं प्राकृतिक आकृतियाँ भी सृजनात्मक चेतना की ही प्रतिफल होती हैं और कलाकार इन आकृतियों के उपयोग में एक बृहत्तर सृजनात्मकता में ही सहभाग लेता है।

कलाकार की सृजनात्मकता विषयिता के अर्थों के उद्भव का स्रोत होने और इन अर्थों के अनुरूप आकृतियों अथवा प्रतीक-संरचनाओं के साक्षात्कार में होती है। यहाँ यह स्पष्टीकरण आवश्यक है कि सृजनात्मकता केवल कला-कर्म में ही नहीं होती, यह शिल्प और विज्ञान आदि में, यहाँ तक कि वस्तु-योजना आदि तक में भी, लक्षित होती है। किन्तु कला-कर्म में, और बहुत कुछ दर्शन में भी, यह अधिक मूलगामी होती है, क्योंकि अन्य क्षेत्रों में इसका रूप पूर्वविद्यमान ज्ञान-राशि के आधार पर नयी सम्बन्ध-व्यवस्था को 'देखने' का होता है जबकि कला में भावनात्मक चित्त के उद्वेलन ही को अपना उपादान कर नाम-रूपात्मकतया आविर्भूत होना होता है और इस उद्वेलन तथा आविर्भाव को चेतनागत किसी निगूढ़ सत्य का उद्घाटक, अथवा कहें आविष्कारक, अथवा कहें चरितार्थ करने वाला, आविष्कारतया उद्घाटित करने वालाः होना होता है। कला के समान ही दर्शन में भी चेतना अपने ही भीतर क्रियान्वित होकर अर्थ-राशि का साक्षात्कार करती है। किन्तु इसमें

---

1. इस पर डॉ. रमेश चन्द्र शाह की निम्न टिप्पणी उल्लेखनीय है—

"कुमार गन्धर्व कबीर-गायन के लिए प्रसिद्ध है और उन्होंने कहीं कहा है कि उन्हें कबीर के साथ ही वैसी अन्तरंगता अनुभव हुई जो उन्हें सांगीतिक समतुल्य उत्पन्न करने की प्रेरणा दे। किन्तु एक बार उन्हें तुलसी-गायन का निमन्त्रण मिला तो उन्होंने स्वयं मानस, विनय-पत्रिका आदि से पद चुनकर दो घंटे ऐसा तुलसी-गायन प्रस्तुत किया कि मैं स्तंभित रह गया। लगा, आजतक किसी ने तुलसी का ऐसा गायन न किया होगा। इस प्रसंग का उल्लेख इसलिए कर रहा हूँ कि आपने भाव की संगीतात्मक आकृति और उसके साक्षात्कार की न्यूनाधिक सम्यक्ता की जो बात यहाँ उठाई है वह बड़ी सच्ची बात है और अब मैं अपने उस अपूर्व अनुभव की व्याख्या इस शब्दावली में पा रहा हूँ कि कुमार गन्धर्व ने कबीर के ही नहीं, तुलसी के भी भावों की संगीतात्मक आकृति के साक्षात्कार की सामर्थ्य प्रदर्शित की।"

जैसे यह पूर्वविद्यमान अर्थों के दर्शन की भूमिका में होती है। चाहे ये अर्थ उसे आत्मावगाहन में ही उपलब्ध होते हैं और इस प्रकार अपूर्व होते हैं, यद्यपि इन अर्थों के वाहक प्रतीक अधिकांशत: पूर्वप्रदत्त ही होते हैं। किन्तु कला में भावनात्मक चेतना ही अर्थों में आविर्भूत होती है और उन अर्थों के धारण में समर्थ प्रतीकों की सृष्टि करती है। यहाँ यह द्रष्टव्य है कि कलाकार कला-कर्म के मध्य भी भावोद्विग्न हो यह आवश्यक नहीं होता, वह अनुभूत भाव की स्मृति से भी रचना कर सकता है। ऐसा नहीं है कि कलाकार द्वारा प्रयुक्त प्रतीकों में कुछ पूर्वप्रदत्त नहीं होता, और कि उसके द्वारा साक्षात्कृत अर्थ बाह्यालम्बनों से पूर्णत: स्वतन्त्र होते हैं। किन्तु तब भी एक आधारभूत अन्तर होता है। कलाकार के साक्षात्कार्य अर्थ वाच्य नहीं होकर व्यंग्य होते हैं और प्रतीक पारम्परिक होने पर भी उन अर्थों को अपूर्वत: व्यंजित करते हैं। यहाँ एक चित्रकार (विकास भट्टाचार्जी) से कला-कर्म के सम्बन्ध में एक उदाहरण देना स्पष्टीकरण में सहायक होगा : एक मृत बच्चे के माता-पिता ने भट्टाचार्जी से अपने उस बच्चे का ऐसा चित्र बनाने का अनुरोध किया जो उनके सामने बच्चे को जीवितवत् दिखा सके। इस प्रसंग में भट्टाचार्जी ने अपने कला-कर्म की चर्चा करते हुए कहा है कि "मैं यह चित्र अभी तक आरंभ नहीं कर पाया हूँ। मैंने इसके लिये युक्त बिम्ब का साक्षात्कार पाने के लिए कितनी ही रातों की नींद खोई है। इसमें केवल एक चित्र की रचना ही अपेक्षित नहीं है, इसमें ऐसी आकृति की पुनारचना करना अपेक्षित है जो एक ओर नितान्त मर्मान्तिक दु:ख में से जन्म ले रही हो और दूसरी ओर जो दो अश्रु-प्लावित हृदयों को उनके सम्पूर्ण जीवन में सम्बल दे सके।"[1] अब, बच्चे का यह चित्र बच्चे की आकृति के अधिकाधिक अनुरूप भी होना चाहिए और साथ ही इस अनुरूपता को केवल व्यंजक होना चाहिए, आत्मपार्यन्तिक नहीं, और इसका यह व्यंग्य अर्थ वह होना चाहिए जो चित्रकार की भावना में जन्म लेकर भी वस्तुत: नितान्त अतिवैयक्तिक और अर्थों में उन्मिषित चेतना की वस्तुता में प्रतिष्ठित हो। कला की यह चिदात्मक वस्तुता भाव-चित्रण, भाव-मूर्त्तन, नृत्य, संगीत और काव्य में अधिक स्पष्ट रूप से दृष्टिगत होती है। उदाहरणत: विभिन्न बुद्ध-प्रतिमाएँ किसी वास्तव व्यक्ति की प्रतिमूर्त्तियाँ नहीं हो कर बुद्धत्व को ही मूर्त्तरूप देने के प्रयत्न में आविर्भूत हुई हैं। किन्तु ये आकृतियाँ 'नितान्त कल्पित' होने पर भी 'प्रतिमूर्त्तन' की सम्यक्ता और प्रामाणिकता में समान नहीं होतीं। प्रामाणिकता का यह न्यूनाधिक्य मनुष्य की उन सभी कृतियों में होता है जो उसकी सृजनात्मकता को व्यक्त करती हैं। यह न्यूनाधिक्य उतना रचना-कौशल में नहीं होता जितना भावना के होने और उसमें अर्थ के उन्मेष में होता है। अधिकांश कलाकृतियाँ अप्रामाणिक होती हैं क्योंकि अधिकांश व्यक्ति या तो भावना में क्षीण होते हैं अथवा उनकी भावना अर्थ-विपन्न होती है। यहाँ यह ध्यातव्य है कि अर्थोन्मेष और अर्थ-साक्षात्कार दो पृथक् स्थितियाँ नहीं हैं—अस्तित्वत: ही नहीं, प्रत्ययात्मक रूप से भी अर्थ से साक्षात्कार के बाह्य होने पर अर्थ विषयात्मक हो जायगा और इस प्रकार वह कलात्मक नहीं रहेगा। अथवा यह भी कह सकते हैं कि भावना स्वरूपत: ही अर्थ-गर्भ होती है, कलाकार को उसे केवल स्फुटत: देखना ही होता है और उसकी सफलता-असफलता दृष्टि की स्पष्टता-अस्पष्टता में ही होती है। निश्चय ही इस साक्षात्कार की कलाकृति-रूपेण निष्पत्ति : अभिव्यक्ति : का महत्त्व भी कम नहीं होता, जिसकी सफलता कलाकार के अर्जित या, सहज कौशल पर निर्भर करती है। वास्तव में यह भी कहा जा सकता है कि साक्षात्कार और अभिव्यक्ति में तारतम्य होता है और द्वितीय के बिना प्रथम स्फुट नहीं हो सकता। इनमें तारतम्य कहने का औचित्य यह है कि अभिव्यक्ति का मूल स्वयं भावना के उन्मेष में ही होता है, जो उन्मेष बाह्य उपादानों में कृति के रूप में पर्यवसित होता है—सांख्य की जगदभिव्यक्ति के समान, जो प्रधान से आरम्भ हो कर पंचमहाभूत में निष्पन्न होती है।

यहाँ चित्रकार द्वारा उपयुक्त बिम्ब का साक्षात्कार पाने के प्रयत्न के स्वरूप को समझना कला की सृजनात्कता और विषयि-आत्मक ज्ञेयता को समझने की दृष्टि से उपयोगी होगा। चित्रकार द्वारा उपयुक्त बिम्ब का अन्वेषण, कवि द्वारा उपयुक्त शब्दों का अन्वेषण और विचारक द्वारा उपयुक्त परिभाषाओं का अन्वेषण एक-जैसे प्रतीत होते हैं, चाहे इनमें प्रथम में पिछलों की तुलना में अभिव्यंग्य के साथ अधिक गहन अन्तरंगता होती है।

---

1. आशिश चक्रवर्ती — 'दि रीक्रियेटर', **दि हिन्दोस्तान टाइम्स**, 10 फरवरी, 1992

अब, इनमें तीसरे को विषयि-आत्मक नहीं कहा जा सकता, तब प्रथम दो को विषयि-आत्मक कैसे कहा जा सकता है? इसके अतिरिक्त, बिम्ब उसी प्रकार विषयरूप से ही निरीक्ष्य होता है जिस प्रकार चित्र निरीक्ष्य होता है, और चित्र वर्ण-संस्थान होने से विषय ही होता है। यह सही है; निश्चय ही चित्र और बिम्ब विषयतया 'अवलोक्य' भी होते हैं और चित्र का तत्त्व उसकी 'प्रस्तुति' में नहीं होकर उसकी अर्थ-निष्पादकता में, अथवा अधिक उचित शब्दों में कहें तो, अर्थ के उसमें निष्पन्न होने में, होता है। निश्चय ही अर्थ, बिम्ब और चित्र तीनों 'अवलोक्य' भी होते हैं तभी इनमें अनुकरण और अनुकार्यता का प्रसंग भी उपस्थित होता है, और इस रूप में इनमें एक विषयता भी रहती है, किन्तु इस अर्थ का तत्त्व इसकी अवलोक्यता में नहीं इसके भावित होने और भाव के उन्मेष में होता है और चित्र का तत्त्व इस अर्थ का व्यंजकतया संकेत करने में होता है। व्यंग्य-व्यंजक का यह सम्बन्ध वैसा ही होता है जैसा लज्जा और मुँह की लाली का। अब, लज्जित होने वाले को अपने इस मनोविकार का ज्ञान भी होता है और मुख के विकार का भी, किन्तु लज्जा और मुख-विकार का याथार्थ्य ज्ञेय होने में नहीं घटिततया विदित होने में होता है। निश्चय ही लज्जा और मुख-विकार का घटित होना कलात्मक अर्थ का घटित होना नहीं है किन्तु उतना ही इस भाव और मनोविकार का विवरण देना, अथवा परिभाषा देना भी कलात्मकता नहीं है, कला इस भाव के भावात्मक अर्थोन्मेष में अवस्थित होकर उसका अवलोकन करने और उस अवलोकित अर्थ को पुन: अपने मूल को सौंप देने और इस मूल अर्थ को तद्वत् व्यंजित करने में होती है। उदाहरणत: रघुवंश में इन्दुमती की मृत्यु पर अज-विलाप-वर्णन, प्रिया की मृत्यु पर अनुभूत दारुण कष्ट के अनुभव में अवस्थिति, उसका उसके आनुभूतिक अर्थ में अवगाहन और अवलोकन, और उस अवलोकित अर्थ का उसकी अपनी विषयिता को पुन: समर्पित होना है। यह विलाप किसी भी प्रिया की मृत्यु पर किसी भी प्रिय का विलाप भी है और मानव-हृदय में निहित शाश्वत विरह की अभिव्यक्ति भी। कवि इस शाश्वत विरह के विमृश्य अर्थ का कल्पना द्वारा साक्षात्कार करता है और इस शाश्वत विरह-वेदना के साथ अपना तादात्म्य स्थापित करता है। यहाँ दु:खात्मक कलाकृति की सुखात्मकता, अथवा कहें सुख-दु:खातिक्रान्त आनन्दात्मकता के प्रकट विरोधाभास को समझना स्थाने होगा। रसवादी इसकी व्याख्या करते हैं कि दु:खात्मक कला-कृतियाँ हमें प्रिय ही नहीं होती बल्कि सुखात्मक कलाकृतियों से अधिक प्रिय होती हैं। विरह, मृत्यु-शोक, यहाँ तक कि सत्य की पराजय की निरूपक कृतियों को भी हम देखना-सुनना-पढ़ना चाहते हैं यह सर्वविदित है। इसके विपरीत वास्तविक जीवन में हम विरह, शोक और सत्य की पराजय नहीं देखना चाहते। इसका कारण यह है कि कला-कृति में निरूपित घटनाएँ वास्तविक की सूचक नहीं होकर कल्पना द्वारा भाव की व्यंजक होती हैं, भाव संवेद्य नहीं होकर आकारतया (अर्थतया) संकेतित होता है और दर्शक-पाठक वस्तुस्थिति का विवश भोक्ता नहीं होकर भाव का स्वतन्त्र अनुभविता होता है। राम द्वारा सीता के निष्कासन का अभिनीत दृश्य हृदय-विदारक होने पर भी वास्तविक घटना का सूचक नहीं होने से भाव-सामान्य का व्यंजक होकर मात्र दु:खजनक नहीं रहता बल्कि दु:खास्वादक हो जाता है। पाठक-दर्शक उसमें दु:ख से रो तक सकता है किन्तु तब भी उसका भोक्ता नहीं होता, भाव-विमर्शक ही होता है।

किन्तु यह निरूपण कला और वास्तविक जीवन दोनों के सम्बन्ध में पूर्णत: सही प्रतीत नहीं होता। यहाँ पहले हम जीवन के सम्बन्ध में देखेंगे : निश्चय ही जीवन में हम मृत्यु-शोक या विरह-व्यथा नहीं चाहते, किन्तु स्वजन की मृत्यु हो जाने पर हम उसके शोक में अधिकाधिक निमग्न रहना चाहते हैं। किसी के वैसा नहीं होने पर, यदि उसका कारण 'समदर्शिता' का उच्चतर बोध नहीं है तो, उसे असंवेदनशील अथवा निकृष्ट मानसिकता वाला मानते हैं। जिसका अर्थ है कि स्वजन का मृत्यु-शोक न केवल हमारे लिए काम्य होता है बल्कि श्रेष्ठतर मानसिकता का द्योतक भी होता है। यह शोकाकुलता हमारे लिए उसी प्रकार काम्य होती है जिस प्रकार कालिदास-कृत अज-विलाप-वर्णन। यही बात विरह-दु:ख के सम्बन्ध में भी है। इन दोनों स्थितियों में दु:ख दु:खित व्यक्ति के लिए मूल्यवान् होता है। वास्तविक जीवन में सीता और राम जैसे उदात्तचरित व्यक्तियों के साथ यह परिस्थिति घटित हो जाने पर हम उनके साथ उस दु:ख में सम्मिलित होना चाहते हैं और यह नहीं चाहते कि परिस्थिति के बने रहने पर वे या हम उस दु:खानुभूति से मुक्त हो जाएँ। अन्तर यह होता है कि कला में भाव का

प्रतीक के माध्यम से अभिव्यंग्य होना अपेक्षित होने से कलाकार को उस भाव के शुद्ध आकार का साक्षात्कार भी करना होता है जिसके लिए दु:ख की वास्तविक परिस्थिति की विद्यमानता अपेक्षित नहीं होती। किन्तु यह आकार भाव की वस्तुतता में ही आविर्भूत होता है और स्मृति में वही अनुभूति का अधिष्ठान बनता है। पीछे हमने भट्टाचार्जी की उपयुक्त बिम्ब के साक्षात्कार के लिए उद्विग्नता का उल्लेख किया था। यह बिम्ब सत्तया उत्पन्न भाव द्वारा समर्पित आकार : अर्थ : का ही वह रूप होता है जो उस आकार को चक्षु-गम्य रूप में व्यंजित कर सकता है। निश्चय ही हम, और कलाकार हमारी तुलना में बहुत अधिक स्फुट तथा समृद्धरूप में, भाव के सत्तया अनुभव के बिना भी कल्पना से ही उसके आकार का साक्षात्कार कर सकता है, किन्तु कलाकार अपनी कृति के द्वारा भाव का संवेदन ही सम्प्रेषित करने को लक्षित करता है और स्वयं भी उस संवेदन का अनुभव करता है। कुछ उपन्यासकार लिखते समय अपने पात्रों के साथ हँसते-रोते भी हैं और दर्शक-पाठक तो हँसते-रोते हैं ही। निश्चय ही ये 'उद्दीपन' सत्तया उत्पादक नहीं होकर कल्पना द्वारा स्वतन्त्रत: आहूत ही होते हैं, किन्तु ऐसा दु:ख-स्मृति में भी होता है। भट्टाचार्जी से अपने मृत पुत्र का चित्र बनाने का अनुरोध करने वाले माता-पिता इसी कारण वह चित्र बनवाना चाहते थे क्योंकि वे उस दु:ख को अधिकाधिक बनाये रखना चाहते थे। वह दु:ख उनके लिए काम्य और मूल्यवान् था। द्रष्टव्य है कि सब दु:ख-स्मृतियों के साथ ऐसा नहीं होता। उदाहरणत: किसी आर्थिक हानि के दु:ख को हम नहीं बनाये रखना चाहते। इस प्रकार हम कुछ दु:खों को मूल्यवान् और कुछ को मूल्य-हीन मानते हैं और केवल मूल्यवान् दु:खों को ही बनाये रखना चाहते हैं। यह इससे भी सिद्ध होता है कि काव्य और जीवन दोनों में दुर्जन की हानि और सज्जन के लाभ से सुख और विपरीत से दु:ख होता है। किन्तु तब भी दु:ख तो दु:ख ही होता है और परिणामत: उसे अप्रिय ही होना चाहिए। तब वह क्यों प्रिय होता है? इसका कारण यह कहा जा सकता है कि दु:ख हृदय को गहराई से आलोड़ित कर समृद्ध अर्थ-राशि का प्रापक होता है। यह अर्थ-राशि हृदय में निहित होने पर भी आवृत रहती है और इस आवरण का निरास चित्त को उसके अपने सत्य में प्रतिष्ठित करता है।

द्रष्टव्य है कि दु:खात्मक कृतियाँ अधिकांशत: कलाकार द्वारा मनुष्य की अनृत या अविद्या के सम्मुख विवशता की परिस्थिति के बोध से ही उत्पन्न होती हैं। **रामायण** और **महाभारत** ही नहीं, आज की सामाजिक याथार्थ्य की निरूपक कृतियाँ भी वैयक्तिक और सामाजिक स्तर पर अनृत और अघ की विजय के सम्मुख मनुष्य की विवशता को ही प्रदर्शित करती हैं। मनुष्य की यह विवशता सुखकर नहीं हो सकती। किन्तु कलाकार यह चित्रण इस विवशता के प्रदर्शन मात्र के लिए नहीं करता, वह अनृत के अनृतत्व, उसकी दु:खात्मकता और कुरूपता के प्रदर्शन द्वारा ऋत को व्यंजित करता है। क्योंकि विवशता की इस परिस्थिति का यह विषयितया साक्षात्कारी होता है इसलिए वह इसका भोक्ता भी होता है और दर्शक भी : भोक्तृता में दर्शक। यह दर्शन कलाकार और उसके श्रोता-पाठक-दर्शक को व्यंग्यता ऋत का, चेतना की 'शुक्रमकायमव्रणमस्नाविरं शुद्धमपाप-विद्धम्' आत्मसत्ता का अभास भी देता है। स्वभावत: यह आभास आनन्दात्मक ही होता है, किन्तु यह सब दु:खात्मक स्थितियों और उनके कलात्मक निरूपणों का व्यंग्य नहीं होता, जैसे इन्दुमती की मृत्यु पर अज-विलाप के निरूपण में यह व्यंग्य नहीं कहा जा सकता, इन दूसरी स्थितियों में हृदय की वह आद्य विरह-वेदना ही व्यंग्य होती है जो व्यक्ति-चेतना मात्र में स्मृति-रूपेण निहित रहती है। इसे अविद्यावरण का किंचित् हटना भी कहा जा सकता है। किन्तु द्रष्टव्य है कि इसमें कला का कोई वैशिष्ट्य नहीं है और इस चित्त-स्थिति को आनन्दात्मक नहीं कह कर दु:खात्मक ही कहना उपयुक्त है क्योंकि इसमें दु:ख ही आस्वाद्य होता है। कलाकार का वैशिष्ट्य इस दु:ख का उसके आकार में उद्ग्रहण कर इसके तत्त्व के अवगाहन और अर्थ की अभिव्यक्ति में होता है। दूसरे शब्दों में, कला अनुभवों का उनके अर्थों में साक्षात्कार और अवगाहन करती है और कृति के माध्यम से इन अर्थों को अभिव्यक्ति देती है।

यहाँ यह स्पष्टीकरण स्थाने होगा कि विषयिता केवल भावनात्मक ही नहीं होती और न कला ही केवल भावना के निरूपण तक सीमित होती है। कला वास्तव में विषयिता को उसकी समग्रता में निरूपित करती है और स्वयं भावना भी चेतना के विचारात्मक और मूल्यात्मक आयामों से मिश्रित, नियुक्त और निर्दिष्ट आवेग ही होती

है। यह भावना चेतना की जगत् के प्रति उसकी समग्रता में प्रतिक्रिया का अधिष्ठान होती है। यह विषयिता निरीक्ष्य होने पर अपने और जगत् के ऐसे अर्थों को व्यक्त करती है जो विषय-दृष्टि के लिए अगम्य होते हैं। अनुभव की व्यापकता, विचार की सामर्थ्य, नैतिक प्रतिबद्धता और मूल्य-दृष्टि की प्रखरता इस सबमें चेतना विषय-वृत्तिक भी हो सकती है और विषयिवृत्तिक भी। विषयवृत्तिकता में चेतना विकल्पात्मक और विवेचनात्मक रूप से उपचरित होती है और वस्तुओं का निरीक्ष्य रूप में निर्धारण करती है। इस वृत्ति में भावना विषय के साथ अव्यवहितत्व प्राप्त करने और उसके अन्त:साक्षात्कार में उपयोगी होती है किन्तु उसके विवेचन और निर्धारण में यह अनिवार्य नहीं होती। विषयिवृत्तिकता में चेतना वस्तुओं का आत्म-बोध और आत्मक्रियान्वयन में धारण करती है और भावना उसकी दृष्टि या ग्राहिका बनती है। उदाहरणत: वचन-पालन कर्त्तव्य है या नहीं यह विषय-वृत्तिकता में प्रत्ययात्मक रूप से उद्ग्राह्य (एब्ट्रेक्टिबल), व्यावर्त्तनात्मक रूप से निर्धार्य और निर्वैयक्तिक रूप से अपने तत्त्व में कल्प्य होता है। किन्तु विषयिक्त में यह किसी चरित कल्पना द्वारा प्रस्तुत और भावना द्वारा साक्षात्कार्य होता है। द्रष्टव्य है कि भावना इसमें चिद्वृत्ति-रूप में वांछनीय नहीं होती बल्कि आकार-रूप में ही वांछनीय होती है, किन्तु ये आकार भावना के भोग के भीतर से ही उद्धृत होते हैं। अब, वचन-पालन की कर्त्तव्यता विषय-रूपेण सिद्धान्त के माध्यम से उपस्थाप्य होती है जबकि कला में यह कर्म में निर्वाह की सन्दर्भ-कल्पना के द्वारा, जैसे दशरथ और भीष्म के वचन-पालन के चित्रण के द्वारा उद्भाव्य होती है।

अब, अवगाह्य तत्त्व और अन्वेष्य सत्य क्या है यह इन दोनों वृत्तियों में चेतना की भूमि पर निर्भर करता है। हम ऐन्द्रिय-लौकिक भूमि पर भी हो सकते हैं और मनोमय, विज्ञानमय या आनन्दमय भूमि पर भी। इन भूमियों के अनुसार ही हमारे तत्त्व और बोध स्थिर होते हैं। वास्तव में विज्ञानमय, विशेषत: आनन्दमय भूमियों पर विषय-वृत्तिकता और विषयिवृत्तिकता को भेद क्षीणतर होता जाता है। इन भूमियों पर साक्षात्कारात्मक प्रतिभा विषयों के अन्तस् का आत्मानुभूति में साक्षात्कार करती है। वेदों और उपनिषदों के अनेक मन्त्र, सन्त-काव्य, महान् चित्रकारों के चित्र इनका उदाहरण प्रस्तुत करते हैं। संगीत में 'नाद-ब्रह्म' पद अनुभूति में तत्त्व-साक्षात्कार के इसी तथ्य का वाचक है।

ज्ञान और उसका अन्वेष्य

'ज्ञान' शब्द का प्रयोग साधारणत: चेतना में यथार्थ वस्तु के प्रकाशन के लिए किया जाता है, अधिक पारिभाषिक शब्दावली में इसे 'चेतना का सत् से साम्मुख्य' भी कह सकते हैं। किन्तु सत् के सम्मुख हुए बिना भी कई बार चेतना में सत् के साम्मुख्य का आभास होता है। इस आभास को भ्रम, सत् की अयथार्थ प्रतीति, अथवा असत् की सत्-प्रतीति कहा जाता है। किन्तु सत् की अयथार्थ प्रतीति इस अयथार्थता के प्रकट होने तक तो सद्-रूप ही आभासित होती है। इससे चेतना और सत् के बीच एक और विद्यमानता स्वीकार करनी पड़ती है जो सत् के सम्मुख हुए बिना भी सत् के समान प्रकट हो सकती है, किन्तु जो अधिकांशत: सत् की विद्यमानता में उसके आधार पर ही प्रकट होती है। इसे विषय कहा जाता है। 'विषय' शब्द का प्रयोग वास्तव में 'चेतना के द्वारा लक्षित मात्र' के लिए भी होता है, जैसे 'विचार-विषय', 'कल्पना-विषय' में इस शब्द का प्रयोग अनिवार्यत: किसी सद्वस्तु के साम्मुख्य अथवा साम्मुख्य-प्रतीति के अर्थ में नहीं होता है, यह चेतना द्वारा लक्षित मात्र के अर्थ में होता है। किन्तु यदि कल्पना द्वारा लक्षित तथा विचार द्वारा लक्षित के लिए सत्-सम्मुख होना अपेक्षित नहीं होता तो चेतना की किस वृत्ति के लिए यह अपेक्षित होता है? यह अपेक्षा अपनी पूर्णता में इन्द्रिय-वृत्ति से होती है : जो दिखायी देता है, या स्पर्शगम्य होता है वह वस्तुत: भी है यह धारणा हममें सहज ही होती है। इस इन्द्रिय-विषयानुरूप सत् को ही प्रकृति कहा जाता है जो चेतना को प्रस्तुत होती है, जिसे चेतना देखती या जानती है। दार्शनिक लोग ज्ञान की चर्चा साधारणत: इसी सन्दर्भ में करते हैं। प्रकृति ही इन्द्रिय-विषय के रूप में जगत् कही जाती है। किन्तु जगत् वास्तव में दृश्य ही नहीं भोग्य भी होता है, और थोड़ा विचार करने पर हम पाते हैं कि इसकी भोग्यता ही चेतना की प्रकृति के प्रति दर्शनवृत्ति की प्रवर्तक होती है। रुचि होने पर ही हम वस्तु की ओर उन्मुख होते हैं और उसकी ओर ध्यान देते हैं, अन्यथा उसके सम्मुख होने पर भी उसे नहीं देखते। यदि कहें कि प्रकृति के प्रति भोग-भाव ही चेतना का जगद्-भाव होता है और यह भाव ही प्रकृति के जगद्रूप का हेतु होता है तो यह अयुक्त नहीं होगा।

किन्तु इस भोग-भाव को सत् के ज्ञान में बाधक, दृष्टि को आवृत करने वाला, माना जाता है और इस भाव से पूर्णत: मुक्त, पूर्णत: वियुक्त भाव को ही ज्ञान कहा जाता है। किन्तु जैसाकि हमने ऊपर कहा, प्राणिमात्र में भोग-भाव ही प्रवर्तक होता है, ज्ञान-भाव केवल इस भाव के अनुषंगी के रूप में ही रहता है। यह ज्ञान-भाव इस भोग-भाव से पृथक् भी सिद्ध हो सकता है, किन्तु यह केवल चेतना के आत्मचेतन स्तर की ऊर्ध्वतर भूमियों पर ही प्रकट होता है, यद्यपि इन भूमियों पर भी यह भाव अपनी पर्याप्तता में बहुत अधिक प्रयत्न से ही सिद्ध होता है। प्राकृतिक विज्ञान प्रकृति को भोग-भाव से वियुक्त शुद्ध ज्ञान-भाव से देखने का प्रयत्न करता है। निश्चय ही विज्ञान का प्रेरक भी शुद्ध ज्ञान नहीं हो कर भोग-भाव ही होता है, भोग के लिए प्रकृति का नियोजन इसका लक्ष्य होता है और अर्थ-क्रियाकारित्व इसके लिए सत् का लक्षण होता है, किन्तु तब भी इस सीमा के भीतर अपने विषय का, अपनी तात्कालिक विषयिता से तटस्थ उसके यथात्व का निर्धारण इसका आदर्श होता है। आधुनिक भौतिकी में यह बोध कि विषय का उसकी तथता में निर्धारण भी तथता की ज्ञातृसापेक्षता ही है और यह सापेक्षता भौतिक तथता को अनुपलभ्य बना देती है, विज्ञान के द्वारा विषयिता के आत्यन्तिक निरास के प्रयत्न का ही द्योतक है। किन्तु द्रष्टव्य है कि यह अनिवार्य विषयिता भोग-वृत्तिक नहीं होकर ज्ञान-वृत्तिक ही है और यह विषयिता प्रेक्षित होने से विषय की तथता को ऊर्ध्वतर भूमि पर प्रतिष्ठित और रूपान्तरित कर देती है। विषयिता के लेश से रहित विषय की तथता की सिद्धि का यह प्रयत्न ज्ञान के प्रति मानव-चेतना के सहज आकर्षण का द्योतक है, जो आकर्षण भोगैषणा के विपरीत होने से अन्न तथा प्राणमय जैव अन्वेषणों से उच्चतर स्तर की अन्वेषकता को प्रकट करता है। इस स्तर को उपनिषद् की अत्यन्त अर्थ-गर्भ पदावली में मनोमय स्तर कहा जा सकता है।

भोग-भाव या भोगैषणा के जगत् का मूल होने से शुद्ध ज्ञानान्वेषण को जगद्भाव से निवर्तित भाव भी कहा जा सकता है।

यहाँ यह द्रष्टव्य है कि ज्ञान का अन्वेष्य केवल भौतिक तथता नहीं है बल्कि तथता मात्र ही है। भौतिक प्रकृति इन्द्रियविषय की तथता होने से सर्वप्रथम सहजतम विषय होती है, किन्तु चेतना का मनोमय स्तर इन्द्रियात्मक नहीं होता इसलिए इस स्तर पर इन्द्रियविषय भी इसके अनुरूप रूपान्तरित हो जाते हैं। यह स्तर विचार और कल्पनात्मक होता है और इस प्रकार इसके विषय और सत् भी इनके द्वारा ग्राह्य प्रकार के ही होते हैं। किन्तु ऊपर हमने विचार और कल्पना के विषयों के सम्बन्ध में कहा कि इनका सत्परक होना अपेक्षित नहीं होता, यह प्रतिपादन इसका स्पष्टत: बाध है। किन्तु वह प्रतिपादन वास्तव में केवल इन्द्रियों को सत्प्रापक मानने वालों के मतानुसार था। अन्यथा विचार उतना ही सत् को लक्षित करता है जितनी इन्द्रियाँ, और इसी प्रकार कल्पना भी, जब तक उसका दूसरे उद्देश्य से सप्रयोजन प्रयोग नहीं किया जाता। वास्तव में थोड़ा गहराई से देखें तो विज्ञान भी जिस सत् को लक्षित करता है वह इन्द्रियविषयक नहीं होकर विचारविषयक ही होता है, क्योंकि विज्ञान इन्द्रियविषयों का नहीं उनके द्वारा संकेतित भौतिक सत् के सत्य का अनुसन्धान करता है। यह सत्य अपने को इन्द्रियगम्य विषयों के व्यवहार की सार्वभौम और सार्वकालिक नियमानुवर्तिता के रूप में प्रकट करता है। किन्तु तब बहुत से दार्शनिकों का मानना है कि नियम या अनिवार्य हेतु-फल सम्बन्धों का अनुसंधान वस्तु का अनुसन्धान नहीं है, ये नियम या सम्बन्ध विकल्पात्मक रचनाएँ मात्र होते हैं। किन्तु तब नियम या हेतु के बिना वस्तु का भी कोई अर्थ नहीं होता, वस्तु का याथार्थ्य ये नियम और हेतु ही होते हैं। जितना ही हम इन नियमों या हेतु-फल-सम्बन्धों को देख-समझ पाते हैं उतना ही वस्तुओं का वस्तुत्व, उनका यथात्व और याथार्थ्य हम पर प्रकट हो पाता है। वास्तव में अर्थक्रियाकारित्व भी वस्तुत्व का नियम होने के अतिरिक्त और कुछ नहीं है। किन्तु अर्थक्रियाकारित्व से परिभाषित वस्तुएँ वस्तुओं के असंख्य वर्ग का एक लघु उपवर्ग मात्र हैं, बहुत सी वस्तुएँ हैं जो इस उपवर्ग में नहीं आतीं। उदाहरणत: स्वयं मनुष्य इस परिभाषा में नहीं आता : मनुष्य का याथार्थ्य अर्थक्रियाकारित्व से परिभाषित नहीं होता। स्वभावत: तब समाज और संस्कृति और भी इस परिभाषा में नहीं आते। इस पर तुरन्त आपत्ति की जायेगी कि ये सब वस्तुएँ ही नहीं हैं। ज्याँ पॉल सार्त्र की **बींग एंड नथिंगनेस** पुस्तक में मनुष्य की अवस्तुता का ही विस्तृत प्रतिपादन किया गया है। किन्तु वास्तव में इसमें वस्तु की परिभाषा ही मनुष्य की अवस्तुता के ख्यापन की दृष्टि से की गई है। किन्तु यदि मनुष्य और समाज आदि वस्तुएँ नहीं भी हैं तब भी ये ज्ञान-विषय तो होती ही हैं। यदि इन्हें ज्ञान के उचित विषय स्वीकार कर लिया जाय किन्तु वस्तुएँ नहीं माना जाय तो यह भी स्वीकार करना होगा कि अवस्तुएँ भी ज्ञान की विषय हो सकती हैं। अब ज्ञान की विषय अवस्तुएँ तथाकथित वस्तुओं से अधिक महत्त्वपूर्ण, अधिक अर्थ-विपुल, अधिक रोचक और अधिक मूल्यवान् विषय होती हैं।

किन्तु यदि थोड़ा गहराई में जाएँ तो कथाकथित वस्तुओं का वस्तुत्व भी सन्देहास्पद होने लगता है। उदाहरणत: यह स्पष्ट नहीं है कि वस्तुत्व रूप से परिभाषित होता है या कि नाम से, अथवा दोनों से? अब, वस्तुत्व को इन्द्रयग्राह्यत्व से परिभाषित करने वालों की सहज प्रवृत्ति वस्तुत्व को केवल रूप से परिभाषित करने की होती है। किन्तु केवल रूप से वस्तु को परिभाषित करने पर और की तो बात ही क्या अर्थक्रियाकारित्व भी वस्तु-लक्षणों के वर्ग से बहिष्कृत हो जाता है। यह आश्चर्य की बात है कि अर्थक्रियाकारित्व को वस्तु का एकमात्र लक्षण मानने वाले बौद्ध नाम को अवास्तव मानते हैं। किन्तु नाम के बिना अर्थ कैसे उपलब्ध होगा जिसका कारित्व रूपको वस्तुत्व में प्रमाणित करेगा? नाम के बिना कारित्र शश और शृंग का भेद कैसे दर्शायेगा? इसका यदि यह उत्तर दें कि 'अर्थक्रियाकारित्व' इस भेद के निर्णय के लिए ही हैं, तो यह सही नहीं होगा, क्योंकि निर्णय इस भेद को और अर्थों की स्थिरस्वभावता को पूर्वगृहीत करता है जिसको यह कारित्र प्रमाणित करता है। इसके विरुद्ध उनकी युक्ति है कि हमारा ज्ञान विकल्पमूलक और अतएव मिथ्या है और नाम विकल्पाश्रित हैं जबकि कारित्र वस्तु का धर्म है जो ज्ञान-निरपेक्ष है। क्रिया-सम्पादन केवल विशेष वस्तु ही करती है, सामान्य धर्म :

शशत्व और शृंगत्व : नहीं, जो नाम के विषय होते हैं। इसलिए ज्ञान में नाम की पूर्वापेक्षा केवल उसमें वस्तु की अग्राह्यता को ही सिद्ध करती है।

जैसाकि हमने पीछे देखा, ज्ञानविषयक और वस्तुविषयक यह दृष्टि वस्तुत्व के लिए भौतिकता को पूर्वगृहीत करके चलती है। किन्तु मानलें कि सत्य ज्ञान की विषय केवल भौतिक वस्तु ही हो सकती है, अथवा कहें, वस्तु केवल भौतिक ही हो सकती और वह निर्विकल्पक संवेद-ग्राह्य ही हो सकती है, तो भी भौतिक के अतिरिक्त चेतना का, ज्ञान का सत्त्व भी स्वीकार करना ही पड़ेगा। अब, यदि यह ज्ञान मिथ्या और अमिथ्या दो प्रकार का हो सकता है और अमिथ्या वस्तु-परक, वस्तु-अनुपाती होता है जबकि मिथ्या वस्तु का अपने भीतर से सर्जक, उसका कल्पना द्वारा आक्षेपक होता है तो मिथ्या ज्ञान तत्त्व और सामर्थ्य में अमिथ्या से अतिशय हो जाता है, क्योंकि मिथ्या होने से उसके अपने सत्त्व की हानि तो होती ही नहीं सर्जकता का गुण उसमें अतिरिक्त हो जाता है। विकल्पात्मक ज्ञान की पाशव ज्ञान से उत्कृष्टता इसकी प्रमाण कही जा सकती है। इस प्रमाण के विरुद्ध बौद्धों की आपत्ति हो सकती है कि पाशव ज्ञान सविकल्पक नहीं होने पर भी निर्विकल्पक नहीं होता, वह सविकल्पक ज्ञान से भी अधिक मिथ्या, अधिक मलिन होता है क्योंकि वह पूर्णतः भोगालिप्त और विषयाविष्ट होता है। निर्विकल्पक चेतना न केवल विकल्प-व्यवधान से रहित होती है बल्कि भोगित्व से भी पूर्णतः मुक्त होती है। यह चेतना पूर्णतः निष्क्रिय, पूर्णतः समाहित और सत् के बिम्ब को यथावत् ग्रहण करने के लिए पूर्णतः निर्मल होती है।

यह सही है कि इस 'निर्विकल्पकता' को उससे भिन्न अर्थ में समझा जाय जिस अर्थ में इसे समझा जाता है। चेतना की यह निष्क्रियता-निर्विकल्पकता इसकी अत्यधिक कठिन सक्रियता से साध्य और अपार अर्थवाहिता से सम्पन्न होती है। इसी से ऐसी चेतना को सर्वज्ञ और सम्बुद्ध कहा जाता है। यह चेतना विकल्पात्मकता से रहित नहीं होती, यह 'यह घट है', 'घट कांस्य-निर्मित नहीं मृद् निर्मित है और जल-धारण के प्रयोजन से रचित है' वाक्यों के अर्थ और इनसे निर्दिष्ट पदार्थों के ज्ञान से रहित नहीं होती। इसकी निर्विकल्पकता इस बात में होती है कि यह इन विकल्पों की विकल्परूपता को जानती और इसे उत्तीर्ण करने में समर्थ होती हैं। निर्विकल्पकता के सम्बन्ध में यहाँ एक और धारणा का निराकरण करना आवश्यक है, कि यह किसी ऐसी स्वलक्षण वस्तु की साक्षात्कारी होती है जो चेतना की विकल्परूपता से विकृत या आवृत रहती है। द्रष्टव्य है कि विकल्पात्मक चेतना भी अपने भोगलिप्त स्तर की वस्तु-आवरकता को जान कर और उसे निरस्त करके ही अपनी विषय-वस्तु को लक्षित करती है और अपने को उसके ज्ञान के योग्य स्वीकार करती है। एषणाओं और आवेगों के प्रभाव में लक्षित विषय को यह अप्रामाणिक ही स्वीकार करती है। चेतना द्वारा अपनी भोगात्मक प्रवृत्ति का यह निरास या स्थगन साथ ही उस 'जगत्' का भी निरास या स्थगन होता है जिसमें इसके विषय और वस्तुएँ घटित होते हैं। कुछ दार्शनिकों और कवियों ने पाशव चेतना को ही यथार्थ ज्ञान-क्षम और इसके विषयों को यथार्थ विषय स्वीकार किया है। निश्चय ही मछलियों और सरीसृपों के समान हम वातावरण में तापमान के परिवर्तनों के प्रति उतने संवेदनशील नहीं होते न पक्षियों के समान हम में सहज दिशा-बोध होता है। इनका यह 'ज्ञान' और इसके 'विषय' किस प्रकार के होते हैं यह हमें 'स्मृत' या विदित भी नहीं हो सकता। सहजवृत्ति-सुलभ इस ज्ञान के प्रशंसक भी विकल्पात्मक ज्ञान को काल्पनिक, व्यवहित या उपहित ही कहते हैं। किन्तु जैसाकि हमने अन्यत्र[1] विस्तार से देखा है, यह नितान्त भ्रान्त दृष्टि है। यदि विकल्पात्मक चेतना व्यवहित और मिथ्यात्व-सर्जक है तो परमार्थ-दर्शी चेतना का उससे भी अधिक व्यवहित होना अनिवार्य है, क्योंकि वह प्रकृति की नितान्त निरोधक और आत्मस्थ होती है। प्रकृति के दो पक्ष कहे जा सकते हैं—बाह्य इन्द्रिय-विषय और अन्तःसंवेद-विषया आन्तर प्रकृति, जो स्वयं चेतना ही को व्याप्त कर अवस्थित होती है। आवेग और सुख-दुःखादि अनुभव प्रकृति का आन्तर पक्ष हैं। इस प्रकृति से जितना ताटस्थ्य विकल्पोत्तर साक्षात्कारी चेतना अपने लिए आवश्यक पाती है उतना ही आवश्यक विकल्पात्मक चेतना भी पाती है। विकल्पात्मक चेतना में इस ताटस्थ्य का सिद्ध नहीं हो पाना इसमें स्वगत व्यवधान का हेतु होता है, जो व्यवधान अहंकारमूलक अथवा आवेग-मूलक पूर्वग्रह का रूप लेता है। स्वरूपतः विकल्पात्मक चेतना

1. **सत्ता विषयक अन्वीक्षा**, पृ. 23, **समाज : दार्शनिक परिशीलन**, अध्याय-4

विषय–पक्ष में अनिर्धार्य में और विषयी : ज्ञातृ : पक्ष में आत्मोन्मुखता में अतिक्रमणशील होती है।[1] उदाहरणत: 'यह घट है' अध्यवसाय में 'यह' पद अनन्त देश–काल की व्यावर्तकता में और 'घट' पद असंख्य अघट पदार्थों की व्यावर्तकता में अपने विषय का निर्धारण करता है और यह व्यावर्तन इसमें आत्मचेतन रहता है। उतनी ही महत्त्वपूर्ण बात यहाँ यह है कि देश–काल में अवच्छिन्न यह पदार्थ देश–कालानवच्छिन्न पदार्थ घटत्व के देश–कालावतरण को संकेतित करता है। यहाँ आपत्ति हो सकती है कि ऐसा कोई पदार्थ लोक में या परमार्थ में नहीं है। लोक में केवल देश–कालावच्छिन्न किन्तु व्यावर्तनादि से निरपेक्ष आत्म–पर्यवसायी वस्तु विशेष की ही सत्ता होती है और यही इस वस्तु का परमार्थ भी है। किन्तु वास्तव में ऐसा नहीं है, क्योंकि घट–वस्तु 'नाम' का रूप में अवतरण है जिस 'नाम' का उन्मेष विकल्पात्मक चेतना में होता है, और तब यह व्यक्ति विशेष : कुम्हार विशेष : की सप्रयोजन क्रिया के द्वारा लोक में रूपात्यतया आविर्भूत होता है। यद्यपि वन–पर्वत और जल–थल किसी की सप्रयोजन क्रिया के द्वारा आविर्भूत नहीं होते किन्तु ये भी इसी प्रकार निर्धारित या 'रचित' होते हैं, इसीसे ये ईश्वरीय सृष्टि के रूप में कल्पनीय होते हैं। द्रष्टव्य है कि दार्शनिकों ने भौतिक तत्त्व स्वर्ण, मृदादि नहीं कहे हैं, पृथ्वी, जलादि कहे हैं जिनकी तथता केवल नामाभिधेय है, रूपात्मक नहीं है। निश्चय ही रूप इन्हीं के आश्रय से उद्भूत होते हैं, किन्तु ये स्वयं रूपात्मक नहीं होते। निश्चय ही यहाँ आपत्ति की जा सकती है कि "पृथ्वी आदि नाम नहीं हैं, द्रव्य हैं।" किन्तु उनका द्रव्यत्व विकल्पबुद्धिमूलक ही है और इस बुद्धि या चेतना को कोई तथता बिना नाम के गम्य नहीं हो सकती।

किन्तु यह केवल 'नाम' ही के कारण है जो वन, उद्यान, लोक व्यवहार, विज्ञान, दर्शनशास्त्र और कला आदि के रूप में अपार अर्थ–राशि का आविर्भाव हुआ है। यह अर्थ–राशि ऐसा निष्क्रिय, अखण्ड, अविचल सत् नहीं होती जिसके सम्मुख उपस्थित होकर चेतना भी निष्क्रियता, अखण्डता, अविचलता का लाभ करती है बल्कि ऐसा सत् होती है जो चेतना में प्रकाशित होकर उसे उसका सत्य अर्पित करता है। वस्तु–विषयक ज्ञान केवल इसी रूप में मूल्यवान् हो सकता है।

यहाँ यह आपत्ति हो सकती है कि कला और लोक–जीवन में अन्य बहुत कुछ है जो विकल्पात्मक ज्ञान का विषय नहीं होता। उदाहरणत: दो व्यक्तियों के बीच सम्बन्ध का स्वरूप और नवागन्तुक के व्यक्तित्व का प्रतिभात्मक आकलन विकल्पात्मक ज्ञान के विषय नहीं होते। यह सही है, किन्तु कलात्मक बोध और अनुभूति तथा अन्य व्यक्ति के व्यक्तित्व का उसके प्रथम साम्मुख्य में प्रतिभात्मक आकलन आदि प्रकारक बोध विकल्पात्मक ज्ञान–क्षम–चेतना को आधार बनाकर ही उपचरित होते हैं। यहाँ दो पशुओं के साम्मुख्य में पारस्परिक आकलन और दो मनुष्यों के साम्मुख्य में पारस्परिक आकलन में तुलना कर देखें। प्रथम आकलन जबकि शुद्ध रूप से आवेगात्मक होता है, दूसरा आवेग और बुद्धि को आश्रित करती हुई बोधात्मक या प्रतिभात्मक कल्पनामूलक। पीछे कला–विषयक अध्यायों में हमने देखा था कि किस प्रकार कला में कल्पना द्वारा विषयिता आत्मावगाहन करती है। ये सब चेतना–व्यापार विकल्पात्मक ज्ञान के ही विभिन्न आयाम कहे जा सकते हैं। ये प्रत्यक्ष विकल्पात्मक नहीं होने पर भी विकल्प को पूर्वपेक्षित करते हैं।

अब, विकल्प को रचनात्मक और परिणामत: असत् का सद्वत् प्रदर्शक कहा गया है। यद्यपि कांट ने इसे इस रूप में निरूपित करते हुए भी इसे माया, अविद्या आदि नहीं कहा है किन्तु इसका कारण यही है कि उसके दार्शनिक कर्म का लक्ष्य पुरुषार्थान्वेषण या आत्म–साधना नहीं था। अन्यथा उसके नैतिक कर्म विषयक विवेचन में विकल्पात्मक ज्ञान की भूमिका यही प्रकट होती है, क्योंकि उसके अनुसार भी यह तत्त्व या परमार्थ (नाउमेना) पर अनादि वासनामूलक (अतिक्रामी कल्पनामूलक) नाम–रूप का आरोप (फिनॉमिनॉ) ही सिद्ध होती है। किन्तु ज्ञानविषयक मानवीय अभिनिवेश, मानवीय अनुसन्धित्सा, के सम्बन्ध में यह भ्रान्त दृष्टि प्रतीत होती है। वास्तव में चेतना मनुष्य के माध्यम से पहली बार ज्ञानवान् होती है और तत्त्व या सत् के अन्वेषण में प्रवृत्त होती है और इस अन्वेषण का माध्यम विकल्प ही बनता है।

---

1. विस्तृत विचार के लिए द्रष्टव्य — **सत्ता विषयक अन्वीक्षा**, अध्याय–1 तथा 10

किन्तु चेतना की यह ज्ञानवत्ता क्या है? यह ज्ञानवत्ता विषय से ताटस्थ्य की सिद्धि और विषय का उसके अपने तटस्थ स्वरूप में प्रतिष्ठापन है, जो विषय पहले उसे समग्रत: आत्मसात् किये हुए था, अथवा कहें जो विषय समग्रत: उसके आवेगों और वासनाओं के द्वारा परिभाषित था। कथन के ये दो प्रकटत: परस्पर विरुद्ध प्रकार वास्तव में एकार्थक हैं, इसीसे 'विषयासक्त' और 'वासनासक्त' पद पर्यायवाची माने जाते हैं।

अब, यह विषय का उसके ताटस्थ्य में प्रतिष्ठापन क्या है? यह विषयी की मन:स्थिति, इन्द्रिय-स्थिति आदि का अतिक्रमण कर विषय के स्वरूप-स्वभाव का अवगमन है। किन्तु यह अतिक्रमण कौन और कैसे करता है? इसका एक ही उत्तर हो सकता है : यह प्रदत्त विषय की सीमित विषयिता से मुक्त विषयी करता है। अब विषयी द्वारा विषयिता का यह अतिक्रमण चेतना में स्तरों की उच्चावचता का द्योतक है और चेता में ही उस कर्तृत्व, नियामकत्व या अधिष्ठातृत्व का भी द्योतक है जो निम्नतर विषयिता का निरोध या स्थगन करने और उच्चतर विषयिता में अपने को अवस्थित करने को घटित करता है। तब इससे विषय-पक्ष में क्या प्रतिफलित होता है? यहाँ उदाहरणत: सामने पड़े मेज़ और उस पर पड़े पैन को लें। ये हमें जैसे 'दिखायी' देते हैं हम सहज रूप में उन्हें उस प्रकार से नहीं देखते। हम उन्हें स्मृतियों, संस्कारों, प्रयोजनों आदि के अधीन देखते हैं। उदाहरणत: हम सद्यः प्रस्तुत दृग्विषय मेज़ और पैन आदि को शुद्ध दृगम्य रूप में नहीं देखकर उनके सब ओर से दृष्टि और स्पर्शगम्य रूप को देखते हैं। अब, एक ओर इनका सद्यः प्रस्तुत शुद्ध दृग्रूप सीमित विषयिता को गम्य रूप है और दूसरी ओर इनका प्रकटत: व्यापक-विषयितागम्य रूप वास्तव में अभ्यासों, संस्कारों आदि के अधीन विषयिता को गम्य रूप है। उच्चतर विषयिता इन दोनों का अतिक्रमण अपने अतिक्रमण के द्वारा करती है। उदाहरणत: चित्रकार अपनी संस्कार-मुक्त शुद्ध दृग्-विषयिता में अवस्थित होकर यह अतिक्रमण करता है और दार्शनिक तथा वैज्ञानिक अपने-अपने अर्थ-सन्दर्भ के अनुसार संस्कार-मुक्त वस्तु-विषयिता में अवस्थित होकर यह अतिक्रमण करते हैं। इस अतिक्रमण के द्वारा ही चित्रकार 'इस' दृष्टिकोण पर प्रस्तुत मेज़ पर पड़े पैन के दृग्रूप को उनकी शुद्धता में देख पाता है और इस दृश्य को अन्य अभीष्ट अर्थों से मण्डित कर पाता है। इस आत्मनियुक्त विषयी की स्मृति, अभ्यास आदि मूलक सहज विषयिता से उत्कृष्टता इसी बात में है कि यह विषय से ताटस्थ्य में उन्नततर है। विषयी की विषय-ग्राह से यह मुक्ति उसके लिए विषय के स्वरूप में गहनतर और व्यापक प्रवेश को सम्भव करती है। यहाँ यह कहना अस्थाने नहीं होगा कि यह उच्चतर विषयिता और गहनतर विषयता विकल्पात्मक चेतना की ऊर्ध्वतर भूमि है।

वास्तव में इस मुक्ति का महत्त्व इससे कहीं अधिक इस बात में है कि यह ज्ञान-क्षेत्र का विस्तार इतना व्यापक कर देती है कि इन्द्रिय-विषय इसमें एक अत्यन्त क्षुद्र और आनुषंगिक क्षेत्र हो जाता है और स्वयं इस क्षेत्र का भी रूपान्तरण हो जाता है। उदाहरणत: इन्द्रिय-विषय-जगत् रचनात्मक कल्पना द्वारा साक्षात्कृत प्रत्ययों या नामों के रूपात्मक क्रियान्वयन के लिए अभीष्ट उपादान में रूपान्तरित हो जाता है। उदाहरणत: अब मिट्टी, धातुएँ और पेड़-पौधे आदि मुख्य इन्द्रिय-विषय नहीं रहते बल्कि बर्तन, मकान, उपकरण और वस्त्र आदि मुख्य विषय हो जाते हैं। किन्तु द्रष्टव्य है कि स्वयं मिट्टी बर्तन के निर्माण के लिए उपादान में रूपान्तरित हो जाती है, 'यह उपादान है' इस प्रत्यय के रूप में निर्धार्य भी हो जाती है और इस शुद्ध विचार का विषय भी हो जाती है कि 'यह मिट्टी है जो बर्तन-निर्माण के हमारे प्रयोजन-प्रत्ययों के द्वारा उपादान-प्रत्यय के रूप में रूपान्तरित हो जाती है और इस रूपान्तरण से प्राक्तन भी इसका एक रूप है जो 'इसकी निजता में' निर्धार्य है।'

अब, ये इन्द्रिय-विषय बर्तन, मकान और वस्त्र आदि, और वास्तव में मिट्टी, धातुएँ और पेड़-पौधे आदि भी, मनुष्य की संस्कृति के व्यंजक होते हैं, ये ऐसे विषय नहीं होते जो उसे शुद्ध बाह्यता में प्रस्तुत होते हैं। निश्चय ही ज्ञान-विषय के रूप में ये विषय प्रेक्षक या ज्ञातृ चेतना को ही प्रस्तुत होते हैं, किन्तु तब इसके लिए यह प्रस्तुति अपनी स्वतन्त्र इतरता में प्रतिष्ठित भौतिक विषय की नहीं होती बल्कि सांस्कृतिक और इस प्रकार मूल्यात्मक विषय की होती है। यहाँ सन्देह हो सकता है कि घट-पटादि को मूल्यात्मक कहने का क्या औचित्य हैं, क्योंकि ये उपयोग की वस्तुएँ हैं, किसी पुरुषार्थ की साधना या सिद्धियाँ नहीं। किन्तु ऐसा नहीं है। प्रथम तो 'उपयोगी-

अनुपयोगी' मूल्यात्मक पद हैं, दूसरे, संस्कृति एक मूल्य-व्यवस्था को प्रकट करती है जिस व्यवस्था के अन्तर्गत उपयोगी-अनुपयोगी वस्तुएँ परिभाषित होती हैं। अब, ऐसी स्थिति में ज्ञान और मूल्य का यह भेद वास्तव में विषयगत नहीं रहता, यह चेतना की अभिवृत्तिगत हो जाता है : कब चेतना प्रेक्षकत्व की अभिवृत्ति में अपने को प्रतिष्ठित करती है और कब कर्तृत्व या भोक्तृत्व की अभिवृत्ति में। यदि यहाँ कहा जाय कि चेतना की यह आत्मप्रवर्तकता स्वयं मूल्यात्मक होती है तो यह अयुक्त नहीं होगा। ज्ञान और मूल्य के इस प्रकार अभिवृत्ति-सापेक्ष होने से स्वयं मूल्य ज्ञान का और ज्ञान मूल्य का विषय हो सकता है और वास्तव में होता है। हम यह जानना चाहते हैं कि क्या मूल्यवान् है, क्या मूल्य-हीन और क्या विपर्यस्त मूल्य, और इसी प्रकार हम उसी को विशेष रूप से जानना चाहते हैं जो मूल्यवान् है। वे लोग अब अज्ञानी या भ्रान्त ही कहे जायेंगे तो मूल्यहीन या विपर्यस्त मूल्य-विषयक को मूल्यवान् मानकर उसका अनुसरण करते हैं। वास्तव में ज्ञान में भ्रान्त दृष्टि की पहचान जहाँ इन्द्रिय-विषयों के सन्दर्भ में अर्थक्रिया-अकारित्व होती है वहाँ आध्यात्मिक या दार्शनिक विषयों के सन्दर्भ में जीवन में कृपणता, बिखराव, अतृप्ति, रिक्तता और खेद होती है। 'ऋणं कृत्वा घृतं-पिबेत' दार्शनिक ज्ञान-दृष्टि का ही पुरुषार्थ विषयक विपर्यस्त निष्कर्ष है।

यहाँ आपत्ति हो सकती है कि हम नितान्त भिन्न अर्थों के लिए एक ही शब्द का प्रयोग कर रहे हैं। उदाहरणत: दूसरों के दार्शनिक लेखन से संकलनात्मक परिचय और स्वयं किया गया दार्शनिक विचार, समाज में प्रचलित विधि-निषेध के नियमों की अवगति और स्वयं कर्त्तव्याकर्त्तव्य के बीच निर्णय की परिस्थिति या साम्मुख्य ये दो आधारभूत रूप से भिन्न विषय-युगल हैं जिनमें से केवल एक के लिए ही 'ज्ञान' शब्द का प्रयोग किया जा सकता है, दोनों के लिए एक-समान रूप से नहीं किया जा सकता। चेतना की इन दो प्रकार की अभिवृत्तियों के लिए क्रमशः 'ज्ञान' और 'प्रज्ञा' दो भिन्न शब्दों का प्रयोग भी किया जाता है। वास्तव में ज्ञान के मूल और आदर्श उदाहरण इन्द्रिय-विषय होने पर ज्ञान भौतिक विषयों के और विधि-निषेध के नियमों विषयक पांडित्य ही कहा जायगा, दार्शनिक विचार की विचक्षणता को और किंकर्त्तव्य की परिस्थिति में सदसद्-विवेक को ज्ञान नहीं कहा जायगा। किन्तु तब विज्ञान भी उचित रूप से ज्ञान नहीं कहा जा सकेगा, अथवा अधिक से अधिक गौण रूप से ही ज्ञान कहा जा सकेगा, क्योंकि विज्ञान इन्द्रिय-ग्राह्य वस्तुओं की सूची तैयार नहीं कर उनके व्यवहार के नियमों में अन्तर्दृष्टि देता है और उस अन्तर्दृष्टि से इन वस्तुओं को मनुष्य के प्रयोजनों के अनुसार नियोजित करने का कौशल देता है। चेतना की यह अभिवृत्ति स्पष्टत: प्रस्तुत के प्रति उसका उसके याथातथ्य में आकलन करने की नहीं है। यदि गहराई से देखा जाय तो यह धर्म-नीति और आध्यात्मिक साधना से तुलनीय है, क्योंकि धर्म-नीति और आध्यात्मिक साधना का उद्देश्य अपने को नियोजित करना और आध्यात्मिक साधना का उद्देश्य अपनी वृत्तियों को आत्मा के सत्य के अनुसार नियोजित करना ही होता है। इन दोनों में ताटस्थ्य-अभिवृत्ति की अपेक्षा उससे अधिक होती है जितनी विज्ञान में। क्योंकि वस्तुओं के नियोजन के लिए वस्तुओं के याथातथ्य का नहीं उनके व्यवहार के नियमों का आकलन अपेक्षित होता है, जो व्यवहार उनके याथातथ्य से असम्बद्ध भी हो सकता है। उदाहरणत: कृषि-वैज्ञानिक की रुचि वनस्पतियों के स्वभाव-ज्ञान में नहीं उनकी उपज बढ़ाने की विधि के ज्ञान में होती है, यद्यपि इस प्रयोजन से वह जिसको विषय स्थिर करता है उसके प्रति उसकी अभिवृत्ति तटस्थ प्रेक्षक की होती है। वास्तव में वस्तु की अर्थक्रियाकारित्व से परिभाषा हमारी इस अभिवृत्ति की ही द्योतक है, याथातथ्य के तटस्थ आकलन की द्योतक नहीं है।

अब, ज्ञान की परिभाषा ताटस्थ्य-अभिवृत्ति से करने पर धर्म-नीति और आध्यात्मिक साधना ऐन्द्रिय वस्तुविषयक साधारण ज्ञान और वैज्ञानिक अनुसन्धान की तुलना में ही अधिक याथातथ्यपरक सिद्ध नहीं होते, जिनमें ताटस्थ्य केवल सापेक्ष होता है, बल्कि ये निरपेक्षत: भी अधिक याथातथ्यपरक सिद्ध होते हैं। जैसाकि हमने आरम्भ में देखा था, ऐन्द्रिय वस्तु-विषयक ज्ञान के लिए आवेगों, इच्छाओं आदि से ताटस्थ्य की अपेक्षा होती है, किन्तु प्रयोजनों से ताटस्थ्य की अपेक्षा नहीं होती। और आवेगों, इच्छाओं आदि से ताटस्थ्य की भी केवल प्रसंगगत अपेक्षा ही होती है। उदाहरणत: वैज्ञानिक के लिए सामान्यत: निरुद्विग्नता की और मानापमान से ताटस्थ्य की अपेक्षा नहीं होती, केवल अपने कार्य के प्रसंग में ही इसकी अपेक्षा होती है, किन्तु धर्माधर्म के ज्ञान में और

आत्मा-विषयक सत्य के ज्ञान में पूर्ण निरुद्विग्नता, पूर्ण औदासीन्य और ताटस्थ्य की अपेक्षा होती है। उदाहरणत: आत्मा-विषयक इस छोटे से प्रश्न को लें कि 'वह क्या है जो मैं चाहता हूँ, जिसके उपलब्ध हो जाने पर मुझे वास्तव उपलब्धि का सुख मिलेगा?' इस प्रश्न का उत्तर पाने के लिए असीम निरुद्विग्नता, वासनाओं और संस्कारों से पूर्ण मुक्ति और गहनतम मनन की अपेक्षा होती है। अन्यथा हम ऐसे लक्ष्यों को सुख-प्रदायक लक्ष्यों के रूप में स्थिर कर लेते हैं जिनके सिद्ध हो जाने पर हम अपने को पहले की तुलना में भी सुख से अधिक दूर पाते हैं। बौद्ध सांख्य और वेदान्त दार्शनिकों ने जो जगत् मात्र को दु:ख या मिथ्या कहा है वह कोई दार्शनिक मतवाद मात्र नहीं है, उस रूप में उसका अधिक महत्त्व भी नहीं है—यद्यपि दार्शनिक गवेषणा सत्य-प्रापक नहीं होती ऐसा मानना उचित नहीं है। किन्तु यह कथन दार्शनिक मतवाद मात्र नहीं है, यह नितान्त निस्संग आत्मविवेचन और अवहित साक्षात्कार से प्राप्त सत्य का ही कथन है। निश्चय ही इस प्रकार के साक्षात्कारों में भी भ्रान्ति का सबसे बड़ा स्रोत परम्पराप्राप्त धारणाओं को प्रत्यक्षसिद्ध मान लेना, अथवा असफलता और निराशा-जन्य मन:स्थिति को दृष्टि मान लेना होता है जिसका मूल प्रमाद और राग ही होता है। ऐसी साधना को जो असि-धारा कहा गया है वह उचित ही है, क्योंकि इसमें तनिक भी प्रमाद ज्ञान के सारे प्रयत्नों को व्यर्थ बना देता है।

यहाँ आपत्ति हो सकती है कि धर्म और आत्मविषयक सत्यों में भ्रान्ति और मतभेद के निवारण के लिए कोई निश्चित नियम और विधि नहीं हो सकते, ये न प्रत्यक्ष के विषय हो सकते हैं न तर्क-युक्ति के, ये केवल आस्था और धारणा के विषय ही होते हैं और परिणामत: ये ज्ञानपरक नहीं कहे जा सकते। यह एक नितान्त भ्रान्त दृष्टि है। जहाँ तक भ्रान्ति और मतभेदों के बीच निर्णय का प्रश्न है, जैसे-जैसे हमारे विषय सूक्ष्म और व्यापक होते जाते हैं वैसे-वैसे यह निर्णय कठिन होता जाता है। वैज्ञानिक सिद्धान्तों के सम्बन्ध में यह अब एक सामान्य सहमति है कि दो भिन्न सिद्धान्तों के सम्बन्ध में यह अब एक सामान्य सहमति है कि दो भिन्न सिद्धान्तों के बीच निर्णय का आधार प्रतिपादन का लाघव और सौष्ठव ही हो सकता है सत्यासत्य नहीं, क्योंकि उनमें सत्यासत्य का निर्णय असम्भव होता है। यद्यपि दार्शनिक और धार्मिक सिद्धान्तों के बीच मतभेद में निर्णय के आधार सौष्ठव और लाघव नहीं होते, रुचि, दृष्टि या मूल्य ही होते हैं, किन्तु एक बात निर्विवाद होती है और वह यह कि दर्शन सत्य को ही लक्षित करता है, सौष्ठव और लाघव को नहीं। वास्तव में लाघव-सिद्धान्त के समर्थक सत्य का निर्णायक केवल ऐन्द्रिय प्रत्यक्ष को मानते हैं, किन्तु दार्शनिक और वैज्ञानिक सिद्धान्तों के बीच मतभेद में निर्णय के लिए इसके अनुपलब्ध होने से उनके अनुसार इन सिद्धान्तों का लक्ष्य सत्य नहीं रहता। किन्तु यह मान्यता युक्त नहीं कही जा सकती। यदि वैज्ञानिक सिद्धान्तों के बीच सत्य का निर्णय ऐन्द्रिय प्रत्यक्षों से नहीं होता तो इसका अर्थ है कि ये ऐन्द्रिय प्रत्यक्ष-विषयक नहीं होते, न कि यह कि इनका प्रमाणीकरण ऐन्द्रिय प्रत्यक्षपरक नहीं होने से ये सत्य को लक्षित ही नहीं करते। इसी पूर्वग्रह से ये विचारक नैतिक और आध्यात्मिक अनुभूतियों और तन्मूलक साक्षात्कारों को देखते हैं और उन्हें सत्य विषयक और इस प्रकार ज्ञानात्मक स्वीकार नहीं कर आवेगात्मक मान्यताओं के रूप में देखते हैं। किन्तु यह भयानक रूप से भ्रान्त दृष्टि है। 'जगत् माया है' यह कथन मूल्यात्मक बोध के रूप में उतना ही जगद्विषयक सत्य को लक्षित करता है जितना 'जगत् परमाणु संघात है' यह कथन भौतिक वस्तु-बोध के रूप में जगद्विषयक सत्य को लक्षित करता है। द्रष्टव्य है कि द्वितीय प्रतिपत्ति चेतना के नितान्त स्थूल स्तर से सम्बन्धित है और उसमें भी यह सत्य को बहुत सीमित रूप में ही लक्षित करती है। इसका सन्दर्भ इन्द्रियगम्य वस्तुओं के मात्र भौतिक नियम का सत्य है, रूपात्मक और भोगात्मक अर्थों के सन्दर्भ इसके दृष्टि-क्षेत्र से बाहर ही रहते हैं, जो सन्दर्भ उतने ही इन्द्रिय-विषय-विषयक और जगद्विषयक होते हैं जितने भौतिक नियम-सन्दर्भ होते हैं। इसके विपरीत प्रथम प्रतिपत्ति चेतना के उस स्तर से सम्बन्धित है जिस पर ये तीनों स्तर उस स्तर में अतिक्रमित हो जाते हैं जिसमें चेतना अपने सत्य को आप लक्षित करती है। इस स्तर पर प्रथम तीन स्तर निषिद्ध नहीं होते, ये रूपान्तरित हो जाते हैं। यहाँ जो दृष्टि-भेद दिखायी देता है वह बहुत कुछ अभिव्यक्ति-भेद होता है जो अभिव्यक्ति बहुत दूर तक सांस्कृतिक परिवेश से निर्धारित होती है, किन्तु अभिव्यक्त दृष्टि में मौलिक भेद नहीं होता। दृष्टि में मौलिक भेद चेतना की आत्म-प्रतिष्ठा के स्तरमूलक होता है। उदाहरणत: कबीर और तुलसी में कोई मौलिक भेद है ऐसा कहना युक्त नहीं होगा जबकि शंकर और रामानुज में अवश्य है, क्योंकि कबीर और तुलसी का अवधेय कोई सिद्धान्त नहीं है जबकि शंकर और रामानुज का अवधेय सिद्धान्त है। कबीर और

तुलसी के लिए सिद्धान्त केवल प्रतीक हैं, अथवा कहें सोपान हैं, अभिव्यंग्य या गंतव्य वह अनुभूति है जो साक्षात्कारात्मक होती है। दार्शनिक के लिए भी सिद्धान्त प्रतीक मात्र का रूप ले सकता है, महात्मा बुद्ध और उपनिषद् के ऋषियों की दार्शनिकता इसी प्रकार की है। **गीता** दर्शन की इस प्रतीकरूपता को सैद्धान्तिक विचार के स्तर पर ही प्रतिष्ठित कर देती है और इस प्रकार उसके लिए विभिन्न सिद्धान्त एक ही साक्षात्कार्य सत्य के लिए दृष्टि के कोण-भेद मात्र हो जाते हैं।

यहाँ 'जगत् माया है' इस प्रतिपत्ति को मूल्य-बोध के रूप में देखने के औचित्य पर विचार करना उपयोगी होगा। जगत् को माया नागार्जुन, वसुबन्धु और शंकर भी कहते हैं, किन्तु ये दार्शनिक इसे तर्क-साध्य और स्पष्ट रेखांकित सिद्धान्त के रूप में प्रस्थापित करते हैं। नागार्जुन का तर्क प्रतीत्यसमुत्पाद-सिद्धान्त के आधार पर वस्तुओं की स्वभाव-शून्यता के प्रदर्शन पर आधारित है, वसुबन्धु का विज्ञप्तियों की अपने से बाहर किसी अन्य सत् को विज्ञापित करने की अशक्यता पर आधारित, और शंकर का रज्जु में सर्प-दर्शन की भ्रान्ति में उपदर्शित अध्यास के उपमान पर आधारित। अब, इन युक्तियों से जगत् का सत्यत्व तो सन्देहास्पद बनता है किन्तु उस मिथ्यात्व सिद्ध होता है ऐसा नहीं कहा जा सकता। इन प्रतिपादनों में जगत् के मिथ्यात्व के साक्षात्कार की कोई बात नहीं है। किन्तु कबीर जब कहते हैं 'माया महा ठगिनी हम जानी' और उसके छल के रूपों का बखान करते हैं : जोगी के जोगिन ह्वै बैठी, राजा के घर रानी, कोऊ के हीरा ह्वै बैठी, कोउ के कौड़ी कानी' तब वे यह उस साक्षात्कार के आधार पर कहते हैं जिसे वे अपने हृदय के भीतर करते हैं : 'अपना हृदय' यहाँ कबीर-व्यक्ति के हृदय का वाचक नहीं है बल्कि हृदय मात्र का वाचक है, जिसमें आत्मचेतन चेतना बोध की ऊर्ध्वतर भूमियों पर प्रतिष्ठित हो सकती है। कथा-साहित्य में कल्पना द्वारा इस का यह रूप हम स्पष्टत: ही देखते हैं।[1] जगत् के मिथ्यात्व को भौतिक जगत् के निषेध-विषयक युक्तियों पर आधारित करने पर लोकबुद्धि का उसमें अविश्वास और यथार्थवादियों के उस पर आक्षेप उचित ही होंगे। इन युक्तियों का महत्त्व निश्चय ही बहुत है, किन्तु केवल दार्शनिक तर्क-वितर्क की परम्परा को आगे बढ़ाने में और परम्परा का महत्त्व हमारी बौद्धिक चेतना को अधिक कुशल, अधिक सूक्ष्म और गंभीर अर्थावगाही बनाने में है, वह बोध देने में नहीं जो आत्मगत असत्य को देख और पहचान पाता है। यही कारण है कि जगत् को असत्य सिद्ध करने और उसे आत्मा से और आत्मा को ब्रह्म से अभिन्न सिद्ध करने में अत्यन्त युक्ति-कुशल अथवा युक्तियों की परम्परा के पांडित्य से मण्डित लोग भी जगत् में बुरी तरह आसक्त देखे जाते हैं और उन्हें इस व्यवहार और सिद्धान्त में कोई विरोध दिखायी नहीं देता।

अब इस पर से ज्ञान को मूल्य समझना अपेक्षाकृत सरल हो जाता है। 'ज्ञान' का अर्थ 'चेतना का प्रकाश' कहा जा सकता है, जो या तो बाह्य वस्तु को प्रकाशित करता है या आत्मा को। यह बाह्य वस्तु को प्रकाशित करते हुए आत्मा को भी प्रकाशित करे यह साधारणत: तो सहज ही होना चाहिए, किन्तु ऐसा होता नहीं है। सम्पूर्ण पशु-जगत् तो इस दूसरे प्रकाश से इस सीमा तक रहित होता है कि इसे आत्मा से रहित चेतना भी कहा जा सकता है, किन्तु मनुष्य भी साधारणत: इस प्रकाश से रहित ही रहता है। उदाहरणत: भौतिक वैज्ञानिक भौतिक नियम में एक व्यापक ऋत के दर्शन करे और इससे विस्मयाभिभूत हो, और यह विस्मय उसकी आत्मा को प्रकाशित करे यह बात स्वाभाविक प्रतीत होती है। आईंस्टाइन का जीवन इसका एक आदर्श उदाहरण है। किन्तु वैज्ञानिक नितान्त बाह्यमुखीन ही रहे, वह इस नियम का कैमरा-वृत्ति से तटस्थ दर्शन मात्र करने तक सीमित रहे अथवा कल्पना-कौशल से इस नियम के रचना-तत्त्व का भी साक्षात्कार कर सके यह भी सम्भव है, और इसके अनेक उदाहरण हम देखते हैं। किन्तु उस वैज्ञानिक के लिए इस ज्ञान का अधिक मूल्य नहीं है, यद्यपि वह ज्ञान मनुष्य की सांस्कृतिक परम्परा के लिए मूल्यवान् होता है क्योंकि वह उस परम्परा के अर्थ-वैभव को विपुल और उस (परम्परा) को आत्मा को प्रकाशमान् बनाता है। यही बात दार्शनिक के सम्बन्ध में भी कही जा सकती है। दर्शन का मूल विषय आत्मा और जीवन तथा जगत् के सत्य का अन्वेषण रहा है, कभी-कभी इस व्यापक विषय के

1. द्रष्टव्य पीछे अध्याय 6

अन्तर्गत सीमित विषय भी इसके समस्त अवधान के केन्द्र बनते रहे हैं। किन्तु इस प्रकार के सीमित अन्वेषणों में भी निहित रूप से वही व्यापक विषय रहा है : आत्मा क्या है, मनुष्य का परम पुरुषार्थ क्या हैं? जो दार्शनिक अपनी दृष्टि सीमित अन्वेषणों तक अवरुद्ध रखते हैं, जैसे 'वाक्यों के अर्थ का क्या स्वरूप है? प्रतिज्ञप्तियों का अस्तित्व किस प्रकार का है? प्रागनुभविक और विश्लेषणात्मक में क्या सम्बन्ध है?' आदि, वे आत्मा आदि विषयक प्रश्नों को अपप्रश्नों के रूप में अस्वीकार कर देते हैं। ये प्रश्न अपप्रश्न हैं या नहीं यह भी ज्ञान और सत् विषयक व्यापक अवधारणाओं के आधार पर ही निर्णय हो सकता है, जिन अवधारणाओं को ये तथाकथित दार्शनिक पूर्वग्रहपूर्वक पकड़े रहते हैं। किन्तु उन्हें भी ये प्रश्न विचार के लिए और दिखाने के लिए कि ये अपप्रश्न हैं, दार्शनिक प्रश्न स्वीकार करने पड़ते हैं, ये उनके लिए उस प्रकार अप्रासंगिक नहीं होते जिस प्रकार वैज्ञानिक के लिए होते हैं। किन्तु जैसाकि हमने ऊपर देखा, ये प्रश्न किसी के दार्शनिक विवेचन के विषय होने पर उसकी आत्मा को भी प्रकाशित करें, यह आवश्यक नहीं होता। ये मात्र तर्क-प्रवीणता या पांडित्य तक भी सीमित रह सकते हैं। किन्तु तब ऐसे व्यक्ति की दार्शनिकता उसके अपने लिए इतनी ही मूल्यवान् कही जा सकती है कि वह इसके कारण कुछ समय शुद्ध अर्थ और कामपरम अन्वेषणों से बचा रहता है। किन्तु इस उपलब्धि को उसकी तुलना में नगण्य ही कहना चाहिये जो दार्शनिक चिन्तन से सम्भव है। यहाँ इम्मेनुअल कांट का उल्लेख स्थाने होगा। वे जगत् और आत्म-लोक की विस्तृत बोध-यात्राओं के अनन्तर यदि 'ऊपर ज्योतित तारकित नभ के और भीतर भास्वर आत्मा के सत्य (मॉरल लॉ) के' साक्षात्कार से स्तंभित और अभिभूत नहीं हुए होते तो उनकी ये यात्राएँ उनके लिए बहुत क्षीण उपलब्धियाँ ही रह गई होतीं।

यहाँ आपत्ति हो सकती है कि व्यावहारिक मूल्य भी मूल्य ही होते हैं परिणामत: उनका साधक ज्ञान भी मूल्यवान् ही कहा जायेगा। यह सही है, किन्तु तब व्यावहारिक मूल्य आध्यात्मिक मूल्यों के विरुद्ध होने पर भी मूल्य कहे जायेंगे या कि उनसे संगत और उनके अधीन होने पर ही मूल्य कहे जाएंगे, यह प्रश्न प्रष्टव्य होगा। आध्यात्म-विरुद्ध होने पर भी व्यवहार को मूल्यवान् मानने पर छल-छद्म भी ज्ञान हो जाएंगे। इस निष्कर्ष को पहली युक्ति में समाहित मानने पर यह कहा जा सकता है कि जिस मूल्य की सिद्धि आत्मा के मूल्य की सिद्धि नहीं है वह तात्कालिक रूप से तो मूल्यवान् प्रकट हो सकती है किन्तु वह आत्यंतिक रूप से मूल्यवान् नहीं हो सकती। शारीरिक स्वास्थ्य और जिह्वा-रस के परस्पर विरोध में यह बात हम सहज में ही देख सकते हैं। किन्तु आत्मा भी बोध के अनेक स्तरों पर प्रकट होती है और उस स्तर-भेद के अनुसार ही उसके विषय और मूल्य होते हैं। व्यावहारिक कहे जाने वाले मूल्य अधिकांशत: मनोदैहिक स्तर पर प्रकट होते हैं। किन्तु किसी भी स्तर के विषय या मूल्य हों उनके सम्बन्ध में उसी स्तर पर बोध भ्रान्त या सम्यक् हो सकता है। उदाहरणत: देहात्म-बोध के स्तर पर ऐन्द्रिय भोग मूल्य के रूप में आभासित होते हैं किन्तु ये निरन्तर और अधिकाधिक सन्तोषप्रद हों यह सम्यक् बोध की अपेक्षा करता है। कौन विषय योग्य है कौन अयोग्य, कितना भोग युक्त है और उससे अधिक अयुक्त यह विवेक शुद्ध देहात्म स्तर पर भी अपेक्षित होता है और इस प्रकार सम्यग् ज्ञान और तदनुसारी संयम की अपेक्षा करता है। द्रष्टव्य है कि पशुओं में यह 'बोध' प्रकृत्या होता है—जहाँ तक उनमें यह होता है—किन्तु मनुष्य में उसकी अपनी प्रकृति भी ज्ञान-विषय होती है और परिणामत: वह इसमें भ्रान्त भी होता है। उसे प्राकृतिक बोध को ज्ञान के व्यवहितत्व में खो कर उसे पुन: प्रयत्नत: प्राप्त करना होता है। मनुष्य के सम्बन्ध में यह एक मौलिक महत्त्व का तथ्य है। अब, देहात्म के स्तर पर भी विषयताएँ अपेक्षाकृत जटिल और सूक्ष्म हो सकती हैं। उदाहरणत: भोग-साधनभूत यान्त्रिकी की प्रगति और परिणामस्वरूप होने वाले यन्त्रों के आविष्कार कहाँ तक उपयोगी होंगे और कहाँ जाकर हानिकारक सिद्ध होंगे, दैहिक सुखों का अतिशय कहाँ जाकर उद्विग्नता और मानसिक असन्तुलन का हेतु होगा, यह सब ज्ञान अत्यन्त प्रबुद्ध विवेक की अपेक्षा करता हे। यहाँ एक उदाहरण उपयोगी होगा : मैंने अपने एक धनाढ्य मित्र के यहाँ देखा कि उसका पुत्र एक आयोजन में आमन्त्रित अपने मित्रों को प्रभावित करने के लिए अनेकानेक प्रकार की शराबों की प्रदर्शनी बैठक के कमरे में सजा रहा था। एक और उदाहरण विचारणीय है : 'एक व्यक्ति के समर्थ पुत्र द्वारा घर में एक बहुत महंगा गलीचा लाने पर उसके पिता ने सन्देह व्यक्त किया कि इसकी क्या आवश्यकता थी? अब उसे साफ रखने की चिन्ता रहा करेगी।' यह प्रतिक्रिया भोगानुशील में एक अत्यन्त वास्तविक अन्तर्दृष्टि प्रदान करती है। व्यापक और गहनतर स्तर पर यान्त्रिकी के प्रति

महात्मा गान्धी की यही प्रतिक्रिया थी। मनोमय स्तर पर यह मूल्य-बोध एक दूसरा आयाम लेता है। यहाँ यह पूर्वग्रह, सिद्धान्तासक्ति, युक्ति-कौशल की ज्ञान के पद पर प्रतिष्ठा, विनोद-मनोरंजन के युक्त-अयुक्त विषयों में अविवेक आदि का रूप लेता है। ये सब आत्म-बोध के विभिन्न स्तरों पर प्रकट भ्रान्तियों के अभीष्ट-अनभीष्ट को पहचानने में असामर्थ्य के उदाहरण कहे जा सकते हैं। वास्तव में व्यवहार-ज्ञान : व्यवहार द्वारा अन्वेष्य पुरुषार्थ विषयक ज्ञान : भी उतना सरल नहीं होता जितना यह प्रतीत होता है। इसका कारण एक ओर उन विषयों का कारण-कार्यात्मक होना और उस कारण-कार्यता का हमारी इच्छाओं के अधीन नहीं होना होता है और दूसरी ओर स्वयं हमारी अपने अभीष्ट के प्रति दृष्टि का स्पष्ट नहीं होना होता है। 'किस रस का और किस मात्रा में आस्वादन मुझे तृप्ति देगा' सम्भवत: यह व्यवहारविषयक सरलतम प्रश्नों में से एक कहा जा सकता है। किन्तु यह ज्ञान भी कितना दुरवगम्य हो सकते हैं इसका अनुमान अधिकांश को नहीं है, क्योंकि अधिकांश लोग अधिकांशत: इतने सतर्क आत्म-गवेषी नहीं होते हैं। अब, यह रस जिस वस्तु में निहित रहता है वह केवल रसात्मक ही नहीं होती, उसमें अन्य कार्य-क्षमताएँ भी रहती हैं जो नितान्त अप्रत्याशित हो सकती हैं। जब हम ऐन्द्रिक पुरुषार्थों या मूल्यों से मानसिक पुरुषार्थों : प्रेम, कीर्ति, अधिकार आदि : पर आते हैं तब स्थिति और जटिल हो जाती है। इनमें यह विवेक नितान्त दुस्साध्य होता है कि हमें क्या अभीष्ट है। फिर, विवेक-सम्मत अभीष्ट की सिद्धि किन साधनों से होगी यह निश्चित करना असम्भवप्राय होता है, क्योंकि अनुमित साधन ऐसी कारण-कार्य-शृंखला को जन्म दे सकते हैं जो पूर्णत: विपरीत फल-प्रदायक हो। इस स्थिति का साम्मुख्य किस प्रकार किया जाये—बाह्य उपायों से याकि आत्मगत प्रज्ञा से, यह प्रश्न बना रहता है। अब, जब अर्थ और कामविषयक पुरुषार्थ-साधन का ज्ञान इतना दुरवगम्य और दुस्तर होता है तब धर्म और मोक्ष विषयक पुरुषार्थ-साधन का ज्ञान कितना दुरवगम्य और दुस्तर हो सकता है यह सहज ही कल्पनीय होना चाहिए : कबीर के शब्दों में "माया महा ठगिनी हम जानी, पण्डा के मूरत ह्वै बैठी, तीरथ में भई पानी।"

किन्तु ज्ञान के सम्बन्ध में सबसे महत्त्वपूर्ण समस्या भ्रम की सम्भावना की विद्यमानता की है : ऐसा क्यों है कि बहुत बार अयथार्थ यथार्थवत् भासित होता है और ऐसे कौन-से चिह्न हैं जिनके आधार पर यथार्थ और अयथार्थ अपने यथार्थ रूप से पहचाने जाते हैं? इस समस्या पर भी विचार प्राय: इन्द्रिय-विषयों विषयक ज्ञान को आधार बनाकर ही किया गया है जिनके सन्दर्भ में यह समस्या उतनी वास्तविक नहीं है। इन्द्रिय-विषय समग्रत: ऐन्द्रिय नहीं होते, ये अपनी रचना और स्वरूप में बुद्धि-ग्राह्य होते हैं। विषय की काल-स्थायिता, परिप्रेक्ष्यात्मकता और अनेकेन्द्रियात्मकता, जो कि उनकी वस्तुता के घटक हैं, और उसके नाम : मिट्टी, पत्थर, वनस्पति, पशु, पक्षी आदि : जो उसे उसका सत्य देते हैं, दोनों बुद्धि-ग्राह्य होते हैं। परिणामत: विकल्प या बुद्धि इनकी प्रामाणिकता के नियम स्थिर करती है : पत्थर वर्ण और संस्थान के अतिरिक्त कठोरता गुण-युक्त भी होगा जबकि रूई वर्ण और संस्थान के अतिरिक्त नरम होगी, सजीव वस्तुएँ जन्म-मृत्यु और वृद्धि-क्षय के लक्षणों वाली होंगी, निर्जीव इनसे रहित होंगी, सर्प स्पर्श करने पर प्रतिक्रिया करेगा, रस्सी नहीं करेगी आदि लक्षण वस्तुओं के प्रमाण स्थिर करते हैं। यहाँ भ्रान्ति के हेतु भी आकलित रहते हैं। यह सब होने पर स्वत:प्रमाण-परत:प्रमाण के प्रश्न इनके लिए अप्रासंगिक हो जाते हैं। 'यह रस्सी है' यह निर्णय असंख्य प्रणामों पर आश्रित है यद्यपि व्यवहार में कुछ ही प्रमाणों से काम चल जाता है। अब, रसी के साँप दिखायी देने के मानसिक, दैहिक और बाह्य तीनों प्रकार के कारण होते हैं और इस भ्रम का निवारण अन्तत: प्रत्यक्ष से ही हो सकता है। यहाँ इस आपत्ति का कोई अर्थ नहीं है कि जब भ्रान्त और प्रमापक प्रत्यक्ष में कोई अन्तर नहीं होता तब दूसरा प्रत्यक्ष प्रामाणिक कैसे होगा? क्योंकि प्रत्यक्ष ज्ञान का स्तर पाने के लिए चेतना की निरुद्विग्नता और आत्मस्थता को पूर्वापेक्षित करता है और अर्थों तथा लक्षणों के जटिल सन्दर्भ के अन्तर्गत प्रमाण का पद पाता है। यह परिस्थिति ऐसी वस्तुओं के स्वरूप-निर्णय में बहुत स्पष्ट होती है जिनके लक्षण सूक्ष्म या जटिल होते हैं, जैसे 'यह स्वर्ण शुद्ध है या नहीं?' आदि में। वैज्ञानिक वस्तुओं या वस्तुस्थितियों के निर्णय में यह परिस्थिति और भी अधिक स्पष्ट होती है। इस प्रकार, प्रामाणिकता की सब अपेक्षाएँ पूरी हो रही हैं या नहीं यह हम साधारण वस्तु-निर्णयों में उनके प्रत्यक्ष काल में जानते हैं किन्तु कुछ के प्रत्यक्ष-काल में यह नहीं जानते, सूक्ष्म और वैज्ञानिक वस्तु-निर्णयों में प्रत्यक्ष की भूमिका अनिवार्य होने पर भी बहुत गौण होती है। स्वर्ण की शुद्धता स्वर्ण के प्रत्यक्ष से नहीं, कसौटी पर

घिसने से उस पर आये रंग की अत्यन्त दक्ष आँख से पहचान से जानी जाती है, वैज्ञानिक प्रयोगाश्रित निर्णय और भी परोक्ष और दक्षता के अपेक्षी होते हैं। किन्तु पुरुषार्थ-विषयक निर्णयों में परिस्थिति इससे नितान्त भिन्न होती है। यहाँ कोई प्रस्तुत या अप्रस्तुत विषय नहीं होता जिसकी बुद्धि-कल्पित प्रामाणिकता निर्णेय होती है बल्कि चेतना का आत्मगत सत्य होता है जो सत्य आत्मीय रूप में साक्षात्कार्य होता है। किन्तु यह बाह्य विषय के समान प्रस्तुत या अप्रस्तुत, प्रत्यक्ष और परोक्ष नहीं होने पर भी ज्ञान-विषय होता है और हमें इस विषयक भ्रान्तियाँ भी होती हैं। चेतना में ज्ञान और भ्रान्ति विषयक यह स्थिति इसमें आत्मचेतना के आविर्भाव के साथ उत्पन्न होती है। चेतना विषयक यह एक अद्भुत गुह्य रहस्य है कि इसमें आत्मविषयक सत्य का आविर्भाव आत्मव्यवहितत्व के साथ ही होता है और यह इस सत्य को उपहित और दुरवगम्य रूप में ही पाती है, अव्यवहित और सहज-सिद्ध के रूप में नहीं।[1] अपने सत्य से इसकी यह दूरी, आत्मा का यह आत्मव्यवहितत्व, आत्मबोध के निम्न स्तरों पर ही विद्यमान नहीं होता बल्कि जैसाकि हमने पीछे देखा, यह आत्मबोध के सभी स्तरों पर विद्यमान होता है।

यहाँ यह स्पष्टीकरण स्थाने होगा कि यह चिद्‌गत सत्य चेतना की काल-क्रम में विस्मृत आद्य स्थिति नहीं है, यह उसकी आत्मगत तमस् और अनात्म के निवारण के प्रयत्न के फलस्वरूप साध्य स्थिति होती है। इसका 'ऊर्ध्वमूलं अध: शाखी' रूप में निरूपण ही युक्त निरूपण कहा जा सकता है। किन्तु यहाँ यह प्रश्न असमाधित ही रह जाता है कि इस बोध में सत्य और भ्रान्ति के बीच निर्णय का क्या आधार हो सकता है? यद्यपि इस प्रश्न पर हम अगले अध्यायों में विस्तार से विचार करेंगे किन्तु यहाँ इतना असंदिग्ध रूप से कहा जा सकता है कि यद्यपि यह सत्य अधिकांशत: उपहित ही रहता है, किन्तु यह प्रकट होने तक मनुष्य निरन्तर अशान्त और अप्रतिष्ठित ही रहता है।

---

1. इसके कुछ अपवाद भी मिलते हैं, जैसे हमारे अपने ही देश और युग में रामकृष्ण परमहंस और रमण महर्षि। इस प्रकार इसे सिद्धान्त के स्तर पर प्रतिष्ठित नहीं किया जा सकता, इसे केवल एक साधारणत: उपलब्ध वस्तुस्थिति ही कहा जा सकता है।

आत्मान्वेषण–एक

अपने होने के अर्थ, उसके आधार और गन्तव्य की जिज्ञासा मनुष्य के लक्षण जैसी कही जा सकती है, और इस जिज्ञासा में वह सहज ही अपने प्रस्तुत लोक–सुलभ जीवन को, इसके पदों और परिभाषाओं को, अपर्याप्त पाता रहा है। यों, प्रस्तुत जीवन और प्रस्तुत लोक स्वयं में पर्याप्त क्यों नहीं हों, इनके इन तक सीमित अर्थ क्यों अपूर्ण, बल्कि थोथे लगें, जबकि इनमें स्पष्टत: कितने ही रूप और रंग हैं और इनकी अनन्त सम्भावनाएँ हैं और प्रकटत: इनका आत्मपर्यन्त अवगाहन और साधन भी मनुष्य को अनन्त काल के लिए और असीम रूप से व्यस्त रखने के लिए पर्याप्त हो सकते हैं? आधुनिक यान्त्रिकी, विज्ञान और तर्क–क्रीड़ाओं ने इस लोक की अतलता और अपारता को असंदिग्ध रूप से सिद्ध कर दिया है, यद्यपि पहले भी मनुष्य ने इस लोक की सम्भावनाओं के अवगाहन में कोई कसर नहीं रखी थी। किन्तु रूपों–रंगों की इस छटा और सम्भावनाओं की इस चमत्कृति के बावजूद मनुष्य ने प्राय: सदैव इस लोक को न केवल अपर्याप्त पाया है बल्कि अनुसरण के अयोग्य, अनन्वेषणीय भी पाया है : 'जो वस्तु मुझे अमरता नहीं दे सकती उसे पाकर मैं क्या करूँगी?" लौकिक सम्पदाओं की प्रस्तुति पर मैत्रेयी का यह उत्तर वास्तव में सब देशों–कालों के उन सब मनुष्यों का उत्तर है जो अपने होने की वस्तुस्थिति पर से लौटकर उसके होने के अर्थ की जिज्ञासा करते हैं। कहते हैं प्लेटो की एकेडेमी के द्वार पर आदर्श वाक्य के रूप में लिखा हुआ था—'अपने को जानो।' एकेडेमी अर्थात् शास्त्रों और विज्ञानों के अध्ययन का स्थान। उस पर इस वाक्य के लिखे होने का अर्थ है कि उसके अनुसार सब विद्याओं की विद्या, सब विज्ञानों का अन्तिम ज्ञातव्य आत्म–विद्या है। यही बात **बृहदारण्यक उपनिषद्** में अधिक सटीक रूप में कही गई है कि हमारे सब मूल्य, सब अन्वेषण वास्तव में अन्तत: आत्मा को ही लक्षित करते हैं, इसलिए आत्मा ही मननीय और निदिध्यासितव्य है। किन्तु जब हमारे सब प्रयत्न आत्मा से ही प्रवर्तित होते और उसी को लक्षित करते हैं, और जब यह आत्मा जिज्ञासु के निकटतम ही नहीं उससे अभिन्न है, तब उस आत्मा के अन्वेषण और मनन का क्या अर्थ है? अन्वेष्य का अपने से भिन्न और दूर होना आवश्यक है। यान्त्रिकी, विज्ञान, शिल्प और कलाएँ ये सब प्रकटत: अपने से भिन्न का ही अन्वेषण करते प्रतीत होते हैं।

किन्तु यह जिज्ञासा क्या है? रूपों–रंगों के इस छवि–लोक की अपर्याप्तता, बल्कि कहें दु:खात्मकता, किस कारण प्रकट होती है? क्या यह जिज्ञासा काल्पनिक नहीं है? और क्या यह अपर्याप्तता और दु:खात्मकता का बोध किसी गहन व्यामोह के कारण नहीं है? ये प्रश्न भी सदैव किये जाते रहे हैं और इनके विरोध में युक्तियाँ भी दी जाती रही हैं। किन्तु द्रष्टव्य है कि किसी बुद्ध या परमहंस ने कभी इन सन्देहों की ओर ध्यान नहीं दिया और कभी इनके विरुद्ध युक्तियाँ नहीं दीं। उनके लिए रूपों–रंगों के इस जगत् की अपर्याप्तता और आत्मा की मन्तव्यता एक सहज, दुर्निवार और स्फुटतम बोध रहा है।

यहाँ प्रश्न हो सकता है कि क्या आत्मा की मन्तव्यता का बोध जगज्जीवन की अपर्याप्तता के बोध का अनिवार्य अपेक्षी है या कि यह एक स्वतन्त्र और साक्षात् बोध है? अब, साधारणत: तो चेतना का आद्य और सहज भाव जगद्भाव ही है, इस भाव में सन्तुष्ट रहने पर इससे पराङ्मुख प्रवृत्ति का प्रश्न ही नहीं उठता, किन्तु दूसरी ओर यह भी कहा जा सकता है कि अन्यत्र पूर्णता, अथवा पूर्णतरता के आभास के बिना जगद्भाव की अपर्याप्तता का भान होना भी सम्भव नहीं है। इस प्रकार पूर्णता का बोध भी चेतना को स्वत: ही सिद्ध होता है, जगत् की अपर्याप्तता या मिथ्यात्व–बोध के द्वारा नहीं। यहाँ कहा जा सकता है कि जगद्भाव की अपूर्णता का बोध इस भाव के अतिक्रमण को तो पूर्वापेक्षित करता है किन्तु यह किसी अतिजागतिक आत्मसत्ता को भी पूर्वापेक्षित करता है, ऐसा नहीं कहा जा सकता। उदाहरणत: मृत्यु जीवनपरक पर्येषणाओं की पर्यवसायिता को, और अस्तित्व की देश–कालिकता इसकी आधार–भूत आगन्तुकता को तो प्रकट करती है और यह प्राकट्य चेतना

की अतिक्रान्तता में ही सम्भव हो सकता है, किन्तु इससे अमरता और ध्रुव अस्तित्व का साक्षात्कार भी सम्पन्न हो पाता है, ऐसा नहीं कहा जा सकता। मृत्यु और आगन्तुकता के निषेध के रूप में अमरता और ध्रुवता वास्तवता की कोटियाँ नहीं सिद्ध होतीं, ये केवल आकारिक कोटियाँ ही सिद्ध होती हैं। किन्तु वास्तव में बात इससे उलटी है : चेतना की अतिक्रमण की सामर्थ्य के बिना जीवन की आगन्तुकता और अपर्याप्तता का (आकारिक) बोध अतिक्रमण का हेतु नहीं ठहरता, इसके विपरीत चेतना की अतिक्रमणशीलता जगत् के इस स्वभाव के प्राकट्य की हेतु ठहरती है और यह अतिक्रान्तता अमरता और ध्रुवता को तार्किक कोटियों के रूप में आपादित नहीं कर अपनी स्वाभाविक प्रतिष्ठा के रूप में लक्षित करती है। दूसरे शब्दों में, 'मैं अमर हूँ' यह वाक्य 'मैं मरणशील हूँ', इसका प्रतिक्षेप अथवा पूरक अवधारणा मात्र नहीं है बल्कि यह चेतना की अतिक्रमणशीलता की अनिवार्य प्रतिष्ठा है। मेरा जन्म, मेरा परिवेश, मेरा आवास, यहाँ तक कि मेरा इस समय वहाँ होना जहाँ मैं हूँ, ये सब आगन्तुक घटनाएँ अथवा स्थितियाँ हैं, किन्तु ये सब आगन्तुकताएँ उसे शेष छोड़ देती हैं जिसे ये प्रस्तुत होती हैं। इस 'शेष' के बिना भी ये घटनाएँ और स्थितियाँ आगन्तुक ही होतीं, किन्तु तब ये किसी से सम्बद्ध नहीं होतीं, किसी जीवन की आगन्तुकता और अर्थ-हीनता प्रकट नहीं करती। 'मैं मरणशील हूँ' यह ज्ञान अपनी मृत्यु के कल्पना में 'अवलोकन' के बिना सम्भव नहीं है और न 'मैं आगन्तुक-स्वभाव हूँ' यही अपने से सम्बद्ध घटनाओं से अपना तादात्म्य स्थापित किये बिना कल्पनीय है। किन्तु ये कल्पनाएँ करते हुए मैं इस मृत्यु और इन घटनाओं से उत्तीर्ण भी हो जाता हूँ, ये मुझे निश्शेष नहीं कर पातीं। मेरी यह शेषता तर्कमूलक नहीं है—कि विधेय पद उद्देश्य पद के आश्रय से ही होते हैं और उद्देश्य पद विधेय पदों में अपचेय नहीं होता। यह शेषता अवलोकन-व्यापार के साथ आविर्भूत अन्यानपचेय तत्त्व की है जो तत्त्व अवलोकन में ही अपने को प्रकाशित और प्रतिष्ठापित करता है। चेतना का यह अवलोकन-व्यापार एक मूलगामी अतिक्रामी व्यापार है और यह अतिक्रामिता मृत्यूत्तीर्ण और अनिवार्य आत्मा की प्रतिष्ठा है।

यहाँ आपत्ति हो सकती है कि यह आत्मा और उसकी यह अमरता तात्त्विक : वास्तविक : नहीं है, यह अधिक-से-अधिक आभासिक कही जा सकती है। यदि आभास रूप में यह अनिरास्य भी हो तो भी इससे इसका वस्तु-रूप में अस्तित्व सिद्ध नहीं होता। द्रष्टव्य है कि शंकर और डेकार्ट की युक्तियाँ आत्मा के अस्तित्व को इसी प्रकार : आभास-रूपेण : प्रतिपादित करती हैं। उपनिषद् का मन्त्र भी कि 'आत्मा के ही प्रयोजन से पुत्र, कलत्र आदि प्रिय होते हैं' आत्मा के अस्तित्व को इसी स्तर पर स्थापित करता है। किन्तु इस आपत्ति में एक भ्रान्त पूर्वग्रह है जिसमें आत्मा भूत-वस्तु-रूप में कल्पित है। यह भ्रान्ति इस प्रकार के प्रश्नों में स्पष्ट देखी जा सकती है कि 'आत्मा का अस्तित्व है अथवा नहीं?' 'मृत्यु के बाद यह कहाँ रहता है?' आदि। यद्यपि शंकर का यह कथन कि 'आत्मा के निषेध में भी आत्मा का अस्तित्व पूर्वगृहीत होता है' तार्किक प्रकार का नहीं होकर उसकी आध्यात्मिक अतिक्रामिता का ही प्रतिपादक कहा जा सकता है[1] किन्तु तब भी यह आध्यात्मिक अतिक्रामिता आत्म-प्रतिष्ठापक, आत्म-विधायक-रूप है या कि वस्तु-रूप, यह प्रश्न रह जाता है। आत्मा के इस निर्वचन में कि यह सत्-चित्-आनन्द स्वरूप है 'सत्' की प्रथमता, और 'सत्' का लक्षण 'त्रिकालाबाधितता' और 'सत्-मूलकता', अर्थात् असत् से इसके आविर्भाव की असम्भवता, ये सब इसकी वस्तु-रूप कल्पना की ओर ही संकेत करते हैं। किन्तु इसकी चित्स्वरूपता और आत्म-प्रतिष्ठापकता इसकी असत्पूर्वकता और सद्-विधायकता को प्रदर्शित करते हैं। अतिक्रमणात्मक चेतना की असत्पूर्वकता और आत्मविधायकता का यह अर्थ नहीं है कि आत्मा प्रतिक्षण नवोत्पन्न होता है, इसे क्षण-सन्तान पर काल्पनिक आरोप कहना तो भ्रान्ति की पराकाष्ठा ही होगी। हमारे प्रतिपादन में आत्मा की सत्स्वरूपता को प्रतिषेध नहीं है, केवल यह सत् भूतवस्तुकल्प नहीं है। यहाँ वे मनोवैज्ञानिक नितान्त अप्रासंगिक हैं जो बच्चे में 'अस्मिता' का बोध

1. डेकार्ट के सम्बन्ध में भी बहुत से व्याख्याकारों ने दिखाया है कि सर्वग्रासी सन्देह पर से सन्देहकर्त्ता की असन्दिग्धता की उसकी युक्ति तार्किक आपादनपरक नहीं है। द्रष्टव्य **दर्शन समीक्षा** दिसम्बर 1972 अंक में मेरे द्वारा प्रस्तुत डेकार्ट विषयक सात लेखों का सारांश।

नहीं पाकर आत्मा को सामाजिक सन्दर्भ में क्रमशः उत्पन्न मानसिक कल्पना कहते हैं। इसमें सामाजिक सन्दर्भ वास्तव में उसी आत्मा के याथार्थ्य का निषेध कर सकता है जो धमनियों या रासायनिक द्रवों के समान शरीर के भीतर रहता समझा जाता है। शिशु में इसके बोध की अविद्यमानता और अनन्तर इसके बोध का आविर्भाव वास्तव में आत्मा के स्वरूप और अस्तित्व की सम्यक् समझ के आधार हो सकते हैं। शैशवोत्तर अवस्था में उत्पन्न आत्म-बोध का स्वरूप अस्मिता : अतीत, वर्तमान, भावी, आन्तर-बाह्य विषयों के विषयी और विधायक : का होता है और यह अस्मिता देहात्मक अन्त:करणात्मक या मनोमय होती है। आत्मचेतन चेतना जिस-जिस स्तर पर उपचरित होती है उस-उस स्तर के अनुसार इस अस्मिता का रूप होता है। यह अस्मिता वैशिष्ट्य, प्रयोजन, प्रयत्न, आकलन और अन्वेषण की धारक बनती है और अन्त:प्रकाशित रहती है। अस्तित्व के लिए इससे अधिक असंदिग्ध प्रमाण और क्या हो सकता है? ईशोपनिषद् के 'स पर्यगात्....' आदि मन्त्र में आत्मा का परिभू: स्वयंभू: आदि के रूप में निरूपण इसकी इसी प्रकार की सत्ता और अस्तित्व को प्रकट करता है : जो अपने को परित: और स्वयं आविर्भूत करता है, जिसका घटित होना सृजनात्मक अर्थ-लोक और प्रत्यय-लोक का घटित होना है (कवि-मनीषी), और इस घटित होने में ही जिसका अर्थों को उनके ऋत में, उनके याथातथ्य में प्रतिष्ठित करता है। यहाँ 'अर्थ' शब्द का प्रयोग विशेष महत्त्व का है। इसका अर्थ यहाँ कल्पित या अभिप्रेत विषय के विपरीत 'विषय-वस्तु', 'सद्-वस्तु' है, किन्तु यह सद्वस्तु परिभू: स्वयंभू: चेतना से स्वतन्त्र द्रव्य में अधिष्ठित नहीं हो सकती, यह अपने अवलोकन के द्वारा अपने सत्य के साथ आविर्भूत ही हो सकती है। यह बात जब मानव-कवि (कलाकार, वैज्ञानिक, दार्शनिक) के द्वारा 'अवलोकित' (कल्पित) वस्तुओं के सम्बन्ध में सही है तब दिव्य कवि की तो बात ही क्या है। किन्तु जैसाकि हम जानते हैं, 'कवि-कल्पना' का प्रयोग 'असत्-कल्पना' के पर्यायवाची के रूप में भी होता है। किन्तु महान् कवियों के कल्पितार्थ असत् नहीं होते। वास्तव में कवियों का वर्गीकरण कल्पना के याथातथ्य-अयाथातथ्य से ही महत् और क्षुद्र, यथार्थ और छद्म के रूप में होना उचित है। मानव-कवि में सत्य कल्पना की यह शक्ति उसमें उस दिव्यता के प्राकट्य की ही द्योतक होती है जो दिव्यता दिव्य कवि, परिभू: स्वयंभू: कवि, का सहज स्वभाव है।

किन्तु द्रष्टव्य है कि 'अर्थों' की उनके याथातथ्य में प्रतिष्ठा मानवीय स्तर पर बहिर्गामी (पर्यगात्) चेतना का कार्य होती है, यही चेतना कलाकार की प्रतिभा के रूप में उपचरित होती है, यद्यपि अर्थों के उनके याथातथ्य में प्रतिष्ठापन और साक्षात्कार के लिए कलाकार की चेतना का अपनी दिव्यता में प्रतिष्ठित होना भी आवश्यक होता है। एक प्रकार से मनुष्य के सम्पूर्ण सांस्कृतिक कर्म को इसी कोटि में रखा जा सकता है, जो कर्म सामाजिक सम्बन्धों के रूप में और भाषा, विभिन्न कला-रूपों, धर्म, पुराण, मिथक, विज्ञान आदि विभिन्न प्रतीक-रचनाओं के रूप में प्रतिफलित होता है। यहाँ आपत्ति हो सकती है कि इन्हें 'यथातथ अर्थ कहने का क्या औचित्य है? इनका यथातथ अर्थ होना इसी से असिद्ध है कि संस्कृतियाँ विभिन्न और कभी-कभी परस्पर विपरीत भी होती हैं। इसका समाधान यह है कि मनुष्य तो एक सीमित चेतना ही है, इसलिए उसके द्वारा कल्पित अर्थ और साक्षात्कृत सत्य भी सीमित ही हो सकते हैं, स्वयं ईश्वरकृत जगत् भी अनेक सम्भव अर्थ-लोकों में से एक अर्थ-लोक और उसका प्रतिष्ठापक याथातथ्य अनेक सम्भव याथातथ्यों में से एक है। यह अभिव्यक्ति मात्र का स्वभाव है कि वह अनेक सम्भावनाओं में से एक का क्रियान्वयन ही हो सकती है, फिर चाहे वह अभिव्यक्ति सीमित चेतना की हो अथवा असीमित चेतना की। किन्तु इस तथ्य से इस अभिव्यक्ति या अर्थ की याथातथ्यता बाधित नहीं होती। अभिव्यक्ति या अर्थ की याथातथ्यता चेतना के साक्षात्कार के आत्म-अव्यवहितत्व से उद्भूत होती है। उदाहरणत: वाल्मीकीय रामायण और तुलसीकृत **रामचरित मानस**, प्रसाद की **कामायनी** और गोएथे का **फाउस्ट** परस्पर बहुत भिन्न स्वभाव के 'अर्थ-भुवन' हैं और परिणामत: इनके याथातथ्य भी बहुत भिन्न स्वभाव के हैं, किन्तु इससे इन अर्थों की अर्थता और याथातथ्य बाधित नहीं होते। काव्य की अर्थता और याथातथ्य बाधित होते हैं साक्षात्कारी प्रतिभा के आवृत होने से। यही बाधा जगत् के याथातथ्य में भी होती यदि ईश्वरीय प्रतिभा भी बाधित होती। एक प्रकार से जगत् में ईश्वर के अवतार की परिस्थितियों : धर्म-ग्लानि अथवा प्राकृतिक विशृंखलता : को इसी प्रकार के आवरण का परिणाम और अवतार के आविर्भाव को आवरण-भंग भी कहा जा सकता है, क्योंकि

यदि जगत् ईश्वर द्वारा याथातथ्येन व्यवस्थित अर्थ है तब धर्म-ग्लानि का कारण उस व्यवस्था के भंग अथवा ईश्वरीय प्रतिभा के अपने साक्षात्कार में व्यवहित होने को ही कहा जा सकता है और अवतार ईश्वरीय चेतना के मोह-मुक्त होने को। जो भी हो, हम धर्म-ग्लानि अथवा प्राकृतिक विश्व में अव्यवस्था को ईश्वरीय प्रतिभा का आवृत होना कहें और उसके अवतार अथवा हस्तक्षेप को उस आवरण का भंग होना, अथवा इस ग्लानि को मानवीय स्तर की ही आवृतता कहें और प्राकृतिक अव्यवस्था को किसी गुह्य प्रयोजन का कार्य, किन्तु मानवीय स्तर पर अनर्थता और अयाथातथ्य होता है और उसका हेतु मानवीय चेतना का आवृत होना ही होता है इसमें सन्देह के लिए कोई अवकाश नहीं है। इस प्रकार अर्थ-लोकों की सृष्टि, अथवा कहें अर्थ-लोकों के रूप में अभिव्यक्त होने में मानवीय चेतना का यह प्रवर्तन 'पर्यगमनात्मक' होने पर भी आत्म-प्रापक होता है, क्योंकि वह चेतना के आत्म-सान्निध्य को पूर्वापेक्षित करता है, आत्म-बहिर्भाव, आत्म-व्यवधान को नहीं, जो कि उसकी विषयाधीनता में होता है। विषय तब चेतना का अनात्मभाव होता है जब चेतना उसके सर्जक के रूप में अपने स्वातन्त्र्य में प्रतिष्ठित नहीं हो कर विषयाधीन होती है। प्रकृति, अथवा कहें चेतना की प्राकृतिक अवस्था, यही विषयाधीनता की अवस्था है जिसमें से आत्म-चेतना का आविर्भाव मुक्ति का मार्ग प्रशस्त करता है। किन्तु आत्म-चेतना के होने मात्र से विषयभाव से मुक्ति सिद्ध नहीं होती, इससे केवल मुक्ति की सम्भावना सिद्ध होती है। मुक्ति आत्म-प्रत्यङ्मुख निवर्तन के कर्म से ही सिद्ध होती है। इस निवर्तन के दो स्तर होते हैं। एक, जिसमें चेतना अपने में निवर्तित होकर अपने को विषयात्मतया प्रतिबिम्बित करती है और उन प्रतिबिम्बों के माध्यम से अपना अवगाहन करती है। दूसरा वह जिसमें वह इन प्रतिबिम्बों में प्रतिबिम्बित और अर्थ-लोकों में प्रवर्तित अपने ही स्वरूप का अन्वेषण करती है। 'पति, पुत्र आदि अपने स्वकीय अर्थ में प्रिय नहीं होते, आत्मा के अर्थ से ही प्रिय होते हैं' में इसी अर्थ-लोकों के स्रोत के स्वरूप के अन्वेषण का आह्वान है। द्रष्टव्य है कि पति आदि भी आत्म-सृष्ट अर्थ-लोकों के ही अर्थ या तथ्य हैं, इन अर्थों के सत्य का अवगाहन समाज-नीति और कथा-काव्य आदि में होता है जो चेतना का अपने में निवर्तित होकर अपना अवगाहन करना ही है, किन्तु स्वयं उस आत्मा का अवगाहन, जो इन अर्थ-लोकों में प्रवर्तित होता है, एक सर्वथा दूसरी बात है।

तब यह आत्मा क्या है? यदि कहा जाय कि यह सब एषणाओं, प्रवृत्तियों और अर्थों का अधिष्ठान अथवा इनका साध्य हेतु है, तो यह भी युक्त नहीं होगा, क्योंकि ऐसे आत्मा में मननीयता की क्या बात है? वह तो निरन्तर विभिन्न एषणाओं और प्रवृत्तियों में क्रियान्वित और प्रवर्तित होता ही रहता है और इसी माध्यम से वह अपने को अपने लिए प्रकाशित भी करता है! कोई इसी को आत्मा स्वीकार कर सकता है। किन्तु उपनिषद् को यह अभिप्रेत नहीं है, यह स्पष्ट है। बौद्ध इसी आत्मा को लक्षित कर कहते हैं कि यह संघात वृत्ति पर एक कल्पित अधिष्ठान का अथवा एक कल्पित वस्तुत्व अथवा कर्त्तृत्व का आरोप है। किन्तु यहाँ हमारा उद्देश्य इन विवादों का विवेचन और इनके बीच निर्णय करना नहीं है।

आत्मा को ही पुत्र, कलत्र आदि की प्रियता में प्रिय कहने वाले उपनिषद् इस प्रियता को अन्वेषण का युक्त और सार्थक विषय नहीं स्वीकार करते, आत्मा को असत् कहने वाले बौद्धों का अशय भी अनुरक्ति के ऐसे विषय का ही निषेध करना है जो अनुरक्ति का उचित विषय होने के योग्य नहीं है। किन्तु तब अनुरक्ति का उचित विषय क्या है? दूसरे शब्दों में, वह आत्मा क्या है जो मननीय और निदिध्यासितव्य है और जो अनुरक्ति का उचित विषय है? यह प्रश्न स्वभावत: इस प्रश्न के समाधान की अपेक्षा करता है कि इस निर्णय के लिए क्या कसौटी हो सकती है कि कोई विषय अनुरक्ति का उचित विषय है अथवा नहीं? वे सभी विषय जो हमारे चित्त को अनुरक्त करते हैं, जो प्रिय लगते हैं, अनुरक्ति के उचित विषय क्यों नहीं कहे जा सकते? यदि ये अनुरक्ति के उचित विषय नहीं हैं तो इनके प्रति हममें अनुरक्ति उदित ही क्यों होती है? इस प्रश्न को आगे भी बढ़ाया जा सकता है, कि जब प्रियता का वास्तव हेतु कुछ अन्य नहीं आत्मा ही होता है तब अनुरक्ति का कोई अन्य विषय होने का प्रश्न ही कहाँ उत्पन्न होता है? और यदि कोई विषय स्वयं में अनुरक्त नहीं करता, आत्मा ही उसे अपने भोग का माध्यम बनाता है, तब क्या अनुरक्ति के किसी विषय को अनुचित कहना आत्मा ही को अनुचित कहना नहीं है? इसका समाधान यहाँ यह कह कर किया

जा सकता है कि विषय से अनुरक्ति में आत्मा विषय के उपरक्त होता है और इससे वह अपने स्वरूप में आत्मविस्मृत रहता है। बौद्धों में जो आत्मा को अस्वीकार किया है वह इसी कारण कि इस व्याज से सूक्ष्म अभिमान ही उस आत्मा को उपरक्त कर लेता है जो आत्मा नितान्त पारदर्शी होने से 'आत्मा' पद से भी अनभिधेय है।

किन्तु यह हमारे प्रश्न का उत्तर नहीं है। प्रश्न है कि यदि कोई विषय आत्मा के लिए अनुरक्ति का अनुचित विषय है तब उसके प्रति अनुरक्ति उत्पन्न ही क्यों होती है? यदि 'अत्ता' (आत्मा) भी विषय और इस प्रकार अनुरक्ति के लिए अनुचित है तब आगे यह प्रश्न भी किया जा सकता है कि इसके प्रति अनुरक्ति होती ही क्यों है?

सभवत: इसका कोई समाधान सम्भव नहीं है, इसमें केवल इतना ही कहा जा सकता है कि 'कोई अनुरक्ति अनुचित है या नहीं' यह तो देखा जा सकता है और परिणामत: यह भी कि वह क्यों अनुचित है, किन्तु अनुचित होने पर भी वह उत्पन्न क्यों होती है, इसका कोई समाधान सम्भव नहीं है। अनुरक्ति चेतना द्वारा विषय में पूरकता-सुखदता का अर्थाधान है। यह चेतना पें नितान्त सहज है, इसे जीव-धर्म भी कहा जा सकता है। किन्तु मानव-विवेक ने इस सुख को अवास्तव, इन अर्थों को मिथ्या भी पाया है। निश्चय ही अधिकांश मुनष्य अधिकांशत: जीव-धर्मानुसारी ही होते हैं और उनके अन्वेषण जीव-धर्मोपयुक्त होते हैं, किन्तु मानव-समाज इस धर्म के नियमन, अतिक्रमण और बहुत कुछ निषेध पर ही प्रतिष्ठित होता है और मानवों में उत्कृष्टतम उन्हीं को माना जाता है जो इस धर्म से स्वतन्त्र होते हैं। बुद्ध की सम्बोधि 'सब्बं दु:खम्' के साक्षात्कार में है और कबीर का माहात्म्य अनुरक्ति मात्र के मायात्व-दर्शन में। ये दोनों साक्षात्कार जीव-धर्म को चेतना के अन्वेषण अयोग्य पाते हैं। किन्तु तब, चेतना अपनी सहज प्रवृत्ति में जिसे सुखद पाती है उसे वह सम्बोधि में दु:खद क्यों पाती है?

पीछे हमने इसका मूल कारण जीवन की मूलगामी आगन्तुकता के बोध को कहा। मृत्यु, रोग और शोक आदि दु:ख हैं, किन्तु ये स्वयं से जीवन को दु:खमय सिद्ध नहीं करते, क्योंकि मृत्यु है तो जीवन भी है, रोग है तो स्वास्थ्य भी है, शोक है तो आह्लाद भी है, और ये बहुत अधिक हैं और सुख-प्रद हैं। निश्चय ही मृत्यु ध्रुव है और जीवन की दीर्घता वार्द्धक्य में परिणत होती है, किन्तु पुनर्जन्म की धारणा मृत्यु को केवल जीवन की अनन्त शृंखलाओं में वार्द्धक्य आदि से मुक्ति का उपाय मात्र बना देती है। इस प्रकार मृत्यु-भय का कारण वास्तव में पुनर्जन्म की वास्तविकता की विस्मृति मात्र ठहरता है। किन्तु द्रष्टव्य है कि हमारी संस्कृति ने जहाँ मृत्यु को अस्वीकार किया है वहाँ पुनर्जन्म को भी दु:ख ही स्वीकार किया है। इसके लिए मृत्यु दु:ख नहीं है, भव दु:ख है : "जा मरने से जग डरै, मेरे मन आनन्द, कब मरिहौं, कब पाइहौं, पूरन परमानन्द।" (कबीर) जिसका अर्थ हो जाता है कि मृत्यु की वास्तविकता, जीवन की परिसमाप्ति, निर्वाण वांछनीय और दु:ख-निवारक हो जाते हैं। इस प्रकार पुनर्जन्म केवल दु:ख को सुख मान कर उसमें बने रहने की इच्छा करने वालों के लिए ही सान्त्वना है, ज्ञानियों के लिए नहीं। द्रष्टव्य है कि स्वर्ग और मोक्ष में मौलिक अन्तर है : स्वर्ग जबकि भव का ही रूपान्तर है और इस प्रकार दु:ख ही है, मोक्ष का जीवन के आत्यंतिक अवसान से भेद करना दुष्कर ही होगा। इसी से बौद्ध अपने 'अनत्ता' के सिद्धान्त के अनुरूप 'मोक्ष' के बजाय 'निर्वाण' शब्द का ही प्रयोग करते हैं, जिसका अर्थ 'भव का, अत्ता के सहित, मूल से उच्छेद' है। शून्यवाद इस 'उच्छेदवाद' का व्यवस्थित रूप से प्रतिपादन है।

द्रष्टव्य है कि 'मोक्ष' की अवधारणा केवल अध्यात्म-विषयक भारतीय मनीषा की ही उपलब्धि है, यूनानी, रोमी और आधुनिक पाश्चात्य, अथवा चीनी, इस्लामी आदि संस्कृतियों में इसके कोई संकेत भी नहीं मिलते। किन्तु इससे इस दृष्टि की अयुक्तता सिद्ध नहीं होती बल्कि उत्कृष्टता ही सिद्ध होती है, क्योंकि भव में लिप्तता का अस्वीकार तो सभी संस्कृतियों में मिलता है, किन्तु आध्यात्मिक अर्थ-गवेषणा सब संस्कृतियों में नहीं मिलती, और जिनमें मिलती है उनमें इसका समान विकास नहीं मिलता।

किन्तु भव : स्वर्ग-सहित : दु:ख क्यों है? इसका युक्ततम उत्तर हमारे विचार में यह है कि क्योंकि यह आत्मा को स्वातन्त्र्य से विमुख रखता है। और 'यह आत्मा को स्वातन्त्र्य से विमुख रखता है' का अर्थ है कि यह अनात्म है, आत्मा का बाधक है, उसका वैपरीत्य है। यहाँ प्रश्न हो सकता है कि यह आत्मा का वैपरीत्य कैसे है? पुत्र या कलत्र आदि अनुकूल हैं, धन-धान्य प्रभूत है, देह स्वस्थ है और जरा देह को जर्जरित नहीं करता, जैसे

स्वर्ग-लोक में, तब दु:ख नहीं रहेगा, केवल सुख ही रहेगा। इसका उत्तर होगा कि इन सब अनुकूलताओं का बने रहना मेरे अधीन नहीं है, इसमें से कोई भी और ये सब एकसाथ भी, कभी भी प्रतिकूल हो सकते हैं। सबसे महत्त्वपूर्ण यह कि मेरे में ही इस सबके प्रति विरक्ति, अथवा इनकी सार्थकता के प्रति सन्देह उत्पन्न हो सकता है। इस प्रकार यह सम्पूर्ण व्यवस्था एक आगन्तुक व्यवस्था है। दूसरे, इस व्यवस्था का अनुकूल बने रहना निश्चित होने पर भी, जैसे स्वर्ग-लोक में, यह अर्थों की सम्पदा में उतनी भी सम्पन्न नहीं है जितनी कोई एक कला-कृति, या कोई एक दार्शनिक प्रतिपत्ति, होती है, क्योंकि यह एक पूर्व-सिद्ध परिस्थिति है। निश्चय ही यह अर्थ-सम्पन्न भी हो सकती है, जैसे किसी काव्य में, किन्तु तब यह चेतना द्वारा अपने में निवर्तन से नव्योत्पादित अर्थ-सम्पदा ही होती है, वस्तु-स्थिति नहीं। इस पर कहा जा सकता है कि भव भी पूर्वसिद्ध नहीं है, यह भी विश्वात्मा द्वारा आत्मगत अर्थों का साक्षात्कार ही है। यह सही है, किन्तु यह तब हमारे लिए परिस्थिति ही है जब तक हम अपनी चेतना में उस स्तर पर उठकर विश्व-कर्तृ चेतना के साथ तादात्म्य सिद्ध नहीं कर पाते। द्रष्टव्य है कि यद्यपि भौतिक विज्ञानी वैश्व अर्थ-लोक के याथातथ्य के मूल का ही प्रत्यक्ष करना चाहता है, किन्तु वह चेतना के विश्व-कर्त्तृत्व या विश्व-द्रष्टृत्व के साथ तादात्म्य सिद्ध नहीं कर वस्तुओं की भूत-तथता, उनकी देश-कालगत वस्तुता और सम्बन्ध-व्यवस्था को ही अपना विषय बनाता है। इसे विश्व के उत्पत्तिविषयक वैज्ञानिक अनुमान और **ऋग्वेद** के नासदीय सूक्तगत निरूपण में तुलना से कुछ सीमा तक समझा जा सकता है। **नासदीय सूक्त** को प्राकृतिक जगत् की उत्पत्ति की प्राकृतिक घटना के विवरण के रूप में देखना कोटि-भ्रम में पड़ना होगा। इसके वैज्ञानिक अनुमान होने पर इसके सही होने पर भी यह यथार्थ से उसी प्रकार असम्बद्ध होगा जैसे किसी अबोध शिशु के कथन के अनुसार किसी घटना का घटित हो जाना होता है। किन्तु वैदिक ऋषि देश-काल में किसी भौतिक घटना के घटित होने का वर्णन नहीं कर रहे हैं, वे चेतना में आद्य आविर्भाव के रहस्य का अन्त:साक्षात्कारात्मक वर्णन कर रहे हैं, जिस प्रकार कोई कवि या चित्रकार अपनी चेतना में आविर्भूत हुई कृति का वर्णन कर सकता है। इन वर्णनों में अन्तर आत्मावगाहन की सामर्थ्य का अन्तर ही होता है, वैज्ञानिक सिद्धान्तों में अन्तर के समान अनुमानपरक अन्तर नहीं। यह और स्पष्ट 'हिरण्य गर्भः समवर्तताग्रे, भूतस्य जात: पतिरेक आसीत, स दाधार पृथिवीं, द्यामुतेमां' आदि दूसरे मन्त्र से हो जाता है। यह स्पष्टत: जगत् की आध्यात्मिक उत्पत्ति और स्थिति का ही वर्णन है, किसी भौतिक घटना का नहीं। भौतिक वर्णन होने पर ये दो परस्पर विरुद्ध वैज्ञानिक अनुमान, अथवा कपोल-कल्पनाएँ होंगे। किन्तु आविर्भाव के आध्यात्मिक रहस्य का वर्णन होने से ये विरुद्ध या अविरुद्ध नहीं हैं, ये एक ही साक्षात्कार के निरूपण के दो प्रकार हैं। उपनिषद् में यह निरूपण पूर्णत: आध्यात्मिक पदावली को ही अपना लेता है जब ऋषि कहता है 'असद्वा इदमग्र आसीत्, ततो वै सदजायत, स आत्मानं स्वयमकुरुत' आदि। जगत् के इस आध्यात्मिक आविर्भाव के साथ तादात्म्य से यह आत्मा के स्वातन्त्र्य का अवरोधक नहीं रह कर इसके स्वातन्त्र्य की अभिव्यक्ति का ही एक माध्यम बन जाता है। किन्तु चेतना में इस भाव की सिद्धि प्राकृतिक भाव से पूर्ण निवर्तन से ही सम्भव होती है।

वास्तव में जगत् से ताटस्थ्य, जगद्भाव से निवर्तन मनुष्यत्व की पूर्वपिक्षा ही कही जा सकती है। जैसाकि हमने पीछे कहा, मनुष्य चेतना की आत्मचेतना से परिभाषित होता है। यह उसके विवेकवान् होने, सामाजिक होने, भाषाभाषी होने आदि की भी पूर्वपिक्षा है। भाषाभाषी होना इन्द्रियार्थों को तात्पर्यार्थों के संकेतों में रूपान्तरित करने में समर्थ होना है। भाषा इन्द्रियार्थों का उनकी निजता में आकलन नहीं करती, यह चेतना के मानव-तन में अवतार की सहगामिनी कही जा सकती है। इस प्रकार जगत् में मानवावतार जबकि एक ओर चेतना का जगत् में अवतरण है, क्योंकि देह देश-कालात्मक और ऐन्द्रिक अस्तित्व है और आत्मा का अन्न-प्राणमय कोष है, दूसरी ओर यह उसके लोकातिगामी सोपानक्रम के आविर्भाव का भी हेतु है। इस प्रकार मानव-चेतना में लोकातिक्रमण की वासना उतनी ही सहज है जितनी उसमें लौकिकता की वासना सहज है। केवल लौकिकता की वासना चेतना की लोक-यात्रा का आरम्भ है, यह उसका गन्तव्य, उसकी यात्रा का लक्ष्य नहीं है। यदि उसका लक्ष्य भी लोक ही होता तो आरम्भ और गन्तव्य एक ही होने से कोई मार्ग ही नहीं होता। अथवा यह लौकिकता का ही सोपान-क्रम होता। किन्तु ऐसा नहीं है, मनुष्य के आविर्भाव कें साथ हम एक दूसरी सृष्टि (संस्कृति) का सूत्रपात देखते हैं, जिस

का आधार विवेक और जिसका प्रयोजन आत्मगवेषणा है। ऐसा नहीं है कि इस अतिक्रमण में चेतना अपनी लौकिक वासनाओं से सहज में मुक्त हो जाती है। वह जबकि विवेक को पहचानती और आत्मा के ईषत् आभास से अनुगृहीत होती है, वह मानव-जीवन में अधिकांशत: जगद्-वासना से उपहित ही रहती है और इस प्रकार विवेक-भ्रष्ट और आत्मव्यवहित रहती है। किन्तु कभी-कभी मनुष्य-जाति कुछ व्यक्तियों में विवेक और आत्म-बोध के उच्चतर, और कभी-कभी अत्युच्च सोपानों की सिद्धि भी प्राप्त करती है और इस प्रकार अपने स्वरूप की पारमात्मिकता को पहचानती है। ये व्यक्ति तब स्वयं परमात्मा के अवतार, परमात्मा-पुत्र अथवा उसके प्रतिनिधि के रूप में जाने जाते हैं। किन्तु इन दोनों अवधारणाओं में मनुष्य और परमात्मा में मौलिक अन्तर देखा जाता है। इनमें मनुष्य जबकि परमात्मा के निकटतम हो सकता है, वह स्वयं परमात्मा नहीं हो सकता। इसका अर्थ हो जाता है कि चेतना जबकि पाशवता की उपाधियों का अतिक्रमण कर सकती है, वह मानवता की उपाधियों का अतिक्रमण नहीं कर सकती। इसका यह भी अर्थ हो सकता है कि पशु, मानव और ईश्वर तीन नितान्त पृथक् पद हैं और प्रथम दूसरे में और दूसरा तीसरे में अपना अतिक्रमण नहीं कर सकता। किन्तु तब ईश्वर-पद केवल एक कल्पित पद रह जाता है, उसका मनुष्य के अनुभव और वास्तविकता से कोई सम्बन्ध नहीं रह जाता। किन्तु यदि परमात्म-पद आत्मा का स्वयं का ही गन्तव्य पद है तब वह उसके पर्येष्य के रूप में उसकी अनुभूति का विषय हो जाता है। **उपनिषद्** की 'आत्मा वै ब्रह्म' दृष्टि की तथा **श्रीमाला सिंहनाद** सूत्र की 'तथागतगर्भ' दृष्टि की वस्तु-संगतता इससे स्पष्ट हो जाती है, क्योंकि ब्रह्म, तथागत या परमात्मा तब मनुष्य की अपनी ही सम्भावना, उसका अपना ही चरितार्थ्य स्वरूप हो जाता है, जिस स्वरूप से वह पर-रूप के आवरण के द्वारा व्यवहित है। दूसरी ओर पशुता उसका वह पर-रूप : अनात्म-रूप : हो जाती है जो देहेन्द्रिय रूप में निरन्तर उसके साथ है और जिससे उबार के लिए उसे निरन्तर प्रयत्नशील रहना होता है।

किन्तु आत्मा, जिसे शुद्ध चैतन्य : चेतना का अनावृत-अनुपहित स्वरूप: भी कहा जाता है, अपने स्वरूप से व्यवहित क्यों होता है? शुद्ध चैतन्य को चेतना की आद्य अवस्था और मूल स्वरूप स्वीकार करने पर आत्मव्यवधान एक ऐसी पहेली हो जाता है जिसका कोई समाधान सम्भव नहीं है। किन्तु समाधान की सम्भावना के बिना किसी प्रश्न को 'पहेली' भी नहीं कहा जा सकता। तब इसका क्या समाधान हो सकता है? इसका समाधान हम केवल अपने अनुभव में पैठकर और उसकी समीक्षा करके ही पा सकते हैं, किसी पूर्वग्रहमूलक अनुमान से नहीं, जैसा दार्शनिक अधिकांशत: करते हैं।

वास्तव में 'अनुभव की समीक्षा' की सम्भावना स्वयं में इस पहेली के समाधान की दिशा का संकेत करती है। यह समीक्षा क्या कार्य सम्पादन करती है? पीछे हमने देखा था कि यह अप्रस्तुत को प्रस्तुत और प्रस्तुत को अतलान्त गहन बनाती है : हम प्रस्तुत अनुभव का जितना भी अवगाहन करते जाएँ उसकी अन्तिम तह तक नहीं पहुँच पाते। अब, अप्रस्तुत का यह प्रस्तुतीकरण और प्रस्तुत के अर्थ-लोकों का उन्मेष जबकि एक ओर पूर्व-विद्यमान अर्थ-सम्पदा के प्रकट होने जैसा होता है दूसरी ओर यह समीक्षा का कार्य भी होता है। ईक्षण के बिना ईक्ष्य सत्, रूप और अर्थ तीनों से रहित होता है। जो अर्थ मनोमय चेतना को गम्य होते हैं उनका कोई अस्तित्व इन्द्रियात्मक चेतना के स्तर पर नहीं होता। किन्तु इससे मनोमय ईक्षा-गम्य अर्थ असत् सिद्ध नहीं होते, न यही सिद्ध होता है कि चेतना के ऐन्द्रिक स्तर के लिये वे अर्थ उसी प्रकार अग्राह्य थे जैसे दीवार के पीछे स्थित अर्थ होते हैं। ये अर्थ मनोमय चेतना के उन्मेष के साथ उन्मिषित होते हैं और मनोमय चेतना का यह उन्मेष चेतना के जीवन में एक मौलिक रूप से नव्य घटना होता है। किन्तु मनोमय चेतना के साथ आविर्भूत ये अर्थ उसे उसी प्रकार ईषत् प्रस्तुत और अधिकांश अप्रस्तुत रहते हैं जिस प्रकार इन्द्रियगम्य चेतना को प्रस्तुत अर्थ होते हैं, यद्यपि इस चेतना के लिए अप्रस्तुत पक्ष का स्वरूप ऐन्द्रिक स्तर को गम्य अर्थों से नितान्त भिन्न प्रकार का होता है। ऐन्द्रिक अर्थों से भिन्न इन अर्थों की अप्रस्तुति के दो आयाम रहते हैं : एक पक्ष-बहुलता का और दूसरा अतलान्त गहनता का। इस स्तर के लिए ऐन्द्रिक प्रस्तुति भी अतीन्द्रिय अर्थों के लिए संकेत मात्र होती है, जो अर्थ अनेक आयामात्मक होते हैं। उदाहरणत: लोक-व्यवहार, विज्ञान, कला और धर्म, विशेषत: प्रथम तीन ऐसे ही अर्थ कहे

जा सकते हैं जिनके लिए ऐन्द्रिक प्रस्तुतियाँ संकेत बनती हैं। इसके अतिरिक्त शुद्ध विचार है जो मनोमय चेतना का ऐन्द्रिक से स्वतन्त्र लोक है। इस लोक के वस्तु-विषयों के भी अनेक पक्ष रहते हैं जो विभिन्न दृष्टिकोणों से अथवा विभिन्न सन्दर्भों में अपने को प्रकट करते हैं और प्रत्येक्ष पक्ष के अवगाहन का प्रयत्न अपने को अनवगाह्य अतलता में अकिंचन पाता है। अब, इन्द्रियात्मक चेतना के लिए मनोमय चेतना के अर्थ अविद्यमान : असत् : रहते हैं, ये अर्थ चेतना का मनोमय स्तर पर आरोहण होने पर ही सत्त्व-लाभ करते हैं। चेतना को हम ऐन्द्रिक स्तर पर ही अवरुद्ध भी देखते हैं और मनोमय स्तर पर आरूढ़ भी। मनुष्य को सामान्यत: ये दो स्तर ही उपलब्ध रहते हैं जबकि पशु को केवल प्रथम स्तर ही उपलब्ध होता है। अब, ऐन्द्रिक स्तर के अनेक सोपान हैं यह हम पशुओं की विभिन्न जातियों में अभिनिवेश-भेद और कौशल-भेद के रूप में देखते हैं, इसी प्रकार मनोमय स्तर के भी अनेक सोपान होते हैं जो हम विभिन्न मानव-व्यक्तियों में देखते हैं। इन व्यक्तियों में कुछ ऐसे भी रहते हैं जो मनोमय सोपान के इतने उन्नत धरातल पर आरूढ़ हो पाते हैं कि उनमें ऊर्ध्वतर : विज्ञानमय और आनन्दमय : सोपानों का आलोक स्पष्टत: दिखाई देता है, जबकि कुछ विरले उन ऊर्ध्व सोपानों पर आरूढ़ भी दिखाई देते हैं। बुद्ध को इस लोक में रचना-काय में अवतरित कहा गया हैं जिसका यही अर्थ है कि उनकी चेतना मनोमय स्तर का अतिक्रमण कर विज्ञानमय-आनन्दमय भूमि पर अवस्थित थी और चेतना के अन्न-प्राणमय और मनोमय स्तर : लोक : पूर्णत: उस विज्ञान-आनन्दमय स्तर पर आरूढ़ थे जिस पर चेतना उन स्तरों की उपाधियों से उपहित और उनके भोगों से आविल नहीं होती और जिस स्तर पर उनकी अपनी कोई उपाधियाँ और भोग नहीं होते। योग उस स्तर की सिद्धि के लिए प्रयत्न की ही संज्ञा है। ये स्तर निम्न मनोमय स्तर की चेतना के लिए उसी प्रकार अगम्य और कपोल-कल्पनाओं जैसे, अथवा मात्र आस्था के विषय जैसे, होते हैं जिस प्रकार मनोमय स्तर अन्न-प्राणमय स्तरीय चेतना के लिए अगम्य रहता है, और इस स्तर पर कल्पना की योग्यता भी नहीं होने से इसके लिए कल्पनीय भी नहीं रहता।

ये ऊर्ध्व स्तर उचित ही चेतना के अनुपहित स्वरूप कहे जाते हैं। किन्तु इस स्वरूप के अनुपहित होने का अर्थ यह नहीं है कि चेतना का कोई आद्य-अनुपहित स्वरूप द्यु-लोक या ब्रह्म-लोक में सिद्ध रहता है और तब अनन्तर भू-लोक पर अवतरित होने पर, अथवा कालान्तर में, उपाधियों से उपहित और अविद्या से आवृत होता है। बुद्ध अविद्या से ही भव का आरम्भ मानते हैं, जिससे चेतना प्रयत्न से मुक्त तो हो सकती है किन्तु जिस पर वह किसी ऊर्ध्वतर स्तर से अवतरित नहीं होती। वास्तव में अविद्या और वासना की अनादिता का भी यही अर्थ हैं। 'अनादि' का अर्थ काल-क्रम का अनादि होना नहीं है, इसका अर्थ इस क्रम का अविद्यामूलक होना है। यही एक सही दृष्टि जान पड़ती है। सहज में चेतना अपने को अविद्या और भव में ही पाती है, वही उसका उपलब्ध रूप है, किन्तु साथ ही वह इस उपलब्ध रूप से मुक्त होने को प्रयत्नशील भी रहती है, जैसे मानो वह बन्दी हो। चेतना का अन्न-प्राणमय, पाशव, अनात्मचेतन स्तर से आत्मचेतन मनोमय स्तर पर आरोहण या विकास आवरण-मुक्ति से इस उद्विग्नता का ही द्योतक है—मानो वह अपनी आद्य अनावृत अवस्था में पुन: लौटने के लिए व्याकुल हो, उसकी निर्बाध अनन्दमयता की स्मृति से पर्युत्सुक हो। यही उद्विग्नता मनोमय मानव-चेतना में आत्मचेतन हो कर पुरुषार्थान्वेषण का रूप लेती है। पुरुषार्थ : पुरुष का अर्थ, उसका साध्य : क्या है, यह मनुष्य को प्राय: ही विदित नहीं रहता, यद्यपि प्राप्त स्थिति से उच्चतर कोई आदर्श स्थिति है जो साध्य है, इसका भान उसे निरन्तर रहता है। निम्न मनोमय धरातल पर यह भान सामाजिक नीति-चेतना के रूप में रहता है और ऊर्ध्वतर स्तर पर धार्मिक चेतना के रूप में, यद्यपि इन स्तरों के भी अनेक सोपान रहते हैं इसकी ओर हमने ऊपर संकेत किया है। स्वयं यह आदर्श भी किस प्रकार मोह का कारण हो सकता है इसका अत्यन्त सूक्ष्म और व्यंजक निरूपण महात्मा कबीर ने 'माया महा ठगिनी हम जानी' गीत में किया है, जिसमें वे योगी को अपने योग में मोहगस्त और राजा को राज्य में मोहग्रस्त : जोगी के जोगिन ह्वै बैठी, राजा के घर रानी : कहते हैं। मनुष्य प्राय: ही पथ के किसी पड़ाव को ही गन्तव्य मान बैठता है और बहुत बार विपथ को पथ। किन्तु तब गन्तव्य क्या है? यहाँ पुन: कबीर की सहायता उपयोगी होगी। वे कहते हैं:—

शून्य मरै, अजपा मरै, अनहद हू मरि जाय,
राम सनेही नहिं मरै, कहै कबीर समुझाय।

शून्य और अजपा आदि पद स्पष्टत: अध्यात्म चिन्तन के सूक्ष्मतम प्रत्यय और अध्यात्म साधना की ऊर्ध्वतम सिद्धियों के वाचक हैं, किन्तु इनकी भी साधना तब मोहात्मक हो जाती है जब साधक की चेतना अपनी पारदर्शिता में सजग रहते हुए इन्हें संकेत रूप में ग्रहण नहीं कर इनके किसी बाने को, इनसे अभिहित किसी स्थिति को, अथवा अपने अहंकार की स्फीति को ही, अपना साध्य बना लेती है। कबीर का 'रानी' के तुल्य ही 'योगिन' को माया कहना गहरी अन्तर्दृष्टि का द्योतक है। निश्चय ही 'योगी योग में और अच्छा अच्छाई' में उतना ही मोह-ग्रस्त, आत्म-विस्मृत हो सकता है जितना राजा राज्य-भोग और राज्य-विस्तार में। 'धर्म-ध्वजी' इसी के लिए एक अत्यन्त व्यंजन शब्द है। जागृत चेतना के लिए अपनी पारदर्शिता के अतिरिक्त दूसरा कोई अवलम्ब नहीं होता।

किन्तु प्रश्न यह था कि चेतना मोह-ग्रस्त, अनात्म-संवलित, क्यों होती है? वास्तव में यह प्रश्न इस पूर्वग्रह पर आधारित है कि चेतना का शुद्ध अनाविल स्वरूप उसका आद्य स्वरूप है जिस पर अनात्म मल आरोपित होते हैं। जैसाकि हमने ऊपर कहा, यह भ्रान्त वस्तुपरक दृष्टि है। चेतना का शुद्ध चैतन्य स्वरूप अस्तित्व की दृष्टि से वैसा ही है जैसाकि सदोष अभिव्यक्ति, सदोष रचना का निर्दोष रूप होता है। सभी अभिव्यक्तियाँ सदोष और न्यून होती हैं। उनकी यह सदोषता और न्यूनता यद्यपि उनके निर्दोष और अन्यून स्वरूप की अपेक्षा से ही होती है किन्तु उनका यह अन्यून-निर्दोष स्वरूप उनके पर-रूप : दोष : के द्योतन और निर्धारण के रूप में ही होता है। अभिव्यक्ति का सदोष रूप चेतना के आत्म-अवगमन में क्षीणता का ही पर्याय होता है किन्तु अवगत नहीं होने से निर्दोष रूप का सदोष के समानान्तर कोई अस्तित्व नहीं होता, वह केवल दोष के अन्तराल से निर्दोष प्रतिमान के रूप में चेतना के अपने उपलब्ध सदोष अस्तित्व में दोष-निवारण, या कहें स्वरूप-सिद्धि के लिए उद्विग्नता के हेतु के रूप में ही होता है। किन्तु चेतना का शुद्ध, निर्दोष स्वरूप काल्पनिक नहीं होकर वास्तविक होता है यह हम इस उद्विग्नता के एक और और प्रबुद्धता, प्रज्ञा, जागृतता के स्तर-भेदों से दूसरी ओर देख सकते हैं। उत्कृष्टतर कलाकार, उत्कृष्टतर धार्मिक उत्कृष्टतर नीति-परायण, उत्कृष्टतर तत्त्व-दर्शी, ऋषि, महात्मा ये सब चेतना की अपने निर्दोष स्वरूप के निकट, अथवा उसे प्राप्त स्थिति के ही उदाहरण होते हैं। यदि कोई पूर्ण शुद्ध स्वरूप की सिद्धि की सम्भावना स्वीकार नहीं भी करे तो भी उच्चतर पद पूर्ण पद की निकटता से ही उच्चतर बनते हैं और यह सोपान निरपेक्ष उच्चता की साधनामूलक वास्तविकता को प्रमाणित करता है।

बौद्धों में एक सम्प्रदाय विश्व को तथागतगर्भ : बीजरूपेण तथागत : मानता है। तब सम्बुद्ध सिद्धार्थ भी यदि सम्भाव्य तथागत ही हैं तो भी वे निम्नतर अस्तित्वों के लिए पूर्ण तथागत भाव को आश्वस्त करते हैं, क्योंकि यह भाव ही शूकर और सिद्धार्थ के बीच के अन्तर को नापता है। वास्तव में यह दृष्टि उस साधारण आध्यात्मिक अनुभव का ही तत्त्वानुशीलन है जो 'तेरा साईं तुज्झ में, जाग सके तो जाग' तथा 'घट घट में तेरा साईं रमता' में है : हम सब स्वरूपत: ईश्वर ही हैं। केवल वह स्वरूप आवृत, उपहित, विस्मृत रहता है, इसलिए उस स्वरूप को हम मोह-निद्रा से जागकर कभी भी पा सकते हैं। योग-समाधि इस जागरण का ही प्रयत्न है। यह प्रयत्न केवल मनुष्य ही कर सकता है, क्योंकि वही अपने को देख सकता है और तब अपने को पहचान सकता है कि वह वह नहीं है जो वह अपने को समझता रहा है कि वह है। किन्तु यदि राजा स्मृति खो बैठे और अकिंचन हो जाय तब स्मृति-मात्र से वह अपने वास्तव अतीत को जानकर भी राजा नहीं बन सकता, किन्तु वह तब अपने राज्य की पुन: प्राप्ति के लिए प्रयत्न कर सकता है। ऐसी ही स्थिति आत्म-सिद्धि के प्रयत्न में होती है। मनुष्य 'जाग' कर अपनी प्रभुता, अपने ईश्वरत्व, अपने परमात्मत्व को पहचान तो सकता है किन्तु इस पहचान से वह अपने अन्न-प्राण-मनोमय भाव से मुक्ति नहीं पा सकता। इस भाव से मुक्ति उसी प्रकार कठिनतम प्रयत्न द्वारा साध्य होती है जिस प्रकार अकिंचन बने राजा के लिए राज्य की पुनरुपलब्धि। अचेतन या अनात्म चेतन चेतना में यह स्मृति ही सम्भव नहीं होने से यह प्रयत्न भी चेतन नहीं होता, केवल उसमें अपने वर्तमान में एक अचेतन उद्विग्नता रहती है

जैसे स्मृतिभ्रष्ट राजा में रहती है। किन्तु यह उपमा पूर्णत: सही नहीं है, क्योंकि हमारे स्वरूप की ईश्वरता साध्य ईश्वरता है, खोई हुई ईश्वरता नहीं है, जिस प्रकार बीज में वृक्षत्व लभ्य रूप में होता है, खो गए रूप में नहीं।

किन्तु इन अभ्युपगमों के बीच निर्णय का प्रयत्न व्यर्थ है। वास्तव में जिस प्रकार हम अपने को 'पहचानते' हैं कि हम 'वह नहीं हैं जो हम समझते रहे हैं कि हम हैं', अथवा जिस प्रकार हम गहन विचार से वस्तुओं के तत्त्वों का, गहन मनन से अपनी प्रवृत्तियों की युक्तता-अयुक्तता और कर्मों की करणीयता-अकरणीयता का, और गहन 'अवलोकन' से दृश्यों के अन्तरार्थों का साक्षात्कार कर पाते हैं, उससे यही अभ्युपगम सही जान पड़ता है कि हमारा सहज और सिद्ध स्वरूप ईश्वरत्व का ही है जो अविद्या से आवृत रहता है। वह आवरण सादि नहीं भी हो किन्तु है आवरण ही और इस प्रकार वह बाह्य, सान्त और अपवार्य है। किन्तु जिस प्रकार गहन विचार, मनन और अवलोकन हमें रूपान्तरित कर देते हैं उससे यह अभ्युपगम पुष्ट होता है कि चेतना उच्चतर स्तरों में अपने को क्रियान्वित करती है, उन्हें पुन: प्राप्त नहीं करती। किन्तु तब भी आत्मक्रियान्वयन अपने स्वरूप के बोध को, और यह बोध स्वरूप की परमार्थता को पूर्वकल्पित करता ही है। इस पहेली को एक उदाहरण द्वारा समझना सहायक होगा : एक संस्कृति अपने मूल प्रत्ययों और परमार्थ के स्वरूप-विषयक अवधारणाओं से परिभाषित होती है। किन्तु ये प्रत्यय और अवधारणाएँ केवल क्रमशः ही अपने को विभिन्न आयामों में क्रियान्वित और व्याख्यायित करती हैं। किन्तु यह क्रियान्वयन और व्याख्यान कभी भी इनकी सब सम्भावनाओं को चरितार्थ नहीं करते। अब, क्रियान्वयन और व्याख्यान का यह क्रम जबकि एक ओर संस्कृति की अन्तर्निहित सम्भावनाओं को उन्मीलित करता कहा जा सकता है दूसरी ओर यह कहना अधिक समीचीन प्रतीत होता है कि क्रियान्वयन का यह क्रम इसके स्वरूप के आविर्भाव का ही क्रम होता है। किन्तु यह क्रम आविर्भाव का क्रम होने पर भी, यह आत्मा ही है जो अपने स्वरूप को कल्पित करता है और तब इसे आविर्भूत करने में प्रवृत्त होता है, और इस प्रकार वह क्रियान्वयन-क्रम से पूर्ववर्ती सिद्ध होता है : ओम् पूर्णमदः, पूर्णमिदं, पूर्णात् पूर्णमदुच्यते, पूर्णस्य पूर्णमादाय पूर्वमिवावशिष्यते।

आत्मान्वेषण– दो

यह अमृतत्व क्या है जो आत्मा का स्वरूप है और अन्वेष्य है, और आगन्तुक क्या है जो आत्मवत् अथवा आत्मीयवत् आभासित होता है किन्तु वास्तव में आत्मा या आत्मीय नहीं है? इसका आत्मा से क्या सम्बन्ध है? ये आत्माविषयक ऐसे आधारभूत प्रश्न हैं जो पिछले अध्याय के परिणामस्वरूप उत्पन्न होते हैं। 'अमृतत्व' और 'मृत्यु' शब्द विपरीतार्थक हैं, इस प्रकार शब्दार्थतया 'अमृतत्व' का अर्थ मृत्यु से उत्तीर्ण होना, उसका विषय नहीं होना, है। वास्तव में एक प्रकार से मृत्यु ही जीवन की आगन्तुकता का दूसरा नाम है। मृत्यु चेतना के उस सम्पूर्ण अस्तित्व का अन्त है जो देह, इन्द्रिय और अन्त:करण के रूप में उपचरित होता है और एक अस्मिता से, अहं–प्रत्यय से सम्बद्ध होता है। सब क्रियाएँ और उनके परिणाम, सब विषय और उनकी विषयिता, इस प्रकार सब कामनाएँ और सब काम्य, सब अन्वेषण और सब अन्वेष्य इसके साथ समाप्त हो जाते हैं। यह कहा जाता है, कुछ के अनुसार आत्मप्रवंचनात्मक रूप से, कि यह मृत्यु उसका अन्त नहीं करती जो अहं–प्रत्यय में आभासित होता है, जो 'मम' के रूप में विषयों को अपने से सम्बद्ध करता है : 'वासांसि जीर्णानि यथा विहाय, नवानि गृह्णाति नरोऽपराणि' आदि, एवं 'नैनं छिन्दन्ति शस्त्राणि, नैनं दहति पावकः।' रूह, जीव, स्पिरिट आदि इसी प्रकार के अमर अस्तित्व हैं। जब वैज्ञानिक या भौतिकवादी चित्त को देह–विकारमात्र कहते हैं और अस्मिता को सामाजिक सम्प्रेषण के परिणामस्वरूप उत्पन्न चैत्त कल्पना मात्र, तब वे इसी अतिभौतिक अस्तित्व का निषेध करते हैं। इस निषेध में भौतिक अस्तित्व का स्वीकार निहित है। किन्तु शुद्ध भौतिक–रूप में यह अस्तित्व अरूप क्षण–सन्तान के अतिरिक्त कुछ नहीं ठहरता, जिसमें वास्तव में 'सन्तान' को भी अध्यारोप ही कहा जा सकता है। इसमें जीवन और मृत्यु का भी कोई भेद नहीं रहता। थोड़ा गहराई से देखें तो यह उस सिद्धान्त का ही पर्याय है जिसके अनुसार सब कुछ नाम–मात्र है और अतएव मिथ्या है। विचार की यह सरणी हमें कहीं नहीं पहुँचाती। किन्तु इसमें इतनी बात महत्त्वपूर्ण है कि इसके अनुसार जो सत् का रूप है वही मनुष्य का भी स्वरूप है। यदि सत् का स्वरूप शुद्ध भौतिक है तो मनुष्य का भी स्वरूप शुद्ध भौतिक है और चित्त और चैत्त सब इसी के विकार हैं और इस प्रकार नि:स्वरूप हैं, और यदि सत् का स्वरूप शुद्ध चैतन्य का है तो मनुष्य भी शुद्ध चैतन्यस्वरूप है और मनुष्य के देहादि अभिमान सब मिथ्या और अध्यास–रूप हैं।

किन्तु यदि मनुष्य का वही स्वरूप है जो सत् का है तो मनुष्य में और अन्य प्राणियों में, और प्राणियों तथा निष्प्राण वस्तुओं में कोई अन्तर नहीं रहेगा, क्योंकि इन सबका स्वरूप भी वही हो सकता है जो सत् का है। यहाँ रोचक बात यह है कि स्वरूपविषयक जिज्ञासा और परिणामत: भ्रान्ति केवल मनुष्य में ही घटित हो सकती है, क्योंकि स्वरूप अपने से विभक्त केवल मनुष्य में ही उपलब्ध होता है। पत्थर, फूल या श्वान का वही स्वरूप है जो वे हैं। किन्तु मनुष्य में अपने स्वरूप से विलगाव, व्यवधान, प्रतीति और यथार्थ का भेद आविर्भूत होते हैं। यह भेद किस में निहित है? यह भेद आत्मचेतना में निहित कहा जा सकता है। थोड़ा गहराई से देखा जाय तो यह अन्तर इस बोध की योग्यता में निहित कहा जा सकता है कि 'मनुष्य की चेतना प्रकृत्या जो है, पत्थर और श्वान के समान, वह प्रकृति चेतना की वास्तव प्रकृति नहीं है, वह प्रकृति चेतना पर आवरण है।' इस विवेक के अभाव में मनुष्य के भी स्वरूप और उपलब्ध रूप में कोई अन्तर नहीं होगा। प्रतीति और यथार्थ का यह भेद चेतना के अपने ही भीतर उपलब्ध अपने रूप की अयथार्थता के बोध से होता है—वह चाहे रज्जु में सर्प की प्रतीति हो, चाहे कर्मगत अनौचित्य में औचित्य की प्रतीति और चाहे युष्मत् में अस्मत् की प्रतीति! इनमें भेद केवल स्तर का है। रज्जु में सर्प–प्रतीति की अयथार्थता बाह्य लक्षणों के विवेक से प्रकट होती है और एक सीमा तक यह विवेक पशु में भी देखा जाता है, यद्यपि प्रतीति का मूल स्वयं चेतना में ही निहित रहता है। किन्तु अनुचित में अनौचित्य की प्रतीति और युष्मत् में अस्मत् की प्रतीति का विवेक चेतना में अपने स्वरूप की गवेषणा के अत्यन्त उन्नत स्तरों

पर प्रयत्न के फलस्वरूप ही प्रकट होता है। अहंकार की यथार्थता और भोगों में आत्यन्तिक तृप्ति की खोज ये दो चेतना के नितान्त सहज बोध हैं। भोग तृप्तिकर होते हैं इसमें सन्देह के लिए कोई अवकाश नहीं है, क्योंकि यदि ये तृप्तिकर नहीं होते तो इनमें जीव की प्रवृत्ति ही नहीं होती। यही बात अहंकार के सम्बन्ध में भी कही जा सकती है। अहंकार की यथार्थता के बिना व्यष्टिभेद का अस्तित्व ही नहीं होता और इस भेद के अस्तित्व के बिना जगत् का अस्तित्व भी नहीं होता। इस प्रकार अहंकार की यथार्थता और भोगों की तृप्तिकरता को जगत् का हेतु ही कहा जा सकता है। किन्तु अहंकार की अयथार्थता विचार के प्रथम सोपान पर ही प्रकट हो जाती है, क्योंकि विचार अनिवार्य रूप से सामान्यात्मक और इस प्रकार व्यक्ति-विशेष के अधिकार से अतिक्रामी होता है।[1] किन्तु इस अयथार्थता का इसके अपने स्वरूप में बोध आत्म-बोध के बहुत उच्च स्तर को पूर्वपेक्षित करता है। भोग-तृप्ति की अयथार्थता इस तृप्ति की आत्म-अप्रतिष्ठा, 'परिणाम-निराशा' और अर्थ-हीनता के रूप में अपने को प्रकट करती है।

भोगों की अप्रतिष्ठा इनसे ऊब, वितृष्णा और अरुचि के रूप में प्रकट होती है। ऊब और वितृष्णा आदि की ये प्रतिक्रियाएँ चेतना के प्राकृतिक स्तर की ही प्रतिक्रयाएँ होती हैं, किन्तु भोग-जन्य तृप्तियों की निरर्थकता या अर्थ-विपन्नता इन अप्रतिष्ठापक प्रतिक्रियाओं पर मनन से और अर्थों के स्वतन्त्र बोध से प्रकट होती है। चेतना के आद्य जगत्प्रवर्तक स्तर पर भोगों का अन्वेषण रूप-सृष्टि : वर्ण, रस, गंध आदि : का हेतु होता है और ये रूप ही इसकी तृप्ति के प्रतिष्ठापक कहे जा सकते हैं। यह तृप्ति रूपों के घटित होने के सहगामी सुख-संवेद में होती है, जो न अपने में किन्हीं अर्थों का व्यंजक होता है और न रूपों में ही किन्हीं अर्थों का व्यंजक होता है। इन रूपों में अर्थों का उन्मेष केवल तभी होता है जब ये भोगों से पृथक्-अवधृत होते हैं। जैसाकि पिछले अध्यायों में हमने देखा, कलाएँ इन रूपों के भोग-विच्छिन्न अर्थों का, और स्वयं भोगों के भी भोग-विच्छिन्न अर्थों का अवगाहन करती हैं। किन्तु पाशव चेतना सम्पूर्णत: और मानव-चेतना अधिकांशत: भोगों का ही आत्यन्तिक तृप्ति-दायक रूप में अन्वेषण करती है और इनसे परे देखने में प्रवृत्त नहीं होती। द्रष्टव्य है कि इससे यह आपादित नहीं होता कि भोग त्याज्य हैं, इससे केवल यह आपादित होता है कि ये आत्म-प्रापक रूप में अन्वेष्य नहीं हैं। इनकी यह आत्म-अप्रापकता हम पर इन भोगों में असफलता के आघातों से और भोगने की योग्यता के ह्रास से प्राय: ही अपने को प्रकाशित करती रहती है और इस प्रकाशन के द्वारा आत्मा की ओर और उसकी अन्वेष्यता की ओर संकेत भी करती है। निश्चय ही ये आघात चेतना के मनोमय स्तर पर ही घटित होते हैं और इससे परे के संकेत भी इसी स्तर पर सूचित होते हैं, किन्तु इनमें जो संकेतित होता है वह मनोमय से अतिक्रामी स्तर का ही होता है। द्रष्टव्य है कि मानव-चेतना मनोमय स्तर पर भी सहज प्रतिष्ठित नहीं होती, अन्न-प्राणमय स्तर ही उसके लिए भी सहज प्रवर्त्तक होते हैं। मनोमय स्तर उपलब्ध रहने पर भी यह अधिकांश में अन्न-प्राणमय की ओर ही उन्मुख रहती है, किन्तु मनोमय स्तर के अवर सोपान इसे भाषा और सांस्कृतिक परम्परा के रूप में सहज उपलब्ध रहते हैं जो इस पाशव स्तर के मूल्यों की हेयता और मनोमय स्तर के मूल्यों की उपादेयता सूचित करते हैं।[2] किन्तु मनोमय स्तर की ही यह विशेषता भी है कि इसमें अपनी अतिक्रमणीयता भी सहज संकेतित रहती है। चेतना की आत्म-वेदिता स्तर का मूल लक्षण कही जा सकती है। यह आत्मवेदिता एक ओर आत्मा की विषय-रूप में प्रापक होती है और दूसरी ओर विषय की चेतना के आत्मोन्मुख अर्थों में प्रतिष्ठापक होती है। 'मैं हूँ' यह चेतना की सम्भवत: किसी भी स्तर पर अभिव्यक्ति का आद्य भाव होता है। डेकार्ट द्वारा 'विचारता हूँ' विधेय के उद्देश्य के रूप में इसका प्रतिपादन इस दृष्टि से भ्रामक कहा जा सकता है कि इस 'मैं' को यदि उद्देश्य-विधेयात्मक अध्यवसाय-वाक्य का उद्देश्य पद नहीं मान कर अविश्लेष्य प्रतिपत्ति भी मानें तो भी यह चेतना के उस स्तर की प्रतिपत्ति है जो

---

1. इस पर विस्तृत चर्चा के लिए द्रष्टव्य यशदेव शल्य — **समाज : दार्शनिक परिशीलन**, अ. 1, रावत पब्लिकेशंस्, जयपुर-दिल्ली, 1991

2. ऐसा नहीं है कि सांस्कृतिक परम्परा स्वयं अवर मनोमय स्तरीय संस्थान होती है। इसमें मनोमय स्तरीय उच्चतम स्तर भी सिद्ध हो सकते हैं और विज्ञानमय तथा आनन्दमय स्तर संकेतित रह सकते हैं, किन्तु जन-साधारण इन स्तरों से वंचित ही रहता है।

अध्यवसायात्मक ज्ञान के योग्य है। किन्तु वास्तव में जब केंचुआ किसी बाधा के सम्मुख लौटता है या आघात होने पर अपने पर आकुंचित और प्रत्यावर्तित होता है तब उसकी यह क्रिया भी अहं-भावपूर्वक ही होती है। इस 'अहं' को जगत् के आद्य प्रवर्तन में कल्पित (रचित) अहंकार की अभिव्यक्ति कहा जा सकता है। यही अहंकार चेतना की स्फुटता के साथ क्रमशः स्फुटता प्राप्त करता है और इस प्रकार निरहंकार विषयिता में अतिक्रमित होता है। यह अतिक्रान्त 'मैं' अहंकारों में एक अहंकार, अहंकार-सामान्य का एक विशेष, एक उदाहरण मात्र, होता है जिसका विषयीकरण अहंकारोत्तीर्ण होता है। इस प्रकार 'मैं हूँ' यह प्रतिपत्ति चेतना द्वारा अहंकार में अपनी प्रतिष्ठापक नहीं होती बल्कि जगद्भाव के मूल अहंकार का अहंकार सामान्य (अथवा कहें निरहंकार सामान्य) में अपचय कर अहंकारोत्तीर्ण विषयिता में उसकी प्रतिष्ठापक होती है। मनोमय चेतना द्वारा अहंकार का यह अतिक्रमण समाज को सम्भव करता है।[1] किन्तु यह अहंकार के समाज में अतिक्रमण को ही सम्भव नहीं करता बल्कि विश्वात्मा में अतिक्रमण को भी सम्भव करता है, क्योंकि इस सामान्य के समाज-विशेष में परिसीमित होने का कोई तार्किक हेतु नहीं हो सकता। इस प्रकार अतिक्रान्त यह अहंकार उस आत्मा के लिए प्रतीक बनता है जो आत्मा मनोमय स्तर की चेतना के लिए अगम्य किन्तु अन्वेष्य होता है। स्वभावत: यह आत्मा अहं-प्रत्ययात्मक : वैयक्तिक : नहीं हो सकता, किन्तु यह व्यक्ति में ही उसके अतिक्रमण के द्वारा अभिव्यक्ति-लाभ करता है।

चेतना के मनोमय स्तर की एक महत्त्वपूर्ण विशेषता बौद्धिक और आवेगात्मक-भावनात्मक-क्रियात्मक के बीच पार्थक्य को होना है। इसे मनोमय और अन्न-प्राणमय की सह-अवस्थिति भी कह सकते हैं। इसमें व्यक्ति जबकि बुद्धि से अहंकार का अतिक्रमण कर पाता है और हेय तथा उपादेय के बीच विवेक कर पाता है, आवेगात्मक-भावनात्मक स्तर पर वह अहंकारोपहित तथा हेयान्वेषी भी रह सकता है। उदाहरणत: बौद्धिक रूप से जबकि 'अहं' और 'इतर' व्यवहार की दो समस्तरीय स्थितियाँ मात्र हैं आवेगात्मक-भावनात्मक स्तर पर मनुष्य में अहं और इतर अधिकांशत: मौलिक रूप से भिन्न रहते हैं और अहंकारमूलक अर्थ ही उसमें क्रिया-प्रवर्तक होते हैं। इसी से जबकि परार्थ की उपादेयता और स्वार्थ की हेयता प्राय: हम सब जानते हैं, व्यवहार में परार्थ हमारे लिए दुस्साध्य मूल्य ही रहता है।

किन्तु स्व-मूलक अर्थ हेय और पर-मूलक अर्थ उपादेय क्यों होते हैं? विभिन्न नीति-मीमांसकों ने इसके विभिन्न उत्तर दिये हैं, किन्तु उनके प्रसंग अधिकांशत: पल्लव-ग्राही होने से उनके उत्तर भी मूल-ग्राही नहीं होते। हमारा प्रसंग यहाँ मूल विषयक ही होने से उत्तर भी मूल-ग्राही होना स्वाभाविक है। यह उत्तर है कि 'क्योंकि पर-मूलक अर्थ ही अहंकार से अनुपहित होने से सत्य : सत् के अनुरूप, अधिक उपयुक्त शब्दों में कहें तो सद्-विषयक : होते हैं और सत् वह आत्मा है जिसका हम अहंकारौपाधिक वृत्ति के अतिक्रमण में आभास पाते हैं। **सत् होने से ही यह आत्मा अन्वेष्य होता है। किन्तु यहाँ यह समझना महत्त्वपूर्ण है कि यह सत् उस सत् से आधारभूत रूप से भिन्न है जिसकी हम अभ्रान्त विषय के आधार के रूप में कल्पना करते हैं। यह सत् चेतना द्वारा अपने आधार के अन्वेषण के क्रम में अपने को सत्यापित करता, अपने सर्जन के क्रम में अपने स्वरूप को रचता और अपने अवगाहन के क्रम में अपने को अर्थ देता है।** अचलता, त्रिकालाबाधितता और निरपेक्षता आदि विशेषण विषयकल्प सत् के ही हो सकते हैं आत्म-सत् के नहीं, जिसे चेतना अपने उन्मीलन और उन्नयन के क्रम में पाती है। यदि आत्म-सत् को भी ध्रुव और त्रिकालाबाधित कहना हो तो उसका अर्थ उससे नितान्त भिन्न होगा जिस अर्थ में इन शब्दों का प्रयोग प्रचलित है। यह अपने सत्य की सिद्धि के रूप में, साधना के उस साध्य के रूप में जो अपने आरोहण के क्रम में ही आविर्भूत होता है, उस अमृत के रूप में जो आत्म-विलोड़न में विष के पृथक्करण से ही उपजता है, अथवा उस गुहागत प्रकाश के रूप में जो उस गुहा का अन्धकार-भेदन कर उसके अन्त में पहुँचने से ही प्रकट होता है, आत्म-सत् का विशेषण हो सकता है। यह आत्म-सत् सापेक्ष और कालान्तर में बाधित इस कारण नहीं हो सकता क्योंकि इस बाधा की हेतु

---

1. द्रष्टव्य **समाज : दार्शनिक परिशीलन**, अध्याय 1

अहंकारोपाधि, अथवा रागादि मूलक कोई अन्य व्यवधान ही हो सकता है। उपाधियों को और उनके परे अवस्थित सत्य को हम निर्मम : आहंकारिक आसक्तियों से रहित : आत्म-विवेचन से देख सकते हैं। इस प्रकार देखा और पाया हुआ सत्य त्रिकालाबाधित होना अनिवार्य है क्योंकि सत्य में बाधा तो आत्मा के अपने में व्यवहित होने से ही होती है। 'देखा' और 'पाया' हुआ होना ही इसका स्व-प्रतिष्ठित होना है, किन्तु चिदात्मक होने से इस 'अचल प्रतिष्ठम्' का 'आपूर्यमानम्' होना भी अनिवार्य है। यह आपूर्यमानता अर्थों के उन्मेष-रूप और उत्कर्षात्मक क्रियान्वयन-रूप होती है और 'स्वरूप-सिद्धि' जैसे प्रकटतः अन्तर्विरोधी पद को संगत बनाती है। जो स्वरूप है उसे सहज सिद्ध ही होना चाहिए, किन्तु चेतना में ऐसा नहीं होता। चेतना अपने स्वरूप से सर्वत्र न्यून अथवा व्यवहित, अथवा पर-रूप से उपहित रहती है। ये तीन पद पर्यायवाची नहीं हैं किन्तु प्रसंग-भेद से स्वरूप की साध्यता जैसी अन्तर्विरुद्ध स्थिति इन तीनों रूपों में अपने को प्रकट करती है। उदाहरणतः किसी प्रातिभ दृष्टि अथवा अवधारणा के निहितार्थ का क्रमशः उद्घाटित होना पूर्व विद्यमान किन्तु अदृष्ट का प्रकट होना भी कहा जा सकता है और अस्तित्व के एक सिद्ध स्तर का दूसरे स्तर पर क्रमशः सिद्ध होना भी कहा जा सकता है। ऐसा ही विचार-विमर्श के फलस्वरूप किसी उलझन के सुलझने, किसी विचार के स्पष्ट होने में भी होता है। इसे चेतना के एक स्तर पर पूर्वविदित का ही दूसरे स्तर पर पुनर्विदित होना भी कहा जा सकता है। इसके इस प्रकार द्वैध निरूपण की युक्तता तब और स्पष्ट हो जाती है जब एक के द्वारा समझी गई बात दूसरे के लिए अबूझ होती है और दूसरे को समझाने पर समझ में आती है। क्योंकि समझी गई बात चेतना में उस समझ की विद्यमानता की द्योतक होती है जो समझ दूसरे व्यक्ति की चेतना में नहीं है और इस प्रकार चेतना में स्तर-द्वयता की द्योतक कही जा सकती है। वास्तव में इसमें और स्वयं विचार कर समझने में कोई मौलिक अन्तर नहीं होता। द्रष्टव्य है कि मनुष्य का सम्पूर्ण ज्ञान, वह वैज्ञानिक प्रकार का हो या दार्शनिक प्रकार का, कलात्मक प्रकार का हो या धार्मिक प्रकार का, अर्थों के क्रमशः स्फुटित होने, आवृत के अनावृत होने जैसा भी होता है, नवसर्जन जैसा भी और नये सोपानों पर आरोहण जैसा भी। इन तीनों प्रकारों को चेतना के आत्म-व्यवधान का निवारण कहा जा सकता है, और इस निवारण का अन्वेष्य होना स्वभाविक है।

'आत्मव्यवधान का निवारण आत्मा का प्रापक होता है' यह एक विश्लेषणात्मक वाक्य है, किन्तु ऊपर हमने आत्म-व्यवधान और उसके निवारण के जो उदाहरण देखे वे याथार्थ्य के प्रकाशन तथा अर्थों के उन्मेष के अथवा आवरण के निरासपूर्वक उसके प्रकट होने के उदाहरण थे। तब क्या यही वह आत्मा है जो अन्वेष्य है, जिसकी उपलब्धि मोक्ष की प्रापक होती है? यदि ऐसा है तो चेतना में अर्थों के सभी उन्मेष मोक्ष-प्रापक हो जाएंगे। किन्तु जैसाकि हमने पीछे देखा है, जगत् के आविर्भाव और उसके व्यापार को भी चित् का अर्थोन्मेष ही कहा जा सकता है, किन्तु इसे मोक्ष-व्यापार नहीं कहा जा सकता। इसका उत्तर होगा कि जगद्-व्यापार को, उसकी समग्रता में लेते हुए, बाह्य चेतना का ही अर्थोन्मेष कहा जा सकता है, जैव चेतना या मानव-चेतना का नहीं। किन्तु इस अर्थोन्मेष मात्र से भी चेतना मुक्त नहीं हो जाती, इसके लिए उसका अपनी अर्थ-प्रवर्तकता का प्रेक्षक और प्रमापक होना भी आवश्यक होता है, उसका कवि, मनीषी और अर्थों का उनके याथातथ्य में प्रतिष्ठापक होना भी आवश्यक होता है। ऐसा होने पर जगद्-व्यापार भी चेतना का मोक्ष-व्यापार कहा जायगा। पुरुष को केवली देखने वाले हमारे सांख्य-दार्शनिकों ने प्रकृति के जगद्-रूप में प्रवर्तित होने को इसी रूप में देखा है।[1] इस पर कहा जा सकता है कि केवली तो स्वरूपतः ही मुक्त होता है, उसे मुक्ति के लिए जगद्-व्यापार का निरास कर मुक्त नहीं होना होता, मुक्ति के लिए **जगद्-व्यापार में केवली होना** आवश्यक होता है। मनीषी कवि यही होता है। कैवल्य वास्तव में अर्थों के याथातथ्य ज्ञान की पूर्वापेक्षा है, यह (कैवल्य) उस याथातथ्य का निश्याचक होता है। इसके बिना याथातथ्य प्रमाण-विहीन रहता है।

---

1. ईश्वरकृष्ण — **सांख्यकारिका**, कारिका 56

पीछे चतुर्थ अध्याय में हमने सुकरात का एक उद्धरण दिया था जिसके अनुसार उनके भीतर एक शास्ता उन्हें अनुचित कर्म से वर्जित और उचित कर्म में प्रवृत्त करता है। यह शास्ता यद्यपि स्वयं उचित कर्मों का समवाय नहीं होता किन्तु इसके बिना भी नहीं होता, कर्म, कर्त्तृत्व और प्रमाण तीनों उसमें निहित होते हैं। किन्तु अनुचित कर्म भी कर्म ही होते हैं और वे भी कर्त्तृत्व और प्रमाण के पूर्वपिक्षी होते हैं, यद्यपि ये प्रमाण-भ्रष्टता और अवश कर्त्तृत्व के द्योतक होते हैं। अब, कर्त्तृत्व की यह अवशता अनिवार्यत: शास्ति या शास्ता की अवशता नहीं होती। शास्ता उतनी ही सतर्कता और निर्ममता से अपना विधान प्रतिपादित कर सकता है, फिर चाहे कर्म में उसकी कितनी भी उपेक्षा या अवरोध ही रहता हो और प्रमाण-अप्रमाण का विवेक खो बैठता हो। इस प्रकार कर्म अपनी प्रामाणिकता के लिए शास्ता के कैवल्य को पूर्वपिक्षित करता है और शास्ति कर्म को। अब, कर्म और कैवल्य का यह सम्बन्ध नैतिक कर्म के प्रसंग में ही नहीं होता, यह सब अन्वेषणों के प्रसंग में होता है। कला हो या दर्शन, विज्ञान हो या विचार अथवा व्यवहार का कोई अन्य सन्दर्भ सब में अन्वेषक की अहंकार, वासना और राग-द्रेष से उपरति अपेक्षित होती है। इन सन्दर्भों में इस उपरति या कैवल्य में निश्चल प्रतिष्ठा के लिए उसी प्रकार अनवरत सतर्कता अपेक्षित होती है जिस प्रकार नैतिक कर्म के सन्दर्भ में। इस सतर्कता के बिना न केवल ये अन्वेषण ही स्वयं में बहुत उत्कर्ष-लाभ नहीं करते बल्कि इन्हें उचित रूप से मूल्यान्वेषण भी नहीं कहा जा सकता। किन्तु इस उपरति और सतर्कता का अत्यन्त सीमित सन्दर्भ भी हो सकता है। उदाहरणत: परमाणु बम के आविष्कारक के लिए भी इसी उपरति और प्रयत्न की अपेक्षा थी। हमारे पुराणों में दानवों द्वारा तपस्या और इस तपस्या के द्वारा ईश्वर से वरदान-प्राप्ति की बहुत सी कथाएँ आती हैं। वे तपस्याएँ इनसे तुलनीय हैं। ऐसा व्यक्ति उत्कृष्ट वैज्ञानिक या कुशल तर्क-पंडित (दार्शनिक) या प्रतिभावान् कलाकार होने के साथ स्वार्थी, क्षुद्र तथा गर्हित भी हो सकता है। ऐसे व्यक्ति के ये अन्वेषण और सफलताएँ दानव की तपस्या से प्राप्त सिद्धि के समान ही आत्म-प्रापक नहीं हो सकतीं, क्योंकि उसके लिए इन तपस्याओं में आत्मा अन्वेष्य ही नहीं होता। इस प्रकार कहा जा सकता है कि सब अन्वेषणों में आत्मा अन्वेष्य हो सकता है और उनके अन्वेष्य माध्यम होने पर ही अन्य अन्वेषण अपनी सार्थकता पाते हैं और मूल्य पद के अधिकारी होते हैं, अन्यथा वे मूल्य-विघातक ही होते हैं। श्री अरविन्द दर्शन और धर्म के बीच सम्बन्ध बताते हुए कहते हैं—'दर्शन वस्तुओं के आधार सत्य का बौद्धिक अन्वेषण है और धर्म इस सत्य को मानव की आत्मा में सक्रिय बनाना।'[1] अब इस सत्य के बौद्धिक साक्षात्कार के लिए भी एक सीमा तक इन्द्रिय-निग्रह और राग से मुक्ति की, तपस्या की, अपेक्षा होती है किन्तु इस सत्य को आत्मा में सक्रिय बनाने में प्रयत्न के बिना यह एक दानवी अन्वेषण मात्र भी हो सकता है, अथवा इन दोनों से तटस्थ, मात्र बौद्धिक अन्वेषण रह कर निरर्थक प्रयत्न भी हो सकता है। अथवा यह तटस्थ सत्यान्वेषण आत्मा में असत्य की सक्रियता का सहगामी भी हो सकता है, जैसाकि बहुत से दार्शनिकों, वैज्ञानिकों और कलाकारों के साथ हम देखते हैं। यहाँ महात्मा कबीर के पिछले अध्याय में उद्धृत दोहे का अर्थ और स्पष्टता से समझा जा सकता है : शून्य, अजपा और अनहद नाद आदि मात्र बौद्धिक सिद्धान्तों के रूप में जीवन के लिए किस काम के? मात्र सिद्धान्त रूप में यहाँ तक भी सम्भव है कि शून्यवाद का प्रतिपादक घोर भोगवादी और क्षुद्र स्वार्थपरायण हो। ये जीवन के लिए तो तभी सार्थक हो सकते हैं, उसे तभी अमरता प्रदान कर सकते हैं जब ये आत्मा में सक्रिय हो जाएँ : आत्म को राम-सनेह-सिक्त कर दें। इस प्रकार अमरता का अर्थ आत्मा संज्ञक किसी वस्तु का अनन्त काल तक बनने रहना नहीं है बल्कि आत्मा में सत्य का अवतरण है, अथवा कहें आत्मा का आत्म-अव्यवहित होना है।

यहाँ पुन: इस बात का स्मरण स्थाने होगा कि यह आत्मा व्यक्ति-मूलक नहीं है, यद्यपि सत्य के अनुभूत होने के लिए व्यक्तिक हृदय का और बोध के लिए व्यक्तिक प्रज्ञा का उपकरण होना आवश्यक है। किन्तु ये भी तभी आत्मा के अव्यवहितत्व के लिए उपकरण बन सकते हैं यदि इनमें अहंकार की असत्यता और आत्मा की सार्विकता आलोकित हो सके : कोई राम-सनेही तो तभी हो सकता है यदि वह आत्म-सनेही नहीं रहे। और स्नेही होने का अर्थ है तदात्म हो जाना, तन-मन और नयन का प्रिय का बसेरा बन जाना। ऐसा होने पर इन्हें

1. **दि सुप्रामेंटल मेनीफेस्टेशन एण्ड अदर राईटिंग्ज श्री अरविन्द आश्रम**, पाँडिचेरी, 1971, पृ. 314

'व्यक्तिक उपकरण' कहने का भी कोई अर्थ नहीं रहता। हृदय और बुद्धि स्वत: व्यक्तिक या अतिव्यक्तिक नहीं होते, ये अपनी अन्तर्वस्तु से, इन में बसी वस्तु के स्वरूप से ही परिभाषित होते हैं। अब, अहंकार जागतिक चेतना का आद्यतम भाव होने से ही जैव अस्तित्व और जैव क्रिया मात्र का मूल और नियामक कहा जा सकता है, किन्तु यह भी स्वयं में आकार मात्र ही होता है और इस प्रकार अपनी अन्तर्वस्तु से ही परिभाषित होता है। इस प्रकार केवल मानव-व्यक्ति में ही यह स्फुट अहंता, अस्मिता, का रूप लेता है। किन्तु मनुष्य में ही यह 'अहं' सामान्यीकृत एक सर्वनाम मात्र भी बनता है।[1] वास्तव में मनुष्य का व्यक्तिक वैशिष्ट्य उसके बोध की प्रांजलता और प्राज्ञता का सापेक्ष होता है और प्रांजलता एवं प्राज्ञता सार्वभौमता, धर्मता अथवा तत्त्व-बोध के स्तर के सापेक्ष होते हैं, जो व्यक्ति-निरपेक्ष होते हैं। यह व्यक्तित्व वास्तव में आत्म-शास्ति की शक्ति के अनुपात में ही शक्तिशाली होता है और यह शक्ति जितनी ही प्रबल होती है उतनी ही अन्य व्यक्तियों और वस्तुओं के नियमन में भी समर्थ होती है। किन्तु आत्म-शास्ति की प्रबलता अहंकार के अतिक्रमण की, उस पर विजय की शक्ति की प्रबलता का ही नामान्तर है। उदाहरणत: बुद्ध और महावीर, कबीर या गाँधी प्रबलतम व्यक्तित्व थे, किन्तु उनकी यह प्रबलता उनकी प्रबलतम सार्वभौमिकता, प्रबलतम निरहंकारता में थी। यहाँ स्पष्टीकरण में दो उदाहरण देना उपयोगी होगा—गाँधीजी प्राय: ही अपने राजनीतिक निर्णयों में भी दूसरों के परामर्श पर निर्भर नहीं करते थे जबकि अन्य सब नेता जनमत को ध्यान में रखते हुए ही निर्णय लेते थे। अब, जबकि इन जनमतानुसारी निर्णयों को अहंकार-मुक्त निर्णय नहीं कहा जा सकता गाँधीजी के निर्णयों को अहंकार के लेश मात्र से भी मुक्त निर्णय ही कहा जायगा। इसका कारण यह है कि निरहंकारता बहुजन-सम्मत होने में नहीं है, क्योंकि 'बहुजन' व्यक्ति से भी अधिक अहंकार-ग्रस्त हो सकता है और उसको अनुसरण करने वाला इस अनुसरण में अहंकार-ग्रस्त हो सकता है, जबकि अपने निर्णय को ही प्रामाणिक मानने वाला पूर्णत: निरहंकार भी हो सकता है। निरहंकारता यथार्थानुसारी होने में होती है बहुजन-सम्मत होने में नहीं। यह सुकरात द्वारा मृत्यु-दण्ड से बचने के अवसर का उपयोग करने में परामर्शों को स्वीकार नहीं करने में और स्पष्ट रूप से देखा जा सकता है। वे परामर्श को स्वीकार नहीं करने में और स्पष्ट रूप से देखा जा सकता है। वे परामर्श सर्वसम्मत होने पर भी अहंकार-मुक्त नहीं कहे जा सकते, क्योंकि वे निर्णय यथार्थ से निर्विष्ट नहीं होकर राग से निर्दिष्ट थे। यहाँ प्रश्न हो सकता है कि कोई निर्णय यथार्थानुकूल है या नहीं, यह कैसे जाना जाय? यह, जैसाकि हमने ऊपर संकेत किया, अपने भीतर स्थित शास्ता की शास्ति सुनने के उपयुक्त एकाग्रता से ही जाना जा सकता है। इस भीतरी शास्ता को विषयिनिष्ठ कहना अन्तर्विरुद्ध है, क्योंकि इस शास्ता की प्रतिष्ठा चेतना की उस भूमि पर होती है जिस से अर्थ आविर्भूत होते हैं, अथवा कहें, जो अर्थों से अभिन्न है। यहाँ पुन: यह ध्यान दिलाना स्थाने होगा कि अभिव्यक्ति के ये दो रूप प्राय: विरुद्धार्थक होने पर भी इस प्रसंग में एकार्थक हैं।

यहाँ अन्त में संक्षेप में चेतना की वस्तुता और अस्तित्व पर विचार करना भी स्थाने होगा। अस्तित्व, सत्, वस्तु आदि पद प्राय: ही चेतना के यथार्थ विषयों के लिए प्रयुक्त होते हैं जिनका आदर्श रूप इन्द्रिय विषयों में मिलता है। चेतना का सम्बन्ध ज्ञान से माना जाता है, जो यथार्थ और अयथार्थ दोनों प्रकार का हो सकता है। इस प्रकार चेतना के अस्तित्व और सत् या वस्तुता की बात टल जाती है। किन्तु यदि विषय का अस्तित्व अनिवार्य है, जिसके बिना उसकी प्रतीति चेतनागत दोष की द्योतक मानी जाती है, तो चेतना का अस्तित्व भी अनिवार्य है, अन्यथा उसमें विषय ज्ञात कैसे होगा? किन्तु इस अस्तित्व का क्या अर्थ है? अब, अस्तित्व कम से कम काल को पूर्वापेक्षित करता है और काल प्राकृतिक है। कालात्मक होने का कम से कम एक अर्थ यह है कि अस्तित्वात्मक वस्तु क्षणिक होगी। इस अपेक्षा को संवेद, संवेग और विचारक्रिया आदि पूरा करते हैं जो चेतना के धर्म हैं। किन्तु चेतना काल को और काल-स्वभाव को भी जानती है और काल में अपने घटित होने को भी। यह ज्ञातृ चेतना देश का काल-गत नहीं कही जा सकती है और परिणामत: इसका अस्तित्व भी नहीं कहा जा सकता। किन्तु यह कालातीत चेतना 'होने' के किसी अन्य अर्थ में 'होती' है ऐसा असन्दिग्ध रूप से कहा जा

1. द्रष्टव्य यशदेव शल्य — **सत्ताविषयक अन्वीक्षा**, अ. 11

सकता है। चेतना के कुछ अन्य आयाम भी हैं, उन्हें होने के इस अन्य अर्थ में भी अस्तिवान्, अथवा कहें अस्तित्वातीत सत् नहीं कहा जा सकता। विचार-विषय इनमें एक हैं। विचार-विषय कभी अपनी समग्रता में अवगत नहीं होता। अब, इसके अनवगत पक्ष अवगत के समान अस्तित्व में होते हैं, यह तो बिल्कुल भी नहीं कहा जा सकता। किन्तु इन विषयों अथवा इनके पक्षों को असत् कहना भी कठिन होगा। अब, विचार का विचार-विषय से क्या सम्बन्ध है? यह वास्तव में चेतना के ही दो स्तरों का सम्बन्ध है जिसे प्राय: अव्यक्त से व्यक्त होना कहा जाता है। किन्तु इसे आत्मचरितार्थन की प्रक्रिया भी कहा जा सकता है। इसमें विचार के द्वारा चेतना क्रमशः अपने अर्थ को अपने पर प्रकाशित करती है, अथवा कहें अपने अर्थ का लाभ करती है, जो अर्थ काल के आयाम में पूर्वत: विद्यमानवत् आभासित होता है। किन्तु यह इस आयाम के अन्तर्गत नहीं होने से विद्यमान या अविद्यमान नहीं कहा जा सकता। और जैसाकि हमने पीछे देखा, चेतना का यह अर्थ-लाभ उसका सत्त्व-लाभ भी होता है। अब, जगत् भी वास्तव में चेतना के अर्थान्वेषणों और अर्थ-लाभों की प्रक्रिया का प्रतिफल ही कहा जा सकता है। किन्तु यह उसका नितान्त बहिरुन्मुख व्यापार होता है। इसमें चेतना अर्थों के केवल इन्द्रियात्मक आयाम की विषयता में ही निश्शेष रहती है और परिणामत: इसका अस्तित्व अन्न-प्राणमय प्रकार का ही होता है। अस्तित्व का यह आदर्श रूप कहा जा सकता है। अर्थों से अपने पार्थक्य और अपने में उनके स्रोतों की गवेषणा उसमें आत्म-चेतना के साथ आरम्भ होती है। अर्थों के आत्म-स्रोत का यह बोध प्रस्तुत अर्थों के सम्भावनात्मक अर्थों में रूपान्तरण के रूप में होता है और इस प्रकार के ये अर्थ अपने असत्त्व और अन्यथा-सत्त्व की अनन्त विपुलता के बीच प्रतिष्ठित हो जाते हैं। इस प्रकार 'जो है' वह 'अन्यथा हो सकने' : अन्यथा भाव : और 'होने से रहित हो सकने' : अभाव : के अपरिमित वैभव का एक अंश हो जाता है और इस वैभव का स्रोत चेतना में, उसकी सृजनात्मकता में प्रतिष्ठित हो जाता है। किन्तु तब यह अस्तित्व की परिधि से भी बाहर हो जाता है। ऐसे में आत्मा के, जो चेतना की पूर्णत: अपने स्वातन्त्र्य में प्रतिष्ठा है, अस्तित्व का विषय होने का कोई अर्थ नहीं रहता, क्योंकि इसका अपरिमित वैभव अस्तित्व की संकुचित परिधि में नहीं समा सकता।

स्वातन्त्र्य

राम निरंजन न्यारा रे, अंजन सकल परसारा रे।[1] — कबीर

स्वातन्त्र्य का प्रचलित अर्थ प्रवृत्ति की निर्बाधता कहा जा सकता है। चेतना में इच्छा और उसकी पूर्त्ति के लिए प्रयत्न सहज होते हैं और प्रयत्न में बाधा कष्टकर होती है, इसलिए निर्बाधता या स्वातन्त्र्य चेतना की प्रवृत्तिमात्र में ही अभीष्ट होता है। कुछ लोग इसे चुनाव की निर्बाधता या स्वैच्छिकता भी कहते हैं। किन्तु चुनाव एक से अधिक इष्ट स्थितियों की उपस्थिति को पूर्वापेक्षित करता है जो प्राणी को आकर्षित करती हों। इस प्रकार चुनाव की निर्बाधता इष्ट के अनुसरण की निर्बाधता का ही एक प्रकार है। किन्तु प्राणी की इच्छा उसकी अपनी इच्छा है या आरोपित, यह प्रश्न प्रासंगिक हो सकता है। अन्यारोपित और अभ्यास से अर्जित भाव स्वभाव नहीं कहा जा सकता और इस प्रकार अर्जित इच्छाएँ स्वकीय नहीं कही जा सकतीं। उदाहरणत: पालतू पशु के और परम्परा या परिवेशवश अर्जित मनुष्य के भाव स्वभाव नहीं कहे जा सकते। किन्तु तब कौन-से भाव स्वभाव कहे जा सकते हैं? हमारे सभी भाव हमारी जल-वायु, सामाजिक परिवेश, सांस्कृतिक परम्परा और शिक्षा से ही निर्धारित होते हैं। उदाहरणत: संन्यास तक को सांस्कृतिक परम्परा से प्राप्त मूल्य-व्यवस्था के अधीन अर्जित मूल्य कहा जा सकता है, इसी प्रकार सदसद्-विवेक को भी। क्या सद् है और क्या असद् यह हम प्राय: ही अपनी सांस्कृतिक परम्परा से ही सीखते हैं। इससे भी आगे जाकर कहा जा सकता है कि सांस्कृतिक परिवेश के बिना मनुष्य पशुता के स्तर से ऊपर नहीं उठ सकता। इस प्रकार उसका मनुष्यत्व अर्जित ही होता है। थोड़ा और गहराई में जाएँ तो हम पाते हैं कि मनुष्य का इन्द्रिय-जगत् दृक्केन्द्रक श्वान का घ्राण-केन्द्रक और मछलियों तथा सरीसृपों का त्वक्केन्द्रक होता है और ये जाति-स्वभाव चेतना के अपने चयन नहीं होते, परिणामत: जगत् के साथ हमारे तथाकथित सहज सम्बन्ध भी आरोपित-औपाधिक ही होते हैं। इस पर कहा जा सकता है कि स्वभाव मुख्यत: जाति-स्वभाव ही होता है, व्यष्टिक वैशिष्ट्य भी उसके अन्तर्गत ही होते हैं, इसलिए इनकी औपाधिकता की बात चेतनाविषयक उदगृहीत कल्पना मात्र है, तो इसका उत्तर होगा कि तब परिवेश, शिक्षा, परम्परा आदि भी 'स्व' के घटक ही कहे जाने चाहिएँ और इनसे पृथक् 'स्व' की कल्पना उद्ग्रहण मात्र। इस प्रकार देखने पर चयन के स्वातन्त्र्य की बात निराधार ही ठहरती है। इसके अतिरिक्त, उपर्युक्त युक्ति में चेतना का स्वरूप आत्मचेतन गृहीत है, तभी जाति आदि के औपाधिक होने की बात आती है, अन्यथा चेतना का वही स्वभाव होगा जो प्रत्येक व्यष्टि में उसका सहज सिद्ध भाव है। ऐसी अवस्था में यह कहा जा सकता है कि प्राणियों में संस्कारहीन वन्य जीव अथवा कृमि-कीट वहाँ तक ही स्वतन्त्र होते हैं जहाँ तक वे अन्य अबाधित होते हैं। किन्तु द्रष्टव्य है कि मनुष्येतर जीवों के सम्बन्ध में स्वातन्त्र्य की बात नहीं की जाती, चयन और स्वातन्त्र्य की योग्यता केवल मनुष्य में ही स्वीकार की जाती है। किन्तु स्वातन्त्र्य का अर्थ 'इष्ट के अनुसरण और अनिष्ट के परिहार में निर्बाधता लेने पर इसकी सम्भावना जीवन मात्र में ही स्वीकार करनी पड़ेगी, क्योंकि इसकी योग्यता न्यूनाधिक मात्रा में जीवमात्र में देखी जाती है। ऐसी अवस्था में चयन की योग्यता केवल मनुष्य में स्वीकार करने का अर्थ है कि इसमें केवल इष्ट-अनिष्ट के बीच चयन की योग्यता की ही अपेक्षा नहीं होती बल्कि कुछ और भी अपेक्षित होता है। इस विशिष्ट योग्यता को इष्ट-अनिष्ट के प्रतीयमान् रूप और वास्तविक स्वरूप के बीच भेद की योग्यता कहा जा सकता है। यहाँ योग्यता के अर्जित रूप और वास्तविक स्वरूप के बीच भेद भी पूर्वगृहीत रहता है। निश्चय ही मनुष्य सांस्कृतिक परिवेश के बिना मनुष्यत्व लाभ नहीं कर पाता किन्तु तब मनुष्यत्व-लाभ का अर्थ है सांस्कृतिक परिवेश को इस परिवेश के अतिक्रमण के लिए सोपान बनाना। यद्यपि इस विशिष्ट मानवीय योग्यता की बात

1. राम निरंजन हैं, और यह सारा पसारा—संसार—अंजन है।

'व्यक्ति के अधिकारों' और 'व्यक्ति की अनतिक्रमणीयता' आदि की आज की चर्चाओं की तुमुलता में आच्छन्न हो गई है किन्तु नैतिक कर्म के सन्दर्भ में स्वातन्त्र्य की पूर्वापेक्षा की स्वीकृति पर से यह कहा जा सकता है कि इसका विशिष्ट अर्थ आज भी पूर्णत: विस्मृत नहीं हुआ है। नैतिक सन्दर्भ में चयनीय इष्ट-अनिष्ट साधारण नहीं होता बल्कि साधारण इष्ट (प्रेय) इसमें सामान्यत: अनिष्ट ही माना जाता है और वास्तविक इष्ट कुछ दूसरा ही माना जाता है और वह 'श्रेय' कहा जाता है।

किन्तु वास्तव में पशु में साधारण इष्ट-अनिष्ट का चयन करने की योग्यता भी नहीं होती, यह बात दूसरी है कि वह यह चयन करता है। उसके ये चयन उसके देह की जैविक-रासायनिक प्रकृति, अथवा सहज प्रवृत्ति अथवा अभ्यास के अधीन होते हैं। भूख लगने पर वह भोजन खोजने के लिए चलेगा ही, वह गाय है तो घास को और शेर है तो मांस को ही चुनेगा। इसी प्रकार उसकी चैत्त क्रियाएँ बाह्य उद्दीपनों की प्रतिक्रियाएँ मात्र होती हैं और इन प्रतिक्रियाओं का रूप उसके जातीय स्वभाव और दैहिक प्रकृति के अधीन होता है, यद्यपि आरोपित अभ्यास द्वारा यह बदला भी जा सकता है। साधारणत: मनुष्य भी इसी प्रकार व्यवहार करता है किन्तु वह यह निर्णय भी कर सकता है कि वह ऐसा नहीं करेगा—वह आज भूख लगने पर भी भोजन नहीं करेगा, उपवास करेगा, आदि। निश्चय ही वह इस प्रकार के निर्णयों में भी अस्वतन्त्र हो सकता है—जब वह परम्परागत संस्कारों के अधीन ऐसे निर्णय करता है। किन्तु द्रष्टव्य है कि परम्परा में ये संस्कार 'समाज-मानव' की इष्ट-अनिष्ट विषयक अर्थान्वेषी असाधारण दृष्टि के अनुसार स्वीकृत और इस प्रकार स्वतन्त्र-चयन के परिणाम होते हैं यद्यपि इनका अनुसरण करने वाले 'व्यक्तियों' में ये आभ्यासिक ही होते हैं, और दूसरे, मानव-व्यक्ति में यह योग्यता रहती है कि वह कभी भी इस परम्परा-प्राप्त अभ्यास से अपने को मुक्त कर ले। इस योग्यता के कारण एक प्रकार से यह भी कहा जा सकता है कि अन्तत: संस्कार-परम्परा की अधीनता भी उसका स्वतन्त्र चयन ही होता है, क्योंकि अन्यथा वह इस आभ्यासिक मनोवृत्ति को अस्वीकार कर सकता था। व्यक्ति और समाज-मानव को अपने कर्मों के लिए उत्तरदायी इसी सिद्धान्त के अनुसार माना जाता है, अन्यथा उसके सब दोष और अपराध कारण-कार्यात्मक रूप से व्याख्येय हो सकते हैं और उस व्याख्या के अनुसार उसकी उन कार्यों में विवशता देखी जा सकती है। इस प्रकार यद्यपि आभ्यासिक वृत्ति की अधीनता उसके अस्तित्व के निम्नतर स्तरों के कारण उसमें सहज होती है किन्तु उसमें इन स्तरों की अधीनता अस्वीकार कर सकने की योग्यता होने से उसकी यह अधीनता भी उसका स्वतन्त्र चयन ही हो जाती है। किन्तु वास्तव में इसे स्वतन्त्र चयन नहीं कह कर उसका चयन के स्तर तक नहीं उठ पाये होना, इस योग्यता की सिद्धि नहीं हो पाये होना कहना ही अधिक उपयुक्त है, क्योंकि इन स्थितियों में वह चेतना के जैव स्तर के निकट ही होता है। इस प्रकार यह कहा जा सकता है कि पुण्य-पाप तथा उचित-अनुचित के बीच आभ्यासिक भेद वैसा ही होता है जैसा प्रिय-अप्रिय या इष्ट-अनिष्ट के बीच जैव स्तरीय भेद, यद्यपि यह सही है कि चेतना के इस स्तर से वह उठने की योग्यता रखता है और इस प्रकार उस स्तर पर उसका बने रहना उसके प्रमाद का द्योतक है और परिणामत: वह उसके लिए उत्तरदायी होता है। निश्चय ही इस प्रमाद से मुक्ति अत्यधिक दु:साध्य होती है और इस मुक्ति की अत्यल्प सिद्धि भी मनुष्य को असाधारण व्यक्ति : महात्मा: बना देती है, किन्तु यह असाधारण सिद्धि सिद्धान्तत: सिद्धि की सर्वसाधारण योग्यता को सिद्ध करती है।

किन्तु 'चयन की योग्यता' का क्या अर्थ है? दैहिक, चैत्त और जातीय प्रवृत्तियाँ स्वकीय प्रवृत्तियाँ क्यों नहीं हैं और उनके अनुसरण में निर्बाधता स्वतन्त्रता क्यों नहीं है? इस प्रश्न पर विचार करने से पहले द्रष्टव्य है कि यहाँ बाधा केवल बाह्य ही कही जा रही है, जिसका अर्थ है कि केवल चयन की योग्यता ही स्वतन्त्रता के लिए पूर्वापेक्षित नहीं होती बल्कि बाह्य परिस्थितियों की अनुकूलता भी अपेक्षित होती है। किन्तु थोड़ा गहराई से देखने पर हम पाते हैं कि जिसे चयन की योग्यता कहा जा रहा है उसका अभाव या न्यूनता ही वास्तव में मुख्य बाधक होती है और वही बाधा अधिक दुर्जेय भी होती है। और थोड़ा और गहराई से देखने पर इन तथाकथित आत्मगत बन्धनों से मुक्ति ही स्वातन्त्र्य ठहरती है बाह्य बन्धनों से मुक्ति नहीं। बाह्य बन्धन तब या तो अप्रासंगिक हो जाते हैं या आन्तरिक स्वातन्त्र्य के क्रियान्वयन के साधन। इस सत्य का ज्ञान मनुष्य को बहुत प्राचीन युगों से रहा है, किन्तु

आश्चर्य की बात है कि 'आधुनिक' मनुष्य इस ज्ञान को प्राय: खो बैठा है। इसका अर्थ यह नहीं है कि बाह्य बाधाओं से मुक्ति वांछनीय और आवश्यक नहीं है, यह मुक्ति भी उतनी ही आवश्यक होती है, किन्तु यह मुक्ति भी आध्यात्मिक रूपान्तरण के द्वारा ही सिद्ध की जा सकती है, बाह्य उपायों द्वारा नहीं—सिवाय बाह्य प्रकृति के प्रसंग में प्रस्तुत बाधाओं के। उदाहरणत: अर्जुन ने युद्ध के रूप में प्रस्तुत बाधा युद्ध को कर्त्तव्य में रूपान्तरित कर दूर की थी युद्ध जीत कर नहीं, क्योंकि यह रूपान्तरण युद्ध में जय या पराजय को अप्रासंगिक बना देता है। इस प्रकार अर्जुन उसी क्षण स्वतन्त्र और निर्बाध हो गया था जिस क्षण उसने 'क्लैव्य' से मुक्त होकर धनुष उठा लिया था। इसलिए वह युद्ध में पराजित होकर भी उतना ही स्वतन्त्र होता जितना वह विजयी होकर हुआ। स्वातन्त्र्य की इस सिद्धि की प्रक्रिया और उसका गहनतर रूप महात्मा गाँधी द्वारा दक्षिण अफ्रीका में हुए उनके अपमान की परिस्थिति के प्रतिकार के उनके द्वारा किये गए उपाय में देखा जा सकता है। उनका यह उपाय अपमान-कर्त्ताओं से परिशोध और उन पर विजय प्राप्त करने की सफल योजना बनाने में नहीं था बल्कि अहंकार से अपनी मुक्ति और दूसरों के प्रति अन्याय करने की भावना से सबकी मुक्ति सिद्ध करने के प्रयत्न में था। निश्चय ही उस अपमान को यूरोपीय साम्राज्यवाद के विरुद्ध संघर्ष के सार्वजनिक स्तर पर उठाने में भी स्वातन्त्र्य की साधना ही होती, क्योंकि उसमें भी एक सीमा तक अपनी बाधा को एक नैतिक परिस्थिति के रूप में ही देखा गया होता, किन्तु उसमें मूल प्रेरक अहंकार और प्रसंग बाह्य तथा विशिष्ट ही होता और परिणामत: 'चयन-कर्त्ता' वास्तविक अर्थ में चयन करने के योग्य नहीं होता।

इस प्रकार स्वतन्त्रता अन्तत: चयन की योग्यता ही ठहरती है। यह योग्यता चेतना की अनौपाधिकता, अथवा कहें बाह्यारोपों से मुक्ति में निहित होती है और इन उपाधियों में अहंकार सूक्ष्मतम और सर्वाधिक मूलगामी उपाधि है। किन्तु यह सब स्वीकार करने में अनेक कठिनाइयाँ हैं। सबसे बड़ी कठिनाई यह है कि यह दृष्टि स्वातन्त्र्य को अत्यधिक असाधारण अर्थ दे देती है, और दूसरे, इसमें चेतना विषयक एक तत्त्व-दृष्टि पूर्वगृहीत है जिसकी सत्यता स्वत:स्पष्ट नहीं है। उदाहरणत: 'व्यक्ति-स्वातन्त्र्य', 'मनुष्य के मौलिक अधिकारों में स्वातन्त्र्य का मूल अधिकार होना' आदि में इस तत्त्वमीमांसा की अस्वीकृति पूर्वगृहीत है। इनमें 'स्वातन्त्र्य' का अर्थ 'प्रत्येक व्यक्ति को एक सामाजिक व्यवस्था के अन्तर्गत अपनी इच्छाओं के निर्बाध अनुसरण की सुविधा' माना जाता है। किन्तु यह सरल प्रतीत होने वाला अर्थ वास्तव में अनेक जटिल प्रश्नों की उपेक्षा करके ही अपनी सरलता बनाये रख पाता है। उदाहरणत: इस अवधारणा में भी 'अपना मत स्वयं बना सकने का अवसर', 'सही सूचना का अधिकार' आदि पूर्वगृहीत हैं। अपना मत स्वयं बना सकने का अवसर अपना मत स्वयं बना सकने की योग्यता को पूर्वापेक्षित करता है और सही सूचना का अधिकार सूचना की निरपेक्ष वस्तुता और अधिकारी होने की योग्यता को पूर्वगृहीत करता है और योग्यता निरहंकारता और आध्यात्मिक निर्मलता को पूर्वगृहीत करती है। अब, यदि सूचना देने वालों की स्वार्थपरता को जाने भी दें तो भी सूचना देने वालों के पूर्वाग्रहों की उपेक्षा नहीं की जा सकती, यद्यपि व्यवहार में प्रथम की उपेक्षा भी सम्भव नहीं है। और आज के प्रचार-माध्यमों की आसुरी शक्ति के रहते सूचना के अधिकार का क्या अर्थ रह जाता है इसकी कल्पना हम कर ही सकते हैं। किन्तु इस अवधारणा का सबसे बड़ा और आधारभूत दोष यह है कि यह मानवीय चेतना की जैव वृत्तिकता और दिव्यता में कोई भेद नहीं करती : यह वास्तव में मनुष्य को चतुरतर जीव से अधिक कुछ नहीं मानती और इस प्रकार स्वातन्त्र्य इसके लिए जैव स्तरीय स्व के तन्त्र के प्रसार का ही पर्यायवाची रह जाता है।

निश्चय ही मनुष्य जीव भी है। देह, इन्द्रियाँ, आवेग और वासनाएँ उसके अस्तित्व की अनिवार्य घटक हैं। किन्तु ये उसे परिभाषित करती नहीं कही जा सकतीं, उसके स्वातन्त्र्य को इनकी निर्बाध प्रवृत्ति से परिभाषित करना तो किसी भी प्रकार से युक्त नहीं कहा जा सकता। वास्तव में जैव चेतना के स्वातन्त्र्य को भी इनकी निर्बाधता से परिभाषित करना भी सतही दृष्टि का द्योतक ही होगा, क्योंकि जैव चेतना जिस व्यवस्था में उपचरित होती है उसमें इस निर्बाधता का न कोई मूल्य है और न कोई अर्थ। उदाहरणत: भूख भोजन की अपेक्षी होती है। इसमें जीव का स्वातन्त्र्य यही होगा कि भूख लगने पर उसे भोजन मिले। किन्तु वनस्पति-जगत् को छोड़कर, जीव के लिए भोज्य

सर्वत्र कोई अन्य जीव : पाशव या वानस्पतिक : ही होता है। जीव की भोज्यता उसके अस्तित्व की ही अपघातक होती है जो अस्तित्व स्वातन्त्र्यान्वेषण की सबसे प्रथम अपेक्षा है। इसी प्रकार आवेगों में भय और क्रोध जबकि अस्तित्व-रक्षा की मौलिक अपेक्षा से सम्बद्ध हैं, इनका हेतु अन्य जीव की बाधक उपस्थिति ही होता है। इस प्रकार ये आवेग जीवन की अनिवार्य पराधीनता के द्योतक होते हैं। और स्वयं आत्म-रक्षा मौलिक प्रवृत्ति होने पर भी जीव का अस्तित्व न केवल अन्य जीव से बाधित होता है बल्कि जीवन के मूलभूत नियम : अनिवार्य मृत्यून्मुखता : से भी बाधित होता है। इसी प्रकार जैव अपेक्षाओं की निर्बाध दृष्टि का अर्थ क्षणिक सन्तोष से अधिक कृछ नहीं है जबकि बाधा प्रयत्न और उपाय की खोज के रूप में जैव चेतना में सृजनात्मकता और स्तरोन्नयनन की हेतु होती है। इस प्रकार जैव व्यवस्था में न आवेगात्मक और वासनात्मक निर्बाधता के लिए कोई स्थान है और न इस निर्बाधता की विद्यमानता चेतना के लिए किसी अर्थ-सिद्धि की हेतु होती है। बल्कि इसके विपरीत, बाधा ही अर्थ-सिद्धि की हेतु होती है और इसके माध्यम से ही चेतना जैव उपाधि के क्रामिक मुक्ति की ओर अग्रसर होती है, जो चेतना का वास्तव स्वातन्त्र्य है।

निश्चय ही जैवोत्तर: आध्यात्मिक : स्वातन्त्र्य के लिए जैव स्तरीय निर्बाधता भी अपेक्षित होती है : भूख, रोग, जरा और मृत्यु चेतना की आध्यात्मिक प्रगति और साधना में भी बाधक हो सकते हैं : किन्तु इनका अभाव या इनसे मुक्ति मात्र आध्यात्मिक सिद्धि की हेतु नहीं होती, यह केवल एक सामान्य अपेक्षा होती है, जैसे चेतना की अभिव्यक्ति के लिए देह एक अनिवार्य और सामान्य अपेक्षा है। इसके अतिरिक्त, जरा, रोग और मृत्यु अनिवार्य होने से इनसे मुक्ति जैव रूप से अनिवार्य अपेक्षा भी सिद्ध नहीं होती, इनसे मुक्ति भी केवल चेतना के आध्यात्मिक स्तर पर ही अनिवार्य अपेक्षा सिद्ध होती है, जिसके लिए मनुष्य नीरोगता, दीर्घायु और जन्मान्तरों की कामना करता है। किन्तु चेतना के लिए जैव बाधा का यह केवल एक बाह्य आयाम है। इस बाधा का आध्यात्मिक आयाम दूसरा है जो न केवल जैव चेतना को परिभाषित करता है बल्कि चेतना के स्वरूपवत् भी प्रतीत होता है। इस आयाम में इस बाधा के घटक हैं देहभाव, आवेग, वासनाएँ और व्यवसायात्मिका बुद्धि। संक्षेप में, इस आयाम को चेतना का जगद्भाव कह सकते हैं। अब, यह आयाम चेतना के स्वातन्त्र्य में बाधक क्यों है?

ऊपर हमने जैव आयाम में अनुभूत बाधाओं को चेतना के स्वातन्त्र्य की बाधाएँ देखने विषयक दृष्टि पर विचार किया और पाया कि यह दृष्टि वास्तव में युक्तिसंगत नहीं है। किन्तु इस आयाम का अस्तित्व चेतना के आध्यात्मिक स्वातन्त्र्य में बाधक कैसे है? इस आयाम् के अतिस्तत्वमात्र को बाधक कहने में यह धारणा निहित है कि यह आयाम चेतना का स्वरूप नहीं है बल्कि उसका पर-रूप है, यह उसमें भ्ारमक स्वरूप-भाव है। इस आयाम की चेतना के लिए आवरकता और उसके स्वातन्त्र्य की बाधकता विषयक दृष्टि बहुत प्राचीन है और यह दृष्टि केवल भारतीय ही नहीं है बल्कि यह न्यूनाधिक स्पष्ट या अस्पष्ट रूप में सांस्कृतिक मानव मात्र की ही दृष्टि कही जा सकती है। देहभाव चेतना को एक देह में परिसीमित करता और देश-कालावस्थिति देता है और आवेग तथा वासनाएँ अपनी उपाधि से तादात्म्य और अपने विषयों से आत्मीयता देती हैं। काम, क्रोधादि इसी कारण त्याज्य कहे जाते हैं। जैव चेतना में देह और आवेगादि के साथ अभेद ही उसे परिभाषित करता है, इस कारण ये भाव उस स्तर पर बन्धन प्रतीत नहीं होते, ये आत्मा से अभिन्न ही प्रतीत होते हैं, इनका अवरोध ही बाधा या बन्धन की प्रतीति उत्पन्न करता है। किन्तु चेतना अन्ततः आत्मचेतन होकर इस अभेदभाव का अतिक्रमण करती है। आत्मचेतना के साथ ये सब भाव चेतना में आत्मभूत नहीं रहकर उसके विषय और विवेच्य हो जाते हैं। निश्चय ही अपने आविर्भाव में ये भाव इस स्तर पर भी चेतना से प्रथमतः अभिन्नवत् ही होते हैं किन्तु आत्मचेतना इस अभेद से अपने को मुक्त कर इनका विषयकरण कर देती है। अवश्य इस चेतना में इन विषयों के प्रति दृष्टि भ्रान्त भी हो सकती है : आत्म-सम्बद्ध देह के और उद्विग्नताओं के प्रति आत्मीयता की दृष्टि भी हो सकती है, वास्तव में साधारणतः यही दृष्टि होती भी है : किन्तु तब भी ये पृथग्दृष्ट विषय ही होते हैं जो द्रष्ट चेतना को अनुरक्त या आसक्त करते हैं। आत्मचेतन जीव दैहिक वेदनाएँ अनुभव करता है और सुखद वेदनाओं के साथ सुखी और दुःखद के साथ दुःखी होता है, अपने मुँह की कुरूपता से लज्जित या खिन्न होता है, किन्तु तब भी वह इन्हें 'मेरी

देह में अनुभूत वेदना' और 'मेरे चेहरे की कुरूपता' के रूप में ही देखता है। आज प्लास्टिक सर्जरी से रूप-परिवर्तन की विधि का आविष्कार चेहरे के अपने साथ सम्बन्ध की आगन्तुकता के इस बोध में ही निहित है।

दूसरे शब्दों में, ये देह और आवेगादि आत्मा नहीं होकर आत्मीय मात्र होते हैं, जिस सम्बन्ध में बाह्यता और आगन्तुकता थोड़ी सतर्कता होने पर अवगम्य होती है। द्रष्टव्य है कि यह बोध चेतना के आत्मचेतन होने का अनिवार्य परिणाम होता है। तब देहादि के प्रति आत्मीयता का भाव या दृष्टि अनिवार्य नहीं रह जाती, इसके विपरीत भाव या दृष्टि भी हो सकती है : अब ये आत्मीय रूप में नहीं देखे जाकर अपने से सम्बद्ध, सम्यग्दृष्टि के आवरक और उस पर उपाधिभूत भी देखे जा सकते हैं। देह तब आत्मावत् गृहीत होती है जब हम सहज रूप से उठने, बैठने, चलने आदि में प्रवृत्त होते हैं, जब हम स्वस्थ, रुग्ण आदि अनुभव करते हैं। इसी प्रकार तब भी यह आत्मावत् ही गृहीत होती है जब हम कर्मेन्दियों और ज्ञानेन्द्रियों के द्वारा प्रवृत्त होते हैं। अब, पंख नहीं होने से हम उड़ नहीं सकते, देह के साथ तादात्म्य होने पर हम उड़ने की कल्पना भी नहीं कर सकते। किन्तु देह के विषय हो जाने पर हम इसे अपनी बाह्यत: आरोपित आगन्तुक सीमा के रूप में, एक उपाधि के रूप में देख सकते हैं और उड़ने की कल्पना भी कर सकते हैं। वास्तव में मनुष्य द्वारा प्रकृति के रूपान्तरण का मूल इसी विषयकरण में देखा जा सकता है। निश्चय ही देह-भाव से यह अतिक्रमण देह-भाव में अतिरिक्त आसक्ति का हेतु भी हो सकता है। यों चेतना द्वारा देह-भाव के अतिक्रमण की सिद्धि उसकी इस भाव से विरक्ति या ताटस्थ्य की सिद्धि की हेतु भी होनी चाहिए, किन्तु ऐसा होना अनिवार्य नहीं है यह हम प्रत्यक्ष देखते हैं। इस प्रकार चेतना का आत्मचेतन होना यद्यपि उसका विषय के साथ तादात्म्य से मुक्त होना है किन्तु यह मुक्ति आत्यन्तिक और सहज रूप से सिद्ध नहीं होती। द्रष्टव्य है कि अनात्मचेतन पशु-जगत् में ही चेतना के असंख्य स्तर हैं और ये स्तर विषय-तादात्म्य से मुक्ति के सोपान हैं। किन्तु मनुष्य में आकर पहली बार अन्तिम रूप से यह विच्छेद घटित होता है। किन्तु इस विच्छेद में चेतना अहंकार के माध्यम से अपना 'अहमस्मि' रूप में विषयकरण करती है और इस अहंकार में तादात्म्य भावेन अवस्थित होती है। किन्तु आत्मचेतना में किसी भी विषयकरण का अर्थ है उसका अतिक्रमण। उदाहरणत: 'यह मैंने किया' में क्रिया-फल के विषयकरण के साथ कर्तृत्व का भी विषयकरण है और इस विषयकरण द्वारा 'मैं' के रूप में नामित वस्तु का भी अतिक्रमण है। किन्तु यह अतिक्रमण अतिक्रामी चेतना को कोई स्वतन्त्र प्रतिष्ठा नहीं देता, यह इसे मैं-रूप में विषयकृत वस्तु रूप में भी अवस्थित रख सकता है। साधारणत: इसी को 'आत्मा' कहा जाता है। विचार, भाव और कर्म इस आत्मा की अभिव्यक्तियों, क्रियाओं अथवा वृत्तियों के रूप में देखे जाते हैं। इस प्रकार 'मैं जानता हूँ', 'मैं विचारता हूँ', 'मैं संकल्प करता हूँ', आदि पदार्थ बनते हैं। यह विचार स्मृति को पूर्वापेक्षित करता है। स्मृति पुन: चेतना की आत्मचेतनता का एक फल और उपकरण है जो चेतना की काल से मुक्ति सिद्ध करता है और इसके जगद्व्यापार को विषयरूपेण धारण करने की सामर्थ्य देता है।

द्रष्टव्य है कि इच्छा, संकल्प और कर्म अपने विषय स्वयं नहीं हो सकते : इच्छा इच्छित, संकल्प संकल्पित और कर्म कारित नहीं हो सकते, ये केवल स्मृत और विचारित ही हो सकते हैं। स्मृति भी वास्तव में विचार की ही एक अंग होती है, क्योंकि यह संवेदों, भावों और क्रियाओं आदि का आकारत: उद्गृहीत होकर कालातिक्रान्त रूप में चित्त में धारित होना और निरूपण, आलोचना और विवेचन का विषय होना है। इस प्रकार चेतना की विषय-कारा से या विषय-भाव से मुक्ति का एकमात्र उपकरण बुद्धि या विचार ही ठहरता है। किन्तु विचार भी स्वयं से इस मुक्ति का साधन नहीं होता, क्योंकि यह सहजत: विषयवृत्तिक या विषयोन्मुख ही रहता है। इस वृत्ति से इसकी मुक्ति के लिए चेतना को अब सजग प्रयत्न करना होता है : उसे अपने को विषय-वृत्तिकता से रोककर प्रत्यग्वृत्तिक-आत्मवृत्तिक होना होता है। साधारणत: हम दैहिक स्थिति और संस्कारों के अधीन विचार करते हैं। यह विचार स्व-तन्त्र नहीं कहा जा सकता। इस विचार को जब हम आलोच्य बनाकर इच्छाओं, संस्कारों और वासनाओं से मुक्त कर पाते हैं तब यह आलोचक विचार ही स्वतन्त्र होता है—अथवा कहें तब हम उस सीमा तक स्वातन्त्र्य में प्रतिष्ठित होते हैं जिस सीमा तक हम शुद्ध आत्मालोचन में अवस्थित होते हैं। इस पर कहा जा सकता है कि तब विचार निरर्थक भी होता है क्योंकि शुद्ध आलोचक चेतना को विचार से क्या प्रयोजन?

किन्तु ऐसा नहीं है। इस चेतना के लिए विचार अर्थ-भुवनों के सर्जन या उन्मेष का माध्यम बन जाता है जो उन्मेष चेतना के स्वातन्त्र्य का अभिव्यंजक होता है। हमारा प्रत्यक्ष सत्य था, हमारी इच्छा उचित थी, हमारा कर्म विहित अथवा कुशल था, उस चेतना द्वारा निर्णेय होता है जो विचार की उसके अतिक्रमण में आलोचना और विवेचन कर सकती है। किन्तु विचार की इस आलोचना के मानक क्या होते हैं? यह कैसे जाना जा सकता है कि कोई विचार युक्त है या नहीं?

विचार की युक्तता का अर्थ है उसका अपने विषय के प्रति सम्यक् होना। बहुत से लोग अन्त:संगति को ही विचार की युक्तता की अभिधायक मानते हैं। किन्तु तब असत्य विचार भी युक्त हो सकेगा। अन्त:संगति वास्तव में केवल विचार की आकारिक युक्तता की अभिधायक होती है, स्वयं विचार की युक्तता की नहीं। यही अर्थ ऐन्द्रिय प्रत्यक्ष की युक्तता का भी है। इच्छा, संकल्प और कर्म की युक्तता का ठीक-ठीक यह अर्थ नहीं है किन्तु यह अर्थ सर्वथा उससे भिन्न है, यह भी नहीं कहा जा सकता। उदाहरणत: शाम के समय सूर्य को पूर्व में देखने की इच्छा युक्त नहीं होगी न चोरी से धन जुटाने की इच्छा युक्त होगी। दूसरी इच्छा की अयुक्तता केवल नैतिक दृष्टि से ही नहीं है, व्यावहारिक दृष्टि से भी है, कि यह सन्तुष्ट होने पर सामाजिक अव्यवस्था की कारक होगी, जो व्यवस्था व्यक्तिक इच्छा-पूर्त्ति को भी धारण करती है। किन्तु इस इच्छादि की सत्यता के प्रश्न को छोड़ते हुए यह देखना रोचक होगा कि ऐन्द्रिय प्रत्यक्ष की सत्यता किसमें निहित है? कहना होगा कि यह प्रत्यक्ष विषय के स्वरूप के दृष्टि-निरपेक्ष दर्शन में, प्रत्यक्षगत वस्तु के उसकी स्वलक्षणता में की सत्यता के प्रश्न को छोड़ते हुए यह देखना रोचक होगा कि ऐन्द्रिय प्रत्यक्ष की सत्यता किसमें निहित है? कहना होगा कि यह प्रत्यक्ष विषय के स्वरूप के दृष्टि-निरपेक्ष दर्शन में, प्रत्यक्षगत वस्तु के उसकी स्वलक्षणता में साक्षात्कार में निहित है। किन्तु यह प्रत्यक्ष की सीमा में रहते हुए वदतोव्याघात होगा कि हम स्वलक्षण वस्तु के साक्षात्कार की बात करें। स्वलक्षण का साक्षात्कार चेतना प्रत्यक्ष का केवल उपलक्षण या संकेत के रूप में उपयोग करके और इन्द्रियों के इन्द्रयान्तर्गत अर्थों को औपाधिक मात्र मानते हुए बुद्धि या प्रज्ञा-चक्षु से ही कर सकती है, इन्द्रियों से नहीं। किन्तु प्रत्यक्ष के विषय का सत्य प्रत्यक्ष की इन उपाधियों के अतिरिक्त अन्य उपाधियों से भी बाधित हो सकता है। व्यावहारिक स्तर पर प्रत्यक्षविषयक भ्रान्तियों का स्रोत ये अन्य उपाधियाँ ही होती हैं। ये उपाधियाँ आवेग और वासना आदि मूलक होती हैं। रज्जु में सर्प-दर्शन का कारण ये उपाधियाँ ही होती हैं। ये दोनों प्रकार की उपाधियाँ विचार को भी उपहित करती हैं। विचार की प्रथम प्रकार की उपाधि भाषा : शब्द, वाक्य-रचना के नियम, और तर्क या संगति के नियम : होती है और दूसरे प्रकार की उपाधि वही आवेग-वासनाएँ आदि होती हैं। इन दूसरे प्रकार की उपाधियों का अतिक्रमण आत्म-दर्शन से होता है जो पुन: विचार से ही होता है। यह ऊर्ध्वतर विचार इन दूसरे प्रकार की उपाधियों से अपेक्षाकृत मुक्त होता है, और जहाँ तक यह इन उपाधियों से मुक्त हो पाता है वहीं तक यह विचारगम्य सत्य का साक्षात्कार कर पाता है। इन दूसरे प्रकार की उपाधियों से ऐन्द्रिय स्तर पर मुक्ति जबकि पर्याप्त सरल होती है वैचारिक स्तर पर यह पर्याप्त कठिन होती है। इसका कारण यह है कि दोनों स्तरों पर मुक्ति का साधन विचार ही होता है। अब, प्रत्यक्ष की उपाधियों को जबकि विचार व्यावहारिक संगति, अथवा कहें अर्थक्रियाकारित्व आदि के सहज अनुभव-सिद्ध प्रमाणों से देख पाता है अपनी उपाधियों को देखने के लिए उसके लिए स्वयं वासनाओं आदि को देखना और उनसे मुक्त होना होता है। इसके अतिरिक्त, प्रत्यक्ष के आवरक आवेगों और वासनाओं का मूल जबकि व्यक्तिक चेतना की तात्कालिक अवस्था में होता है, विचार के आवरक आवेगादि का मूल समाज और सांस्कृतिक परम्परा में भी होता है। आवेगों और वासनाओं का यह सामाजिक-सांस्कृतिक मूल व्यक्ति से अतिक्रामी होने से बहुत कुछ प्रथम प्रकारक उपाधियों के जैसा ही हो जाता है।

किन्तु प्रथम प्रकारक उपाधियों की औपाधिकता की पहचान और इनसे मुक्ति की अपेक्षा का बोध चेतना और उसके स्वातन्त्र्य के स्वरूप को समझने की दृष्टि से बहुत महत्त्वपूर्ण है। ऐन्द्रिक स्तरीय चेतना इन्द्रिय-विषयभूत वर्ण और संस्थान को वस्तुगत रूप में ग्रहण करती है। किन्तु ये गुण वस्तुगत नहीं होकर संवेदगत हैं यह हम 'देख' पाते हैं और यह दृष्टि इन गुणों का इन्द्रियाधार वासनाओं : इन्द्रियात्मक अनादि वासनाओं : के रूप में

प्रकट कर देती है। जैव बोध इन वासनाओं से तदात्म, अथवा कहें इनसे पूर्णत: आवृत रहता है, लोक-साधारण मानवीय बोध : आत्मचेतनता का आरम्भिक चरण : इन वासनाओं को विषयकृत कर इन्हें वस्तु-लक्षणों के रूप में अपने से बाहर स्थापित करता है, वह इन्हें अपनी वासनाओं के रूप में नहीं पहचान पाता। किन्तु चेतना की यह आत्मोन्मुखता अपने ऊर्ध्वतर स्तर पर यह पहचान पाती है। आत्मोन्मुखता का यही ऊर्ध्वतर स्तर आवेग, कामना, अहंता आदि वृत्तियों के पक्ष में नैतिक बोध के रूप में इन वृत्तियों का अतिक्रमण करता हुआ इनके स्वरूप को पहचानता है। यही ऊर्ध्वोन्मुखता विचार के पूर्वोक्त आवरणों और उपाधियों : ऐन्द्रिक, चैत्त और सांस्कृतिक : को चेतना के पारतन्त्र्य के रूप में देखती है और इनसे मुक्त होने का प्रयत्न करती है। कुछ भारतीर दार्शनिकों ने जो परमार्थ को अपरिभाष्य या अनभिलाप्य कहा है उसका कारण विचार की इस परात्म-अधीनता या औपाधिकता : अनादि संस्कार-प्रवाह और अनादि वासनाओं की अधीनता : का बोध ही है। किन्तु इस बोध के अनुसार विचार की यह परात्म-अधीनता, उसका यह पारतन्त्र्य, उसका स्वरूप ही है जिससे वह अपने स्तर पर रहते मुक्त नहीं हो सकता। परमार्थ इस बोध के अनुसार विचारातीत है : यस्यामतं तस्य मतं, मतं यस्य न वेद सः। अविज्ञातं विजानतां, विज्ञातमविजानताम्।[1] इस मत में एक सच्चाई है। विचार के माध्यम को चाहे भाषा तक सीमित रखें और चाहे चित्र, मूर्त्ति, शिल्प, पौराणिक तथा धार्मिक आदि सब प्रतीक-रचनाओं को उसके माध्यम स्वीकार करें, किन्तु विचार को अपने माध्यम से पृथक् नहीं किया जा सकता। माध्यमों की विभिन्नता से यह और स्पष्ट होता है कि विचार किस प्रकार और किस सीमा तक अपने माध्यम से अवियोज्य होता है। किन्तु साधारणत: भाषामूलक विचार ही विचार समझा जाता है और तत्त्व की अनभिलाप्यता का मत इसी मान्यता पर आधारित है। अब, 'भाषामूलक विचार भाषागत आकारों, सम्बन्धों और संकेत-रूपों का अतिलंघन नहीं कर सकता' यह प्रतिपत्ति वैसी ही प्रतीत होती है जैसी यह कि कोई अपनी छाया से आगे नहीं निकल सकता। किन्तु यह बात वास्तव में विचार के सम्बन्ध में सही नहीं है, जो एक भाषा की दूसरी में अनुवाद्यता से तथा भाषा पर विचार की सम्भावना से स्पष्ट है।[2]

यहाँ द्रष्टव्य है कि लोक-साधारण, और अधिकांश दार्शनिक भी, भाषा तथा विचार मात्र के प्रति बहुत भ्रान्त दृष्टि रखते हैं। वे ऐन्द्रिक संवेदों को जबकि वस्तु-ज्ञापक मानते हैं भाषा और विचार को वस्तु-ज्ञान में स्वरूपत: असमर्थ मानते हैं। अनुभववाद, निर्विकल्पक प्रत्यक्षवाद, अपोहवाद, और एक प्रकार से कांट भी, इस धारणा के विभिन्न रूप कहे जा सकते हैं। इसी धारणा के क्रम में अध्यात्मवादी अलौकिक प्रत्यक्षों की बात करते हैं जिसके अनुसार हम बाह्य चक्षुओं द्वारा बाह्य वस्तु-प्रत्यक्ष के समान अन्तश्चक्षु द्वारा आध्यात्मिक वस्तु-तत्त्वों का साक्षात्कार कर सकते हैं। तब इनके अनुसर विचार या शब्द न केवल इन दोनों प्रकार के प्रत्यक्षों में असमर्थ होते हैं बल्कि अपनी विकल्परूपता के कारण बाधक भी होते हैं। किन्तु हमारे विचार में यह धारणा भ्रान्त है। बाह्य प्रत्यक्ष जिस वस्तु को लक्षित करता है उसका वह स्वयं प्रापक नहीं होता। गाय-वस्तु किसी एक इन्द्रिय द्वार गम्य नहीं होती, वह विभिन्न इन्द्रियों से संयुक्त रूप से भी लक्षित मात्र होती है। इन्द्रियों को यह विषय स्वरूपत: ही गम्य नहीं हो सकता——न पृथक्-पृथक् रूप से और न संयुक्त रूप से। वास्तव में संयुक्त होना भी इन्द्रियों की अपनी सामर्थ्य के बाहर है।[3] ऐसे में इन्द्रियात्मक चेतना के लिए गाय का अवगमन असम्भव है। किन्तु तब भी हम समझते हैं कि इन्द्रियाँ ही गाय-वस्तु की प्रापक होती हैं, और यदि वे प्रापक नहीं हो सकतीं तो गाय वस्तु नहीं होकर विकल्प मात्र है और वही वस्तु है जो इन्द्रियों को निर्विकल्पक रूप से गम्य होती है। दिङ्नाग की स्वलक्षण

1. केनोपनिषद् 2/2 (जो समझता है कि वह परमार्थ को नहीं समझता है, वास्तव में वही समझता है, जो समझता है कि वह समझता है वह वास्तव में कुछ नहीं समझता। वह तत्त्व-ज्ञानाभिमानियों के लिए अविज्ञात ही रहता है, और अविज्ञेयता स्वीकार करने वालों को वह अवगत होता है।)

2. इस प्रश्न पर हमने **समाज : दार्शनिक परिशीलन** के 'भाषा' अध्याय में और **सत्ताविषयक अन्वीक्षा** के 'दर्शन' के आधार' अध्याय में विस्तार से विचार किया है।

3. द्रष्टव्य **सत्ताविषयक अन्वीक्षा** में 'ज्ञातृत्व' अध्याय।

और कांट की स्वरूप-विश्रान्त (इन-इट्सेल्फ) वस्तुएँ इसी प्रकार की हैं। किन्तु इनके विपरीत सम्भवत: यह कहना अधिक उपयुक्त होगा कि ऐन्द्रिक चेतना अपनी सीमा में रहते भी अपने से अतिक्रामी तत्त्वों को लक्षित करती है और इन्द्रिय-ग्राहत रूपों को केवल उस अतिक्रामी वस्तु के लिए लक्षणों या संकेतों के रूप में ही देखती है। अन्त:करण चेतना द्वारा इस प्रयोजन से ही आविष्कृत एक करण है। उदाहरणत: गाय डण्डे को देखकर केवल चक्षु-ग्राह्य रूप और संस्थान का ही प्रत्यक्ष नहीं करती बल्कि इसके परे वस्तु की कल्पना भी करती है और इस विकल्प-ग्राह्य वस्तु में अन्य इन्द्रिय-ग्राह्य प्रासंगिक रूपों का भी आधान करती है। निश्चय ही ऐन्द्रिक चेतना के लिए ये वस्तुएँ अध्यवसायात्मिका बुद्धि द्वारा ग्राह्य वस्तुओं के समान देश-काल में स्फुटतया उत्कीर्ण और बाह्यत: परिभाषित व्यष्टि-सत्ताएँ नहीं हो सकतीं किन्तु तब भी ये संवेदगत रूप मात्र तक भी सीमित नहीं हो सकतीं। इस चेतना के लिए ये प्रयोजनों से परिभाषित होती हैं। इस प्रकार जैव चेतना जिन वस्तुओं का प्रत्यक्ष करती है वे शुद्ध रूप से इन्द्रियात्मक नहीं होतीं। किन्तु तब इन्द्रियाँ स्वयं से किसी भी वस्तु की प्रापक नहीं होतीं, उसकी भी नहीं जो वासनात्मिका वृत्ति को प्राप्त होती है। निर्विकल्पक संवेद केवल शुद्ध रूपों का ग्राहक ही हो सकता है जो विषय या वस्तु-सम्बद्ध नहीं होते। निश्चय ही वस्तुता केवल बाह्य लोकस्थ सत् ही नहीं है, किन्तु तब संवेद भी नहीं है और न स्वलक्षण वस्तु ही है। जगद्भावापन्न चेतना इस भाव में इन्द्रियात्मतया प्रवर्तित होती है और अपने प्रयोजनानुसार देश में वस्तुओं का आक्षेप करती है। किन्तु जगद्भावापन्नता चेतना का आत्मबहिर्गमन, आत्मप्रवास है यह सत्य चेतना पर तब प्रकाशित होता है जब वह आत्मचेतन होकर इस जगत् का विषयरूपेण अपने से पृथक्करण करने में समर्थ होती है। यह पृथक्करण भी यद्यपि इसे जगद्भाव से मुक्ति नहीं देता किन्तु अब यह भाव चेतना के जगदोत्तर अर्थों से व्यवहित हो जाता है और इन अर्थों के माध्यम से नया जन्म लेता है। भाषा, मिथक, धर्म, कला, विज्ञान आदि इस व्यवधान के ही विभिन्न रूप और आयाम कहे जा सकते हैं। ये व्यवधान चेतना के इस प्रवास से अपनी ओर लौटने के क्रम में आविर्भूत होते हैं। ये चेतना के स्वातन्त्र्य के विभिन्न रूप कहे जा सकते हैं, क्योंकि जैसाकि हमने पिछले अध्याय में देखा, ये चेतना के आत्मगत अर्थों के साक्षात्कार के क्रम में, अथवा कहें चेतना के अर्थों में व्यक्त होने के क्रम में, ही उन्मीलित होते हैं। निश्चय ही ये स्वयं भी चेतना के निबद्धक बन सकते हैं। ऐसा तब होता है जब चेतना आत्मोन्मुख नहीं रहकर इन अर्थों को ही वस्तु-सत् और साध्य मान लेती है : जब इसके लिए यह सत्य विस्मृत हो जाता है कि 'विद्या, वेद, पुराण' सब अंजन हैं। किन्तु इस चेतना में इस बन्धन से मुक्ति की स्वाभाविक योग्यता रहती है। इसकी यह योग्यता इसकी आत्म-अतिक्रमणशीलता में है। 'आत्मचेतना' का अर्थ चेतना के विषयात्मतया प्रकाशन के साथ आत्मप्रकाशित होना है। इस चेतना में 'यह लेखनी है और यह कागज़ है' के साथ 'ये मुझे दिखायी पड़ रहे हैं' यह भी अविषयतया प्रकाशित होता है। इस द्वितीय प्रकाशन से ही प्रथम प्रकाशन की विषयता निर्धारित और स्फुट होती है। वास्तव में कहा जा सकता है कि द्वितीय प्रकाशन जितना ही स्फुट होता है उसी अनुपात में प्रथम प्रकाशन की स्फुटता भी होती है।

दूसरी ओर विषयात्मक निर्धारण अपनी निर्धारणात्मकता में अनिर्धार्य तत्त्व में अतिक्रमित रहता है : एक ओर लेखनी अलेखनी से और कागज़ अकागज़ के असीम परिवेश से व्यावृत्त होता है, दूसरी ओर येः अलखेनी और अकागज़ : लेखनी और कागज़ के असीम परिवेश के रूप में अनिर्धार्यतया प्रकाशित होते हैं। इनके साथ अविषयतया प्रकाशित आत्मचेतना अनन्ततया आत्मविषयकरण और अविषयता आत्मप्रकाशन के अनन्त ऊर्ध्वतर सोपानों में प्रकाशित रहती है। उदाहरणत: 'मैं जानता हूँ कि मैं कागज़ देख रहा हूँ' में पूर्वत: अविषयतया प्रकाशित 'मैं' विषयतया प्रकाशित होकर एक अन्य अविषयतया प्रकाशित ऊर्ध्वतर 'मैं जानता हूँ' का विषय बनता है। अतिभाषा, आत्मविचार, आत्मालोचन, कृताकृत और कर्त्तव्याकर्त्तव्य-विवेक इसी से सम्भव होता है। आत्मविचार का क्रम विचारातीत आत्मा में पर्यवसायी होता है, ऐसा प्राय: सभी आत्मसाधक मानते हैं। तत्त्व की अनभिलाप्यता, प्रपंच या अंजन की निष्प्रपंच-निरंजन में प्रतिष्ठा का यही अर्थ है। किन्तु सम्भवत: विचारातीत

निरंजन चेतना की वस्तुता स्वीकार करना युक्तियुक्त नहीं होगा, विचारातीतता वास्तव में विचार का आत्मालोचक होना ही है। यद्यपि व्यवहारत: यह आत्मालोचन अनन्त : अपर्यवसायी : नहीं होता किन्तु ऊर्ध्वारोहण के एक भी सोपान का घटित होना सोपान-अनन्तता में निहित होता है और आत्मोन्मुखवृत्ति रहने पर यह अनन्तता-अपर्यवसायिता चेतना की पारदर्शिता में प्रकाशित रहती है। कबीर इसी रूप में निरंजन राम का साक्षात्कार करते हैं। अब, जैसाकि पिछले अध्यायों में हमने देखा, यह आलोचक चेतना असीम अर्थों से गर्भित और अनन्त अर्थों की सर्जक होती है। उदाहरणत: इन्द्रियों के लिए यह सम्मुखस्थ वृक्ष केवल एक संवेद्य रूप है और, अधिक से अधिक तात्कालिक ऐन्द्रिक प्रयोजन का साधक है। किन्तु अध्यवसायात्मक चेतना के लिए यह अनन्त अर्थ-राशि की अधिष्ठानभूत वस्तु है : जो छाया और फल देता है और उसके आगे वनस्पति विज्ञान द्वारा अनन्त रूप से अध्येय है। उसके आगे स्वयं यह विज्ञान आलोच्य होता है और पुन: यह आलोचकता भी आलोच्य हो सकती है। यह चेतना का स्वयं का अन्तरवगाहन कहा जा सकता है। इस अन्तरवगाहन की एक और दिशा हो सकती है : अब चेतना अपनी प्रवृत्तिमात्र के आलोचक की भूमिका में भी प्रतिष्ठित हो सकती है : अपने भीतर जो भी घटित होता है उसके प्रेक्षक और विवेचक की भूमिका में। यह प्रेक्षक प्रवृत्तियों की युक्तता-अयुक्तता और विचारों की साग्रहता-निराग्रहता का प्रेक्षक और अयुक्त का निरासक होता है। यह प्रेक्षक ताटस्थ्य की भूमिका भी ले सकता है : अनुभूति, आवेग, वासना, विचार जो भी घटित होता है उसके तटस्थ प्रेक्षक मात्र की भूमिका में। एक और भूमिका चित्तवृत्ति : चेतना के प्रवर्तन मात्र : के निरोध की हो सकती है जिसे पतंजलि ने योग का एकमात्र कार्य कहा है। द्रष्टव्य है कि प्रेक्षक की यह भूमिका केवल प्रेक्षणात्मक ही नहीं होती बल्कि संकज्पात्मक, नियमनात्मक अथवा आत्म-निर्देशात्मक भी होती है। प्रेक्षा, नियमन और संकल्प आदि सब अधिष्ठातृत्व को आपादित करते हैं क्योंकि तटस्थ प्रेक्षकत्व भी चेतना द्वारा जागद्भाव के निरोध को पूर्वगृहीत करता है। यह अधिष्ठातृत्व चेतना के आत्मचेतन होने का सहगामी होता है। प्रेक्षकत्व चेतना की विषय-सापेक्षता की स्थिति नहीं है बल्कि आत्मोन्मुख निवर्तन के परम पद की स्थिति है। यह चेतना के आत्मचेतन होने के क्रम का ही परमतम पद कहा जा सकता है और इस प्रकार अधिष्ठातृत्व का भी।

यहाँ कहा जा सकता है कि अधिष्ठातृत्व वैयक्तिकता को और वैयक्तिकता इतर-व्यावृत्ति को और इतर-व्यावृत्ति का अहंकार को आपादित करती है। किन्तु यह सही नहीं है। अधिष्ठातृत्व जबकि वैयक्तिकता को आपादित करता है वैयक्तिता आहंकारिकता को आपादित नहीं करती। इसके विपरीत वास्तव में व्यक्तिकता में व्यक्तिक अहंकार अतिक्रमित रहता है। यह बात प्रथमत: अन्तर्विरुद्ध प्रतीत होती है किन्तु थोड़ा गहराई से देखने पर यह देखा जा सकता है कि आत्मचेतना मात्र में ही अहंकार का अतिक्रमण आपादित रहता है, क्योंकि अनात्मचेतन चेतना में यह विषयतया निर्धार्य और इस प्रकार अतिक्रमणीय रहता है। जो मनुष्य में अहंकार निर्धारक भी रहता है उसका कारण यही है कि मनुष्य साधारणत: बहुत अपर्याप्त रूप से ही आत्मचेतन होता है। जैसाकि हमने पीछे देखा, आत्मचेतन होना चेतना का विषय से निवर्तित होना होता है। इस निर्वतन का प्रथम चरण जबकि मनुष्य में प्राय: सहज सिद्ध रहता है उसके आगे के चरण केवल सायास रूप से ही साध्य होते हैं। आत्म-चेतना के प्रथम चरण में चेतना विषय को अपने से न्यूनाधिक स्पष्ट रूप से पृथक् पहचान कर भी उस ओर उन्मुख और उसी से उपरक्त रहती है। विषय उसका परत्व है, उससे अनुरक्ति आत्मप्रवास और पर-अधीनता, यह बोध हो जाने पर भी उससे विरति उसके लिए अत्यधिक दुस्साध्य होती है। स्वयं अहंकार विषयरूपेण ग्राह्य होने पर भी आत्मा का स्थानीय और इस प्रकार व्यक्ति-भेद का पर्यायवाची मान लिया जाता है। व्यष्टि-भेद से भिन्न व्यक्ति-भेद को चेतना में अहंकार से अतिक्रमण के स्तर-भेद का, अथवा कहें चेतना द्वारा आत्मचेतना की सिद्धि के स्तर-भेद का वाचक कहना अधिक सही होगा। यहाँ आपत्ति हो सकती है कि 'अहंकार की विषयता अनिवार्यत: उसकी अनात्मता की द्योतक नहीं कही जा सकती, यह आत्मा के विषयरूपेण अवभासन की द्योतक भी कही जा सकती है। शंकर ने आत्मा के सम्बन्ध में जो कहा है "नायमेकान्तेनाविषयः, अस्मत्प्रत्यय

विषयत्वात्"[1] उसमें यह आत्मा-विषय अहंकार के अधिष्ठान में ही प्रकट कहा जा सकता है यद्यपि यह स्वयं से आहंकारिक नहीं होता। प्रथम अध्याय में हमने जिसे आत्मा के लिए प्रतीकभूत कहा वह भी यह अहंकाराधिष्ठानक आत्म-प्रत्यय ही होना चाहिए। **बृहदारण्यक उपनिषद्** के 'आत्मनस्तुकामाय सर्वं प्रियं भवति'[2] आदि मन्त्र में भी आत्मा का प्रथम अर्थ अहंकाराधिष्ठानक असमत्प्रत्यय ही कहा जा सकता है। इन तीनों प्रसंगों में इतर-व्यावर्तक स्वीयता आत्मा की अधिष्ठानभूत है। अहंकार की यही परिभाषा की जा सकती है : "अन्यत्व का व्यावर्तक अस्मदत्व, त्वं का व्यावर्तक अहं।" पुत्र-कलत्र की प्रियता इस इतर व्यावर्तक अस्मद् से ही होती है। इस प्रकार कहा जा सकता है कि अहंकार अनिवार्यत: अनात्म नहीं ठहरता।

यह सही है। अहंकार वास्तव में अतिक्रामी रूप से ही पूर्ण नियामक होता है। विषयरूपेण यह नियम्य भी होता है और तब यह विषयता से निवर्तित शुद्ध चित् की अभिव्यक्ति का माध्यम होता है। 'मेरी देह', 'मेरी भावना', 'मेरा विचार' अस्मत् के प्रत्यय नहीं होने पर अस्मदत्व से पूर्णत: नियन्त्रित होते हैं और चेतना इनसे पूर्णत: तदात्म और नियन्त्रित होती है। तब मैं इन पर विमर्श या इनका विवेचन नहीं कर सकता। प्रत्यय-रूप से अवगम्य होने पर यह अहंकार अतिक्रमित हो जाता है और तब यह भ्रान्त रूप से आत्मा के स्वरूप के रूप में गृहीत अथवा अभ्रान्त रूप में आत्मा के लिए संकेतभूत हो जाता है। वास्तव में 'आत्मा' शब्द चेतना के अतिक्रामी स्वरूप के लिए उसके इस अहं-प्रत्यय से अभेद-दर्शन के कारण ही प्रयुक्त होता है, स्वरूप-दर्शन की अवस्था में यह शब्द केवल प्रतीक रह जाता है : 'तत्त्वमसि श्वेतकतो!' यह श्वेतकेतु का अहं-प्रत्यय से ब्रह्म में अतिक्रमण के लिए आह्वान है। दूसरे शब्दों में, अहं-प्रत्यय के प्रतीक में प्रकाशित ब्रह्म आत्मा है।

हमने चेतना के आत्मचेतन होने को आत्मोन्मुख निवर्त्तन कहा है। निवर्त्तन में पूर्वत: प्रवासित रहे होना गृहीत है। इस प्रकार चेतना का जगद्भाव, विषयभाव, उसका प्रवास ठहरता है। विषयभाव-जगद्भाव वास्तव में चेतना का आत्म-प्रवास ही है, यह एक पूर्वग्रह या निराधार मान्यता मात्र नहीं है, इसके प्रमाण में हमने प्राणि-विकास को आधार रूप में प्रस्तुत किया है, जो विकास हम आत्मचेतन मनुष्य पर्यन्त देखते हैं। यह विकास डार्विन के सिद्धान्त में काल-क्रमात्मक रूप में अवधारित है। कोई इस अवधारणा को अस्वीकार कर यदि मनुष्य-सहित सब प्राणियों की उत्पत्ति युगपद् भी कहना चाहे तो भी उसे प्राणि-जगत् में चेतना के विकास का सोपान-क्रम स्वीकार करना पड़ेगा जिसके शिखर पर मनुष्य है, और आगे मनुष्य में इस चेतना के विकास का क्रम देखा जा सकता है जिसके शिखर पर हम योगियों और सिद्धों को और अत्युच्च स्तरीय कवियों, दार्शनिकों और वैज्ञानिको को देखते हैं। यह सोपान-क्रम चेतना के प्रवास और उससे आत्म-निवर्तन को एक मान्यता मात्र के बजाय एक तथ्य होना प्रमाणित करता है। मनुष्य में इस सोपान के उच्चतर शिखर अत्यन्त कठिन परिश्रम-साध्य होते हैं, यद्यपि कुछेक में ये सहज भी दिखायी देते हैं जिसकी व्याख्या के लिए पूर्वजन्मों में किये गए प्रयत्न की कल्पना की जाती है। प्रयत्न मूल्य और उद्देश्य को पूर्वगृहीत करता है और यह मूल्य और उद्देश्य संकल्प-कर्त्ता को, जो कर्त्तृत्व चेतना में आत्मचेतनता का सहगामी है। यह कर्त्तृत्व एक ठोस अस्तित्व के रूप में आत्मदर्शित होता है, इसलिए इसका निषेध सम्भव नहीं है। निश्चय ही यह ठोस अस्तित्व काल-क्रम में या सोपान-क्रम में व्यक्त होता है किन्तु इससे इसकी अयथार्थता सिद्ध नहीं होती जैसे आत्मचेतना की नहीं होती। अधिष्ठातृत्व चेतना की विषयात्मता से ठीक विपरीत स्थिति है। विषयात्मता यदि आत्मचेतना के अभाव की वाचक है तो अधिष्ठातृत्व उसकी पराकाष्ठा का, क्योंकि अधिष्ठातृत्व चेतना का अपने स्वातन्त्र्य में प्रतिष्ठित होकर अपने को प्रवर्तित करना है।

---

1. **ब्रह्मसूत्र, शांकर भाष्य**
2. ब्राह्मण 4, कण्डिका 5

विषयात्मता या जगद्भाव को चेतना का आत्मप्रवास—आत्म-निष्क्रमण कहने और आत्मचेतना तथा अधिष्ठातृत्व को आत्म-निवर्तन या आत्म-तादात्म्य कहने में चेतना का एक स्वरूप और पर-रूप पूर्वगृहीत हैं। अब यदि आत्मचेतना को विकास का उत्तरवर्ती सोपान-क्रम माना जाता है जो इसका अर्थ है कि चेतना आरम्भ में परता में आत्म-प्रवासित रहती है और स्वरूप को क्रमशः और कठिन प्रयत्न से ही सिद्ध कर पाती है। इस पर कहा जा सकता है कि आरम्भ, क्रम और प्रयत्न, विशेषत: अन्तिम, अनिवार्यत: काल को पूर्वकल्पित करते हैं, परिणामत: 'विकास' जैव विकास से भिन्न नहीं ठहरता। यह सही है। वास्तव में जैव अस्तित्व जैव चेतना का ही प्राणिक-भौतिक-आयाम है और जैव चेतना अनात्मचेतन चित्तवृत्तियों से अभिन्न है। चेतना की यह अवस्था उसका पर-रूप, उपाधि या आवरण होने पर ही यह कहना कि शुद्ध चैतन्य इस आवरण से आवृत होता है, 'आवरण' आदि शब्दों की लाक्षणिकता को अभिधात्मक रूप में ले लेना है। किन्तु वास्तव में इन वृत्तियों की पर-रूपता, आत्म-प्रवासता या आवरकता चेतना के आत्म-चेतन होने पर ही प्रकट होती है यद्यपि विकास में निहित प्रयत्न आत्मा के अपने मूल आवास से प्रवासित होने को और मूल आवास की स्मृति की निरन्तर अनुभूत व्यवस्था को प्रकट करता है।

यहाँ यह प्रश्न विचारणीय है कि विषयात्मता को चेतना का पारतन्त्र्य क्यों माना जाय? इस प्रश्न का औचित्य यह है कि कुछ दार्शनिकों के अनुसार चेतना अनिवार्यत: विषयापेक्षी है। विषयापेक्षा चेतना का स्वभाव होने पर विषय से निवृत्ति सम्भव ही नहीं है। इस मत को स्वीकार नहीं करने की अवस्था में यह तो निर्विवाद है ही कि विषयापेक्षा या विषयभाव चेतना का ही भाव है और परिणामत: यह एकमात्र स्वभाव नहीं होने पर भी स्वभाव का एक पक्ष तो है ही। इसके स्वभाव का पक्ष नहीं होने पर विषयता को इसका भाव कहना, अथवा इसे विषयभावापन्न कहना भी, सम्भव नहीं है। यद्यपि ऊपर क विवेचन में इन दोनों प्रश्नों के उत्तर निहित हैं किन्तु इन पर पृथक् विचार करना अनावश्यक नहीं होगा।

विषयापेक्षा को चेतना का स्वभाव मानने वाला मत, जिसके प्रवर्तक जर्मन दार्शनिक हुस्सर्ल हैं, चेतना में विषयभाव के स्थगन की और आत्मोन्मुख निवर्तन की योग्यता भी स्वीकार करता है, यद्यपि यह निवर्तन भी उसके अनुसार चेतना को एक ऊर्ध्व स्तरीय विषयापेक्षा में ही अवस्थित करता है। किन्तु यदि स्थगन के अनन्तरवर्ती भाव को भी विषयभाव मान ही लिया जाय तो भी स्थगन-कर्म को विषय-पराङ्मुखता का भाव ही कहना होगा। तब इस भाव की अनन्तरवर्ती विषयता स्वाभाविक और निबद्धक नहीं होकर प्रवर्तित और इस प्रकार स्वातन्त्र्य की अभिव्यक्ति हो जाती है। स्थगन वास्तव में अत्यन्त महत्त्वपूर्ण व्यापार है। इसमें विषय लुप्त या विलीन नहीं होता, वह केवल चेतना के लिए अपनी बाधकता खोकर चेतना के आत्म-प्रवर्तन के रूप में पुनरुद्भूत होता है। इस पुनरुद्भव में वह चेतना के लिए उसका बाह्य नियोजक नहीं रहकर उसके स्वातन्त्र्य के चरितार्थन का माध्यम बन जात है : शिव द्वारा दहन के अनन्तर कामदेव को अनंग जीवन देने के समान। इस प्रकार चेतना का स्वरूप स्वयं हुस्सर्ल के अनुसार भी विषयापेक्षा नहीं ठहरता। इस स्थगन के बिना समाज-मानव का सांस्कृतिक व्यापार और व्यष्टि-मानव का पुरुषार्थान्वेषण या सृजन-कर्म सम्भव नहीं हो सकता।

जहाँ तक दूसरे प्रश्न का सम्बन्ध है, विषय-भाव निश्चय ही चेतना का ही भाव है किन्तु इसका स्थगन इस भाव के स्वभाव नहीं होने को ही प्रकट करता है। इस पर कहा जा सकता है कि तब इसे पर-भाव ही क्यों कहा जाय, एक आगन्तुक भाव क्यों नहीं कहा जाय जिसका चेतना स्वेच्छया धारण या अपनोदन कर सकती है? इसका उत्तर होगा कि चेतना द्वारा इसका स्वेच्छया धारण इस भाव को उसके स्वातन्त्र्य की अभिव्यक्ति या उसके आत्म-चरितार्थन-आत्मक्रियान्वयन का उपादान ही बनाता है। स्थगन यही प्रयोजन सिद्ध करता है : आत्म-प्रतिष्ठित चेतना द्वारा विषयता का उसके बाह्य नियोजक भाव से आत्म-सर्जनात्मक भाव में रूपान्तरण घटित करना। इन्द्रिय-निग्रह, संयम, राग-भय-क्रोध से वीतता को इसी से पुरुषार्थ कहा गया है क्योंकि अन्यथा चेतना रूपाकर्षण से रूपों द्वारा निगृहीत और निर्दिष्ट होती है, उसकी अपनी इच्छा और चयन का कोई प्रश्न नहीं रहता।

इस प्रकार विषयता या जगद्भाव चेतना के लिए पर-भाव उसे बलात् पर-रूपेण नियुक्त पर ही होता है, स्वयं चेतना के अर्थों से नियुक्त होन पर नहीं। नियोजक या अधिष्ठातृ चेतना वह है जो अपने इन अर्थों से भी बद्ध या नियुक्त नहीं होती। वास्तव में वैसा होना भी विषयता से नियुक्त होना ही है : अन्धन्तमः प्रविशंति ये विद्यामुपासते, अविद्यायाँ च ये रताः। निरंजन राम जब अंजन (प्रपंच) का प्रसार करता है तब वह अपने सृजन-कर्म से मुग्ध नहीं होता।

यहाँ सृजन की प्रामाणिकता में सन्देह किया जा सकता है। चेतना की अनेक प्रकारक अभिव्यक्तियाँ हैं : आवेग, कामनाएँ, आशाएँ, अपेक्षाएँ, कल्पनाएँ, आदि इनसे प्रामाणिकता की अपेक्षा नहीं की जाती। किन्तु ज्ञान से प्रामाणिकता की अपेक्षा की जाती है जो उसे सत् की अनुरूपता से मिलती है। सर्जन के सम्बन्ध में साधारणत: यह समझा जाता है कि वह सत् की अनुरूपता के विपरीत चेतना की सत् से निरपेक्ष उसकी अपनी स्वैरता में ही चरितार्थ होता है। किन्तु ज्ञान और सर्जन के सम्बन्ध में यह केवल एक लोक-धारणा है जो लोक-बुद्धि की दृष्टि से सही भी है। किन्तु आत्मोन्मुख अतिक्रान्त चेतना की दृष्टि से यह सही नहीं है। जैसाकि पिछले अध्यायों में अनेक प्रसंगो में हम देख आये हैं, सृजन आत्मचेतन चेतना द्वारा सत् में आत्म-प्रतिष्ठा और आत्म-सत्यापन दोनों होता है। यह प्रतिष्ठा ही चेतना का स्वातन्त्र्य होती है।

लोक–साधन

सम्भवत: किसी दूसरे युग में कभी कोई इस शीर्षक से लिखने नहीं बैठता। ऐसे प्रसंग में वह अपने लेख का शीर्षक परलोक–साधन या परमार्थ–साधन जैसा कुछ रखता। क्योंकि वह मानता कि लोक सिद्ध हो या नहीं हो, हम इसे सिद्ध करने में तो सहज में ही प्रवृत्त रहते हैं। और यदि हम बहुत प्रयत्न से अपने को इससे नहीं रोकें तब और कोई साध्य तो रह ही नहीं जायेगा—प्रवृत्तिरेषा भूतानाम्, निवृत्तिस्तु महा फला। किन्तु आज यदि कोई परलोक–साधन या परमार्थ–साधन पर लिखना चाहे तो आज का 'प्रबुद्ध' वर्ग न केवल उसका लिखा हुआ ही नहीं पढ़ेगा, उसका हुक्का–पानी भी बन्द कर देगा। इसलिए आज परलोक–साधन पर तो कोई सूरमा ही लिखने की हिम्मत कर सकता है, और मैं वह नहीं हूँ। हमारे आज के युग का लक्ष्य लोक को सिद्ध करना है और मैं यहाँ उसी पर विचार करने का प्रयत्न करूँगा।

किन्तु यह लोक–साधन क्या है, इस पर प्रत्यक्ष विचार बहुत कम हुआ है; परोक्षत: तो विचार अवश्य हुआ है। उदाहरण के लिये, आज भी विभिन्न राजनीतिक विचार–धाराएँ, नीति–दर्शन और तत्त्वदर्शन, परोक्ष रूप से तो इस साधन का ही निरूपण–विवेचन करते हैं। इन सब में जो बात उभर कर आती है वह यह है कि इस युग ने लोक–साधन का अर्थ ऐन्द्रिय सुख–साधन समझा है। सोरोकिन ने ठीक ही इस संस्कृति को ऐन्द्रिक संस्कृति (सेंसेट कल्चर) का नाम दिया है। वेल्फेयर स्टेट, साम्यवाद और प्रजातन्त्रवाद सब इस एक प्रश्न के उत्तर हैं कि ऐन्द्रिय सुखों को किस प्रकार परस्पर बाँटा जाय कि संघर्ष और कलह उत्पन्न नहीं हों और इस प्रकार से सुख सभी को उपलब्ध हो जाएँ! यह लिखते हुए हमें इस बात का पूरा ध्यान है कि इस पर आक्षेप किया जायगा कि ये सब सिद्धान्त सामाजिक न्याय को स्थापित करने के लिए हैं, ऐन्द्रिय सुख–संवर्धन के लिए नहीं। किन्तु सामाजिक न्याय आदि केवल इनका ऊपरी या गौण रूप है, केवल ओप है, क्योंकि इस न्याय को साधने का माध्यम और लक्ष्य सब इन्द्रिय–सुख को ही मानते हैं, कुछ और को नहीं। ऐसा नहीं है कि ये व्यवस्थाएँ धर्म, कला और शिक्षा आदि को प्रभावित नहीं करतीं, अवश्य करती हैं—इन व्यवस्थाओं से शिक्षा, धर्माचरण आदि के लिए सबका समानाधिकार भी अवश्य सिद्ध होता है, किन्तु इसकी मूल प्रेरणा आर्थिक ही है। सामाजिक न्याय, जिसकी आज इतनी चर्चा है, का लक्ष्यार्थ वास्तव में आर्थिक न्याय ही है। साम्यवाद इस अभिनिवेश को स्पष्ट रूप से ही स्वीकार कर लेता है जब यह सामाजिक न्याय की बात छोड़कर स्पष्टत: केवल आर्थिक न्याय की ही बात करता है और मनुष्य के लिए अन्य सब अभिनिवेशों या अन्वेषणों को अनावश्यक या अवांछनीय घोषित कर देता है।

इसके विरोध में कहा जा सकता है कि पश्चिम, जो कि आज के युग का नेता और आदर्श है, शास्त्र, कला और विज्ञान सब में उन देशों से आगे है जिनका आदर्श धर्म या अध्यात्म रहा है। इसके दो कारण माने जा सकते हैं—या तो यह कि आर्थिक या ऐन्द्रिय साधन मानसिक, बौद्धिक और आध्यात्मिक सब साधनों के लिए पूर्वापेक्षित होते हैं, या यह कि आर्थिक साधन ही एकमात्र साधन है, शेष सब इसके अनुषंगी हैं। यह द्रष्टव्य है कि इन दो विकल्पों में मौलिक अन्तर है—पहले का आशय यह है कि ऐन्द्रिय या आर्थिक साधन अन्य साधनों के लिए अनिवार्य प्रथम सोपान है और इस प्रकार स्वयं साध्य नहीं हैं, किन्तु दूसरे का आशय है कि न केवल यही एक साध्य है बल्कि अन्य कुछ साध्य हो भी नहीं सकता। वास्तव में ह्यूम और कांट के पश्चात् पाश्चात्य दर्शन की मुख्य प्रवृत्ति यही रही है, यद्यपि कुछ अन्य क्षीण धाराएँ भी इसमें हैं जो उसकी अनुषंगी या पोषक रही हैं। ये अन्य धाराएँ हेगल, किर्केगार्ड, हुस्सर्ल और हाईडेगर आदि के माध्यम से प्रवाहित हुई हैं। किन्तु हेगल द्वारा अपने आदर्श ऐतिहासिक प्रत्यय का नेपोलियन में प्रतिफलन देखना और हुस्सर्ल आदि द्वारा चेतना को स्वरूपत: विषयोन्मुख देखना इस ओर संकेत करता है कि यह धारा भी अपने को 'ऐन्द्रिय' से उस सीमा तक मुक्त नहीं कर सकी जितना प्रतीत होता है। यदि किसी को इस धारा के लिए 'ऐन्द्रिय' शब्द का प्रयोग अयुक्त लगे तो हमें इसे 'विषयवृत्तिक' शब्द से स्थानान्तरित करने में आपत्ति नहीं होगी, किन्तु मार्ल्यू पोंती ने जिस प्रकार हुस्सर्लीय

दार्शनिक विधि को देहात्मवादी मोड़ दिया है[1] उससे कम से कम यह स्पष्ट है कि इस दर्शन-प्रणाली (फिनोमिनलोजी) के लिए देहात्मवाद नितान्त विदेशी सिद्धांत नहीं है। जो भी हो, पाश्चात्य मानस ने जिस दर्शन को आज वास्तव में अपनाया है वह यही है कि एकमात्र सत्य देहात्म है, आत्मा, बुद्धि, मनस आदि केवल इस के विकार हैं। पिछले 45-46 वर्षों से, जब से एशिया और अफ्रीका को राजनीतिक स्वतन्त्रता मिली है, इन देशों में भी यही दर्शन प्रतिष्ठित हो रहा है—राजनीतिक आदर्श के रूप में मार्क्सवाद और प्रजातन्त्रवाद तथा समग्र आदर्श के रूप में आर्थिक समृद्धि और दैहिक सुखों की खोज। हमारे देश की स्वतन्त्रता के बाद हमारे प्रथम प्रधान मन्त्री नेहरू जी ने भाखड़ा नंगल आदि बाँधों को नये मन्दिर घोष्ज़ित किया था।

निश्चय ही जब हम 'लोक' की बात करते हैं तब हमारा अभिप्राय देश-काल-विस्तार में व्याप्त वस्तु-जगत् से और इसके माध्यम से अभिव्यक्त मानव-सम्बन्धों से ही होता है। निश्चय ही यह लोक देहात्म का ही बाह्य प्रसार है, इसलिए लोक-साधन देहात्म का साधन ही हो सकता है, दूसरा कुछ यह हो भी क्या सकता है?

यह सही है, किन्तु देहात्म-साधन में कुछ ऐसा अन्तर्गत आत्म-विरोध है कि यह कभी अपनी उद्देश्य-सिद्धि नहीं कर सकता। परिणाम में यह व्यर्थता, खेद और आत्म-क्षय को ही पा सकता है। यह साधन वास्तव में अपने को प्रत्येक चरण पर ही निरस्त और बाधित करता है। यह आत्म-बाधितता दो स्तरों पर होती है—भीतर से और बाहर से। भीतरी या अन्तर्गत बाधितता इसके प्रत्येक अन्वेषण के अन्वेषण-क्रिया के साथ पर्यवसित होने या चुक जाने में है—क्षुधा, काम या अधिकार का अन्वेषण सब अपनी सिद्धि के साथ चुक जाते हैं; बल्कि अधिकांश में इनकी अतिशय सन्तुष्टि इनसे वितृष्णा उत्पन्न करती है। वास्तव में इनके उपभोग का कौशल इनमें संयत आचरण में ही है। इस पर आपत्ति की जा सकती है कि अतिशय सन्तुष्टि से वितृष्णा उत्पन्न होने की बात सर्वत्र देखने में नहीं आती। क्षुधा का शमन आनन्द देता है और हम स्वादु भोजन नित्य खाते रहना चाहते हैं। यही बात काम और अधिकार या प्रभुता के सम्बन्ध में भी है। इसका उत्तर है कि अतिशयता इन सब सन्तुष्टियों को खेदजनक बनाती है यद्यपि यह सही है कि जहाँ तक पाशव स्तर का प्रश्न है, उस स्तर पर इनसे निवृत्ति का बोध ही उत्पन्न नहीं होता। किन्तु हम ऊपर केवल इतना ही कह रहे थे कि इनमें प्रत्येक अन्वेषण अपनी सन्तुष्टि के साथ पर्यवसायी होता है और इसका अर्थ है कि प्रत्येक सन्तुष्टि अन्वेष्य के आकर्षण और मूल्य को कम से कम तात्कालिक रूप से समाप्त कर देती है। इससे बड़ी बात यह है कि इनके लिए अनुधावन और इनकी सन्तुष्टि चेतना को समृद्धतर बनाना तो दूर विपन्नतर ही बनाती है। इस प्रकार के अन्वेषण मात्र की मूल्य-हीनता का बोध मनन से उपलब्ध होता है और यह बोध चेतना को समृद्धतर बनाता है।

देहात्म-साधन की बाहरी बाधा का प्रसंग अन्य व्यक्तियों के साथ संघर्ष में उपस्थित होता है। हमारे इस स्तर के अन्वेषण निरन्तर षड्यन्त्र, कलह और युद्धों को उत्पन्न करते हैं। इस प्रकार हमें इस प्रसंग में प्रत्येक चरण पर तनाव के बीच आगे बढ़ना होता है और प्रत्येक सफलता असफलता की असंख्य सम्भावनाओं के बीच एक आकस्मिक घटना मात्र होती है। इन परिणामों से बचने के लिए हमें सहायोजन और सहाचरण की व्यवस्थाओं का आविष्कार करना होता है। किन्तु यह सब व्यवस्था इस अन्वेषण के स्वयं भीतर रहते सफल नहीं हो सकती। अमरीका और रूस ने 'शान्ति की रक्षा के लिए' पौराणिक कल्पना के लिए भी अगम्य शास्त्रास्त्रों का आविष्कार किया, स्तालिन ने इस सहायोजन की सिद्धि के लिए प्रपीड़न की दानवीय कल्पनाओं को भी मात दी। कहा जा सकता है कि उदाहरणों से कुछ सिद्ध नहीं होता, इनमें सैद्धान्तिक अनिवार्यता क्या है? इनमें सैद्धान्तिक अनिवार्यता यह है कि यदि सहयोजन का आधार प्रभुता, काम और क्षुधा आदि की तृप्ति को यथासम्भव निर्बाध बनाने का प्रयत्नः 'जीने दो, जिससे जी सको' : हो, तब जीने देना मेरे जी सकने की स्फीत वासना के पोषक के रूप में ही स्वीकार्य हो सकता है, स्वतन्त्र या मुख्य मूल्य के रूप में नहीं। इस प्रकार प्रयत्न जी सकने की सम्भावनाओं को बढ़ाने का ही हो सकता है, जीने देने की सम्भावनाओं को बढ़ाने का नहीं। 'शक्ति सन्तुलन' या 'शान्ति के लिए शस्त्र-संग्रह' या 'शान्ति के लिए युद्ध' की आत्मबाधक वस्तुस्थिति के पीछे यही सैद्धान्तिक अनिवार्यता है।

---

1. द्रष्टव्य, मार्ल्यू पोंती — **फिनोमिनलोजी ऑफ पर्सेप्शन**, अनु. कोलिन स्मिथ, रुतलज एण्ड केगन पाल, लंडन, 1962

इस अन्वेषण की दूसरी कठिनाई इसका अर्थ-दारिद्र्य है। निश्चय ही शिल्प और यन्त्र-कौशल का समावेश इसी के अर्थ-विस्तार में किया जा सकता है और इस प्रकार अन्यान्य ग्रहों की यात्रा और सुविधा के असंख्य उपकरण इसी के अर्थ-विस्तार माने जा सकते हैं। किन्तु देखना यह है कि इनमें क्या अर्थ निहित है? अर्थ की दृष्टि से इन सब उपलब्धियों के दो पक्ष हैं : ज्ञान-वृद्धि और सुविधा-वृद्धि। पहला चेतना के बौद्धिक पक्ष का विस्तार है और दूसरा शारीरिक पक्ष का। किन्तु यह द्रष्टव्य है कि बौद्धिक पक्ष के विस्तार की दृष्टि से विज्ञान निकृष्टतम कोटि में आता है क्योंकि इसमें बुद्धि शुद्ध रूप से आकार-ग्राही होती है और इन आकारों की सम्पूर्ण अन्तर्वस्तु सांवेदनिक होती है।[1] इस ज्ञान का सम्भवत: सबसे उपयुक्त निरूपण कांट द्वारा हुआ, यद्यपि पाश्चात्य दर्शन ह्यूम को अधिक स्वीकार कर रहा है जो बुद्धि को केवल अन्तर्वस्तुरहित आकार-ग्राही मान कर उसे नितान्त गौण बना देता है और इसके बचे-खुचे गौरव को भी समाप्त कर देता है।

यहाँ इन दर्शनों का विवेचन सम्भव नहीं है। यहाँ हम केवल इतना ही कहना चाहेंगे कि स्वयं संवेद में विस्तार और गाम्भीर्य की कोई सम्भावनाएँ नहीं हैं, केवल आकार के क्षेत्र में ही विस्तार की सम्भावनाएँ हैं : सिद्धान्त की व्यापकता कितनी भी हो सकती है : किन्तु ये सम्भावनाएँ वैज्ञानिक ज्ञान के सन्दर्भ में संवेद का अतिक्रमण नहीं कर सकतीं। ऐसी अवस्था में विज्ञान में अर्थ-वैभव की सम्भावनाएँ बहुत सीमित हो जाती हैं।[2] इसे देखने के लिए इसकी तुलना चित्रकला से करना उपयोगी होगा। चित्रकला संवेदाश्रित है किन्तु यह संवेद का उपयोग अपने स्वतन्त्र सर्जन-मूलक अर्थ की सिद्धि के लिए करती है, यह अपनी अलौकिक सत्ता की लौकिक अभिव्यक्ति के लिए चाक्षुष संवेद को अपना माध्यम बनाती है, अपना प्रामाण्य संवेद में नहीं खोजती, जैसा विज्ञान खोजता है। इसमें संवेद का पूर्ण रूपान्तरण हो जाता है, यहाँ तक कि इसमें भौतिक वस्तु भौतिक देश-काल से निकल कर कला के स्वायत्त देश-काल में अवस्थित हो जाती है।[3]

जहाँ तक उपयोगिता-मूलक अर्थों का प्रश्न है, उनके सम्बन्ध में यहाँ हम इतना ही कहना चाहेंगे कि मानवीय अर्थों का अन्वेषण सदैव इस स्तर का अतिक्रमण कर के ही आरम्भ होता है। उदाहरण के लिए, मेज़ को घड़ने के अतिरिक्त उस में सौष्ठव का आधान करना मानवीय अर्थ का अन्वेषण है।

ऐसा नहीं है कि आज कलात्मक अर्थों का अन्वेषण नहीं हो रहा है, या यान्त्रिक रचनाओं में सुरुचि और सौष्ठव का ध्यान नहीं रखा जाता, यहाँ केवल इतना कहना ही अभिप्रेत है कि इसमें ये सब अर्थ अनुषंगी होते हैं।

इस विवेचन से स्पष्ट होना चाहिए कि देहात्ममूलक दर्शन लोक-साधन के लिए एक अत्यन्त अनुपयुक्त दर्शन है। निश्चय ही लोक-साधन के लिए देह ही माध्यम हो सकती है। कालिदास की यह उक्ति बड़ी सार्थक है कि धर्म का प्रथम साधन शरीर ही है—शरीरमाद्यं खलु धर्म-साधनम्, किन्तु इस में शरीर की अनिवार्यता के साथ इस की साधनभूतता, और वह भी आरम्भिक या प्रथम स्तरीय साधनभूतता, का प्रतिपादन है, यह ध्यातव्य है।

मुझे लगता है कि हमने आज यह दृष्टि पूरी तरह खो दी है। पश्चिम के पीछे हम आज सर्वत्र ऐन्द्रिक मूल्यों को ही सिद्ध करने में निरत हैं। उदाहरण के लिए, हमारे लिए भी आज आर्थिक वितरण सामाजिक न्याय का एकमात्र मान-दण्ड है—इसके बावजूद कि हमारे यहाँ सामाजिक न्याय को कर्त्तव्य के माध्यम से चरितार्थ करने का व्यवहार-सिद्ध आदर्श रहा है। उदाहरण के लिए, ब्राह्मण के लिए धन और अधिकार, यहाँ तक कि प्रतिष्ठा भी, त्याज्य थे, और क्षत्रिय के लिए धन और विलास हेय थे। मनुष्य मात्र के लिए भोग यज्ञपूर्वक ग्राह्य थे। किसी का धन नहीं छीनने का विधान या छीनने का निषेध इसलिए नहीं था कि इससे वह हमारा छीनेगा और इस प्रकार छीनाझपटी में सबको हानि होगी, बल्कि इसलिए निषिद्ध था क्योंकि यह सम्पूर्ण जगत् ईशावास्य है।[4] इस प्रकार, जीवन समाज और लोक-साधन की यह सम्पूर्ण अवधारणा ही मौलिक रूप से भिन्न थी।

---

1. द्रष्टव्य यशदेव शल्य — **संस्कृति : मानव-कर्त्तृत्व की व्याख्या** में 'प्राकृतिक विज्ञान' अध्याय। प्रकाशक, राजस्थान विश्वविद्यालय, 1967, प्राप्ति स्थान : राजस्थान हिन्दी ग्रन्थ अकादमी, जयपुर।
2. उपर्युक्त में 'धर्म का स्वरूप' अध्याय का अंतिम अनुच्छेद, पृ. 123-130 द्रष्टव्य।
3. द्रष्टव्य, यशदेव शल्य — **विषय और आत्म**, पृ. 20-21, दर्शन प्रतिष्ठान, जयपुर 1972
4. ईशावास्यमिदं सर्वं यत्किंच जगत्यां जगत, तेन त्यक्तेन भुंजीथा, मा गृधः कस्य स्विद्, धनम्। (ईशावस्योपनिषद्)

यहाँ हमारा यह अभिप्राय नहीं है कि हम आज फिर से वर्ण–व्यवस्था को अपनायें या यज्ञानुष्ठान करें। ऐसा कहना गौण को मुख्य बनाना होगा। वर्ण–व्यवस्था केवल एक वैकल्पिक व्यवस्था है जो देश, काल और रुचि–भेद से ग्राह्य–अग्राह्य हो सकती है। यही बात अनुष्ठानों के लिए है। मुख्य बात तो उस भाव या अभिनिवेश की है जिसको ये प्रकट करते हैं। यह भाव या अभिनिवेश अन्य प्रकार से भी प्रकट किया जा सकता है। वर्ण–व्यवस्था के पीछे यह भाव है कि सामाजिक सम्बन्धों का मेरुदण्ड कर्त्तव्य और त्याग है, यज्ञ के पीछे भाव है कि विश्व के केन्द्र हम नहीं हैं, अन्य महत्तर शक्तियाँ हैं, और कि सार्थकता त्याग के मार्ग से है। यही भाव जगत् को ईशावास्य देखने में और इसी कारण किसी का धन नहीं छीनने में है। लोक–साधन का यह दूसरा, मूलत: भिन्न और अर्थ–विपुल मार्ग है। यह मार्ग आधुनिक सन्दर्भ में गाँधीजी ने प्रशस्त किया था, जिसका दुर्भाग्यवश अनुसरण नहीं किया गया। ऐसा नहीं है कि यह दृष्टि केवल भारतीय संस्कृति तक ही सीमित थी, अधिकांश प्राचीन संस्कृतियों ने न्यूनाधिक स्पष्ट रूप से और भिन्न–भिन्न स्तरों पर इस दृष्टि को ही पाया था।

इस पर आपत्ति की जा सकती है कि प्राचीन व्यवस्था में सामाजिक न्याय का बोध कम मिलता है। यहाँ इस का अपेक्षित विस्तार से उत्तर देने के लिए स्थान नहीं है, किन्तु हम संक्षेप में कहना चाहेंगे कि इस प्रकार की वस्तुस्थिति के दो पक्ष होते हैं—बोध और क्रियान्वयन। अब, यह कहना कि प्राचीनों को सामाजिक न्याय की आवधारणा या बोध नहीं था, भ्रामक है। जहाँ कर्त्तव्य को सामाजिक अस्तित्व का मेरुदण्ड माना गया हो वहाँ न्याय तो उसमें पूर्वपिक्षित ही होगा। अन्तर इस दृष्टि के क्रियान्वयन में और इसका अर्थ समझने में था। जो भी हो, हमारा प्रयोजन यहाँ किसी सभ्यता का समर्थन या दोष–निरूपण नहीं है, हमारा प्रयोजन केवल यह दिखाना है कि लोक–साधन की सही विधि ऐन्द्रिक सुखों का अन्वेषण नहीं है, क्योंकि यह विधि आत्मव्याघाती और अर्थ–विपन्न है और इस प्रकार आधुनिक पश्चिम की ऐन्द्रिक संस्कृति दोषपूर्ण प्रत्यय–मूलक है। आज हिटलर, मुसोलिनी, स्तालिन आदि हुए तो पहले भी असंख्य आततायी राजा हुए, किन्तु 'शान्ति के लिए युद्ध' की कल्पना पहले अज्ञात थी। अथवा कहें, पहले आततायित्व और शस्त्रास्त्र–संग्रह दृष्टि–हीनता के द्योतक माने जाते थे, इसी से अशोक के लिए विजय की तुच्छता और जघन्यता देख सकना सम्भव हुआ था। किन्तु आज यह जघन्यता हमारी दृष्टि का अनिवार्य है और यह जघन्य के रूप में मूल्यांकित नहीं है।

यहाँ दो शब्द भोगान्वेषी पश्चिम के शास्त्र, कला और नैतिक आचरण में अन्यों से आगे होने विषयक पीछे उठाये गये प्रश्न के सम्बन्ध में। विस्तृत उत्तर यहाँ देना सम्भव नहीं होगा।[1] यहाँ हम केवल इतना ही कहना चाहेंगे कि ऐशियायी देशों, विशेषत: भारत का, इस दिशा में पिछड़ापन अध्यात्मान्वेषण के कारण नहीं है। वास्तव में इस समय हम भोगान्वेषण में पश्चिम से पीछे हैं भी नहीं। जब हम अध्यात्मान्वेषण में वास्तव में निरत थे तब इन पक्षों में हमारे द्वारा छुए गए शिखर भी किसी भोगान्वेषी सभ्यता द्वारा आज तक छुए गए शिखरों से कम उन्नत नहीं थे। और वास्तव में यही बात भोगान्वेषी मिश्र, ग्रीक और ईसाई सभ्यताओं के लिए भी सत्य है। इसलिए संस्कृति का भोगान्वेषी होना शास्त्र, कला आदि के विकास में अपने–आपसे अपकारक नहीं है।

1. इसका उत्तर अंशत: हमने **संस्कृति : मानव–कर्त्तृत्व की व्याख्या** के प्रथम अध्याय में तथा **विषय और आत्म** के ग्यारहवें अध्याय में दिया है।

4
तत्त्व-चिन्तन

दर्शन और उन्मीलन

'उन्मीलन' शब्द का साधारण अर्थ 'बन्द कुछ का खुलना' होता है। जैसे रात को बंद हुए फूल का प्रात: खुलना, बंद आँख का खुलना आदि। इसी अर्थ का आगे विस्तार करते हुए 'भाव का उन्मीलन', 'विचार का उन्मीलन' पदों का प्रयोग भी होता है। यों भावनाएँ हमारे हृदय में आती ही रहती हैं। काम, क्रोध, प्रेम, द्वेष से हृदय प्राय: ही उद्विग्न रहता है। इसी प्रकार हम कुछ-न-कुछ सोचते भी रहते हैं। किन्तु इसे 'उन्मेष' या 'उन्मीलन' नहीं कहा जाता। भावना या विचार के साथ 'उन्मीलन' शब्द का प्रयोग तब किया जाता है जब ये सत्य के ज्ञापक होते हैं। यह उन्मीलन ही कवि-कलाकार और दार्शनिक को जन-साधारण से अलग करता है और उसी का न्यूनाधिक्य कवियों और दार्शनिकों में कोटि-भेद का हेतु होता है।

आपको ज्ञात ही होगा कि सत्य के सम्बन्ध में एक दृष्टि यह है कि वह केवल इन्द्रियों से ही ज्ञापित होता है। इसी के अनुसार बहुत-से लोग ईश्वर को दिखाने की माँग करते हैं। इसी मान्यता के अनुसार पश्चिम के तार्किक प्रत्यक्षवादियों ने विज्ञान को ही सत्य का एकमात्र ज्ञापक स्वीकार किया, दर्शन को सत्यविषयक स्वीकार नहीं किया। किन्तु यदि यह मान भी लें कि केवल विज्ञान ही सत्य के लिए एकमात्र गवाक्ष है तो भी इससे एकमात्र इन्द्रियों की सत्य-प्रापकता सिद्ध नहीं होती, क्योंकि विज्ञान कोई इन्द्रिय-प्रदत्तों की सूची प्रस्तुत नहीं करता, बल्कि उस ऋत की खोज करता है जो इन्द्रिय-प्रदत्तों का धारक है। इसीलिए न्यूटन का वृक्ष से गिरते सेब को देखना विज्ञान नहीं कहा जाता बल्कि उसके मस्तिष्क में इस प्रश्न का कौंधना कि सेब नीचे ही क्यों गिरा, ऊपर की ओर क्यों नहीं गया, वैज्ञानिक प्रश्न का उन्मेष कहा जाता है, जो उस उत्तर के उन्मेष का हेतु बना जिसे गुरुत्वाकर्षण का सिद्धान्त कहते हैं। अब यह गुरुत्वाकर्षण का सिद्धान्त इन्द्रियगोचर नहीं है, यह स्पष्ट है। तब क्या यह बुद्धि-गोचर है? क्या बुद्धि-गोचर कुछ होता है, 'गोचर होने' के किसी भी अर्थ में? किन्तु भौतिकवादी या तार्किक प्रत्यक्षवादी तो ऐसे कुछ के 'होने' को स्वीकार नहीं करते। किन्तु वे विज्ञान को तो स्वीकार करते हैं। इसे वे किसी वस्तु या सत्य का 'होना' नहीं कहते बल्कि 'व्यवहार-सौकर्य का उपाय' कहते हैं। इसका क्या अर्थ है, इसके विवेचन में यहाँ हम नहीं जाएंगे, क्योंकि इसका अर्थ केवल उनके पूर्वाग्रह में ही मूलित है जिसके विवेचन में जाना प्रसंगान्तर में भटकना ही होगा। यहाँ केवल इतना जानना ही प्रासंगिक है कि वे 'बुद्धि के गोचर' जैसी कोई वस्तु स्वीकार नहीं करते। किन्तु न्यूटन को तो कुछ 'दिखायी' दिया था, कुछ कौंध जैसा, जिसने उसके सत्य के अनुसन्धान के लिए उसे बाध्य कर दिया और अन्त में उसने पाया कि उसे जो कौंध दिखायी दी थी वह एक महत् सत्य की झलक थी, और न्यूटन द्वारा दृष्ट इस सत्य को पीछे सबने चकित होकर देखा।

किन्तु यह विचारणीय है कि क्या न्यूटन द्वारा दृष्ट वह सत्य कहीं पर, कहें प्लेटो के द्यू लोक में, किसी अर्थ में उसी प्रकार होता है जिस प्रकार सेब हमारे भू-लोक में होता है? अधिकांश दार्शनिक ऐसे किसी लोक को और ऐसे किसी होने को नहीं मानते। हमारे यहाँ बौद्ध और वेदान्ती तो इसे स्पष्ट रूप से ही नहीं मानते। जो दूसरे दर्शन किसी परोक्ष भाव से इसे मानते कहे जा सकते हैं वे भी ऐसा कुछ स्पष्ट रूप से कहते नहीं कहे जा सकते। किन्तु यदि हम विचारपूर्वक देखें तो पायेंगे कि कोई सत्य ऐसा नहीं है जिसे हम इस प्रकार नहीं पाते जैसे वह 'बाहर कहीं', 'हमारे से स्वतन्त्र', विद्यमान हो, यहाँ तक कि 'मैं हूँ' इसके वाच्य सत्य को भी। किन्तु ये सत्य हमारे होने से पूर्व और अन्यत्र कहीं होते हैं, यह भी नहीं कह सकते। किन्तु यहाँ तुरन्त आपत्ति होगी कि क्या गुरुत्वाकर्षण बाह्य वस्तुगत नहीं है? इसके उत्तर में हम प्रश्न करना चाहेंगे कि 'क्रूरता त्याज्य और करुणा वरणीय है' यह क्या निरपेक्षत: सत्य नहीं है? इसी प्रकार श्रीकृष्ण की प्रेरणा से अर्जुन द्वारा देखा गया सत्य, वसुबन्धु द्वारा विज्ञप्तिमात्रता के रूप में, कांट द्वारा देश-काल के अप्रायराई फोर्म ऑफ इंट्यूशन होने के रूप में देखे गए सत्य क्या वस्तुगत सत्य नहीं हैं? यदि नहीं तो ये कैसे सत्य हैं? या कि ये सत्य हैं ही नहीं, कोरी कल्पनाएँ ही हैं? किन्तु यदि ये

कल्पनाएँ ही हैं तो फिर क्या हम इन दार्शनिकों का आदर कल्पना के वैचित्र्य के लिए करते हैं किसी सत्य–दर्शन के लिए नहीं? किन्तु यदि ये दार्शनिक सत्य–द्रष्टा ही होते हैं तो उनमें मतभेद कैसे हो सकते हैं? याकि सत्य भी उतने ही होते हैं जितने मत होते हैं?

अब, यदि इसका उत्तर यह दें कि 'चाहे सब मत सत्य नहीं होते हों किन्तु मतों के सत्य होने के लिए यह आवश्यक नहीं है कि उनमें ऐक्य हो', तो इसमें आप को क्या आपत्ति है? आपने यह कैसे मान लिया कि सत्य एक ही होता है? यह ठीक है कि यदि 'देश–काल क पर घट है' सत्य है तो यह सत्य नहीं हो सकता कि 'देश–काल क पर घट नहीं है।' किन्तु यह देश–कालात्मक विषयों का ही वैलक्षण्य है, सब विषयों का नहीं। किन्तु देश–कालात्मक विषयों को सत् का और तद्विषयक कथनों की उनसे अनुरूपता को सत्य का मानदण्ड बनाने के लिए कोई औचित्य नहीं बताया जा सकता। दुर्भाग्यवश दार्शनिकों ने सत् और सत्य के ऐसे ही प्रतिमान निश्चित किये हैं जिनका आदर्श इन्द्रिय–विषयों की वस्तुता है। जैसे त्रिकालाबाधितत्व को लें। भौतिक वस्तुएँ कालस्थायी होती हैं—'इस घट को मैंने कल देखा था' वाक्य में एक घट के इतने काल तक बने रहने का कथन है। यदि कल देखा घट अब नहीं है तो उसे टूट गया होना चाहिए, इसे भी उसका एक प्रकार का सातत्य ही कह सकते हैं—कि वह यदि नहीं टूटा होता तो वह विद्यमान होता। किन्तु यदि यह भी मान लें कि यदि घट टूट गया तो वह असत् हो गया, तो भी कुछ काल तक तो वह था और अब वह बाधित हो गया। और अब इसे आधार बनाकर कह सकते हैं कि जो इस प्रकार सर्वतोभावेन अबाधित रहता है वह सत् है और जो भौतिक वस्तु के समान कालान्तर में बाधित हो जाता है वह सत् नहीं है। इस प्रकार सत्–असत् के मानदण्ड का उपमान इन वस्तुओं से ही लिया गया है। अन्यथा गणित के समीकरण त्रैकालिक रूप से सत्य होते हैं। किन्तु इस प्रश्न का उत्तर कि 'क्या यह प्रतिमान सत्य का युक्त प्रतिमान है?' सत्य या असत्य होगा या नहीं? यदि होगा तो इस प्रश्न और उत्तर के प्रसंग में त्रिकालाबाधित्व की शर्त यहाँ प्रासंगिक भी कैसे होगी? अब, ऐसे प्रश्न तो हम करते ही हैं और इनके उत्तर भी खोजते हैं।

किन्तु इन प्रश्नों के सम्बन्ध में यह रोचक बात है कि इनके उत्तर कभी उस प्रकार निर्णायक रूप से नहीं दिये जा सकते। ऐसे प्रश्न प्राय: ही अतल–अनवगाह्य सत् के गवाक्ष उद्घाटित करते हैं और इसके उत्तर प्राय: ही अतल–अनगवाह्य सत् में प्रतिष्ठित करते हैं। इनके उत्तर देने के प्रयत्न किये जाते हैं किन्तु उत्तर देने वाला अधिकांश में यह पाता है कि बहुत कुछ और है जो छूट गया है। दूसरे तो सदा ही उस उत्तर को अपर्याप्त और बहुत बार भ्रान्त भी मानते हैं और अपनी दृष्टि से अभ्रान्त उत्तर देने के प्रयत्न करते हैं। इन उत्तरों में दूसरी रोचक बात यह होती है कि सब उत्तर अभ्रान्त देखे जाने पर भी कुछ अधिक सम्यक् और अधिक गहरे देखे जाते हैं और कुछ कम। किन्तु तब इसका अर्थ यह हुआ कि ये प्रश्न एक अर्थ में वैसे भी होते हैं जैसे 'क्या साथ के कमरे में घट है?' प्रश्न है। क्योंकि इनमें भी वस्तु की उपलब्धि ही लक्षित होती है और लक्षित वस्तु से ही उत्तरों की सम्यक्ता–असम्यक्ता और अभ्रान्तता–भ्रान्तता का निर्णय हो सकता है।

इसके लिए यह देखना होगा कि इस प्रश्न में लक्षित वस्तु कैसी है? इसके लिए इस प्रश्न को एक बार फिर से देखें। प्रश्न है कि 'क्या भौतिक वस्तुओं विषयक कथनों के सत्यासत्य को सत्यासत्य का प्रतिमान बनाया जा सकता है?' यह प्रश्न स्पष्टत: भौतिक वस्तुविषयक नहीं है। यह सत्यासत्य के प्रतिमान विषयक है जिसके उत्तर के लिए सत् के स्वरूप का निर्धारण अपेक्षित है और उस निर्धारण में भौतिक वस्तुओं का स्वरूप इस दृष्टि से विवेच्य बनता है कि ये वस्तुएँ सत् की कसौटी पर पूरी उतरती हैं या नहीं? अर्थात् इस प्रश्न में भौतिक वस्तुएँ विषय नहीं रहतीं, क्योंकि भौतिक वस्तुएँ तो वे होती हैं जो इन्द्रिय–गोचर होती हैं या हो सकती हैं—घट विशेष, पट विशेष आदि, किन्तु इस प्रश्न में भौतिक वस्तु नहीं उसका स्वरूप सत् को समझने के अन्तर्गत विचारणीय है। अब यह 'भौतिक वस्तु–स्वरूप' भौतिक वस्तु से किस बात में भिन्न या समान है और 'वस्तु–स्वरूप' 'भौतिक वस्तु के स्वरूप' से किस बात में भिन्न या समान है?

इसका उत्तर दिया जायेगा कि ये इस बात में भिन्न हैं कि प्रथम से द्वितीय में सामान्यीकरण अधिक है। इन्हें सामान्यीकरण के सोपान भी कहा जा सकता है। किन्तु सामान्यीकरण क्या है और इसके सोपानों का क्या अर्थ है? ये सामान्य इन्द्रिय-गोचर वस्तुएँ नहीं हैं। किन्तु तब क्या ये कोई वस्तुएँ ही नहीं हैं? यदि ये वस्तुएँ ही नहीं हैं तो इनको विषय कर जो बात होती है वह क्या काल्पनिक वस्तुओं के सम्बन्ध में काल्पनिक बात ही होती है? किन्तु 'वस्तुस्वरूप' पद का वाच्य घटत्व के समान सामान्य भी नहीं होता और 'सामान्य काल्पनिक ही होते हैं' यह भी कोई स्वत:सिद्ध बात नहीं है। यदि यह स्वत:सिद्ध नहीं है तो इस प्रश्न पर विचार न तो सामान्य विषयक है और न इसका समाधान कल्पना-विहार।

ये सब विषय चेतना को उसकी प्रत्यङ्मुखता में उपलब्ध होते हैं और चेतना के लिए ज्ञान का एक नया और अपना व्यापकता और गहराई में निस्सीम क्षेत्र उद्घाटित करते हैं। यों जगत् भी चेतना का ही उन्मेष है, जैसाकि उपनिषद् ने 'स अकामयत् बहुस्याम्' में प्रतिपादित किया है। यह उन्मेष आद्य चित् का है। दूसरा उन्मेष जीवों की दैहिक और ऐन्द्रिक चेतना में विषय-प्रस्तुति के रूप में होता है। तीसरा उन्मेष मानवीय चेतना के विषय-विकल्पों के रूप में होता है जिसे कांट विषय-बोध की कोटियाँ कहते हैं। एक चतुर्थ उन्मेष होता है जो चेतना की प्रत्यङ्मुखता में घटित होता है। इसके अनेक स्तर और रूप होते हैं, कुम्हार के घटत्व-दर्शन से लेकर कांट के विषय-बोध की कोटियों के दर्शन और वाल्मीकि के उस भाव-लोक के दर्शन तक जो दर्शन रामायण महाकाव्य के रूप में प्रतिफलित हुआ। सभी उन्मेष-आद्य चित् से लेकर दार्शनिक और कवि तक के—एकसाथ सर्जनात्मक भी होते हैं और दर्शनात्मक भी होते हैं। किन्तु प्रत्यङ्मुख चेतना के उन्मेषों में दृष्ट अर्थ अपनी गहराई में अतल और विस्तार में अपार होते हैं और इस प्रकार अनिवार्य रूप से केवल अंशत: ही अवगत हो सकते हैं।

सत् की चिन्मयता[1-2]

चेतना को संवेद के रूप में देखा जाता है। इस तरह मूर्छित और मृत को अचेतन कहा जाता है क्योंकि ये शरीर को छूने पर कोई प्रतिक्रिया नहीं करते। इससे इनमें संवेद का अभाव सूचित होता है जिसे चेतना का अभाव कहा जाता है। वैज्ञानिक जगदीशचन्द्र बोस ने वनस्पतियों में चेतना की विद्यमानता यह दिखाकर सिद्ध की थी कि उनमें उद्दीपनों से प्रतिक्रिया घटित होती देखी जाती है जिससे उनमें संवेदनशीलता सूचित होती है। किन्तु यदि हमारा ध्यान किसी घटना की ओर नहीं होता तो हम उस घटना के प्रति भी अचेतन कहे जाते हैं। मनोविश्लेषण-सिद्धान्त में 'अचेतन', 'अवचेतन' आदि पदों का प्रयोग उन मन:स्थितियों के लिए होता है जो हमारी होती हैं किन्तु जिनके होने को हम जानते नहीं हैं, चाहे उन्हें 'नहीं जानने' का कारण उन्हें जानने की घोर अनिच्छा ही हो। चेतना की दूसरी परिभाषा विषयिता से भी दी जा सकती है जिसमें उद्दीपक विषय के रूप में और उसकी प्रतिक्रिया विषयी के रूप में देखी जाती है। किन्तु वास्तव में 'विषयिता' से मात्र प्रतिक्रिया से कुछ अधिक अभिप्रेत होता है। इसमें सम्बन्ध का रूप उद्दीपक और उद्दीप्त का नहीं होकर उन्मुखता और लक्षित का होता है। इसमें विषय की विद्यमानता चेतना से बाहर देश में आवश्यक नहीं होती। बाहर देश में विद्यमानता केवल प्रत्यक्ष इन्द्रिय-विषयों की देखी जाती है किन्तु विषयि-विषय-द्वैत इच्छा, स्वप्न, कल्पना, स्मृति, विचार आदि में भी होता है जबकि इनमें विषय की स्थिति बाहर देश में नहीं होती। किन्तु तब भी इनके विषय विषयी से बाहर ही होते हैं। इन्द्रिय-विषयों के लिए यह समझना सहज लगता है कि वे बाह्य वस्तुएँ हैं भौतिक पदार्थ, यद्यपि अन्य जीवों के इन्द्रिय-विषयों के लिए यह बात स्वत:स्पष्ट जैसी प्रतीत नहीं होती। गाय के लिए घास बाह्य देश-स्थित दृश्य विषय होता है या कि वर्ण, गन्ध आदि से प्रेरित भूख का विषय मात्र, यह बहुत स्पष्ट नहीं है। अवरतर जीवों के सम्बन्ध में यह कहना और भी कठिन होता है। किन्तु मनुष्य के लिए भी अन्य प्रकार के विषयों की पदार्थता कैसी होती है? उदाहरणत: स्मृति-विषय अधिकांशत: अतीत भौतिक विषय ही होते हैं, यद्यपि वे अन्य प्रकार के भी हो सकते हैं। जैसे अतीत इच्छा और इच्छित, विचार और विचारित, कल्पना और कल्पित, स्वप्न और स्वप्नगत ये सभी स्मृति-विषय हो सकते हैं। अतीत भौतिक विषय का भी कोई भौतिक या बाह्य देश में अस्तित्व नहीं हो सकता। काल में तो सभी स्मृति-विषय अतीत ही होते हैं और इस प्रकार कालत: अस्तित्व-रहित होते हैं यद्यपि स्मृतिगत रूप में ये उतने ही वर्तमान होते हैं जितने प्रत्यक्ष विषय वर्तमान होते हैं। इस प्रकार ये विषय द्विगुणित रूप में चेतना के अन्तर्गत सत्त्व ही ठहरते हैं। किन्तु विषय होने से ये विषयी से, जो चेतना का स्वत्व है, बाहर ही होते हैं। इसी से भारतीय दार्शनिकों में से अधिकांश ने विषय को जड़ या प्राकृतिक ही कहा है, चेतन या चेतना नहीं कहा है। इधर पश्चिम में हुस्सर्ल और उसके अनुयायी भी विषय की सत्ता चेतना से बाहर ही रखते हैं और इन्हें प्राकृतिक और चेतना के द्वारा बहिष्कार्य मानते हैं। उनके अनुसार शुद्ध चेतना वह है जो इनको बहिष्कृत कर साक्षिभाव से

---

1. भारतीय उच्चतर अध्ययन संस्थान, शिमला में 8-10 सितम्बर, 2000 को 'विज्ञान और चेतना' विषय पर आयोजित परिसंवाद में प्रस्तुत।

2. इस लेख में प्रस्तुत चित् और सत् विषयक मेरा विचार एतद्विषयक मेरे विस्तृत लेखन के सारांश जैसा है। मेरा मत चिद्‌द्वैतवाद के अन्तर्गत ही पड़ता है, इस प्रकार यह अद्वैत-वेदान्त-परिवार का सदस्य माना जा सकता है। किन्तु सम्भवत: यह उससे, और दूसरे ऐसे सब सिद्धान्तों से कुछ गहरे अर्थों में भिन्न भी है जिनकी सन्तान यह प्रतीत हो सकता है। यहाँ 'सम्भवत:' मैंने इसलिए लिखा क्योंकि मेरी दर्शन के इतिहास की जानकारी बहुत कम है। मेरे विचार को संकर अवश्य कहा जा सकता है, किन्तु, जैसा कि सर्वविदित है, संकर किसी भी समाज में सम्माननीय नहीं होते, तब वे और भी असम्माननीय होते हैं जब सन्तान को अपने माता और पिता का ही नहीं, वंश का भी पता नहीं हो। इसलिए यदि दार्शनिक विद्वान सत् और चित् विषयक मेरे विचार की, जो इस लेख में सारांश रूप में और इस प्रकार ठोस रूप में प्रस्तुत हुआ है, आलोचना या भर्त्सना करना चाहें तो लेखक उसका स्वागत करेगा।

रहती है। यद्यपि यह चेतना ही इन विषयों का आक्षेप करती है और यह आक्षेपन इसका अनिवार्य धर्म है, किन्तु यह अपने द्वारा आक्षिप्त इन विषयों से अतिक्रामी रहती है।

द्रष्टव्य है कि विषय को अपने से पृथक् कर देख सकने वाली विषयी : द्रष्टा : चेतना केवल मनुष्य को ही सुलभ है, अन्य जीवों को नहीं। इस चेतना को आत्मचेतन कहा जाता है। इसी चेतना में स्मृति, कल्पना, स्वप्न और विचार घटित होते हैं, इसी में इच्छा अपने को इच्छित से, विचार विचारित से, कल्पना कल्पित से पृथक् पहचान पाती है और अनुक्रमश: ये इच्छा, विचार, कल्पना आदि स्वयं द्रष्टा चेतना द्वारा विषय रूप में पहचाने जाते हैं। शेष जीव आत्मचेतन नहीं होते और इस प्रकार उनमें विषयि-विषय-भेद नहीं होता। इस प्रकार यह भी कह सकते हैं कि आत्म-अचेतन चेतना विषयापेक्षी भी नहीं होती क्योंकि वह विषय से पृथक् या विषय उससे पृथक् कुछ होते ही नहीं। ऐसा भी नहीं है कि चेतना केवल सविषया ही होती है और केवल उद्दीपन से ही व्यक्त होती है। निद्रा या तंद्रा (हिबर्नेशन) में पड़े जीव की चेतना मात्र अव्यक्त अस्तित्व-बोध के रूप में ही होनी चाहिए, यही निद्रा में मनुष्य की चेतना का भाव भी होना चाहिए। किन्तु वास्तव में जीवन के निम्नतर स्तरों पर चेतना अस्तित्वभाव मात्र के रूप में, या भोगमात्रभाव के रूप में, या किसी आवेग के रूप में ही रहती है, ऐसा कहना चाहिए। 'अनात्मचेतन चेतना' का यही अर्थ है। मनुष्य से अवरतर जीवों में भी आत्मचेतना स्तर-क्रम से न्यूनाधिक रहती है, यह भी कहा जा सकता है। उस अवस्था में उनमें भी विषयि-विषय द्वैत का स्तर-भेद स्वीकार करना होगा। किन्तु मनुष्य के स्तर पर चेतना के इतिहास में एक आधारभूत क्रान्ति घटित होती है, जब चेतना विषय को अपने से बहिष्कृत कर उसे उसका नाम दे पाती है, उसका उसकी निजता में निर्धारण कर पाती है और स्वयं को उसके विषयी के रूप में प्रकाशित करती है। इस प्रकार जो विषय-जगत् चेतना में अस्फुट रूप में, किसी नाम-रूप के बिना अन्तर्हित था वह उसके बाहर अपना स्वतन्त्र अस्तित्व ले लेता है और चेतना अपने शुद्ध स्वरूप के साक्षात्कार की दिशा में यात्रा आरम्भ करती है। चेतना का यह शुद्ध स्वरूप ज्ञातृत्व-द्रष्टृत्व का होता है।

इसका अर्थ है कि चेतना की आत्म-अचेतनता की अवस्था उसकी पूर्ण जगद्भावमयता, जगद्भाव में तल्लीनता की अवस्था है। विषयभाव में तल्लीनता की अवस्था केवल ऐन्द्रिक विषय के साथ तादात्म्य की अवस्था ही नहीं है बल्कि उन सब अवस्थाओं के साथ तादात्म्य की अवस्था भी विषय-भाव में तल्लीनता की अवस्था ही है जिन अवस्थाओं का विषयकरण हो सकता है। और यह विषयकरण द्रष्टृभाव के अतिरिक्त सब अवस्थाओं का हो सकता है। किन्तु इसका अर्थ यह नहीं है कि आत्मचेतना शुद्ध द्रष्टृभाव की सिद्धि की अवस्था होती है। आत्मचेतन जीव : मनुष्य : बहुधा विषयोन्मुख ही रहता है, केवल उसकी चेतना विषय के साथ उसकी विषयिता को भी विषय से पृथक् देखना आरम्भ कर देती है जिससे विषय का पृथक् सत्त्व प्रकट हो जाता है, और वह विषयिता भी अर्धोन्मीलित द्वितीय स्तरीय विषयिता को अर्धोन्मीलित विषय रूप में प्रस्तुत रहती है। किन्तु यह विषयी भी अन्तत: विषय ही है, यह तब तक स्पष्ट नहीं होता जब तक यह (विषयी) विषयकृत नहीं होता। किन्तु आत्मचेतन चेतना के लिए यह देखना सम्भव होता है। यह चेतना का प्रत्यङ्मुख आरोहण कहा जाता है जो इसके जगद्भाव में पराङ्मुख प्रवर्त्तन से मुक्ति की दिशा है। यह प्रत्यङ्मुखता इच्छा, क्रिया और अहंकार आदि को प्रेक्ष्य विषयों के रूप में और इस प्रकार 'अपने' से : आत्मा से : इतर के रूप में प्रकट करती है। चेतना के इतिहास में यह चरण अत्यधिक महत्त्वपूर्ण सिद्ध होता है, क्योंकि यह एक ओर भाषा, समाज, सदसद्विवेक आदि का हेतु बनता है और दूसरी ओर ईश्वर के अनुरूप बाह्य लोक-सर्जन का।

भाषा सामान्य या प्रत्यय के अवगमन की क्षमता से सम्भव होती है और यह विशेषात्मक ऐन्द्रिय विषयों का भी सामान्यों में रूपान्तरण कर उन्हें अपना विषय बनाती है। विशेषों का सामान्यों में यह रूपान्तरण ही स्मृति, कल्पना, विचार और विवेक को सम्भव करता है, जिनके विषय स्वरूपत: ही सामान्य होते हैं। ये सामान्य उद्ग्रहणात्मक (एब्स्ट्रेक्शंस) नहीं होते, जो विशेषों में अशेषत: अन्तर्भाव्य होते हैं—नाममात्रवादियों के 'वार्द्धक्य', 'यौवन' आदि के समान, बल्कि वस्तुसत् ही होते हैं जिनको उद्ग्रहणों से पृथक् करने के लिए हम 'प्रत्यय' कहते हैं। इन सामान्यों का साक्षात्कार ही व्यक्ति को अहंकार से मुक्ति देकर उसके लिए अपने को समाज

के एक सदस्य के रूप में देखना सम्भव करता है। भाषा में सर्वनाम व्यक्ति की इस अशेष अहंकार–मुक्ति के प्रमाण कहे जा सकते हैं। इसका अर्थ यह नहीं है कि सब मानव–व्यक्ति सब समय अहंकार–मुक्त होते हैं, अधिकांशत: तो वे अहंकार–ग्रस्त ही रहते हैं, किन्तु चेतना के एक स्तर पर उन्हें अपनी यह अहंकारोपहितता विदित भी रहती है। इसीसे मनुष्य अपनी इच्छाओं, कर्मों और प्रवृत्तियों को विवेच्य बना पाता है, और इससे आगे, इनके विवेचन के लिए निकष का साक्षात्कार कर पाता है। इन सबके स्वरूप पर हमने **समाज : दार्शनिक परिशीलन** पुस्तक के 'संस्कृति और समाज : अधिष्ठान की समस्या', 'भाषा', 'नैतिकता' और 'न्याय' आदि अध्यायों में विस्तार से विचार किया है।

यहाँ हम चेतना के इस ऊर्ध्वारोहण के एक दूसरे पक्ष पर विचार करेंगे। दर्शन के इतिहास में यह एक सर्वमान्य सी बात रही है कि चेतना या तो अर्थों (वस्तुजगत्) को यथावत् रूप में जान ही नहीं सकती, केवल ऐन्द्रिय संवेदों : विज्ञप्तियों : के द्वारा ही जान पाती है, अथवा बाह्य अर्थ ऐन्द्रिय संवेदों से बाहर कुछ होते ही नहीं। बौद्धों के 'स्वलक्षण' और 'सामान्यलक्षण' तथा 'निर्विकल्पक प्रत्यक्ष' और 'विकल्प' पद यही धारणा दर्शाते हैं। यही दृष्टि कांट और पश्चिम के अनुभववादियों–प्रत्यक्षवादियों में भी दिखायी देती है। किन्तु हम देखते हैं कि भौतिक विज्ञान भौतिक तत्त्व के स्वरूप को और जीव विज्ञान जैव तत्त्व के स्वरूप को जानने का प्रयत्न करते हैं और इन्हें क्रमश: अधिकाधिक जान पाते हैं। इसी प्रकार हम प्राणियों के व्यवहार, अन्य मनुष्यों के मनोभाव, प्रस्तुत स्थितियों से अप्रस्तुत स्थितियों के रूप–गुण या कारण–कार्यादि सम्बन्धों के स्वरूप को जानते हैं, और दूसरी ओर बिना ध्यान दिये, बिना विचारे और विवेचन किये हम अपने भी मनोभावों और चरित्र को नहीं जानते। कागज़, पत्थर या धातु पर बनी कुछ आकृतियाँ देख कर हम उनके लिपि होने का अनुमान करते हैं, कल्पना और विचार से हम उन अपरिचित लिपियों को पढ़ पाते हैं और उससे हम एक अतीत सभ्यता के अस्तित्व और स्वरूप का आभास पाते हैं और विचार तथा अनुमान द्वारा क्रमश: उस सत्य का न्यूनाधिक साक्षात्कार कर पाते हैं। यह सब विचार और कल्पना द्वारा ही सम्भव होता है। निश्चय ही अन्य सभ्यता भी एक विकल्प–सृष्टि ही होती है और हमारे द्वारा उसका साक्षात्कार भी विकल्प के द्वारा ही होता है, किन्तु दार्शनिक लोग विकल्प के सम्बन्ध में जो समझते हैं उसमें उसकी अन्य विकल्प के साक्षात्कार की योग्यता सम्मिलित नहीं है, केवल अपनी असत्सृष्टि की योग्यता ही उसकी (विकल्प की) योग्यता समझी जाती है। किन्तु यदि विकल्प के स्वरूप पर सम्यक् विचार करें तो इसके सम्बन्ध में उपर्युक्त मान्यता की भ्रान्तता सहज स्पष्ट हो जाती है। विकल्प को असत्सर्जक इसलिए माना जाता है क्योंकि सत् किसी बाह्य अर्थ : भौतिक या अलौकिक : को माना जाता है, जिसका प्रापक ऐन्द्रिय संवेद या निर्विकल्पक आध्यात्मिक साक्षात्कार को माना जाता है। किन्तु तब या तो यह मानना होगा कि यह वस्तु–साक्षात्कार चेतना को उतना ही अव्यवहित होता है जितना जैव विकास का स्तर नीचा होता है अथवा यह मानना होगा कि वस्तु–साक्षात्कार चेतना के द्वारा अपने को उपहित करने वाले इन्द्रियादि व्यवधानों के निरास की क्षमता के अनुपात के अनुसार होता है। अब यदि इनमें यह दूसरा विकल्प स्वीकार किया जाता है तो उपाधि–निरसन में विवेकबुद्धि एकमात्र उपकरण सिद्ध होती है जो विकल्पों के द्वारा अतीन्द्रिय सत्यों का साक्षात्कार करती है। विकल्पों के विषय मूलत: प्रत्यय, सामान्य या आदर्श रूप ही होते हैं, विशेषों को वह : बुद्धि : सामान्यों के उदाहरणों के रूप में ही ग्रहण करती है। इसलिए विकल्पात्मक चेतना व्यक्ति–संकुचित नहीं होकर निर्वैयक्तिक ही होती है और इस प्रकार वह अपनी अहंकार से मुक्ति के लिए साधन बनती है। यह सही है कि विकल्प व्यक्ति–चित्तों में ही घटित होते हैं, इसलिए एक व्यक्ति का विचार दूसरे व्यक्ति को स्वत: विदित हो जाय ऐसा नहीं होता, किन्तु इस विचार–घटना की अन्तर्वस्तु वैयक्तिक नहीं होती, वह सार्वजनीन ही होती है। वैयक्तिकता या उसकी अभिव्यक्तिगत संकुचितता उस पर उपाधि–रूप ही होती है। व्यक्ति–चित्त जैसे–जैसे विकल्प के सोपान पर ऊपर चढ़ता जाता है वह अहंकार और वैयक्तिकता की उपाधि से मुक्त होता जाता है। यह ऊर्ध्वारोहण विकल्प की द्वन्द्वस्वरूपता के कारण उसमें स्वरूपगत होता है, क्योंकि इस द्वन्द्व में प्रस्तुत प्रतिज्ञा अनन्त प्रतिप्रतिज्ञाओं से समवेत होती है और ये दोनों (प्रतिज्ञा और प्रतिप्रतिज्ञा) अपनी संश्लेषक प्रतिज्ञा में अतिक्रमित रहती हैं, और यह

सम्पूर्ण समावेशक और अतिक्रमणात्मक चैत्त व्यापार चेतना के प्रत्यङ्मुख आरोहण का प्रतिफल होता है।[1] यहाँ भौतिक विज्ञान के तत्त्वावगमन के स्वरूप को देखना सहायक होगा। भौतिक तत्त्व प्रथमत: ऐन्द्रिय प्रत्यक्ष का विषय होता है। किन्तु इस रूप में वह आदर्श रूप से सद्य: प्रस्तुत संवेद-विषय मात्र ही हो सकता है जो कालत: क्षणिक और गुणत: अपनी नितान्त विशिष्टता में आत्मपर्यन्त होता है। किन्तु यह सद्य:संवेद-प्रदत्त भौतिकता और वस्तुता के गुण-धर्मों से रहित होता है। 'भौतिकता और वस्तुता' को प्राप्त करने के लिए इसे विकल्प का सहारा लेना पड़ता है। यह सहारा लेते ही यह सर्वजनसुलभ और व्यक्ति के विशेषाधिकार से मुक्त हो जाता है। भाषा का यह इसी रूप में विषय बनता है। किन्तु तब भी इस स्तर पर विकल्प-विषय के अन्तिम आश्रय व्यक्तिगत संवेद ही होते हैं, क्योंकि इसके अस्तित्व के लिए प्रमाण व्यक्तिगत संवेद ही बनते हैं। किन्तु विज्ञान अपनी अन्वेष्य इस भौतिकता को संवेदमात्र से मुक्त कर शुद्ध विकल्पों के देश में स्थानान्तरित कर देता है जहाँ यह पूर्णत: निर्वैयक्तिक चित्त का विषय होती है।

किन्तु यहाँ भौतिक विज्ञानी बहुत बड़ी भ्रान्ति का शिकार होता है। वह समझता है कि उसने न केवल भौतिक तत्त्व को व्यक्ति-चित्त से मुक्त कर दिया है बल्कि चित्तमात्र से ही मुक्त कर दिया है और चित्त को असत् सिद्ध कर दिया है। किन्तु यह दृष्टि-विपर्यास मात्र है। क्योंकि जिस प्रकार वर्ण चक्षु-इन्द्रियमूलक चित्त से और गन्ध घ्राणेन्द्रियमूलक चित्त से पृथक् कुछ नहीं है उसी प्रकार किरण-दैर्घ्य और जैव रसायन भी विकल्प-तन्त्र से पृथक् कुछ नहीं हैं। (विज्ञान में किरण-दैर्घ्य वर्ण का भौतिक रूप और जैव रसायनिक संवेद का जैविक रूप है।)

ध्यातव्य है कि 'किरण-दैर्घ्य' और 'जैव रसायन' पद संरचनाओं और नियमों के वाचक हैं और इस प्रकार विकल्पों के वाचक हैं, किन्हीं दृश्य या स्पृश्य सत्ताओं के वाचक नहीं हैं। यहाँ प्रश्न हो सकता है कि ये संरचनाएँ और नियम विकल्पों की अन्तर्गत वस्तुएँ हैं या कि विकल्पों से स्वतन्त्र देश में अवस्थित वस्तुएँ हैं? इस प्रश्न में यह पूर्वगृहीत है कि विकल्प उसी प्रकार की चैत्त घटनाएँ हैं जिस प्रकार की विज्ञप्तियाँ और आवेग होते हैं। अब, भय का विषय बाहर नहीं होता, उसका हेतु बाहर हो सकता है। ऐन्द्रिय विज्ञप्तियों के सम्बन्ध में दर्शन में विवाद है कि इनका विज्ञाप्य इनसे बाहर कुछ होता है या कि इनके अन्तर्गत ही होता है इनकी अन्तर्वस्तु? इस दूसरे प्रश्न के उत्तर में कुछ दार्शनिक इसके हेतु को बाहर मानते हैं किन्तु इसमें प्रदत्त विषय को इसके अन्तर्गत ही मानते हैं, जैसे कांट, कुछ अन्तर्वस्तु को ही बाहर मानते हैं, जैसे न्याय और सर्वास्तिवादी, और कुछ हेतु और अन्तर्वस्तु किसी को भी बाहर नहीं मानते, जैसे वसुबन्धु और बर्कले। इसी विवाद को आधार बनाकर किरण-दैर्घ्य और जैव रसायन विषयक उपर्युक्त प्रश्न हैं। इस प्रश्न का उत्तर हम इस प्रश्न से देना चाहेंगे कि 'भौतिक वस्तुओं का अस्तित्व विज्ञप्तियों से स्वतन्त्र होता है' इस सिद्धान्त का अस्तित्व क्या इसकी प्रतिपादक प्रतिज्ञप्तियों से स्वतन्त्र है या कि इनके अन्तर्गत है? अब यदि इस सिद्धान्त का अस्तित्व इसकी प्रतिपादक प्रतिज्ञप्तियों से स्वतन्त्र मानते हैं तो यह मानना होगा कि संवेद या विज्ञप्तियाँ ही वस्तु-प्रापक नहीं होतीं विकल्प भी होते हैं। इसके प्रतिवाद में कहा जा सकता है कि 'किरण-दैर्घ्य' पद सूर्य-किरणों की विशेष रचना और माप का वाचक है, किसी सिद्धान्त का वाचक नहीं है। इसका उत्तर हो सकता है कि उपर्युक्त सिद्धान्त भी या तो किसी वस्तुस्थिति का वाचक है, विचारमात्र का नहीं, या फिर यह भ्रान्त विचार और सिद्धान्त है। इसमें वही चेतना और भौतिक तत्त्वों के द्वैत की या उस द्वैत के निषेध की धारणा निहित है। इसका ध्यान रखते हुए हम अपना उदाहरण बदल सकते हैं और प्रश्न कर सकते हैं कि "क्या घट का अस्तित्व घट-विकल्प से अलग है या कि इसका अन्तर्गत अंश ही है?" इसका उत्तर हो सकता है कि घट का अस्तित्व घटत्व पक्ष में घट-विकल्प का अन्तर्गत अंश ही है किन्तु मिट्टी पक्ष में यह उसके बाहर और स्वतन्त्र भी है। अब, निश्चय ही मिट्टी घट-विकल्प से बाहर, उससे अलग, भौतिक देश में ही, होती है और घट-कल्पना उसको आश्रित कर ही घट-रूप में लोक में अवतरित होती है,

1. इसकी विस्तृत व्याख्या के लिए द्रष्टव्य, यशदेव शल्य — चिद्विमर्श में 'दर्शन का आरम्भ बिन्दु' और सत्ताविषयक अन्वीक्षा में 'दर्शन के आधार' अध्याय।

किन्तु घट में मिट्टी घट-कल्पना के अवतरण के लिए उपादान के रूप में होती है और 'उपादान' कल्पना के अन्तर्गत ही हो सकता है, उसके बाहर नहीं। किन्तु यहाँ इस प्रश्न को एक दूसरा मोड़ दिया जा सकता है—घट-कल्पना को हम 'घटकार की कल्पना' के रूप में देखते हैं किन्तु 'इस घट' को घटकार से स्वतन्त्र 'केवल घट-कल्पना' के रूप में, जिसमें इसका उपादान भी सम्मिलित होता है, भी देखा जा सकता है। अब, जब मैं 'इस घट' को देखता हूँ तो एक वस्तु मेरा विषय होती है। किन्तु यह वस्तु घट-प्रत्यय से भिन्न क्या है? कहा जा सकता है कि यह घट-प्रत्यय से इस बात में भिन्न है कि घट-प्रत्यय पानी भरने के काम नहीं आ सकता जबकि 'यह घट' पानी भरने के काम आ सकता है। किन्तु घट-प्रत्यय से अनुप्रविष्ट हुए बिना भी 'यह घट' पानी भरने के काम नहीं आ सकता। इसका अर्थ यह नहीं है कि घटकार के चित्त में उन्मीलित प्रत्यय के अतिरिक्त घट-वस्तु का कोई अस्तित्व ही नहीं है, किन्तु उस अस्तित्व का चेतना से भिन्न होना आवश्यक नहीं है। इसे समझने के लिए हम एक दूसरा उदाहरण लें—घट-चित्र का।

वास्तव में जब हम 'चेतना के बाहर' और 'चेतना के भीतर' अस्तित्व की बात करते हैं तब हम एक बहुत बड़ी भ्रान्ति के शिकार होते हैं। हम चेतना को व्यक्ति-चित्त से अभिन्न मानकर चलते हैं जबकि वास्तव में चेतना के लिए व्यक्ति-चित्त अभिव्यक्ति का अनेक में से एक माध्यम मात्र होता है। विज्ञप्ति को सत् और बाह्यार्थ को असत् मानने के आधार में भी यही भ्रान्ति निहित है। किन्तु यदि विज्ञप्ति ही सत् हो और बाह्यार्थ असत् हो तो प्रत्यय के लिए क्या कहेंगे? अवश्य प्रत्यय व्यक्ति-चित्त में विज्ञप्ति के माध्यम से ही विदित होता है किन्तु प्रत्यय की सत्ता उसके विज्ञप्त होने, विदित होने में नहीं होती। यदि घट-प्रत्यय की सत्ता व्यक्ति-चित्त में विज्ञप्त होने में मानी जाय तो 'घटत्व' एक सामान्य नहीं होगा बल्कि वह प्रत्येक घटकार के 'उस घट-निर्माण' में व्यक्त घट-प्रत्यय : घट-कल्पना : के साथ पृथक् सत्त्व होगा, जबकि वास्तव में घटत्व एक सामान्य और अनन्त रूपों और आकारों की सम्भावना से अन्तर्गर्भ एक स्वतन्त्र तत्त्व होता है। इसकी यह व्यक्ति-चित्त-बाह्यता स्वयं व्यक्ति की कृतियों में भी देखी जा सकती है। एक घट, एक भवन, एक कविता, चित्र या दार्शनिक प्रतिपादन रचा जाने या प्रतिपादन के बाद सबके लिए समान रूप से अवधेय, आलोच्य और विवेच्य होता है। अवश्य उसके सम्बन्ध में उसके रचयिता का यह विशेषाधिकार होता है कि वह ही बता सकता है कि उसमें उसका क्या अभिप्राय है, किन्तु दूसरों को यह अधिकार होता है कि वे उसे बतायें कि वह उस अभिप्राय की अभिव्यक्ति में कहाँ तक सफल रहा है; इससे भी आगे, कि वह उस अभिप्राय को समझने में कहाँ तक सम्यक् है, उसके आपादनों को वह कहाँ तक देख पाया है आदि। इससे भी अधिक महत्त्वपूर्ण यह है कि उसी अभिप्राय को लेकर दूसरे उससे अधिक गहरे या आगे जा सकते हैं, अथवा उसके अन्यान्य पक्षों को देख सकते हैं जो उसके रचयिता ने नहीं देखे हैं। यह जैसे वैचारिक रचनाओं में हो सकता है वैसे ही भावनात्मक और वर्णनात्मक रचनाओं में भी हो सकता है। इतना ही नहीं, प्रत्येक सर्जक अपने सृजन में बहुत कुछ नितान्त अप्रत्याशित सत्यों का साक्षात्कार भी करता है। अब, इन रचनाओं या सर्जनों में विज्ञप्त विषय निश्चय ही विज्ञप्ति से 'बाह्य' ही होता है, बल्कि इनमें सत् विज्ञप्ति नहीं होती बल्कि विज्ञप्त ही होता है, जब और जहाँ तक वह होता है। एक कवि या चित्रकार की कल्पना उतनी ही सत्य होती है जितनी वह अतिवैयक्तिक और अतिक्रांत अर्थों का, जो अर्थ विज्ञप्ति से बाह्य ही होते हैं, साक्षात्कार कर पाती है। अब, ये अर्थ बाह्य होने पर भी अचिद् नहीं होते जैसे ऐन्द्रिक विज्ञप्तियों के अर्थ समझे जाते हैं कि वे अचिद् होते हैं, क्योंकि ये चेतना की ही अभिव्यक्तियाँ होते हैं। केवल ये व्यक्ति-चित्त की विज्ञप्तियाँ नहीं होते, जैसे कपोलकल्पनाएँ, स्वप्न या दिवास्वप्न होते हैं। परमाणु से नक्षत्र-मण्डल तक में, और एककोशीय देहों से मानव-देह तक में एक संरचना, एक ऋत, एक आवयविकता और लय-छन्द दिखायी देता है, वैसा ही जैसा किसी कवि की कविता में, किसी गायक के गान में, या किसी चिन्तक के सिद्धान्त या विचार में। इनके तत्त्व या सत्य को स्वयं कवि, विचारक या गायक कहाँ तक जान और समझ पाते हैं यह दूसरी बात होती है। ये उन्हें समझने में नितान्त भ्रान्त हों, यह भी सम्भव होता है। किन्तु इस 'बाह्यता' से इनकी चिदात्मता सन्देहास्पद नहीं बनती। यही बात परमाणु आदि के सम्बन्ध में है। इनके विज्ञप्ति-विषय या वैज्ञानिक सिद्धान्त-विषय होने से इनकी चिद्-बाह्यता सिद्ध नहीं होती, केवल व्यक्ति-चित्त-बाह्यता सिद्ध होती है।

यहाँ आपत्ति की जा सकती है कि कल्पित या वैचारिक के विपरीत भौतिक की 'बाह्यता' लाक्षणिक अर्थ में नहीं होती, यह वास्तविक देश में होती है। यह सही है, किन्तु देश का अस्तित्व भी चेतना से बाहर कहीं दृष्टिगत नहीं होता। यदि देश स्वरूपत: चेतना से बाहर और स्वतन्त्र हो तो भौतिक वस्तुओं की कल्पना और उनका स्वप्न में दर्शन सम्भव नहीं हो सकता। हम स्मृति और स्वप्न में भी घट-पट आदि को देश में ही देखते हैं। इससे सिद्ध है कि देश के लिए उसका 'बाहर देश में होना' आवश्यक नहीं है। कांट ने देश को ऐन्द्रिक विज्ञप्तियों का चित्कल्पित अधिष्ठान (अ प्रायराई फोर्म ऑफ इन्ट्यूशन) कहा है। किन्तु वास्तव में यह ऐन्द्रिय विज्ञप्ति का ही प्रागनुभविक आकार (चित्कल्पित अधिष्ठान) सिद्ध नहीं होता, यह तद्वत् कल्पना का आकार भी सिद्ध होता है।

यहाँ एक और पक्ष है जो ध्यातव्य है। जैसाकि हमने आरम्भ में देखा, आत्मचेतन चेतना ज्ञान और सत् में विभक्त होकर सत् को अपने से बाहर, पृथक् स्थापित कर उसमें अवगाह्य, विवेच्य और आलोच्य अर्थों का आधान करती है। इसे तमसाच्छन्न चित्सत् में प्रकाश का आविर्भाव भी कह सकते हैं। द्रष्टव्य है कि मुख्य भारतीय दर्शन-सम्प्रदायों ने इसे चित् का तमसावृत होना कहा है। वसुबन्धु बाह्य अर्थों को उनकी भौतिक वस्तुता में ही नहीं, उनके अवभासन में भी असत् कहते हैं और तदनुरूप ग्राह्य-ग्राहक भाव को, जो चेतना के आत्मचेतन होने का प्रथम और अनिवार्य चरण है, अविद्यामूलक कहते हैं। किन्तु जैसाकि हमने देखा, चेतना का ग्राह्य-ग्राहकत्व में यह विभाजन चेतना की आत्मोपलब्धि की, प्रत्यङ्मुख उत्क्रमण की, अपने में तमसाच्छन्न सत् के प्रकाशन की अनिवार्य पूर्वापेक्षा है। वैसे चेतना इस विभाग के बिना भी अपने को रचती रहती है। विभिन्न कक्षाओं में घूमते इलेक्ट्रॉन, प्रोटॉन, न्यूट्रॉन आदि अवयवों के अवयवी परमाणुओं के रूप में और उनके संघातों से रचित विभिन्न भौतिक रूपों और उनके गति-छन्द में, तथा जैव देहों के रूप में और इन जीवों की भोग-शोक में निष्पन्न चर्याओं के रूप में। इस चेतना के आत्मचेतन होने पर यह सब चित्सत् अपने लिए प्रकाशित और जिज्ञास्य हो जाता है और उसके बिना यह चित् भौतिक रूप में अप्रकाशित या जैव रूप में ईषत्-प्रकाशित पड़ा रहता है। चेतना का आत्म-चेतन रूप में यह प्रतिफलन विषय-भाव से निवृत्ति से होता है, यद्यपि जिज्ञास्य इसमें विषय ही रहता है। उदाहरण के लिए जैव स्तर पर भोजन आस्वादमय होता है। इस भोजन का स्वाद कैसा है, यह वहाँ विवेच्य नहीं हो सकता। 'भोजन का स्वाद कैसा है' यह जानने के लिए खाने वाले को खाने से ही नहीं, विषय-प्रवृत्ति मात्र से तटस्थ होकर अपने संवेद पर, फिर उसके गुण पर, ध्यान केन्द्रित करना होता है, जो ध्यान विशेष संवेद को उसके सामान्य में प्रतिबिम्बित करता है और इस सामान्य से विशेष को उद्भासित करता है। चेतना की यह वृत्ति भौतिक विज्ञानी में और भी उत्तानित देखी जा सकती है जब वह भौतिक को जानने के लिए उस संवेद-गुण का भी अपसारण कर देता है जो गुण चेतना के सहज भाव में उसके लिए भौतिक का प्रथम और अन्तिम प्रमापक होता है और केवल मध्य में भौतिक अस्तित्व की बाह्यता के विकल्प को अवकाश देता है। रूप का अवभासन या विज्ञप्ति वस्तु-विकल्प की हेतु और वस्तु के लिए प्रमाण बनती है और वह वस्तु वास्तव में वहाँ है इसकी पुष्टि दूसरी वास्तव या सम्भाव्य विज्ञप्तियों से होती है। निश्चय ही विज्ञान भी इस विकल्प का प्रमाण संवेद को ही बनाता है किन्तु यह संवेद अब विकल्प का अनुगामी और उससे निर्दिष्ट होता है, उसका कोई स्वलक्षण या स्वतन्त्र प्रमाण नहीं होता। किन्तु वैज्ञानिक आज इस विकल्पमूल की बाह्यता से इतना अभिभूत है कि उसने स्वयं विकल्प को भी भौतिक बाह्यता को ही समर्पित कर दिया है : वह कम्प्यूटर का आविष्कार कर अपने को उससे अभिन्न मान रहा है। किन्तु जिन भावनाओं, विचारों, कर्मों और अभीप्साओं को वह मस्तिष्क-यन्त्र से कारित मान रहा है वे उसकी इस खोज से पूर्व और स्वतन्त्र रूप से ही उसे विदित होते हैं और उनका मस्तिष्क-यन्त्र से सम्बन्धित होना और इस सम्बन्ध के प्रमाणीकरण के लिए उनका इस सम्बन्ध से स्वतन्त्र रूप से विदित होना आवश्यक होता है, यह देखने से वह इन्कार करता है। जब हम कुछ देखते हैं तब चक्षु-यन्त्र में कुछ क्रियाएँ भी घटित होती हैं। किन्तु वे क्रियाएँ हमारे रूप-दर्शन की हेतु हैं यह जानने के लिए पहले रूपों का दर्शन होना और स्वयं उन क्रियाओं का भी दृष्ट होना आवश्यक होता है, और इसके अतिरिक्त आवश्यक होता है इन दो में एक सिद्धान्त के निष्कर्ष रूप में सम्बन्ध स्थापित करना। अब, ये तीनों ही बातें यन्त्र-कोटिक नहीं हो कर चेतना-कोटिक हैं। किन्तु इस सब से आधारभूत महत्त्व की बात इस यन्त्र का होना है, जिसके होने के लिए किसी प्रयोजन का होना आवश्यक है,

जिसके बिना कोई वस्तु यन्त्र नहीं हो सकती। कार का होना किसी के पैदल चलने की थकान से बचने और गन्तव्य स्थान पर जल्दी पहुँचने की उद्विग्नता को पूर्वापेक्षित करता है न कि यह उद्विग्नता और प्रयोजन कार के होने को। यही बात न केवल जैव देहों के सम्बन्ध में सही होनी चाहिए बल्कि भौतिक संरचनाओं के लिए भी सही होनी चाहिए। ऐसी युक्तियों को मानवत्वारोपणपरक (एंथ्रोपोमोर्फिज़्म) कह कर झुठलाया जाता है, किन्तु यह केवल इस शब्द को निन्दात्मक मूल्य देना है, कोई युक्ति देना नहीं है। स्वयं से कोई वस्तु यन्त्र रूप में संरचित होती नहीं देखी जाती और कोई संरचना प्रयोजनपूर्वक हुए बिना यन्त्र नहीं कही जा सकती, फिर प्राणि-देहों जैसे अत्यधिक जटिल और कुशल यन्त्रों और नीहारिकाओं जैसी कुशल संरचनाओं की तो बात ही क्या है। और फिर, सम्भव है चिड़िया के घोंसला बनाने और उसकी मस्तिष्क-रचना में वैज्ञानिक कोई सम्बन्ध खोज भी सके, किन्तु किसी मस्तिष्क की रचना देखकर कोई वैज्ञानिक यह निगमित नहीं कर सकता कि वह प्राणि घोंसला बनायेगा। मनुष्य के विचार, विवेक, भावना और प्रतिभा के निगमन की तो बात ही दूर उसके आगमनात्मक अनुमान की बात भी अकल्पनीय है। इसके विपरीत, यह समझने में कोई कठिनाई नहीं दिखती कि चेतना विचार, भावना आदि के रूप में अपनी अभिव्यक्ति के लिए भौतिक का जैविक में रूपान्तरण करती है और फिर जैव उपादान से देह-यन्त्र की रचना करती है। यदि किसी को ब्रह्माण्डीय स्तर पर कर्तृत्व की कल्पना करना अतिचार लगे तो रूपान्तरण और रचना की इस प्रक्रिया को कर्तृत्व की पदावली के बिना भी कहा जा सकता है। कहा जा सकता है कि "चेतना के इन रूपों में व्यक्त होने के निमित्त से भौतिक का जैविक में रूपान्तरण घटित होता है और तब जैविक यथोपयुक्त देह-यन्त्र रूप में रचित होता है।" किन्तु सम्भवत: यह कहना अधिक उपयुक्त होगा कि "यह विराट् आयोजन कैसे घटित हुआ यह हमारी कल्पना के लिए अगम्य है, किन्तु उसके लिए कर्तृत्व की पदावली का उत्प्रेक्षात्मक प्रयोग सम्भवत: अधिक उपयुक्त हो सकता है बजाय यान्त्रिक पदावली के प्रयोग के।" किन्तु जो बात निश्चित रूप से कही जा सकती है वह यह है कि भौतिक जगत् एक अद्भुत रचना, व्यवस्था और नियम को व्यक्त करता है जिसे वैदिक ऋषियों ने ठीक ही 'ऋत' की संज्ञा दी थी। अन्यथा परमाणुओं के अवयवभूत कण अपनी कक्षाएँ छोड़कर बिखर भी सकते थे, ग्रह-नक्षत्र अपनी कक्षाएँ छोड़कर एक-दूसरे पर गिर सकते थे या एक ही पिंड बन सकते थे। या यह जगत् अनादिकाल से ऐसे ही होता—बिना किसी नियम और व्यवस्था के, और इस प्रकार सारे आकाश में केवल गैस ही होती या केवल धूल ही होती, यह सम्भव ही था। विभिन्न जीव व्यक्ति जातियों में व्यवस्थित हैं, प्रत्ययात्मक सामान्यों के विशेष उदाहरणों के जैसे। ये जीव जीने की अदम्य कामना से परिचालित हैं किन्तु तब भी मरते हैं। किन्तु उनसे अन्य व्यष्टियों की उत्पत्ति इस मृत्यु को मानो आत्मनवीकरण के उपाय का रूप दे देती है। और ये मृत्यु और जन्म भौतिक कारण-कार्यता से नितान्त भिन्न उद्भावना के द्योतक हैं। इस व्यवस्था में कारण कार्य को मात्र उत्पन्न नहीं करता, जिस उत्पत्ति को प्रतीत्यसमुत्पाद मात्र भी कहा जा सकता है, बल्कि इसमें यह भोग-सुख और वात्सल्य से भी अन्तर्निविष्ट हो जाता है और इस प्रकार इसमें एक नितान्त नवीन 'विचार', नितान्त नवीन 'बुद्धि' अपनी क्रियान्विति साधती दिखायी देती है। जीवों का यह जगत् जबकि अन्यथा यन्त्रवत् चलता दिखायी देता है, इसमें 'आत्मरक्षा' और 'आत्मसंवर्धन' का, 'एक-दूसरे की भोज्यता' और 'प्राकृतिक क्षय' से बाध का, और 'भोग' के 'शोक' से बाध एक सर्वथा नवीन 'योजना' को प्रदर्शित करते हैं, जो इन्हें सम्भवत: जैव विकास के हेतु के रूप में व्यवस्थित करती है।[1] यह बुद्धि या विचार प्राणियों की अपनी चेतना के स्तर पर यान्त्रिक रूप से उपचरित ही दिखायी देता है, किन्तु इन क्रियाओं में अद्भुत कौशल, अपार वैविध्य और इस सब में संवेद का अन्त:संचार अपने मूल में यान्त्रिक नहीं हो सकते। अनेक कृमि-जातियों में अद्भुत समूह-व्यवस्था और तदनुसार छत्ता, बॉबी आदि निवास-रचनाएँ, भोजन और आत्मरक्षा के उपायों की असंख्य प्रकारक योजनाएँ और उनके क्रियान्वयन में स्तब्धकारी कौशल निश्चय ही उन प्राणियों की चेतना में यान्त्रिकतया ही घटित होते प्रतीत होते हैं, किन्तु ये यन्त्र किसी आत्मचेतन प्रत्यय के आत्मचरितार्थन के उपाय नहीं हैं, यह कहना उससे कहीं बड़ा दुस्साहस प्रतीत होता है जितना बड़ा दुस्साहस इन्हें

---

1. द्रष्टव्य, यशदेव शल्य — 'मृत्यु-चिन्तन', उन्मीलन, जनवरी, 1998-जुलाई 1998, तथा तत्त्वचिन्तन, 2003.

आत्मचेतन उपाय कहना प्रतीत हो सकता है। इसके अतिरिक्त,, इस यान्त्रिक चेतना में आत्मचेतन होने का अनवरत उपक्रम दृष्टिगोचर होता है, जो यद्यपि मानव-स्तर पर एक उत्प्लुति से पहुँचने जैसा ही प्रतीत होता है किन्तु इस उत्प्लुति के लिए आरोह का एक सुदीर्घ सोपान-क्रम भी दिखायी देता है। अब, मनुष्य की विचार-क्षमता और सदसद्-विवेक-क्षमता को श्वान, वानर आदि की बौद्धिक क्षमताओं के ही जटिलतर रूप कहकर इन्हें भी यान्त्रिक सिद्ध करना बजाय श्वान, वानर आदि की यान्त्रिक प्रकार की क्षमताओं को मानवीय आत्मचेतन और सृजनात्मक प्रकार की क्षमता में अपना उत्कर्ष साधने के दुर्घर्ष प्रयत्न के रूप में देखने के, केवल एक दुराग्रह ही कहा जा सकता है।

जैसाकि हमने पीछे देखा, चेतना के आत्मचेतन स्तर पर आरोहन की प्रथम सिद्धि अहंकार से अतिक्रमण के रूप में उपलब्ध होती है, क्योंकि इसमें व्यष्टि-विषयी अपने को अन्य व्यष्टि-विषयियों से समस्तर देखता है। भाषा इसमें उपकरण बनती है। किन्तु चेतना की यान्त्रिक स्तर से मुक्ति का नितान्त निश्चित चरण धर्माधर्म-विवेक और अध्यात्म-साधना में उठा मिलता है, यद्यपि काव्य और कलाएँ भी इसी दिशा में गति का अग्र-चरण कही जा सकती हैं, क्योंकि इनमें चेतना अपनी प्राकृतिक वृत्ति : विषयता : से परावर्तित होकर स्वयं विषयिता का विमर्श करती है जबकि धर्माधर्म-विवेक में चेतना अपने को बाह्योन्मुखता से परावर्तित कर अपने कर्म का निकष आत्मस्वरूप को बनाती है। अध्यात्मसाधना इस आत्मस्वरूप के साक्षात्कार की ही साधना है जो चेतना का जगत् से बाहर अपनी निजता में ही अपने निलय का सन्धान है। यह सम्भव है कि इस सबके लिए हमारे मस्तिष्क में यन्त्र-व्यवस्था भी हो, किन्तु वैज्ञानिक इसका अनुमान केवल मस्तिष्क के किसी भाग के हटने और इस बोध के मिटने में सम्बन्ध-कल्पना के द्वारा ही कर सकते हैं। किन्तु 'मस्तिष्क का क्षय होने से विचार, विवेक आदि का क्षय हो जाता है' यह तो मनुष्य को बहुत समय से पता है, विज्ञान ने इस ज्ञान में मूलत: नया क्या जोड़ा है? विज्ञान ने केवल यह जोड़ा है कि इसके कारण कुछ लोग मस्तिष्क-यन्त्र और विचार-विवेक आदि के भेद को देख पाने में असमर्थ हो गए हैं। किन्तु यहाँ आधारभूत महत्त्व की बात यह है कि यदि समस्त प्राणि-व्यवहार और मानवीय विचार मस्तिष्क-यन्त्र में अपचेय हो तो भी इससे आधार तत्त्व भौतिक सिद्ध नहीं होता, क्योंकि यन्त्र को विचार की अभिव्यक्ति, अथवा कहें विचार की अन्तर्वस्तु, के रूप में ही समझा जा सकता है, किसी शुद्ध भौतिकता के रूप में नहीं, जो एक नितान्त उद्ग्रहणात्मक कल्पना के अतिरिक्त कुछ नहीं है।

जगत्–चिन्तन

'जगत्' शब्द का अर्थ 'गतिमान्' है। यही अर्थ 'संसार' शब्द का भी है। किन्तु 'जगत्' शब्द का रूढ़ार्थ या अभिप्रेतार्थ इससे बहुत व्यापकतर है। 'गतिमान्' शब्द इस व्यापकतर अर्थ के केवल एक पक्ष का वाचक कहा जा सकता है। व्यापक अर्थ में यह 'बाह्येन्द्रियों के विषयभूत स्वतन्त्र बाह्य सत्' का वाचक है। किन्तु गतिमानता को यदि जगत् का एक लक्षण मानकर भी चलें, जिसे 'धर्मोहि विश्वस्य जगत: प्रतिष्ठा' में व्यावर्तक लक्षण माना गया है, तो भी यह प्रश्न किया जा सकता है कि क्या इस गति का प्रतिष्ठापक धर्म जगत् के बाहर है या कि इसका अन्तर्गत स्वरूप है? उपर्युक्त उक्ति में शायद धर्म को इसका अन्तर्गत स्वरूप नहीं माना गया है। किन्तु यदि जगत् के सम्बन्ध में यह मान भी लिया जाय कि इसमें जो कुछ भी है वह परिवर्तनशील है और जो कुछ भी ऐसा है जो परिवर्तनशील नहीं है वह उसके बाहर है, वह जगत् नहीं है, तो भी यह शब्द जगत् के केवल एक अनिवार्य लक्षण का वाचक ही कहा जा सकता है, उसका इसे प्रधान लक्षण कहना भी आवश्यक नहीं ठहरता। जगत् का एक दूसरा वाचक शब्द 'सृष्टि' है। अर्थात् किसी के द्वारा रचा गया, बनाया गया। यद्यपि 'सृष्टि' शब्द का वाच्य व्यापकतर है, इसे पूर्ण व्यापक भी चाहें तो कह लें, किन्तु इसमें कठिनाई यह है कि इसमें किसी सर्जक का स्वीकार निहित है जो जगत् के बाहर है और जिसमें इस सृष्टि की प्रतिष्ठा है। किन्तु सृष्टि की व्याख्या कुछ इस प्रकार भी की जा सकती है जिसमें कर्त्ता को कर्म से पृथक् नहीं देखा जाय, सृजन–कर्म और सृष्टि को एक ही के दो अवियोज्य आयाम माना जाय : 'सोऽकामयत् बहुस्यां प्रजायेयेति'[1] में कामना के कर्म और उसके कार्य को पूर्वापर घटनाओं के रूप में भी देखा जा सकता है और युगपत् रूप में भी। इसी उपनिषद् में आगे 'स आत्मानं स्वयमकुरुत' कह कर यह स्पष्ट कर दिया गया है। किन्तु इनमें पौर्वापर्य मानने पर उसकी अपेक्षा अधिक कठिनाइयाँ दिखायी देती हैं जितनी यौगपद्य मानने पर दिखाई देती हैं। जैसे, इस कामना से पूर्व 'वह' पूर्णकाम था या कि कामना–शून्य था? याकि कामनामय तो था किन्तु बहु होने की कामना तब उसमें नहीं थी? इनमें कोई भी विकल्प स्वीकार करने में कठिनाइयाँ ही कठिनाइयाँ हैं। कामना, क्रिया और क्रिया–फल में पौर्वापर्य मानने में एक और कठिनाई काल को लेकर है—काल क्या जगत् के पूर्व भी था? यदि हाँ, तो वह क्या था जो तब काल का विषय था? यदि काल जगत् के पूर्व नहीं था तो कामना और जगत् में पौर्वापर्य कैसे होगा? इस प्रकार जगत्–कामना, कामना के विषयभूत जगत् और उसकी सिद्धि को अनादि मानना आवश्यक प्रतीत होता है। यहाँ कहा जा सकता है कि यह सब तो तर्क या विचार की बाध्यता हुई न कि यह वस्तुस्वरूप की बात हुई! तो इसका उत्तर होगा कि ये सब प्रश्न विचार ही के कारण हैं, 'अनादि' शब्द भी विचार की सीमा का ही संकेत है। इसलिए बुद्ध के समान इन्हें अतिप्रश्न के विषय या कबीर के समान 'है जैसा तैसा रहै' कहना ही ठीक है।

इधर विज्ञान ने भी जगत् की उत्पत्ति को लेकर खोज आरम्भ की है। अभी तक वैज्ञानिक लोग जिस निष्कर्ष पर पहुँचे हैं वह यह है कि किसी समय, खरबों–खरब वर्ष पहले, न देश था न काल, न भौतिक तत्त्व था। तब केवल एक पिण्ड मात्र था। वास्तव में तो उसे अण्ड ही कहना चाहिए। इस अण्ड में अकस्मात् एक बृहत् विस्फोट हुआ और उसमें से भूत–भौतिक और देश–काल की युगपत् उत्पत्ति हुई। उसके खरबों वर्ष बाद पृथ्वी पर जीवन का आविर्भाव हुआ और उसी के क्रम में मनुष्य का जन्म हुआ। इस धारणा के अनुसार जगत् का तत्त्व इन्द्रिय–गोचरता है। यह जो 'बाहर' दिखायी देता–सुनायी देता है वह जगत् है, यद्यपि इसका मूल अतीन्द्रिय ऊर्जा–तन्त्र ही है। इस पर प्रश्न हो सकता है कि क्या इन्द्रिय और उसका अधिष्ठाता–द्रष्टा ये भी जगत् ही हैं या कि ये जगत् के बाहर हैं? और सबसे बड़ा प्रश्न यह कि जब न देश था और न काल तब भूत–भौतिक और ऊर्जा भी

---

1. तैत्तिरीय उपनिषद् (वल्ली 2, अनु. 6)

कैसे हो सकते थे? यदि देश और काल का आविर्भाव महापिण्ड (अधिक अर्थगर्भ शब्द का प्रयोग करें तो कहें 'ब्रह्माण्ड') के विस्फोट के साथ हुआ तो उस विस्फोट से पूर्व भी कुछ होना चाहिए, चाहे वह महाशून्य ही क्यों न हो! किन्तु प्रश्नों का प्रश्न यह कि इस 'महाशून्य' में से 'महाविस्फोट' कैसे और क्यों हुआ? इसके सम्बन्ध में आर्ष कवि का यह निरूपण ध्यातव्य है—

> ना सदासीन्नोसदासीत् तदानीम्, नासीद्रजो नो व्योमा परोय:।
> किमावरीव:कुह कस्य शर्मन्नम्भ:किमासीद् गहनं गभीरम्।
> न मृत्युरासीदमृतं न तर्हि,ना रात्र्या अह्न आसीत्प्रकेत:।
> आनीदवातं स्वधया तदेकं, तस्माद्धावन्यन्न पर:किंचनास।।[1]

अस्तु उस 'एकाकी' के मन में तब इच्छा हुई, बहुस्याम्। विज्ञान को 'सृष्टि की इच्छा' की यह पदावली उपलब्ध नहीं है। किन्तु व्याख्या की दृष्टि से इस पदावली का कोई लाभ भी नहीं है, क्योंकि उस अवस्था में जब सदसत् से अतीत केवल 'वह एक' ही था तब उसके 'मन' में 'इच्छा' का आविर्भाव कैसे और क्यों हुआ? यह 'इच्छा' कैसी थी? ये प्रश्न परिभाषया ही विचारगम्य नहीं हो सकते, क्योंकि इनमें प्रयुक्त सब पद अवाच्य और अनवधार्य की ओर अनियत संकेत भर करते हैं।

किन्तु इस सब ऊहापोह में जो एक बात उभर कर आती है वह यह कि बाह्य कुछ, भौतिक तथता में अन्तस्थ कुछ, को पूर्वगृहीत मान कर जगत् के आविर्भाव और इसकी विद्यमानता को नहीं समझा जा सकता। यदि इस पर यह कहा जाय कि जगत् किसी के समझने की अपेक्षा ही कहाँ रखता है? तो फिर प्रश्न होगा कि उस अवस्था में 'जगत् है', यह भी क्यों कर कहा जाय? क्योंकि 'जगत् है' इस कथन में ही इसकी ज्ञान-विषयता पूर्वगृहीत है! इस विषय की अविज्ञेयता केवल साधारण वस्तुविषयक पदावली और अवधारणाओं के लिए ही अगम्यता की द्योतक है, प्रज्ञा के लिए नहीं!

किन्तु यहाँ एक आधारभूत कठिनाई उपस्थित हो जाती है—विषयी और विषय के द्वैत की और इस द्वैत के बीच अलंघ्य खाई की। ज्ञान में विषयी विषय को 'जानता' है, किन्तु यह पाया गया है कि इस प्रक्रिया में विषय अपनी निरपेक्ष निजता में अक्षुण्ण नहीं रहता। वह विषयी के अपने कल्पित विषय-रूपों से आरोपित हो जाता है। तब यह भी कह सकते हैं कि विषय विषयी की अपनी विषय-कल्पना से भिन्न कुछ होता ही नहीं। अथवा यह भी कह सकते हैं कि वह (विषय) विषयी को उसकी अपनी कल्पना से रूपित हो कर ही गम्य होता है। वास्तव में थोड़ा गहराई से देखा जाय तो इस दूसरे विकल्प में विषय की निरपेक्ष उपस्थिति भी विषयी की अपनी कल्पना ही ठहरती है। विषय की स्वतन्त्रता की बात कितनी कल्पित है यह इस बात से देखा जा सकता है कि यह स्वतन्त्रता केवल बाह्येन्द्रियों के विषयों में ही लक्षित की जाती है जबकि विषय तो अन्तरेन्द्रिय और बुद्धि के भी होते हैं, प्रथम के वेदना-विषय रूप में और दूसरे के विकल्प-विषय रूप में या तत्त्व रूप में। वास्तव में तो बाह्येन्द्रिय-विषय भी वेदना और विकल्प से व्यवहित रूप में ही प्रस्तुत होते हैं, केवल अन्तरेन्द्रिय और बुद्धि के विषय ही बाह्येन्द्रियों से अव्यवहित रूप में प्रस्तुत होते या हो सकते हैं। किन्तु बाह्येन्द्रिय भी उसी प्रकार विषयी के ज्ञान-व्यापार की अंग होती है जिस प्रकार अन्तरेन्द्रिय और बुद्धि होती है। बल्कि बाह्येन्द्रिय पूर्णत: विषयिनिष्ठ ही होती है, केवल बुद्धि में ही विषयिनिष्ठता के अतिक्रमण की सामर्थ्य होती है, जहाँ तक यह उस में हो पाती है। बाह्येन्द्रिय विषयों की तथाकथित 'स्वतन्त्रता' का मूल प्रथमत: तो जीव क आद्य जगद्भाव में होता है और अनन्तरत: विकल्प में होता है।

---

1. उस समय न सत् था न असत् था, न लोक था और न आकाश से परे जो है वह था। उस समय न मृत्यु थी न अमरता थी। उस समय अकेला वह अपनी प्रतिष्ठा से साँस ले रहा था। ऋग्वेद-10.129.1-2 (हिन्दी अनुवाद दामोदर पाद सातवलेकर)

हमारे इस प्रतिपादन पर आपत्ति हो सकती है कि बुद्धि तो बाह्येन्द्रिय और वस्तु के बीच व्यवधान ही बनती है, इस व्यवधान के बिना बाह्येन्द्रिय वस्तुओं का अव्यवहित प्रत्यक्ष करती है—चक्षु वर्ण और आकार का, श्रवण ध्वनि का, आदि जो वर्ण और आकार आदि विकल्प के कारण उस वस्तु के गुणों के रूप में गृहीत होते हैं जो वस्तु कहीं नहीं होती। किन्तु यह बहुत बड़ी भ्रान्ति है। सर्वप्रथम, वर्ण, गन्ध आदि भी उसी प्रकार इन्द्रियों के कारण वर्ण और गन्ध आदि बनते हैं जिस प्रकार अन्तरेन्द्रिय के कारण अनुकूल और प्रतिकूल वेदनाएँ बनती हैं। किसी भी स्तर पर बाह्येन्द्रिय विषय वासना-रहित नहीं होते, ये तत् तत् जीव की वासनाओं के अधीन ही जीव के विषय बनते हैं। यहाँ तक कि जीवों के इन्द्रिय-यन्त्र तक जाति-विशिष्ट प्रकार के होते हैं। यदि ऐसा नहीं हो तो सब जीवों के बाह्येन्द्रिय विषय समान होने चाहिएँ, जो कि नहीं होते। अब यदि इससे आगे यह भी कहा जाये कि इन्द्रियों का अस्तित्व भी वासनाओं से ही है तो यह अनुचित नहीं होगा। यों डारविन के सिद्धान्त में जीवों में अंगों के विलुप्त होने का उल्लेख है और उसकी व्याख्या उन अंगों की उन जीवों में उपयोगिता का समाप्त होना बताई गई है। यह व्याख्या इन्द्रिय-यन्त्रों के वासनामूलक होने की पुष्टि करती है। जहाँ तक इन्द्रियों का प्रश्न है, वे तो वासनाओं की ही नामान्तर भी कही जा सकती हैं। रसना रसास्वादन की इच्छा की और चक्षु रूप-दर्शन की इच्छा की अभिव्यक्ति मात्र कही जा सकती हैं और जिह्वा और चक्षु-गोलक इन इन्द्रियों के उपकरणों के रूप में रचित कहे जा सकते हैं। इस प्रकार डारविन ने ठीक ही इन्द्रियों को उपयोगिता से जोड़ा है, जिसका मूल भी इच्छा में ही है—जीने की इच्छा। उत्तरवर्ती जीव-वैज्ञानिकों ने 'इच्छा' और 'उपयोगिता' को 'अवैज्ञानिक' अवधारणाएँ मान कर इन्हें शुद्ध भौतिकतापरक पदावली से स्थानान्तरित कर दिया है, किन्तु इसका औचित्य केवल विज्ञान की सैद्धान्तिक सीमा-निर्धारण की दृष्टि से ही है, व्यापकतर सत्य की दृष्टि से या जगत् का स्वरूप समझने की दृष्टि से नहीं है।

जगद्विषयक उपर्युक्त विवेचन को आधार बनाते हुए उपनिषद् के 'स अकामयत्' को इस अर्थ में समझा जा सकता है और जगत् को चेतना के जगद्भाव का प्रतिफल कहा जा सकता है। यह भाव चेतना में इस प्रकार आद्य रूप से निहित रहता है कि जीव इस भाव के भीतर ही अस्तित्व में आता है। भ्रूणावस्था में गर्भ का आश्वासन, आँख खोलने से पहले शिशु का स्तन खोजना ये सब जगद्भाव की आद्यता को प्रदर्शित करते हैं। इस भाव के अधीन जीव ऐन्द्रिक विषय को उसके आधार में स्वतन्त्रत: प्रतिष्ठित एक व्यवस्था के अंग के रूप में भावित करता है। इसे जैव अस्तित्व का प्रतिष्ठापक धर्म भी कह सकते हैं और जीव द्वारा अपने देहावतरण के लिए प्रतिष्ठापित मंच भी कह सकते हैं। इस अवतरण के लिए देहायतन और जगत्-मंच की रचना का रूप उन संस्कारों से निर्धारित होता है जिनका स्रोत अनादि है। 'अनादि' शब्द यहाँ काल-वाचक नहीं है बल्कि मूल की अतलता का वाचक है—अतलता के अदैशिक अर्थ में। इस अनादिता को क्रमश: व्यष्टि जीव की जातीय आनुवंशिकता में, जैव आनुवंशिकता में, जातीय आनुवंशिकता में, और जैव आनुवंशिकता को भौतिक के जैविक में उद्भूत होने के प्रयत्न में भी देखा जा सकता है। जगत् को इस प्रकार परिभाषित करने का यह औचित्य तो है ही कि इससे जातिगत और व्यक्तिगत विषयों के रूप-भेद की व्याख्या होती है, इससे जगत् से उस निवर्तन की योग्यता की व्याख्या भी होती है जो योग्यता मनुष्य में लक्षित होती है।

जगत् को चेतना का जगद्भाव या उस भाव का प्रतिबिम्ब मानने पर भूत-भौतिक से लेकर सम्पूर्ण जीव-सृष्टि और मनुष्य इस भाव के विभिन्न रूप, विभिन्न आयाम और विभिन्न स्तर हो जाते हैं। यहाँ आपत्ति की जा सकती है कि 'चींटी का जगत्', 'वानर का जगत्' और 'सिंह का जगत्' जबकि सार्थक पद हो सकते हैं इससे यह निष्पन्न करना कि जगत् भौतिक और जैविक व्यष्टियों-जातियों की विषयिताओं का समूह मात्र है, उसका अपना कोई स्वकीय अस्तित्व नहीं है, जो अस्तित्व विभिन्न विषयिताओं में विभिन्न विषयों के रूप में प्रतिभासित होता है, बौद्धों और कांट की स्वलक्षण वस्तु जैसे, यह एक अविश्वसनीय सिद्धान्ताग्रह ही प्रतीत होता है, क्योंकि स्वयं ये विषयिताएँ अपने विषयों को स्वतन्त्र मानकर ही प्रवृत्त होती हैं। विषयों की इस स्वतन्त्रता को स्वीकार किये बिना जैव प्रवृत्ति भी अपने को अप्रतिष्ठित ही अनुभव करती है, जैसाकि भ्रान्ति के अनुभव में जैव व्यवहार को देखने

पर हम पाते हैं। इस आपत्ति पर यहाँ हम विस्तृत विचार नहीं कर केवल इतना ही कहना चाहेंगे कि 'विषय की स्वतन्त्र सत्ता' यह जगद्भाव का एक मूल घटक है। जगद्भाव जगत् को काम्य और अनुसन्धेय स्वतन्त्र सत् के रूप में आक्षिप्त करके ही प्रवृत्त होता है। इसके बिना जगत्प्रवृत्ति निराधार हो जाती है। किन्तु इस 'स्वतन्त्रता' से जगत् की वासनामूलकता या जगद्भावमूलकता असिद्ध नहीं होती। चींटी के लिए 'चींटी का जगत्' ही स्वतन्त्रत: होता है न कि 'सिंह का जगत्', जो कि चींटी के लिए होता ही नहीं। किन्तु चींटी और सिंह के जगत् उनके लिए उनकी विषयिताओं के जगत् नहीं होते, वे उनके लिए अपनी स्वतन्त्र प्रतिष्ठा के आश्वासन के साथ ही प्रतिष्ठित होते हैं।

किन्तु यह एक विचित्र बात है कि जगत् का सत्ता-स्वातन्त्र्य चेतना के जगद्भाव से किंचित् निवर्तन के साथ ही स्फुटता-लाभ करता है, उसके बिना चेतना अपने जगद्भाव को जाने बिना उससे तदात्म रहती है। चेतना की जगद्भाव से स्वतन्त्रता का सूत्रपात चेतना के आत्मचेतन होने पर होता है जब चेतना विषय-विषयी, ग्राह्य-ग्राहक के द्वैत में उद्भिन्न होकर अपनी विषयिता को विषय से स्वतन्त्र देख पाती है। चेतना की विषय-विषयिता में यह उद्भिन्नता स्वयं से विषयी को विषय से या जगद्भाव से मुक्त नहीं करती, यह उसे जगद्भाव की अतिशयता भी दे सकती है, प्राय: देती ही है, किन्तु यह उसके लिए उससे मुक्ति की सम्भावना का द्वार भी खोलती है। इस उद्भिन्नता के बिना चेतना जगद्भावमय रहती है, उससे कम या अधिक संपृक्त नहीं रहती। उदाहरणत: पशु अपनी दैहिक आवश्यकता से अधिक कामासक्त या बुभुक्षु नहीं होता, किन्तु मनुष्य होता है। इसीलिए पशुओं को प्रकृति का अंग कहा जाता है, मनुष्य को नहीं कहा जाता। मनुष्य को अपनी 'प्रकृति' के लिए भी उत्तरदायी माना जाता है। इस प्रकार वह अपने में जागतिकता की अतिशयता के लिए भी उत्तरदायी होता है और उसकी न्यूनता के लिए भी—यों इस न्यूनता के लिए उसे 'उत्तरदायी' नहीं कह कर 'उसका साधक' कहा जाता है। दूसरे शब्दों में, वह स्वरूपत: जगत् के बाहर होता हैअपना स्वयं नियामक। ऐसा वह अधिकांशत: वास्तव में होता नहीं है, वह भी अधिकांशत: पशु के समान अपनी प्रकृति से ही नियन्त्रित रहता है, बस केवल यह 'प्रकृति' दैहिक नहीं होकर चैत्त होती है। किन्तु यह दूसरी बात है।

किन्तु मनुष्य की चेतना का आत्मचेतन होना उसकी विषयता के स्वरूप को भी शेष जीवों की चेतना की विषयता से अधारभूत रूप से भिन्न कर देता है। इसका कारण यह कहा जा सकता है कि आत्मचेतना का पहला विषय आत्म ही होता है और शेष विषय इससे उपलक्षित होकर घटित होते हैं। इस प्रकार एक अर्थ में वह, पशु से भिन्न, विषय का स्रष्टा और अधिष्ठाता होता है। जिन्हें हम 'प्राकृतिक विषय' भी कहते हैं—पत्थर, पहाड़, जीव-जन्तु आदि—उसके लिए वे भी प्राकृतिक नहीं रहते, वे भी मनुष्यकृत हो जाते हैं, क्योंकि वे अब प्रत्ययमूलक हो जाते हैं।[1] पत्थर 'पत्थर' शब्द से, यह शब्द किसी अध्यवसाय से, और अध्यवसाय अध्यवसायों की अनन्त व्यवस्था से अन्त:प्रविष्ट हो जाता है और इसी रूप में वह मानव-चेतना के लिए विषय बनता है। विषय के इस रूपान्तरण के कारण ही पत्थर उपादान और उपकरण बनता है। मनुष्य का सम्पूर्ण जगत् इसी प्रकार रूपान्तरित जगत् है। निश्चय ही यह भी जगत् ही है, पशु के जगत् के समान ही, किन्तु ऐसी चेतना के जगद्भाव से निष्पन्न जिसके लिए यह भाव अनिवार्य नहीं है, बल्कि जो इस भाव की अधिष्ठाता है और इस कारण इसके लिए स्वयं उत्तरदायी है। किन्तु जैसाकि हमने ऊपर कहा, उसका यह उत्तरदायित्व उसमें इस भाव के निरसन, इस भाव से उन्मग्न होने, की योग्यता के रूप में ही है, अन्यथा सहज रूप से तो वह जगद्भाव में ही रहता है, यद्यपि अपनी इस योग्यता के कारण यह भाव उस में न्यून या अधिक मात्रा में रहता है।

वास्तव में मनुष्य में जगत् से मुक्ति की यह योग्यता एक सम्भावना के रूप में ही विद्यमान नहीं होती बल्कि उसमें इस सम्भावना के चरितार्थन की पर्येषणा के द्वारा यह योग्यता अपने को प्रकट भी करती रहती है। सच बात तो यह है कि मनुष्य में जगद्भाव, पशु के समान ही सहज होने पर भी, अपने से मुक्ति की पर्येषणा से सर्वत्र व्यवहित दिखायी देता है और यह पर्येषणा जगत् की पर्येष्यता को सदैव सन्देहास्पद बनाये रखती है; जैसाकि हम

1. द्रष्टव्य, यशदेव शल्य — चिद्विमर्श में 'मनुष्य और जगत्' लेख।

कर्म के औचित्य-विचार के रूप में और अनुचित पर पश्चात्ताप के रूप में उसमें सर्वत्र देखते हैं। किन्तु तब भी मुक्ति की यह पर्येषणा साधारणतः हम में इतनी क्षीण और उचित-अनुचित का विवेक इतना धूमिल और व्यामिश्रित होता है कि इसे नगण्य ही कहा जा सकता है।

यहाँ यह द्रष्टव्य है कि जगत् से मुक्ति की पर्येषणा एक औदात्य-बोध से, एक वरेण्यता से उपरंजित रहती है जबकि जगद्भाव की पर्येषणा एक अनौदात्य-बोध और त्याज्यता-बोध से उपरंजित रहती है। इन भावों के इन लक्षणों का यह बोध मनुष्य में उतना ही सहज रूप में लक्षित होता है जितने सहज रूप में उसमें जगद्भाव में प्रवृत्ति लक्षित होती है। इस प्रवृत्ति को प्रेयात्मक और उस बोध को श्रेयात्मक कहा जाता है। किन्तु इस प्रवृत्ति में सदैव प्रियता ही होती हो, ऐसी बात नहीं है। उदाहरणतः ईर्ष्या, द्वेष, अनौदार्य, कामासक्ति, लोलुपता तथा प्रभुता के अबाध अन्वेषण आदि में प्रियता कल्पित तो होती है किन्तु वह प्रायः ही लब्ध नहीं होती, सिद्धि मिल जाने पर भी वह सदैव सुखकर नहीं होती, इनका सुख प्रायः इनकी सिद्धि की कल्पना में ही होता है स्वयं सिद्धि में नहीं। यह 'प्यास लगी है, ओस चाटती'[1] जैसी बात होती है। या ऐसा भी कह सकते हैं कि इनकी सिद्धि कभी पूर्ण होती ही नहीं, क्योंकि इनकी कोई भी सिद्धि एक ओर और अधिक की एषणा को जन्म देती है और दूसरी ओर सिद्ध स्थिति के छिन जाने के भय को जन्म देती है। इस प्रकार जागतिक अन्वेषण यद्यपि प्रेयात्मक तो होते हैं किन्तु इनकी प्रियता वास्तव में केवल काल्पनिक ही होती है। ये सब अन्वेषण उपर्युक्त प्रकार से तो आत्मव्याघातक होते ही हैं, ये अन्यों के साथ संघर्षों को भी जन्म देते हैं।

चेतना जगत् में यद्यपि भौतिक स्तर पर भी सामान्य नियम से शासित परस्पर संघर्षशील व्यष्टियों के रूप में व्यक्त होती है, जैसे अणु में धनात्मक और ऋणात्मक परमाणु, किन्तु जैव स्तर पर यह जातिक सामान्य के आधार में अन्तर्ग्रथित वैयष्टिक सावयवता का रूप लेती है और यह व्यष्ट्यात्मक अवयवी संवेदी क्रिया-नियोजक का रूप लेता है। अहंकार इस व्यष्टि अवयवी का आधार बनता है। अहंकारमूलक यह सम्पूर्ण जैव अस्तित्व कुछ इस प्रकार के नियम से शासित है कि यह परस्पर वैयष्टिक या जातिक संघर्ष को जन्म देता है। यहाँ तक कि जीव परस्पर भोज्य-भोजक तक होते हैं। किन्तु मनुष्य के स्तर पर चेतना में एक क्रान्ति घटित दिखायी देती है। यह क्रान्ति यह कि मनुष्य अहंकार का अतिक्रमण कर सकता है और अपने को सामान्य के एक उदाहरण के रूप में भी देख सकता है और अपने को अन्य के विषय के रूप में भी देख सकता है। मानव-समाज इस अतिक्रमण के आधार पर ही बनता है।[2] किन्तु व्यवहार में मनुष्य प्रायः यह अतिक्रमण करते हुए भी अहंकार से ही परिचालित देखा जाता है और इस प्रकार सामाजिक व्यवहार भी प्रायः स्वार्थमूलक समायोजनों के रूप में ही घटित होता है। सामाजिक नियम जबकि अहंकारातिक्रामी चेतनामूलक होते हैं व्यक्ति-व्यवहार, अपवादों को छोड़कर, आहंकारिक चेतनामूलक ही होता है। इस कारण व्यक्ति सामाजिक नियमों का पालन भी अधिकांशतः बाध्यतावश या सुविधादृष्टि से ही करते हैं। व्यक्ति-व्यवहार जब निराहंकारिक होता है तब नैतिक कहा जाता है। किन्तु वास्तव में नैतिक बोध हमारे कर्म का आधार बहुत अपवाद रूप में ही होता है। यही कारण है कि दो समूहों या राज्यों के सम्बन्ध शुद्ध स्वार्थ से ही शासित होते हैं, एक समाज के नियमों के समान निराहंकारिक बोध से शासित नहीं होते। द्रष्टव्य है कि अधिकांश पाश्चात्य समाज-चिन्तक तो समाज को भी अहंकारमूलक पारस्परिकता के आधार पर ही निर्मित मानते हैं, जिसे वे व्यक्तियों के सुविधामूलक समझौते के रूप में देखते हैं।[3] उनकी इस मान्यता का कारण यह है कि उनकी पदावली में 'नैतिक बोध' जैसे किसी पद के लिए कोई अवकाश नहीं है। किन्तु यह पद

---

1. जयशंकर प्रसाद — **कामायनी**।
2. द्रष्टव्य, यशदेव शल्य — **समाज : दार्शनिक परिशीलन**, अ. 1, रावत प्रकाशन, जयपुर, 1995.
3. द्रष्टव्य, राल्स की **थ्योरी ऑफ जस्टिस** पुस्तक और उस पर **समाज : दार्शनिक परिशीलन** पुस्तक के 'न्याय' शीर्षक अध्याय में हमारी टिप्पणी।

सार्थक पद है यह मनुष्य की अहंकारातिक्रमण की योग्यता से ही सिद्ध होता है, जो योग्यता भाषा में सर्वनामों के प्रयोग से सिद्ध होती है।

यों तो भाषा मात्र का प्रयोग ही मनुष्य को जगत् से किंचित् ऊर्ध्वतर भूमि पर प्रतिष्ठित कर देता है और उसमें भी 'मैं' का सार्वनामिक प्रयोग आधारभूत रूप से उसकी ऊर्ध्वतरता सिद्ध करता है, किन्तु इस अतिक्रमण के द्वारा वह एक दूसरे जगत् की ही सृष्टि कर डालता है और उसे परमार्थ मान कर उसमें अपना बसेरा कर लेता है। उसका यह जगत् अध्यवसायात्मक बुद्धिमूलक जगत् है। दार्शनिकों ने जिसे प्रातीतिक, प्रातिभासिक या व्यवहार-जगत् कहा है वह मानव का यही ऊर्ध्वतर लोक या जगत् है। जर्मन दार्शनिक इम्मेनुएल कांट ने इसकी चेतनागत संरचनाओं का बहुत सूक्ष्म मानचित्र प्रस्तुत किया है और उस मानचित्र को अतिक्रामी (ट्रांसेडेंटल) कहा है। किन्तु कांट का इस अतिक्रामिता से अभिप्राय वास्तव में मात्र चेतना के जगद्दर्शन विषयक जाति-स्वभाव से है। इस प्रकार चिड़िया के घोंसले का रूप और उसके निर्माण में चिड़िया की प्रवृत्ति भी अतिक्रामी ही कही जायेगी। किन्तु उसका यह मानचित्र केवल भाषा-भाषी मनुष्य के इन्द्रिय-ग्राह्य जगत् तक ही सीमित है और इसमें भी वह इसके अहंकारातिक्रामी रूप की ओर ध्यान नहीं देता। किन्तु मनुष्य का वास्तव व्यवहार-लोक उसके स्वकीय सर्जन का लोक है—घर-परिवार, मिथक, पुराण, धर्म, कला, शिल्प और विज्ञान का लोक। इस लोक के रचना-रूपों का बहुत विवेचन हुआ है, किन्तु यहाँ हमारे लिए वह सब प्रासंगिक नहीं है। यहाँ हमारे लिए केवल यह प्रासंगिक है कि ये सब लोक-रचनाएँ मनुष्य की जगद्भाव से उत्क्रमण की योग्यता में प्रतिष्ठित होने पर भी उसे कोई वास्तविक उत्क्रामिता नहीं देतीं। उदाहरणत: कांट ने जिसे फ़िनोमिना (व्यवहार या प्रतिभास जगत्) कहा है उसे हमने दिखाया है कि वह किस प्रकार भाषामूलक है और इस प्रकार चेतना के आत्मचेतन होने से निष्पन्न होता है, और यही निष्पत्ति आगे चलकर मनुष्य-सृष्ट वस्तु-लोक को सम्भव करती है। इस प्रकार यह पुश-सुलभ 'प्राकृतिक जगत्' से उत्क्रमित लोक है। किन्तु यह लोक चेतना की जगद्वासना का प्रतिफल ही होता है, उस वासना से उत्क्रमित नहीं होता। इसी प्रकार मनुष्य की समाज-व्यवस्था, जिसमें राजनीति, वाणिज्य, कृषि आदि सम्मिलित हैं और शास्त्र-रचनाएँ भी, इसके अन्तर्गत ही आ जाती हैं। राजनीति हमारे उपर्युक्त प्रतिपादन को अधिक स्पष्ट रूप से प्रदर्शित करती है—यद्यपि यह समाज द्वारा अपने अनुशासन के लिए रचित तन्त्र है और इस प्रकार जगत् से उत्तीर्णता का द्योतक है, किन्तु इसमें उत्तीर्ण चेतना जगद्भाव की दिशा में ही उन्मुख होती है और इसका अध्यक्ष राजा ऐश्वर्य और बल का प्रतीक माना जाता है। इस प्रकार राजनीति मनुष्य की रागात्मक वृत्ति में ही रूढ़ होती है, यद्यपि इसका मूल समाज के आत्मानुशासन के संकल्प में और इस प्रकार उत्क्रमित चेतना में होता है।[1] जगद्वासना से वास्तविक उत्क्रमण केवल धर्म और दर्शन में ही किंचित् देखा जाता है, यद्यपि दर्शन सदैव जगत् के : जगद्वासना के : उत्क्रमण को साध्य रूप में नहीं देखता। बहुत से दार्शनिक सिद्धान्त तो जगत् को ही परमार्थ रूप में प्रतिपादित करते हैं। दर्शन की उत्क्रामिता वास्तव में उसकी विषय-कल्पना में होती है। दर्शन के विषय अनिवार्यत: वस्तुओं के सामान्य धर्म होते हैं और इस प्रकार अतीन्द्रिय होते हैं। इसी प्रकार धर्म भी अधिकांश में ऐहिक सुखों की प्राप्ति या दु:खों की निवृत्ति की कामना से ही प्रेरित होता है, इनके उपाय को चाहे वह लोकोत्तर में ही स्थित देखता हो। कुछ विचारकों ने काव्य को भी जगद्भाव से उत्क्रामी के रूप में ही देखा है, जैसाकि भारतीय रस-सिद्धान्त में विशेष रूप से प्रतिपादित मिलता है। उनके अनुसार रस भाव की सात्त्विक दशा है। किन्तु यह ठीक नहीं है। काव्य और कलाओं में अधिकांशत: लोक और लौकिक भाव और विचार-दशाएँ ही निरूप्य और अवगाह्य होती हैं और उसमें मुख्यत: उन्हीं का पोषण भी होता है।

इस प्रकार संस्कृति भी मुख्यत: स्तरान्तर पर जगद्भाव का उपचार ही दिखायी देती है। किन्तु क्योंकि मानव-चेतना मूलत: ही उत्क्रमित चेतना है : आत्मचेतन होने से : इसलिए संस्कृति मात्र को उस उत्क्रमण का उच्चतर स्तर कहा जा सकता है। किन्तु केवल इस उत्क्रांति को जगद्वासना से मुक्ति कहना ठीक नहीं है। जैसाकि

---

1. द्रष्टव्य — समाज : दार्शनिक परिशीलन में 'राज्य' अध्याय।

हमने ऊपर देखा था, मनुष्य में जगद्वासना की न्यूनता और अधिकता दोनों लक्षित होते हैं। जगद्भाव की यह पशु से भी अधिकता इस उत्क्रांति से ही सम्भव होती है। किन्तु इसी उत्क्रांति से इस वासना का नियमन और निरसन भी सम्भव होता है। इस वासना के मात्रा-भेद की कोई सीमा नहीं है। एक ओर आखेटक, काम-कामी और धन-लोलुप होते हैं तो दूसरी ओर बुद्ध और परमहंस भी होते हैं। जगत्परायणता को निकृष्ट, अर्थात् चेतना का अधोन्मुख स्तर माना जाता है और इससे निष्कृति को उसका ऊर्ध्वोन्मुख स्तर माना जाता है।

यहाँ सर्वप्रथम यह द्रष्टव्य है कि मनुष्य की महान् सभ्यताओं के आधार में यह जगत्परायणता ही मुख्यत: रहती है, यद्यपि इसी के अन्तर्गत मनुष्य ने ऊर्ध्वोन्मुख जगदुत्क्रामी विचारों और भावनाओं को भी जन्म दिया है। किन्तु इन सभ्यताओं ने भी अपने मंथन का नवनीत जगदुत्क्रामी विचारों और उन विचारों को जीवन में चरितार्थ करने वाले व्यक्तियों को ही माना है। सब सभ्यताओं के वणिक वर्ग और राजन्य वर्ग, जो जगद्भाव की अतिशयता में रहते हैं, योगियों और संन्यासियों को ही अपना पूज्य मानते हैं और इनके भरण-पोषण में दिये गये धन को ही अपना सार्थकतम अर्जन मानते हैं। विद्वानों, विचारकों और कलाकारों को भी ये लोग अपने प्रकार के लोगों से इसी कारण अधिक सम्मान देते हैं कि ये लोग उनकी अपेक्षा कम जगत्परायण समझे जाते हैं।

यहाँ प्रश्न हो सकता है कि जगद्भाव या जगत्परायणता से जगद्विमुखता को क्यों श्रेष्ठतर माना जाता है और इस मानने का क्या औचित्य है?

प्रथम प्रश्न के दो उत्तर हो सकते हैं। प्रथम यह कि ऐसा मानना चेतना के उस मूल अभिनिवेश के अनुकूल है जो इसके भौतिक से आत्मचेतनता के स्तर तक के आरोहण में अन्तर्निहित है। दूसरा यह कि इस पद की प्राप्ति से कुछ ऐसा सुख प्राप्त होता है जो जगद्भाव में अनुपलभ्य होता है। दूसरे प्रश्न का उत्तर प्रथम प्रश्न के उत्तर से ही आपादित होता है।

किन्तु प्रथम प्रश्न के दोनों उत्तर प्रथम दृष्ट्या सन्देहास्पद लगते हैं। एक पुराने श्लोक की एक पंक्ति है 'प्रवृत्तिरेषा भूतानां निवृत्तिस्तु महाफला', अर्थात् कामादि में जीवों की प्रवृत्ति सहज होती है, इसे जीव-प्रकृति भी कह सकते हैं, परिणामत: इससे निवृत्ति अत्यन्त दुराराध्य होती है, किन्तु यह अपने फल में बहुत उत्कृष्ट है, प्रसादक है और यह महत्तम सुख की प्रापक होती है। इसमें श्लोक का अन्तिम पद एक प्रलोभन कहा जा सकता है जिसकी वास्तविकता के लिए कोई प्रमाण नहीं है—इस पार प्रिये मधु है, तुम हो, उस पार न जाने क्या होगा! जबकि प्रथम : इस पार के सुख : की वास्तविकता प्रत्यक्ष है। जगत् का मूल ही काम है, जैव इच्छाएँ ही जीव में क्रिया-प्रवर्त्तक होती हैं और यह सर्वव्यापी जीव-धर्म है। यह ठीक है। किन्तु साथ ही यह भी उतनी ही वास्तविकता है कि चेतना में भौतिक से मानव तक का, चेतना के नितान्त जाड्य से उसके आत्मचेतन होने तक का, एक उत्तरोत्तर क्रम मिलता है और यह क्रम चेतना के विषय-तद्भाव से विषय-मुक्ति का क्रम है। यह क्रमिक उत्तरोत्तरता चेतना की भव्यरूपता और किसी लोकोत्तर भव्य के बोध की अन्तर्गर्भिता का संकेत देती है। इस प्रकार चेतना की दो परस्पर विरुद्ध वास्तविकताएँ कही जा सकती हैं। किन्तु वास्तव में किसी वस्तु का स्वरूप उसका साध्य रूप ही होता है उसका प्राप्तरूप नहीं, क्योंकि प्राप्तरूप के स्वरूप होने पर उसमें भव्यता होगी ही नहीं। ऐसे में वस्तु का प्राप्तरूप उसका पर-रूप हो जाता है जो अतिक्रमणीय होता है। चेतना के प्राप्तरूप की परता और स्वरूप की भव्यता और साध्यता मानव-चेतना के स्तर पर ही आत्मचेतन होती है, उससे पूर्व प्राप्तरूप ही उसका प्रेरक होता है और साध्य रूप अचेतन रूप से चेतना को नियुक्त रखता है। इस कारण मानव-चेतना के स्तर पर इन दो विरुद्ध वास्तविकताओं : प्राप्त पर-रूप और भाव्य स्वरूप : में अन्तर्द्वन्द्व लक्षित होता है। प्राय: सभी व्यक्तियों में एक सहज प्रवृत्तिपरायणता लक्षित होती है, किन्तु साथ ही इस सहज प्रवृत्ति की अवांछनीयता का यत्किंचित् बोध भी उतना ही सहज दिखायी देता है। कुछ में यह बोध अधिक स्पष्ट देखा जाता है जिससे वे निरन्तर एक अन्तर्द्वन्द्व की स्थिति में रहते हैं, और कुछ ऐसे भी होते हें जिनमें यह बोध अधिक प्रखर, अधिक आग्रही होता है। किन्तु अधिकांश लोग इसे दु:साध्य पा कर इससे विमुख ही रहते हैं। सामाजिक स्तर पर यह साध्य-बोध या स्वरूप-बोध ही सामाजिक व्यवहार का नियामक माना जाता है और जैव प्रवृत्ति व्यक्ति की सहज

दुर्बलता के रूप में देखी जाती है। यद्यपि चेतना के पाशव स्तर पर यह बोध अस्फुट रूप में भी दृष्टिगोचर नहीं होता, किन्तु उस स्तर पर चतना के विकास का क्रम चेतना में इस बोध के अचेतन अनुसन्धान या अन्त:प्रेरक के रूप में ही समझा जा सकता है। जहाँ तक दूसरे प्रश्न के उत्तर : निवृत्ति के महा फल-प्रद होने : का सम्बन्ध है, उसकी वास्तविकता के लिए मूल प्रमाण तो यही हो सकता है कि जिन्होंने उस सुख का अनुभव किया है उनका साक्ष्य यही कहता है। किन्तु इसके लिए युक्ति भी दी जा सकती है।

जगद्भाव को विषय-भाव भी कहा जा सकता है और काम भाव भी—'काम' शब्द को उसके व्यापक अर्थ में लेते हुए। दूसरी परिभाषा पहली को पूर्वगृहीत करती है। मानव-चेतना के लिए दोनों को पर्यायवाची भी कह सकते हैं। भौतिक और वानस्पतिक चेतना में संवेद का प्राय: अभाव होने से उनमें काम वैसा नहीं देखा जाता। काम का स्थूल रूप ऐन्द्रिक होता है, सूक्ष्म रूप बौद्धिक होता है। रसना आदि का आस्वाद और कीर्ति-प्रभुता आदि की आकांक्षा ये दोनों काम ही हैं। कुछ लोग 'ज्ञान की कामना' और 'मोक्ष की कामना' में भी 'कामना' शब्द को काम-वाचक ही कह देते हैं जो ठीक नहीं है। यहाँ 'काम' शब्द का प्रयोग केवल लाक्षणिक है क्योंकि 'मोक्ष की कामना' का अर्थ है 'सब कामनाओं से मुक्ति की कामना', जो कामना नहीं कही जा सकती। अब, सब कामनाएँ मनुष्य को विषयापेक्षी बनाती हैं और 'अन्य' के साथ विग्रहात्मक सम्बन्ध में स्थापित करती हैं। अन्यों के साथ सम्बन्ध सहयोगात्मक-सामरस्य पूर्ण भी हो सकते हैं, किन्तु ऐसे सम्बन्ध वास्तविक तभी हो सकते हैं जब वे निष्काम हों। अन्यों के साथ विग्रह का सम्बन्ध उनके बाधक कारण बनने से बनता है, क्योंकि कामना अहंकार से अतिक्रमण की योग्यता को क्षीण करती है और अहंकाराधीन व्यक्तियों के समूह में व्यक्ति परस्पर बाधक या सम्भाव्य बाधक ही हो सकते हैं। जो सब व्यक्ति सब समय बाधक ही नहीं होते हैं इसका कारण यह है कि सब व्यक्ति सब समय कामनाग्रस्त, अहंकाराधीन ही नहीं होते। सम्बन्धों की यह व्यवस्था कष्टप्रद होती है और इस व्यवस्था की अधीनता राग, द्वेष, छल-छद्म आदि को जन्म देती है। इन कामनाओं का सन्तोष सुख-प्रद होता है, किन्तु यह सुख सदैव अन्य से बाधित होने के भय से आक्रांत रहता है। दूसरे, यह सुख अपने अर्थ में अत्यन्त विपन्न भी होता है। उदाहरणत: किसी भोज्य पदार्थ की रसेच्छा उस पदार्थ के भोग से सन्तुष्ट हो जाती है, किन्तु वह सन्तोष क्षणिक भी होता है और उतने से आगे उसका कोई अर्थ भी नहीं होता। 'आगे अर्थ' से अभिप्राय है कि इसके अर्थ रसनेन्द्रियगत चेतना से आगे मनोमय, प्रज्ञात्मक या विज्ञानात्मक आयामों परक अर्थों से संपृक्त नहीं होते। इसे मैथुन कामना के उदाहरण से समझें। मैथुन-सुख भोजन के समान ही है, सिवाय इस भेद के कि इसका परिणाम क्षति और खेद में पर्यवसायी होता है। अब, भोजन की इच्छा और उसकी तृप्ति, इसी प्रकार मैथुन की इच्छा और उसकी तृप्ति इनमें बस उतना तक ही अर्थ होता है कि इनमें एक तात्कालिक सुखानुभूति मिलती है जो एक ऐन्द्रिक संवेद की समाप्ति के साथ समाप्त हो जाती है। इसी मैथुन-कामना का प्रेम में उन्नयन अथवा उसमें लय ऐसे मनोमय, और कभी-कभी विज्ञानमय भी, अर्थों का उन्मेष करता है जो अपनी गहनता और व्यापकता में अतल और अपार होते हैं। ये आयाम चेतना की प्रत्यङ्मुखता से खुलते हैं, जबकि ऐन्द्रिक चेतना नितान्त पराङ्मुख होती है। अब, चेतना प्रत्यङ्मुखता में जितनी ही गहरी उतर पाती है प्रेम का अर्थ उसके लिए उतनी ही विपुलता के साथ अपना उन्मेष करता है। यही बात अन्य ऐन्द्रिक अर्थों के सम्बन्ध में भी कही जा सकती है, यद्यपि अन्य ऐन्द्रिक अनुभवों में चेतना के प्रत्यङ्मुखता की गहराई में अवतरण के लिए उतना अवकाश नहीं होता। अधिकांश में अन्य ऐन्द्रिक अनुभव भी अपने अतीन्द्रिय अर्थ काम के अनुषंग में ही पाते हैं, जैसे चाक्षुष अनुभव के रूपात्मक अर्थ। अवश्य चाक्षुष रूप स्वतन्त्र रूप में भी अतीन्द्रिय अर्थों के वाहक हो सकते हैं, जैसाकि कला में देखा जाता है, किन्तु उनमें वैसी गहनता नहीं होती, उनमें केवल चेतना स्थूलतर : ऐन्द्रिक : विषयों से मुक्त होकर सूक्ष्मतर : विज्ञानमय चेतनागम्य : विषयों का साक्षात्कार करती है जो साक्षात्कार एक स्वातन्त्र्य का अनुभव देता है और उदात्त सुख का प्रापक होता है। किन्तु ये रूप बहुत बार व्यंजक या सांकेतिक भी हो पाते हैं। तब ये अर्थों की अथाह राशि के गवाक्ष बन जाते हैं, जैसे मानो कोई विस्मृत अतीत की लौ अँधेरे के उस पार टिमटिमा रही हो। आत्मपर्यन्त रहने पर ये रूप समतल अर्थ-राशि का वैभव उजागर करते हैं।

चेतना का प्रत्यङ्मुखता में यह अभिसरण स्पष्टत: जगत् से पराङ्मुखता की दिशा में होता है। यह अभिसरण एक ऐसे अर्थ-लोक को जन्म देता है जिसकी गहराई और विस्तार अनन्त होता है। ये अर्थ चेतना के अपने ही अन्तर्निहित कोश के उद्घाटन जैसे, अपने ही विस्मृत अतीत के स्मरण जैसे होते हैं, किन्तु तब भी अनुसन्धान से नया कुछ पा लेने का सा सुख देते हैं। किन्तु स्पष्ट है कि यह अनुसन्धान नयी कोई वस्तु-सूचना नहीं देता, केवल अपने भीतर की विस्मृति का जैसे आवरण ही हटाता है, यद्यपि यह वास्तव में स्मरण भी नहीं होता, क्योंकि यह ऐसा कुछ भी नहीं होता जो कभी अपने साथ घटित हुआ हो। वास्तव में ये अर्थ जितने प्रत्यक्ष हुए-जैसे लगते हैं उतने ही ये अपूर्व सृष्ट जैसे भी लगते हैं। इनमें एक ओर ऐसी पूर्ण बाध्यता भी रहती है कि ये अर्थों के एक पूरे तन्त्र में निबद्ध होते हैं और इनके साथ यादृच्छिक व्यवहार के लिए तनिक भी अवकाश नहीं होता तो दूसरी ओर ये इस रूप में पूर्णत: वैकल्पिक भी होते हैं कि हम इन्हें किसी दूसरे तन्त्र के अवयव रूप में देखने में स्वतन्त्र होते हैं। ये इस प्रकार 'रचित' या 'सृष्ट' होने पर भी ऐसे स्वतन्त्र सत् होते हैं जो केवल 'दृष्टि सम्पन्नों' के लिए ही अवगम्य होते हैं और उनका यह अवगमन कभी अशेष नहीं होता।

चेतना के आन्तर लोक का ही यह वैचित्र्य है कि हम जितना ही इसमें गहरा पैठते हैं इसके विषय उतने ही अधिक अनवगाह्य और अपार दिखायी देते हैं। वास्तव में जिसे हम बाह्य वस्तु-लोक की अवगाह्यता समझते हैं वह भी अपने मूल में चेतना की आन्तर गहराई का ही बाह्याक्षेप होती है। कुछ लोग इन अर्थों को शब्दाश्रित विकल्प-सृष्टि मात्र मानते हैं और इस प्रकार इन्हें ज्ञानात्मक नहीं मानते। उनका यहाँ ज्ञान से क्या अर्थ होता है यह समझना कठिन है, क्योंकि बाह्य वस्तुएँ भी किसी अर्थ-तन्त्र में रूपान्तरित हुए बिना ज्ञान-विषय नहीं बनतीं और बाह्य वस्तु-सम्बद्ध ज्ञान उतना ही गहरा और व्यापक हो पाता है जितना वह इन तथाकथित वस्तुओं को उन अर्थों में रूपान्तरित कर पाता है जिन्हें ये लोग विकल्प कह कर असत्-कल्पना-जाल कहना चाहते हैं। विज्ञान इसका एक उदाहरण है। राजनीतिशास्त्र, समाजशास्त्र, इतिहास और मनोविज्ञान आदि इस के दूसरे उदाहरण हो सकते हैं। जिस प्रकार विज्ञान, इतिहास आदि परक ये अर्थ वस्तुसत्य के प्रकाशक होते हैं उसी प्रकार बाह्य वस्तु-विषयों से असम्बद्ध अर्थ भी सत्य के प्रकाशक ही होते हैं। किन्तु अब यह अर्थों का शुद्ध चैत्त लोक होता है जिसका सत्य अनुसन्धेय होता है।

ऊपर हमने इन अर्थों की तन्त्रमूलक निबद्धता और बाध्यता की बात की। यह बाध्यता कारणात्मक बाध्यता से एक प्रकार से नितान्त विपरीत होती है। तन्त्र की बाधकता हमें भौतिक या मानसिक रूप से विवश नहीं करती, यह वास्तव में हमारे स्वातन्त्र्य की स्रोत होती है। जैसे हम भाषा में चाहे जिन भी शब्दों का और वाक्य-रचनाओं का प्रयोग नहीं कर सकते, गणित में गुणा-भाग के मन चाहे फलित नहीं बना सकते, युक्ति में जो भी आपादान या निष्कर्ष नहीं दिखा सकते। यों ऐसा हम प्राय: ही करते हैं, किन्तु वह हमारी चेतनागत धूमिलता की और इस प्रकार 'अस्वतन्त्रता'की द्योतक होती है। इससे यह सिद्ध है कि ऐसा 'नहीं कर सकने' में कोई विवशता नहीं होती, जैसी कोई भारी चीज़ नहीं उठा पाने में, निर्मोह नहीं हो सकने में, स्वार्थवश औचित्य नहीं देख पाने में होती है। किन्तु अशुद्ध वाक्य-रचना, मोहवश व्यवहार, तर्क में यादृच्छिक आपादन ये हमें विवश किये बिना हमारे स्वातन्त्र्य में बाधक होते हैं। इसका अर्थ यह नहीं है कि कारण-कार्यात्मक विवशता हमारे लिए अलंघ्य होती है। बाह्य कारणता का हम उपाय से और आन्तर कारणता का आत्मसंयम से अतिलंघन कर ही सकते हैं—जहाँ तक कर सकते हैं, किन्तु यह अतिलंघन एक प्रकार से जागतिकता के अतिक्रमण से ही होता है। ये दोनों प्रकार के अतिलंघन चेतना के प्रत्यङ्मुख निवर्तन से ही सम्भव होते हैं और स्वातन्त्र्य के प्रापक होते हैं। द्रष्टव्य है कि कारण-कार्यात्मक बाधकता या विवशता सर्वाधिक दुर्लंघ्य हमारे मनोलोक में हमारे संस्कार, आवेग और वासना-मूलक होती है। यह विवशता मानव-समाज में मानव-व्यक्तियों के पारस्परिक सम्बन्धों में विशेष रूप से कष्ट की हेतु होती है, क्योंकि यह उद्विग्नता, क्रोध, मत्सर, ईर्ष्या, छल-छद्म और संघर्ष को जन्म देती है। इसमें अन्यों के नियोजन का उपाय युक्ति : जगद्भाव से उत्क्रमित चेतना : नहीं बनती बल्कि छल या स्वार्थ-सिद्धि बनती है। इस प्रकार व्यक्ति-सम्बन्धों या पारस्परिकता के इस लोक में अन्यों के नियोजन में सफलता हमें तात्कालिक

सुख तो देती है किन्तु यह हमें कारण-शृंखला से मुक्ति नहीं देती, क्योंकि इससे हम बाहर-भीतर उभयत: कारण-शृंखला के अधीन ही रहते हैं।

किन्तु विकल्प-विषय कारण-कार्यात्मक नहीं होते। 'कितने बल से प्रहार करने पर अमुक वस्तु टूटेगी' इस तथ्य का अनुसन्धान कारण-कार्य सम्बन्ध विषयक अनुसन्धान तो होता है किन्तु इसका अनुसन्धेय स्वयं कारण-कार्यात्मक नहीं होता, इसमें अनुसंधेय कारण-कार्य-स्वभाव होता है। कारण-कार्यता स्वयं इस स्वभाव में नहीं रहती, जो स्वभाव इन्द्रिय-विषय नहीं होकर विकल्प-विषय होता है, बल्कि उन घटनाओं में रहती है जो इस स्वभाव से युक्त रहती हैं। स्वभावगत अनिवार्यता का ज्ञान तो चेतना को आबद्ध करता ही नहीं, क्योंकि वह ज्ञान स्वयं कारण-कार्यात्मक नहीं होता।

किन्तु विकल्प-लोक में यह विचरण हमें उस प्रसंग में तो मुक्ति देता है जो उसकी उद्भावना और अनुसन्धान का होता है, किन्तु यह हमें हमारे जैविक अस्तित्वगत बन्धन से मुक्ति नहीं देता। उदाहरणत: हमारा अपने सम्बन्ध में यह ज्ञान कि हम अमुक कार्य स्वार्थवश कर रहे हैं, स्वयं तो स्वार्थमुक्त होता है और हमारे जैविक स्तर मात्र से भी मुक्त होता है, किन्तु यह अनिवार्य रूप से हमें स्वार्थमुक्त नहीं कर देता। निश्चय ही यह मुक्ति हमारे लिए स्वार्थ से मुक्ति की सम्भावना भी उपलब्ध कराती है और एक सीमा तक स्वार्थ के बन्धन को शिथिल भी करती है, किन्तु स्वार्थ से पूर्ण मुक्ति तब भी अनुपलब्ध रह सकती है, प्राय: रहती ही है। वास्तव में तो अधिकांशत: हममें यह विवेक रहता ही नहीं, विवेक रहने पर भी वह प्राय: धूमिल ही रहता है। गीता में जो 'किं कर्म किमकर्मेति कवयोऽप्यत्र मोहिता' कहा है वह विवेक-भाव रहने की स्थिति के सम्बन्ध में ही कहा है। किन्तु अधिकांश में हम विवेक के सामने अपने को असहाय ही माने रहते हैं और यह जानते हुए भी कि हम अमुक कार्य स्वार्थ के अधीन ही कर रहे हैं, उसी प्रकार करते रहते हैं।

यहाँ हमें प्रश्न करना चाहिए कि जगद्-भाव से मुक्ति ही क्यों काम्य है जब जगद्-भाव से ही जगत् है, बल्कि कहें जगद्-भाव ही जगत् है? आख़िर चेतना अपने एकाकीपन, अपनी विपन्नता के निवारण की कामना से ही जगद्-रूप में प्रवर्तित हुई। भौतिक और जैविक वैविध्य, जैविक सुख-दु:ख, जिजीविषा-मृत्यु, मानव-सभ्यताओं का उदय और अस्त और नये उत्कर्ष और विलय और नया उदय-उत्कर्ष और अपकर्ष, इस सबमें चेतना के अनेकानेक अर्थों में अपने को घटित और चरितार्थ करने का ही तो उपक्रम है! इस जगत् से मुक्ति में पुरुषार्थ क्या है? क्या मुक्ति की यह बात दृष्टि-विपर्यास नहीं है?

इस प्रश्न का उत्तर सम्भवत: उतना सरल नहीं है जितना हमारे उपर्युक्त विवेचन से प्रतीत हो सकता है। यह तो सही है कि चेतना के आत्मचेतन होने में ही जगद्भाव से निवर्तन, उसका अतिक्रमण, या उससे उत्क्रमण घटित होता है और इस निवर्तन के बिना यह भाव आत्म-अप्रकाशितवत् ही रहता है : यह भाव 'होता मात्र' है, किन्तु अपने उस 'होने' को जान भी नहीं पाता। किन्तु यह आत्मचेतना जगद्भाव के निरसन को, उससे मुक्ति को वांछनीय पुरुषार्थ सिद्ध नहीं करती। आत्मचेतना को जगद्भाव के विकास, उसके उत्कर्ष और उसकी सम्पन्नता के हेतु और उपाय के रूप में भी देखा जा सकता है। मनुष्य द्वारा उपकरण-निर्माण भी उसके आत्मचेतन होने से ही सम्भव होता है और यह चेतना के जगद्भाव के साधन का ही एक रूप है—सिंह के पंजों और साँड के सींगों के समान, किन्तु इन दोनों से उत्कृष्टतर और अपनी साधकता में आत्मप्रकाशित। यही बात मनुष्य की सभ्यता के सम्बन्ध में कही जा सकती है—शिल्प, वाणिज्य, कला और राज्य-तन्त्र आदि के सम्बन्ध में। ये सब चेतना की जगत्पर्येषणा के ही रूप कहे जा सकते हैं, जिनसे जगत् समृद्ध और अर्थ-विपुल बनता है और 'होने मात्र' के ऊपर अपने भोग्यत्व में आत्म-प्रकाशित होता है।

यह सही है। किन्तु किसी समय, किसी स्तर पर, आत्मचेतन चेतना उस रूप में अपने होने के अर्थ, अपने होने के औचित्य के सम्बन्ध में जिज्ञासा भी करती है। इस जिज्ञासा के अंग के रूप में ही जगत् के अर्थ की जिज्ञासा भी होती है। ये दोनों जिज्ञासाएँ चेतना की आत्मचेतनता के उच्चतर स्तर पर उत्पन्न होती हैं। जिस विकल्प

(सामान्यलक्षण-ग्राही चेतना) की ऊपर हमने चर्चा की वह चेतना के आत्म-प्रकाशन का एक उपाय बनता है और आत्मा के स्वरूप और उसके अर्थ-विषयक प्रश्नों को जन्म देता है। इस चेतना में ये प्रश्न उसी प्रकार सहज रूप में उत्पन्न होते हैं जिस प्रकार ज्ञानेन्द्रियों के लिए रूप सहज प्रस्तुत होते हैं। अब, आत्मचेतन चेतना प्राकृतिक भाव में प्रदत्त जगत् से असन्तुष्ट होकर, अथवा कहें उसे अपने जागतिक प्रयोजनों के लिए अपर्याप्त पा कर उपकरणों, विज्ञानों और कलाओं आदि की सृष्टि करती है और आगे इस जगत् से असन्तुष्ट होकर जगद्-भाव मात्र पर विचार करती हुई इसे भी असन्तोषजनक पाती है। इसी से जगद्-भाव के निरसन, उससे मुक्ति को पुरुषार्थ रूप में देखने का औचित्य बनता है, ऐसा कहा जा सकता है।

यहाँ यह ध्यातव्य है कि जो जगत् के मिथ्यात्व और दु:खिता की बात इसकी क्षणिकता या गतिकता के आधार पर की जाती है वह युक्तियुक्त नहीं है, क्योंकि परिवर्तनशीलता को नित्यनवीनता के पर्याय के रूप में भी देखा जा सकता है। कालिदास ने रमणीयता को 'प्रतिक्षण नावीन्य प्राप्त करने, 'नवीन होते रहने' से परिभाषित किया है। गीता ने मृत्यु को नवीन जन्म के आयोजन के रूप में ही देखा है और ठीक ही देखा है। परिवर्तन या क्षणिकता ही उन्नति और अन्वेषण को सम्भव करती है। इसलिए क्षणिकता आत्मबाधितता, दु:खिता और मिथ्यात्व की पर्याय है यह कहने का कोई औचित्य नहीं है। किन्तु तब भी, 'जगत् दु:ख है' यह बोध ठीक ही लगता है। कोई भी तो उपलब्धि नहीं है जो अपने भीतर 'देखने' पर क्षण भर के लिए भी अपने में स्थिति दे सके! जगत् की दु:खिता इसी में है—जगद्भाव में आत्मा के सदा और सर्वत्र अपने को अगेही, निर्वासित अनुभव करने में, इसके अर्थों की निरर्थकता प्रकट होने में। अवश्य मनुष्य प्राकृतिक जगत् के ऊपर आत्मकल्पित अर्थ-लोकों की सृष्टि भी करता है जो लोक निश्चय ही अधिक अर्थमय होते हैं। इन्हें एकाएक निरर्थक भी नहीं कहा जा सकता। किन्तु मानव-रचित अर्थों के ये जगत् भी अन्तत: एक रिक्तता, एक खिन्नता, एक निरर्थकता का भाव ही शेष छोड़ते हैं—माधव, हम परिणाम निरासा। शून्य मरै, अजपा मरै, अनहद हू मरि जाय, राम-सनेही नहिं मरै, कहि कबीर समुझाइ। सुखिया सब संसार, खावै औ सोवै, दुखिया दास कबीर, जागै औ रोवै। किन्तु परम और परिपूर्ण अर्थ को निश्चेष्ट, शाश्वत, अखण्ड सत् रूप में पाने की बात भी आश्वस्तिकर नहीं लगती। यह पदावली देश-कालात्मक वस्तुभाव की है, अर्थमयता की नहीं। कबीर ने इस अर्थमय पूर्णता को 'राम-सनेह' नाम दिया है—राम सनेही नहीं मरै। यह बात कुछ समझ में आती है। यह पद जगद्गत सब निरर्थक अन्वेषणों से उत्तीर्ण, परामर्शात्मक अर्थों से उद्भासित, निस्सीम करुणा और औदार्य से सम्पन्न भाव-स्थिति का वाचक कहा जा सकता है। कबीर जैसों द्वारा निदर्शित यह भाव-स्थिति कुछ आश्वस्ति देती है।

मृत्यु–चिन्तन – एक

मृत्योर्मा अमृतं गमय। —— **बृहदारण्यकोपनिषद् : 1.3.28**

जा मरने से जग डर, मेरे मन आनन्द।
कब मरिहौं कब पाइहौं, पूरन परमानन्द।। —— **कबीर**

घर लौट चले सुख–दुःख विहग, तम पोंछ रहा मेरा अग–जग,
मिट आज चला यह चित्रित मग, पलकों में अब उतरो पाहुन। —— **महादेवी वर्मा**

मृत्यु का क्या अर्थ है? मृत्यु के बाद जीव का क्या होता है? ये प्रश्न मनुष्य के साथ आदिकाल से ही, अर्थात् जब से चेतना पाशव–स्तर से उबर कर मानव–स्तर प्राप्त कर पायी है तब से ही, रहे हैं। इन प्रश्नों का उत्तर मनुष्य ने सामान्य रूप से यही पाया कि जीव का मृत्यु के साथ अन्त नहीं होता। कम–से–कम मनुष्य का मृत्यु के साथ अन्त किसी संस्कृति ने कभी नहीं माना। कुछ दार्शनिक कभी कहीं ऐसा मानते रहे हैं, या आधुनिक यूरोपीय वैज्ञानिक और दार्शनिक ऐसा मानते हैं, यह एक दूसरी बात है। इसका कारण यह है कि मनुष्य सहज में ही अपने भीतर एक अस्मिता का साक्षात्कार करता है, जो अधिष्ठाता–रूप में उसकी चित्त–वृत्तियों का ही धारण नहीं करती बल्कि शरीर का भी धारण करती है और इच्छा–संकल्प के द्वारा उनका नियोजन करती है। यहाँ पुन: कुछ दार्शनिक : जैसे बौद्ध : ही दिखायी देते हैं जो इस अधिष्ठाता या अस्मिता में व्यक्त किसी सत्त्व को स्वीकार नहीं करते, यद्यपि वे चित्त–वृत्तियों को देह से स्वतन्त्र स्वीकार करते हैं। वे व्यक्ति की एकता चित्त–वृत्ति–प्रवाह में ही देखते हैं। वे इस प्रवाह का अन्त देह की मृत्यु के साथ नहीं मानते, यह बात यहाँ अवान्तर है, किन्तु मृत्यु के साथ व्यक्ति का अन्त नहीं मानने की बात भी ये स्वीकार करते हैं। ख़ैर, दार्शनिकों की बात यहाँ छोड़ी जाय और अपने को सहज बोध तक ही सीमित रखा जाय। सो, यह सहज बोधगम्य अधिष्ठाता, जो शरीर को भी अधिष्ठित करता है, वह शरीर की मृत्यु के साथ नहीं मरता, ऐसा सम्भवत: सभी, विकसित या अविकसित, संस्कृतियाँ मानती रही हैं, जिसका प्रमाण मृत्यु के साथ जुड़े संस्कारों और अनुष्ठानों से स्पष्ट है। किन्तु मरने के बाद इस मनुष्य का क्या होता है, वह कैसे और कहाँ रहता है, इस सम्बन्ध में कोई मतैक्य नहीं है। भारतीय संस्कृति में यह सर्वस्वीकृत मान्यता है कि यह अधिष्ठाता देह की मृत्यु के बाद पुनर्जन्म लेता है। अन्य संस्कृतियों के अनुसार भी आत्मा की मृत्यु नहीं होती, वह पुन: भी जन्म लेती है। किन्तु भारतीय संस्कृति का यह वैशिष्ट्य है कि यह इस पुनर्जन्म को वांछनीय नहीं मानती रही है, इससे मुक्ति को ही वांछनीय मानती रही है। मुक्त हो कर यह अधिष्ठाता : आत्मा : कैसे रहता है, इस सम्बन्ध में भारतीय संस्कृति में भी कोई एक निश्चयात्मक धारणा नहीं है, किन्तु साधारणत: यही धारणा है कि वह ईश्वर–भाव या ब्रह्म–भाव में रहता है। ऊपर उपनिषद्, महात्मा कबीर और महादेवी के जो पद दिये गये हैं उनमें इस ब्रह्म–भाव की ही आकांक्षा है। किन्तु वास्तव में उस भाव में यह अधिष्ठाता–भाव भी नहीं रहता, क्योंकि जिन वृत्तियों को यह अधिष्ठाता अधिष्ठित करता है वे वृत्तियाँ भी उस भाव में नहीं रहतीं—ऐसी मान्यता, या दृष्टि, या अभीप्सा इस भाव के सम्बन्ध में है। इस अभीप्सा के पीछे मृत्यु को भी कष्ट के रूप में देखना है और जीवन को, संसार में रहने को, भी प्रवास और कष्ट के रूप में देखना है। यदि मनुष्य की मृत्यु होती ही नहीं, या यदि उसमें यह धारणा नहीं होती कि वह मरने के बाद भी अशरीरी रूप में रहता है, तो सम्भवत: धर्म और जीवन के अर्थ का विचार आदि भी नहीं होते। धर्म–भाव का मूल मृत्यु–बोध में ही है, ऐसा भी कहा जा सकता है। वास्तव में देवता, ईश्वर आदि का विचार आत्मा की देहातीत सत्ता को पूर्वकल्पित करता है और आत्मा का इन दिव्य सत्ताओं से सम्बन्ध मनुष्य की मृत्यूपरान्त सत्ता या देहातीत सत्ता की अनुरूपता में ही देखा

जाता है। इसके विपरीत वैज्ञानिक जब अन्य ग्रहों पर जीवन की कल्पना करते हैं तो वह जीवन केवल जैव अस्तित्व के रूप में ही कल्पित होता है और वह किसी धर्म-भाव से नहीं जुड़ता। धर्म का बहुत बड़ा प्रयोजन मनुष्य को मृत्यु के बाद के अस्तित्व के लिए तैयार करना है, इसलिए इस जीवन के कर्म उसमें परवर्ती जीवन की सापेक्षता में ही देखे जाते हैं : उसे ऐसा जीवन जीना चाहिए जो उसे मृत्यु के अनन्तर सुखपूर्वक रहने के योग्य बनाये, क्योंकि यह जीवन तो बहुत थोड़े समय का है, किन्तु काल तो निरवधि है, उस निरवधि काल में हम कैसे रहते हैं यह महत्त्वपूर्ण है, इस जीवन के सौ-पचास वर्ष तो कैसे भी काटे जा सकते हैं। धर्म बहुत दूर तक इसके लिए तैयारी की उपाय-व्यवस्था की ही संज्ञा है। कर्मों में उचित-अनुचित के विवेक का आधार भी बहुत कुछ इस बोध से ही जुड़ा है, यद्यपि आज इसे इस लोक की व्यवस्था में परिसीमित करने पर ही बल है। किन्तु आत्मा को देह से अभिन्न मानने पर यह विवेक अर्थ की गहराई खो देता है।[1] 'धर्म' का एक अर्थ 'वस्तु-स्वरूप' भी है—'पृथ्वी का धर्म', 'जल का धर्म', 'जीव-धर्म' इन प्रयोगों में 'धर्म' का अर्थ वस्तु का स्वरूप-स्वभाव ही है। ये सब : पृथ्वी, जल आदि : अपने स्वरूप-स्वभाव में तो सहज रूप में ही रहते हैं, किन्तु कुछ बाह्यारोप और मिश्रण भी इनमें हो सकते हैं। जैसे जल की स्वच्छता-अस्वच्छता, उसकी प्रवहमानता या स्थिरता, उसका सागराकार या गागराकार। ये जल के धर्म नहीं हैं, ये उसमें आगन्तुक होते हैं। ये उसके धर्म पर आरोप भी नहीं कहे जा सकते, बल्कि कहा जा सकता है कि इन सब अवान्तर प्रसंगों को धारण कर सकना भी उसके धर्म का ही एक लक्षण है। अब धर्म को 'धर्म' शब्द के इस अर्थ में भी समझा जा सकता है—मनुष्य का मूल स्वरूप, वास्तविक स्वरूप-स्वभाव, जो इसके आरोपित पर-भावों से पृथक्करणीय है। मनुष्य के सन्दर्भ में इसमें केवल इतना भेद हो जाता है कि यहाँ इसका अर्थ 'मनुष्य का स्वरूप' भी है और उस स्वरूप के प्रापक उपाय और प्रयत्न भी। यह अन्तर इसलिए है क्योंकि मनुष्य में जलादि की तरह, या अन्य जीवों की तरह भी, स्वरूप-स्वभाव स्वत:सिद्ध नहीं होता, बल्कि वह स्वत:सिद्ध होता है जो उसका स्वरूप-स्वभाव नहीं होता। उदाहरणत: जीव का स्वरूप-स्वभाव जीना और अपने जीवत्व को संवर्द्धित करना है, किन्तु मनुष्य का स्वरूप-स्वभाव यह नहीं है—"जीवेम शरद: शतं" की वैदिक प्रार्थना के बावजूद। निश्चय ही उसके जीव होने के कारण उसका जीवन को बनाये रखना और जीवन का संवर्द्धन करना भी आवश्यक है, आखिर आत्मा के लोकावतरण और आत्मचरितार्थन का आद्य माध्यम यह देह ही है—किन्तु यह उसका मनुष्य के रूप में धर्म नहीं है। यदि वह जीव-धर्मी मात्र होता तो मृत्यु के साथ उसका भी अन्त हो जाता। किन्तु वह मृत्यु के साथ अपना अन्त नहीं देखता यह तथ्य इस बात को भी सिद्ध करता है कि वह जीव-धर्मी नहीं है।

मनुष्य का अपने स्वरूप या धर्म के सम्बन्ध में यह बोध सत्य भी है या कि यह उसकी केवल कल्पना ही है, यहाँ हम अभी इस प्रश्न पर विचार नहीं करेंगे, यहाँ केवल इतना देखना ही प्रासंगिक है कि मनुष्य ने मृत्यु को कभी अपना अन्त नहीं माना और मृत्यु के बाद के जीवन या अतिजीवन के लिए चिन्ता को कम-से-कम उतना, और कभी-कभी उससे भी अधिक, महत्त्व दिया जितना इस जीवन के प्रति चिन्ता को दिया। यहाँ यह उल्लेखनीय है कि यद्यपि मनुष्य ने मृत्यु को अपने-आप से : निरपेक्ष : कभी वरणीय नहीं माना और इस प्रकार आत्महत्या को अवांछनीय और हेय ही माना, किन्तु किसी प्रयोजन से जीवन के उत्सर्ग को वरणीय, महत् और श्लाघ्य ही माना। इस श्लाघा में भी यह धारणा ही निहित है कि मृत्यु मनुष्य का अन्त नहीं है। बल्कि, इस प्रकार मृत्यु के वरण को अमरता का प्रापक कहा जाता है। यहाँ अवान्तरत: यह भी उल्लेखनीय है कि मृत्यु के साथ मनुष्य का अन्त मानने वाले विचारक किसी महत् प्रयोजन के लिए मृत्यु के वरण को कोई अर्थ नहीं दे सकते। उनके लिए जीवन किसी भी प्रकार से रक्षणीय होना चाहिए—अन्यों को जोखिम में डाल कर, विश्वासघात करके, आत्मसम्मान खो कर, किसी भी प्रकार से। निश्चय ही साधारणत: लोग यह मानते हुए भी कि मृत्यु मानव-अस्तित्व का अन्त नहीं है, मृत्यु से बचना ही चाहते हैं, किसी भी प्रकार से, किसी भी शर्त पर। सब से भयावह मृत्यु ही मानी जाती है। किन्तु तब भी कुछ लोग होते हैं जो मृत्यु से बचने के लिए कुछ समझौते करने को

---

1. नैतिक-बोध पर हमने **समाज : दार्शनिक परिशीलन** तथा **मूल्यतत्त्व-मीमांसा** पुस्तकों में विस्तार से विचार किया है।

तैयार नहीं होते। ऐसे लोगों का वे लोग भी सम्मान करते हैं जो इस प्रकार जीवन-उत्सर्ग नहीं कर सकते। यों ऐसे अवसर तो बहुत कम लोगों के जीवन में आते हैं जब जीवन को दाँव पर लगाने की परिस्थिति उपस्थित होती है, किन्तु जीवन में रहते हुए भी जैव प्रवृत्तियों का निरोध सब संस्कृतियों में सब व्यक्तियों के लिए और सब समय ही एक साध्य आदर्श माना जाता रहा है। इसके लिए कमल की उपमा दी जाती है जो पंक में उत्पन्न होता है किन्तु पंक के ऊपर रहता है : इसी प्रकार मनुष्य को भी संसार में रहना चाहिए। इसी से योगी, संन्यासी, फ़कीर, इनका सब आदर करते हैं। यदि कोई राजा ही फ़कीर की तरह रहे तो वह और अधिक आदर का पात्र होता है। उपनिषद् के राजा जनक ऐसे ही थे। लोग विद्वान् और कलाकार आदि का भी आदर करते हैं, किन्तु इसीलिए क्योंकि उनमें भी एक प्रकार की संसार से निष्कृति रहती है : वे प्राकृतिक-जैविक के स्तर के ऊपर मानसिक-आध्यात्मिक का स्तर प्राप्त करते हैं, इनके सम्बन्ध में लोगों में यह धारणा भी होती है कि ये निर्लोभी और सत्य-परायण भी होंगे। हमारे यहाँ ब्राह्मण के लिए विधान था कि वह भिक्षा से भोजन और वस्त्र प्राप्त करे और सम्पत्ति-विहीन रहे।

किन्तु संसार के प्रति इस भाव का औचित्य क्या है? मृत्यु का होना? सब चीज़ की नश्वरता? और सब से बढ़कर उसकी अपनी नश्वरता जो अपने को संसार के केन्द्र में रखकर इसमें अपनी चरितार्थ्यता देखता है? यह सही है कि मृत्यु है, जरा है, रोग और शोक हैं। किन्तु जीवन भी है। शैशव, यौवन, उमंग, आकांक्षा, उत्साह आदि भी है। संसार का इतना बृहत् आयोजन, इतनी जटिल किन्तु तब भी इतनी सरल, इतनी सुन्दर और अद्भुत रचना, इसे क्या मृत्यु के कारण ही भुला दिया जाय? इसके विपरीत, मृत्यु को इसके आत्म-सर्जन, आत्म-नवीकरण उपाय के रूप में ही क्यों नहीं देखा जाय? इसे ब्राह्म आनन्द की अभिव्यक्ति के रूप में क्यों नहीं देखा जाय? इसे आत्मा के ऊपर मायावरण-रूप क्यों देखा जाय? इसके प्रति वैराग्य, निष्कामता, मिथ्यात्व-दृष्टि के लिए क्या युक्ति है? इसके प्रति उमंग, उत्साह और आसक्ति का भाव क्यों उचित नहीं है? यहाँ जयशंकर प्रसाद की 'अशोक की चिन्ता' कविता का एक पद उल्लेखनीय है—

> जब पल भर का है मिलना, फिर चिर वियोग में झिलना,
> एक ही प्रात है खिलना, फिर सूख धूल में मिलना
> फिर क्यों चटकीला सुमन-रंग?

यह सम्राट् अशोक की कलिंग-विजय के बाद मृत्यु की विभीषिका से उद्विग्न मन:स्थिति की अभिव्यक्ति है। अब, यह सही है कि चारों ओर मृत्यु है, विरह है, दु:ख है। किन्तु मिलन और मिलन की ललक भी है। यह सही है कि फूल एक ही दिन खिल कर मुरझा जाता है और धूलिसात् हो जाता है, किन्तु तब भी वह इतने सुन्दर और चटकीले रंगों में खिलता है और अनेकानेक फूलों को जन्म देता और उनमें फिर चटकीले रंगों के साथ खिलता है! वास्तव में विरह मिलन और मिलन की ललक का ही आश्रयी है। फूल धूल में मिल कर असंख्य फूलों में फिर खिल उठता है। यह नहीं भी हो तो भी वह उत्पन्न होता और खिलता है। कितनी अद्भुत उसकी रचना होती है, कैसे उसकी जिजीविषा पृथ्वी, जल, वायु और सूर्य-किरणों से तत्त्व सँजो कर बाहर फूट पड़ती है और वह तब बढ़ता और विकचता है! वह बाद में मुरझा जाता है तो क्या? यों भौतिक प्रकृति है जिसमें न जन्म है और न मृत्यु, जैव प्रकृति में जन्म-जरा-पीड़ा और मृत्यु का अपार प्रसार है किन्तु तब भी जीवन और जीवन के लिए ललक है। यह ललक रूप, रस, गंध आदि की आस्वादक इन्द्रियों और उनके आस्वाद्य रूपों को जन्म देती है। यह सब मिथ्या और निरर्थक कैसे है? और फिर, यदि मृत्यु के साथ हम नष्ट नहीं होते, पुनर्जन्म लेते हैं, तब तो यह जीवन की और भी बड़ी विजय है! इससे तो केवल मृत्यु ही मिथ्या ठहरती है। या फिर यह एक जर्जरता, शीर्णता और थकान की स्थिति से उबरने और आत्मनवीकरण का उपाय ठहरता है! या फिर जीवन की सुदीर्घ यात्रा में एक पड़ाव!

यह सब व्याख्या युक्ति पर सही नहीं उतरती। एक तो इसमें यह मान लिया गया है कि पुनर्जन्म होता है, दूसरे यह कि सब वृद्ध हो कर, पूरी आयु बिता कर ही मरते हैं, जबकि ऐसा नहीं है। अकाल मृत्यु भी होती है और बहुत होती है। फिर रोग हैं जो जीवन को असह्य बना देते हैं। इसलिए मृत्यु केवल पुराने कपड़े उतारने जैसी बात

नहीं होती, न यह यात्रा में पड़ाव जैसी बात ही होती है। यह सही है कि यदि पुनर्जन्म होता है तब मृत्यु जीवन की अनन्त यात्रा में केवल एक घटना ही रह जाती है, किन्तु एक नितान्त असाधारण घटना, ऐसी घटना जिसमें प्राणी सहज रूप से केवल अपना अन्त देखता है और इसीलिए जिससे वह असाधारण भय अनुभव करता है। उन मनुष्यों को जाने दें जो इस जीवन को असह्य और असाध्य कष्टमय पाते हैं, या जो जीवन से अधिक किसी दूसरी बात को मूल्यवान् मान कर जीवन का उत्सर्ग करने को तत्पर होते हैं, शेष तो मृत्यु के उपस्थित होने पर असीम भय से आक्रांत ही देखे जाते हैं। इसका कारण यही है कि वे अन्य प्राणियों के समान सहज रूप में इसे अस्तित्व से नितान्त अनस्तित्व में, शून्य में, विलय के रूप में ही देखते हैं।

वास्तव में पुनर्जन्म बहुत बड़ी सान्त्वना है भी नहीं, क्योंकि मृत्यु में इस जीवन के क्रम का तो नितान्त भंग हो ही जाता है। पुनर्जन्म को हम एक प्रकार से नींद से जागने के रूप में ही देखते हैं, इसी से इससे सान्त्वना का अनुभव करते हैं। महादेवी की ही एक कविता की पंक्तियाँ हैं—"खेल, खेल, थक, थक सोने दो, मैं समझूँगी सृष्टि-प्रलय क्या!" किन्तु वास्तव में पुनर्जन्म नींद से जागने जैसा नहीं होता, क्योंकि इसमें पूर्वजन्म के सब सम्बन्धों और स्मृतियों का अन्त हो जाता है। कोई इसके अपवाद भी होते हों तो उनसे यह नियम असिद्ध नहीं होता। यों कुछ लोगों के साथ ऐसा उसी जीवन में भी हो जाता है—पूर्ण स्मृति-नाश हो जाने पर व्यक्ति दूसरों के लिए चाहे 'वही व्यक्ति' बना रहता है किन्तु अपने स्वयं के लिए वह 'वही' नहीं रहता। किन्तु पुनर्जन्म में दोनों के लिए बात बदल जाती है। इसलिए जो लोग पुनर्जन्म के स्वीकार से सान्त्वना अनुभव करते हैं वे कहीं-न-कहीं यह कल्पना करते हैं कि मृत्यु उनके अस्तित्व की कोई हानि नहीं करती, वह उन्हें बहुत कुछ पूर्णतः निःस्वप्न निद्रा से जागने जैसी बात ही लगती है, जो ठीक नहीं है।

यहाँ पुनर्जन्म के एक और रूप को देखें—पौधा जन्मता है, बढ़ता है, और मुरझा कर अनेक बीज बन जाता है। इन बीजों से फिर पौधे उत्पन्न होते हैं और वही क्रम फिर चलता है। दैहिक स्तर पर यह 'पुनर्जन्म' प्राणी मात्र में होता रहता है। यद्यपि यह 'उसी देह' का पुनर्जन्म नहीं होता, किन्तु उससे भिन्न भी नहीं होता, इसे उसका क्रमिक नैरन्तर्य भी आप कह सकते हैं। मनुष्य में इस क्रम को 'सन्तान' कहा जाता है और इस सन्तति को 'आत्मज' कहा जाता है। अब, यह नैरन्तर्य स्पष्ट और निश्चित होने पर भी इसे हम 'अपने' नैरन्तर्य के रूप में नहीं देखते और इससे वैसी सान्त्वना भी नहीं पाते। यह एक विचित्र बात है कि 'मृत्यु' देह का ही नाश है और देह के नैरन्तर्य की व्यवस्था प्रकृति ने देह के स्तर पर कर रखी है, किन्तु उस नैरन्तर्य को हम 'अपनी' अमरता या नैरन्तर्य के रूप में नहीं देख पाते। ऐसा मनुष्य में ही नहीं, कृमि-कीट तक में भी है। उनमें व्यष्टि-देह ही उद्दीपनों के ग्रहण और प्रतिक्रिया का केन्द्र होती है, अपनी सन्तान पर आघात से दैहिक स्तर पर उस पर कोई प्रभाव नहीं पड़ता। कुछ प्राणी तो अपने बच्चों को खा तक जाते हैं। इसे यों भी कह सकते हैं कि अस्मिता का अधिष्ठान जीव का अपना शरीर ही होता है जो जन्म, यौवन और जरा के क्रम से मृत्यु को प्राप्त होता है—उस अस्मिता का बोध मानवेतर जीवों में चाहे नगण्य ही होता है, यदि होता है तो। मानवेतर जीवों में इसे उचित रूप से अस्मिता की बोध-रहित विद्यमानता ही कहना चाहिए, जिस विद्यमानता के लिए जीव का ऐसा व्यवहार प्रमाण प्रस्तुत करता है। इसे 'अस्मिता-बोध' से भिन्न 'अस्मिता-भाव' कहा जा सकता है। यह अस्मिता जीव के देहेतर अस्तित्व और सत्त्व की द्योतक कही जा सकती है, क्योंकि अन्यथा तो दैहिक नैरन्तर्य न केवल बना रहता है बल्कि वृद्धि लाभ भी करता है। यों जीव-कोशों में कोश ही एक से दो में बढ़ जाता है और इस प्रकार ये कोश दो से चार और चार से आठ हो जाते हैं। ये कोश ही जीव-मूल होते हैं। किन्तु उस स्तर पर इस अस्मिता की विद्यमानता भी उतनी ही क्षीण होती है। इस अस्मिता का अंकुरण जीव-कोशों के एक अवयवी रूप में संरचित होने पर ही होता है, जो संरचना कोशों का योग-फल या गुणन-फल मात्र नहीं होती, बल्कि एक स्वतन्त्र नियोजक सत्त्व होती है जिस से नियुक्त हो कर जीव-कोश विभिन्न प्रकार और विभिन्न विकास-स्तरों के चित्त-रूपों वाले या चित्ताभिव्यंजक देहों में संरचित होते हैं। इन देहों का नैरन्तर्य केवल कारण-कार्यात्मक नहीं होता बल्कि एक अस्मिता या चित्त से अध्युषित देह अपने ही जैसी दूसरी और स्वतन्त्र देहों का हेतु बनती है। इस अस्मिता को 'देही' तक कहा जाता

है, अर्थात् देह को साधन या उपकरण के रूप में धारण करने वाला सत्त्व। यह देह जन्म से मृत्यु तक एक देही का अधिष्ठान रहती है और, ऐसा हम मानते हैं कि, यह देही इस देह की मृत्यु के साथ उसको छोड़कर या तो अदेह रूप में प्रेत योनी में रहता है या दूसरी देह धारण करता है। इस कारण जैव नैरन्तर्य या सन्तान को देही का नैरन्तर्य नहीं माना जाता, एक देह की मृत्यु को उसकी परिसमाप्ति ही माना जाता है, क्योंकि सन्तान की देह अन्य देही की उपकरण होती है।

किन्तु देहोत्तर अस्तित्व का भाव और बोध केवल मानवीय स्तर पर ही परिलक्षित होता है, जिस स्तर पर चेतना अस्मिता का विषय-रूप में अवधारण कर पाती है, चाहे यह अवधारण कितना ही अस्फुट क्यों नहीं हो। इससे अवरतर स्तर पर अस्मिता अतिक्रामी अहंकार के रूप में जैव और चैत्त वृत्तियों की सहगामी मात्र होती है, उस स्तर पर अहंता के पृथक् अस्तित्व का बोध ही नहीं 'भाव' भी नहीं रहता। सम्भवत: भारतीय परम्परा के अतिरिक्त अन्य किसी परम्परा में मानवेतर जीवों में आत्मा होने का विचार भी नहीं है, इसलिए अन्य परम्पराओं के अनुसार उनके पुनर्जन्म, या मृत्यु के अनन्तर देही का अस्तित्व बना रहने का प्रश्न भी नहीं उठता। किन्तु भारतीय परम्परा में ये मानवेतर अस्तित्व नहीं हैं बल्कि मनुष्य की आत्मा की ही भोग-योनियाँ हैं।

किन्तु आत्मा के देहेतर और देहोत्तर अस्तित्व का अर्थ क्या है, यह अस्तित्व सम्भव कैसे है, इसमें आकांक्षा क्या है और मूल्य क्या? इस सब पर यहाँ हम संक्षेप में विचार करेंगे।

कुछ लोग आत्मा के अस्तित्व को इस कारण अस्वीकार करते हैं क्योंकि वह बाह्येन्द्रिय और अन्तरेन्द्रिय-ग्राह्य नहीं होता। किन्तु इन्द्रिय-ग्राह्यता अस्तित्व का प्रमाण है, इस धारणा के लिए भी प्रमाण की अपेक्षा है, इस पर वे विचार की आवश्यकता नहीं समझते, जो कि उचित नहीं है। एक दूसरा मत बौद्धों का है, जो बाह्येन्द्रिय-ग्राह्यता को तो अस्तित्व का प्रमाण नहीं मानते और चित्त-वृत्तियों का अस्तित्व स्वीकार करते हैं, किन्तु वे भी आत्मा का अस्तित्व स्वीकार नहीं करते, उनके अनुसार केवल चित्त-वृत्ति-सन्तान का ही अस्तित्व है, 'आत्मा' संज्ञक किसी सन्तानेतर वस्तु का अस्तित्व नहीं है। किन्तु जैसाकि हमने पीछे संकेत किया, जीव मात्र में एक अहंता-अस्मिता का भाव होता है जो यद्यपि स्फुट नहीं होता किन्तु अतिक्रामी रूप में वह उसकी दैहिक सावयवता के और उद्दीपनों की प्रतिक्रियाओं के आधार के रूप में स्थित रहता है। इसे 'अहंकार' कहा जा सकता है, जो अतिक्रामी रहता है। किन्तु मनुष्य में यह अहंकार आत्मचेतना में विषय हो कर अहंता के स्फुट बोध का रूप लेता है। यह बोध ज्ञानात्मक और कर्मात्मक वृत्तियों में ज्ञातृत्वाभिमान और कर्तृत्वाभिमान के रूप में उनका अधिष्ठातृत्व ग्रहण करता है। इसी से स्मृतियाँ और प्रत्याशाएँ सम्भव हो पाती हैं और विशिष्ट व्यक्ति का अधिकार बनती हैं। 'यह अधिकारी या अधिष्ठान कोई वस्तु नहीं है और केवल वृत्ति-सन्तान की ही वस्तुता है' इस प्रतिपादन में कोई युक्ति नहीं है, क्योंकि यह अधिकारी उतना ही अपरोक्षत: ग्राह्य होता है जितनी इसकी अधिकृत वृत्तियाँ। यदि गहराई से देखा जाय तो वृत्तियाँ वास्तव में केवल अधिकारी के माध्यम से ही ग्राह्य होती हैं, अधिकारीत्व-रहित चेतना वृत्तियों के उद्दीपकों के अशेषत: अधीन रहती है, उसमें वृत्तियों का ग्रहण या प्रकाशन नहीं होता। इस प्रकार आत्मा के निषेध का कोई अर्थ नहीं बनता। वह अधिष्ठान और अधिकारी के रूप में अपरोक्षत: विदित रहता है और उसके अस्तित्व का यही स्वरूप और प्रमाण है। शेष किसी वस्तु के अस्तित्व के लिए भी ऐसा निश्चित प्रमाण नहीं है, विज्ञप्तियों (चित्तवृत्तियों) के लिए भी नहीं। देह भी चित्त की देह-वृत्ति ही है, इसलिए वह भी 'अधिकारी' के माध्यम से, उसकी अपेक्षा से ही, ग्राह्य होती है और इसकी यह ग्राह्यता ही इसके अस्तित्व के लिए प्रमाण होती है। इसलिए वास्तव में इन्द्रिय-ग्राह्य और भौतिक के रूप में अवधारित वस्तु का अस्तित्व आत्मा के देहेतर और देहोत्तर अस्तित्व को स्वत:सिद्ध और अपरोक्षत: गम्य प्रमाण मानने को पूर्वगृहीत करता है। इसके लिए शंकर और डेकार्ट की युक्तियाँ सर्वविदित ही हैं।

यहाँ आपत्ति हो सकती है कि यह आत्मा चित्त-वृत्तियों और वस्तुओं के अस्तित्व की पूर्वापेक्षा हो कर उनकी अपेक्षी भी हो जाती है, क्योंकि इसका यह अस्तित्व चित्त-वृत्तियों के अधिकारी के रूप में ही प्रकट होता

है, चाहे यह अधिकारीत्व चित्त-वृत्ति-रूप नहीं हो। यह सही है, किन्तु इसका समाधान यह है कि ज्ञातृत्वाभिमान और कर्तृत्वाभिमान के रूप में इसकी विषयता जिस विषयी को प्रकाशित करती है और यह विषय (अभिमान) अर्थों के जिस आयाम को व्यक्त करता है वह इस आत्मा के अतिक्रामी और निरपेक्ष स्वरूप को प्रकट करता है।[1]

इस पर यहाँ कहा जा सकता है कि देह एक वृत्ति मात्र नहीं है, उसके रोग और वृद्धि-क्षय आदि के स्वतन्त्र नियम हैं, उसकी वस्तुता का स्वरूप भी चैत्त वस्तुता के स्वरूप से भिन्न है : देह भौतिकता के नियमों के भी अधीन है जबकि चित्त भौतिकता के नियमों के अधीन नहीं है। यह सही है, किन्तु हम दैहिक अस्तित्व का निषेध नहीं कर रहे हैं, हम केवल इस अस्तित्व को अस्तित्व और सत् का प्रतिमान मानने की अयुक्तता दिखा रहे हैं। देह की स्वतन्त्र वस्तुता अस्वीकार कर देने पर तो मृत्यु का प्रश्न ही समाप्त हो जाता है। यहाँ प्रश्न आत्मा के स्वतन्त्र अस्तित्व का है। इसके सम्बन्ध में हमने देखा है कि इसकी वस्तुता अपरोक्ष और परिणामत: सन्देहोपरि है, यह बात दूसरी है कि चेतना अधिकांशत: परोन्मुख और परायत्त रहती है और परिणामत: आत्मा अवगत ही नहीं रहता। सम्पूर्ण पाशव चेतना इसी अवस्था में है।

किन्तु इस पर कहा जा सकता है कि देह के आत्मा से स्वतन्त्र होने पर और आत्मा की वस्तुता का स्वरूप देह की वस्तुता से भिन्न होने पर भी जीव की मृत्यु का प्रश्न उत्पन्न नहीं होता। इसका उत्तर होगा कि आत्मा की देहोत्तर वस्तुता के स्वीकार का, दैहिक मृत्यु के अनन्तर उसके अन्य लोक में बने रहने या पुनर्जन्म लेने के विचार का यही अर्थ है। **श्रीमद्‌भगवद्‌गीता** में जो आत्मा को अच्छेद्य-अक्लेद्य आदि कहा गया है उसके पीछे यही युक्ति हो सकती है। इससे मृत्यु का अर्थ केवल देह का क्षय रह जाता है, व्यक्ति के अस्तित्व का पूर्ण क्षय नहीं।

किन्तु इसमें कुछ आधारभूत कठिनाइयाँ हैं। प्रथम यह कि 'आत्मा के अस्तित्व' का क्या अर्थ है? दूसरे, देह के क्षय के उपरान्त जिस अस्तित्व में हम सान्त्वना खोजते हैं क्या आत्मा का अस्तित्व उस प्रकार का होता है? वास्तव में हमारा अन्वेष्य है क्या और उसे क्या होना चाहिए? ये सब प्रश्न हैं जो मृत्यु से जुड़े हैं। ये सब प्रश्न विस्तृत विचार की अपेक्षा करते हैं जो एक लेख में करना सम्भव नहीं है। इन पर हमने **मूल्यतत्त्व-मीमांसा** पुस्तक में विचार किया है, यद्यपि वहाँ विचार का मुख्य विषय मृत्यु नहीं है। यहाँ हम उस विचार को पृष्ठभूमि में रखते हुए इन प्रश्नों पर विचार करेंगे।

'आत्मा का अस्तित्व है' कहने में यह निहित है कि वह काल का विषय होती है। किन्तु हम उसे काल का विषय मानते हुए भी अक्षर और अमर मानते हैं। इस अमरता को हम 'अनन्त काल-स्थायिता' के रूप में कल्पित करते हैं। किन्तु वास्तव में वह अक्षर और अमर तभी हो सकती है यदि वह देश और काल के विशेषणों से रहित हो, वह 'काल-स्थायी' नहीं हो कर काल की विषय ही नहीं हो। अब, देश और काल का अविषय होने पर वह उस अर्थ में 'वस्तु' भी नहीं रहती जिस अर्थ में देह और चित्त वस्तुएँ होते हैं। देह जबकि देश और काल का विषय होती है, चित्त केवल काल का विषय ही होता है। किन्तु आत्मा को देह की नश्वरता के विपरीत 'अमर' कह कर देह की ऐसी छाया के रूप में कल्पित करते हैं जो भौतिकता और चैतसिकता के नियमों का विषय नहीं होती। किन्तु वास्तव में आत्मा का स्वरूप यह नहीं है। तब आत्मा का क्या स्वरूप है?

हमने पीछे देखा, प्रत्येक जीव में एक बोध-रहित अस्मिता का भाव रहता है। इससे भी पूर्व अतिक्रामी अहंकार की विद्यमानता की बात भी हमने की, जो जैव देह की व्यष्टिक रचना और चित्तवृत्तियों की व्यष्टिक विशिष्टता का हेतु कहा जा सकता है। यही अहंकार चित्त में अस्मिता-भाव रूप में व्यक्त होता है। यह 'भाव' मानवेतर जीवों में बोध-रहित होता है। यह चेतना की अनात्मचेतन अवस्था है। मनुष्य में यह चेतना

1. इस विषय पर विस्तार से चर्चा **चिद्विमर्श** अ. 1 में, **सत्ताविषयक अन्वीक्षा** अ. 7, 9 में, और **मूल्यतत्त्व-मीमांसा** अ. 1, 10-12 में की गई है।

आत्मचेतनता-लाभ करती है। आत्मचेतना एक अत्यन्त विचित्र स्थिति है। प्रकटत: यह चेतना का आत्मविषयकरण है, किन्तु वास्तव में यह इसकी विपरीतता है—यह चेतना द्वारा विषय को बहिष्कृत कर उसे प्रत्युपस्थापित करना है। यह बहिष्करण चेतना द्वारा विषय से मुक्त हो कर अपने पर लौटने से सम्भव होता है। किन्तु यहाँ जो एक दूसरी और नितान्त विचित्र बात घटित होती है वह यह कि इसमें चेतना—संवेद, संवेग, भाव और बोध सब—स्वयं अपने को विषय-रूपेण प्रत्युपस्थित होती है। किन्तु इसकी यह विषय-रूपता चेतना-रूपता नहीं होती। इसकी चेतना-रूपता के लिए यदि कहें कि यह इनके ज्ञापक या प्रकाशक के रूप में अविदित रहती है तो यह अयुक्त नहीं होगा। उपनिषद् में जो 'यन्मनसा न मनुते, येनाहुर्मनोमतम्' आदि ब्रह्म के लिए कहा गया है, वह एक-दूसरे प्रकार से चेतना मात्र के लिए ही कहा जा सकता है। वेदान्त में ज्ञान स्थिति को त्रिपुटी कहा गया है, अर्थात् ज्ञाता, ज्ञान और ज्ञेय का त्रित्व। इसका अर्थ यही हुआ कि ज्ञाता और ज्ञान ज्ञेय नहीं होते, क्योंकि ज्ञेय होने के लिए उन्हें अपने ज्ञातृ और ज्ञप्ति रूप छोड़कर ज्ञेय (विषय) रूप में रूपान्तरित होना होता है। किन्तु तब ज्ञाता और ज्ञान की बात ही कैसे उठती है? विश्लेषण से? अर्थात् ज्ञेय का विश्लेषण करने पर हम पाते हैं कि इसमें पूर्वापेक्षा के रूप में कुछ और भी निहित है और वह ज्ञाता या ज्ञान है? किन्तु यह सही नहीं है, क्योंकि ज्ञाता और ज्ञान शब्द-वाच्य तभी बन पाते हैं जब वे विषय-रूप में रूपान्तरित हो जाते हैं, अन्यथा वे पूर्वापेक्षा के रूप में भी ग्राह्य नहीं हो सकते।

यह प्रश्न बहुत विस्तृत विमर्श की अपेक्षा करता है जो यहाँ हम नहीं कर सकते।[1] यहाँ हम केवल इतना ही कहना चाहेंगे कि चेतना को विषय ज्ञेय रूप में पृथक् तभी उपलब्ध हो पाता है जब वह विषय से अपने को मुक्त कर अपने पर लौट पाती है। इस निवर्तन में वह अपने को अविषयतया ही पाती है, यद्यपि वह इस लब्धि को विषय-रूप में भी रूपान्तरित कर सकती है, बल्कि कहें कि वह सहज रूप में ऐसा किये ही रहती है। इस विषयि-विषयता-यौगपद्य में ही अस्मिता अस्फुट भाव-रूपता से स्फुट बोध-रूपता प्राप्त करती है।

आत्मचेतन चेतना के सब विषय प्रत्ययात्मक या प्रत्ययमूलक प्रत्यक्षात्मक होते हैं। प्रत्यय की परिभाषा 'चेतना का अर्थात्मक उन्मेष' की जा सकती है,[2] जो उन्मेष विषयों का अवगाह्य और विवेच्य तत्त्वों के रूप में साक्षात्कार करता है। विषय पक्ष में आत्मा भी इसी प्रकार ईषत् उन्मीलित तत्त्व के रूप में ही बाह्य होता है और आत्म-विचार और विवेचन में अपने अर्थ का अवगाहन करता है, विषयी रूप में यह इस उन्मेष के स्रोत के रूप में आत्म-भावित या आत्म-प्रकाशित रहता है।[3] किन्तु चेतना सहज रूप में अपने को विषय के माध्यम से ही पाती है, इसलिए अपनी विषयिता में आत्मा का बोध उसी सीमा तक रहता है जिस सीमा तक चेतना विषयता से निवर्तित होती है। पाशव चेतना अनात्मचेतन होने से आत्मा को विषय रूप में भी नहीं पा सकती और विषयिता में उसके बोध के लिए उसे विषयता में पाना अनिवार्य पूर्वापेक्षा होने से विषयी के रूप में भी नहीं पा सकती। मानव-चेतना में यह विषय रूप में सहज उपलब्ध रहकर भी अधिकांश में अपने विषयी पक्ष से निष्कृत रहती है। विषय-पक्ष में आत्मा अन्य विषयों की अधिष्ठाता के रूप में किन्तु अनिवार्यत: उनकी सापेक्षता में ही उलपब्ध होती है। किन्तु इस अधिष्ठातृत्व में जबकि यह अहंकारमूलक होती है, इसकी विषयता इसे प्रत्यय के रूप में अहंकार-मुक्त भी करती है। यह मुक्ति इसे स्वयं को अन्य अहंकारियों के साथ एक अहंकारी के रूप में अवधार्य बनाती है और इस प्रकार इसे अहंकारातिक्रमण की योग्यता देती है। इसकी यह योग्यता ही न्याय-विचार की और अन्य समाज-धर्मों की आधार होती है। इस प्रकार आत्मा की विषय-रूप में अवधार्यता चेतना की विषय-भाव से मुक्ति की सापेक्षता में होती है। किन्तु जब यह विषय स्वयं आत्मा ही हो तब यह मुक्ति विशेष अतिशय होती है। यह

1. इन प्रश्नों पर विस्तृत विचार के लिए **सत्ताविषयक अन्वीक्षा** का अ. 7 द्रष्टव्य।
2. ध्यातव्य है कि 'प्रत्यय' की यह परिभाषा दर्शन में प्रचलित अन्य परिभाषाओं में बहुत व्यापक है।
3. 'आत्मा' शब्द का प्रयोग यहाँ दो स्तरीय अर्थ में हुआ है, जैसे उपनिषद् के 'आत्मनस्तु कामाय सर्वं प्रियं भवति' मन्त्र में हुआ है।

अवधेय है कि इसी कारण न्याय का मूल बोध मनुष्य में प्राय: सर्वत्र मिलता है, वह सर्वत्र और सर्वदा पूर्ण स्पष्ट नहीं होता, यह बात दूसरी है। उदाहरण के लिए भारत में ब्राह्मण और शूद्र के लिए पृथक् दण्ड-नियम, यूरोप में श्वेतों की अश्वेतों पर उत्कृष्टता की धारणा, जिसका कुरूपतम रूप 19वीं और 20वीं शताब्दी के आरम्भिक दशकों में इनके अफ्रीकियों के साथ व्यवहार में परिलक्षित होता है, ये न्याय-बोध की उपहितता के द्योतक हैं, किन्तु तब भी इनमें न्याय का मूल बोध विद्यमान है, पशु-जगत् के समान इसका अभाव नहीं है, जैसाकि इनकी कानून व्यवस्था से देखा जा सकता है। पूर्णत: अनुपहित न्याय-बोध पूर्णत: निरहंकारी आत्मा में ही सम्भव है। यही बात कर्त्तव्य-निर्णय और वरण के अन्य प्रसंगों में भी होती है। जो जैव स्तर पर अहंकार-मूलक अस्मिता-भाव-रूप होती है। आत्मा के आविर्भाव में इस तारतम्य से द्योतित होता है कि आत्मा अपने निराविल रूप में चेतना की साधना का चरम लक्ष्य है और इसका यह स्वरूप निर्वैयक्तिक, निर्बाध और सर्वात्मक : निज-पर-भेद-रहित : होता है। लक्ष्य और साध्य होने से यह भूतवस्तु-रूप नहीं होती, किन्तु तब भी अपने विषयिता और विषयता दोनों पक्षों में यह अतिक्रान्त सत् होती है।

स्पष्ट है कि इस आत्मा का पुनर्जन्म नहीं हो सकता, क्योंकि पुनर्जन्म का सम्बन्ध देहौपाधिक और देहाकांक्षी आत्मा से ही हो सकता है। निराविल आत्मा व्यष्टिकता मात्र से मुक्त होती है और जन्म व्यष्टिक देह और व्यष्टिक चित्त रूप में ही हो सकता है। चिन्तन की भारतीय परम्परा में मुक्त आत्मा के जन्म नहीं लेने और केवल बद्ध आत्मा के ही पुनर्जन्म लेने की दृष्टि बहुत प्राचीन है। किन्तु इसका अर्थ यह हो जाता है कि पुनर्जन्म आत्मा नहीं उपाधियाँ ही लेती हैं। वास्तव में प्राचीन दृष्टि में यह भी निहित है। महात्मा बुद्ध दु:ख-स्कन्ध के समुदय को और वेदान्ती तथा सांख्य-मतानुयायी अविवेक या अविद्या को ही पुनर्जन्म का हेतु मानते हैं, वास्तव में बौद्ध तो अविद्या को उपादान भी मानते हैं। सो ठीक, किन्तु इसका अर्थ हो जाता है कि पुनर्जन्म आत्मा का नहीं होता, वह एक जन्म से दूसरे जन्म में संक्रमित नहीं होती, अविवेक या अविद्या ही संक्रमित होती है। किन्तु **गीता** में आत्मा का ही पुनर्जन्म कहा गया है और वास्तव में यही सामान्य धारणा भी है। वेदान्त और सांख्य में भी वास्तव में अविद्या को पुनर्जन्म का हेतु ही माना गया है, उनके अनुसार भी पुनर्जन्म में संक्रमित तो आत्मा ही होती है जो अविद्या से उसी प्रकार आवृत रहती है जैसे घट से आकाश।

किन्तु यह सिद्धान्त-दृष्टि से सही नहीं है। जैसाकि हमने पीछे देखा, मानव-व्यक्ति आत्मविषयकरण के द्वारा व्यष्टिता का अतिक्रमण करता है और दृष्टि के विस्तार और वासनाओं पर विजय के द्वारा वह आवरण से किसी भी सीमा तक मुक्त हो सकता है। 'बुद्ध की रचना-कायता' की अवधारणा में इस विजय की पूर्णता का ही ख्यापन है। अपवादों को छोड़कर, मनुष्य आविल आत्मा के रूप में ही रहता है। सो, सम्भव है वह इस सोपाधिक आत्मा के कारण ही पुनर्जन्म लेता हो। इसमें कुछ असम्भवता नहीं है। इस प्रकार यह विचार युक्तियुक्त लगता है कि पुनर्जन्म यह आत्मा ही लेता है जब तक यह उपहित रहता है, अनुपहित आत्मा साध्य अवस्तु होने से और स्वरूपत: निर्वैयक्तिक और निरवधि होने से जन्म-मरण का विषय नहीं हो सकता। इस प्रकार उसकी खोज वास्तव में अमर जीवन की खोज नहीं होकर पूर्ण मृत्यु की खोज है जो अमरता भी है।[1]

दैहिक मृत्यु का तथ्य इस दृष्टि-लाभ का प्रथम हेतु बनता है। मृत्यु जीवन की, जीव के अस्तित्व की, आगन्तुकता प्रकट करती है। जीवन का अर्थ है रूप-रस-गन्ध आदि का अस्तित्व और इनसे आसक्ति का अस्तित्व, पुत्र-कलत्र-मित्र-शत्रु आदि सम्बन्धों तथा प्रभुता, सम्पत्ति और कीर्ति आदि में आसक्ति का अस्तित्व। साधारणत: आत्मा अपनी सार्थकता इनसे आसन्नता और इनमें सफलता में ही पाती है। यह चेतना में सहज जैव अतीत का प्रलम्बन है। किन्तु आत्मा की सिद्धि चेतना के इस अतीत से उबरने पर ही होती है और यह

1. यह विचार आत्मा विषयक सम्पूर्ण पारम्परिक विचार से कुछ भिन्न है और इसकी व्याख्या विस्तार से **मूल्यतत्त्व-मीमांसा** में और इससे आगे के लेख 'आत्म-चिन्तन' में की गई है।

उबार जैव अन्वेषणों की उस लाभ में बाधकता प्रदर्शित करता है जिस लाभ के लिए चेतना अपने सुदीर्घ इतिहास में सतत प्रयत्नशील रह कर आत्मचेतनता के स्तर पर पहुँची है। यों इन अन्वेषणों की निरर्थकता इन पर विचार मात्र से भी प्रकट हो सकती है, किन्तु मृत्यु का बोध रूप में चेतना में भाव के स्तर पर प्रवेश इनकी आगन्तुकता और निरर्थकता को चेतना में अपरोक्ष साक्षात्कार के रूप में अन्त:प्रतिष्ठित कर पाता है। श्मशान-वैराग्य एक साधारण अनुभव है, किन्तु वह दृष्टि और स्थायी भाव का रूप नहीं ले पाता। इस पद का प्रयोग इसी अर्थ में होता है। इसके विपरीत बुद्ध को जरा और मृत्यु के साक्षात्कार ने अन्तस् की अतलता तक आलोड़ित कर दिया था। उनका राज्य और पुत्र-कलत्र का त्याग मृत्यु-तत्त्व के इस अन्त:साक्षात्कार का प्रतीक मात्र है। इस साक्षात्कार के अनन्तर कोई इन सम्बन्धों को छोड़कर कहीं अन्यत्र जाए, यह आवश्यक नहीं रहता। सम्राट् अशोक कहीं नहीं गए थे। जाना एक बाहरी बात है, कोई वहीं रहे तो भी ये सम्बन्ध उसके लिए समाप्त हो सकते हैं। यह केवल भाव-परिवर्तन की बात है। मृत्यु तब आसक्ति मात्र की निरर्थकता की द्योतक हो जाती है। किन्तु 'आसक्ति की निरर्थकता' का अर्थ अनिवार्य रूप से रूप-रस-गन्ध आदि की और पुत्र-कलत्र आदि सम्बन्धों की निरर्थकता का बोध नहीं है, ये सौन्दर्यात्मक और नैतिक अर्थों के वाहक भी हो सकते हैं, किन्तु ये आत्मा के स्थानीय के रूप में पर्येष्य हो जाएँ यह बात भयावह होती है। यों इन अन्वेषणों में भी स्तर-भेद होता है। पुत्र से पुत्रत्व के निमित्त से सहज प्रेम और पुत्र से अपनी सुविधाओं के साधक के रूप में प्रेम में अन्तर है और इन में प्रथम हमें आत्मा के अपेक्षाकृत निकट स्थिति देता है। किन्तु इस प्रेम का अतिक्रमण, इसकी निरपेक्ष रूप से सर्वोन्मुखता, यह एक सर्वथा दूसरी बात हो जाती है। प्रेम के उत्कर्षापकर्ष का मानदण्ड वही आत्मा का व्यष्टिक अहंकार से उन्नयन है। मृत्यु-बोध इस उन्नयन में प्रतिष्ठित करता है।

यहाँ आपत्ति हो सकती है कि ममत्व से यह मृत्यु-बोध-जन्य उन्नयन जीवन से निष्कासन देता है। 'भज गोविन्दम्' का उपदेश 'अंग गलितं पलितं मुण्डम्' हो जाने पर तो सही है किन्तु जीवन के उद्दाम प्रवाह के रहते इसे युक्त नहीं कहा जा सकता। सार्थकता का प्रश्न इस प्रकार रखने पर सभी कर्म, सभी भाव, सभी मूल्यान्वेषण संदेह के घेरे में आ जाते हैं। इसके लिए कबीर का एक पद उल्लेखनीय है—

> माया महा ठगिनी हम जानी।
> तिरगुन फाँस लिये कर डोलै, बोलै मधुरी बानी,
> × × ×
> जोगी के जोगिन ह्वै बैठी, राजा के घर रानी,
> काहू के हीरा ह्वै बैठी, काहु के कौड़ी कानी।

यह पद अन्वेषण मात्र के मिथ्यात्व का ख्यापक है—स्वार्थान्वेषण का उतना ही जितना परार्थान्वेषण का, लोकान्वेषण का उतना ही जितना अतिलोकान्वेषण का। यह सही है, इसमें सभी आसक्तियों के मिथ्यात्व का ख्यापन है और सहज रूप में आसक्ति ही जीवन है। किन्तु दूसरी ओर यह भी सही है कि चेतना द्वारा आत्मा की खोज की यही दिशा है। आसक्ति या लोक-निमग्नता चेतना का जैव भाव में आत्म-प्रवास है जिसमें उन्मग्नता की सिद्धि का अनवरत प्रयत्न इसे आत्म-चेतना की स्थिति तक लाया है, जो आत्मचेतना की आत्मोन्मुखता का और आसक्ति से उन्मग्नता का प्रथम सोपान है। मृत्यु-बोध वास्तव में आत्मा के लोक-भाव में, लोकासक्ति में आत्मप्रवास से पूर्ण निवर्तन की सिद्धि ही है। इसी रूप में मृत्यु भयोत्पादक नहीं रहती, वह आनन्द की पर्याय हो जाती है।

वास्तव में लोक में ऐसा कोई अनुसरण और लाभ नहीं है जो पीछे छूंछा, निरर्थक और उपहासास्पद दिखायी नहीं देता। जिस वस्तु या स्थिति के लाभ को हम जीवन के परम प्राप्य के रूप में देखते हैं वह प्राप्त हो जाने पर हम अपने को वहीं का वहीं पाते हैं, बल्कि अमृतत्व के लक्ष्य को और भी दूर पाते हैं और उसी प्रकार के

दूसरे लक्ष्यों की ओर अनुधावन करते हैं। यदि हम किसी लौकिक लक्ष्य को निरपेक्षत: साध्य मानते हैं तो हम स्वयं नहीं तो दूसरे देख पाते हैं कि हमारी स्थिति कितनी उपहासास्पद है। विश्वविजय के अभियान में सफल रहने पर हिटलर शायद उससे कहीं अधिक विपन्न होता जितना वह पराजित होकर हुआ। राम के हाथों हत होकर रावण का यह बोध कि वह धन्य हुआ, अन्वेषणों की इस निरर्थकता का ही बोध है। अधिकांशत: हम मरणासन्न होने पर भी यह दृष्टि नहीं पाते, इस या उस कार्य के अधूरा रह जाने में ही अपना अधूरापन देखते हैं। किन्तु जिस का बोध जाग जाता है उसके लिए इन पूर्त्तियों की कामना की परम मृत्यु ही परम लाभ होती है। बहुत लोग हैं जो हमारे इस भाव को नकारात्मक, ऋणात्मक, पराजय-वृत्तिक पायेंगे। उनके लिए कबीर पुन: उल्लेखनीय हैं—

सुखिया सब संसार, खावै और सोवै।
दुखिया दास कबीर, जागै औ रोवै।

पर खाने और सोने मूलक यह सुख कितना दारुण दु:ख है यह वे ही देख पाते हैं जो जागते और रोते हैं। किन्तु तब भी इसमें संदेह के लिए अवकाश रह जाता है—जीवन अपने-आप में मूल्यवान् है क्योंकि सब अर्थों के चरितार्थन का यही साधन है। इसके होने पर ही चेतना भौतिक और जैविक अस्तित्व के अंधकार से आत्मा के प्रकाश में मुक्ति-लाभ करती है, जीवन है तो अपार अर्थ-राशियों का उन्मेष होता है, सम्भावनाओं का अनन्त आकाश अस्तित्व में आता है और हेय और उपादेय का विवेक जन्म लेता है, और इसी में आत्मा अपने से अपनी दूरी के निवारण की आकुलता अनुभव करती है। और फिर, सब कुछ निरर्थक नहीं हो सकता, क्योंकि निरर्थकता अपने को किसी सार्थकता की सापेक्षता में प्रकट करती है। और फिर यह कैसी अद्‌भुत बात है कि निरर्थक पर्येषणाएँ भी होती हैं और फिर इनकी निरर्थकता प्रकट होती है। निरर्थकता और सार्थकता वास्तव में आत्मा की हानि और आत्मा के लाभ के ही वाचक हैं। और यह आत्मा का लाभ क्या है? आत्मा अपने से दूर, आत्म-प्रवासित क्यों और कैसे होता है? किसी भी कारण से यह हो किन्तु अर्थ-सृष्टि तो इसी व्यवधान के निवारण के क्रम में, आत्म-लाभ के प्रयत्न के क्रम में ही होती है और यह जीवन के होने पर ही सम्भव है, मृत्यु तो प्रयत्न के लिए कोई अवकाश ही नहीं रहने देती।

यह सही है, किन्तु हम जीवन का निषेध नहीं कर रहे हैं, इसी से देह के नाश को और इस प्रकार आत्म-हत्या को वरणीय नहीं कह रहे हैं। हम उन विचारकों के साथ भी नहीं हैं जो सदेह मुक्ति को सम्भव नहीं मानते। हम उनके साथ हैं जो देह के 'रचना-देह' में रूपान्तरण को साध्य मानते हैं। मृत्यु-बोध यही है। यह बोध हो जाने पर जैव देह की मृत्यु एक अवान्तर बात हो जाती है और इसका पुनर्जन्म अनेष्य।

किन्तु इस निष्कर्ष में एक स्पष्ट और आधारभूत दोष दिखाया जा सकता है : जगत् आख़िर है और यह एक अनन्त और अगाध आयोजन है। इसकी प्रतिष्ठा जगद्वासना या जगद्‌भाव में ही है—सोऽकामयत बहुस्याम्। ब्रह्म-अंड का विस्फोट और उसकी पूर्णत: व्यवस्थित विराट् ग्रह-नक्षत्र मण्डल रूप में और अनन्त सूक्ष्म अणु-परमाणु मण्डलों के रूप में वितति, फिर उसमें प्राण का उद्रेक और इसके द्वारा भोग और आसक्ति का प्रादुर्भाव, भोग और आसक्ति की इस प्रवृत्ति के लिए यद्यपि सीमित किन्तु अनन्त विविध, जटिल और कुशल तन्त्र की रचना, इस सबकी अर्थमयता सन्दिग्ध कैसे हो सकती है? अवश्य जीवन में पीड़ा और मृत्यु भी हैं, किन्तु ये इस आयोजन में उपाय-कौशल जैसे ही लगते हैं। पीड़ा और मृत्यु भी है, किन्तु ये इस आयोजन में उपाय-कौशल जैसे ही लगते हैं। पीड़ा और मृत्यु की विद्यमानता व्यष्टि-प्राणी के पक्ष से ही है किन्तु व्यष्टि-प्राणी भोक्ता और भोग्य के रूप में भोक्तृ-भाव की सिद्धि के उपकरण मात्र ही प्रतीत होते हैं। हम मनुष्यों के जीवन की अवधि कई वर्षों की है, किन्तु ऐसे जीव भी हैं और असंख्य, जिनकी जीवन-अवधि केवल क्षण भर की ही होती है। वहाँ जीवन क्या और मृत्यु क्या? जहाँ जीवन-अवधि कुछ दीर्घ भी है तो वहाँ भी जीना और मरना नितान्त गौण हैं—अपार जिजीविषा और जीने के अकल्पनीय रूप से कुशल उपायों के आविष्कार के बावजूद सब जीव एक-दूसरे

के खाद्य हैं। अधिकांश पक्षियों को अण्डों में ही दूसरे पक्षी या अपक्षी खा जाते हैं। ऐसा ही अन्य जीव-रूपों में भी है। स्थायी केवल भोग-वृत्ति है जिसमें खाने और खाये जाने वाले जीव उपकरण मात्र बनते हैं। उसमें न पीड़ा का कोई अर्थ और न मृत्यु का। ऐसे में जीवात्मा और उसके जन्म जन्मान्तर में संक्रमण का कोई अर्थ नहीं रह जाता। इसी क्रम में मनुष्य भी है, जिसमें यह भोगवृत्ति, जगत्प्रवृत्ति और जगदासक्ति अत्यधिक प्रवर्धित, विस्फुट और समृद्ध रूप में प्रकट होती है। इसके लिए मृत्यु एक विशिष्ट घटना है क्योंकि इसके लिए व्यष्टि अपनी अस्मिता में और उसका जीवन अपनी व्यष्टिता में विस्फुट रूप में अवधार्य अवस्थितियां हैं। जगत् के इस चित्र-पटल पर इस अर्थ-योजना में जीवन का अर्थ संदेहास्पद कैसे हो सकता है? सन्देहास्पद केवल मृत्यु का अर्थ है जो भोक्तृ-भाव की उपाय-व्यवस्था में एक व्यवधान जैसी प्रतीत होती है। किन्तु जगत् तो भूमा का जगद्भाव है, इसमें व्यष्टि का निजी अर्थ क्या? चिड़िया द्वारा खाये जाने वाले चींटे की मृत्यु का क्या अर्थ? उसके जीवन का अर्थ केवल किसी दूसरे जीव को खाने और चिड़िया का खाद्य होने के रूप में ही है। यही अर्थ क्या मनुष्य के भी जीवन और मृत्यु का नहीं है?

किन्तु जैसाकि हमने पीछे देखा, मनुष्य के जीवन और मृत्यु के अर्थ में कुछ भेद है, कुछ आधारभूत भेद। निश्चय ही मनुष्य जगत् का अंग भी है, उसी की एक अवस्था। किन्तु जगत् की यह अवस्था अपनी पहले की अवस्थाओं से आधारभूत रूप से भिन्न भी है। इस प्रकार यह जगद्गत भी है और जगत् से बाहर भी। इस प्रेक्षकत्व के कारण ही इस जीव में आत्मा का आविर्भाव और इस जगत् के और आत्मा दोनों के स्वातिक्रामी होने के बोध का आविर्भाव होता है।

किन्तु जगत् का यह स्वरूप जगद्भाव की सार्थकता को, प्राणी के रूप में हमारे इष्ट अर्थों की सार्थकता और अन्वेष्यता को, संदेहास्पद कैसे सिद्ध करता है? इस सार्थकता-निरर्थकता का निकष क्या है? जिस काम से जगत् की उत्पत्ति हुई वह काम और उसका कार्य यह जगत् अपने अर्थ में संदेहास्पद कैसे हो सकते हैं? जगत् की मानवावस्था, अथवा कहें चेतना की वह अवस्था जिसमें भोक्तृत्व के साथ प्रेक्षकत्व भी है, इस काम के अर्थ को भी विपुलित ही करती है और इस जगत् के अर्थ में ऐसे नये आयाम जोड़ती है जो एक दूसरी जगत्-सृष्टि के हेतु बनते हैं। इसलिए इस अवस्था का, अतिक्रमणात्मकता का, आविर्भाव जगत् की सार्थकता को संदेहास्पद कैसे सिद्ध कर सकता है? काव्य में नायिका-भेद और भैषज्य में वाजीकरण के उपाय भी आत्मचेतन चेतना के अर्थान्वेषण के ही रूप हैं और ये जगत्-भाव को ही विपुलित करते हैं। इन अर्थों की संदेहास्पदता का क्या निकष और इस निकष की क्या प्रामाणिकता हो सकती है?

जैसाकि हम देखते हैं, मनुष्य में जगत् की, जगद्भाव-जगदाकर्षण की, सहज प्रवृत्ति है। यद्यपि उसमें चेतना का आत्मचेतन होना उसे सहज रूप में जगत् से बाहर प्रतिष्ठित करता है जिससे उसके लिए जगत् विवेच्य विषय के रूप में रूपान्तरित हो जाता है, किन्तु जैसाकि हमने पीछे देखा, जगत् की यह विवेच्यता उसे काम्य विषय के रूप में भी प्रस्तुत कर सकती है, और वास्तव में यह उसे अधिकांशत: उसी रूप में प्रस्तुत करती भी है, जिससे मूल जगत् के ऊपर एक-दूसरे जगत् की सृष्टि होती है जिसे हम सभ्यता और संस्कृति कहते हैं। निश्चय ही मनुष्य इस अतिभाव (जगद्बहिर्भाव) में धर्म और मोक्षपरक अर्थों का भी साक्षात्कार करता है, किन्तु उसका मुख्य अभिनिवेशक तो काम ही रहता है। इसी से जगद्-व्यापार चलता है और सभ्यताओं और संस्कृतियों का विकास होता है। तब इस अभिनिवेश में संदेह के लिए क्या आधार?

इसका उत्तर हो सकता है कि भोगपरक अर्थों के समान ही धर्म और मोक्षपरक अर्थों का साक्षात्कार भी मनुष्य को होता ही है। इस साक्षात्कार का आधार आत्मा की प्रस्तुति : अस्मिता : बनती है। आत्मचेतना के सब विषय अपने प्रत्यय की सापेक्षता में प्रस्तुत होते हैं, जो प्रत्यय उनके निकष बनते हैं। इन प्रत्ययों को हमने अन्यत्र आदर्श रूप ही कहा है। ये निकष या आदर्श-रूप विवेक के साक्षात्कार्य होते हैं, यह साक्षात्कार चाहे कितना भी

अस्फुट क्यों नहीं हो। निकष की यह अनिवार्य सापेक्षता नहीं होती तो प्रत्येक प्रस्तुत विषय आत्मपर्यन्त और आत्मपर्याप्त रूप में प्रस्तुत होता। आत्मा भी इसी प्रकार अपने निकष या आदर्श–रूप की सापेक्षता में ही प्रस्तुत होता है। यों यह आत्मा अधिकांशत: काम (और अर्थमूलक) अर्थों या विषयों के अभिमानी के रूप में ही प्रस्तुत होता है किन्तु इसके अपने शुद्ध स्वरूप का आभास भी कभी होता है—कुछ को यह अधिकांश में और अतिशय होता है। मृत्यु–बोध इसमें सहायक बनता है। यह बोध जगद्भाव पर बहुत गहरा और प्रबल प्रश्न–चिह्न लगा देता है। यह बात दूसरी है कि अधिकांश को यह बोध होता ही नहीं या नितान्त क्षण–स्थायी होता है, उनके लिए राग और आसक्तियाँ ही अर्थों को परिभाषित करती हैं। ये आसक्तियाँ सूक्ष्मतर और गहनतर अर्थों की दर्शक और प्रापक भी हो सकती हैं, जैसे उत्कृष्ट काव्य में, उत्कृष्ट राज्य–व्यवस्था और उपयोगी ज्ञानान्वेषण में, किन्तु ये स्तर भी पर्यन्तगामी दृष्टि के सम्मुख अपनी सार्थकता सिद्ध नहीं कर पाते। महात्मा कबीर के ऊपर उल्लिखित 'माया महा ठगिनी हम जानी' पद में इसी पर्यन्तगामी दृष्टि का संकेत है। यह दृष्टि ही मृत्यु–बोध है। यही बोध अमृतत्व का प्रापक, आनन्द का हेतु और प्राणों में पाहुन के अवतरण का द्वार बनता है।

मृत्यु–चिन्तन – दो

(मृत्यु विषयक पिछला लेख पढ़कर डॉ. मुकुंद लाठ ने टिप्पणी की कि पुनर्जन्म की एष्यता साधना को आगे जारी रखने के लिए है। एक बार बातचीत के क्रम में प्रोफेसर गोविन्दचन्द्र जी पाण्डे ने कहा था कि पुनर्जन्म का अस्वीकार जीवन को जैसे आधारहीन ही बना देता है। इस कथन में पुनर्जन्म की व्यापकतर एष्यता विवक्षित है। यद्यपि पिछले लेख में पुनर्जन्म पर विचार इन बातों को ध्यान में रखकर किया गया है किन्तु इस लेख में हम इस प्रश्न को केन्द्र में रखकर मृत्यु के प्रश्न पर आगे विचार करेंगे।)

पिछले लेख में हमने देखा कि यद्यपि मृत्यु के साथ मनुष्य का पूर्णान्त नहीं होता : उसका पुनर्जन्म होता है इसके लिए अनेक प्रमाण मिलते हैं[1] : किन्तु पुनर्जन्म कोई बहुत एष्य स्थिति नहीं है, कम–से–कम अपने आप में यह एक एष्य स्थिति नहीं है। किन्तु मृत्यु के साथ मनुष्य का पूर्णान्त हो जाय, यह स्थिति भी मनुष्य को न केवल अनेष्य प्रतीत होती है बल्कि यह उसे बहुत संत्रासजनक भी प्रतीत होती है। मृत्यु के जीवमात्र में भय से ऐसा ही अनुमान होता है कि जीव मृत्यु में अपना पूर्णान्त ही देखते हैं। जैसाकि पिछले लेख में हमने देखा, मनुष्य से अवर स्तरीय जीवों में मृत्यु के साथ व्यष्टि जीव का अन्त होता होना भी चाहिए, क्योंकि उस स्तर पर जैव विग्रह केवल दैहिक रूप से ही घटित होता है चैत्त रूप से नहीं, यद्यपि चित् उस स्तर पर भी रहता है। वानस्पतिक स्तर पर चित्त भी नहीं रहता, जीव केवल देहपर्यन्त ही रहता है। किन्तु दोनों स्तरों पर जीव सन्तान के द्वारा दैहिक पुनर्जन्म लेता है, यद्यपि यह पुनर्जन्म उसी दैहिक विग्रह का नहीं होता। किन्तु तब भी, सन्तान में संस्कार–संक्रमण होता है, दैहिक संक्रमण होता भी कहा जा सकता है। यह संस्कार–संक्रमण एक प्रयोजन सिद्ध करता है—चेतना के विकास का। संस्कार अनुभव–संग्रह का उपाय है और यह संग्रह चेतना को विपुलतर और प्रखरतर बनाता है। सम्भवत: विधाता जीव–जगत् के माध्यम से अनुभव की अपार विविधता का आस्वादन भी करना चाहता है, अन्यथा इतनी विविध जीव–जातियों और उनके ग्रहण और व्यवहार के इतने विचित्र रूपों के होने का दूसरा कोई अर्थ नहीं बनता। जीव परिवेश की ओर सहज ही उन्मुख होता है और उसका अपने साथ अनुकूलन स्थापित करने के लिए नियोजनात्मक क्रियाएँ करता है। इन सब क्रियाओं में एक सृजनात्मकता भी दिखायी देती है। यद्यपि व्यष्टि के स्तर पर ये क्रियाएँ यान्त्रिक ही होती हैं, किन्तु जाति के स्तर पर ये सृजनात्मक होती हैं—सृजनात्मकता इस रूप में कि प्रत्येक जीव–जाति चेतना के एक मौलिक सृजन–व्यापार की अभिव्यक्ति होती है : चेतना मत्कुणीय विधि से, ऊर्णनाभीय विधि से, सरीसृपीय विधि से, श्वानीय विधि आदि आदि से अपने द्वारा कल्पित अर्थों के भोग के लिए विभिन्न जीव–रूपों में देह धारण करती है और उन अर्थों के अनुसार परिवेश का नियोजन करती है। किन्तु चेतना की यह सृजनात्मकता पूर्णत: भोगवृत्तिक ही रहती है, ज्ञानवृत्तिक नहीं होती। 'भोगवृत्तिकता' का अर्थ चेतना का विषय–तादात्म्य है, इसमें चेतना भोग्य अर्थों के अनुसार ही नियुक्त होती है और उन्हीं में निमग्न रहती है। इस परवशता से ईषत् मुक्ति इसे मनुष्य–योनि में ही मिलती है, जब यह आत्मचेतन हो पाती है। इस आत्मचेतन स्तर को ज्ञानवृत्तिकता का स्तर कहा जा सकता है। स्पष्टत: अमीबा–योनि से मनुष्य–योनि तक के बीच असंख्य सोपान हैं, ये कोई दो ही सोपान नहीं हैं—एक भोगवृत्तिकता का और दूसरा ज्ञानवृत्तिकता का। पाशव योनियों में ये असंख्य सोपान भोग–वृत्तिकता से मुक्ति के क्रम–सोपान भी कहे जा सकते

---

1. पाण्डेजी ने उन्मीलन के पिछले अंक में प्रकाशित अपने लेख 'पुनर्जन्म की भारतीय अवधारणा' में इसके लिए आगम–प्रमाण की बात की है। मैं नहीं समझता कि इसे आगम–प्रमाण के आधार पर स्वीकार किया जा सकता है। इसे केवल प्रत्यक्ष प्रमाण के आधार पर ही स्वीकार किया जा सकता है। कहा जा सकता है कि आगम भी आर्ष प्रत्यक्ष ही है, किन्तु इसकी पुष्टि साधारण प्रत्यक्ष से हुए बिना इसे केवल आर्ष प्रत्यक्ष के आधार पर स्वीकार नहीं किया जा सकता।

हैं। मनुष्य में यह मुक्ति पूर्णतया सिद्ध हो जाती है ऐसा स्पष्टत: ही सही नहीं कहा जा सकता, उसमें भी यह मुक्ति सहज रूप से तो केवल ईषत् ही सिद्ध हो पाती है। शेष उसमें प्रयत्नसाध्य होती है, जिस प्रयत्न का अधिष्ठान, शेष जीवों से भिन्न, व्यष्टि-चित्त में रहता है। इस मुक्ति की सिद्धि उसकी प्रतीक-रचना की सामर्थ्य के रूप में लक्षित होती है। ये प्रतीक इन्द्रियमूलक अर्थों के बजाय प्रत्ययात्मक अर्थों के अधिष्ठान होते हैं, जो अर्थ चेतना के अपनी ओर लौटने पर, प्रत्यङ्मुख होने पर प्रकट होते हैं। दूसरे शब्दों में, भोगात्मक अर्थ जबकि इन्द्रियविषयतन्त्र होते हैं प्रतीकात्मक अर्थ आत्मतन्त्र होते हैं। इस आत्मतन्त्रता का स्वरूप भाषा, नाट्य, चित्र, या दर्शन किसी के भी उदाहरण से समझा जा सकता है। 'यह घट है' जैसा सरल और प्रकटत: इन्द्रियविषयवाचक वाक्य भी इन्द्रियविषयतन्त्र अर्थ का वाचक नहीं होता, यह एक व्यापक प्रतीकतन्त्र का अंग होता है, जो तन्त्र चेतना के स्वातन्त्र्य में रचित होता है। यह स्वातन्त्र्य इस शब्द या वाक्य की रचना में ही नहीं, स्वयं घट वस्तु में भी है, जिसकी रचना ही घटकार की प्रत्यय-दर्शी चेतना के द्वारा होती है।

किन्तु चेतना का यह स्वातन्त्र्य अद्‌भुत होने पर भी सहज में यह एक द्वितीय स्तरीय विषयतन्त्रता ही होती है, और इसके अतिरिक्त, सहजरूप में यह स्वातन्त्र्य भी भोगासक्त ही रहता है। उदाहरणत:, सहज रूप में काम, क्रोध, अभिमान आदि ही मानव-चेतना को ग्रसित रखते हैं और अपने उपर्युक्त स्वातन्त्र्य में वह इन्हीं के अधीन स्वतन्त्र सर्जन करती है। विविध व्यंजन, शृंगार, भवन, शस्त्रास्त्र, राज्य-व्यवस्था, व्यापार, यहाँ तक कि बहुत सीमा तक कलाएँ भी, ये सब चेतना के स्वकीय तन्त्र हैं किन्तु भोग-निमित्तिक हैं। किन्तु इस स्वातन्त्र्य में यह भान रहता है, चाहे कितना भी धुँधला, कि यह भोगोन्मुखता उसका आत्मप्रवास है और परिणामत: अनेष्य है। उचित-अनुचित-विवेक का आधार यह भान ही होता है। वास्तव में तो यह भान का बीज अस्तित्व मात्र में ही अन्तर्गर्भ होना चाहिए, अन्यथा जीव की असंख्य भोग-योनियों में सोपान-क्रम ही नहीं होता। इस क्रम से ही चेतना आत्मचेतनता के सोपान पर अध्यारूढ़ होती है। किन्तु मनुष्य-योनि में चेतना के आत्मचेतन होने के साथ यह बीज अंकुरित और पल्लवित भी हो पाता है और भोगोन्मुखता से मुक्ति की एष्यता आत्मचेतन हो पाती है। किन्तु यह पर्येष्य स्थिति मनुष्य के लिए साध्य ही रहती है, सिद्ध नहीं हो पाती। मनुष्य-योनि इस पर्येष्यता के साक्षात्करण और इसकी सिद्धि की साधना की योनि भी कही जा सकती है। किन्तु साधना का यह मार्ग भी नितान्त वक्र और मार्गान्तरों में विभ्रमित ही रहता है, जैसा इससे पूर्व आत्मचेतन स्तर तक पहुँचने का मार्ग रहता है। इस स्तर पर चेतना को न केवल पाशव स्तरीय भोगासक्तियों से मुक्ति के लिए अत्यन्त कठिन प्रयत्न करना पड़ता है बल्कि आत्मा को अनात्म से पृथक्, अथवा कहें अनात्म को आत्मा से पृथक् उसके अनात्म रूप में, पहचानना भी होता है। मनुष्य की वैयक्तिक स्तर पर विभिन्न पुरुषार्थ-साधनाएँ, जीवन-दृष्टियों के विभिन्न रूप, दूसरे शब्दों में विभिन्न सांस्कृतिक दृष्टियाँ, आत्मा को अनात्म से पृथक् पहचानने और साधने के प्रत्यय के ही रूप हैं। यह सब चेतना का मनुष्य-योनि के माध्यम से आत्म-साधना का प्रयत्न कहा जा सकता है। इस स्तर पर चैत्त विग्रहों के आविर्भाव के कारण साधना का प्रयत्न जातीय रूप से पृथक् वैयक्तिक रूप भी लेता है, जातीय रूप में तो यह क्रियाशील रहता होना ही चाहिए। यहाँ कहा जा सकता है कि मनुष्य में सब साधनाएँ या प्रयत्न केवल वैयक्तिक स्तर पर ही घटित हो सकते हैं और इस प्रकार सिद्धियाँ भी वैयक्तिक स्तर पर ही घटित हो सकती हैं। बुद्ध या गाँधी, जनक या कबीर, ये सब वैयक्तिक सिद्धियों के ही उदाहरण हैं, मनुष्य-जाति की सिद्धि के नहीं। यह सही है। वास्तव में पाशव स्तर पर भी जैव विकास जननकणीय रूपान्तरण (जेन्-म्यूटेशन) के रूप में इसी प्रकार व्यष्टि-देह में ही घटित होता है। किन्तु यह वैयष्टिक सिद्धि समग्र योनि के प्रयत्न के फल रूप में देखी जाय या वैयष्टिक विग्रह में आकस्मिक घटना के रूप में, यह कहना विवादास्पद हो सकता है। किन्तु यदि इसे वैयष्टिक विग्रह में आकस्मिक घटना के रूप में देखा जाता है तो चेतना के विकास को चेतना के आत्मस्वरूप के अन्वेषण का फल नहीं कहा जा सकता जो कि यह प्रतीत होता है।

किन्तु मनुष्य के स्तर पर आत्मसाधना के रूप को समझने में कुछ दुर्भेद्य कठिनाइयाँ दिखायी देती हैं। मनुष्य के स्तर पर पुनर्जन्म वैयक्तिक चैत्त विग्रह का होने से यह सम्भावना सहज ही बनती है कि इस स्तर पर

चेतना आत्मसिद्धि के व्यक्तिमूलक मार्ग का ही आश्रयण करे। जैसाकि मुकुंद जी के प्रश्न में पूर्वगृहीत है, व्यक्ति का पुनर्जन्म चित्त पर से अनात्म के निवारण की साधना के नैरन्तर्य के बने रहने के लिए और इस साधना की परिनिष्पत्ति के लिए अनिवार्य है। किन्तु तब इसका अर्थ हो जाता है कि व्यक्तियों को आगे के जन्म में उत्कृष्टतर रूप में जन्मना चाहिए। किन्तु ऐसा कुछ दिखायी नहीं देता। रामकृष्ण परमहंस और श्री अरविन्द यदि मुक्त भी हो गए हों तो कम-से-कम विवेकानन्द, दयानन्द और गाँधी आदि का तो परिष्कृततर रूप में जन्म होना चाहिए ही था। यह एक और आश्चर्य की बात है कि जो व्यक्ति पूर्वजन्म की स्मृति के साथ पुनर्जन्म लेते देखे गए हैं वे ऐसे व्यक्ति नहीं थे जिनका पिछला जन्म किसी साधना में बीता हो और नये जन्म में उन्होंने उस साधना को आगे बढ़ाने का प्रयत्न किया हो। यह सही है कि बहुत-से व्यक्ति जन्म से ही साधना की उत्कृष्टतर भूमि पर दिखायी देते हैं जिससे अनुमान होता है कि उनकी चेतना पूर्वजन्मों में साधना से परिष्कृत हुई होनी चाहिए। अन्यथा भी सभी व्यक्ति ऐसे विशिष्ट व्यक्तित्व के साथ जन्म लेते हैं जैसे मानो वे विशिष्ट संस्कार-संचय को साथ लेकर आये हों। फिर, यदि पुनर्जन्म होता ही है, जैसाकि कुछ उदाहरणों से सिद्ध है कि होता है, तो संस्कार-संचय भी होना ही चाहिए और इससे ऐसे व्यक्तियों को, जो किसी विशेष साधना में रत हैं, इस बात से आश्वासन मिलना ही चाहिए कि आगे के जन्मों में उनकी साधना का क्रम जारी रहेगा, चाहे ऐसा कोई क्रम दिखायी नहीं देता।

किन्तु अधिकांश व्यक्तियों का जीवन किसी साधना में रत दिखायी नहीं देता। कुछ अपवादों को छोड़कर, सब व्यक्ति लोकैषणाओं में ही निमग्न दिखायी देते हैं। वे पुत्र-पौत्र-परम्परा में ही अपना नैरंतर्य देखते हैं और यदि उन्हें अपने अगले जन्म का चुनाव करने का अवसर मिले तो वे लौकिक एषणाओं के अधीन ही चयन करेंगे, किन्हीं लोकोत्तर : आध्यात्मिक : पर्येषणाओं के अधीन नहीं करेंगे। अधिकांश यह जानते ही नहीं कि साध्य क्या है, और जो आध्यात्मिक साध्यों को लक्षित करते भी हैं उनके लिए भी यह नहीं कहा जा सकता कि वे ठीक जानते हैं। वास्तव में संस्कार-परम्परा का एक दूसरा माध्यम समाज होता है और इस परम्परा को संस्कृति कहा जाता है। कुछ विचारक सभी प्रकार की संस्कार-परम्पराओं को संस्कृति कहते हैं, दूसरे विचारक किसी समाज द्वारा अवधारित साध्यों की साधक संस्कार-परम्परा को ही संस्कृति कहते हैं। किन्तु वास्तव में संस्कृति को ही नहीं व्यक्ति को भी संस्कार-परम्परा मात्र से नहीं बल्कि साध्योन्मुख संस्कार-परम्परा से ही परिभाषित मानना चाहिए। जहाँ तक कोई साध्य किसी संस्कार-परम्परा का नियमन करता है वहीं तक व्यष्टि या समाज को व्यक्तित्ववान् या संस्कृतिवान् कहा जा सकता है। अन्यथा, जैसाकि हमने पीछे देखा, संस्कार-परम्पराएँ सम्भवत: उसी प्रकार चैत्त-अतिचैत्त स्तर पर चेतना के आत्मान्वेषण के अभिक्रम हैं जिस प्रकार वानस्पतिक और पाशव व्यष्टि और जातियाँ दैहिक और दैहिक-चैत्त स्तर पर आत्मान्वेषण के अभिक्रम हैं। मृत्यु और पुनर्जन्म चेतना द्वारा आत्मान्वेषण के इस विराट् आयोजन के उपाय बनते हैं, यद्यपि प्रकटत: व्यक्ति और संस्कृतियाँ इस अन्वेषण में कहीं अग्रगामी दिखायी नहीं देतीं। प्रकटत: तो व्यक्तियों के समान ही संस्कृतियाँ भी प्राय: पथ-भ्रष्ट होती और विलुप्त होती ही देखी जाती हैं।

तब, चेतना के इस विराट् और अपार वैविध्य-वैचित्र्य का तथा अनन्त भोग और शोकमय जगद् व्यापार का अर्थ क्या है? इस पर कहा जा सकता है कि इसका इस प्रकार होना ही इसका अर्थ है। क्या यही अपने आप में पर्याप्त अर्थ नहीं है? किसी और अर्थ के लिए अनुमान करने का हमारे पास आधार भी क्या हो सकता है? पीछे हमने भोग के अनन्त वैविध्य का अर्थ : परार्थ : चेतना द्वारा इससे उत्क्रमण पाने में देखा था। किन्तु इस अनुमान के लिए आधार क्या है? इसका उत्तर हो सकता है कि इस उत्क्रमण का घटित होना ही इस अनुमान की युक्तता के लिए आधार है और इस प्रश्न का होना ही इस उत्क्रमण के होने के लिए प्रमाण हो सकता है। यह प्रश्न चेतना को अपने अस्तित्व से पृथक् खड़ा कर देता है और इस अस्तित्व को एक विवेच्य अर्थ में रूपान्तरित कर देता है। अस्तित्व का यह जगत्, शोकपर्यवसायी भोगों की यह अनन्तता, विवेचन-विषय के रूप में चेतना में अपने से अपने प्रवास के, अपने से अपने वियोग के बोध को जन्म देती है। आश्चर्य की बात यह होनी चाहिए कि इस अपार जगद्व्यापार में चेतना अपने इस आत्मवियोग की विस्मृति में कैसे रहती है? किन्तु यह मनुष्य-जीवन,

जिसमें यह उत्क्रमण घटित होता है, यह भी क्या है? निरर्थक एषणाओं में अर्थ की खोज और फिर इनमें कोई अर्थ नहीं पाकर पश्चात्ताप! कहा जा सकता है कि निरर्थक अनुसरणों की निरर्थकता का बोध, यही क्या पर्याप्त उपलब्धित नहीं है? क्योंकि यह बोध आत्मवियोग से मुक्ति का उपाय बनता है। किन्तु इस सिद्धि का लाभ सरल कहाँ है? घोर पश्चात्तापों की तपन के बीच से इसका सुदीर्घ पथ जाता है। अमीबा से वानर तक की सुदीर्घ संस्कार-परम्परा के उत्तराधिकार से और उस उत्तराधिकार की प्रबल और कठोर शृंखलाओं से मुक्ति सहज कहाँ है? और फिर यह मुक्ति पहुँचाएगी कहाँ? मुझे, चेतना को, मेरे अपने पास? किन्तु मैं क्या हूँ? केवल होने का निषेध मात्र? भोग से भी भिन्न और शोक से भी भिन्न?

शायद इसका उत्तर हो कि अर्थों का सर्जन और दर्शन यही मेरा स्वरूप है और यही साध्य—यही भोग का अर्थ है और यही शोक का अर्थ, जीवन का अर्थ और मृत्यु का अर्थ, आत्मा का अर्थ और अनात्म का अर्थ! 'होने' का 'होने के अर्थ' में रूपान्तरण, यही मेरा स्वरूप है और यही मेरा अर्थ! यही आत्म-वियोग से मुक्ति है, यही अपने से अपने सायुज्य की सिद्धि!

किन्तु भोगोन्मुखता को आत्म-विमुखता और भोगान्वेषण को अनात्मान्वेषण कहने का क्या औचित्य है? मृत्यु-बोध भोक्तृभाव के प्रति वैराग्य ही क्यों उपजाये? यदि यह ऐसा करता ही है तो इस बोध को भ्रान्त क्यों नहीं माना जाए? भोगान्वेषण सुख, समृद्धि और ऐश्वर्य का हेतु होता है। यदि वह अनात्म ही हो तो वह सुखकर क्यों कर होता है? संसार तो है ही चेतना के भोग-भाव से, और यह भाव जितना ही अधिक होगा संसार भी उतना ही अधिक सम्पन्न होगा। संन्यासी वनों में रहते हैं, किन्तु मानव-सभ्यता का उत्कर्ष तो धन-धान्य, सौध-प्रासाद और कला-यन्त्र के उत्कर्ष से ही सिद्ध होता है। इसमें आत्म-लाभ भी है। इसके लिए अपेक्षित केवल यह है कि आत्मा को दैहिक-चैत्त रूप देखा जाय! देह और चित्त को अनात्म रूप में देखने और आत्मा को इनसे परे देखने में युक्ति भी क्या है? देहात्म दृष्टि की सफलता और सार्थकता हम आज स्पष्ट रूप से यूरोप-अमरीका के समाजों में देख रहे हैं। उसके बल पर आज ये लोग कर्मेन्द्रियों और ज्ञानेन्द्रियों की शक्ति का अपार विस्तार और वृद्धि कर सके हैं। इसी प्रकार कलाएँ और विचार चैत्त आत्मा का विस्तार हैं। निश्चय ही ये भी जीवन को समृद्ध बनाते हैं और भोगवृत्ति को अर्थ-गहन और अर्थ-विपुल बनाते हैं। इसी से हमारे वैराग्यपरक दर्शनों ने इन्हें आत्मा के आवरक कहा है। किन्तु सभ्यताओं और संस्कृतियों की प्रतिष्ठा तो आत्मा को देह और चित्त से अभिन्न देखने में ही है।

प्रथमत:, और बहुत दूर तक, यही सही है, किन्तु अपनी समग्रता में यह आधारभूत रूप से भ्रामक है। देह और चित्त भी आत्मा ही हैं और परिणामत: यन्त्रों और कलाओं का विकास भी आत्म-प्रापक होता है। किन्तु यह विकास तब तक उसी क्रम में होता है जिस क्रम में एक-कोशीय देह से बहु-कोशीय देह का विकास आत्म-प्रापक होता है, जब तक चेतना की वृत्ति प्रत्यङ्मुख भाव में आत्मा के इन स्तरों या रूपों का मूल्यांकन नहीं करती। पूर्वोक्त क्रम-विकास चित्त के उस सोपान तक पहुँचने में हेतु बनता है जिस पर पहुँच कर चेतना इन्द्रिय-प्रदत्त अर्थों के ग्राह से मुक्त होकर इनके उन चित्त-गोचर अर्थों का साक्षात्कार करती है जो अतल और अपार सम्भावनात्मक होते हैं और इस कारण जो चेतना को निर्बंध करते हैं। यह निर्बन्धता ही अनन्त सम्भावनात्मक उपकरण-सृष्टि और वाक्-सृष्टि को सम्भव करती है। किन्तु आत्मा का चेतना के इस स्तर के साथ तादात्म्य उसे आत्म-वियोग से मुक्त नहीं करता, क्योंकि यह उसके आत्म-प्रवास से लौटने में एक पड़ाव मात्र होता है। उदाहरणत: यह पूर्णत: संगत है कि इन अर्थों का अनुध्यायी व्यक्ति लोभ, क्रोधादि के पशुवत् ही वशीभूत हो, क्योंकि उसके पास इनकी वश-वर्त्तिता की अवांछनीयता के प्रदर्शन के लिए कोई आधार ही नहीं है। पाश्चात्य अनुभववादियों या हमारे चार्वाकों द्वारा सदसद्-विवेक के आधार का विवेचन इसका प्रमाण है। हमारे पुराणों में असुरों को ऐसी सब शक्तियों और सम्पदाओं से युक्त दिखाया गया है जो आधुनिक विज्ञान ने हमें प्रदान की हैं। इसी से जब हम सुनते हैं कि न्यूटन ने लाइब्नीज़ के साथ कुछ छल-कपट किया तथा आईंस्टाइन अपनी पत्नी के साथ बहुत क्रूर व्यवहार करते थे, तब एक बार आश्चर्य होने पर भी इसमें कोई आत्म-विसंगति दिखायी नहीं

देती, (आईंस्टाइन के सम्बन्ध में इसमें विसंगति दिखायी देती है, क्योंकि वे वैज्ञानिक के साथ-साथ सन्त स्वभाव के भी जाने जाते हैं।) किन्तु यदि कोई यह बात रामकृष्ण परमहंस, श्री अरविन्द या रमण महर्षि के सम्बन्ध में कहे तो यह वदतोव्याघात होगा और हमें यह कहना होगा कि या तो वे 'यह' नहीं थे, अथवा 'वह' नहीं थे।

इस पर आपत्ति हो सकती है कि क्रोध, लोभादि की वशवर्तिता को अवांछनीय कहने में यह पूर्वगृहीत है कि आत्मा का स्थान देहेन्द्रिय आदि से अन्यत्र कहीं है, किन्तु इस पूर्वग्रह के लिए क्या युक्ति है? यहाँ तो यही निर्णय है कि ऐसा क्यों माना जाय? इसके दो उत्तर हो सकते हैं। एक यह कि इस वशवर्तिता की अवांछनीयता आत्मचेतन चेतना में सहज प्रदत्त होती है, युक्ति इसमें सन्देह के लिए जुटानी पड़ती है। चेतना मात्र में बाह्य वस्तुविषयक सत्-असत्-विवेक भी सहज सिद्ध होता है। (द्रष्टव्य हमारी पुस्तकों—**समाज : दार्शनिक परिशीलन** तथा **मूल्य-तत्त्व-मीमांसा** में नैतिकता विषयक अध्याय।)

यह सदसद् या सत्-असत्-विवेक आत्म-अनात्म-विवेक का ही नामान्तर है, यह समझने के लिए किंचित् मनन अपेक्षित होता है। मृत्यु-बोध इस मनन का प्रेरक बनता है, क्योंकि मृत्यु लोक-जीवन की आगन्तुकता और भोगपरक अर्थों की अनात्मता उद्घाटित करती है।

इस पर कहा जा सकता है कि इस मृत्यु-बोध को ही अवांछनीय क्यों नहीं माना जाय? इसकी अवांछनीयता इसके लोक-जीवन के उत्कर्ष-लाभ में बाधकता से प्रकट होती कही जा सकती है। यह बात जितनी आज स्पष्ट है उतनी प्राकृतिक विज्ञान के आधुनिक विकास के पहले के समयों में नहीं थी। प्राकृतिक विज्ञान, जो ऐन्द्रिक शक्तियों के अपार प्रकर्ष का नामान्तर है, आज मानव-प्रकर्ष का प्रतिमान बन गया है और मृत्यु-बोध, सांसारिक आसक्तियों की अपार्थकता का बोध, उस सम्पूर्ण ज्ञान और सुख-सुविधाओं से वंचित करता है जो आत्मा को देह और चित्तधर्मी देखने से उपलभ्य होती हैं।

यह सही है, किन्तु विज्ञान-लभ्य ज्ञान को 'ज्ञान' कहना चाहिए, यह हमें सन्देहास्पद ही प्रतीत होता है। ऊपर हमने इसी प्रसंग में पुराण-दृष्टि का उल्लेख किया है। यह तथाकथित ज्ञान इन्द्रियगम्य विषयों के व्यवहार की और उनकी नियोजनविधि की केवल जानकारी देने वाला है, किसी वस्तु-तत्त्व का प्रापक नहीं है। और इस अर्थ में यह अज्ञान का स्रोत भी है कि यह इस जानकारी को ही एकमात्र ज्ञान मान लेने की भ्रान्ति उत्पन्न करता है। इस पर यह कहा जा सकता है कि दैहिक भोग-सुख भी मूल्यवान् तो हैं ही, यदि इन्हें आध्यात्मिक सुखों से निम्नतर मान भी लिया जाय तो! सबसे बढ़कर बात यह है कि सब वैराग्यपरक उस जीवन का अनुसरण नहीं कर सकते। यह सही है, किन्तु यह तो जन-सामान्य की प्रवृत्ति की बात हुई, परमार्थ दृष्टि, सत्य दृष्टि की बात नहीं। लोक तो भोग-मूलक जीवन में ही व्यस्त रहता है, अपने निभृत क्षणों में उस जीवन के मिथ्यात्व का, या उसकी मूल्यवत्ता की हीनता का यत्किंचित् आभास पाने पर भी। क्योंकि सहज रूप में लोक अपनी सुदीर्घ पाशव परम्परा के उत्तराधिकार के अनुसार ही रहता है। किन्तु उसका साध्य उसका उस उत्तराधिकार से मुक्त होना ही हो सकता है, उसे भजना नहीं।

आत्म-चिन्तन

चेतना में आत्मा की प्रतीति उसके आत्म-चेतन होने पर आविर्भूत होती है। आत्मचेतन हुए बिना चेतना में आत्मा की प्रतीति की कोई सम्भावना ही नहीं बनती। किन्तु एक अप्रकट अहंभाव जीवमात्र में रहता है ऐसा जीव मात्र की वैयष्टिकता से अनुमान किया जा सकता है, जिसकी विद्यमानता कम से कम जीव के दैहिक स्तर पर प्रत्यक्ष लक्षित होती है। इसे अतिक्रामी अहंकार भी कहा जा सकता है : अतिक्रामी' शब्द का कांट के 'ट्रांसेंडेंटल' शब्द के पर्यायवाची के रूप में प्रयोग करते हुए : क्योंकि यह जीव के अस्तित्व की ही वैयष्टिकता का पूर्वनिर्धारक होता है। आत्म-भाव की आत्मचेतन प्रतीति अत्यन्त विचित्र प्रकार की होती है। यह आत्म-भाव की विषयी रूप में प्रतीति होती है, किन्तु इसमें विषयता भी रहती है। किन्तु यह विषयता अन्य विषयताओं से इस आधारभूत रूप में भिन्न होती है कि यह विषयी से अभिन्नवत् आभासित होती है। शंकराचार्य ने अनात्म में आत्मा के अध्यास के विवेचन के प्रसंग में आत्मा को नितान्त अविषय मानने पर उस पर अध्यास की बात को समस्यात्मक पाते हुए इस समस्या के समाधान के लिए आत्मा के विषयत्व को भी स्वीकार किया— नायमात्मानितान्तेनाविषयः, अस्मत्प्रत्यय गोचरत्वात्[1] किन्तु इस 'विषय' के आविर्भाव और इस आविर्भाव के कारण इसके स्वरूप के वैचित्र्य को लक्षित नहीं किया। चेतना के आत्म-अचेतन होने : आत्माविषयक चेतना से रहित होने : का अर्थ है चेतना का विषयभाव में लीन रहना, यद्यपि उस अवस्था में चेतना में विषयता भी स्फुट नहीं रहती, केवल जैव प्रेरणाएँ और वासनाएँ ही विषयिभावेन रहती हैं। किन्तु ये प्रेरणाएँ पूर्णतः बाह्याभिमुख ही होती हैं। कहा जा सकता है कि चेतना का आद्यभाव यह बाह्याभिमुखता ही होती है। चेतना में कोई आन्तरता या अन्तराभिमुख्य भी हो सकता है इसका पता इसमें आत्मचेतनता के आविर्भाव से ही चलता है। इस प्रकार चेतना का आत्म-चेतन होना स्वयं चेतना के इतिहास में एक क्रान्तिकारी घटना है। इस घटना से चेतना में द्रष्टा और दृश्य रूप एक अन्तर्विभाजन घटित होता है जिससे द्रष्ट दृश्य को अपने से पृथक् पहचानता है। अविभक्त दशा में दृश्य चेतना की वृत्ति के एक पक्ष के जैसा ही रहता है। इस अविभक्तता की पराकाष्ठा पौधे और सूर्य किरणों के सम्बन्ध में देखी जा सकती है। इस प्रकार चेतना का आत्म-चेतन होना उसकी विषय-भाव से मुक्ति का आरम्भ होता है, यद्यपि विषय को भी आत्म-लाभ इसी से मिलता है। अब चेतना विषय का विषयकरण कर उसे अपने से पृथक् और स्वयं को विषय से पृथक् स्थापित कर पाती है। विषय के इस प्रकार पार्थक्य के बिना विषयी के पार्थक्य का भी कोई अर्थ नहीं बनता। किन्तु विषय से पृथक् उसकी स्वयंता की स्थिति या उसका रूप बड़ा विचित्र और समस्यात्मक होता है। यह स्वयंता विषय से पृथक् स्वयं अपने ग्रहण में भी अन्तर्विभक्त हो जाती है। एक ओर यह विषय से पृथक् नितान्त विषयी रहती है और दूसरी ओर यह विषयता के सारे लक्षणों से भी मंडित हो जाती है। यह अपने विषय के समान ही पद-वाच्य और व्यावर्तकता के लक्षणों से युक्त होती है। किन्तु इसकी यह व्यावर्तकता अपने से भिन्न सबकी ही होती है। मैं एक ओर वही हूँ जो मेरा अनन्य स्व है (स्वयंसिद्ध और स्वयं से और स्वयं में गम्य) किन्तु दूसरी ओर मैं 'मैं' पद-वाच्य भी हूँ जो पद सामान्य वाचक है और मुझे उतना ही अपना वाच्य बनाता है जितना किसी भी अपने में अनन्य अन्य को। किन्तु मेरे लिए अन्य मदेतर ही होता है और 'मैं' से भिन्न पद-वाच्य होता है। उसके वाचक पद 'तू' और 'वह' होते हैं। किन्तु 'मैं' पद के सामान्यवाची होने से यह पद 'तू' और 'वह' से विनिमेय भी हो जाता है और इस प्रकार इससे समाज की सम्भावना बनती है। यह अपने में अनन्य 'मैं' पद-वाच्य अपने को प्रस्तुत कर्तृ, द्रष्ट और भोक्तृ होता है और इस प्रकार प्रस्तुत होने से

---

1. ब्रह्मसूत्र : शांकर भाष्य उपोद्घात। इस पर हमारी टिप्पणी, उन्मीलन, जनवरी, 1999 अंक में।

स्वयं अपने लिए मननीय और सर्वसामान्य रूप से विचार्य, विवेच्य और विमृश्य होता है। इस आत्मा को बहुत से दार्शनिक आनुभविक कहते हैं, सांख्य, वेदान्त और महायानी बौद्ध प्राकृतिक या व्यावहारिक कहते हैं। यों इस आत्मा का यह आयाम भी है, यह स्पष्ट ही है। मनुष्य का बाह्य लोक इसी से प्रवर्तित होता है और यह स्वयं इस लोक का सापेक्ष होता है। यह विषय-सापेक्ष विषयिभाव होता है। किन्तु यह सापेक्ष विषयिभाव केवल बाह्योल्लेखी ही नहीं होता, आत्मोल्लेखी भी होता है। आत्म-प्रत्यय आत्मा को गोचर बनाता है, किन्तु इसमें गोचर वह आत्मा ही बनता है जो इस गोचरता के द्वारा अपने को अगोचर रूप में भी प्रतिष्ठित करता है। द्रष्टव्य है कि गोचरता में यह सापेक्ष भाव चेतना के आत्मचेतन होने पर ही सम्भव होता है और इसमें यह अपेक्षा विषयी से विषय की ओर उन्मुख नहीं होती बल्कि विषय से विषयी की ओर उन्मुख होती है। बाह्योन्मुखता चेतना मात्र का स्वभाव है। हेनरी बर्गसाँ ने सहज प्रवृत्ति में जिस सहज और सम्यग्ज्ञान का इतना गुणगान किया है वह सम्यक्ता चेतना की निश्शेष बाह्योन्मुखता के ही कारण सम्भव होती है। इसके विपरीत आत्मचेतन चेतना बाह्य को अपने से सापेक्ष बाह्यता में स्थापित कर अपने निरपेक्ष मूल की ओर उन्मुख होती है। 'यह पत्थर है' में 'यह' पद पत्थर की उद्देश्य और विधेय रूप में वक्ता या दर्शक से बाहर प्रतिष्ठा का वाचक है और इसकी यह बाह्यता वक्ता या दर्शक की सापेक्षता में होती है। विषय की यह बाह्य प्रतिष्ठा वक्ता की विषयी के रूप में आत्मज्ञप्ति के बिना सम्भव नहीं होती। यद्यपि चेतना की यह आत्म-ज्ञप्ति ज्ञप्त चेतना को भी प्रत्यय-गोचर बाह्य विषय रूप में ही प्रतिष्ठित करती है और 'गोचर' आत्मा के रूप में उसे एक प्रकार की वस्तुता देती है, किन्तु केवल अपनी अशेष आन्तरता को ही उल्लिखित करने के लिए, क्योंकि अन्यथा आत्म रूप में गोचर यह विषय कर्त्ता, द्रष्टा, भोक्ता रूप में ही अपने को ज्ञप्त होता है और इस प्रकार यह अपने को विषय के विषयी के रूप में ही पहचानता है, यद्यपि इसकी यह पहचान इसे विषयता भी दे देती है। किन्तु क्योंकि यह गोचर आत्मा चेतना के प्रत्यङ्मुख निवर्तन से और चेतना द्वारा विषय के बहिष्कार से आत्मोपलब्धि के प्रयत्न के फल रूप में उपलब्ध होता है इसलिए यह विषय रूप में पर होने पर भी आत्मा का ही आत्म-परत्व होता है, इन्द्रिय-विषय, इच्छा-विषय या विचार-विषय के समान स्वतन्त्र परत्व नहीं होता। ऐसा भी कह सकते हैं कि यह परत्व आत्मा अपने को जानने-समझने, अपने स्वरूप का परामर्श करने और अपेन स्वरूप पर मनन करने के लिए ही अपने में उत्सर्जित करती है। किन्तु थोड़ा ध्यान से देखा जाय तो आत्मा का यह सम्पूर्ण आत्म-व्यापार चेतना के आत्मचेतन होने के साथ ही आविर्भूत होता है और यह व्यापार ही आत्मा के आत्यन्तिक अविषय रूप का हेतु बनता है। जैसाकि हमने पीछे देखा, पर-आत्मा (गोचर आत्म) चेतना की परोन्मुखता के क्रम में नहीं आत्मोन्मुखता के क्रम में उद्भूत होता है—'यह पत्थर है (जो मैं देख रहा हूँ)' इस प्रतिज्ञप्ति में चेतना विषयपरकता के साथ आत्मपरक भी है। यह आत्मपरकता ही 'मैं देख रहा हूँ' को भी विषय रूप में प्रस्तुत कर विषयी द्रष्टृ की ओर उन्मुख होती है। इस प्रत्यङ्मुखता में चेतना अपनी विषयिता को जानने के प्रयत्न में अपनी विषयता को ही प्राप्त कर सकती है, यद्यपि इसकी इस विषयता के साथ इसकी विषयिता भी प्रकाशित रहती है। विषयिता का यह आत्म-प्रकाशन प्रकाशक चेतना के प्रत्यङ्मुख स्वरूप को ही द्योतित करता है, जिसका अर्थ है कि चेतना आत्मा को जिस प्रत्यङ्मुखता के व्यापार के फल रूप में आत्म-गोचर पाती है वही व्यापार इसकी अतलता या अनन्तता प्रकट कर इसके लिए विषयी आत्मा को अनुपलभ्य बना देता है। किन्तु यह अतलता विषयी को अनुपलभ्य रखकर आत्म-प्रस्तुति के लिए अनवगाह्य अर्थ-सम्पदा को सम्भव बना देती है। मनुष्य की सभ्यताओं और संस्कृतियों का सम्पूर्ण अर्थ-सम्भार—विज्ञान, यन्त्र, वाणिज्य, काव्य, दर्शन, धर्म और कलाएँ सब—चेतना की प्रत्यङ्मुखता में उद्घाटित इस अतलता के ही प्रतिफल हैं।

यह आत्मा और इसमें आविर्भूत ये अर्थ चिन्मूलक होने से यह नहीं समझना चाहिए कि ये काल्पनिक होते हैं। इनके सम्बन्ध में यह एक बड़ी विचित्र बात है कि ये चिद्गत होने पर भी निरपेक्ष सत् होते हैं और ज्ञान के लिए ये केवल ईषद्ग्राह्य ही होते हैं। इसका स्पष्टतम उदाहरण विचार-विषय प्रस्तुत करते हैं। हम जो भी विचार करते हैं

उसका कोई विषय होता है। इस विषय की विचार से स्वतन्त्रता दो प्रकार से प्रकट होती है। एक तो इस प्रकार कि विचारक उस विषय के सम्बन्ध में भ्रान्त हो सकता है और दूसरी इस प्रकार कि वह विषय विचार के कितने भी प्रयत्नों के लिए अशेषत: गम्य नहीं हो सकता। द्रष्टव्य है कि यह व्यापकता इन्द्रिय-गोचर विषयों में भी होती है। इस व्यापकता का एक पक्ष देशात्मक और कालात्मक होता है और दूसरा पक्ष प्रत्ययात्मक, जैसाकि बहुत प्राचीन काल में ही दार्शनिकों ने देख लिया था और उसे 'विकल्प' नाम दिया था। किन्तु भ्रान्तिवश इन विषयों के चेतना में ज्ञात रूप : विकल्प : को असत्प्रापक और इस प्रकार इन विषयों को असद्रूप ही देखा गया। किन्तु यह नहीं देखा गया कि कोई भी अर्थ अपने यथात्व को तभी प्राप्त करता है जब वह आत्मचेतन चेतना में, या कहें अन्तर्विभक्त आत्मोल्लेखी चेतना में विषय-रूपता प्राप्त करता है। इस प्रकार विषय की स्वतन्त्र वस्तुता या स्वतन्त्र विषयता और इन वस्तुओं या विषयों की अनवगाह्यता और अनाकलनीयता चिद्गत आर्थों की ही गहनता और व्यापकता होती है। अब यह कैसी विचित्र स्थिति है कि चेतना स्वयं ही ऐसे अर्थों को जन्म देती है जो उसी के लिए इतर और अनवगाह्य बनते हैं! इनकी इतरता इस सीमा तक पूर्ण होती है कि इनके सम्बन्ध में हम पूर्णत: अनभिज्ञ अथवा पूर्णत: भ्रान्त हो सकते हैं, यद्यपि इनकी अभिज्ञता अथवा इन विषयक भ्रान्ति का निवारण भी इन विषयक विचार से ही होता है। तब क्या इसका यह अर्थ नहीं होना चाहिए कि आत्मचेतन चेतना स्वरूपत: ही दो स्तरों पर उपचरित होती है—गोचरता का स्तर और अगोचरता : अतिक्रांतता : का स्तर? यहाँ आपत्ति की जा सकती है कि यह प्रतिपत्ति इन्द्रिय-गोचर विषय-जगत् पर लागू नहीं होती। साथ के कमरे में क्या-क्या पड़ा है, भोर का तारा और सन्ध्या का तारा एक ही हैं या दो हैं आदि तथ्य बाहर वस्तुपरक गवेषणा से ही जाने जा सकते हैं। यह सही है, किन्तु किस रूप में, इस पर हम 'सत् की चिन्मयता' लेख में विचार कर आये हैं।[1] इसलिए यहाँ केवल इतना कहना ही अपेक्षित है कि इनमें भेद चिद्वृत्तियों में ही स्वरूप-भेद के कारण होता है। एक चिद्वृत्ति इन्द्रियात्मक है, दूसरी बुद्ध्यात्मक। यह भेद चिद्वस्तुविषयकता और अचिद्वस्तुविषयकता का नहीं है।

जैसाकि हमने पीछे देखा, आत्मा भी एक विषय है, यद्यपि इन सब विषयों से भिन्न। इसकी भिन्नता इस बात में ही नहीं है कि यह विषय होने के साथ विषयी भी है और इसकी विषयता अन्य विषयों के समान इतरता के सब लक्षणों से युक्त होने के बावजूद यह विषयेतर स्वयंता भी है,बल्कि इस बात में है कि यह आत्म-प्रत्यय है इसलिए यह विषय है और गोचर है किन्तु इसकी प्रत्ययता आत्माविषयक है इसलिए यह आत्मा के अपने को अपने लिए अवगम्य बनाने के प्रयत्न से सृष्ट है, जो आत्मा अन्यथा अनवगम्य ही नहीं अन्यथा असत् भी है। नितान्तेन अविषय आत्मा प्रत्यय के आश्रय से आविर्भूत गोचर आत्मा का ही युग्मज होता है, ये दोनों परस्पर के बिना नहीं हो सकते।

यह आत्म-युग्म अपने अविषय पक्ष में अपने प्रत्यय-गोचर पक्ष को अतिक्रांत अतलता में प्रतिष्ठित कर उसे अतलान्त गहराई और अनन्त विस्तार दे देता है और अविषय पक्ष में अप्रतिष्ठ रहकर अपनी प्रतिष्ठा की अभीप्सा में अपने लिए अनन्त रूप से अन्वेष्य बना रहता है। आत्म-प्रतिष्ठा का यह अन्वेषण यद्यपि इस कारण से असाध्य और असम्भव है क्योंकि यह स्वरूपत: ही अप्रतिष्ठ है किन्तु इसकी इस अप्रतिष्ठा का हेतु इसकी आत्म-सर्जकता होने से यह अपनी इस स्रोत-स्वरूपता में ही अपनी प्रतिष्ठा देख सकता है।

अब तक के हमारे विवेचन में आत्मा के 'आविर्भाव' और उसे अप्रस्तुत अर्थों के 'आविर्भाव' की बात की गई। इसमें अर्थों की अनवगाह्यता और अनाकलनीयता की बात भी आयी, किन्तु इसके हेतु की व्याख्या नहीं हो पायी। जो अर्थ, अस्मत्प्रत्यय सहित, चेतना में प्रत्यङ्मुख अवलोकन : आत्मावलोकन : के फलस्वरूप आविर्भूत होते हैं वे इस अवलोकन के लिए अनवगाह्य क्यों हों, इसकी व्याख्या असम्भव सी ही प्रतीत होती है।

---

1. उन्मीलन, जुलाई, 2001

यदि यह कहा जाय कि चेतना के लोकावतरण का स्वरूप ही कुछ ऐसा है कि यह इस अवतरण में अपने से न्यून ही रहती है, जैसाकि हमने अन्यत्र अनेक स्थानों पर देखा है, तो यह व्याख्या नहीं हुई, यह विवरण मात्र हुआ। किन्तु यहाँ कठिनाई यह है कि अर्थों का यह स्वरूप चेतना के लोकावतरण के क्रम में नहीं बल्कि लोकातिक्रमण के क्रम में, उसके आत्मोन्मुख निवर्तन के क्रम में आविर्भूत होता है। चित्रकार द्वारा निर्मित चित्र अपने आदर्श रूप से न्यून इस कारण नहीं होता कि चित्रकार चित्र के आदर्श रूप को उसकी सम्पूर्णता में 'देख' नहीं पाता या देखकर उसे अपनी कृति : चित्र : में कर्यान्वित नहीं कर पाता, बल्कि यह कि चित्र का न्यून और अन्यून : आदर्श : दोनों पक्ष या रूप युगपद्रूप से चेतना के प्रत्यङ्मुख लोकातिरोहण में ही आविर्भूत होते हैं और इस कारण दोनों युग्मज ही होते हैं। इनमें अन्तर यह होता है कि प्रत्ययों के आदर्श रूप चेतना में प्रत्यङ्मुखता की पार्यन्तिकता के गोचर होते हैं जबकि न्यून उसकी विषय-वृत्तिकता के गोचर। यहाँ कुछ स्पष्टीकरण की अपेक्षा प्रतीत होती है। 'प्रत्यङ्मुखता की पर्यन्तता' अनन्त है और इस अनन्तता का कारण चेतना की विषयता से विषयिता की ओर उन्मुखता है। इस उन्मुखता के विषयिपरक होने से इसमें गोचरता के लिए अवकाश नहीं हो सकता। यह सही है, किन्तु विषयिता की पार्यन्तिकता का हेतु प्रत्यङ्मुखता में विषयी का अनुक्रमशः विषय होना और इस विषय का अपने ऊर्ध्वतर विषयी का अपेक्षी होना ही बनता है। इस प्रकार पार्यन्तिक विषयिता चेतना की ऐसी प्रत्यङ्मुखता है जो आत्मविषयकरण-जन्य सोपान से सम्भव होती है। यह विषयता आत्म-प्रत्यय की ही विषयता होती है जो प्रत्यय इस प्रकार स्वयं पार्यन्तिक और इस प्रकार पार्यन्तिक विषयिता का गोचर बनता है। 'पार्यन्तिक गोचरता' का अर्थ 'अतलता में अगोचर होती गोचरता' ही समझना चाहिए। इस सोपान-क्रम में प्रत्येक सोपान पर्यन्तगामी अगोचर अन्यून या आदर्श की अपेक्षा से न्यून बनता है। इसी कारण अनात्म चेतन चेतना के लिए न्यून-अन्यून का भेद नहीं रहता, उसमें केवल दैहिक अपेक्षा और दैहिक पूर्ति का ही भेद रहता है: जैसे भूख से भोजन का कम रहना। इसके विपरीत अपने आदर्श रूप से न्यून चित्र अपने अलौकिक अन्यून रूप का ही रूपायन होता है। यह सही है कि यह रूपायन अपने मूल अन्यून रूप में एक आधारभूत रूपान्तरण घटित होने से ही सम्भव होता है— इसमें अतिक्रामी अरूप (तत्त्व) रेखा-वर्ण आदि में रूपित होता है किन्तु इससे वह अपने अतिक्रामी स्वरूप से पूर्णतः विच्छिन्न नहीं होता। यह उसकी असंख्य में से एक सम्भावना को व्यक्त करता है, जबकि शेष सम्भावनाएँ सम्भावनातिक्रामी स्रोत में अव्यक्त रहती हैं। किन्तु जैसाकि हमने पीछे देखा, यह अतिक्रामी और लौकिक का विभाग चेतना के आत्मचेतन होने से ही आविर्भूत होता है, इससे पृथक् इसकी अन्य कोई प्रतिष्ठा नहीं है। अर्थात् ऐसा नहीं है कि आदर्श अतिक्रामी प्रत्यय किसी अन्य सत् लोक में अवस्थित रहते हों। केनोपनिषद् में जो "यद्वाचानभ्युदितं येन वागभ्युद्यते, तदेव ब्रह्म त्वं विद्धि, नेदं यदिदमुपासते" आदि मन्त्रों में कहा गया है वह ऐसे पृथक् अतिक्रामी, शुद्ध चित्-लोक को मान कर ही कहा गया है। यह हमारे प्रतिपादन के विपरीत है।

इस पर आपत्ति की जा सकती है कि औपनिषद ब्रह्म भी जगत् से पृथक् नहीं है, उद्धृत वचनों में भी ब्रह्म की पृथक्ता अभिप्रेत नहीं है बल्कि हेतुता ही अभिप्रेत है। यदि ऐसा मान भी लिया जाय तो भी इसमें और हमारे प्रतिपादन में भेद है। हमारा प्रतिपाद्य अतिक्रामी सत् आत्मा या अहंप्रत्यय-गोचर अहं, या उसके माध्यम से जगत् का हेतु कोई तत्त्व नहीं है बल्कि प्रत्यय-गोचर आत्मा की ही अपनी अतिक्रामिता है, जिस प्रकार प्रत्यय-गोचर आत्मा अतिक्रामी आत्मा का प्रत्यय-गोचर पक्ष है। यह युगपद्भाव आत्मचेतन चेतना में स्वरूपगत है। इस यौगपद्य में प्रवृत्ति-भेद से प्रत्यङ्मुखता और लोकोन्मुखता की प्रधानता-गौणता का भेद हो सकता है किन्तु इस यौगपद्य से मुक्ति नहीं हो सकती।

किन्तु आत्मचेतन चेतना का यह विवेचन चेतना की समग्रता में से एक उद्गृहीत पक्ष का ही विवेचन है। अपनी समग्रता में तो चेतना मन, इन्द्रिय, प्राण और देह की भी समावेशी होती है। वास्तव में चेतना के आत्मचेतन होने से पहले तो यह इन वृत्तियों के रूप में ही रहती है। उस अवस्था में अहंकार इन वृत्तियों के अधिष्ठाता के रूप में रहता है। चेतना की इस अवस्था में आत्म-अतिक्रामिता का लेश भी नहीं रहता।

किन्तु चेतना के आत्मचेतन होने पर चेतना के स्वरूप में आत्म-अतिक्रामिता के रूप में एक आधारभूत क्रान्ति घटित होती है जिससे अहंकार सहित चेतना की मन से देह-पर्यन्त वृत्तियाँ अपने को अनात्म-रूपेण संज्ञापित करती हैं। सर्वप्रथम तो अहंकार की ही अनात्मरूपता प्रकट होती है। और सबसे आश्चर्यजनक और प्रकटत: विपर्यस्त बोध यही कहा जा सकता है, क्योंकि अस्मदत्व का आधार-स्तम्भ यह अहंकार ही है और यह अंहकार ही अनात्म-स्वरूपता के आधार-स्तम्भ के रूप में अपने को उद्घाटित करता है। चेतना के इस प्रत्यङ्मुख अभियान में आत्मा अपने को सब अहंकारों पर व्यापक देखता है यद्यपि आत्म प्रत्यय रूप में वह अपने को एक अहंकार से सम्बद्ध भी पाता है। किन्तु आत्म- प्रत्यय का अहंकार से यह सम्बन्ध बाह्य ही रहता है। भाषा, जिसमें कि प्रत्यय सर्वाधिक स्फुट अभिव्यक्ति पाते हैं, आत्म-प्रत्यय और अहंकार के सम्बन्ध की इस बाह्यता को सर्वाधिक स्पष्ट रूप से प्रकट करती है। जैसाकि हमने पीछे देखा, भाषा में 'मैं' शब्द एक सर्वनाम के रूप में अहंकार- सम्बद्ध आत्म-प्रत्यय का वाचक है किन्तु यह सर्वनाम न केवल स्वयं में ही सब आत्म-प्रत्ययों के वाचक रूप में गृहीत होता है बल्कि 'तू' का यह अनिवार्य अपेक्षी भी होता है और ये दोनों 'वह' के सापेक्ष होते हैं। 'तू' की उपस्थिति 'मैं' को अन्य 'मैं' के सम्मुख उस (तू) के 'तू' के रूप में प्रत्युपस्थित कर देती है। यही बात 'वह' के साथ होती है जो वास्तव में एक परोक्ष 'तू' ही होता है। चेतना में यह बोध अहंकार के साथ आत्मा के तादात्म्य का अनौचित्य प्रकट करता है। किन्तु सहज रूप में तो मानव-चेतना में भी आत्मा अहंकरोपहित ही रहता है।

द्रष्टव्य है कि यहाँ हमने 'अनौचित्य' शब्द का प्रयोग पहली बार किया है। इसके बजाय यहाँ 'भ्रान्ति' शब्द का प्रयोग भी किया जा सकता था जिसके प्रयोग का मुख्य सन्दर्भ ज्ञान है। वास्तव में हमारे दार्शनिकों ने इसके लिए सामान्यत: 'भ्रान्ति' शब्द का ही प्रयोग किया है, यद्यपि कहा जा सकता है कि बौद्धों और वेदान्तियों द्वारा इसके लिए 'अविद्या' शब्द का प्रयोग और सांख्य द्वारा 'अविवेक' शब्द का प्रयोग 'भ्रान्ति' के साथ 'अनौचित्य' को भी ध्वनित करते हैं। 'औचित्य-अनौचित्य' शब्दों का प्रयोग विशिष्ट रूप से उस कर्म के सन्दर्भ में होता है जो कर्म आत्म-सम्बद्ध होता है।[1] यों तो सभी कर्म आत्म-सम्बद्ध ही होते हैं, किन्तु जहाँ कर्म की युक्तता-अयुक्तता का मूल आत्म-अनात्म विवेक-अविवेक में हो, इन शब्दों का प्रयोग विशिष्ट रूप से वहीं होता है, यद्यपि इनका प्रयोग व्यापकतर सन्दर्भ में भी होता है। यहाँ उदाहरणत: चित्र बनाना, लेख लिखना आदि कर्मों को लिया जा सकता है। 'मैं प्रात: उठकर लेख लिखता हूँ, भ्रमण करने नहीं जाता', 'मैं आज दिन के दस बजे चित्र बनाने बैठ गया, यों सामान्यत: मैं उस समय सोता हूँ', ये वाक्य कर्म विषयक हैं, किन्तु इनमें कर्म करने, नहीं करने, अथवा अन्यथा करने में कोई औचित्य-अनौचित्य नहीं है। इनमें औचित्य-अनौचित्य हो सकता है यदि मैं प्रात: उठकर पहले भ्रमण करने के लिए आलस्यवश नहीं जाता।

यह औचित्य-बोध स्वयं चेतना में आत्म-अनात्म का द्वंद्व देखता है और कर्म के लिए इस चिद्गत अनात्म से मुक्ति को अनिवार्य पाता है। काम-क्रोधादि वृत्तियाँ चेतना की ही वृत्तियाँ हैं, चेतना में आत्म-चेतना के आविर्भाव से पूर्व ये वृत्तियाँ ही चेतना का समग्र परिलक्षित होती हैं। जीव की जैवता इन्हीं के माध्यम से व्यक्त होती है और आत्म-लाभ करती है। किन्तु चेतना में आत्म-चेतना के आविर्भाव के साथ चेतना की ये जैव स्तरीय अभिव्यक्तियाँ अपने को आत्मा पर ऐसी उपाधियों, ऐसे आवरणों के रूप में प्रकट करती हैं जो आत्मा को

---

1. इन पदों के अर्थ अन्यत्र हमने निम्न प्रकार से विवेचित किये हैं—"सत्य-असत्य, प्रिय-अप्रिय, सुन्दर-कुरूप ये पद चेतना के वस्तु से सम्बन्ध के निरूपक हैं किन्तु इनमें प्रथम पद-युगल दूसरे दो से मौलक रूप से भिन्न प्रकार का समझा जाता है। प्रथम के वाच्य जबकि चेतना के वस्तु-अनुबन्ध से निर्धारित होते हैं, दूसरे दो के वाच्य वस्तु के चेतनानुबन्ध से निर्धारित होते हैं। इनके विपरीत कर्त्तव्याकर्त्तव्य, उचितानुचित, एष्यानेष्य, सदसद्, श्रेयस्कराश्रेयस्कर पद हैं जिनके वाच्य चेतना के वस्तु से निरपेक्ष स्वयं अपने अर्थ के प्रति उसकी अनुकूलता प्रतिकूलता से निर्धारित होते हैं।" समाज : दार्शनिक परिशीलन, रावत पब्लिकेशन्स, जयपुर-दिल्ली, पृ. 81

अपने स्वरूप से व्यवहित करते हैं। कर्त्तव्याकर्त्तव्य-विवेक का मूल आत्मा के इस स्वरूप के अव्यवहित बोध में ही है। यहाँ आपत्ति हो सकती है कि कर्त्तव्याकर्त्तव्य-विवेक के प्रसंग तो हमारे सम्मुख जीवन की सामान्य परिस्थितियों में भी उपस्थित होते रहते हैं—जैसे उपर्युक्त प्रात: भ्रमण के उदाहरण में। ऐसे प्रसंगों में आत्म-अनात्म विवेक जैसे गम्भीर प्रश्नों के लिए कहाँ अवकाश बनता है? इसका उत्तर है कि जहाँ और जब हम इस विवेक के प्रति सतर्क होते हैं, जब हम कर्म को इस गम्भीर दृष्टि से देखते हैं, कर्त्तव्याकर्त्तव्य का प्रसंग तभी उपस्थित होता है और यह प्रसंग सदैव गम्भीर और दुर्गम होता है, अन्यथा हम आलस्यवश भ्रमण करने को नहीं जा पाने जैसी बात नित्य करते रहते हैं और ऐसी बातों की ओर ध्यान नहीं देते। किन्तु आत्मालोचन में नित्य सजग व्यक्ति ऐसा नहीं करते।

यहाँ प्रश्न हो सकता है कि चेतना की जैव वृत्तियों को आत्मा पर आवरण रूप क्यों देखा जाय, इन्हीं को आत्मा या आत्मा के गुण क्यों नहीं देखा जाय? इसका दूसरा कोई उत्तर नहीं हो सकता सिवाय इसके कि चेतना की प्रत्यङ्मुखता में आत्मा का एक स्वरूप प्रकट होता है और उसके प्रकट होने पर ये वृत्तियाँ अनात्म-स्वरूप, आत्मा के स्वरूप पर आवरण रूप प्रकट होती हैं। जैसे जीव मात्र में प्रातीतिक को सत् रूप में ग्रहण करने की प्रवृत्ति सहज होती है और उस ग्रहण का असत्यापन भ्रान्ति का बोधक होता है उसी प्रकार प्रत्यङ्मुख चेतना में चिद्वृत्तियों में आत्म-अनात्म का और तदनुसार उचित-अनुचित का बोध सहज रूप से प्रकाशित होता है, यद्यपि उसका निर्णय, उनमें विवेक प्रत्यङ्मुख चेतना की प्रांजलता की कोटि के अनुसार ही युक्त-अयुक्त होता है। इस प्रसंग में 'आत्मा की आवाज़' सुनने की बात कही जाती है, जो आवाज़ उतनी ही स्पष्ट सुनायी देती है जितना जैव वृत्तियों का कोलाहल रोका जा सके या उससे ध्यान हटाया जा सके। श्रीमद्भगवद्गीता में इस स्थिति के अत्यन्त विदग्ध व्यंजक पद हैं—'या निशा सर्वभूतानां तस्यां जागर्ति संयमी' तथा 'किं कर्म किमकर्मेति कवयोऽप्यत्र मोहिता।' इनमें दूसरी प्रतिपत्ति प्रत्यङ्मुख चेतना में प्रतिपल घटित परिस्थिति की विषमता को प्रकट करती है। इस विषमता को महात्मा कबीर ने और अधिक काव्यात्मक विदग्धता के साथ इस प्रकार अभिव्यक्त किया है—सुखिया सब संसार, खावै औ सोवै, दुखिया दास कबीर, जागै औ रोवै। इस विवेक की दु:साध्यता की परिस्थिति श्रीमद्भगवद्गीता में अत्यन्त प्रभावशाली रूप में प्रस्तुत की गई है, जिस परिस्थिति की प्रस्तुति के साथ गीता के विवेचन का आरम्भ होता है। और यह विवेक चेतना के किस स्तर के ऊर्ध्वारोहण की अपेक्षा करता है, इसका निरूपण भी गीता की तुलना में सम्भवत: अन्यत्र कहीं अलभ्य होगा। अर्जुन युद्ध-क्षेत्र में सामने परिजनों को देखकर युद्ध के प्रयोजन और परिणाम के विचार में प्रवृत्त होते हैं। इस विचार के लिए अर्जुन को परिजनों के प्रति आत्मीयता की भावना प्रवृत्त करती है। इस भावना को श्रीकृष्ण कर्त्तव्याकर्त्तव्य के बीच निर्णय के लिए अप्रासंगिक ही नहीं आवरक भी मानते हैं। किन्तु महाराजा अशोक भी कलिंग युद्ध के बाद मृत्यु की विभीषिका देखकर ही हिंसा-भाव से विरत हुए थे और बुद्ध-दृष्टि के प्रति आकृष्ट हुए थे। दोनों स्थितियों में भावना ही कर्त्तव्याकर्त्तव्य-विवेक की प्रवर्तक है। कह सकते हैं कि अर्जुन मनुष्य मात्र के प्रति करुणा से नहीं परिजनों के प्रति प्रेम से प्रेरित हुए थे। यह सही है, किन्तु इस प्रेम से अर्जुन में प्रवर्तित दृष्टि विशेष विषयक नहीं थी, सामान्य विषयक ही थी—कि क्या अपना अधिकार पाने के लिए दूसरे का वध सही मार्ग है? युद्ध में अशोक के सामने परिजन नहीं होने से वे भावाविष्ट नहीं हुए इससे वे भीषण नर-संहार में प्रवृत्त हुए। यदि उनके सम्मुख भी परिजन होते और वे भावाविष्ट होकर युद्ध के प्रयोजन के अनौचित्य को देख पाते तो वे भीषण नर-संहार से बच जाते और इस प्रकार वह भावावेश उनके लिए सम्यग्दृष्टि का हेतु बना होता। आख़िर कलिंग युद्ध के बाद भी उनमें सम्यग्बोध का हेतु तो भावावेश ही बना।

यह सही है किन्तु स्वयं भावावेश सम्यग्दृष्टि नहीं है और न वह सम्यग्दृष्टि के लिए अनिवार्य हेतु ही है। वह असम्यग्दृष्टि के हेतु भावावेश का प्रतिकारक हो सकता है और इस प्रकार उस दृष्टि के लिए पथ-प्रशस्त कर सकता है जो दृष्टि भावावेशों से परे है। भावावेश तो इस दृष्टि के लिए निराकरणीय ही हो सकते हैं। यहाँ कहा जा

सकता है कि दया, मैत्री, करुणा आदि भी नृशंसता आदि के समान भाव ही हैं, किन्तु ये भाव स्वयं में ही मूल्यवान् हैं। किन्तु कोई भाव अपने आप में मूल्यवान् तभी हो सकता है यदि वह सम्यग्दृष्टि का अनुगामी हो और उससे आमूलाग्र अनुप्रविष्ट हो। यहाँ महात्मा कबीर का अत्यधिक व्यंजक पद 'माया महा ठगिनी हम जानी' स्मरणीय है जिसमें 'जोगी के जोगिन ह्वै बैठी' और 'शिव के भवन भवानी' जैसी पंक्तियाँ हैं जो इन्हीं कथाकथित सद्भावनाओं की उस अवस्था में वंचकता प्रदर्शित करती हैं यदि ये भावनाएँ सम्यग्दृष्टि से निर्दिष्ट नहीं हैं। कबीर ने भी इन्हें वंचक (ठगिनी) ही कहा है। क्योंकि ये आत्मा की उपकारकवत् प्रतीत होती हैं जबकि ये वास्तव में अपकारक होती हैं। इन वंचनाओं से बचने का एक ही उपाय है—इनके प्रति निरन्तर सतर्क रहना। किन्तु यह सतर्कता सम्यग्दृष्टि को पूर्वगृहीत करके चलती है। यह पहले बोध हो कि आत्मा क्या है और अनात्म क्या तभी तो सतर्कता आत्म-रूप में प्रकट अनात्म को पहचान कर उसे दूर रख पायेगी? किन्तु उतना ही महत्त्वपूर्ण निरन्तर सतर्क रहना है, क्योंकि दृष्टि सम्यक् होने पर कब कोई अनात्म भाव झाड़ी के पीछे छिपे चोर के समान आक्रमण कर दे, इसका भरोसा नहीं रहता। 'कर्त्तव्याकर्त्तव्य विवेक में कवियों का भी व्यामोहित होना' सम्यग्दृष्टि की ही दुराराध्यता का द्योतक है।

किन्तु यह कैसी विचित्र बात है कि चेतना के आत्मचेतन होने के पूर्व उसमें आत्मा की कोई उपस्थिति ही नहीं रहती, वह उसके आत्मचेतन होने पर ही आविर्भूत होती है और चेतना में आधारभूत रूप से एक नया आयाम जोड़ती है। कोई यह भी कह सकता है कि वह चेतना की सब अवस्थाओं में रहती है किन्तु वह उसके आत्मचेतन होने के पूर्व नितान्त आवृत रहती है—बीज रूप में। बौद्धों की तथागतगर्भ की अवधारणा कुछ ऐसी ही है। इनमें कौन सा पक्ष स्वीकार किया जाय यह निर्णय यहाँ प्रासंगिक नहीं है। हमने अन्यत्र दूसरे विकल्प को ही स्वीकार किया है। यहाँ महत्त्वूर्ण यह देखना ही है कि चेतना में आत्मा के आविर्भाव या प्राकट्य का क्या अर्थ है और इस आत्मा का क्या स्वरूप है?

डेकार्ट ने सब कुछ को सन्देहास्पद पाया। किन्तु, किसी के सन्देहास्पद होने के लिए सन्देह का होना आवश्यक है। सो, इस सन्देह का अस्तित्व असंदिग्ध है। यह असंदिग्ध सन्देह चेतना की प्रत्यङ्मुखता में ही आविर्भूत होता है और उसी में यह अवगम्य होता है। यह अवगमन चेतना का आत्मावगमन है। यह आत्मावगमन प्रत्यङ्मुख होने से अविषय भी होता है और इसके अविषय होने के लिए आत्मा विषय भी होता है। किन्तु यहाँ कुछ कठिनाइयाँ हैं—यह सन्देह अपनी विषयिता में क्या स्वयंपर्यन्त होता है या कि यह किसी कर्त्ता का कर्म या ज्ञाता का ज्ञान होता है, चाहे इस ज्ञाता का ज्ञातृत्व मात्र इस सन्देहपर्यन्त ही हो, इससे आगे कुछ नहीं हो? दूसरे, क्या सन्देह अविषय हो सकता है, चाहे वह सन्देह प्रत्यङ्मुख चेतना का ही क्यों न हो? इनमें दूसरे प्रश्न का उत्तर स्पष्टत: नकारात्मक ही हो सकता है, ऐसा प्रतीत होता है। सन्देह किसी विषय विषयक ही होता है। डेकार्ट का सन्देह इन्द्रियगोचर वस्तुविषयक और अन्त:संवेदगोचर अन्त:स्थितिविषयक ही था, इनकी विषयता से मुक्त सन्देह नहीं था। किन्तु कहा जा सकता है कि प्रत्यङ्मुखता में अवगमन सन्देह का नहीं, आत्मा का ही होता है जिसमें सन्देह केवल एक माध्यम बनता है—आत्मा के अवगमन के लिए। शंकराचार्य जब आत्मा की असंदिग्धता के लिए सन्देह-कर्त्ता के रूप में आत्मा को अनिवार्यतः पूर्वगृहीत मानते हैं तब उनका यही अभिमत है, यह स्पष्ट है, क्योंकि डेकार्ट से भिन्न, वे न तो इस आत्मा से ईश्वर की सत्ता निगमित करते हैं और न जगत् की। 'मैं अपूर्ण हूँ' यह केवल प्रत्यय-गोचरता में अवसित आत्मा ही अपने सम्बन्ध में कह सकता है और ऐसा आत्मा ही ईश्वर और जगत् के निगमन के लिए आधार बन सकता है। किन्तु यह विचारणीय है कि क्या चेतना अपनी प्रत्यङ्मुखता में विषय को अपने में से बहिष्कृत रूप में प्रस्तुत किये बिना प्रत्यङ्मुख रह सकती है? यहाँ योगसूत्र की योग की परिभाषा का उल्लेख स्थाने होगा। उसके अनुसार "चित्तवृत्ति का निरोध योग है।" इस परिभाषा के अनुसार चित्तवृत्तियाँ निरुद्ध हो जाने पर शुद्ध आत्मा आत्मप्रतिष्ठ होता है। यह चेतना के प्रत्यङ्मुख आरोहण में पराङ्मुखता के पूर्ण निरोध की सम्भावना का स्वीकार है। किन्तु यदि इस सम्भावना को स्वीकार कर भी लिया

जाय तो भी यह निरोध निरोधन-व्यापार के बिना सम्भव नहीं है और इस प्रकार शुद्ध आत्मा पराङ्मुखता से आत्मोन्मुख प्रत्यावर्तन के द्वारा ही साध्य होता है। योग में यह सिद्धि विषयता के पूर्ण निवारण के रूप में देखी गई है, जो चेतना के आत्मचेतन होने से पूर्व की पूर्ण विषय-तादात्म्य की अवस्था का वैपरीत्य कही जा सकती है। अनात्मचेतन : आत्म-अचेतन : चेतना विषय-तादात्म्य रूप से अविभक्त रहती है और निरुद्धवृत्ति चेतना आत्म-तादात्म्य रूप से अविभक्त रहती है। यहाँ कहा जा सकता है कि विषय-तदात्म चेतना विभिन्न विषयों या वृत्तियों में विभक्त रहती है। यह ठीक है, किन्तु प्रस्तुत प्रसंग में विभाग से अभिप्राय विषयि-विषय विभाग से ही है।

किन्तु यहाँ यह विचारणीय है कि यदि चित्तवृत्ति-निरोध-सिद्ध-चित्स्थिति आत्माविभक्त स्थिति है तो क्या वह प्रत्यङ्मुखता से उत्क्रमित स्थिति है और इस प्रकार विषयि-विषय-अन्तर्विभाग इसमें निरस्त रूप में अन्तर्हित रहता है? द्रष्टव्य है कि यदि चित्त- वृत्ति-निरोध को, ब्रह्म-लीनता या आत्म-लीनता या सम्बोधि की अवस्था को ऐसी अतिक्रांतता की अवस्था के रूप में नहीं देखा जाय जो चेतना की आत्मोन्मुख अनुसन्धान- यात्रा की पर्यन्तता है, जिस पर्यन्तता में प्रत्यय, अर्थ और विषय उच्छिन्न या विलीन नहीं होते बल्कि जिसमें ये अव्यवहित रूप से साक्षात्कार्य अथवा पूर्ण सम्यक् रूप से गम्य हो जाते हैं, तो यह (आत्म-लीनता) की स्थिति अचित्स्थिति से अविवेच्य होगी, बहुत कुछ जीवों की शीतनिद्रा (हिबर्नेशन) की स्थिति जैसी, बल्कि उससे भी आगे शाश्वत निद्रा के जैसी।

आत्मा विषयक उपुर्यक्त समस्त विवेचन आत्मा को चेतना के आत्मानुसन्धान की प्रक्रिया या प्रकार्य के रूप में आपादित करता है। यदि उपनिषदों को ध्यान से देखा जाय तो उनके प्रतिपादन में भी आत्मा का रूप इससे भिन्न नहीं दिखता, यद्यपि यह सही है कि उनमें आत्मा किसी आधार वस्तु या अस्तित्व मात्र के मूल हेतु के रूप में देखा गया है। यहाँ यह द्रष्टव्य है कि जबकि चेतना का आत्मचेतन होना आत्मा की अनुसंधित्सा को सम्भव करता है, यह इस अनुसंधित्सा को अनिवार्य नहीं बनाता। यह विषयानुसन्धित्सा को भी सम्भव करता है, क्योंकि इस चेतना के लिए विषय स्वतन्त्र अर्थ रूप होता है जो अर्थ अपार रूप से विपुल होता है। आत्म-अचेतन चेतना का जगत् जैव अर्थों से प्रवर्तित ऐन्द्रिक विषयों तक परिसीमित होता है जबकि आत्मचेतन चेतना का जगत् जैव अर्थों के अतिरिक्त मनोमूलक और बुद्धिमूलक अर्थों से प्रवर्तित ऐन्द्रिक, मानसिक और बौद्धिक विषयों का अनन्त विस्तृत और अथाह जगत् होता है। यहाँ प्रश्न हो सकता है कि इस जागतिक अर्थ-राशि के संवर्धन को ही परम पुरुषार्थ क्यों नहीं माना जाय, इससे विमुख आत्मानुसंधित्सा को क्यों उच्चतर पुरुषार्थ माना जाय? द्रष्टव्य है कि पुरुषार्थ लोकानुसन्धान को भी माना गया है—धर्म, अर्थ और काम पुरुषार्थ लोकाभिमुख पुरुषार्थ ही हैं। किन्तु आत्मानुसन्धान को उच्चतर पद दिया गया है और यह क्रम-निर्धारण सर्वसम्मत जैसा ही है। उदाहरणत: वैज्ञानिक, कवि, दार्शनिक, शास्त्रकार, राजनेता, समाजसेवी सबको पुरुषार्थ-साधकों के रूप में ही देखा जाता है और उन्हें उन क्षेत्रों में उनकी उत्कृष्टता के अनुसार आदर दिया जाता है। किन्तु बड़े से बड़े कवि, दार्शनिक या वैज्ञानिक को ऋषि, महात्मा, मुनि या सन्त के तुल्य पद नहीं दिया जाता। स्वयं इन्हें भी उनकी उस क्षेत्र में सफलता के बावजूद तब सम्मान का अधिकारी नहीं माना जाता यदि इनमें चरित्र की उदात्तता साथ नहीं हो। बल्कि ऐसा पूर्वमान्य सा करके चला जाता है कि कोई अच्छा कवि या अच्छा वैज्ञानिक है तो वह सच्चरित्र भी होगा ही। वह वैसा नहीं है तो इस बात को लगभग वदतोव्याघात जैसा माना जाता है। अर्थात् लौकिक अर्थों के अनुसन्धान को भी परोक्षत: आत्मानुसन्धान के अवर स्तर के रूप में ही देखा जाता है, जिस अनुसन्धान में किसी अर्थ में लोकोत्तरता है। वास्तव में यह लोकोत्तर का लेश ही कामादि को पुरुषोचित अन्वेष्यार्थ बनाता है। जैसे वैज्ञानिक का गौरव केवल उसकी वैज्ञानिक सफलता में ही नहीं देखा जाता बल्कि वैज्ञानिक अनुसन्धान में उसकी ऐसी लगन में देखा जाता है जिसके कारण वह लौकिक भोगों से दूर रहता है। इसके साथ यदि उसमें करुणा, उदारता, सरलता आदि गुण भी हों तब तो बात ही क्या! यह बात लोक-कल्पना में अल्बर्ट आईंस्टाइन की प्रतिमा और भारत के नवनिर्वाचित राष्ट्रपति अब्बुल कलाम की प्रतिमा से देखी जा सकती है।

यहाँ प्रश्न हो सकता है कि इस पूर्वग्रह का औचित्य क्या है? क्यों नहीं लौकिक अर्थों के लोकोन्मुख अनुसन्धान को भी परमपुरुषार्थ माना जाय? इसके उत्तर के लिए 'अर्थ' और 'पुरुषार्थ' के स्वरूप पर विचार करना आवश्यक है।

जिन अर्थों की यहाँ हम बात कर रहे हैं वे अर्थ जैव या ऐन्द्रिक अर्थों से भिन्न मानसिक, बौद्धिक या तदुत्क्रामी चेतनागत अर्थ हैं, जैसाकि हमने पीछे देखा है। ये अर्थ चेतना के आत्मचेतन होने पर ही आविर्भूत होते हैं और इनका अनुसन्धान चेतना के आत्मोन्मुख प्रवर्तन से ही फलित होता है। इस प्रकार एक सीमा तक ये अर्थ भी लोकोत्तर ही होते हैं। उदाहरणत: यदि कोई परिनिष्ठित संगीत-साधक, समर्पित विज्ञानान्वेषी, निरपेक्ष शिल्पी है, अर्थात् यदि इन अर्थों के अन्वेषण में उसका कोई जैव अर्थ साध्य नहीं है, वह केवल आनुषंगिक और अवान्तर है, तो उसका अन्वेष्यार्थ लोकोत्तर ही कहा जाएगा। ऐसा सम्भव है कि कोई संगीत-साधक, दार्शनिक या कवि अपने उद्दिष्ट अर्थान्वेषण में नितान्त समर्पित और सफल हो किन्तु साथ ही वह जैव एषणाओं के भी वशीभूत हो—वह लोभी, अहंकारी, कामी या नृशंस भी हो सकता है। ऐसा बहुत बार देखा जाता है। यह चेतना की वैयक्तिक अभिव्यक्ति के विभिन्न आयामों में असामंजस्य के कारण होता है। किन्तु आत्मान्वेषण चेतना की अभिव्यक्ति के सभी आयामों की एकोन्मुखता को पूर्वापेक्षित करता है। यद्यपि, जैसाकि हमने ऊपर कहा, परिनिष्ठित कवि, वैज्ञानिक, शिल्पी किसी में भी उपर्युक्त जैव प्रवृत्तियों की उपस्थिति इस अर्थ में वदतोव्याघात ही कही जायेगी कि ये प्रवृत्तियाँ उन अनुसरणों से असंगत हैं, किन्तु कवि, वैज्ञानिक और शिल्पी केवल कवि, वैज्ञानिक या शिल्पी ही नहीं होते। ये होने के लिए चित्त का समग्रत: लोकोत्तर उन्नयन आवश्यक नहीं होता। किन्तु आत्मान्वेषण में ऐसा आवश्यक होता है।[1] इसमें ऐसा आवश्यक होने का कारण यह है कि आत्मान्वेषण है ही चित्त की सब वृत्तियों की उन्मुखता का लोक से आत्मा की ओर प्रवर्तन। यों काव्यादि के अनुशीलन में भी यह प्रवर्तन अभीष्ट होता है, किन्तु उन अनुशीलनों में यह तात्कालिक और तत्पर्यन्त भी रह सकता है। उदाहरणत: कोई दार्शनिक, विचारक, कवि या कलाकार बहुत गम्भीर और उच्च आध्यात्मिक तत्त्वों या भावों का साक्षात्कारी हो सकता है, किन्तु उससे अलग होने पर वह उससे विपरीत व्यवहार भी कर सकता है। ऐसा प्राय: ही देखा जाता है। किन्तु सबसे बड़ी बात यह है कि स्वयं ये अनुशीलन भी आत्मा से विमुखवृत्तिक हो सकते हैं।

इस सब विवेचन में ऐसा प्रतीत हो सकता है जैसे हम लौकिक जीवन में साधारण जन की साधारण सुख-समृद्धि की आकांक्षाओं को, उसके सपनों और एषणाओं को, आत्मविपर्ययसात्मक मानते हैं। कम से कम उन्हें सार्थक नहीं मानते। ऐसा नहीं है। वास्तव में ये अनुसरण या एषाणाएँ भी उदात्त, अनुदात्त, शुभ्र-अशुभ्र हो सकती हैं और इनकी उदात्तता और कुछ नहीं, इनके आत्मा से अनुकूल होने में ही होती है और अनुदात्तता आत्मा से प्रतिकूल होने में। उदाहरणत: वैमनस्य, कुटिलता, अहंकार, लोभ, अनुदारता आदि लौकिक सुखों में भी बाधक होते हैं और इनसे मुक्त भाव सुख-साधक।[2] निश्चय ही साधारण जीवन के साधारण सुखों के अन्वेषी जन कोई आत्म-विचार नहीं करते, किन्तु यह विचार अनति सूक्ष्म चिन्तन-परम्परा के रूप में उन्हें उपलब्ध रहता है। वे इस चिन्तन के अनुकूल आचरण करने में उसी प्रकार सफल-असफल रहते हैं जैसे उत्कृष्ट दार्शनिक या कवि अपने चिन्तन के अनुकूल आचरण करने में सफल-असफल रहते हैं।

---

1 यहाँ कहा जा सकता है कि सब अन्वेषण आत्मान्वेषण ही होते हैं। बृहदारण्यक उपनिषद् के "न वा अरे पत्यु: कामाय पति: प्रियो भवत्यात्मनस्तु कामाय पति:प्रियो भवति" आदि मन्त्रों (अ. 2 ब्राह्मण 4, कण्डिका 5) में यही मत प्रतिपादित है। किन्तु वहाँ यह आत्मान्वेषण का विपर्यस्त रूप विवक्षित है जैसा कि "आत्मनो वा अरे दर्शनेन, श्रवणेन, मत्या विज्ञानेनेदं सर्व विदितम्" से स्पष्ट है। तो भी काव्य, विज्ञान, दर्शन आदि को आत्मान्वेषण कहा जा सकता है। किन्तु यह आत्मान्वेषण का परोक्ष रूप होता है।

2 इस पर द्रष्टव्य यशदेव शल्य — मूल्यतत्त्व-मीमांसा के परिशिष्ट में 'लोक साधन' लेख।

आत्मविषयक इस विवेचन के अनुसार आत्मा कोई स्थिर, पूर्वसिद्ध, पूर्वनिष्पन्न वस्तु नहीं होकर गोचर आत्म की अगोचर विषयिता मात्र सिद्ध होती है, जो अपने गोचर पक्ष में अगोचर पक्ष की अतल-अनवगाह्य अर्थ-सम्पदा की धारक बनती है। किन्तु 'आत्मा' के अर्थ में कहीं न कहीं उसकी व्यक्ति-सम्बद्धता भी निहित है। अस्मत्प्रत्यय निर्वैयक्तिक आत्मा-प्रत्यय नहीं है। सम्पूर्ण पाश्चात्य दर्शन में—ग्रीक से आधुनिक तक—आत्मा व्यक्ति-सम्बद्ध अतिप्राकृतिक वस्तु या तत्त्व रूप में ही स्वीकृत है। सुकरात, डेकार्ट और कांट का आत्मा वैयक्तिक आत्मा ही है। हमारे यहाँ भी वेदान्त के अतिरिक्त अन्य किसी दर्शन में आत्मा को निर्वैयक्तिक स्वीकार नहीं किया गया है। इसी से बौद्धों ने आत्मा को अस्वीकार किया है क्योंकि वे वस्तुत्व या द्रव्यत्व मात्र को अस्वीकार करते हैं। सांख्य का पुरुष नितान्त निर्गुण-निरुपाधिक होते हुए भी वैयक्तिक है, यद्यपि इस प्रश्न का उस दर्शन में कोई समाधान नहीं मिलता कि ऐसा पुरुष वैयक्तिक कैसे हो सकता है? किन्तु जैसाकि हमने देखा, आत्मचेतन चेतना में निर्वैयक्तिकता : अहंकारातिक्रामिता : भी सहज है। वह नहीं होती तो भाषा का अस्तित्व ही सम्भव नहीं होता। जैसाकि हमने पीछे देखा, भाषा में न केवल 'मैं' पद ही सर्वनाम है बल्कि उसमें सभी विशिष्ट सामान्य के ही स्थानविशेष या काल-विशेष की अभिव्यक्तियों के रूप में देखे जाते हैं। सामान्य घट पानी का धारण नहीं कर सकता, किन्तु विशेष भी घटत्व से अध्यारूढ़ हुए बिना पानी का धारण नहीं कर सकता। यह कांट के भ्रान्त उदाहरण से अधिक स्पष्ट रूप में देखा जा सकता है। उसके अनुसार जेब में ठोस रूप में हुए बिना पैसा क्रय-क्षम नहीं हो सकता। किन्तु उसने यह नहीं देखा कि कुछ पैसापन में प्रतिष्ठित हुए बिना भी क्रय-क्षम नहीं हो सकता, और यह पैसापन जिस भी किसी को अधिष्ठित कर लेता है वह क्रय-क्षम हो जाता है। वास्तव में यह वैचित्र्य सभी मानवीय कृतियों में देखा जा सकता है। एक चित्र, कविता या लेख किसी प्रत्यय को साकार करते हैं। अपने अस्तित्व में ये इस अर्थ में विशेष भी कहे जा सकते हैं कि ये देश या काल में एक बार घटित होते हैं और एक रूप विशेष लेते हैं। किन्तु अपने स्वरूप में ये विशेष नहीं होते, ये प्रत्यय के प्रतिनिधि मात्र होते हैं। इसीसे कोई कविता या लेख अपने रचना-कर्म तक सीमित नहीं रहता, वह असीम अर्थ का ही वाहक होता है। उसे जितने भी लोग देखते हैं वे सब उसकी अतल-अपार व्यापकता में अपना अतिक्रमण करते किसी अंश का अवगमन कर पाते हैं, और कोई अंश किन्हीं दो के लिए अवगम्य नहीं होता। यही रूप मानव-व्यक्ति का भी होता है। वह भी अतल-अनवगाह्य आत्म-तत्त्व को अस्मत्प्रत्यय के आधार में व्यक्त करता है जो अस्मत् एकसाथ सीमित व्यक्ति और विराट् होता है। किन्तु मनुष्य साधारणत: अपने को अपनी वैयक्तिकता के साथ अभिन्न मानता है और इसके विस्तार में ही अपनी विराट्ता देखता है। इसका कारण उसका जैव इतिहास से निबद्ध होना होता है। इस इतिहास से मुक्ति में ही व्यक्ति की आत्मोपलब्धि निहित होती है। किन्तु सहज रूप में मनुष्य इस व्यक्तित्व से मुक्ति में आत्म-क्षय को ही देखता है। आत्मा को व्यक्ति-निष्ठ रूप में देखने के पीछे यह प्राकृतिक दृष्टि ही क्रियाशील कही जा सकती है। मृत्यु-भय का भी यही कारण कहा जा सकता है, जो जीव मात्र में परिलक्षित होता है। मनुष्य ने इस भय से मुक्ति पाने के लिए ही अन्य लोक में व्यक्ति रूप में आत्मा के बने रहने या पुन: जन्म लेने की कल्पना की है। सुकरात ने फ़ीडो संवाद में मृत्यु-दण्ड के वरण के लिए यही युक्ति दी है। किन्तु यह दृष्टि विपर्यस्त ही कही जा सकती है। भारत में जो पुनर्जन्म को बंध के रूप में देखा गया है वह दृष्टि निश्चय ही अधिक सम्यक् है, किन्तु उसमें यह दोष है कि वह भी आत्मा को वस्तु-रूप में ही देखती है—मिट्टी के घट का आकार लेने और उस आकार के मिटने के रूप में। इससे यह बन्ध-मुक्ति या मोक्ष व्यक्तित्व के लय का पर्यायार्थक हो जाता है और यह घट-कल्पना का तिरोहित होकर मिट्टी रूप मूल पदार्थ का शेष रह जाना है। किन्तु तब यह लय वास्तव में ही भयावह है क्योंकि यह व्यक्ति के अस्तित्व का खो जाना है। किसी को अपने अस्तित्व से अधिक क्या प्रिय हो सकता है? किन्तु वास्तव में मोक्ष में यही अभिप्रेत है—यद्यपि बृहत्तर व्यक्तित्व पाने के लिए। किन्तु सम्भवत: यह वस्तुपरक-द्रव्यपरक पदावली युक्त नहीं है। किन्तु यदि चेतना की लघुता-गुरुता को उसमें उन्मीलित अर्थ की लघुता-गुरुता के रूप में देखें, स्वयं चेतना की अपने द्रव्य में लघुता-गुरुता के रूप में नहीं, तो सारी बात ही बदल जाती है। इसे समझने के लिए दो व्यक्तियों की चेतना के भेद को उदाहरण रूप में देखा जा

सकता है—एक व्यक्ति, जिसकी चेतना जीवधर्मता से ऊपर नहीं उठ पाती और दूसरा व्यक्ति, जिसकी चेतना जीव-धर्मता से मुक्त अर्थों के व्योम में मुक्त विचरण करती है। इस प्रकार देखने पर 'आत्म-चिन्तन' का अर्थ अपने होने के अर्थ, अपनी अभीप्सा की वरीयता-अवरीयता और अपने कर्मों के औचित्य-अनौचित्य के प्रति निरन्तर सतर्कता, निरन्तर चिन्तन और वरीय अभीप्सा में पूर्ण तन्मयता का वाचक हो जाता है। ऐसे चिन्तन का आदर्श संबुद्ध शाक्य मुनि, निरंजन राम में रमने वाले कबीर या अंजन के स्रोत में रमने वाले रामकृष्ण परमहंस, तथा अपने कर्मों के औचित्य-अनौचित्य के प्रति निरन्तर सतर्क महात्मा गान्धी प्रस्तुत करते हैं। किन्तु अंशतः आईंस्टाइन और नार्लिकर जैसे वैज्ञानिक, रवीन्द्रनाथ ठाकुर और जयशंकर प्रसाद जैसे कवि, नागार्जुन, शंकराचार्य और रघुनाथ शिरोमणी जैसे दार्शनिक-तार्किक भी करते हैं—जिस अंश में वे वैज्ञानिक, काव्यात्मक या दार्शनिक अर्थों के गवेषी होते हैं—अपने शेष अंश में जैव अर्थों के वशवर्ती रहते हुए भी।

अध्यास

शंकराचार्य ने **ब्रह्मसूत्र** के भाष्य के आरम्भ में अध्यास की बात की है। वे कहते हैं—"आत्मा और अनात्म :अनात्म अर्थात् देह, इन्द्रिय, अहंकार, चित्त या मनस् आदि : परस्पर नितान्त भिन्न हैं, किन्तु हम इनका भेद नहीं समझकर देह, इन्द्रिय आदि के धर्मों का आत्मा पर आरोप कर अविद्याग्रस्त रहते हैं, जैसे सीपी पर चाँदी के धर्मों का आरोप कर उसे चाँदी समझते हुए रहते हैं। मिथ्या आरोपजन्य यह भ्रान्ति ही अध्यास है, अथवा कहें भ्रान्तिवश यह आरोप ही अध्यास है।" स्वभावत: यहाँ आपत्ति हो सकती है कि सीपी और चाँदी : शुक्ति और रजत : दोनों ही विषय हैं : एक प्रस्तुत और दूसरा पूर्वदृष्ट, किन्तु आत्मा विषय नहीं होकर विषयी है : केवल अनात्म वस्तुएँ ही विषय होती हैं : तब अनात्म के धर्मों का आत्मा पर अध्यास कैसे हो सकता है?" शंकर इस आपत्ति को स्वयं पूर्वपक्ष के रूप में उठाकर इसका उत्तर देते हैं कि, "प्रथम तो आत्मा नितान्त अविषय नहीं है क्योंकि वह अस्मत्प्रत्यय-रूप में विषय भी होता है, दूसरे, अध्यास के लिए यह भी आवश्यक नहीं है कि दोनों पक्ष विषय ही हों, जैसे आकाश विषय नहीं होता किन्तु उस पर हम नील-तलत्व का आरोप करते हैं। इसी प्रकार हम अविषय आत्मा पर भी विषयस्वरूप अनात्म-धर्मों का आरोप करते हैं।"

यहाँ थोड़ा ध्यान से देखने पर कुछ कठिनाइयाँ स्पष्ट दिखायी देती हैं। प्रथम कठिनाई आत्मा को अस्मत्प्रत्यय-गोचर कहने में है, क्योंकि शंकर के अनुसार आत्मा अस्मत्प्रत्यय-गोचर हो ही नहीं सकता। अस्मत्त्व तो विषय-धर्म होने से स्वयं आत्मा पर भ्रान्त आरोप है और इस प्रकार वह आध्यासिक है।[1] बौद्धों ने शंकर से बहुत पहले यह बात समझ ली थी और इसी से आत्मा का निषेध किया था। इसलिए रज्जु-सर्प-अध्यास का उदाहरण यहाँ नहीं चल सकता। अब, जहाँ तक आकाश पर नील-तलत्व के आरोप का प्रश्न है, इसमें यह द्रष्टव्य है कि नील-तलता हमें भ्रान्तिवश दिखायी नहीं देती, वह वास्तव में ही दिखायी देती है, इसलिए यह जान लेने पर भी कि ये आकाश के धर्म नहीं हैं, ये हमें उसी प्रकार दिखायी देते रहते हैं। ऐसे ही दूसरे उदाहरण 'पानी में खड़ी की गई सीधी छड़ी का टेढ़ी दिखायी देना' आदि हो सकते हैं। आत्म-अनात्म-अध्यास में ऐसा नहीं होता। इसके अतिरिक्त, आत्म-अनात्म-अध्यास में वास्तव में अनात्म-धर्मी अस्मत् के धर्म या धर्मों का अध्यास अनात्म-धर्मों : आत्मीय, अर्थात् अस्मदीय, रूप में लक्षित धर्मों : पर होता है न कि देह, इन्द्रिय आदि अनात्म धर्मों का आत्मा पर। जैसे देहेन्द्रियादिगत अनात्मधर्मी अस्मदत्व का अनात्म देहेन्द्रिय पर आरोप होता है। **बृहदारण्यक उपनिषद्** के 'आत्मनस्तु कामाय' आदि में भी लक्षित आत्मा इसी प्रकार अनात्म-धर्मी है। इस दृष्टि से बौद्धों की और सांख्य की व्याख्याएँ अधिक युक्त हैं जो क्रमश: अविद्या और अविवेक से भव-चक्र का प्रवर्तन मानते हैं और अस्मत्प्रत्ययगोचर आत्म और अनात्म दोनों को अनात्म ही देखते हैं। इस प्रकार शंकर का यह प्रतिपादन उनकी अपनी दृष्टि से कुछ असम्यक् ही प्रतीत होता है।

इस अध्यास का अर्थ सम्यक्तया समझने के लिए यह देखना आवश्यक है कि आत्मा विषयक यह अध्यास होता क्यों है? इसके लिए आत्मा और अनात्म का स्वरूप समझना आवश्यक है।

शंकर आत्मा को निर्गुण-निर्विकार और विषयी दो प्रकार से निरूपित करते हैं। इनमें 'निर्गुण' पद 'नेति' के समान निषेधात्मक है, ऐसा निषेधात्मक जिसकी निषेधात्मकता का परोक्षत: भी निवारण असम्भव है। किन्तु

1. उल्लेखनीय है कि शंकर ने आत्मा के अस्तित्व की असंदिग्धता के लिए इस अस्मत्प्रत्यय को ही आधार बनाते हुए डेकार्ट के समान ही प्रमाण दिया है—कि 'मैं नहीं हूँ' यह निषेध भी मैं के द्वारा ही हो सकता है। इस प्रकार वे अस्मत्प्रत्यय को किसी प्रकार से आत्मा का धर्म मानते कहे जा सकते हैं। किन्तु यह उनके सिद्धान्त के विरुद्ध है।

'विषयी' पद निषेधात्मक नहीं है। अब, यह विषयी या विषयिता-धर्म क्या है? विषयी की परिभाषा हो सकती है 'जो विषय का अपने से पर-रूप में आक्षेप करता हुआ स्वयं अपरतया प्रकाशित या विदित रहता है।' इस प्रकार 'यह मेज़ है', 'यह मेरा शरीर है', 'यह मेरा सिर है जिसमें दर्द है', 'यह उसका सिर है जिसमें उसके कथनानुसार दर्द नहीं है', 'यह मेरा विचार है, जो सम्भव है युक्त नहीं हो' ये सब विषयता के उदाहरण हैं जिनके विषयी के रूप में मैं इन विषयों को ग्रहण करता हूँ और इनके ग्राहक के रूप में आत्मविदित रहता हूँ। किन्तु देह, इन्द्रिय, चित्त आदि भी विषयी होते हैं–जैसे उठने, बैठने आदि का उपक्रम करते हुए मैं देहिक विषयिता में, सुनते, सूँघते, स्पर्श करते हुए मैं ऐन्द्रिक विषयिता में होता हूँ और ऊहापोह करते हुए या विचार करते हुए मैं चैत्त विषयिता में होता हूँ। इन विषयिताओं से तादात्म्य में रहते हुए भी हम किसी प्रकार अध्यासग्रस्त या व्यामोहित होते हैं ऐसा नहीं कहा जा सकता, क्योंकि इन स्थितियों में हमारी देह, इन्द्रियाँ आदि हमारी विषयिता की वास्तव अधिष्ठान होती हैं, और जब ये ऐसी अधिष्ठान नहीं होतीं तब ये हमारी उत्तरतर विषयिता की विषय होती हैं, और इन दो स्थितियों में हमें भ्रान्ति हुए होने या भ्रान्ति से उबरने की अनुभूति का बोध नहीं होता। यहाँ वेदान्त की ओर से यह कहा जा सकता है कि सापेक्ष विषयिता वास्तव विषयिता नहीं होती, यह केवल निरपेक्ष विषयी : शुद्ध चैतन्य स्वरूप आत्मा : से परिगृहीत विषयिता ही होती है, वास्तव विषयिता केवल निरपेक्ष विषयिता ही होती है और ऐसा विषयी केवल शुद्ध चैतन्य, आत्मा या ब्रह्म ही है। निद्रा को वे ऐसी विषयिता के निकटतम देखते हैं, यद्यपि जागने पर निद्रावस्था भी विषय हो जाती है और इस प्रकार चेतना की निद्राकालीन अवस्था भी केवल क्षीणतम सापेक्ष विषयिता ही सिद्ध होती है। किन्तु यहाँ महत्त्वपूर्ण बात यह है कि सापेक्ष विषयिताओं की इन अवस्थाओं में अध्यास जैसी कोई बात नहीं होती, क्योंकि वह वास्तविक विषयिता ही होती है, चाहे वह परिगृहीत ही हो, वह आरोपित विषयिता नहीं होती। मैं सामने आपको देख रहा हूँ, या बात कर रहा हूँ, इसमें मैं देहिक, ऐन्द्रिक और चैत्त विषयिताओं में हूँ। अब, यदि ये विषयिताएँ मूल विषयी—ब्रह्म या पुरुष—से परिगृहीत भी मानी जायें, जैसाकि सांख्य और वेदान्त कहते हैं, तब भी इसमें भ्रान्ति की कोई बात नहीं होती, जैसी रज्जु-सर्प में होती है, क्योंकि इन सब विषयिताओं के साथ ही इनकी विषय-रूप प्रस्तुती भी रहती है, जिसका अर्थ है कि इन विषयिताओं को हम आत्मा-स्थानीय नहीं देखते। यहाँ द्रष्टव्य है कि 'आत्मा' से यहाँ अर्थ 'अस्मत् प्रत्यय' से ही है जो स्वयं विषय हो सकता है और इस प्रकार आत्मा-स्थानीय नहीं होता, आत्मा के लिए केवल संकेत बनता है। इसे चेतना की ज्ञानात्मक वृत्ति कह सकते हैं जिसमें चेतना विषय-विषयिता में अन्तर्विभक्त रहती है और विषयता में बाह्य रह कर भी विषयिता में आत्म-विज्ञप्त भी रहती है। इसी से जब मैं देखता हूँ और फिर सोचता हूँ कि देख रहा हूँ या देख रहा था, तब मुझे इसका कोई खेद नहीं होता कि मैं आत्म-विस्मृत या अध्यास-ग्रस्त था, क्योंकि इसमें एक तो आत्म-विस्मृति होती ही नहीं, और दूसरे, यदि होती मानी भी जाय तो वह निष्प्रभाव होती है। किन्तु तब भी यह सही है कि हम अनात्म से अध्यस्त रहते हैं और कदाचित् ही यह देख पाते हैं कि अध्यस्त हैं, और जब देख भी पाते हैं तब भी इससे मुक्त नहीं हो पाते, या कदाचित् ही और किंचित् ही मुक्त हो पाते हैं। किन्तु यह आत्म-अनात्म-अध्यास वास्तव में ज्ञान-वृत्तिक नहीं होता, यह भाव-वृत्तिक : हमारे वह होने जो हम नहीं है-रूप : होता है, यह हमारी सत्ता में असत् की व्याप्ति-मूलक होता है। इससे उबरने पर, इसका बोध होने पर हम अन्य धर्मों में अन्य धर्म देखने की भूल के ज्ञान जैसा अनुभव नहीं करते बल्कि अपने को अपने से भ्रष्ट, अपने को अपने से न्यून, अपने को अपनी परता के वश : आत्म-परवश : अनुभव करते हैं।

यहाँ आरम्भ में दो बातें विचारणीय हैं—आत्मा और अनात्म क्या है? दूसरे, आत्मा और अनात्म का या आत्म-धर्मों पर अनात्म-धर्मों का आरोप कब और कैसे होता है?

द्रष्टव्य है कि किसी के जीवन में कभी कोई ऐसे अवसर उपस्थित होते हैं जो उसे अपने मूल में ही : अपने सम्पूर्ण प्रवर्तनों और अनुसरणों में : अध्यस्त, भ्रमित प्रकट कर देते हैं : वाल्मीकि, तुलसीदास, महात्मा बुद्ध, सम्राट् अशोक, स्वामी विवेकानन्द, स्वामी दयानन्द की वास्तव या कल्पित जीवन-कथाएँ कुछ इसी प्रकार की हैं। किन्तु अन्यथा भी प्रत्येक व्यक्ति के जीवन में कभी ऐसे क्षण आते हैं—आत्मग्लानि के क्षण, मिथ्यात्व-बोध

के क्षण, केवल वे उन्हें उस गहराई से विचलित नहीं करते जिस गहराई से वाल्मीकि आदि हुए थे। यों स्वाद भोजन अधिक खा कर अपचन का कष्ट पाना ही यह दिखाने के लिए पर्याप्त होना चाहिए कि यह अध्यास क्या है, किन्तु वैसा होता नहीं है, उसके लिए हमें किसी बड़े आघात की और चेतना में परिपाक की आवश्यकता होती है। मृत्यु-दर्शन भी प्राय: ही यह अवसर उपस्थित करता है, यद्यपि तात्कालिक रूप से, जिसमें हमें अपने अस्तित्व मात्र की तथ्यता सन्देहास्पद प्रतीत होने लगती है। बुद्ध को इसी सन्देह ने इतना उद्विग्न और विचलित कर दिया था कि वह उनके लिए आमूल रूपान्तरण का कारण सिद्ध हुआ। ये सब उदाहरण आत्मा पर अनात्म के आरोप के प्रकट हो जाने के उदाहरण कहे जा सकते हैं। ऐसा नहीं है कि ऐसे उदाहरण इतने विरल हैं। उपर्युक्त उदाहरणों के अतिरिक्त और भी अनेकानेक ऐसे उदाहरण हो सकते हैं। यों किसी नैतिक स्खलन पर आत्मग्लानि की कचोट तो बहुत लोगों को होती है, यों भी जो कोई जब कभी अपने को अपने पर लौट कर देख पाते हैं तब वे अपने से अपनी परता, अपने से अपनी इतरता और अपने अनुसरणों की अतथ्यता और निरर्थकता देखने से नहीं बच पाते। यह बात दूसरी है कि वे इस दृष्टि में स्थिर नहीं रह पाते। ये सब बोध, ग्लानियाँ और उद्विग्नताएँ आत्मा की अनात्म-रूपता के दर्शन-जन्य और इस प्रकार अध्यास से उबरने-रूप ही होती हैं। यह अनात्म-दर्शन आत्मा का भी प्रापक होता है यह तो नहीं कहा जा सकता, किन्तु यह उसका उस सीमा तक आभास तो कराता ही है जिस सीमा तक हम उद्विग्न या खिन्न होते हैं। अनात्म की पूर्ण हानि तो जगद्भाव से पूर्ण निर्वतन में ही होती है—जैसी वाल्मीकि, बुद्ध या तुलसी में लक्षित होती है।

यहाँ प्रश्न हो सकता है कि जगत् से जो निवृत्ति बुद्ध में लक्षित होती है वह वाल्मीकि और तुलसी में लक्षित नहीं होती, क्योंकि जगद्भाव मात्र में दु:खिता केवल बुद्ध ही देखते हैं, वाल्मीकि और तुलसी नहीं। किन्तु यह सही नहीं है। जगद्भाव से निवृत्ति का अर्थ जगत्परक आसक्तियों से मुक्ति है, उसका अर्थ परोक्षत: जगद्भाव की दु:खिता, अर्थात् निरर्थकता-परता ही होता है, उसका अर्थ दु:खवाद नहीं होता। 'वाद' तो आसक्ति का ही एक रूप होता है। तुलसी जब कहते हैं, "जाके प्रिय नहिं राम वैदेही, तजिये ताहि कोटि वैरी सम, जदपि परम सनेही" तब यह शब्दान्तर से जगत् की दु:खिता का ही कथन है। दृष्टि के इस स्तर पर वाद-परक पदावली का उपयोग भ्रामक होता है। सो, वास्तव में जगद्भाव ही अनात्म-भाव है और वही अध्यास है। क्योंकि जगत् भी अर्थ-रूप ही है, अर्थों में ही इसकी उत्पत्ति होती है और अर्थों में ही इसकी प्रतिष्ठा है। अर्थ केवल राम-रावण (आत्म-अनात्म) रूप ही नहीं होते—शान्त धवल पर्वत शृंखलाओं का विराट् दर्शन, निर्झर-स्वन या सागर-गर्जन का भावना की गहराइयों में उन्मीलन, विचारावगाहन या भावानुशीलन, दैन्य-दारिद्र्य से पीड़ित जन की सेवा या अन्याय के विरुद्ध संघर्ष ये सब भी अर्थ-लोक ही हैं! भी हो सकते हैं? यह सही है। किन्तु ये भी तो अनात्म-रूप और इस प्रकार आध्यासिक होते हैं। या ये आत्म-रूप और इस प्रकार स्वरूप-प्रकाशक इनमें कौन अर्थ कब आध्यासिक है और कब स्वरूप-प्रकाशक यह केवल आत्मालोचन से ही जाना जा सकता है। अनात्मपरक सब भ्रान्तियों का मूल आसक्ति होती है और आसक्ति का मूल अहंकार। यह अहंकार इतना सूक्ष्म हो सकता है कि हम उसे आत्मा ही माने रहते हैं। कबीर ने 'माया महा ठगिनी हम जानी' पद में 'जोगी के जोगिन ह्वै बैठी, शिव के भवन भवानी, काहू के हीरा ह्वै बैठी, काहु के कौड़ी कानी' आदि के द्वारा यह बहुत ही व्यंजक पदावली में निरूपित किया है। हम भोर में सूर्य-दर्शन, रोगी-जन की परिचर्या या अन्याय के विरुद्ध संघर्ष में भी अहंकारोपहित हो सकते हैं और दूसरी ओर दुकानदारी और राजनीति में भी निरहंकार और अनासक्त हो सकते हैं। यह केवल सतर्क रहने की बात होती है। 'अजामील, गीध और व्याध के प्रति भगवत्कृपा' की कथा के पीछे यही विवक्षा है।

किन्तु यह सब देखता-समझता कौन है कि हम अनात्मोपहित हैं या नहीं? यह आत्मा ही अपने को अपने में देखता है और केवल वही यह देख सकता है। इसे आत्म-प्रमाण कहा जाता है। यह प्रमाण हमें अपनी अन्तर्गुहा के निभृत में प्रवेश करके अपने से ही मिलता है, दूसरा कोई यह प्रमाण हमें नहीं दे सकता। ऐसा नहीं है कि इसमें हमें भ्रान्ति नहीं हो सकती, अध्यास नहीं हो सकता। अधिकांश में तो हम उस गुहा को जानते ही नहीं, और जो कोई जानने की थोड़ी योग्यता रखते हैं वे भी उस ओर प्राय: ही नहीं लौटते, और जब कभी लौटते भी हैं

तब यह पूरी सम्भावना रहती है कि वे उस तक नहीं पहुँच कर आत्मच्छल को ही आत्मा मान बैठें। किन्तु वह आत्मा अनुपलभ्य नहीं है, दुरवगम्य अवश्य है।

यहाँ प्रश्न हो सकता है कि अन्तर्गुहावासी यह आत्मा निर्गुण तो नहीं कहा जा सकता, क्योंकि निर्गुण-निरंजन साक्षात्कार्य कैसे होगा? वह अपने प्रत्यक्ष का प्रमाण कैसे प्रस्तुत करेगा? और इस प्रमाण के बिना हम अनात्म को पहचानेंगे कैसे? इसका उत्तर होगा कि आत्मा इसी अर्थ में निर्गुण होता है कि वह नितान्त निभृत में, जहाँ कोई दूसरा नहीं होता, वहीं रहता है, इस अर्थ में निर्गुण नहीं कि वह लक्षित ही नहीं होता। 'निर्गुण' आदि पद 'प्रमाण-प्रमेय व्यवहार' की पदावली के ही पद हैं। कबीर के एक पद की प्रथम पंक्ति है-'राम निरंजन न्यारा रे, अंजन सकल पसारा रे!' किन्तु अंजन के इस पसारे को हम पसारे के रूप में तब तक जानेंगे कैसे जब तक राम का साक्षात्कार नहीं करेंगे? आगम प्रमाण से? किन्तु आगम से बड़ा अंजन क्या होगा? कबीर क्या इस प्रमाण को मान सकते हैं? सत्य का प्रमाण आत्मा का साक्षात्कार ही हो सकता है। वह आत्मा निर्गुण रूप में साक्षात्कार्य नहीं हो सकता, वह तो सत्य अर्थों के उन्मेष के द्वारा ही साक्षात्कार्य हो सकता है। **ईशोपनिषद्** ने जिसे अर्थों को सत्य देने वाला कवि मनीषी कहा है, वह। यही ठीक भी है। अर्थ तो आख़िर चेतना से ही हो सकते हैं, और किससे होंगे? **ब्रह्मसूत्र** ने भी ब्रह्म को ही जगत् का उपादान और निमित्त कारण कहा है, बात केवल इन अर्थों के सत्य की : अपने तथ्य के अनुरूप होने की : होती है जो केवल तभी हो सकते हैं यदि आत्मा अपने सत्य में प्रतिष्ठित हो। और यह आत्मा अपने सत्य में तभी प्रतिष्ठित हो सकता है जब अर्थ उसमें अपना सत्त्व और सत्य पायें। किन्तु अपने में यह प्रतिष्ठा पाने के लिए अपना अतिक्रमण आवश्यक होता है। अर्थों के अतिक्रमण के बिना अर्थों को अपने परिष्कार और उन्नयन के लिए खुला आकाश कैसे मिलेगा? यह अतिक्रमणात्मकता मानव मात्र की चेतना में न्यूनाधिक जन्मी रहती है, वही उसमें शिल्पी, गायक और दार्शनिक को प्रकट करती है, वही उसे अनुचित कर्म में कचोटती है। यह अतिक्रमण जिस आत्यन्तिक अतिक्रामी की ओर संकेत करता है उसे आप चाहें तो निर्गुण भी कह सकते हैं, क्योंकि वह अनिवार्यत: अतिक्रामी है और अपनी महिमा में इतना उज्ज्वल और विराट् कि कोई विशेषण, कोई अवच्छेदक, कोई सीमाएँ उसका स्पर्श नहीं कर सकतीं।[1] किन्तु सब अर्थों का सत्य भी उसी से हो सकता है, क्योंकि उसके बिना अर्थ अपनी सार्थकता कहाँ से पायेंगे? इस बात को व्यवहार में देखना हो तो हम मनुष्य के व्यक्तित्व में देख सकते हैं—वही शब्द होते हैं और वही उसकी वाक्यों में रचना, किन्तु एक की शब्द-रचना महत् काव्य बनती है और दूसरे की क्षुद्र काव्य। इन दो में अन्तर आत्म-ज्योति की शुभ्रता-मलिनता का अथवा आत्म-प्रामाण्य की विद्यमानता-अविद्यमानता का ही होता है।

सारांश में, आत्मानात्म-अध्यास रज्जु को सर्प समझने जैसा ज्ञान-वृत्तिक भ्रान्ति-रूप नहीं होता, देहादि को आत्मा समझने जैसा भ्रान्ति-रूप भी नहीं होता, वह अध्यास अपने से अपनी निष्कृति-रूप, अपने से अपने प्रवास-रूप होता है।

× × ×

इस लेख-पाठ के बाद दया जी ने इसके प्रतिपाद्य को सारांश में प्रस्तुत किया और फिर प्रश्न उठाते हुए कहा कि शल्य जी ने अतिक्रामिता की बात की है। 'अतिक्रामिता' की अवधारणा में एक मूल्यात्मकता निहित है। किन्तु प्रस्तुत से, प्रत्यक्ष से अतिक्रामी को, अप्रस्तुत को अधिक मूल्यवान् क्यों माना जाय? एक दूसरी टिप्पणी उन्होंने 'अहंकार' को लेकर की। उनका कहना था कि अहंकार अनिवार्यत: त्याज्य ही नहीं होता। उदाहरणत: अहंकार नहीं हो तो हम अपना हाथ भी नहीं हिला सकते। व्यक्ति के रूप में हम अहंकार के द्वारा ही प्रवृत्त होते हैं। इसलिए अहंकार को अनिवार्यत: अवांछनीय और उसके अतिक्रमण को मूल्यवान् क्यों माना जाय?

---

1. यहाँ यह ध्यातव्य है कि 'अतिक्रामी' पद हमारी विचार-व्यवस्था में किसी लोकोत्तर अस्तित्व का वाचक नहीं होकर अपने से उत्तर, अपनी पर्येष्य-साध्य अवस्था का ही वाचक है और 'उज्ज्वल', 'विराट्' आदि पद उत्प्रेक्षात्मक हैं, अभिधात्मक नहीं। एतद्विषयक व्याख्या के लिए द्रष्टव्य हमारी पुस्तकों **सत्ताविषयक अन्वीक्षा** के अध्याय 2-3 और **मूल्यतत्त्व-मीमांसा** के अध्याय 1, 10-12

इनमें प्रथम प्रश्न का उत्तर देते हुए मैंने कहा कि अतिक्रमण का आधार चेतना की प्रत्यङ्मुखता है और चेतना के आत्मचेतन होने मात्र में यह प्रत्यङ्मुखता घटित होती है। इसी में प्रस्तुत विषय का अतिक्रमण भी घटित होता है और अहंकार का अतिक्रमण भी। उदाहरणत: 'यह घट है' इस कथन में ही प्रस्तुत घट 'घटत्वावच्छिन्न यह' हो जाता है। इसी प्रकार 'मैं देख रहा हूँ' या 'मैंने यह कार्य किया' इन वाक्यों में वह अहंकार अतिक्रमित हो जाता है जिसके आधार पर देखने की विशिष्ट क्रिया और करने का विशिष्ट कार्य घटित हुए। अतिक्रमित होकर प्रस्तुत विषय अपार अर्थ-सम्भावनाओं के आकाश में प्रतिष्ठित हो जाता है और अहंकार निर्धार्य और विवेच्य हो जाता है। जैसे, अनेक प्रकार के घट बनाये जा सकते हैं, घट और घटत्व पर विचार किया जा सकता है, उसका व्यंजक चित्र बनाया जा सकता है। इसी प्रकार, अपने को देखने की क्रिया विशेष से तथा देखने में प्रवृत्ति विशेष से, रोका जा सकता है, देखने के औचित्य पर विचार किया जा सकता है, आदि।

मुकुन्द जी की टिप्पणी

शल्य जी ने अध्यास पर जो विचार रखे, स्पष्ट और निखरे हुए थे। पर जो बात विशेष थी वह यह थी कि अध्यास की पुरानी, रूढ़ और यों स्थाणु सी धारणा को उन्होंने अपने चिन्तन में पिरो कर एक नई गति दे दी। आपत्ति हो सकती है कि किसी पुरानी धारणा के परम्परा-लब्ध अर्थ को अपनी तरह से बदल देना कहाँ तक उचित है? पर वह कोई बात नहीं है, नया विचार नया अभिप्राय लेकर आता है। प्रश्न हो सकता है कि पुराने प्रत्ययों के प्रति उसकी क्या दृष्टि हो? क्या वह केवल उनकी अनुवृत्ति करे, जैसाकि दर्शन के पढ़ाने में, या दर्शन के इतिहास में होता ही है। यही स्थाणु प्रक्रिया है। यह विचार के प्रवाह से हट कर विचार के प्रति एक विचित्र-सी निर्विचार तटस्थता है। कोई ज्ञान इससे मिलता भी हो तो भी विचार को तो यह प्रोत्साहन देती नहीं दिखती। आज सम्प्रदायों के बीच वाद नहीं होता जिससे कि विचार का अपना स्वतन्त्र प्रवाह बना रहता था। आज तो स्वतन्त्र चिन्तन ही इसको गतिशील रख सकता है, जैसा शल्य जी ने किया है। सराहनीय है कि उन्होंने भारतीय विचार की धरती पर ही ऐसा किया है। नहीं तो हम इस भ्रान्ति से 'अध्यस्त' रहते हैं कि स्वतन्त्रता, और वह भी विचार की, यह तो पश्चिम की आधुनिक परम्परा की थाती है, उसी परम्परा में हो सकती है।

शंकर की अध्यास-धारणा का विवरण देते हुए शल्यजी उसकी विसंगति दिखाते हैं। उनकी युक्तियाँ पैनी हैं और उनसे स्पष्ट है कि शंकर की अध्यास-धारणा में उनके दर्शन के ही भीतर आधारगत समस्याएँ हैं। हो सकता है ऐसी युक्तियाँ शंकर का खण्डन करने वालों ने पहले भी दी हों, और अद्वैत पक्ष से उत्तर दिया गया हो, पर युक्तियों का समाधान दिखता नहीं है। पर शल्यजी का तात्पर्य वास्तव में अध्यास के स्वीकृत अर्थ का खण्डन नहीं है। शंकर ने जिस उद्देश्य से अध्यास की बात की है उसे एक प्रज्ञा विशेष का प्रकाश कह सकते हैं। शल्य जी की उस प्रज्ञा के प्रति श्रद्धा है, पर दृष्टि उनकी अपनी और अलग है। तभी वे 'अध्यास' पद को स्वीकार करते हुए भी कहते हैं : "यह आत्म-अनात्म-अध्यास वास्तव में ज्ञान-वृत्तिक होता ही नहीं, यह भाव-वृत्तिक : हमारे वह होने जो हम नहीं हैं रूप : होता है, यह हमारी सत्ता में असत् की व्याप्ति-मूलक होता है।" 'भाव' से शल्यजी का अर्थ 'भावना' नहीं था जैसाकि शल्य जी ने चर्चा में स्पष्ट किया, उसका अर्थ था 'सत्ता', 'होना'। अध्यास उनकी दृष्टि में ज्ञान-मूलक नहीं सत्ता-मूलक होता है। हम अपने उस होने को आत्म मान लेते हैं जो कि हम वास्तव में हैं नहीं। जब अपने प्रति आँख खुलती है तब आत्मग्लानि जैसे अनुभव में अध्यास के हुए होने का आत्मबोध होता है कि हम वह थे या हैं जो हमें होना नहीं चाहिए।

प्रश्न उठ सकता है कि बोध अगर सत्ता-मूलक है तो उसे अध्यास क्यों कहें, अध्यास तो ज्ञान में होता भ्रम है? यह क्या 'अध्यास' अर्थ को बिल्कुल ही उलट देना नहीं है? हम यहाँ शल्य जी की ओर से कह सकते हैं कि अध्यास एक गंभीर मार्मिक प्रत्यय है, उसका अर्थ उसके तार्किक स्वरूप तक सीमित नहीं है, और उन्होंने अध्यास के मर्म को अपनी तरह से पकड़ा है। पर प्रश्न फिर भी उठेगा कि उनकी ही विवेचना में अध्यास का जो अपना अर्थ उभरता है उसे कैसे सत्ता-मूलक कह सकते हैं? "भाव', जिसे उन्होंने 'सत्ता' के अर्थ में लिया है, 'भावना' जैसा ही अर्थ द्योतित करता लगता है। शल्य जी अध्यास की अवस्था को 'आत्म-छलना' जैसा कुछ

देख रहे हैं—उस अवस्था का ऐसा वर्णन करते हैं मानो निर्वेद जैसी अवस्था की ओर इंगित हो। स्पष्ट ही 'भाव' या 'सत्ता' का अर्थ भी वे अपनी तरह से लेते हैं।

दूसरी ओर शल्य जी ने एक नई बात कही है और दृष्टि के एक गहरे उन्मेष के साथ कही है कि देह-बोध, इन्द्रिय-बोध, या अस्मद्-बोध आदि की अवस्थायें, जिन्हें आत्मा पर 'अध्यस्त' कहा जाता है, उन्हें अध्यास कहना ठीक नहीं, क्योंकि वे आत्म-परिगृहीत होती है—हमारा आत्मबोध यह जानता रहता है कि हम इन अवस्थाओं में हैं। यह कोई अध्यास या भ्रान्ति नहीं है। सम्यक् बोध ही है। अब जिन्हें शल्य जी अध्यास की अवस्थाएँ कहते हैं वे भी ऐसी अवस्थाओं का ही रूप विशेष होती हैं। या यों कहिये कि इन्हीं अवस्थाओं में होती हैं। प्रश्न उठता है कि ऐसी अवस्थाओं की सत्ता में और जिन्हें शल्यजी 'अध्यस्त' कहते हैं उनके 'भाव' या 'सत्ता' में भेद क्या? भेद का आधार क्या? अध्यस्त अवस्था को किसी भी अर्थ में भ्रान्त कहें तो उसे किसी अर्थ में 'नहीं है' यह भी कहना उचित लगता है।

एक प्रश्न और। शल्य जी जिन अवस्थाओं को अध्यास नहीं कह कर आत्म परिगृहीत कह रहे हैं उन्हें क्या हम आरोप नहीं कह सकते? अध्यास की भ्रान्ति आत्मचेतन नहीं होती, हो तो अध्यास नहीं हो, पर आरोप तो आत्मचेतना का ही व्यापार है–उसे भ्रान्ति नहीं कह सकते। उसमें हम स्वेच्छा से, या किसी अर्थ में जानते-बूझते हुए मिथ्या पर सत्य का आरोप करते हैं—जैसे नाट्य में। यह अर्थान्वेषण का व्यापार भी है।

नन्दकिशोर जी की टिप्पणी

जैसी कि शल्य जी की विशेषता है, जब वे सन्दर्भ विशेष में भी कोई विमर्श करते हैं तब भी प्राय: वे न तो उस सन्दर्भ तक सीमित रहते हैं और न ही उसकी आलोचना मात्र तक। वे वास्तव में उसे एक नया सन्दर्भ, नई दिशा प्रदान करते हैं। इस लेख में भी अध्यास का विवेचन शांकर दर्शन के सन्दर्भ में प्रारम्भ करते हुए उन्होंने वास्तव में अपनी ही एक दृष्टि प्रस्तुत की है जो समस्या को एक नई दिशा प्रदान करती है।

किन्तु शांकर दर्शन की शल्य जी की आलोचना से पूर्णरूपेण सहमत होना मुझे कठिन लग रहा है। प्रथम, शल्यजी ने कहा है कि चूँकि अस्मत्-प्रत्यय रूप में ज्ञात आत्मा न होकर अहंकार है अत: यह वास्तव में अनात्म के ही एक तत्त्व पर अनात्म के दूसरे तत्त्व का अध्यास है–अनात्म का आत्म पर नहीं। किन्तु यहाँ यह देखना महत्त्वपूर्ण है कि क्या शांकर दर्शन में आत्मा सर्वथा अज्ञात है जैसाकि शल्यजी कहते हैं कि है? शंकर स्वप्रकाश-सिद्धान्त को मानते हैं अत: उनके अनुसार आत्मा तो सर्वथा प्रकाशित ही है। दूसरे, तब शल्य जी रज्जु-सर्प तथा तिरछी लकड़ी के उदाहरणों में भेद करते हुए कहते हैं कि दूसरे उदाहरण (तिरछी लकड़ी) में लकड़ी वास्तव में तिरछी दिखती है जबकि रज्जु-सर्प भ्रान्ति में रज्जु वास्तव में सर्प नहीं दिखता। यहाँ पर 'दिखने' का क्या अर्थ है? एक दृष्टि से तो दोनों वास्तव में ही दिखते हैं तथा दूसरी दृष्टि से न रज्जु सर्प है और न लकड़ी तिरछी, सो यह दूसरा दिखना वास्तव कैसे हुआ? दोनों भ्रमात्मक हैं जिनके कारण विशेष हैं—उन कारणों की निवृत्ति होने पर दोनों अवस्थाओं में प्रमात्मक ज्ञान हो सकता है।

तीसरे, जब आत्मा को विषयिस्वरूप कहा जाता है तब उसका वही अर्थ नहीं है जो सामान्य रूप से समझा जाता है। आत्म-बोध विषय-विषयि-द्वैत से परे है। अत: आत्मा स्वरूपत: किसी विषय का विषयी नहीं है। वह शुद्ध विषयि-स्वरूप है, अद्वैतात्मक है। आप उसे तब विषयी नहीं कहना चाहते हैं न कहें—कुछ भी कहें, किन्तु शंकर का मत यहाँ स्पष्ट है।

शल्यजी कहते हैं—देह, इन्द्रियाँ, मन, बुद्धि, अहंकार आदि भी विषयी होते हैं—यह शांकर दर्शन पर तो घोर अन्याय है ही, अन्यथा भी युक्तियुक्त नहीं है। प्रकृति के ये तत्त्व जड़ हैं तथा जड़ कभी भी विषयी नहीं हो सकता। केवल जब इन तत्त्वों पर विषयिरूप आत्म-तत्त्व का आरोप किया जाता है ये विषयी प्रतीत होते हैं। यह वास्तव में अध्यास-प्रक्रिया का ही एक अंग है।

शल्यजी अपने तिरछी लकड़ी वाले उदाहरण की ही तरह कहते हैं कि सापेक्ष विषयिता वास्तविक विषयिता ही होती है। विचित्र बात है। जिस तत्त्व में विषयी होने का स्वभाव ही नहीं है, जो विषयी हो ही नहीं सकता, उसकी विषयिता वास्तविक होती है, भ्रमात्मक नहीं यह बात सर्वथा अग्राह्य है।

शल्य जी जब कहते हैं कि व्यावहारिक जीवन में हम इस भ्रान्ति से मुक्त नहीं हो पाते सो तो ठीक है–जब तक भ्रम रहेगा भ्रम से मुक्ति कैसे होगी—किन्तु आत्मबोध होने पर भी यह स्थिति रहती है, यह शल्य जी कैसे कहते हैं? हाँ, आप आत्मबोध (पारमार्थिक अर्थ में) नहीं मानें और इस प्रपंच जगत् की ही पारमार्थिकता स्वीकार करें तब बात अलग है। कई वैष्णव सम्प्रदायों ने जगत् को अध्यास रूप मानने से इन्कार किया ही है।

आगे शल्य जी जो बात कहते हैं उसका केवल यह अर्थ है कि हमारे व्यावहारिक जीवन में भ्रम (अध्यास) होता रहता है तथा उसका निवारण भी होता रहता है—इस प्रकार हम निम्न स्तर के भ्रम से मुक्त होकर उसमें उच्च स्तर पर फिर पुन: उच्चतर स्तर पर चढ़ते रहते हैं। सो इसको कौन मनाह करता है? किन्तु यह सब अध्यास के क्षेत्र में ही हमारा भ्रमण है। आप इस सन्दर्भ में 'अध्यास' शब्द का प्रयोग करना चाहें तो चाहे करें किन्तु इस सन्दर्भ की शंकर के सन्दर्भ से भिन्नता है। इस सन्दर्भ से शंकर-दर्शन न ग़लत साबित होता है न अप्रासंगिक।

किन्तु इस नए सन्दर्भ में शल्य जी क्या प्राप्त करना चाहते हैं? क्या विशेषता है इसकी? सिर्फ़ यही कि हमारे व्यावहारिक जीवन में हम निरन्तर सीढ़ियाँ पार कर चढ़ाई करते रहते हैं। सभी क्षेत्रों में हमारा विकास होता रहता है—यह तो कोई खास बात हुई नहीं।

शल्य जी की दृष्टि उन वैष्णव आचार्यों से मिलती-जुलती है जो ब्रह्म की निर्गुणता को स्वीकार नहीं करते। उनके अनुसार यह जगत्, यह सृष्टि उस ब्रह्म-चैतन्य का स्वरूपत: एक आवश्यक पक्ष है। यह भी एक मत है तथा इसका प्रतिपादन भी विस्तार से भारतीय वाङ्मय में हुआ है। इस मत की अपनी विशेषताएँ हो सकती हैं, किन्तु इसकी कठिनाइयाँ भी कम नहीं हैं।

उपर्युक्त आलोचनाओं के उत्तर

मुकुंदजी ने मेरे प्रतिपादन के मूल अभिनिवेश को बहुत सम्यक् रूप से समझा है, और सुचारू रूप से प्रस्तुत किया है और अन्त में तीन प्रश्न उठाये हैं—

1. अध्यास तो ज्ञान में होने वाले भ्रम को ही कहा जाता है और मैंने उसे सत्तामूलक कहा है।
2. दूसरा प्रश्न उन्होंने देह, इन्द्रिय, चित्त आदि मूलक विषयिता को लेकर उठाया है। यह प्रश्न उन्होंने जिस प्रकार रखा है उससे स्पष्ट है कि मेरा यह प्रतिपादन उन्हें ठीक तरह से संप्रेषित नहीं हुआ है। यह बात और स्पष्ट उनके तीसरे प्रश्न से हो जाती है कि—
3. जिन अवस्थाओं को मैं आत्म-परिगृहीत कह रहा हूँ क्या उन्हें आरोप नहीं कहा जा सकता? यहाँ 'आरोप' से उनका अभिप्राय नाटक के अभिनय में 'अभिनेता में पात्र को देखने' से है जो देखना भेद को जानते हुए किन्तु उस ज्ञान को साभिप्राय स्थगित रखने के रूप में होता है।

अब इन प्रश्नों पर हम क्रमश: विचार करेंगे—

1. मैंने 'ज्ञान-वृत्तिक' शब्द का प्रयोग चेतना की विषय-ज्ञान-रूप वृत्ति के लिए किया है और 'भाव' शब्द का प्रयोग व्यक्ति के 'समग्रता में होने' के अर्थ में किया है। इस 'होने' में हमारा 'दोषों, अपेक्षाओं, अनात्म-बाधाओं के सहित होना' अभिप्रेत है। अब, शंकर ने आत्मा पर अनात्म के अध्यात्स की बात की है। हमारा कहना यह है कि यह अध्यास हमें हमारे समग्र अस्तित्व में परिव्याप्त करता है, यह भ्रान्ति हमें हमारे भाव, विचार, आवेग आदि की रचना के मूल में, हमारी अपने और जगत् के प्रति अभिवृत्ति

मात्र में निर्धारित और विशेषित करती है, इसे सर्प-रज्जु-भ्रम की उपमा से नहीं समझा जा सकता। तुलसीदास यदि पत्नी के वियोग को सहन नहीं कर नदी पार कर उसके पास पहुँच जाते हैं तो अवश्य इसमें ज्ञान और अज्ञान का ही प्रश्न है—कि विरह-व्यथा किस के वियोग में होनी चाहिए इस विषयक ज्ञान-अज्ञान का—किन्तु यह ज्ञान-अज्ञान रज्जु-सर्प की पहचान के जैसा नहीं है। यह अपने भाव में अभाव के, अपने सत् में असत् के, अपने रूप में पर-रूप के होने का ज्ञान या अज्ञान है।

2. दूसरा प्रश्न मेरे प्रतिपादन को ठीक से नहीं समझने के कारण है। मैंने 'आत्म परिगृहीत' नहीं 'परिगृहीत विषयिता' पद का प्रयोग किया है। 'आत्म परिगृहीत' का अर्थ होगा 'अपने द्वारा परिगृहीत' जबकि 'परिगृहीत विषयिता' का अर्थ है 'वह विषयिता जो अपनी निजी नहीं होकर अन्य से ली गई है।' यह मैंने सांख्य को लक्षित कर कहा है जो प्रकृति को जड़ मानता है और उसमें चेतन व्यवहार को पुरुष का आभास मानता है। ऐसा ही कुछ वेदान्त का भी मत है। इसी से मैंने देहादि की विषयिता को परिगृहीत कहने में 'यदि हम ऐसा भी मानें' पद का प्रयोग किया है। मैंने इस प्रसंग में दो बातें कहीं हैं—एक यह कि देहादि विषयी भी होते हैं, यद्यपि ये विषय भी होते हैं। वास्तव में जो चेतना आत्म-चेतन नहीं है उसमें ये विषयी ही होते हैं, विषय होते ही नहीं। आत्मचेतन चेतना में, इसके विपरीत, सामान्यतः प्रत्येक विषयिता उच्चतर विषयिता की विषय होती है। चेतना का यह रूप ही आत्यंतिक विषयिता की ओर पार्यंतिक कोटि के रूप में संकेत करता है। मैंने इसे 'आत्यंतिक अतिक्रामी' कहा है। दूसरी बात यह कही है कि यदि देहादि की सापेक्ष विषयिता से यह निष्कर्ष भी निकालें कि इनकी विषयिता स्वकीय नहीं परकीय ही है तो भी इस अज्ञान में कोई खेदजनकता जैसी बात नहीं दिखती। कोई जीवन्मुक्त या ब्रह्मज्ञानी होकर भी देह, इन्द्रियों और चित्त के सब व्यवहारों को निरुद्ध नहीं करता। योग को 'चित्त-वृत्ति-निरोध' अवश्य कहा गया है किन्तु इसका अत्यन्त निरोध तो मृत्यु में ही हो सकता है, या वैसा प्रयत्नपूर्वक करके रखा जा सकता है। किन्तु वैसा शंकराचार्य, बुद्ध आदि ने नहीं किया था। वैसा करना वांछनीय है या नहीं, यह दूसरी बात है।

3. तीसरे प्रश्न के प्रथम भाग का उत्तर ऊपर आ गया। जहाँ तक प्रश्न के दूसरे भाग का सम्बन्ध है, नाट्य में आरोप के दो स्थल कहे जा सकते हैं। एक अभिनेता का और दूसरा दर्शक का। किन्तु हमारे विचार में अभिनय में भी अभिनेता पात्र का अपने पर आरोप करता है, ऐसा नहीं कहना चाहिए। आत्मचेतन चेतना के लिए अपना व्यक्तित्व भी औपाधिक ही होता है। परिणामतः वह उससे न्यूनाधिक अलग भी हो सकती है और दूसरे व्यक्तित्व में भी प्रवेश कर सकती है। मानसिक स्तर पर प्रत्येक कहानीकार यही करता है। अभिनेता यह दैहिक स्तर पर भी करता है। इस प्रकार अभिनेता पात्र का अपने पर आरोप नहीं करता, वह केवल एक उपाधि को स्थगित कर दूसरी को धारण करता है। केवल दर्शक अभिनेता पर यह आरोप करता है। किन्तु क्योंकि यह आरोप सप्रयोजन होता है इसलिए इसका अध्यास से कोई सम्बन्ध नहीं होता। बल्कि वह चाहता है कि यह आरोप व्याहत नहीं हो। इस कारण अभिनय की सफलता इसी में मानी जाती है कि दर्शक के लिए वह आरोप कहाँ तक अव्याहत रहा। दूसरी ओर अभिनेता की अपने-आप में सफलता इस बात में होती है कि वह कहाँ तक अपने व्यक्तित्व की उपाधि को स्थगित कर अन्य व्यक्तित्वोपाधि में प्रवेश कर पाया।

नन्दकिशोर जी

नन्दकिशोर जी की आपत्तियाँ अनेक हैं किन्तु वे उनके वेदान्त के पांडित्य के कारण पूर्वग्रह-ग्रस्त हैं।

1. उनकी पहली आपत्ति शंकर द्वारा आत्मा को अस्मत्प्रत्यय-गोचर कहने सम्बन्धी मेरी आलोचना को लेकर है।

नन्दकिशोर जी की यह टिप्पणी सारी की सारी ग़लत है। प्रथम, मैंने अस्मत्प्रत्यय को अहंकार नहीं कहा, केवल उसे 'विषय रूप में गोचर' होने से शंकर के अपने सिद्धान्त के अनुसार अनात्म कहा है। मैंने कहा है कि

शंकर के अपने सिद्धान्त के अनुसार ही आत्मा अस्मत्प्रयय-गोचर नहीं हो सकता इसलिए उससे उसे 'सर्प-रज्जुवत् अध्यस्त कहना' उनके अपने सिद्धान्त के विरुद्ध है। उल्लेखनीय है कि शंकर को इतनी स्थूल बात का पता नहीं हो ऐसा हो नहीं सकता, इसी कारण वे आगे तुरन्त आकाश पर मलिन तल के आरोप का उदाहरण देते हैं। किन्तु आश्चर्य की बात यह है कि वे न केवल आत्मा के अस्मत्प्रत्यय-गोचर होने की बात आत्म-अनात्म-अध्यास की सर्प-रज्जु-भ्रम से अनुरूपता दिखाने के लिए करते हैं बल्कि आगे आत्मा के अस्तित्व की असंदिग्धता के लिए युक्ति देते हुए भी आत्मा की इसी प्रत्यय-गोचरता को आधार बनाकर कहते हैं कि "आत्मा पर संदेह करने में भी आत्मा का स्वीकार निहित है क्योंकि संदेह की प्रक्रिया उसके कर्त्ता को आपादित करती है।"

जहाँ तक शंकर द्वारा आत्मा को विषयितया ज्ञात मानने का प्रश्न है, मैंने यह नहीं कहा है कि वे आत्मा को ऐसा नहीं मानते। मैंने शंकर का अपना सिद्धान्त पक्ष तो इसी को कहा है : "नितान्त विषयिता में आत्मप्रकाशित आत्मा शुक्ति-रजत-प्रकारेण अध्यस्त कैसे हो सकता है?" वे इस प्रकार अपना सिद्धान्त रखकर उस पर पूर्वपक्ष की ओर से आपत्ति उठाते हुए उसके निराकरण के लिए कहते हैं कि "आत्मा अस्मत्प्रत्यय रूप में विषयतया भी गोचर होता है।" उनके इस स्पष्टीकरण के लिए मैंने कहा है कि यह उनके सिद्धान्त से संगत नहीं है। यह सारी बात मेरे लेख में पूर्ण रूप से स्पष्ट है।

2. अब सीधी छड़ी के पानी में टेढ़ी दिखने और रज्जू के सर्प दिखने में भेद की बात। पानी में खड़ी सीधी छड़ी प्रकाश-किरणों के पानी में प्रवेश से वक्र हो जाने के कारण वक्र दिखायी देती है। इस प्रकार छड़ी का वक्र दिखायी देना ठीक वैसा ही है जैसा सीधी दिखायी देना, क्योंकि दोनों अवस्थाओं में छड़ी से आँखों तक आने वाली किरणों का आकार ही वस्तु के दृष्टिगोचर रूप को निर्धारित करता है। अब, यदि हम वस्तु के वास्तव आकार को दृष्टि-गोचर और स्पर्श-गोचर रूपों के समन्वय द्वारा गम्य नहीं मानें तो मात्र चक्षुष प्रत्यक्ष के आधार पर छड़ी के पानी के बाहर के और पानी के भीतर के रूपों में एक को छड़ी का वास्तव रूप और दूसरे को भ्रान्त रूप कहने के लिए कोई आधार नहीं होगा। उस अवस्था में वे वास्तव में दो भिन्न छड़ियाँ ही होंगी। रज्जु में सर्प-दर्शन में यह बात नहीं होती, वहाँ रज्जु किसी प्रत्यक्षमूलक कारण से सर्प दिखायी नहीं देती, मानसिक कारण से दिखाई देती है। इसी से हम यह जान कर भी कि पानी में खड़ी छड़ी वक्र नहीं, सीधी है उसे सीधी नहीं देख सकते, इसके विपरीत 'वह रस्सी है, साँप नहीं' यह जान लेने पर हम रस्सी को साँप नहीं देख सकते, वह हमें रस्सी ही दिखायी दे सकती है। आकाश में तल और वर्ण दिखायी देना भी छड़ी के टेढ़ी दिखायी देने जैसा ही है।

ये आपत्तियाँ अध्यास-विचार में कोई महत्त्वपूर्ण नहीं हैं, मैंने इस रूप में ये उठायी भी नहीं हैं। मैंने ये यह दिखाने के लिए उठायी हैं कि ये उपमाएँ या उदाहरण अपने-आप में ही ठीक नहीं हैं इसलिए अध्यास-विचार में इनका उपयोग विशेष सहायक नहीं हो सकता।

3. आगे नन्दकिशोर जी ने जो 'तीसरी' टिप्पणी की है वह और भी आश्चर्यजनक है। मैंने शंकर की इस बात को कहाँ अस्वीकार किया है कि आत्मा नितान्त विषयी है?

4. नन्दकिशोर जी की चौथी टिप्पणी हमारे देह, इन्द्रिय आदि की विषयिता के प्रतिपादन को लेकर है। उनकी इस टिप्पणी में कोई युक्ति नहीं है, केवल तोता-रटंत है। इस पर मैंने पीछे मुकुंद जी की एक टिप्पणी के उत्तर में स्पष्टीकरण दिया है, यद्यपि इसके लिए किसी स्पष्टीकरण की आवश्यकता नहीं थी।

देह, इन्द्रिय, चित्त आदि को हमारे विषयी कहने के सम्बन्ध में वे कहते हैं "जो विषयी हो ही नहीं सकता उसकी विषयिता वास्तविक होती है कहना सर्वथा अग्राह्य है।" अब, जिस विषयिता को हम जानते हैं वह तो इन्हीं की होती है, निर्गुण ब्रह्म की विषयिता को तो हम जानते नहीं। तब इसे अस्वीकार करने की बात श्रुति-प्रमाण या आगम-प्रमाण के आधार पर दुहरा देने मात्र में तो कोई युक्ति नहीं है। दूसरे, नन्दकिशोर जी को यह पता होगा कि योगाचार, सांख्य और वेदान्त के अनुसार भी विषय-विषयिभाव या ग्राह्य-ग्राहक भाव तो चित्त और बुद्धिमूलक

ही होता है, ब्रह्ममूलक नहीं। सो, उनके अनुसार भी इनमें विषयिता रहती ही है और इस विषयिता का अधिष्ठान देह, इन्द्रिय, चित्त आदि ही होते हैं। अब, मैंने जो बात कही है वह वेदान्त और सांख्य आदि के सिद्धान्त को जानते हुए ही कही है, वहाँ विषयिता क्या है यह भी बताया है, उसे वेदान्त आदि की युक्ति के परिमार्जन के बिना ही नहीं बल्कि उनकी युक्ति को प्रस्तुत किये बिना भी, केवल उनके निष्कर्ष मात्र को दुहरा कर ही मेरी बात नकार देना प्रशंसनीय नहीं कहा जा सकता। उल्लेखनीय है कि मैंने **सत्ताविषयक अन्वीक्षा** पुस्तक के 'प्रकृति तत्त्व' अध्याय में सांख्य की प्रकृति विषयक अवधारणा पर कुछ विस्तार से विचार किया है।

इसके आगे नन्दकिशोर जी ने जो कहा है उसका मेरे अभिप्राय से उतना भी सम्बन्ध नहीं है जितना पहले की टिप्पणियों का है। इसलिए उसका कोई स्पष्टीकरण सम्भव नहीं है। उस सम्बन्ध में मैं केवल इतना ही कहना चाहूँगा कि अधिकांश में दार्शनिक ब्रह्म, पुरुष, सम्बोधि, विज्ञप्तिमात्रता, भौतिक द्रव्यमात्रता आदि से अपने दार्शनिक प्रतिपादन का आरम्भ करते हैं। इससे वे या तो हमारे धर्म, अर्थ, काम, मोक्ष, काव्य, कला आदिगत अर्थों को दर्शन के क्षेत्र से बाहर ही रखते हैं या इन्हें विकार, विकल्प आदि के रूप में अपचित कर देते हैं। इसके विपरीत मैं इन अर्थों और इनके अन्वेषणों से ही आरम्भ करता हूँ और इस मार्ग से ब्रह्म तक पहुँचने का प्रयत्न करता हूँ। इसमें नन्दकिशोर जी ने जो वैष्णवों या विशिष्टाद्वैत आदियों से साम्य देखा है उसका भी कोई औचित्य नहीं है, क्योंकि वे भी परतत्त्व या मूल तत्त्व की ही चिन्ता करते हैं। यदि कहें कि नहीं, वे भक्ति को केन्द्र में रखकर तत्त्व-विवेचन करते हैं और इस प्रकार मेरे प्रतिपादन से उनके प्रतिपादन में साम्य है, तो यह ठीक नहीं होगा। जो इस बात से स्पष्ट है कि मैं एक ओर सभी अर्थों पर विचार करता हूँ और दूसरी ओर मूल तत्त्वों का परिसंख्यान नहीं करता हूँ। मेरे विचार की निकटता यदि किसी से कही जा सकती है तो वह निर्गुणिये सन्त कवियों से, विशेषत: कबीर से कही जा सकती है। किन्तु केवल निकटता ही।

प्रमाण–प्रमेय–सम्बन्ध–विचार

(उन्मीलन के जनवरी, 2000 अंक में डॉ. अम्बिकादत्त शर्मा का विद्वत्तापूर्ण लेख 'प्रमेयसिद्धि: प्रमाणाद्धि अथवा प्रमेयाद्धि प्रमाण–सिद्धि:' प्रकाशित हुआ था। उसे पढ़ते हुए ऐसा लगा कि इस प्रश्न पर सामान्यत: ही विचार का सन्दर्भ कुछ संकुचित रहा है। यहाँ हम इसे एक व्यापकतर सन्दर्भ में देखने का प्रयत्न करेंगे।)

प्रमाण की परिभाषा 'प्रमा का साधन' (प्रमाया: करणम्) की जाती है। इसे 'ज्ञान के सत्यापन में सहायक ज्ञान' इस प्रकार भी परिभाषित किया जा सकता है। इस परिभाषा में एक मौलिक कठिनाई स्पष्ट है कि, इस सहायक ज्ञान को भी, इसके ज्ञान होने से, सत्यापक ज्ञान की आवश्यकता होगी। इससे अनवस्था प्रसंग प्रसक्त होता है—कि प्रमाण स्वयं प्रमाणापेक्षी हो जाता है। ऐसे तर्क–दोषों की उद्भावना करने वाले नागार्जुन ने **विग्रहव्यावर्तनी** में यह दोष दर्शाया भी है। वे कहते हैं, "यदि प्रतिपक्षी नाना अर्थों की प्रमाणत: प्रसिद्धि बतलाता है तो उसे यह भी बतलाना चाहिए कि उन प्रमाणों की प्रसिद्धि किस प्रकार होगी? यदि यह कहा जाय कि प्रमाणों से प्रमेय–सिद्धि होती है तथा एक प्रमाण से दूसरे प्रमाण की, तो अनवस्था प्रसक्त हो जाती है। और यदि प्रमाणों की प्रसिद्धि बिना प्रमाण के हो सकती है तो प्रमेयों की क्यों नहीं हो सकती?" इस आपत्ति का परिहार यह कह कर किया जा सकता है कि कुछ ज्ञान स्वत:प्रमाण होते हैं और कुछ नहीं। नागार्जुन ने इस स्वत:प्रमाणता पर भी आपत्ति उठायी है—अग्नि की स्वत:प्रकाशता को उदाहरण बना कर। वे कहते हैं "यदि यह कहा जाय कि अग्नि के समान प्रमाण अपने को तथा अपने से भिन्न प्रमेयों को प्रकाशित करता है तो यह उत्तर देना होगा कि यह दृष्टान्त विषम और भ्रान्तिमूलक है। अग्नि अपने को प्रकाशित नहीं करती क्योंकि प्रकाशन अप्रकाशित का होता है। ... यदि प्रमाणों की सिद्धि स्वत: मानी जाय तो उन्हें प्रमेयों की भी अपेक्षा न होगी। यदि प्रमेय–निरपेक्ष रूप से प्रमाण–सिद्धि मान ली जाय तो ये स्वत:सिद्ध प्रमाण किसी भी प्रमेय के साधन न होंगे।"[1] नागार्जुन ने यहाँ चारों ओर से घेर कर आक्रमण किया है। किन्तु इस व्यूहन की कुछ शर्तें हैं जिन्हें मानना आवश्यक नहीं है। इस चक्रव्यूह का भेदन करने के लिए प्रमाण–प्रमेय–उपचार के स्वरूप को व्यापकतर परिप्रेक्ष्य में समझना आवश्यक है।

दार्शनिक लोग जब प्रमाण–प्रमेय के सम्बन्ध में विचार आरम्भ करते हैं तब प्राय: ऐन्द्रिय संवेदमूलक विषय–ज्ञान ही उनके विचार का विषय होता है और इस प्रकार प्रत्यक्ष उनके लिए मूल प्रमाण होता है। यूँ उसमें भी इन्द्रिय–सन्निकर्ष और विकल्प का, अथवा प्रत्यक्ष और अध्यवसाय का भेद किया गया है और विकल्प अथवा अध्यवसाय को प्राय: वस्तु–असम्बद्ध ही माना गया है, किन्तु ऐन्द्रिय संवेद भी वस्तु–सन्निकृष्ट होता है या हो सकता है इसका भी कुछ दार्शनिकों ने अस्वीकार ही किया है, जैसे वसुबन्धु और बर्कले ने, और ऐसा ठीक ही किया है। किन्तु इसके लिए उन्होंने जो प्रमाण दिये हैं वे स्वयं इन्द्रियमूलक नहीं हैं, यद्यपि प्रमाण–प्रमेयोपचार का सन्दर्भ देखते वे भी ऐन्द्रिय संवेदमूलक ज्ञान में ही हैं। जैसे वसुबन्धु ने स्वप्न में वस्तु–दर्शन को और तैमिरिक द्वारा द्विचन्द्र–दर्शन को अपनी प्रतिपत्ति के प्रमाण–रूप में प्रस्तुत किया है कि यदि ये प्रमाण हो सकते हैं तो ये ज्ञान के असंदिग्ध साधन होने चाहिएँ। किन्तु यदि ये ज्ञान के असंदिग्ध, या किंचित् भी विश्वसनीय साधन हो सकते हैं तो विज्ञप्तिमात्रतावाद स्वत: निरस्त हो जाता है, या फिर प्रमाण–प्रमेय–व्यवहार का यथार्थ ज्ञान से कोई सम्बन्ध नहीं रहता और यह उपचार मात्र सिद्ध होता है, या यथार्थ ज्ञान केवल तर्क–ग्राह्य ज्ञान ही ठहरता है जो इन्द्रिय–

---

1. गोविन्दचन्द्र पाण्डे **बौद्ध धर्म के विकास का इतिहास**, पृ. 377, हिन्दी समिति, उ.प्र. प्रथम संस्करण से उद्धृत। मूल के लिए विग्रहव्यावर्तनी, कारिकाएँ 31–51 तथा नागार्जुन की व्याख्या द्रष्टव्य।

सन्निकर्ष से अत्यन्त दूराकृष्ट विकल्पमात्रारूढ़ होता है। इसी तर्क के द्वारा हम यह भी यथार्थत: जान पाते हैं कि बाह्यार्थावभासन असत् है और सत् विज्ञप्तिमात्र है। किन्तु यह वदतोव्याघात मात्र होगा, क्योंकि तर्क अर्थ का ज्ञापक हो ही नहीं सकता क्योंकि विज्ञप्ति के अतिरिक्त और कोई अर्थ है ही नहीं, या फिर यह कहना होगा कि विज्ञप्ति जिन अर्थों को विज्ञापित करती प्रतीत होती है वे अर्थ ही असत् हैं, तर्क द्वारा विज्ञापित अर्थ असत् नहीं हैं। किन्तु द्रष्टव्य है कि वसुबन्धु तर्क को प्रातीतिक रूप से भी ज्ञापक नहीं मानते। अब यदि यह कहा जाय कि तर्क यथार्थ का प्रापक तो नहीं होता किन्तु अयथार्थ का निवर्तक होता है तो भी यह अयथार्थ की अयथार्थता का ज्ञापक और इस प्रकार युक्त प्रमाण हो जाता है। किन्तु वसुबन्धु ऐसा भी नहीं मानते, वे तो ग्राह्य-ग्राहक-भेद तक को आरोप मानते हैं।

किन्तु बाह्यार्थ का निषेध एक-दूसरे आधार पर भी किया जा सकता है। यह कहा जा सकता है कि विकल्प के समान ऐन्द्रिय विज्ञप्ति भी चेतना की एक वृत्ति मात्र होती है, इसके बाह्यार्थ से सन्निकर्ष का उसी प्रकार कोई प्रश्न नहीं उठता जिस प्रकार विकल्प के बाह्यार्थ से सन्निकर्ष का प्रश्न नहीं उठता। बाह्यार्थ केवल चेतनागत एक अपेक्षा मात्र सिद्ध होता है, जो अपेक्षा चेतना की सभी स्तरों की वृत्तियों की सहचारिणी होती है। उदाहरणत: वस्तुबन्धु द्वारा विज्ञप्तिमात्रता की सिद्धि के लिए दिये गये तर्क में स्वप्न-दर्शन और तैमिरिक द्वारा अयथार्थ द्विचन्द्र-दर्शन की तर्क-रचना-निमित्तिक बाह्यार्थ के रूप में स्वीकृति है किन्तु ऐसा कोई बाह्यार्थ वास्तव में नहीं है।

अब यहाँ वसुबन्धु के द्वारा प्रस्तुत तर्क प्रमाण-प्रमेयात्मक हैं। वास्तव में सभी तर्क प्रमाण-प्रमेयात्मक ही होते हैं और तर्क इन्द्रियसन्निकर्षपर्यन्त नहीं होते, जो कि (इन्द्रिय-सन्निकर्ष) बाह्यार्थ का एकमात्र स्वीकृत प्रमापक माना जाता है। इस प्रकार प्रमाण का सम्बन्ध केवल बाह्यार्थ विषयक ज्ञान से ही नहीं होता। किन्तु प्रमाण की प्रमाणता में जो दीपक या अग्नि का उदाहरण दिया जाता है और स्वत:प्रामाण्य की बात की जाती है उससे यही प्रकट होता है कि दार्शनिक इस उपचार का सन्दर्भ केवल ऐन्द्रिय ज्ञान को ही मानते हैं। अवश्य अनुमान, और कुछ दूसरे प्रमाण भी माने गये हैं, किन्तु वे या तो अन्ततः प्रत्यक्षमूलक हैं या केवल औपचारिक। 'तर्कानामप्रतिष्ठानात्' केवल औपनिषद वचन ही नहीं है, आत्यन्तिक तत्वमीमांसा में भी यह अधिकांशत: स्वीकृत मत है, जैसाकि 'विकल्प' को अतत्त्वपरक मानने से प्रदर्शित होता है। अवश्य न्याय-दर्शन में अध्यवसाय और जाति को प्रत्यक्ष के अन्तर्गत ही स्वीकार किया गया है, किन्तु वह ऐन्द्रिय ग्रहण के क्षेत्र का ही विस्तार है। निश्चय ही न्याय तर्क को भी प्रमाण स्वीकार करता है, क्योंकि उसका वास्तव उपजीव्य तो तर्क ही है, किन्तु तर्क क्यों प्रमाण है, इसके लिए कोई तात्त्विक आधार वह देता है, ऐसा मुझे ज्ञात नहीं है।

प्रमाण के सम्बन्ध में प्रथम और मूल प्रश्न यह है कि क्या उसकी स्वयं की प्रामाणिकता आत्माश्रित होती है या कि पराश्रित? यदि इसे आत्माश्रित कहा जाय तो नागार्जुन की आपत्ति है कि तब प्रमेय भी आत्माश्रित क्यों नहीं हो सकता, उसके लिए प्रमाण की आवश्यकता क्यों समझी जाय? और यदि प्रमाण भी पराश्रित होता है तो अनवस्था प्रसंग प्रसक्त होता है। इसमें प्रथम का उत्तर हो सकता है कि क्योंकि प्रमाण प्रमेय नहीं होता, वह प्रमाण ही होता है, इसलिए प्रमाण की आवश्यकता प्रमेय को ही होती है, प्रमाण को नहीं। किन्तु यह केवल आकारिक रूप से ही युक्त उत्तर हो सकता है वास्तव में नहीं। क्योंकि वास्तव में प्रमाण भी अनुक्रमश: प्रमेय ही होते हैं जैसे प्रत्यक्ष के बाह्यार्थ विषयक सर्वाधिक विश्वसनीय प्रमाण होने पर भी वह स्वयं भी प्रमेय ही होता है—देखी गई वस्तु स्पर्श से समर्थित होनी चाहिए, दृष्ट और स्पृष्ट वस्तु पौन:पुन्येन दर्शन-स्पर्शन से समर्थित होनी चाहिए कि दर्शक मोह या स्वप्नावस्था में नहीं है, जिसकी सत्यता को सिद्धान्तत: कभी भी अन्तिम रूप में प्रमाणित नहीं किया जा सकता। समर्थनों की इस परम्परा में कहीं पर भी समर्थन का बाध पहले के सभी समर्थनों को अप्रामाणिक बना देता है। **किन्तु द्रष्टव्य है कि यह अनवस्था, जिसे एक असाध्य तर्क-दोष के रूप में देखा**

जाता है, वास्तव में दोष नहीं हो कर प्रत्यङ्मुख चेतना की अतलान्त गहनता में अवस्थिति भी हो सकती है, जिसकी ओर उपनिषद् ने 'ज्ञातारं रे केन विजानीयात्' मन्त्र द्वारा संकेत किया है। यों वास्तव में ज्ञाता अपने प्रत्येक ज्ञातृत्व को प्रत्यङ्मुख होकर जान पाता है, किन्तु यह ज्ञान-क्रिया उसे ज्ञेय के रूप में रूपान्तरित कर एक नये ज्ञातृत्व के गहनतर सोपान पर उतर जाती है। यह आत्मचेतन चेतना का अनवस्था प्रसंग है जो उसके तत्त्व की अनवगाह्य गुह्यता को दर्शाता है। प्रमाण के प्रमाणापेक्षागत अनवस्था-प्रसंग का मूल भी इसी में है।

इसे प्रमाण-प्रमेय विषयक एक साधारण उदाहरण से देखें—हम किन्हीं पद-चिह्नों को देखकर अनुमान करते हैं कि 'कोई यहाँ से चलकर गया है।' किन्तु 'वे पद-चिह्न ही हैं' यह स्वयं भी अनुमान का विषय ही होता है। इसी प्रकार हम धूम देख कर अग्नि का अनुमान करते हैं, किन्तु 'वह धूम ही है' यह स्वयं भी अनुमेय ही होता है। अब यद्यपि व्यवहारत: ये 'पद-चिह्न' और 'धूम' प्राय: असंदिग्ध होते हैं किन्तु तर्कत: ये प्रमेय ही होते हैं। किन्तु तब तर्क भी कोई स्वत:सिद्ध प्रमाण नहीं होता, क्योंकि तर्क स्वयं भाषा-व्यवहार पर, भाषा-व्यवहार सामान्यों की सत्ता के स्वीकार पर और अन्ततः सामान्यों से भी विच्छिन्न वाक्याकारों के सम्बन्ध पर आश्रित होता है और इस सम्बन्ध-व्यवस्था से इससे अधिक कुछ प्रमाणित नहीं होता कि उन वाक्यों में एक आकारिक संगति है। किन्तु यह आकारिक संगति विचार का मार्ग प्रशस्त करती है, विचार प्रमाण-प्रमेयोपचार के क्षेत्र को व्यापकतर और गहनतर बनाते हैं, जो उपचार विचार से अवर स्तर तक की विकल्प-बुद्धि में जन्म लेता है। विकल्प को असन्मूलक मानने वाले बौद्ध तथा वेदांती आदि और पाश्चात्य अनुभववादी स्वभावत: प्रमाण-व्यापार को भी असद्विषयक ही मानते हैं।

बाह्यार्थ को सत् मानने वालों में भी अधिक विचक्षण दार्शनिक प्रत्येक विज्ञप्ति का बाह्यार्थ से अनन्य सम्बन्ध ही मानते हैं और इस बाह्यार्थ को स्वलक्षण कहते हैं। विज्ञप्ति और वस्तु के इस प्रकार के सम्बन्ध में प्रमाण-प्रमेय-उपचार का प्रसंग ही उपस्थित नहीं होता। इसका प्रसंग केवल विकल्प की स्थिति में ही उपस्थित होता है। विकल्पमूलक यह प्रमाण-प्रमेय-व्यवहार भाषा के स्तर पर ही नहीं जैव स्तर पर भी घटित होता है। जीव मात्र का व्यवहार परत: प्रमेय बाह्यार्थ को सत् स्वीकार कर ही उपचरित होता है और परिणामत: उसमें भ्रान्त-अभ्रान्त का भेद भी रहता है। इस प्रकार सब ऐन्द्रिक वृत्ति बाह्यार्थ के संकेत के रूप में ही गृहीत होती है और बाह्यार्थ के लिए सत्य या असत्य प्रमाण बनती है।

इस प्रमाण-व्यवहार में प्रमाण प्रमेय-सापेक्ष रूप में ही प्रस्तुत होता है—शिशु दृष्टि और स्पर्श के संवेदों को स्तन के और स्तन को स्तन्य के प्रमाण के रूप में 'देखता' है, जिनकी प्रामाणिकता स्तन्य की उपलब्धि तक स्थगित रहती है। उसी के जैसे वर्ण-गंध आदि किसी दूसरी अवस्था में किसी दूसरे बाह्यार्थ के लिए प्रमाण बनते हैं। प्रमेय की सिद्धि से सिद्ध-असिद्ध होने वाले ये प्रमाण भी इस प्रकार प्रमेय ही ठहरते हैं। जल के लिए प्रमाण बनी रेत की चमक जल के प्रमाण के रूप में ही असत्यापित नहीं होती, स्वयं में भी असत्यापित होती है कि वह जल-रूप देखी गई थी। यह दूसरा असत्यापन इसे असत्यापित प्रमेय बना देता है। किन्तु इससे उपस्थित होने वाला अनवस्था-प्रसंग ऐन्द्रिक विज्ञप्तियों से बहुत दूर शुद्ध विकल्प के लिए ही उपस्थित होता है, जो विकल्पात्मक ज्ञान-व्यापार में बहुत गहनतर तत्त्वों का प्रापक होता है किन्तु प्रत्यक्ष विषयक व्यवहार को अनवस्थित नहीं करता। उदाहरणत: हम रज्जु को सर्प समझ कर अपने चाक्षुष प्रत्यक्ष को अप्रमाणित पाते हैं, किन्तु यह प्रमाण-बाध स्पर्श और पुन: दर्शन से दूसरी अवस्थिति प्राप्त कर लेता है। इसे आप अर्थ-क्रिया-कारित्व-सिद्ध अवस्थिति भी कह सकते हैं, क्योंकि सर्प से जो अर्थ सिद्ध होते हैं वे सर्प समझी गई रज्जु से नहीं होने पर अन्य अर्थ के प्रापक होते हैं और उससे बाधित पूर्ववर्ती प्रमाण अन्य अर्थ के लिए प्रमाण में रूपान्तरित हो जाते हैं। किन्तु यहाँ यह ध्यातव्य है कि अर्थ-क्रियाकारित्व और तन्मूलक अनवस्था समग्रत: विकल्पमूलक होती है निर्विकल्पक प्रत्यक्षमूलक नहीं, क्योंकि अर्थ-क्रिया अपेक्षामूलक होती है विज्ञप्तिमूलक नहीं। विज्ञप्ति केवल किसी अपेक्षा से सम्बद्ध होकर ही किसी अर्थ के लिए प्रमाण बनती है।

यहाँ नागार्जुन की सिद्ध-साधन-दोष की उद्भावना पर विचार स्थाने होगा। रज्जु-सर्प-सन्देह की स्थिति तब उपस्थित होती है जब कुछ विज्ञप्तियाँ, जो रज्जु और सर्प दोनों के लिए प्रमाण हो सकती हैं, उपलब्ध होती हैं और कुछ और विज्ञप्तियाँ, जो इनमें से केवल एक के लिए प्रमाण हो सकती हैं, उपलब्ध नहीं होतीं। इस सन्देह की स्थिति में प्रमेय सिद्ध नहीं होता, वह केवल साध्य ही होता है, जो साध्यता प्रमाणों की अपर्याप्तता के कारण होती है और प्रमाणों की पर्याप्तता-अपर्याप्तता प्रमेयमूलक होती है। इस प्रकार प्रमाणों के और प्रमेय के बीच एक सापेक्षता की स्थिति बनती है, किन्तु इस सापेक्षता में प्रमेय की सिद्धि कहीं गृहीत नहीं होती, साध्यता ही गृहीत होती है। सिद्धिपर्यन्त प्रमाणों की स्थिति भी निरालम्ब रहती है। कुछ और प्रमाण उपलब्ध होने पर पूर्वोपलब्ध प्रमाण प्रमेय को सिद्ध कर देते हैं और यह सिद्ध प्रमेय आलम्बनापेक्षी प्रमाणों को सालम्ब बना देता है। इस विवेचन के अनुसार प्रमाण-प्रमेय में सापेक्षता रहने पर भी सिद्ध-साधन दोष उपस्थित नहीं होता क्योंकि प्रमाणों में प्रमेय-सापेक्षता केवल इस अर्थ में होती है कि प्रमाण किसी प्रमेय की अपेक्षा से ही प्रमाण बनते हैं और उस अपेक्षा की पूर्ति ही उन्हें प्रामाणिक : युक्त प्रमाण : बनाती है, किन्तु यह अपेक्षित प्रमेय सिद्ध नहीं साध्य ही होता है। सिद्ध होने पर उसमें साध्यता समाप्त हो जाती है। प्रमाण-प्रमेय में परस्पर सापेक्षता की स्थिति इन्द्रियमूलक ज्ञान के स्तर पर ही नहीं होती, विचार के स्तर पर भी होती है। शास्त्र और दर्शन में भी प्रमाण-प्रमेय-व्यवहार इसी प्रकार होता है और उसमें भी प्रमेय प्रमाणों के लिए साध्य और प्रमाण प्रमेय की सिद्धिपर्यन्त निरालम्ब बने रहते हैं। यह जितना सर्प और रज्जू या धूम और अग्नि के लिए सही है उतना ही विज्ञप्तिमात्रतावाद अथवा सर्वशून्यतावाद और इनके लिए प्रस्तुत युक्तियों के लिए भी सही है।

द्रष्टव्य है कि प्रमेय और प्रमाण की यह सापेक्षता इस कारण नहीं होती कि ऐन्द्रिक विज्ञप्तियों का विज्ञाप्य असत् होने पर भी सद्वत् ग्रहण किया जाता है। ज्ञान मात्र का यही स्वरूप है कि चेतना अपने को प्रमाता-प्रमाण-प्रमेय रूप में विभक्त कर ज्ञान या प्रमाण-व्यवहार में प्रवृत्त होता है। इस व्यापार के अनेक स्तर और आयाम हैं, ऐन्द्रिक स्तर इनमें अवरतम है। कुछ दार्शनिक इसमें भी यथार्थ और विकल्प का भेद कर प्रमेय को विकल्प और इस प्रकार असत् घोषित करते रहे हैं और दूसरे, जैसे न्याय, अध्यवसाय (विकल्प) को भी विज्ञप्ति के ही अन्तर्गत रखते रहे हैं। इसी प्रकार ज्ञाता को भी कुछ दार्शनिक विकल्प मानते रहे हैं और कुछ नित्यज्ञान-स्वरूप प्रतिपादित करते रहे हैं। ये दोनों ही दृष्टियाँ सम्यक् नहीं कही जा सकतीं। ज्ञाता और ज्ञेय या प्रमाण और प्रमेय चेतना या ज्ञान के आत्मसर्जन या आत्मान्वेषण के अभियान में उन्मीलित अंग हैं जो इस अभियान के क्रम में स्फुट से स्फुटतर होते जाते हैं। उदाहरणत: वसुबन्धु के विज्ञप्तिमात्रतावाद या नागार्जुन के शून्यतावाद को लें। वसुबन्धु के विज्ञप्तिमात्रता-सिद्धि ग्रन्थ में कहीं भी कोई ऐन्द्रिक संवेद, जिसे वे विज्ञान कहते हैं, विज्ञप्त नहीं होता। उसमें केवल ऐसे विकल्प ही प्रमाण और प्रमेय रूप में घटित होते हैं जो उन विज्ञप्तियों से, जिन्हें वसुबन्धु एकमात्र ज्ञान और सत् मानते हैं, उससे कहीं अधिक दूराकृष्ट होते हैं जितने उन विज्ञप्तियों के द्वारा लक्षित बाह्यार्थ होते हैं। इसी प्रकार नागार्जुन प्रमाण-प्रमेयादि विकल्पों सहित सब कुछ को शून्य प्रतिपादित करते हैं। किन्तु यह प्रतिपादन तर्क-प्रमाण के द्वारा ही उपचरित होता है और शून्यता उसमें प्रमेय बनती है। नागार्जुन इस शून्यता-प्रतिपादन को भी शून्य ही कहते हैं, किन्तु द्रष्टव्य है कि 'शून्यता' से उनका एक विशिष्ट अर्थ है। वे 'शून्यता' को 'प्रतीत्यसमुत्पाद' का ही पर्यायवाची पद मानते हैं।[1] किन्तु प्रतीत्यसमुत्पाद भौतिक या चैत्त जगत् की सत्ताओं या घटनाओं विषयक सिद्धान्त ही है, तर्क या विकल्प के क्षेत्र में इसकी इसी रूप में अवस्थिति है कि यह स्वयं **तर्कमूलक** है, **तर्कविषयक** नहीं है। इसी से नागार्जुन की युक्तियों को परस्पर प्रतीत्यसमुत्पन्न रूप से सम्बद्ध नहीं कहा जा सकता। यदि कहा जाय कि नागार्जुन 'प्रतीत्यसमुत्पन्न' को मात्र कारण-कार्यता का सिद्धान्त नहीं मानते, वे उसे

---

1. य: प्रतीत्समुत्पाद: शन्यतां तां प्रचक्ष्महे। सा प्रज्ञप्तिरुपादाय, प्रतिपत्सैव मध्यमा: (**मूल माध्यमिक कारिका**, 24/48) जो प्रतीत्यसमुत्पाद है उसी को हम शून्यता कहते हैं, वही सापेक्ष निरूपण है, वही मध्यमा प्रतिपत् है।

सापेक्षता मात्र पर व्यापक मानते हैं तो भी उससे अन्तर नहीं पड़ता, क्योंकि मान लें कि सब कुछ शून्य है और शून्यता का प्रतिपादक वाक्य भी शून्य है और शून्य होने पर भी वह शून्यता-प्रतिपादन में समर्थ है, किन्तु तब भी प्रश्न होगा कि इस सब में संपाद्य क्या है? इस तर्क-विधि से शून्यता की सिद्धि? किन्तु तब इससे नागार्जुन की युक्तियाँ ही शून्यता प्रमेय के लिए प्रमाण बनती हैं, फिर चाहे यह प्रमाण-प्रमेय-व्यापार स्वयं भी शून्य ही क्यों नहीं हो। किन्तु यहाँ यह समझना आवश्यक है कि शून्यता-प्रतिपादक प्रतिज्ञप्तियों का शून्यता-प्रमेय प्रतीत्यसमुत्पादकमूलक नहीं है तर्कमूलक है, और न यह तर्क स्वत:सिद्ध है न प्रतीत्यसमुत्पाद-सिद्धान्त ही।

किन्तु द्रष्टव्य है कि प्रमाण-प्रमेय-प्रसंग केवल ज्ञान के क्षेत्र में ही उपस्थित नहीं होता, यह उतना ही धर्माधर्म और मूल्यांकन आदि में भी उपस्थित होता है। जैसे 'सतां हि सन्देहपदेषु वस्तुषु, प्रमाणमन्त:करणप्रवृत्तय:' (सद्-जनों के लिए कर्त्तव्याकर्त्तव्य-विषयक संदेह की स्थितियों में अन्तःकरण-प्रवृत्तियाँ ही प्रमाण होती हैं) (**अभिज्ञान शाकुन्तलम्**) तथा 'किं कर्म किमकर्मेति, कवयोऽप्यत्र मोहिता' (कर्त्तव्याकर्त्तव्य-निर्णय में अत्यन्त प्राज्ञ लोग भी भ्रमित हो जाते हैं) (**श्रीमद्भगवद्गीता**) में भी प्रमाण-प्रमेय की ही बात की गई है और ये प्रमाण-प्रमेय के उससे कहीं अधिक ठोस और गहन प्रसंग हैं जितने बाह्य वस्तु-ज्ञान या तर्क में होते हैं। इसी प्रकार, कृतियों का मूल्यांकन, जैसे 'यह लेख, यह उपन्यास, यह चित्र, उस लेख, उस उपन्यास, उस चित्र से श्रेष्ठतर है' अथवा कृतियों में स्वगत दोष का निर्णय भी प्रमाण-प्रमेयात्मक ही होते हैं।[1] केवल इनके प्रकारों की संख्या का उस प्रकार निर्धारण नहीं किया जा सकता जिस प्रकार ऐन्द्रिक विषय-ज्ञान के प्रसंग में किया जा सकता है—यद्यपि ऐन्द्रिक विषय-ज्ञान के प्रसंग में भी इसको लेकर मतभेद ही हैं। दूसरी ओर धर्माधर्म-निर्णय के प्रसंग में भी इनके प्रकारों की संख्या-निर्धारण का प्रयत्न किया गया है, जैसे 'श्रुति, स्मृति, सदाचार:, स्वस्य च प्रियमात्मन:' में। यों ये ज्ञान के प्रसंग ही हैं और इनमें भी हम सत्य पर ही पहुँचना चाहते हैं, केवल यह ज्ञान विषयपरक नहीं होकर सदसत्परक या दोषादोषपरक होता है और इनमें प्रमाण की प्रामाणिकता या दोषादोष उतनी सरलता से निर्धार्य नहीं होते जितनी सरलता से ऐन्द्रिक विषय-ज्ञान के प्रसंग में निर्धार्य होते हैं। यहाँ यह निर्धारण भी अपेक्षाकृत कठिन होता है कि किस प्रमेय के लिए क्या प्रमाण उपयुक्त है। जैसे, क्या कर्त्तव्य-निर्णय में अन्तःकरण-प्रवृत्ति प्रमाण हो सकती है या नहीं? इसकी प्रमाणता उस प्रकार सहज स्पष्ट नहीं है जिस प्रकार बाह्य विषयवस्तु के ज्ञान में प्रत्यक्ष की प्रमाणता सहज स्पष्ट होती है। और सदसद्-विवेक में अन्तःकरण प्रवृत्ति की प्रमाणता स्वीकार कर लेने पर भी यह निर्णय अत्यन्त दुस्साध्य होता है कि अन्तःकरण प्रवृत्तिविशेष स्वयं में प्रामाणिक है या नहीं? किन्तु इस प्रमाण की गुह्यता से इन प्रसंगों की प्रमाण-प्रमेयात्मकता असिद्ध नहीं होती। कर्म (धर्माधर्म, कला, दर्शन आदि) में और अन्तःकरण प्रवृत्ति आदि में प्रमाण-प्रमेय-भेद इन्द्रियपरक अर्थों में प्रमाण-प्रमेय-भेद से प्रकटत: भिन्न हैं। प्रथम में प्रमेयार्थ चेतना के अन्तर्गत ही प्रतीत होते हैं जबकि दूसरे में स्पष्टत: बाह्य दिखायी देते हैं, यद्यपि बाह्य दिखायी देने से इनका बाहर होना प्रमाणित नहीं होता। यहाँ इस प्रश्न पर विचार अवान्तर होने से कांट की इस युक्त दृष्टि की ओर संकेत भर करके छोड़ा जा सकता है कि देश और काल वस्तुगत नहीं होकर इन्द्रिय-वृत्तिगत होते हैं (अ प्रायराई फोर्म्स ऑफ इन्ट्यूशन) और इस प्रकार दृष्टिगत वस्तु की बाह्यता दृष्टिमूलक ही होती है, वस्तुमूलक नहीं-तब भी, यदि वस्तु वास्तव में ही विज्ञप्ति से स्वतन्त्र हो, जैसे कांट में है। किन्तु 'बाह्यता' का एक अदैशिक रूप भी है जिससे सभी ज्ञेय या प्रमेय, और प्रमाण भी, बाह्य होते हैं। यह बाह्यता ग्रहण या अतिक्रमण के अर्थ में होती है। जैसे इन्द्रिय-ग्राह्य वस्तु की बाह्यता केवल इस बात में नहीं होती कि वह देश में दर्शक से बाहर दिखायी देती है बल्कि वह अपने प्रत्यय में भी ऐन्द्रिक ग्रहणों से बाह्य होती है—वह काल में देखने से पूर्व और पश्चात् विद्यमान और देश में असंख्य सम्भाव्य दृष्टि-बिन्दुओं से दृश्य होती है और अपनी सत्ता में अतीन्द्रिय होती है। इसी प्रकार विचार, भाव आदि के ग्राह्य विषय

1. द्रष्टव्य यशदेव शल्य **मूल्यतत्त्व-मीमांसा** में 'कलान्वेष्य सत्य का स्वरूप' तथा 'धर्म-नीतिगत प्रामाण्य का स्वरूप' अध्याय।

और विषयी होते हैं। ये अपने आयतन में इन्द्रिय-ग्राह्य विषय-वस्तुओं से कहीं अधिक बृहदाकार होते हैं। एक ही भाव की व्यंजना असंख्य कलाकृतियों द्वारा और एक ही विचार की व्याख्या असंख्य दार्शनिक प्रतिपादनों द्वारा होने पर भी ये कभी पर्यन्त रूप से अवगाहित नहीं होते। यदि यह भी कहा जाय कि कलाकृति की प्रामाणिकता भाव के अवगाहन या निरूपण की पूर्णता से और कर्त्तव्य-कर्म की प्रामाणिकता कर्म की सफलता से सिद्ध नहीं होती बल्कि क्रमश: भावक और कर्त्ता के आत्मसाक्ष्य से प्रमाणित होती है, तो इससे इनकी अनवगाह्यता बढ़ती ही है, क्योंकि आत्मा से अधिक अनवगाह्य और क्या हो सकता है?

अब इन सभी प्रमाण-प्रसंगों में प्रमाण एक ओर प्रमेय-सापेक्ष्य होता है और दूसरी ओर स्वयं भी प्रमेय ही होता है। इससे निश्चय ही प्रमाण की आत्यन्तिक सिद्धि की असम्भवता सिद्ध होती है। किन्तु यह परिस्थिति चेतना की प्रत्यङ्मुखताजन्य अर्थ-सम्भार की अनवगाह्यता और अपारता को ही प्रदर्शित करती है, प्रमाण और प्रमेय की अप्रतिष्ठितता को नहीं।[1]

1. द्रष्टव्य यशदेव शल्य **चिद्विमर्श** में 'दर्शन का प्रारम्भ बिन्दु', **समाज : दार्शनिक परिशीलन** में 'भाषा' और **सत्ताविषयक अन्वीक्षा** में 'दर्शन के आधार' तथा 'अनिर्धार्य' अध्याय।

अनेकान्त और स्याद्वाद

अनेकान्तवाद और स्याद्वाद के सिद्धान्त या सिद्धान्तों को लेकर जैन विद्वानों में भी और जैनेतर विद्वानों में भी, गहरी अस्पष्टता है। यह अस्पष्टता दर्शाने के लिए हम तीन उद्धरण देंगे और उनकी आलोचना के द्वारा उस अस्पष्टता का निवारण करने का प्रयत्न करेंगे। सर्वप्रथम **सर्वदर्शन संग्रह** के श्री माधवाचार्य का प्रतिपादन देखें— "जैन लोगों के अनुसार हमें किसी वस्तु का ज्ञान पूरा नहीं होता। किसी वस्तु के कई पहलू होते हैं, उनमें सब पहलुओं का एकसाथ ज्ञान प्राप्त करना केवली के लिए ही सम्भव होता है, शेष के लिए नहीं, क्योंकि अकेवली जन का ज्ञान एकांगी ही हो सकता है। (जैनों के अनुसार) दार्शनिकों में विवाद का यही कारण है। परमार्थ के केवल एक पक्ष का अवलोकन कर सकने के कारण वे केवल एक पक्ष को ही जान सकते हैं। इसे जैन लोग 'नय' कहते हैं। नय का विषय एकदेश विशिष्ट होता है। (**न्यायावतारसूत्र, 29**)"[1] इसके निदर्श रूप में जैनों में हाथी के सूँड, पैर आदि को ही हाथी समझने का उदाहरण प्रचलित है। इसका अर्थ है कि अनेकांतवाद मनुष्य के ज्ञान को वस्तुस्वरूप का उसकी समग्रता में ग्रहण करने में असमर्थ, केवल अंश-ग्राही ही मानता है और इस प्रकार ज्ञान में निराग्रही जिज्ञासुभाव का परामर्श देता है।

दूसरा उद्धरण प्रोफेसर सुरेन्द्रनाथ दासगुप्त से देखें। दासगुप्त ने 'अनेकांतवाद' का अंग्रेज़ी में अनुवाद 'रेलेटिव प्लूरलिज़्म' किया है, अर्थात् सापेक्ष अनेकतवाद। इसका भी यही अर्थ बनता है कि वस्तु मनुष्य के लिए केवल पक्षतः ही गम्य होती है, अपनी समग्रता में नहीं, क्योंकि मनुष्य की ज्ञान-शक्ति, बल्कि कहें ज्ञान के उपकरण, परिमित हैं और वस्तु का आकार अपरिमित, या कम-से-कम इतने बड़े परिमाण का कि वह मनुष्य को अपनी पूर्णता में गम्य नहीं हो सकता। इस दृष्टि की व्याख्या वे इस प्रकार करते हैं—"इसे हम उपनिषदों के आत्यंतिक निरपेक्षतावाद या अद्वयवाद (एब्सोल्यूटिज़्म), और बौद्धों के पूर्ण अनेकांतवाद के विपरीत सापेक्ष अनेकांतवाद कह सकते हैं। जैन सब वस्तुओं को अनेकात्मक मानते हैं, अथवा दूसरे शब्दों में, वे मानते हैं कि कोई निरपेक्ष कथन सम्भव नहीं है, क्योंकि सब कथन कुछ परिस्थितियों और कुछ सीमाओं में ही किये जा सकते हैं। उदाहरणतः एक स्वर्ण-कलश द्रव्य के रूप में एक परमाणु-संघात है, किसी दूसरे प्रकार का, जैसे आकाश के प्रकार का, द्रव्य नहीं है। अर्थात् स्वर्ण-कलश केवल एक अर्थ में द्रव्य है, सब अर्थों में नहीं"[2] आदि। अब इस उद्धरण को ध्यान से पढ़ें तो आप एक गहरा व्यामिश्र पाएंगे। यहाँ वस्तु-स्वरूप और उसके ज्ञान को व्यामिश्रित किया जा रहा है। 'कलश किस प्रकार के द्रव्य का बना है', यह उसके स्वरूप के सम्बन्ध में कथन है, किन्तु 'वह किस-किस प्रकार का द्रव्य नहीं है' यह उसके स्वरूप विषयक बात नहीं है, यह उसके ज्ञान विषयक या कथन विषयक बात है। किन्तु 'तत्त्व अद्वय चैतन्य रूप है या क्षण-संतान रूप है' इसका विषय हमारा ज्ञान या कथन नहीं है, इसका विषय तत्त्व का स्वरूप है। अब आचार्य श्री महाप्रज्ञ की व्याख्या देखें। वे कहते हैं—"अनेकान्त का मूल प्रतिपाद्य है नित्यानित्यतावाद। विश्व की व्याख्या तथा द्रव्य की व्याख्या केवल नित्य और केवल अनित्य के आधार पर नहीं की जा सकती। जैन दर्शन के अनुसार कोई द्रव्य नित्य और कोई अनित्य, यह विभाग नहीं है। प्रत्येक द्रव्य का एक अंश है ध्रौव्य, इसलिए वह नित्य है, उसका दूसरा अंश है पर्याय, इसलिए वह अनित्य है।"[3] यहाँ आचार्यश्री महाप्रज्ञ 'द्रव्य' शब्द का प्रयोग 'वस्तु' के अर्थ में नहीं कर रहे हैं क्योंकि द्रव्य ध्रुव, अर्थात्

---

1. माधवाचार्य — **सर्वदर्शन संग्रह**, अनुवाद-उमाशंकर शर्मा, चौखंभा विद्याभवन, वाराणसी, पृ. 170
2. सुरेन्द्रनाथ दासगुप्त — **हिस्ट्री ऑफ इण्डियन फिलॉसफी**, मोतीलाल बनारसीदास, दिल्ली, पृ. 175
3. आचार्य महाप्रज्ञ — 'नय, अनेकांत और स्याद्वाद', **जैन भारती**, वर्ष 49, अंक 4, अप्रैल, 2001, पृ. 10

नित्य ही होता है, जबकि वस्तु नित्यानित्य होती है। जो भी हो, आचार्यश्री के उपर्युक्त प्रतिपादन के अनुसार अनेकांत का सम्बन्ध वस्तु-स्वरूप से है—वस्तु स्वरूपत: अनेकात्मक है। यह अनेकांतवाद का अभिप्राय है। आपेक्षिकता वस्तुगत नहीं होती, वह ज्ञानगत या कथनगत ही हो सकती है। किन्तु तब अनेकांतवाद अनेक प्रकार के हैं–न्याय-वैशेषिक प्रकार का, सांख्यीय प्रकार का, बौद्ध प्रकार का और दूसरे अनेक प्रकार के भी। महाप्रज्ञ जी अनेकांतवाद को तत्त्वमीमांसीय भी कहते हैं, जिसका अर्थ है कि ज्ञानमीमांसीय अर्थ में यह अनैकांतिक दृष्टि नहीं है, उस अर्थ में यह ऐकांतिक दृष्टि ही है। ज्ञानमीमांसीय अर्थ में अनेकांत दृष्टि यह होगी कि 'वस्तुएँ हमें द्रव्य और पर्याय उभयात्मक प्रतीत होती हैं, यद्यपि यह कहना कठिन है कि ये जैसी प्रतीत होती हैं वैसी ही हैं, ये मात्र द्रव्यात्मक भी हो सकती हैं, मात्र पर्यायात्मक भी हो सकती हैं, ऐसी भी हो सकती हैं जिन पर ऐसी कोई कोटि लागू नहीं होती हो, और ऐसी भी कि जैसे जादूगर द्वारा रचित इंद्रजाल।' किन्तु जैन लोग ऐसी अनिश्चयात्मकता नहीं रखते। उनके प्रतिपादन की अस्पष्टता तब और बढ़ जाती है जब वे अनेकांत को ही नहीं स्याद्वाद और नय को भी तत्त्वमीमांसीय कहते हैं। ये कैसे तत्त्वमीमांसीय हैं यह उन्होंने स्पष्ट नहीं किया। यह अस्पष्टता इसलिए है क्योंकि वे स्याद्वाद को 'प्रतिपादन शैली' भी कहते हैं और मेलेनोविस के अनुसार इसे सांख्यिकी से भी जोड़ते हैं।[1] अब, सांख्यिकी वह ज्ञान-विधि है जो घटनाओं में कारण-कार्य सम्बन्ध सिद्ध नहीं कर पाने पर संख्यात्मक अनुपात के आधार पर सम्भावनात्मक भविष्यवाणी करती है। यद्यपि स्याद्वाद को सांख्यिकी से जोड़ना और 'प्रतिपादन शैली' कहना दोनों भ्रान्तिमूलक हैं, क्योंकि स्यादात्मक कथन सापेक्षतया निश्चयात्मक कथन ही होते हैं—देश की अपेक्षा से, काल की अपेक्षा से आदि, जबकि सांख्यिकीय कथन सम्भावनात्मक होते हैं। किन्तु यदि कोई इन्हें सांख्यिकीय रूप से देखता है तो वह इन्हें किसी भी प्रकार से तत्त्वमीमांसीय नहीं कह सकता।

किन्तु अनेकांतवाद निश्चित रूप से तत्त्वमीमांसीय सिद्धान्त ही है, क्योंकि यह वस्तु के विभिन्न पक्षों को उनकी विभिन्नता में वस्तुगत ही मानता है, और स्याद्वाद इन पक्षों की विभिन्नता का उसी रूप में कथन करने की विधि है। किन्तु तब प्रश्न होता है कि जब हम कहते हैं कि 'वस्तु इस अपेक्षा से ध्रुव और इस अपेक्षा से परिवर्तमान है, इस अपेक्षा से अस्ति और इस अपेक्षा से अनस्ति है, और कि वह अवक्तव्य भी है', अर्थात् 'अस्ति-अनस्ति उभयत: भी है' तब हम वस्तु के निरपेक्ष ग्रहण को पूर्वगृहीत किये बिना यह कैसे कह सकते हैं? हाथी के उदाहरण में भी वही बात है, कि कोई सूँड को ही हाथी मान रहा है और दूसरा पैर को। किन्तु 'ऐसी मान्यताएँ एक पक्षीय हैं', यह केवल वही जान सकता है जो हाथी को उसकी समग्रता में जानता हो। अब, इस दृष्टि को ज्ञानात्मक अनेकांत दृष्टि और निराग्रही दृष्टि नहीं कह सकते, ज्ञानात्मक रूप से तो यह ऐकांतिक दृष्टि ही है, क्योंकि यह दृष्टि अन्य दृष्टियों का निषेध करती है, और यह बात अतिरिक्त कि यह अपने को पूर्ण सत्य की ज्ञापक मानती है और दूसरी दृष्टियों को खण्ड सत्य को अखण्ड सत्य मानने वाली मानती है।

जहाँ तक स्याद्वाद का सम्बन्ध है, यह हमारे साधारण भाषा-प्रयोग में पूर्वगृहीत बातों को केवल विस्तार से कहता है। उदाहरणत: जब हम कहते हैं 'यह घट है' तब इसमें 'वह' की और 'था' और 'होगा' की व्यावृत्तियाँ पूर्वगृहीत रहती हैं। 'यह घट है' इस वाक्य को निरपेक्ष रूप से कोई भी नहीं लेता। यदि कोई लेता है तो इसका अर्थ है कि वह साधारण भाषा-ज्ञान से वंचित है। किन्तु यह वस्तु-विषयक लोकधारणा है। यदि कोई इस लोकधारणा को ही, जिसे महात्मा बुद्ध 'पृथग्जन की धारणा' कहते हैं, परमार्थ का स्तर दे देता है और इस पर ही अपनी सारी विवेचन-शक्ति का अपव्यय करता है तो वह हमारी सहानुभूति का पात्र तो हो सकता है, आदर का पात्र नहीं। पीछे इंग्लैंड के 'साधारण भाषा, या कहें लोक-भाषा परमार्थवादी' (ऑर्डिनरी लेंग्वेज अनेलेइस्ट्स) दार्शनिकों ने, जिनमें सी.डी. ब्रॉड[2] और पी.एफ. स्ट्रॉसन[3] के नाम सर्वोपरि उल्लेखनीय है, जैनों से भी अधिक सूक्ष्म किन्तु

1. आचार्य महाप्रज्ञ — 'नय, अनेकांत और स्याद्वाद', **जैन भारती**, वर्ष 49, अंक 4, अप्रैल, 2001, पृ. 10

2. सी.डी.ब्रॉड — **माइंड एण्ड इट्स प्लेस इन नेचर**, अध्याय 'सेंसपर्सेप्शन एण्ड मैटर', रुटलज एण्ड केगन पॉल, लंदन, 1923

3. पी.एफ. स्ट्रॉसन — **दि इंडिविडुअल्स**, यूनीवर्सिटी प्रेस, लंदन, 1959

उबाऊ विश्लेषण प्रस्तुत किया था। किन्तु दार्शनिक विचार को भौतिक वस्तुओं विषयक लोकधारणा को समर्पित कर देना और आत्मा आदि संबंधी विचार को भी इसी निदर्श पर करना प्रशंसनीय नहीं कहा जा सकता। किन्तु बौद्ध जब सब-कुछ को क्षण-संतान कहते हैं, तब अवयवी की सत्ता अस्वीकार कर उसे केवल अवयव-संघात कहते हैं, या उपनिषद् जब सब-कुछ को ब्रह्म कहते हैं, तब ऐसा नहीं है कि उन्हें लोक-भाषा का ज्ञान नहीं होता या वस्तु विषयक लोकधारणा का पता नहीं होता। किन्तु वे इस जानकारी के बावजूद अपने सिद्धान्तों का भिन्न प्रकार से प्रतिपादन करते हैं। इसका कारण यह है कि वे लोक-धारणाओं को परमार्थ विचार में युक्तिसंगत नहीं पाते। इसी प्रकार के विचार के क्रम में महात्मा बुद्ध, महायानी बौद्धों और शंकर ने व्यवहार और परमार्थ का भेद किया है और व्यवहार को 'मिथ्या' कहा है। उनकी दृष्टि पूर्णत: युक्तिसंगत है, यहाँ यह हमारा प्रतिपाद्य नहीं है, किन्तु उनकी दृष्टि के विरुद्ध बिना कोई युक्ति दिये लोकसाधारण बोध को परमार्थ बोध मानकर अपने को हाथी का ज्ञाता बताना और उन्हें सूँड और पैर को हाथी मानने वाले कहना केवल उपहासास्पद बालिशता ही प्रदर्शित करना है। दूसरे, यदि अकेवली मनुष्य परमार्थ तत्त्व को उसकी समग्रता में जान पाने में असमर्थ हैं तो आप अकेवली यह कैसे जानते हैं कि आपकी ज्ञान-विषय सूँड किसी हाथी अवयवी की अंग है, कि परमार्थ तत्त्व अनेकांत है, कि आपके प्रकार की सापेक्षता को केवली निरपेक्ष रूप में जान सकता है? आप स्याद्वाद से वैज्ञानिक सापेक्षतावाद की अनुरूपता कहते हैं, किन्तु आइन्स्टाइनीय सापेक्षता-सिद्धान्त ज्ञान की निरपेक्षता को सम्भव ही नहीं मानता और न पारमाणविक अनिर्धार्यता का सिद्धांत केवली के लिए भी निर्धारण को सम्भव मानता है। विज्ञान की बात छोड़ें, उसे गौरव देना और उससे अनुरूपता बताकर अपने को गौरवान्वित मानना दार्शनिक अधकचरेपन को ही प्रकट करता है। यहाँ प्रासंगिक बात यह है कि यदि आप परमार्थ ज्ञान केवल केवली के लिए ही सम्भव मानते हैं तो आपकी अभिवृत्ति महात्मा बुद्ध के जैसी होनी चाहिए कि 'तत्त्व केवल सम्बोधि का विषय है, इसलिए उसके सम्बन्ध में बोध के लौकिक स्तर पर रहते हुए विचार करना व्यर्थ है, उस स्तर पर तो केवल इतना समझना ही अपेक्षित है कि व्यवहार-लोक अविद्यामूलक संस्कार-प्रवाह मात्र है। यदि परमार्थ को जानना है तो व्यवहार की अविद्यामूलकता जानकर अपना दीपक स्वयं बनो—अप्प दीपो भव। उसके सम्बन्ध में दर्शन चर्चा मत करो।' किन्तु जैन इसके विपरीत कहते हैं कि उनका मत ही ऐकांतिक रूप से युक्त मत है। ख़ैर, यदि वे ऐसा कहें तो यह उनकी मर्जी किन्तु तब वे अपने सापेक्षतावाद को निराग्रहता, अन्य मतों के प्रति उदारता और विनम्रता आदि का द्योतक नहीं कहें, क्योंकि निराग्रहता से इस सापेक्षतावाद का कोई सम्बन्ध नहीं है।

अब जैनों के प्रतिपादन की असमीचीनता और स्थूलता देखें। जैन घट-पट आदि को परमाणु-द्रव्य के पर्याय कहते हैं। प्रथम तो, परमाणु-संघात एक-द्रव्य है और यह परमाणु-संघात, या एक-एक परमाणु भी, अपरिवर्तनशील होते हैं, यही स्वीकार करने का कोई आधार नहीं है। किन्तु इसे यदि जाने भी दें तो भी, घट-पट आदि परमाणुओं के पर्याय हैं, यह कहना अविचार की पराकाष्ठा है, क्योंकि घट या पट वस्तुगत कुछ होते ही नहीं, ये तो मनुष्य द्वारा कल्पित आकार या दृष्ट प्रत्यय होते हैं जो द्रव्य-पर्यायात्मक भौतिक वस्तु को उपादान कर इन्द्रिय-ग्राह्य रूप में व्यक्त होते हैं। इसी से ये एक बार किसी उपादान में आविर्भूत होकर उस उपादान की संहति के छिन्न होने तक अपरिवर्तित रूप में ही बने रहते हैं। उपादानों में आविर्भूत इन अलौकिक सत्त्वों का केवल प्रागभाव और ध्वंसाभाव ही होता है, बीच की अवधि में ये ज्यों-के-त्यों ही बने रहते हैं। यह बात पुस्तक के उदाहरण से अधिक स्पष्ट हो जाएगी—कागज़ या मसि के परिवर्तन से पुस्तक में कोई परिवर्तन होता है, ऐसा नहीं कहा जा सकता। यही बात घट-पट आदि में भी है। द्रव्य-पर्याय की दृष्टि से तो वास्तव में ये अवस्तुएँ हैं, जिन्हें वेदांती और बौद्ध ठीक ही विकल्प या नाम-रूप कहते हैं अथवा आप इन्हें दूसरे प्रकार की वस्तुएँ कह सकते हैं—लोकोत्तर प्रकार की, जो द्रव्य-पर्यायात्मक नहीं होतीं। निश्चय ही ये भी किसी ज्ञान के लिए अपनी समग्रता में गम्य नहीं होतीं, किन्तु इनका पक्ष-ग्रहण स्याद्वाद की सप्तभंगी या अभंगी का विषय नहीं होता, क्योंकि इनकी सत्ता देश या कालपरक नहीं होती। इनकी समग्रता केवल दो ही आयामों में अगम्य होती है और वे हैं गहनता और व्याप्ति के आयाम, जो अपने को अन्त:साक्षात्कार की गहनता के अनुपात में उद्घाटित करते हैं। विचार-विषय और भाव-विषय आदि इसी प्रकार की सत्ताएँ हैं।

द्रष्टव्य है कि जैन इसके आगे भी व्यामिश्र करते हैं। अपने अनेकांत को सर्वव्यापी दिखाने के लिए वे ऐसी बातें भी करते हैं जैसे 'नित्यानित्य का सिद्धान्त कुछ दर्शनों को मान्य है, किन्तु वह (उनके लिए) सार्वभौम नहीं है, वह विभाग रूप से मान्य है। जैसे (उनके अनुसार) घट अनित्य है, आकाश सर्वथा नित्य है, दीपकनिका अनित्य है, आत्मा सर्वथा नित्य है। (किन्तु) जैन दर्शन के लिए नित्यानित्य का सिद्धान्त सार्वभौम है। जैसे आकाश नित्यानित्य है वैसे ही घट भी नित्यानित्य है।'[1] किन्तु वह कैसे? घट यदि पर्याय है तो वह सर्वथा अनित्य ही हो सकता है, वह नित्य कैसे होगा? इसी प्रकार, आकाश यदि द्रव्य है तो वह सर्वथा नित्य ही हो सकता है, वह अनित्य कैसे होगा? यदि आप कहते हैं कि नहीं, कुछ भी केवल द्रव्य या केवल पर्याय नहीं हो सकता, तो आपको 'घट नित्यानित्य है' ऐसा नहीं कह कर ऐसा कहना चाहिए कि 'वह वस्तु जो परमाणु पक्ष में द्रव्य और घट पक्ष में पर्याय है वह नित्यानित्य है।' किन्तु यह कोई कहने की बात ही नहीं है, क्योंकि आप अस्तित्व मात्र को द्रव्य-पर्यायात्मक ही मानते हैं और परिणामत: आपके लिए ऐसा कुछ हो ही नहीं सकता जो केवल द्रव्य या केवल पर्याय हो। ऐसी अवस्था में आपको कहना चाहिए कि घट, जो कि पर्याय है, अनित्य है और आकाश, जो कि द्रव्य है, नित्य है, क्योंकि इसमें यह पूर्वगृहीत है कि घट का कोई द्रव्य पक्ष भी है जो नित्य है और आकाश का पर्याय पक्ष भी है जो अनित्य है।' किन्तु यह कहना कि घट भी नित्यानित्य है और आकाश भी, भ्रान्तिजनक है। यह भ्रामकता तब द्विगुणित हो जाती है जब आप वैशेषिक दर्शन को अपने से विपरीत ऐकांतिक बताते हुए कहते हैं कि 'वैशेषिक पृथ्वी को कारण रूप से नित्य और कार्य रूप से अनित्य मानते हैं और इस प्रकार नित्य और अनित्य को विभागश: देखते हैं।' वह तो आप भी द्रव्य और पर्याय का विभाग कर वस्तु को एक विभाग में नित्य और दूसरे विभाग में अनित्य देखते हैं।

इसी प्रकार स्याद्वाद के सम्बन्ध में भी हम संक्षेप में विचार करेंगे। सर्वप्रथम यहाँ यह देखना चाहिए कि स्याद्वाद का सन्दर्भ क्या है, ज्ञान या कि कथन? इस सम्बन्ध में भी जैनों में मतभेद और अस्पष्टता है। उदाहरणत: आचार्यश्री महाप्रज्ञ इसे 'प्रतिपादन-शैली' कहते हैं जबकि आचार्य समन्त भद्र 'क्रमभावि ज्ञान' कहते हैं। यों जैसाकि हमने पीछे देखा, आचार्यश्री महाप्रज्ञ इसे तत्त्वमीमांसीय भी कहते हैं। इसके ये दोनों ही निरूपण युक्तिसंगत प्रतीत नहीं होते। 'प्रतिपादन-शैली' का क्या अर्थ है? कोई भी लेख जैसे लिखता है उसे उसकी प्रतिपादन-शैली कहते हैं और प्राय: किन्हीं भी दो मौलिक लेखकों की प्रतिपादन-शैलियाँ भिन्न होती हैं। किन्तु इस शैली-भेद का प्रतिपाद्य से कोई अनिवार्य सम्बन्ध नहीं होता। उदाहरणत: शंकराचार्य, श्रीहर्ष और व्यासतीर्थ की प्रतिपादन-शैलियों में मौलिक भेद है जबकि उनका सिद्धांत एक ही है। जहाँ तक 'क्रमभावि ज्ञान' का सम्बन्ध है, इसका कोई अर्थ ही नहीं बनता, क्योंकि सप्तभंगी के सातों भंग ज्ञान की अक्रमकता को पूर्वगृहीत करके ही सम्भव हो सकते हैं। स्याद्वाद में 'स्यात्' शब्द 'किसी अपेक्षा से' का वाचक है। अब कोई भी कथनात्मक सापेक्षता किसी ज्ञानात्मक समग्रता को पूर्वगृहीत करके ही सम्भव हो सकती है। उदाहरणत: 'स्यात् घट है' इस वाक्य में यह कथन है कि इस देश और इस काल में कुछ भी ऐसा नहीं है जो अघट है। इस प्रकार 'यह घट है' इस कथन में 'यह' अघट नहीं है और 'वह' अघट भी हो सकता है और घट भी, यह पूर्वगृहीत रूप से निहित है यद्यपि इस कथन में इसका कथन नहीं हो रहा है। किन्तु 'स्यात् यह घट है' में इस अकथित पूर्वगृहीत पक्ष का वक्ता को ज्ञान है और वह इसकी अपेक्षा से ही इस वाक्य को स्यात्पूर्वक कह रहा है, यह संकेत किया गया है। इस प्रकार यह वैसा ही वाक्य है जैसा 'यह दाईं भुजा है' वाक्य है, जिसमें यह पूर्वगृहीत है कि कहने वाला यह वाक्य इस अपेक्षा को ध्यान में रखकर ही बोल रहा है कि एक भुजा ऐसी है जो बाईं है। इसी प्रकार 'स्यात् घट है' कथन में यह भी पूर्वगृहीत है कि 'यह जो है, वह घट नहीं होकर कुछ और भी हो सकता है।' इसी प्रकार, 'यह जो घट है वह यहाँ इस समय तो है, अन्य समय या अन्यत्र यह नहीं भी हो सकता है।' इस प्रकार स्याद्वाद ज्ञान-विषयक सिद्धान्त नहीं ठहरता, कथन-विषयक सिद्धांत ही ठहरता है। इसकी पुष्टि इस बात से भी होती है कि स्याद्वाद की सप्तभंगी में एक भंग अवक्तव्य का भी है, जिसका यह अर्थ है कि "स्यात् है" में 'स्यात् नहीं है' यद्यपि पूर्वगृहीत है और इस प्रकार

---

1. आचार्य महाप्रज्ञ, वही।

वस्तु विशेष के सापेक्षत: होने और नहीं होने का ज्ञान युगपद् रूप से होता है, किन्तु 'युगपद् रूप से होने-न-होने' का कथन नहीं किया जा सकता। यद्यपि हमें यह बात समझ में नहीं आई कि अस्ति-अनस्ति का युगपद् कथन अवक्तव्य कैसे है, क्योंकि यह कहा जा ही सकता है कि 'प्रत्येक भौतिक वस्तु में अस्तित्व-अनस्तित्व सापेक्षत: युगपद् रूप में रहते हैं।' जैनों का कहना है कि यह अनुक्रमश: ही कहा जा सकता है जबकि इसके कथ्य में यौगपद्य है, इसलिए इस कथ्य का कथन असम्भव है। किन्तु तब तो सभी कुछ अवक्तव्य हो जाएगा क्योंकि शब्द में अक्षरों का और वाक्य में शब्दों का अनुक्रम होता है जबकि शब्द और वाक्य का वाच्य अक्रमिक होता है। शब्द-स्फोट और वाक्य-स्फोट का सिद्धान्त इसी कठिनाई के अतिक्रमण के लिए है, 'अवक्तव्य' कहे जाने वाले भंग की अवक्तव्यता इससे अलग प्रकार की नहीं है, केवल इसके समान यह वास्तव नहीं है। इसकी अवास्तवता इस बात में है कि यदि हम यह मानें कि 'यह घट है' कथन कुछ अपेक्षाओं के अधीन है तो शेष अपेक्षाएँ इसके कथन करने के साथ ही इसमें अपोहात्मक रूप से निहित हो जाती हैं, प्रथम दो स्यादात्मक वाक्य उनका केवल प्रकटीकरण करते हैं। तृतीय अवक्तव्य का भंग पृथक्-पृथक् कथित भंगों का युगपद् कथन है। किन्तु यह युगपद् कथन वास्तव में अकथित रूप से प्रथम दोनों भंगों में ही रहता है, अथवा कहें प्रथम दो भंग इस तीसरे भंग के आंशिक कथन मात्र हैं, पूरा कथन वही है जिसे जैन अवक्तव्य कहते हैं। किन्तु इसे छोड़ते हुए, क्योंकि यहाँ यह बात अवांतर है, यहाँ यह देखना महत्त्वपूर्ण है कि स्याद्वाद का सम्बन्ध हमारे ज्ञान की अनिवार्य सीमितता के स्वीकार से और इस प्रकार अनाग्रहभाव और विनम्रता से नहीं है बल्कि वस्तु-स्वरूप विषयक निश्चित और आग्रही दृष्टि से है। ये दोनों दृष्टियाँ जैन दर्शन की अपनी व्यवस्था के अन्तर्गत कहाँ तक समीचीन-असमीचीन हैं—यह एक अलग प्रश्न है जिस पर हमने अपने ऊपर उल्लिखित लेख में विस्तार से विचार किया है। किन्तु यहाँ अवांतरत: यह पुन: द्रष्टव्य है कि स्याद्वाद के कथन-विषयक होने, महाप्रज्ञजी के शब्दों में शैली-विषयक होने से इसका कोई भी सम्बन्ध सांख्यिकी से नहीं बनता। यदि इसे तत्त्वमीमांसा-मूलक मानें तो भी इसे सांख्यिकीय नहीं कह सकते, क्योंकि सांख्यिकी में घटनाओं में कारण-कार्य-सम्बन्ध निर्धारित करने में असमर्थ रहने पर संख्यात्मक अनुपात का कथन होता है और इस प्रकार सांख्यिकी केवल ज्ञानमीमांसीय विधि-विषयक सिद्धान्त है।

इतिहास–दर्शन – एक

इतिहास मानवीय अतीत विषयक तथ्यों के विवरण और इन विवरणों के विषय दोनों को कहा जाता है। इसमें एक अतिरिक्त अपेक्षा विवरणविषयभूत घटनाओं में एक अर्थमूलक अनुक्रम, एक लक्ष्योन्मुख कारण–कार्य–परम्परा का होना है, जिसका प्रकाशन या उद्घाटन किसी विवरण के इतिहास कहलाने के लिए आवश्यक होता है। किन्तु इस परिभाषा पर यदि थोड़ा गहराई से विचार करें तो इसमें कुछ आधारभूत कठिनाइयाँ दिखायी देती हैं। मनुष्य तो सामने खड़ा भी प्रत्यक्ष का विषय नहीं होता, क्योंकि वह मात्र विषय नहीं होकर विषयि–विषय होता है, या विषयी ही होता है, फिर अतीत मनुष्य के तो क्रियाकलाप आदि भी, जो आंशिक रूप से विषय हो सकते हैं, बहुत परोक्ष होते हैं। दूसरे, यह 'मनुष्य' भी 'व्यक्ति–मनुष्य' नहीं होता, 'समाज–मनुष्य' होता है। जब कभी इतिहास का विषय व्यक्ति होता भी है तब वह समाज के अंग या प्रतिनिधि के रूप में ही होता है। इस समाज–मानव के क्रिया–कलापों के भी अतीत के विवरण उसके वर्तमान के विवरणों जैसे नहीं होते, उनमें आधारभूत अन्तर रहता है। इसके वर्तमान के विवरण जबकि समाचार का रूप लेते हैं और दूसरे ही दिन बासी हो जाते हैं, अतीत के विवरण इतिहास का रूप लेते हैं और निरन्तर शोध और जिज्ञासा के विषय बनते हैं। इसका कारण यह है कि वर्तमान के विवरण जबकि तात्कालिक और तत्पर्यन्त ही मुख्यत: होते हैं ऐतिहासिक विवरण जातीय जीवन के अंग के रूप में और उस जीवन को समझने के लिए ही देखे जाते हैं। जब कोई अतीत घटना या कृति, या व्यक्ति इस सन्दर्भ से पृथक् अपने तक ही ज्ञेय होते हैं तब वे ऐतिहासिक विषय नहीं होते, जैसे हम कालिदास या भवभूति की कोई कृति पढ़ते हुए उसे एक काल–निरपेक्ष काव्य–कृति के रूप में ही देखते हैं और उनके रूप–रचनागत वैचित्र्य को बाधक नहीं बनने देने के लिए अपनी वर्तमान कालिकता को स्थगित कर स्वयं का उस काल से तादात्म्य स्थापित कर लेते हैं। किन्तु कृतियों को जब हम काल–सन्दर्भ में देखते हैं, कृति के रूप में उनकी सफलता–असफलता देखने के लिए नहीं, अथवा कहें कृतिकार की चेतना से तादात्म्य स्थापित करने के लिए नहीं, तब उसके सम्बन्ध में हमारी दृष्टि ऐतिहासिक होती है। कृतियों को इस प्रकार ऐतिहासिक रूप में देखते हुए हम कभी उन्हें अकेले नहीं देख सकते, उस समाज के उस काल के पूरे साहित्यिक या दार्शनिक कर्म के एक अंग के रूप में ही देख सकते हैं जिसमें वह कृति लिखी गई होती है। किन्तु इसी तर्क से यह भी कहा जा सकता है कि किसी समाज के साहित्य या दर्शन, या उसकी राजनैतिक–आर्थिक परिस्थिति, अथवा विशिष्ट व्यक्ति को भी अकेले नहीं देखा–समझा जा सकता है। किन्तु हमारा विवरणात्मक ज्ञान स्वरूपत: ही समग्रात्मक होने के अयोग्य होता है, वह केवल लघुतम इकाइयों को ही अपना विषय बना सकता है। इसमें केवल हम यह ध्यान रखकर ही चल सकते हैं कि हमारा विषय एक विशाल अवयवी का अवयव मात्र है। किन्तु वास्तव में तो विवरणात्मक दृष्टि के लिए यह अवयवी एक काल्पनिक आक्षेप मात्र ही होता है, उसके लिए खण्ड ही वास्तविक होते हैं जिनसे अन्य खंडों पर हम साधारणीकरण से पहुँचते हैं। किन्तु कुछ गवेषी इस विवरणात्मक दृष्टि का परित्याग कर समग्रात्मक दृष्टि का अवलंबन करते हैं। स्वभावत: उसमें अंगों के विवरणात्मक, या कहें प्रत्यक्ष और अनुमेय पक्षों की उपेक्षा हो जाती है। यह दृष्टि–भेद हमारे एक व्यक्ति को देखने में भी हो सकता है। कुछ लोग किसी के कपड़ों पर ही विशेष ध्यान देते हैं, कुछ नयन–नक्श पर, कुछ इन सबसे परे व्यक्ति का उसकी अखण्डता में ही साक्षात्कार करते हैं। उनके लिए व्यक्ति के वस्त्र या नयन–नक्श अदृष्टप्राय ही रहते हैं। यही बात समाजविषयक समग्रात्मक दृष्टि में होती है।

ऋत, प्राकृतिक नियम और मानवीय अनियम

उन्मीलन के पिछले अंकों में दया जी ने 'सोचने के लिए' आमन्त्रित करते हुए कुछ लेख लिखे हैं और कुछ प्रश्न उठाकर उनके उत्तर दिये हैं। सोचने के लिए उनके आमन्त्रण का अर्थ यह है कि उन प्रश्नों के उनके उत्तरों पर हम आगे विचार करें, उनके उत्तर यदि हमें नहीं जँचें तो हम उनके दोष दिखाते हुए दूसरे उत्तर दें, यदि उनके उत्तर जँचें भी तो भी उन उत्तरों को और गहराई अथवा विस्तार देने का प्रयत्न करें। यह भी हो सकता है कि किसी को सब प्रश्न या उनमें से कुछ प्रश्न ही, अप्रश्न, प्रश्नाभास, असम्यक् या असमुचित रूप से रचित प्रश्न लगें, तो वह उनमें ये दोष दिखाये और इससे बात आगे बढ़े। किन्तु आश्चर्य और खेद की बात है कि किसी ने उन पर कोई प्रतिक्रिया ही नहीं की। मैंने प्रथम लेख पर प्रतिक्रिया व्यक्त की थी, किन्तु तब भी उससे कोई प्रेरित नहीं हुआ। और नहीं तो मेरी प्रतिक्रिया पर ही प्रतिक्रिया होती, पर वह भी नहीं हुई। आज मैं एक बार फिर दयाजी के आमन्त्रण को स्वीकार करते हुए उनके उठाये प्रश्नों और उनके उत्तरों पर विचार करने जा रहा हूँ और आशा करता हूँ कि कम-से-कम अब कुछ और पाठक भी इस विचार-विमर्श में भाग लेंगे।

उन्मीलन के जनवरी, 1996 अंक में दयाजी ने ऋत के विचार को लेकर प्रश्न उठाया है। उनके प्रश्न की प्रेरणा ऋत विषयक एक गोष्ठी में वैज्ञानिकों का भाग लेना है। इस पर उन्हें आश्चर्य हुआ कि इस गोष्ठी में वैज्ञानिकों का क्या काम? उनके अनुसार, वैज्ञानिक यह कहने का प्रयत्न कर रहे थे कि जड़ जगत् में भी एक आश्चर्यजनक अन्तर्व्यवस्था है और इस व्यवस्था का अव्यवस्था में से आविर्भाव होता है। इस पर दयाजी का प्रश्न है "पर ज़रा सोचिए कि शुद्ध जड़ प्रकृति के सन्दर्भ में यह बात कहने का, कि उसमें व्यवस्था है या अव्यवस्था, यह नियम से संचालित होती है या ऐसे ही, क्या अर्थ होगा? 'अराजकता', 'अव्यवस्था' आदि शब्दों का सार्थक प्रयोग एवं सोच केवल राज्य और मनुष्य की बनायी हुई संस्कृति के सन्दर्भ में ही मूलत: युक्त है।" (पृ.1) यहाँ किसी को आश्चर्य हो सकता है कि प्रकृति जड़ है तो इससे उसके नियमानुसारी होने या नहीं होने में कोई अन्तर क्यों नहीं पड़ता? इससे उनका आशय यह प्रतीत होता है कि प्रकृति के जड़ होने का अर्थ है प्राकृतिक घटनाएँ जैसे घटित होती हैं वैसे ही घटित हो सकती हैं, वे अन्य किसी प्रकार से घटित नहीं हो सकतीं। यदि पानी एक निश्चित ताप-मात्रा पर उबलता है तो वह उसी प्रकार उबलेगा, वह अन्य किसी प्रकार से व्यवहार नहीं कर सकता। किन्तु पता चला है कि पारमाणविक स्तर पर ऐसा नहीं है, उस स्तर पर घटनाएँ उस प्रकार नियत रूप से घटित नहीं होतीं। सम्भवत: ब्रह्माण्डीय स्तर पर भी ऐसी ही अनियतता है। इस पर दयाजी का कहना है कि "पर इससे मूल बात पर कोई प्रभाव नहीं पड़ता। एक तो इससे न तो विज्ञान की प्रगति पर ही असर पड़ा है और न उससे निकलने वाली उस यन्त्र-व्यवस्था पर जो मनुष्य के प्रकृति पर अधिकाधिक नियन्त्रण का सबूत देती है।" (पृष्ठ 5)

किन्तु यदि इस बात को थोड़ा गहराई से देखें तो यह बनती दिखायी नहीं देती, क्योंकि दयाजी जिस जड़ नियम की बात कर रहे हैं उसकी जड़ता इसी बात में है कि वह सर्वत्र निरपवाद रूप से घटित दिखायी देती है। शीतल, मंद, सुगंध पवन और झंझावात दोनों एक ही नियम और व्यवस्था के अन्तर्गत और एकसमान हैं। इसी से विज्ञान और यान्त्रिकी, विशेषत: यान्त्रिकी, सम्भव है। किन्तु यदि ऐसा नहीं हो, पानी किसी ताप विशेष पर कभी उबले कभी नहीं उबले, पत्थर ऊपर फेंकने पर कभी ऊपर जाय और कभी नहीं जाए, सूर्य की कक्षाएँ अनियत रूप से बदलती रहें, तो यह जगत् ही नहीं रहे, विज्ञान और यान्त्रिकी की तो बात ही क्या है। निश्चय ही प्राकृतिक जगत् में ऐसा नियम दृष्टिगत होता है, किन्तु प्रकृति में नियम हो ही, अनियम नहीं हो, यह कैसे अनिवार्य है? इसी प्रकार अव्यवस्था में से व्यवस्था के जन्म की बात को दया जी ने यह कह कर टाल दिया है कि जड़ प्रकृति में

नियम हो ही, अनियम नहीं हो, यह कैसे अनिवार्य है? इसी प्रकार अव्यवस्था में व्यवस्था के जन्म की बात को दया जी ने यह कह कर टाल दिया है कि जड़ प्रकृति के सन्दर्भ में यह कहने का कोई अर्थ ही नहीं बनता कि इसमें व्यवस्था है या अव्यवस्था, यह किसी नियम से संचालित होती है या बिना नियम के। किन्तु इधर वैज्ञानिकों को ऐसा लगने लगा है कि ब्रह्माण्ड की वर्तमान व्यवस्था कभी अविद्यमान थी, उस समय केवल एक विशाल पिंड था, जिसमें एक विस्फोट घटित हुआ जिससे उस व्यवस्था के साथ ब्राह्माण्ड का आविर्भाव हुआ जो व्यवस्था इसमें हमें अब मिलती है। यह **उपनिषद्** के असदेवेदमग्र आसीत् जैसा ही है। किन्तु **ऋग्वेद** नासदीय सूक्त में इससे भी आगे जाता है और देखता है कि तब असत् और सत् दोनों ही नहीं थे। किन्तु यहाँ महत्त्वपूर्ण बात यह है कि भौतिक विज्ञान अपने व्यावहारिक अनुसन्धानों के क्रम में इस निष्कर्ष पर पहुँचा है कि जगत् की यह जड़ व्यवस्था जड़ अव्यवस्था में से आविर्भूत हुई है और यह व्यवस्था अद्भुत है। अब, दयाजी के इस प्रतिपादन के मूल में यह धारणा निहित मालूम होती है कि 'नियम की इस जड़ अनिवार्यता' को 'व्यवस्था', या 'नियम' कैसे कहा जा सकता है, क्योंकि 'व्यवस्था' का अर्थ है कि इन प्राकृतिक घटनाओं को व्यवस्थित करने के लिए किसी ने कोई व्यवस्था दी है, जबकि वस्तुस्थिति यह है कि प्रकृति में घटनाएँ स्वत: और एक ही प्रकार से घटित होती रहती हैं और उससे किसी भिन्न प्रकार से घटित हो ही नहीं सकतीं। घटनाओं के घटने के इस रूप को जब हम समझ लेते हैं तो वह 'नियम' और 'व्यवस्था' कहा जाने लगता है। अब, इसे 'नियम' कहा जा भी सकता है, क्योंकि घटनाओं के बीच स्थिर सम्बन्ध अब समझ और गणना के विषय हो जाते हैं। ये नियम, व्यवस्था, अव्यवस्था आदि मानवीय चेतना के विषय हैं। यह चेतना वस्तुओं और घटनाओं को 'जैसी है' के रूप तक सीमित होकर नहीं देखती बल्कि 'जैसी होनी चाहिए' इस रूप में देखती है। इससे एक ऐसे नियम की कल्पना का आविर्भाव होता है जिसका अस्तित्व वस्तु में नहीं होकर चेतना में होता है और यह इस प्रकार की वस्तु को, और स्वयं चेतना को भी, उस विकल्पित नियम के अनुसार होना चाहिए इस प्रकार देखता है। यह वस्तु निश्चय ही उस प्रकार के नियम से ही व्यवस्थित है जैसा यह है किन्तु मानो यह नियम उसे दिया गया है, अन्यथा अपने आप से यह भी हो सकता था कि इसका कोई नियम होता ही नहीं। किन्तु यह दयाजी के अनुसार, एक भ्रान्त धारणा है। प्रकृति के सम्बन्ध में उनके विचार के आधार में एक साधारण भूतवैज्ञानिक दृष्टि पूर्वगृहीत है। वह यह कि प्रकृति भौतिक-यान्त्रिक नियमों के अधीन घटित होती है और ये नियम इसमें अनिवार्य और सर्वव्यापक हैं।

अब, यह द्रष्टव्य है कि भूतवैज्ञानिक दृष्टि प्रकृति विषयक एक अत्यन्त सीमित और उस सीमा के अन्तर्गत भी एक विशेष धारणा है जबकि वह दृष्टि, जो प्रकृति को ऋत से शासित देखती है, बहुत व्यापक है। भौतिक विज्ञान में प्रकृति भौतिक विषय के रूप में कल्पित है और उस कल्पना के जो बाहर पड़ता है वह या तो उसका अस्तित्व ही अस्वीकार करती है अथवा उसे अपनी विचार-सीमा से बाहर मानती है। इनमें दूसरे विकल्प में कम-से-कम एक विनम्रता है, संकुचितता चाहे प्राय: पहले विकल्प के जैसी ही हो, जबकि पहले में एक दुश्शीलता भी है। दूसरे विकल्प की संकुचितता का एक औचित्य भी देखा जा सकता है कि उससे एक क्षेत्र विशेष में अधिक व्यवहार-कुशलता सिद्ध होती है। किन्तु जैसाकि हम देखेंगे, प्रथम दृष्टि का कोई औचित्य नहीं बनता। इन दृष्टियों के विपरीत ऋत-दर्शी दृष्टि ब्रह्माण्डीय व्यापकता वाली है, उसमें भौतिक-मानसिक-आध्यात्मिक एक-दूसरे से वियोज्य नहीं हैं, न एक आयाम दूसरे में अपचेय (रिड्यूसीबल) है। उसमें न तो सब ब्रह्म है और न सब भौतिक-यान्त्रिक। इस प्रकार यह दृष्टि सत्ता में सैद्धान्तिक या सुविधात्मक-प्रयोजनमूलक किसी प्रकार की सीमा स्वीकार नहीं करती। अब, यदि दयाजी यह स्वीकार करते हैं कि मानव-चेतना के लिए व्यवस्था और अव्यवस्था का कुछ अर्थ है और यह अर्थ किसी वास्तव स्थिति में निहित होता है तब या तो यह मानना होगा कि भौतिक प्रकृति और मानव-चेतना नितान्त वियुक्त, नितान्त निरपेक्ष सत्ताएँ हैं, या फिर यह मानना होगा कि इनके बीच भेद हमने केवल अपनी व्यावहारिक सुविधा के लिए ही किया हुआ है, अन्यथा ये एक ही सत् के क्रमागत दिशान्तर मात्र हैं। अब इस तथाकथित 'शुद्ध वैज्ञानिक दृष्टि' का भोंटपना सरलता से देखा जा सकता है। इसके अनुसार, "पहले सब

भौतिक अस्तित्व ही था। इसमें कुछ रासायनिक क्रियाओं द्वारा क्रमशः कृमि-वानर-मनुष्य की उत्पत्ति हुई है। अब, यह भौतिक-रासायनिक जीव अभौतिक रूप, रस, गंध आदि देखने-चखने लगा और उसमें काम-क्रोधादि संवेगात्मक वृत्तियों का आविर्भाव हो गया। उसके बाद वह सुन्दर-असुन्दर, शुभ-अशुभ, भद्र-अभद्र, युक्त-अयुक्त, व्यवस्था-अव्यवस्था आदि देखने लगा। किन्तु इस सब की कोई वस्तुता नहीं है।" अब इस पर प्रश्न उठ सकता है कि "ये आप, जो इस नियम-अनियम की बात कर रहे हैं और जो आपमें इस सबकी—नियम-अनियम की बात करने की—समझ है, यह भी क्या इसी अवस्तुता के अन्तर्गत आती हैं?"

अब, आपको विश्वास हो या नहीं हो, ऐसे असंख्य लोग हैं—साधारण नहीं असाधारण लोग—वैज्ञानिक, दार्शनिक, समाज-चिन्तक, राजनीति-चिन्तक, जो यह मानते हैं कि ये भी इसी अवास्तविकता के अन्तर्गत आते हैं। दयाजी अंशतः ऐसे ही देख रहे हैं और अंशतः ऐसे नहीं भी देख रहे हैं। वे यह मानते हैं कि 'भौतिक जगत् अलग है और मानुषिक जगत् अलग, इनमें पहला एक जड़ नियम के अधीन घटित होता है और दूसरा अपने नियम बनाता है और अक्सर उन नियमों के अनुसार चलने में असमर्थ रहता है।' किन्तु यदि कोई इस दृष्टि को एकांगी पाये, वह भौतिक और मानुषिक जगत् को एक ही सत्ता के दो आयाम देखे और उस सत्ता को भौतिक नहीं चेतन देखे, तो उसे सहज ही भ्रान्त कैसे कहा जा सकता है?

यहाँ दयाजी आपत्ति कर सकते हैं कि "तब सारी बात आधुनिक विज्ञान की परिधि से बाहर चली जायेगी। प्रश्न यह है कि आधुनिक वैज्ञानिक ऋत की इस चर्चा में क्या करने जाते हैं?" किन्तु दयाजी का यह प्रश्न भी सही नहीं होगा, क्योंकि इस सीमित विज्ञान-दृष्टि के अन्तर्गत तो किसी नियम और व्यवस्था को ही वस्तुगत और अनिवार्य स्वीकार नहीं किया जा सकता, केवल हमारी व्यवहार-दृष्टि का आरोप ही कहा जा सकता है। उदाहरणतः यदि हम यह मान भी लें कि 'क1 ख1 का वस्तुतः ही कारण है' तो भी इस दृष्टि के अन्तर्गत 'कत्व खत्व का कारण है' यह कहने के लिए कोई भी युक्ति नहीं है, और यदि इसके लिए कोई युक्ति नहीं है तो प्रकृति में नियम की अनिवार्यता और अव्यवस्था की सम्भावना के निषेध के लिए भी कोई आधार नहीं रह जाता। दूसरे शब्दों में, "पर्वत बह्निमान् है क्योंकि वह धूमवान् दिखाई दे रहा है" यह कथन आधुनिक विज्ञान-दृष्टि के अन्तर्गत अनवधार्य है। किन्तु वास्तव में तो यह कथन भी अनवधार्य है कि 'क1 ख1 का कारण है' जैसाकि ह्यूम ने दिखाया है और कांट ने इसे 'वस्त्ववधारण की कोटि' कहकर इसकी अवस्तुता और सविकल्पकता स्वीकार की है। और ये दो दार्शनिक संयुक्त रूप से आधुनिक विज्ञान के दोनों गोलार्धों को नाप लेते हैं।

किन्तु विज्ञान-दृष्टि के भूत-तल से थोड़ा ऊपर उठते ही नियम की वह नियामक अनिवार्यता दिखायी देने लगती है जिसकी दयाजी ने एक प्रकार से अस्वीकारपूर्वक बात की है। किन्तु तल से ऊपर उठने पर वह और बहुत कुछ भी दिखायी देने लगता है जिसे दयाजी नहीं देख रहे हैं। इस ऊर्ध्वतर बोध को समझने के लिए यहाँ शीर्षस्थ आधुनिक वैज्ञानिक अल्बर्ट आईंस्टाइन को उद्धृत करना उपयोगी होगा। वे कहते हैं—"मेरा धर्म उस उच्चतर असीम सत्ता के प्रति विनम्र प्रशंसाभाव में है जिसके व्यक्त सूक्ष्म विस्तार को हम अपने दुर्बल मस्तिष्क से भी देख पाने में समर्थ हैं। इस उच्चतर सत्ता की उपस्थिति के प्रति मेरा प्रगाढ़ भावात्मक लगाव है जिसने अनिर्वचनीय ब्रह्माण्ड के रूप में अपने को व्यक्त किया है। यही मेरी ईश्वर-सम्बन्धी धारणा है।" (1. लिंकन बार्नेट — **द यूनीवर्स एण्ड डॉक्टर आईंस्टाइन**, पृ. 95-96 (यहाँ सिद्धेश्वरप्रसाद लिखित **ब्रह्मविज्ञानोपनिषद्** पृ. 4 से उद्धृत)) **यह विराट् के सम्मुख स्तब्धता और विस्मय-विमुग्धता का वही भाव है जो कांट ने अपने भीतर आत्मा में साक्षात्कृत नैतिक नियम से तुलनीय तारकित नभ को देखकर अनुभव किया था। यह ब्रह्माण्ड, इसका धारक नियम और इसकी व्यवस्था उससे कहीं अधिक अद्भुत हैं जितनी तारकित नभ में परिलक्षित होती है—असंख्य तारा मण्डल और ताराओं का माण्डलिकता में धारण, असंख्य जीव-जातियाँ और व्यष्टियों का जातिकता में और जातियों का जैवता में धारण, यह सब एक अद्भुत सत्य है जिसका बोध किसी को भी उदात्तता देता है।**

किन्तु ऋत को लेकर एक आधारभूत कठिनाई यह है कि यह मनुष्य के स्तर पर आकर निष्प्रभाव दिखायी देता है। मनुष्य वह है जो प्रकृतिक नियमों के अनुसार नहीं चलता, उनका अवशत: अनुसरण भी नहीं करता, बल्कि उनको खोजता-समझता है। इसी प्रकार उसे अपने अस्तित्व के भी व्यावहारिक और धारक नियमों को खोजना और जाँचना होता है और उस जाँच के अनुसार उनका संशोधन-परिमार्जन करना होता है। समाज, भाषा, अर्थ-तन्त्र आदि एक सीमा तक व्यावहारिक व्यवस्थाएँ कही जा सकती हैं। यद्यपि ये व्यावहारिक व्यवस्थाएँ भी नितान्त यादृच्छिक या काल्पनिक नहीं होतीं किन्तु ये तात्त्विक भी नहीं होतीं। किन्तु मनुष्य के अस्तित्व का भी कोई आधार-नियम होना ही चाहिए जिसकी विद्यमानता उसकी अपनी परिभाषा की खोज की निरन्तर उद्विग्नता में परिलक्षित होती है। उसकी स्थिति आत्म-विस्मृति से अभिशप्त और दिव्य लोक से निष्कासित उस सत्त्व के जैसी है जिसे अपनी दिव्यता को पुनरधिगत करना होता है।

किन्तु इसका अर्थ यह हो जाता है कि मनुष्य और शेष अस्तित्व परस्पर आधारभूत रूप से भिन्न हैं। शेष जगत् जबकि अपने ऋत में सहज रूप से प्रतिष्ठित है, मनुष्य उससे वियुक्त रहता है या फिर सम्पूर्ण ब्रह्माण्ड में एक ही ऋत व्याप्त है और यह ब्रह्माण्ड अपने ऋत की साधना के क्रम में ही मनुष्य तक पहुँचा है और यहाँ पहुँच कर वह आत्मचेतन हो गया है। यह चेतना उसे जगत् की अंगरूपता से और इस प्रकार उसके शासन से मुक्त कर उसे उसके और अपने नियम के निर्माता या अन्वेषक की भूमिका से प्रतिष्ठित कर देती है। अब भौतिक नियम और व्यवस्था उसके लिए ऋत नहीं होकर ऋत की साधना का चरण हो जाती है, अथवा यह उस आत्मानुशासन का जड़ प्रतिबिम्ब हो जाती है जो ब्रह्माण्डीय आत्मान्वेषण की पार्यन्तिक स्थिति है। यह पार्यन्तिक स्थिति कांट के अन्तर्गुहावासी नैतिक नियम से चेतना के आत्मचेतन तादात्म्य, वासुदेव के विराट् रूप के अर्जुन की चेतना में अवतरण, बुद्ध की सम्बोधि के रूप में सिद्ध दृष्टि और याथार्थ्य के बीच अभेद, के रूप में प्रतिफलित होती है। इसे इस प्रकार भी कहा जा सकता है कि ब्रह्माण्ड की अस्फुटता की स्थिति, जिसे हम व्यवस्था-अभाव या असत् की स्थिति के रूप में देखते हैं, ऋत के अभाव या उसके अस्फुट भाव की स्थिति है जो जगत् रूप में स्फुट होकर जड़ ऋत के रूप में आविर्भूत होती है। यह जड़ ऋत स्फुटतर होता हुआ जैव चेतना में विकसित होता है किन्तु अपनी जड़ता में तमसावृत ही रहता है। इस तमस का भेदन आत्मचेतना के साथ आरम्भ होता है और इस प्रकार ऋत का विषय रूप में आक्षेप और उस विषयता में उसका अन्वेषण आरम्भ होता है। विषय-विषयी रूप में उद्भिन्न यह चेतना जितना ही विषय में प्रवेश करती है ऋत की विभुता उतनी ही गहनता और असीमता में स्फुट होती चली जाती है। इसका पार्यंतिक छोर यह चेतना इस विराट्ता से अपने को आत्मसात् करके पा सकती हैं।

इस प्रतिपादन में प्रत्यक्षवाद-विज्ञानवाद के इस युग में शुद्ध काल्पनिकता दिखायी दे सकती है, जिसे आधुनिक पश्चिम में तत्त्वमीमांसा कहा जाता है। किन्तु इसमें कुछ काल्पनिकता नहीं है, केवल यथार्थ-दर्शी कल्पना है। कल्पना के बिना तो चेतना का कोई अर्थ ही प्रकट नहीं होता, तब यथा-अर्थता भी कैसे प्रकट होगी? 'यह भौतिक है' यह ज्ञान तक बड़ी कल्पना से लक्षित होता है, क्योंकि इस ज्ञान के लिए पहले चेतना का विषयि-विषय द्वैत में उद्भिन्न होना और इस प्रकार विषय-कल्पना का आविर्भाव होना अपेक्षित होता है, उसके बाद दृश्य विषय-समवाय में निहित असंख्य गुणों में से एक गुण को विश्लिष्ट कर उसका 'भौतिक' इस प्रकार नामकरण अपेक्षित होता है। यह विश्लेषण और नामकरण पुन: कल्पनाश्रित व्यापार होता है। इस कल्पना को विभिन्न दार्शनिकों ने विभिन्न प्रकार के यथार्थ को आवृत करने वाली कहा है। इनमें प्रत्यक्षवादी चार्वाक और उनके आधुनिक पाश्चात्य अनुज, महायानी बौद्ध और वेदांती सभी सम्मिलित हैं। किन्तु यह भ्रान्ति है। इसका मूल वास्तव में इस अर्थ-दर्शी कल्पना के आत्मचेतन होकर अपने स्रोत में प्रतिष्ठित होने में ही है, कल्पना को आवरक मानकर उस कल्पनाहीनता की सिद्धि में नहीं जो असत् की, अनृत की स्थिति के तुल्य है।

अब अन्त में अनृत से ऋत की, या कहें अव्यवस्था से व्यवस्था की, उत्पत्ति के सम्बन्ध में भी विचार करना अस्थाने नहीं होगा। दयाजी ने यह कह कर छुट्टी पा ली है कि जड़ प्रकृति में 'अव्यवस्था' और 'व्यवस्था'

शब्दों का प्रयोग निरर्थक है। किन्तु द्रष्टव्य है कि वैज्ञानिक इन शब्दों का प्रयोग कर रहे हैं और उन वैज्ञानिकों की विचार-व्यवस्था में झंझावात और उल्कापात आदि अव्यवस्था के सूचक ही नहीं हैं। अब, यदि दयाजी की बात ही मानी जाय कि 'व्यवस्था और अव्यवस्था का प्रकृति के जड़ नियम के अन्तर्गत कोई अर्थ नहीं बनता' तो पहले तो यह देखने का प्रयत्न करना चाहिए कि आख़िर तब भी वैज्ञानिक ऐसा क्यों कहते हैं, उनका इससे क्या अर्थ और अभिप्राय है? और यदि तब भी वे पाते हैं कि विज्ञान के अवधारणात्मक संस्थान के अन्तर्गत इसका वास्तव में ही कोई अर्थ नहीं बनता क्योंकि उस संस्थान के अन्तर्गत तारामण्डलों के आविर्भाव से पहले की स्थिति में इन मण्डलों का आविर्भाव उसी नियम से घटित होता है जिससे बाद का सब भौतिक जगत्-व्यापार घटित होता है, तब उन्हें (दयाजी को) विज्ञान के संस्थान से बाहर इसका उत्तर खोजना चाहिए। अब इस संस्थान से बाहर आने पर यह प्रश्न उत्पन्न हो सकता है कि, उसी नियम के रहते यदि अनादि काल से भौतिक तत्त्व जगद्रूप में विस्फुट हुए बिना पड़ा रह सकता था तो आगे अनन्त काल तक के लिए भी वह वैसे ही क्यों नहीं पड़ा रहा? और फिर, क्या यह अनिवार्य था कि अस्फुटता से स्फुट जगत् का यही रूप प्रकट होता, कोई अन्य रूप नहीं?

निश्चय ही विज्ञान की पदावली में इसका कोई अर्थ नहीं होगा। किन्तु यही क्यों आवश्यक है कि हम विज्ञान के अवधारणात्मक संस्थान तक ही सीमित रहें? इसी स्थिति के ठीक अनुरूप स्थिति की कल्पना **तैत्तिरीय उपनिषद्** ने भी की है—कि, पहले असत् ही था, उससे सत् की उत्पत्ति हुई, उसने अपने को स्वयं किया—क्रियान्वित किया, सर्जित किया, रचा।" इसके समानान्तर, किन्तु सीमित मानवीय सन्दर्भ में एक स्थिति का आक्षेप पाश्चात्य अस्तित्ववादी भी करते हैं और कहते हैं कि मनुष्य का संसार में अवतरण अकारण, अनिमित्तिक, निष्प्रयोजन और 'कहीं से भी नहीं' होता है। उनके शब्दों में 'हम जगत् में फेंक दिये जाते हैं।' इसका क्या अर्थ है? मनुष्य का जन्म एकदम नियत कारण-कार्यता के अधीन ही होता है और उसका मानसिक निर्माण सामाजिक-सांस्कृतिक परिवेश से ही नियत होता है इसका पता तो अस्तित्ववादियों को भी है, तब फिर वे ऐसी बात क्यों करते हैं? ऐसी बात वे इसलिए करते हैं क्योंकि मनुष्य की वरण-क्षमता का सिद्धान्त उसे इसी स्थिति में अवस्थित करता है, तब वह अपना स्वयं ही विधायक होता है। बहुत-से भारतीय दर्शनों द्वारा जगत् की उत्पत्ति अविद्या से कहने और अविद्या को अनादि कहने में भी जगत् के आविर्भाव को वही 'कहीं से भी नहीं' कहना ही अभिप्रेत है। अब, अव्यवस्था से जगद्-व्यवस्था का आविर्भाव चाहे वैज्ञानिक पदावली में नियत भौतिक नियम के अनुसार हुआ ही कहा जाय किन्तु इस घटना, वस्तुस्थिति या आविर्भाव को उस पदावली तक सीमित रखने का कोई औचित्य भी है या नहीं यह तो व्यापकतर युक्ति के द्वारा ही सिद्ध हो सकता है, वैज्ञानिक युक्ति के द्वारा नहीं।

अब संक्षेप में मानवीय अव्यवस्था या अनियम के सम्बन्ध में : हम प्राकृतिक जड़ व्यवस्था के विपरीत प्रकृति में भी चेतन व्यवस्था या व्यवस्थाओं की रचना करना चाहते हैं, स्वयं अपने जीवन में तो व्यवस्थाओं की रचना करते ही हैं। भौतिक प्रकृति को उपादान बनाकर उपयोगी कृतियों या कला-कृतियों की रचना और वानस्पतिक तथा पाशव प्राकृतिक का उपयोगात्मक या किसी अन्य प्रयोजन-मूलक नियोजन ये सब प्रकृति में चेतन-व्यवस्थाओं की रचना के उदाहरण कहे जा सकते हैं। इन सबमें सिद्ध और साध्य के तारतम्यत: विभक्त दो छोर रहते हैं—इसमें प्रत्येक वस्तु एक कृति होती है जिसमें कोई व्यवस्था घटित होती है और यह कृति उत्कृष्टतर सम्भाव्य कृतियों से न्यून होती है। सिद्ध और साध्य की यह तर-तमात्मकता ही व्यवस्था या नियम का जड़ के विपरीत चेतन होना है। यही बात मनुष्य के अपने जीवन के सम्बन्ध में भी है। वह निरन्तर अपने प्रतिमान को पाने के लिए उद्विग्न रहता है, यह बात दूसरी है कि उसका अपने प्रतिमान का बोध अभ्रान्त होता है या नहीं। इस रचनात्मक व्यवस्था के आरोप के बिना मनुष्य भी जड़ नियम से शासित एक प्राकृतिक अस्तित्व ही होता है।

यहाँ विचारणीय है कि यह वास्तव और आदर्श छोरों का अन्तराय क्यों उत्पन्न होता है? इसका स्रोत प्रत्ययों का साक्षात्कार करने वाली बुद्धि को कह सकते हैं। (यहाँ 'बुद्धि' शब्द का प्रयोग हम इस शब्द के

भारतीय अर्थ में कर रहे हैं, 'इंटलेक्ट' के अर्थ में नहीं) ये प्रत्यय अपनी शुद्ध सत्ता में नियम और व्यवस्था के आदर्श रूप होते हैं। किन्तु इनके जीवन में घटित होने के लिए मनुष्य की मानसिक और जैविक प्रकृति को उनका अनुकरण करना होता है, उनकी प्रतिमा बननी होती है। बस, यहीं अव्यवस्था या अनियम की स्थिति बनती है। इन प्रत्ययों में सर्वाधार प्रत्यय स्वयं 'मनुष्यत्व' का है, शेष प्रत्यय उसी में व्यवस्थित होते हैं। सब अव्यवस्था या अनियम का स्रोत इसी के क्रियान्वयन की असफलता में होता है। निश्चय ही अतिवृष्टि-अनावृष्टि आदि भी 'अव्यवस्था' के रूप में देखे जाते हैं और ईतियाँ कहे जाते हैं, किन्तु तब 'प्रकृति' का स्वरूप यहाँ भौतिकविज्ञान-सम्मत नहीं होता, बल्कि वह मनुष्य के मनोदैहिक अस्तित्व के समान सत्ता का मनोभौतिक अस्तित्व होता है जिसमें मनुष्य भी सहभागी होता है। यह दृष्टि यथार्थ है या अयथार्थ इस पर यहाँ विचार प्रासंगिक नहीं होगा। इस पर हमने **सत्ताविषयक अन्वीक्षा** पुस्तक के प्रकृति विषयक दो अध्यायों में विस्तार से विचार किया है।

वरण की प्रामाणिकता का प्रश्न

(प्रसंग : अज्ञेय जी का कार्ल यास्पर्स से प्रश्न और यास्पर्श के उत्तर से अज्ञेय जी का असंतोष। यह प्रश्न प्रोफेसर रमेशचन्द्र शाह द्वारा मुझसे किया गया।)

"पृथ्वी पर हम अपनी इच्छा से तो नहीं आये। पार्थिव जीवन का हमने वरण नहीं किया। तब वरण पर आधारित हमारे नीतिशास्त्र का प्रमाण क्या है? यास्पर्स ने इसका एक तरह से कोई उत्तर नहीं दिया, जो उत्तर दिया अज्ञेय जी ने उसे टालना लिखा है। उत्तर दिया : ऐसे कई बिन्दु होते हैं जहाँ से लेखक की खोज का रास्ता दार्शनिक रास्ते से अलग हो जाता है। (एक बूँद सहसा उछली, 37–47)"

उत्तर—यहाँ यह देखना रोचक होगा कि सार्त्र भी मनुष्य को अपना रास्ता स्वयं ढूँढने के लिए संसार में फेंक दिये गए के रूप में ही देखते हैं। इसी प्रकार एक स्पेनी दार्शनिक गेस्सेट के अनुसार, जीवन हमें प्रदत्त होता है, यह हम स्वयं को प्रदान नहीं करते, हम अपने को इसमें पाते हैं—अकस्मात् और यह बिना जाने कि कैसे। (जोजेफ ओर्गेटा वाइ. गेस्सेट, **हिस्ट्री एज़ ए सिस्टम, पृ. 165**)

इस प्रश्न का क्या अर्थ है यह उतना स्पष्ट नहीं है जितना प्रथम दृष्टि में प्रतीत होता है। इस प्रश्न का आरम्भ ही एक भ्रान्त धारणा को पूर्वगृहीत कर होता है कि इच्छानुकूल चयन वरण होता है। अब यदि इसे स्वीकार किया जाय तो स्वेच्छाचार और नैतिक आचरण एक ही हो जायेंगे। दुर्भाग्यवश कुछ अस्तित्ववादी बहुत कुछ ऐसा ही मानते प्रतीत होते हैं। अज्ञेय जी ने भी इसे पूरी तरह मान लिया है। इस प्रश्न में दूसरा पूर्वग्रह है कि हम संसार में अपने वरण से नहीं आते। इसका क्या अर्थ है? इसके दो विकल्प हो सकते हैं—एक यह कि हम संसार में एक प्रदत्त स्वभाव लेकर आते हैं, और दूसरा यह कि हम स्वभाव-हीन रूप से संसार में आते हैं। अब, यदि इनमें पहला विकल्प माना जाय तभी हम संसार में अपने वरण के बिना आये कहे जा सकते हैं, क्योंकि 'हम' का तभी कुछ अर्थ बनेगा यदि हमारा कोई स्वभाव हो, वह चाहे हमारा अपने को स्वयं दिया हुआ नहीं भी हो। यदि दूसरा विकल्प मानें, कि हम संसार में निःस्वभाव रूप में अवतरित होते हैं, तो इसके भी दो विकल्प हो सकते हैं। एक यह कि हम यह स्वभाव उस परिवेश से प्राप्त करते हैं जो आगन्तुक रूप से हमें मिलता है, या यह कि हम जन्म के बाद किसी समय स्वयं वरण करके अपने को एक स्वभाव देते हैं। अब, यदि इनमें से प्रथम विकल्प स्वीकार किया जाय—कि हम अपने परिवेश से स्वभाव प्राप्त करते हैं, तभी उचित रूप से यह कहा जा सकता है कि हम अपने वरण से संसार में नहीं आते, दूसरा विकल्प स्वीकार करने पर यह नहीं कहा जा सकता, क्योंकि हम तभी 'हम' होते हैं जब हम स्वभाववान् होते हैं, अन्यथा तो हमें 'हम' कहने का कोई अर्थ ही नहीं बनता। अब यदि हम 'हम' स्वतः ही होते हैं परतः नहीं, तब स्पष्ट है कि हम अपने को स्वभाव भी स्वतः ही देते हैं और इस प्रकार हम अपने स्वभाव का, अर्थात् अपने संसारावतरण का, वरण भी स्वतः ही करते हैं। यहाँ कहा जा सकता है कि यदि हम अपने को स्वयं स्वभाव देते हैं तो हम स्वभाव से प्राक् हो जाते हैं और इस प्रकार हमारे 'हम' होने के लिए स्वभाव पूर्वपिक्षित नहीं रहता बल्कि 'हम' स्वभाव के लिए पूर्वपिक्षित हो जाते हैं। यह सही है, एक अर्थ में तो यह भी कहा जा सकता है कि स्वभाव केवल उसी का होता है जो अपने को स्वभाव दे सकता है, स्वभाव 'स्व' द्वारा सृष्ट भाव (सत्) ही हो सकता है, शेष सब तो निःस्वभाव ही होता है। नागार्जुन ने प्रतीत्यसमुत्पन्नता और निःस्वभावता को जो समानार्थक कहा है वह इस रूप में ठीक ही है। अब, यदि यह ठीक है तो यह कहना ठीक नहीं होगा कि हम संसार में अपने वरण से नहीं आते, क्योंकि मनुष्य के संसारावतरण या संसार में आगमन का

अर्थ माँ के गर्भ में आना या गर्भ से बाहर आना नहीं है। यदि इसका अर्थ जैविक उत्पत्ति हो तो यह बात स्वत:सिद्ध होगी कि हम संसार में निस्स्वभाव ही आते हैं और यह भी कि नीतिशास्त्र वरण पर आधारित नहीं है।

किन्तु यहाँ प्रश्न हो सकता है कि इसके लिए भी क्या प्रमाण है कि नैतिक बोध वरण पर आधारित है? अधिकांश लोग नैतिक विधि-निषेध को श्रुति, स्मृति और सदाचार के उदाहरण पर ही आधारित मानते हैं। आंग्ल-अमरीकी अधिकांश दार्शनिक इसे रुचिमूलक और रुचियों को दैहिक रसायनमूलक या अभ्यासमूलक ही मानते हैं। अब, साधारणत: मनुष्य का यही रूप उपलब्ध होता है—कारण-कार्य-शृंखला में एक कड़ी। वह एक आनुवंशिकी के साथ और भौगोलिक, सामाजिक और सांस्कृतिक परिवेश के अंग के रूप में ही संसार में उत्पन्न होता है जबकि स्वभाव स्व-प्रतिष्ठापन को, स्व-कर्त्तृकता को पूर्वापेक्षित करता है। इस पूर्वापेक्षा में 'पूर्व' केवल आर्थी है, कालिक नहीं, कालिक रूप से तो कर्त्तृकता और स्वभाव युगपद् ही होते हैं। इसके लिए **तैत्तिरीय उपनिषद्** की अत्यन्त व्यंजक कल्पना की सहायता ली जा सकती है—'असद्वा इदमग्र आसीत्, ततो वै सदजायत, स आत्मानं स्वयमकुरुत।' यहाँ 'अग्र' कालवाचक नहीं है। यदि यह समकालीन भौतिक विज्ञान की महद् विस्फोट की कल्पना के समान काल-वाचक हो भी तो भी सत् और उसके आत्मसर्जन में कोई अनुक्रम अपेक्षित नहीं है, क्योंकि आत्मसर्जक सत् असत् से आत्मसर्जनपूर्वक ही उत्पन्न हो सकता है। मनुष्य के सन्दर्भ में इसे जैव स्थिति से मानवीय स्थिति में उत्क्रमित होना कह सकते हैं। इस प्रकार स्व-भाव की यह प्रतिष्ठा स्व-भाव के वरण की, वरणपूर्वक संसारावतरण की, नामान्तर मात्र हो जाती है। अब, जो स्वभाव का इस प्रकार वरण कर सकता है वही नैतिक कर्त्ता हो सकता है।

यह ध्यातव्य है कि यहाँ 'नैतिक कर्त्ता' का अर्थ संकुचित अर्थ में उचित आचरण करने वाला, मॉरल, नहीं है, इसका अर्थ विवेकमय होना है। दूसरे शब्दों में, यह नैतिकता सत्यवचन में नहीं सत्यपरायणता में है, परोपकार करने में नहीं करुण और उदार होने में है, अर्थात् होने मात्र की विवेकपूर्वकता में। इस प्रकार से मेरा दार्शनिक, कलाकार, वैज्ञानिक आदि होना भी होने की वरणपूर्वकता में सम्मिलित हो जाता है। इसमें दर्शन, विज्ञान या कला व्यवसाय नहीं मार्ग और साधना हो जाते हैं। 'स्वराज्य च प्रियमात्मन:' (आत्मप्रियता) को इसी अर्थ में समझना चाहिए और 'श्रुति, स्मृति तथा सदाचार' का आधार या तो 'आत्मसाक्षात्कार' को ही समझना चाहिए या फिर इन्हें कर्म की कसौटी के रूप में निरर्थक समझना चाहिए।

'नैतिकता' को इस व्यापक अर्थ में समझने पर अज्ञेय जी के प्रश्न में उठायी गई 'वरण की प्रामाणिकता' की बात का अर्थ भी समझा जा सकता है। प्रश्न में हमारे संसारावतरण को एक आगन्तुक घटना मानते हुए नैतिकता की प्रामाणिकता के अन्य स्रोत की जिज्ञासा की गई है। इसमें अस्तित्ववादी चिन्तन के अनुरूप ही, मनुष्य के संसारावतरण को उसकी जैविक उत्पत्ति के अर्थ में ही लिया गया है जो कि युक्त नहीं है, जैसाकि हमने पीछे देखा। किन्तु अज्ञेय जी के प्रश्न को ही आगे बढ़ाते हुए यह पूछा जा सकता है कि यदि हमारे जन्म के समय हमें अपने अवतरण के स्वरूप का वरण करने की योग्यता दे दी जाय तब हमारे उस वरण की प्रामाणिकता क्या होगी? यहाँ 'प्रमाण' का क्या अर्थ है? कार्ल यास्पर्स का उत्तर वास्तव में ही उत्तर नहीं है, किन्तु क्या अज्ञेय जी का प्रश्न सही प्रश्न है? इस प्रश्न का अर्थ पाने के लिए प्रामाणिकता के स्वरूप पर विचार आवश्यक होगा : भौतिक वस्तु के लिए प्रत्यक्ष प्रमाण होता है और पीड़ा के लिए स्वयं पीड़ा का अनुभव ही प्रमाण होता है। इस प्रकार पीड़ा स्वत:प्रमाण और प्रत्यक्ष परत:प्रमाण हो जाता है। किन्तु 'मैं सुखी हूँ' या 'मैं दु:खी हूँ' इनकी प्रामाणिकता न प्रत्यक्ष-रूप होती है और न स्वत:प्रमाण रूप, जैसाकि बुद्ध के सर्व को दु:खमय कहने से और मनोविश्लेषकों के 'छद्म दु:ख' और 'सुख-भ्रान्ति' आदि पदों के प्रयोग से देखा जा सकता है। कर्म की गति तो अत्यन्त गहन कही ही गई है। अर्थात् किसी कर्म की युक्तता का प्रमाण पाना अत्यन्त दुस्साध्य होता है। और अपने भाव के, स्व-भाव के, वरण का प्रामाण्य? वह कैसा होगा? उसे कहाँ ढूँढने जाएँ?

अब, सबसे पहले तो यही निश्चित नहीं होता कि हमारा कोई कर्म वरणपूर्वक है या कि वासनाधीन अथवा संस्काराधीन है? यहाँ यह एक अलग प्रश्न हो सकता है कि वासना और संस्कार को 'पर' क्यों कहा जाय, 'स्व'

क्यों नहीं कहा जाय? अज्ञेय जी और अस्तित्ववादियों से भिन्न हम यहाँ यह मानकर ही चलेंगे कि ये 'पर' ही होते हैं और इस प्रकार इनकी अधीनता पराधीनता ही होती है। अब, यह मान लेने पर कि काम या इच्छा 'पर' हैं क्या यह कहा जा सकता है कि इनसे मुक्ति ही स्वाधीनता है और यह स्वाधीनता ही वरण की योग्यता है? हमारे विचार में यह कहा जा सकता है कि वासना और संस्कार से मुक्ति और स्वाधीनता एकार्थक पद हैं। इससे आगे जाकर यह भी कहा जा सकता है कि 'स्वातन्त्र्य', 'वरण' और 'कर्म की नैतिकता का प्रामाण्य' ये भी एकार्थक पद ही हैं। वरण के इस प्रकार परिभाषित होने पर स्वभाव का वरण और कर्म का वरण एक ही हो जाते हैं और इनका प्रामाण्य इनके वरण होने में ही निहित हो जाता है।

अज्ञेय जी के प्रश्न को एक-दूसरे अर्थ में समझा जा सकता है कि यदि मनुष्य अपने जन्म का वरण नहीं करता, जैसाकि अस्तित्ववादी मानते हैं, तो इसके लिए क्या प्रमाण है कि वह आगे कभी वरण करता है? जबकि नीतिशास्त्र इस पूर्वमान्यता पर ही आधारित है कि मनुष्य स्वतन्त्रत: वरण कर सकता है। अस्तित्ववादी इसका उत्तर देते हैं कि 'क्योंकि मनुष्य का कोई अतीत नहीं होता इसलिए वह किसी स्वभाव से नियत नहीं होता, जैसे गाय गोत्व-स्वभाव से नियत होती है। इसलिए वह सब समय चौराहे पर खड़े उस व्यक्ति के समान होता है जिसका कोई पूर्वनियत गन्तव्य नहीं है और न जिसे गन्तव्य विषयक कोई निर्देश या संकेत प्राप्त है। इसी में उसकी स्वतन्त्रता है कि वह चाहे जिधर भी चल दे, और ऐसे में वह जिधर भी चलेगा वह मार्ग युक्त मार्ग ही होगा। उसके वरण के प्रामाणिक होने के लिए केवल इतनी ही शर्त है कि वह चले अपने ही मन से, किसी की अँगुली पकड़ कर नहीं।' यह उत्तर एकदम बुद्ध के 'अप्प दीपो भव' और मनु के 'स्वस्य च प्रियमात्मन:' का अनुवाद कहा जा सकता था यदि अस्तित्ववाद में 'अनात्म' विषयक कोई विचार होता, जो दुर्भाग्यवश उसमें नहीं है। इसीलिए उसमें 'ऑथंटिसिटी', (प्रामाणिकता) के लिए शर्त केवल अपनी इच्छा का अव्यवहित ज्ञान होना, अथवा कहें अपनी इच्छा के साथ अव्यवहितत्व होना मात्र है। इसमें प्रतिबन्धक केवल वे प्रतिबद्धता (कमिटमेंट) को लगाते हैं, अर्थात् इच्छानुसार कुछ कर लेने पर उसके फल से, उसके उत्तरदायित्व से नहीं भागना। किन्तु इस प्रतिबन्धक के लिए युक्ति क्या है? 'क्या मुझे अपने किसी कर्म का उत्तरदायित्व ढोना चाहिए? इसके लिए अस्तित्ववाद के पास कोई उत्तर है, ऐसा मुझे नहीं पता।'

अब देखें कार्ल यास्पर्स के उत्तर का कुछ अर्थ बन सकता है या नहीं? यद्यपि अज्ञेयजी ने उसे 'उत्तर' स्वीकार नहीं किया, टालना ही कहा है, किन्तु शायद यह एकदम से टालना नहीं है। केवल यह उत्तर स्पष्ट और निश्चित शब्दों में नहीं है। इसका स्पष्ट और निश्चित अर्थ क्या हो सकता है?

'लेखक' का यहाँ अर्थ साहित्यिक लेखक (कवि, कहानीकार, उपन्यासकार) से है। इनका रास्ता दार्शनिक के रास्ते से किन्हीं विशेष बिन्दुओं पर अलग नहीं होता बल्कि यह मूल में ही अलग होता है। और प्रस्तुत प्रश्न पर इनके रास्तों की भिन्नता विशेष रूप से महत्त्वपूर्ण है। दार्शनिक-विचारक की अभिवृत्ति विषयनिष्ठ तटस्थ प्रेक्षक की होती है और इसके विपरीत साहित्यिक—कलाकार—की अभिवृत्ति तदात्म यद्यपि उन्मग्न भोक्ता की। अब, कथाकार विभिन्न पात्रों के माध्यम से विभिन्न संसारावतरणों, संसार में अपने को लाने के विभिन्न कर्मों, के वरण का अन्त:साक्षात्कार करता है, उन्हें रच कर उनमें पर-काय प्रवेश करता है, अथवा अपने ही को नये सिरे से रचता और उस रचना को भोगता है। दार्शनिक न तदात्म्य होता है, न वरण करता है और न कर्म करता है, वह इन के तत्त्व को तटस्थ रह कर समझने का उपक्रम करता है। यहाँ यह विवाद हो सकता है कि ज्ञान का कौन-सा मार्ग सही मार्ग है, भाव-तादात्म्य का या कि तटस्थ प्रेक्षण का? द्रष्टव्य है अज्ञेय जी का प्रश्न दूसरे मार्गी का प्रश्न है, पहले मार्गी से कोई पश्न किया ही नहीं जा सकता।

पुनश्च

वरण के प्रश्न पर हमने जो ऊपर विचार किया उस पर आपत्ति हो सकती है कि उसमें जीवन की ठोस वास्तविकता को पारिभाषिकता से झुठला-सा दिया गया है। मेरे एक मित्र का अभी पत्र मिला जिसमें उन्होंने

लिखा है—'कभी-कभी सन्देह होता है कि क्या जीवन का अर्थ पैदा होना, पैदा करना और फिर रिटायर होकर व्यर्थ ही जीवन से चिपटे रहने की कोशिश में लगे रहना ही है क्या? यहाँ अपने वश में क्या है? संयोग है किसी माता-पिता विशेष का बच्चा होना, किसी का भाई, पति, मित्र, पड़ोसी होना आदि ... हम स्वयं क्या चुन सकते हैं?'... आदि। यह एक ऐसी मनोदशा—बोध-दशा है जो आज के इस अनास्था के युग में प्राय: सभी प्रबुद्ध जनों को जीवन के अन्तिम पड़ाव में आ घेरती है। हम प्रतिपद पर महसूस करते हैं कि हम जो हैं वह नहीं भी होते, कुछ और ही होते, या होते ही नहीं। हमारी अभीष्ट, अनभीष्ट और विपरीत तीनों प्रकार की स्थितियाँ हमारी अपनी बनायी या लायी हुई नहीं हैं। हम कहाँ और कब जन्मे, किसके यहाँ और किनके बीच जन्मे, कैसा रूप-रंग, मस्तिष्क और आमाशय आदि पाये, यह कुछ भी हमारे बस में नहीं होता। इस स्थिति का यह निरूपण कि 'हम संसार के चौराहे पर स्वयं चुनने के लिए छोड़ दिये गए हैं' ठीक नहीं कहा जा सकता, क्योंकि सब, जो हमें हमारे माँगे और चाहे बिना मिलता है, हमारा आन्तरत: और बाह्यत: दोनों स्तरों पर निर्धारण और अवरोधन करता है।

यहाँ एक विचित्र विरोधाभास की स्थिति बनती है : यह एक निर्धारक स्थिति जिस 'हम' की होती है वह एक ओर इन निर्धारणों का विषय होता है, इनके निर्धारण में एक सहभागी होता है। इन स्थितियों का समवाय होता है और दूसरी ओर इनसे अलग इनका दर्शक होता है। इसके जन्म का स्थान और काल उसके अस्तित्व की बाह्य और आगन्तुक स्थितियाँ होती हैं। यह विचारणीय है कि उत्कण्ठित व्यक्ति उत्कण्ठा से बाह्यत: सम्बद्ध होता है या कि आंतरत: घटित होता है? उसके जन्म का स्थान और काल उसके अस्तित्व की बाह्य और आगन्तुक घटनाएँ होती हैं या कि उसकी आन्तर घटक, उसके अस्तित्व में अंगभूत, होती हैं? यहाँ सम्भवत: सब कहना चाहेंगे कि इनमें से कुछ स्थितियाँ और घटनाएँ अन्तरंग होती हैं और कुछ बाह्य। जैसे हमारा रंग-रूप, हमारा पड़ोस आदि आगन्तुक होते हैं और हमारा बुद्धिमान् या मंदबुद्धि होना आदि हमारे अन्तरंग होते हैं। किन्तु यदि व्यक्ति को योग्यता और परिवेश का संयुक्त प्रतिफल माना जाय तो कुछ भी उसके बाहर नहीं रह जाता, पड़ोस भी नहीं। यदि मैं अपने पड़ोसी से घृणा के कारण उससे छुटकारा पाने के लिए मकान बदल लेता हूँ तो मैंने उससे प्रकटत: तो छुटकारा पा लिया किन्तु मुझे उसने अपनी विद्यमानता से आवेगात्मक स्तर पर घटित सिद्ध कर दिया, अपने सम्मुख मेरी बेबसी सिद्ध कर दी। दूसरी ओर, उसका मेरे पड़ोस में होना मेरे चाहने-नहीं चाहने से बिल्कुल स्वतन्त्र रूप से घटित होता है और यह आगंतुकता मेरा नितान्त परवशता है कि अमुक मेरा पड़ोसी है या नहीं।

यहाँ यह द्रष्टव्य है कि ये सारे सन्दर्भ चाहने के हैं, वरण के नहीं। मेरा जन्म 26 जून, 1928 को मेरे ननिहाल फिरोज़पुर में मेरी इच्छा से नहीं हुआ या कि मेरे वरण से नहीं हुआ? पूछा जा सकता है कि यहाँ इच्छा और वरण दोनों के लिए ही अवकाश कहाँ है? हम जन्म से पहले तो थे ही नहीं, जब जन्मे तब हुए, तब फिर हम जन्मने की इच्छा या अनिच्छा कर ही कैसे सकते थे? इसका समाधान हो सकता है कि निश्चय ही यहाँ हमारी इच्छा या अनिच्छा किसी का प्रसंग उपस्थित नहीं होता किन्तु जन्म के इस देश-काल ने मेरे लिए हानि-लाभों की कुछ ऐसी अनिवार्य परिस्थितियाँ उत्पन्न कर दीं जिनके लिए मैं सोच सकता हूँ कि यदि मेरे वश में होता तो मैं उस समय जन्म नहीं लेकर पहले या बाद में जन्म लेता, अथवा यह भी सोच सकता हूँ कि जन्म लेता ही नहीं। यह अतीतोन्मुख इच्छा इस विचार को अर्थवान् बनाती है कि 'मैं कोई अपनी इच्छा से पैदा नहीं हुआ।' किन्तु 'मैंने अपने जन्म का या जन्म की परिस्थितियों का वरण नहीं किया' इसका क्या अर्थ बनता है? जन्म के समय का वरण करने के लिए आधार क्या होता? क्या वही आधार होता जो इच्छा करने का होता? इसी प्रकार अपने रूप, अपने परिवेश आदि के सम्बन्ध में भी वरण का प्रसंग नहीं बनता। क्यों मैं उससे भिन्न रूप या आकार का वरण करता जो रूप और आकार मेरा है? वास्तव में वरण का प्रसंग केवल परिस्थितियों के प्रति अभिवृत्तियों के सम्बन्ध में उपस्थित होता है, परिस्थितियों के प्रति नहीं। अब यदि हमारी इच्छाओं को ऐसा बल मिल जाय कि हमारा जीवन उनके अनुसार ही घटित हो तो उससे जो अनर्थ हो सकता है, उसकी कल्पना करना भी भयावह होगा।

किन्तु यहाँ एक दूसरा रोचक और आधारभूत प्रश्न उपस्थित होता है कि अपने होने के प्रकार और परिस्थितियों से पृथक् यदि हम कुछ हों तभी इनके सम्बन्ध में कुछ इच्छा कर सकते हैं। इसी प्रकार, यदि हम अपनी अभिवृत्तियों से पृथक् कुछ हों तभी उनके वरण या परित्याग का कुछ अर्थ बनता है। अब, यदि हम अपनी परिस्थितियों और अभिवृत्तियों से पृथक् कुछ होते हैं तो क्या स्वातन्त्र्य की सिद्धि इसी में नहीं कि हम इन परताओं से अपने को मुक्त कर स्वत्व में अपने को प्रतिष्ठित करें और इन परत्वों पर अधिष्ठातृत्व स्थापित करें?

यहाँ उल्लेखनीय है कि अज्ञेय जी का, अस्तित्ववादियों का और मेरे मित्र का यह प्रश्न एक उद्विग्नता से प्रेरित है जिससे आज का सम्पूर्ण प्रबुद्ध वर्ग ग्रसित है। इस उद्विग्नता का कारण दार्शनिक अनास्था है। आज हमने अपने ईश्वर की हत्या कर दी है जो जीवन की एषणाओं की निरर्थकता से उबरे मनुष्य को आश्रय देता था, उस परिवार और समाज की भी हत्या कर दी है जो एषणाओं से नहीं उबरने वालों की एषणाओं के अर्थ को धारण करता था। अब यह तत्त्व-मीमांसीय निर्णय का प्रश्न है कि इनमें से कौन-सी दृष्टि युक्त है, या कि इन दोनों से भिन्न कोई तीसरी दृष्टि युक्त है?

सृजन और परिवेश अथवा सत्य की खोज[1]

साधारणत: मनुष्य के जो सांस्कृतिक कर्म एक विकासात्मक परम्परा बनाते हैं उन्हें ज्ञानात्मक मान लिया जाता है और जो इस प्रकार की परम्परा नहीं बनाते उन्हें सृजनात्मक मान लिया जाता है। किन्तु इस कसौटी से जबकि दर्शन, धर्म, धार्मिक जीवन, राजनीतिक सिद्धान्त और राजनीतिक कर्म सभी सृजनात्मकता के वर्ग में रखे जाने चाहिएँ, इन्हें इस वर्ग में नहीं रखा जाता और केवल कलाओं को ही इस वर्ग में रखा जाता है। किन्तु सृजनात्मकता के लिए सम्भवत: न तो यह कसौटी ही सही है और न यह वर्गीकरण ही। इस कसौटी विषयक भ्रान्ति के कारण ही पश्चिम के कुछ दार्शनिकों ने अपने से पहले के सब दार्शनिकों को इस युक्ति से पथ-भ्रष्ट कहा है कि उनका दर्शन विज्ञान के समान ज्ञान की कोई विकास-परम्परा नहीं बनाता और इस प्रकार ज्ञान का दावा करते हुए कल्पना-लोक-विहारी ही रहता है। किन्तु कला के सम्बन्ध में उन्हें कोई शिकायत नहीं है, क्योंकि उसका ज्ञान का कोई दावा ही नहीं है, वह स्पष्टत: ही कल्पना-लोक विहारिणी है। अपनी इस कल्पनात्मकता के कारण ही कला को सृजनात्मक कहा जाता है, अर्थात् काल्पनिक लोकों का सृजन करने वाली, ऐसा कुछ रचने वाली जो न था, न है और न होगा। कुछ लोग इधर 'मूल्य' के साथ भी 'सृजन' पद का प्रयोग करने लगे हैं और इस प्रकार इन्हें सत्यासत्य के क्षेत्र से निकालकर काल्पनिकता के क्षेत्र में ही रखने लगे हैं। किन्तु मूल्य यदि कल्पना मात्र हों तो मनुष्य का जीवन ही कल्पना-जीवी हो जायेगा और उसके अन्वेषणों में सत्य और मिथ्या का कोई भेद नहीं रह जायेगा। इसी प्रकार कला यदि काल्पनिक रचनामात्र ही हो तो तुलसी के **रामचरितमानस** और केशव की **रामचन्द्रिका** में, घनानन्द और देव के अथवा जयशंकर प्रसाद और रामकुमार वर्मा के काव्यों में तुलना का मानदण्ड कल्पना का चमत्कार मात्र रह जायेगा। अधिक-से-अधिक इस मानदण्ड में 'भावोच्छ्वासितता' को और जोड़ सकते हैं। किन्तु काव्य-कृतियों में तुलना का यह मानदण्ड सही नहीं कहा जा सकता। मूल्यों में वास्तव में युक्तता और अयुक्तता का भेद होता है और अयुक्त मूल्यों का अनुसरण मनुष्य के लिए उससे कहीं अधिक त्रासक होता है जितना मृग के लिए प्यास बुझाने के लिए चमकती रेत के पीछे भागना। इसी प्रकार **रामचरितमानस** और **रामचन्द्रिका** में अन्तर कल्पना की अतिरंजितता-अनतिरंजितता और भावोच्छ्वास की अतिरेकता-अनतिरेकता का नहीं है बल्कि अर्थावगाही दृष्टि की गहराई और सम्यक्ता का, और सत्य होने, कम सत्य होने, या सत्य नहीं होने का है। ठीक यही मानदण्ड दर्शन और धर्म, तथा धार्मिक जीवन और राजनीतिक कर्म में भी न्यूनाधिक प्रकार-भेद के साथ होता है। वास्तव में विज्ञान में भी कभी-कभी ऐसी अर्थावगाही और साक्षात्कारी दृष्टि का उन्मेष देखने को मिलता है और तब उसे भी सृजनात्मक कहना उचित होता है।

यहाँ 'सत्य' के अर्थ के सम्बन्ध में स्पष्ट हो लेना आवश्यक है। 'सत्य' का अर्थ साधारणत: हम विश्वास और वचन का तथ्यानुसारी होना, तथ्य-सम्मत होना समझते हैं और तथ्य बाह्य लोक में विद्यमान वस्तु या घटित घटना को मानते हैं। पश्चिम के एक बहुत प्रमुख आधुनिक दार्शनिक टार्स्की ने सत्य का उदाहरण दिया है— 'बाहर वर्षा हो रही है' कथन सत्य है यदि बाहर वर्षा हो रही है तो। दूसरे दार्शनिक कथनों की अन्तस्संगति को उनके सत्य होने का प्रमाण मानते हैं। भारतीय दार्शनिकों ने इन दोनों परिभाषाओं के संयोग को सत् का और इस प्रकार सत्य का लक्षण माना है। उनके अनुसार त्रिकाल में अबाधितत्व सत् का लक्षण है और तब इस सत् का वाचक कथन सत्य होगा। किन्तु सत्य का यह अर्थ बहुत उथला है। 'सत्य' का एक गहन अर्थ भी है और इसके अनेक रूप और आयाम होते हैं। यह अर्थ है 'स्वरूप के अनुरूप होना, स्वरूप से अभ्रष्ट होना, दोष-रहित होना,

---

1. 'सृजन और परिवेश' व्याख्यानमाला के अन्तर्गत इलाहाबाद संग्रहालय में दिया गया व्याख्यान।

अपने धर्म में प्रतिष्ठित होना' आदि। इस प्रकार जीवन, जगत्, कर्म, अन्वेषण, कृतियाँ और वस्तुएँ सत्य, असत्य और न्यून या अधिक सत्य होती हैं, और असत्य से सत्य भी होती हैं। यही सत्य मूल्य भी होता है। दर्शन जब इस सत्य को समझने का प्रयत्न करता है, कला जब इसे व्यक्त करने या दर्शाने का प्रयत्न करती है, तब वे सत्य होते हैं। बहुत बार दर्शन और कलाएँ असत्य भी होती हैं—जब वे सत्य की इस कसौटी पर पूरी नहीं उतरतीं—जैसे, जब कलाकार अपनी दीठ से नहीं बल्कि प्रचलित मत-वादों और रीतियों से निर्दिष्ट होकर, या किसी लाभ-हानि के विचार से लिखता है। सृजनात्मकता चेतना में इसी सत्य-दृष्टि का उन्मेष है।

उपर्युक्त लक्षणों के अतिरिक्त एक और लक्षण है जो सृजनात्मकता के लिए आवश्यक माना जाता है। वह लक्षण है अपूर्वता का। उसी अपेक्षा से विज्ञान को सृजनात्मकता के वर्ग में नहीं रखा जाता। किन्तु वास्तव में अपूर्वता का अभाव केवल बाह्य पारम्परिकता में ही नहीं होता, चित्तगत संस्कारों की अधीनता में भी होता है। संस्काराधीन कल्पना, विचार या बोध बासी कहे जाते हैं। उन्हें अपने से असत्य भी कह सकते हैं, क्योंकि ये उस कार्य का संपादन नहीं करते जो करने का इनका दावा होता है। इस प्रकार 'अपूर्वता' पद भी वास्तव में 'दृष्टि' का वाचक ही हो जाता है, क्योंकि कल्पना या विचार का कार्य सत्य अर्थों का दर्शन ही होता है, जो हम संस्काराधीनता में करने में असमर्थ रहते हैं। संस्काराधीनता में ये तत्त्व के बजाय संस्कार को ही तत्त्व-स्थानीय बना लेते हैं।

इस पर आपत्ति हो सकती है कि संस्कारों के बिना तो मानव-तन-धारी जीव मनुष्य ही नहीं बन सकता, क्योंकि वह भाषा और अन्य किसी प्रतीक-व्यवस्था से भी, जो उसके मानसिक जीवन के सब आयामों के शरीर बनते हैं, संयुक्त नहीं हो सकता। यह सही है, संस्कार मनुष्य के मानस-व्यापार मात्र के अस्तित्व के लिए अनिवार्य होते हैं, किन्तु मनुष्य में अपने सब मानस-व्यापारों से और इस प्रकार संस्कारों से भी, उत्क्रान्त होने की योग्यता भी होती है। यह योग्यता आत्मचेतन चेतना मात्र में साधारण है, क्योंकि आत्मचेतन चेतना का अर्थ ही अपने को अपना विषय बनाना है, और यह विषय चेतना के अपने व्यापार ही बनते हैं, जिनका चेतना प्रेक्षक रूप में अतिक्रमण करती है। आत्म-अतिक्रमण की यह योग्यता मनुष्य मात्र में सहज है और यही योग्यता उसे प्रतीकाभिसंस्कृत होने के योग्य बनाती है। किन्तु इन संस्कारों के अतिक्रमण की योग्यता वैसी सहज नहीं होती। यह अत्यन्त प्रयत्न-साध्य भी होती है और यह पूर्णरूप से पर्यन्तगामिनी भी नहीं होती। इसमें प्रत्येक ऊर्ध्व चरण ऊर्ध्वतर चरण में पर्यवसायी और अर्थ में विपुलतर होता है। ऐसा कहने का औचित्य यह है कि इन्द्रिगम्य घटनाएँ तत्पर्यन्त रूप में अर्थहीन होती हैं, इनके अर्थ प्रतीकमूलक ही होते हैं जो अपनी गहराई, विपुलता और विस्तार में अनवगाह्य होते हैं। इन प्रतीकों की सतह जबकि सहजलब्ध संस्कारों से ही निर्मित होती है, सतह के नीचे की सम्पूर्ण अतल गहराई चेतना के प्रत्यङ्मुख उन्मेष में अपना सत्त्व-लाभ करती है।

यहाँ अविलंब उन विचारकों के आक्रोश को शान्त करना आवश्यक है जो आधुनिक वैज्ञानिक मनोवृत्ति के अधीन ज्ञान को प्रत्यक्ष-प्रयोगमूलक ही मानते हैं और इस प्रकार प्रत्यङ्मुख वृत्ति को कल्पनाश्रयी मानते हैं। यह धारणा बहुत बड़ी भ्रान्ति पर आधारित है, क्योंकि वैज्ञानिक ज्ञान भी प्रत्यक्ष-प्रयोगमूलक नहीं होकर तत्त्वमूलक ही होता है। भौतिक विज्ञान में हम प्रत्यक्षगम्य वस्तुओं का आकलन नहीं करते बल्कि प्रत्यक्षगम्य के भौतिक आयाम के अर्थ की थाह पाने का प्रयत्न करते हैं, जिस प्रयत्न में प्रत्यक्ष और प्रयोग मार्ग-संकेतों का कार्य करते हैं। यही बात अन्य विज्ञानों के लिए भी है। प्रत्यक्षगम्य के ये भौतिक या प्राणिक या मानसिक आयाम और उनमें निहित अर्थ चेतना के ही अर्थों में उन्मिषित होने के प्रतिफल होते हैं, अन्यथा ये अर्थ प्रत्यक्षगत विषयों में उनके प्रत्यक्ष के साथ ही उद्भासित होने चाहिएँ।

जैसाकि हम जानते हैं, पाश्चात्य अनुभववादियों ने विज्ञान को प्रत्यक्षमूलक अभ्युपगमों के रूप में ही प्रतिपादित किया है और परिणामत: प्रत्यक्ष को उन अभ्युपगमों के सत्य के प्रमाण के रूप में देखा है। किन्तु ये प्रत्यक्ष किस प्रकार निर्धारण और संरचना के अत्यन्त जटिल तन्त्र में व्यवस्थित होते हैं, यह सर्वविदित है। जो

प्रत्यक्ष भाषा की सूक्ष्मतम पदावली के भी वाच्य नहीं हो सकते, केवल गणित के असाधारण समीकरणों द्वारा संकेतित ही हो सकते हैं, वे किस प्रकार के प्रत्यक्ष हो सकते हैं यह कहने की आवश्यकता नहीं है।

किन्तु विज्ञान का सृजनात्मक या रचनात्मक होना एक बात है और वैज्ञानिक का सृजनात्मक होना दूसरी बात। विज्ञान की सृजनात्मकता मानव-चेतना की मूल सृजनात्मकता का ही एक विस्तार है जो मनुष्य में सांस्कृतिक परम्परा के रूप में परिलक्षित होती है, किन्तु व्यक्ति-वैज्ञानिक या वैज्ञानिक समुदाय परम्परा के अन्तर्गत नियुक्तवत् कार्य करते रह सकते हैं। व्यक्ति-वैज्ञानिक में सृजनात्मकता तब प्रकट होती है जब वह परम्परागत दृष्टि का अतिक्रमण कर नये अर्थों, सम्बन्धों या व्यवस्था का अतर्कित रूप से साक्षात्कार करता है। यहाँ 'अतर्कित' से यह आशय नहीं है कि उसके पीछे कोई क्रम या परम्परा नहीं होती, किन्तु यह परम्परा उसकी दृष्टि नहीं बनती, वह उसका अतिक्रमण कर तत्त्व-साक्षात्कार करता है। निश्चय ही विज्ञान में ऐसा बहुत कम होता है, प्राय: अपवाद रूप से ही। विज्ञान में अधिकांश नयी प्रतिपत्तियाँ ऐसी होती हैं जो लगभग एक-साथ अनेक व्यक्तियों द्वारा प्रतिपादित होती हैं, क्योंकि वे पूर्वनियत रूप में किये जा रहे अनुसन्धानों का परिणाम होती हैं, किन्तु न्यूटन या आईंस्टाइन की प्रतिपत्तियाँ उनमें से नहीं हैं। वास्तव में यही बात दर्शन और कला में भी होती है, यद्यपि इनमें सृजनात्मकता के लिए अधिक अवकाश रहता है। सृजनात्मकता के लिए इनमें अवकाश की इस अधिकता का कारण इनके अवगाह्य अर्थों की प्रकृति का वैज्ञानिक के लिए अवगाह्य अर्थों की प्रकृति से भिन्न होना है।

विज्ञानान्वेष्य अर्थ संवेदमूलक और कर्मेन्द्रिय-साध्य प्रयोजनमूलक विषयता से आरम्भ कर शुद्ध मात्रा-मूलक विषयता तक विस्तृत होते हैं। इस विषयता में न्यूनतम पारदर्शिता और अधिकतम परता रहती है। इसका तत्त्व नितान्त उद्‌गृहीत मात्राएँ होने के कारण वह नितान्त संकुचित भी होता है। मात्राएँ केवल गति और बाह्यात्मक सम्बन्धपरक अर्थों को ही धारण कर सकती हैं और शेष आयाम और अर्थ इनके क्षेत्र से बहिष्कृत रहते हैं। इस कारण इनमें अर्थों की गहनता और विपुलता के लिए बहुत कम अवकाश रह जाता है। इसके विपरीत दर्शन और कलाओं द्वारा अन्वेष्य अर्थ निरवधि होते हैं और इन अर्थों में अन्त:प्रदेश के लिए चेतना के केवल अपने समीप होने की ही अपेक्षा होती है। इन विषयक ज्ञान या बोध या साक्षात्कार का स्वरूप 'बूढ़ा जाय समँद में उतरा जाय अकास' के जैसा होता है—बोधित अर्थों की चेतना की अन्तर्निमग्नता के अनुपात में विपुलता। उदाहरणत: टाल्स्टाय के **युद्ध और शान्ति** उपन्यास के परिप्रेक्ष्य का विस्तार तथ्य-बहुलता में नहीं है बल्कि विचार और भावनावगाही दृष्टि में है। यह अवगाहन चेतना के आत्मगत पारावार में और साक्षात्कार इसके अपने उन्मेष में आविर्भूत अर्थों का होता है। वर्णित घटनावलियाँ केवल इन अर्थों को व्याकृत करने की माध्यम बनती है।

यहाँ यह विचारणीय है कि दर्शन में जबकि निरपेक्ष सत्य का दावा होता है, कलाओं में सत्य का कोई दावा नहीं होता। पर सृजनात्मकता की दृष्टि से दर्शन और कलाओं को एक ही वर्ग में रखा जा सकता है। किन्तु तब भी कला से दर्शन में आधारभूत अन्तर होता है। कला में एक ही दृश्य के दो या अनेक चित्र समान रूप से 'सत्य' हो सकते हैं किन्तु दर्शन में कोई शंकर और नागार्जुन का एकसाथ समर्थन नहीं कर सकता। किन्तु तब भी दर्शन में दो नितान्त भिन्न, या परस्पर विरोधी भी, सिद्धान्तों के प्रतिपादकों कोई समान आदर का स्थान दे सकता है, जिसका आधार दृष्टि की और प्रतिपादन की सृजनात्मकता और गहराई हो सकती है।

किन्तु हमने न केवल इन दो कर्मों को ही सृजनात्मक कहा है बल्कि वैज्ञानिक कर्म में भी सृजनात्मकता की सम्भावना को स्वीकार किया है। इसका औचित्य देखने के लिए स्मरण रखने की आवश्यकता है कि चेतना के आत्मचेतन होने का आद्य कर्म ही सृजन-कर्म होता है जिसमें चेतना अपने को देखने-जानने के लिए आत्म-प्रत्यय रूप में अपने द्वितीय का सर्जन करती है और तब अपनी इस कृति का अर्थ बूझने का प्रयत्न करती है। सब सर्जन इस आद्य सर्जन के ही प्रकारान्तर होते हैं। दूसरे शब्दों में, जहाँ बूझने का यह प्रयत्न होता है वहीं सर्जन घटित होता कहा जा सकता है। वैज्ञानिक, दार्शनिक और कलाकार तीनों इस मूल में प्रतिष्ठा से ही सृजनात्मक होते हैं। निश्चय ही नागार्जुन, वसुबन्धु और शंकर परस्पर का ऐसे खण्डन करते हैं जैसे मानो वे स्वयं रस्सी को रस्सी और दूसरे साँप देख रहे हों। किन्तु दर्शन का इतिहास उन्हें इस रूप में नहीं आँकता, वह उन्हें आत्मसर्जन की

उत्कटता या उसके अभाव से ही आँकता है। कलाकार का मूल्यांकन भी ठीक इसी मानदण्ड से होता है। उदाहरणत: एक उपन्यासकार उतना ही बड़ा कलाकार माना जाता है जितनी गहराई और सूक्ष्मता से वह अपने निरूप्य को याथार्थ्य प्रदान कर सकता है, उसे उसकी व्यवस्था और प्रतिष्ठा दे सकता है, और ऐसा वह उतनी ही प्रकृष्टता से कर सकता है जितना वह चित्त की ऊर्ध्वतर भूमियों पर आरोहण कर सकता है। इसी मानदण्ड से किसी वैज्ञानिक को भी सृजनात्मक कहा जा सकता है। किन्तु अधिकांश में हम आत्मप्रतिष्ठ नहीं होते, गतानुगतिक ही होते हैं—बौद्ध चिन्तक बौद्ध-कुलोत्पन्न होते हैं और प्रतीत्यसमुत्पाद को संदेहातीत मानकर चलते हैं और जो जैन-कुलोत्पन्न होते हैं वे अनेकान्तवाद को संदेहातीत मानकर चलते हैं। किसी को शंकराचार्य प्रमाण है तो दूसरे को कांट या विट्गिंस्टाइन या कोई दूसरा आप्त। इसी प्रकार कलाओं में भी होता है, कवि या तो चन्द्रमुखी-गजगामिनी का राग अलापते हैं या जनचेतना का, या औसत आदमी का, चित्रकार एब्स्ट्रेक्शनिस्ट होते हैं या सुर्रियलिस्ट, या यथार्थवादी या व्यंजनावादी। कोई विरले ही ऐसे होते हैं जो प्रचलित वादों से मुक्त होकर अर्थों का साक्षात्कार करते हैं, जो दूसरों का निकाला जल नहीं पीते, अपना कुआँ खोदते हैं और अपना निकाला जल ही पीते हैं। इसका यह अर्थ नहीं कि वे पूर्वसंचित ज्ञान-राशि का अर्जन नहीं करते, पूर्व प्रचलित प्रतीकों का उपयोग नहीं करते, किन्तु यह सब उनके लिए उर्वरक होता है या दूरवीक्षक तथा सूक्ष्मवीक्षक यन्त्र के जैसा, उनके लिए यह दृश्यस्थानीय नहीं होता, जो कि अधिकांश लोगों के साथ संस्कार, प्रचलित मत और पदावलियाँ आदि हो जाते हैं।

सारांश में, सृजन चेतना का विमर्शात्मक उन्मेष है जिसमें विषय और भाव समान रूप से अपना अर्थ और सत्य पाते हैं और ये अर्थ और सत्य चेतना की उस अभिव्यक्ति से, जिसे कृति कहा जा सकता है, अपने तत्त्व से सम्यक् होने की अपेक्षा करते हैं। किन्तु चेतना की अभिव्यक्तियों में यह एक आधारभूत महत्त्व की और अत्यधिक गुह्य बात होती है कि ये अपने अभिव्यंग्य अर्थों से न्यून और उनसे न्यूनाधिक असम्यक् ही होती हैं। गुह्यता इस बात में कि चेतना के साक्षात्कार्य अर्थ, जो चेतना की आत्माभिव्यक्ति के क्रम में ही आविर्भूत होते हैं, इसी क्रम में उससे व्यवहित भी हो जाते हैं, जिस कारण उनके सम्यक् होने की अपेक्षा उत्पन्न होती है। इन अर्थों का आविर्भाव मूलगामी रूप से आविर्भाव भी होता है, विद्यमान किन्तु आवृत्त अर्थों का निरावृत होना नहीं होता जैसाकि अद्वैत वेदान्ती और प्लेटो मानते हैं। किन्तु जो 'दृष्टि' इन्हें आविर्भूत करती है उसके लिये ये ईषदुन्मीलित, ईषद्विवृत भी रहते हैं, पूर्णत: विवृत और गम्य नहीं होते, जो कि अन्यथा इन्हें होना चाहिए, क्योंकि ये चेतना के स्वकीय अर्थ ही होते हैं। वेदान्त चेतना के इस आत्मव्यवधान को ब्रह्म में निरस्त देखता है, जो चेतना की पूर्ण पारदर्शी और अद्वय स्थिति है, बर्गसाँ इसे पशु की सहज-प्रवृत्ति (इंस्टिंक्ट) में, जो चेतना के आत्मचेतनता में विभक्त होने के पूर्व की स्थिति है। बर्गसाँ इसमें स्पष्टत: भ्रान्ति में हैं, क्योंकि चेतना में विवृति का आविर्भाव प्रेक्षकता के रूप में ही होता है जो यह आत्मगत तमस या आवरण को विषय के रूप में अपने से निष्कासित कर उपलब्ध करती है। प्रेक्षक-प्रेक्ष्य विभाग से रहित चेतना पूर्णत: तमसावृत होती है क्योंकि वह विषयता में अविभक्त औत तत्सात् रहती है, ब्राह्म चेतना विषयातिक्रमण के द्वारा सिद्ध अविभक्तता है जो प्रेक्षकता या विषयता में पूर्णत: निरावृत रहती है। मनुष्य प्रेक्षक-प्रेक्ष्य रूप में आत्मविभक्त चेतना की स्थिति है, जिस विभाग का वह अपने सृजनात्मक प्रयत्न द्वारा निरन्तर अतिक्रमण करने में प्रयत्नशील रहता है।

चेतना के इस उन्मेष का धारक व्यक्ति भी हो सकता है और समाज भी, वास्तव में प्राय: ये दोनों युगपद्-रूप से ही इस उन्मेष के वाहक होते हैं। कभी-कभी ऐसा भी होता है कि समाज के कुंठित पड़े होने पर भी कोई या कुछ व्यक्ति सृजनात्मक हो सकते हैं और दूसरी ओर कभी केवल समाजों में ही सृजनात्मकता का उन्मेष होता है और व्यक्ति केवल उसमें अवश उपकरण मात्र होते हैं। जब कभी किसी समाज में अनेक व्यक्तियों में एकसाथ सृजनात्मकता का उत्कर्ष दिखायी देता है तब प्राय: वैयक्तिक और सामाजिक दोनों स्तरों पर इसका युगपद्भाव होता है, मात्र सामाजिक उन्मेष ऐसे सामाजिक या राजनीतिक आन्दोलनों के रूप में परिलक्षित होता है जिनमें व्यक्ति बलात् अवधृतवत् नियुक्त होने को बाध्य होते हैं, और मात्र व्यक्तिगत स्तर पर यह तब होता है जब व्यक्तिगत स्तर पर उन्मिषित अत्यन्त प्रखर दृष्टि या अभिव्यक्ति भी समाज को उदीरित करने में असमर्थ रहती है।

द्वितीय स्थिति के उदाहरण रूप में हमारे देश में वर्तमान में चल रहे अनेक सामाजिक-राजनीतिक, सामाजिक-धार्मिक तथा धार्मिक आन्दोलनों को देखा जा सकता है। प्रथम के उदाहरण रूप में 18वीं-19वीं शताब्दी के जर्मनी को देखा जा सकता है जब एक-साथ कांट, फ़िख़्ते, शैलिंग, हेगल, गोएथे और बीथोवन का आविर्भाव हुआ, 19वीं शताब्दी के उत्तरार्ध और 20वीं शताब्दी के आरम्भिक काल के रूस को देखा जा सकता है जब टालस्टाय, चैख़व, दास्तायोवस्की और गोर्की आदि हुए, और 19वीं शताब्दी के उत्तरार्ध और 20वीं शताब्दी के प्रथत तीन दशकों के भारत को देखा जा सकता है जब रामकृष्ण परमहंस, विवेकानन्द, दयानन्द, श्री अरविन्द और गाँधी और दूसरी ओर रवीन्द्रनाथ ठाकुर, शरच्चन्द्र, भारतेन्दु हरिश्चन्द्र, जयशंकर प्रसाद और निराला आदि कवि हुए। तीसरी स्थिति के उदाहरण के रूप में वर्तमान भारत के साहित्यिक और वैचारिक पक्ष को देखा जा सकता है जिसमें व्यक्तिगत स्तर पर सृजनात्मकता होते हुए भी समाज में उन व्यक्तियों का कोई प्रभाव या स्वीकृति नहीं है।

अब, सृजनात्मकता का परिवेश से क्या सम्बन्ध है? यह परिवेश से कहाँ तक साधित, बाधित या प्रभावित होती है? किन्तु इस प्रश्न पर विचार से पहले यह देखना अपेक्षित है कि परिवेश क्या है?

हमारा मुख्य परिवेश तो हमारा समाज और संस्कृति ही होते हैं, जो स्वयं चेतना की सृजनात्मकता और उसके प्रतिफल होते हैं। संस्कृति भाषा और अन्य प्रतीक व्यवस्थाओं के द्वारा हमारी चेतना की अभिव्यक्ति की उससे भी अधिक अन्तरंग माध्यम बनती है जितनी हमारी देह हमारी चेतना की। इसी प्रकार हमारे मूल्यांत्मक संस्कार हमारा बहुत अन्तरंग परिवेश रचते हैं। किन्तु कुछ व्यक्ति उपलब्ध प्रतीक-व्यवस्था और मूल्य-व्यवस्था के निर्धारणों का अतिक्रमण करते और तत्त्वों का इनसे अव्यवहित साक्षात्कार भी करते हैं। ये ही व्यक्ति सृजनात्मक कहे जाते हैं। मूल्यात्मक सृजनात्मकता के प्रखरतम उदाहरण बुद्ध, कबीर और गाँधी कहे जा सकते हैं, कबीर में तो भाषागत सृजनात्मकता का भी अद्वितीय प्रकर्ष मिलता है।

ये सब परम्परा-प्राप्त मूल्यों से निर्दिष्ट नहीं हुए थे बल्कि इन्होंने अपने संस्कारात्मक व्यवधानों का अतिक्रमण कर मूल्य के तत्त्व का साक्षात्कार किया और इस प्रकार ये मूल्य-सर्जक बने। इसी प्रकार कबीर ने भाषा का भी ऐसा स्वतन्त्र प्रयोग किया कि भगवती सरस्वती भी चकित रह गई होगी, और यह उन्होंने चमत्कार-प्रदर्शन के लिए नहीं किया बल्कि भाषा से परे वाच्य अर्थों के अव्यवहित साक्षात्कार के निमित्त से किया। यहाँ यह स्पष्टीकरण स्थाने होगा कि मूल्यों में, अथवा किसी भी क्षेत्र में, सर्जनात्मकता परम्परा के निषेध में निहित नहीं होती बल्कि चेतना के अपने साथ ऐक्य-लाभ में निहित होती है। यहाँ युधिष्ठिर के गुरुकुल में 'सत्यं वद, धर्मं चर' पाठ तीन दिन तक स्मरण नहीं कर पाने का स्मरण स्थाने होगा। जब आचार्य द्रोण ने उनसे ये दो छोटे वाक्य याद नहीं हो पाने का कारण पूछा तो उन्होंने उत्तर दिया कि 'वे इन वाक्यों के अर्थ के साथ तदात्म नहीं हो पाए, इसलिए ये नहीं सुना पा रहे।' ये वाक्य विध्यात्मक हैं, इनका तत्त्व इनकी वचनात्मकता की आवृत्ति में नहीं बल्कि इनमें निहित अर्थ के साक्षात्कार या उससे तदात्म हो जाने में है। इस तादात्म्य की सिद्धि में ही इस मूल्य में सृजनात्मकता की सिद्धि है। किन्तु वह सत्य क्या है जो धारणीय है? यह जानने के लिए परम्परा-प्राप्त संस्कारों के परे देख पाना आवश्यक होता है। **महाभारत** में कदम-कदम पर युधिष्ठिर इस दृष्टि से वंचित दिखायी देते हैं, वे 'सत्य' पद के प्रचलित अर्थ में अटक कर उसका तत्त्व नहीं देख पाते। सत्य के इस तत्त्व का अव्यवहित साक्षात्कार हमें श्री कृष्ण में दिखायी देता है। इस साक्षात्कार पूर्वक सत्य-निष्ठा ही, जो वास्तव में आत्मसाक्षात्कार और आत्म-निष्ठा का नामान्तर मात्र है, मूल्य-सर्जनात्मकता है। 'सत्य की श्रद्धा में आहुति देनी चाहिए' इस विधि-वाक्य का अर्थ यही है—यथावत् के वचन में सत्य नहीं देखकर 'सत्य हो जाने' में सत्य को देखना। मूल्य की इस व्याख्या में दार्शनिक लोग विषयिनिष्ठता-यादृच्छिकता का दोष देखते हैं। किन्तु वे यह नहीं देखते कि इस 'हो जाने' के लिए पहले योग-सिद्धि योगि-राज होने की अपेक्षा होती है, जिसका अर्थ विषयिनिष्ठता और यादृच्छिकता की सम्भावना से ही उबर जाना, आत्मसमाधिस्थ हो जाना है। योगी नहीं होने के कारण ही युधिष्ठिर को 'अश्वत्थामा हत:' कहने का अधिकार नहीं था। (यह कहने पर उसका पृथ्वी से चार अंगुल ऊपर रहने वाला

रथ भूमि पर आ गया था।) वह अधिकार केवल योगियों के सिरमौर श्रीकृष्ण को ही था। युधिष्ठिर का यह वाक्य बोलना उन्हें या तो असत्यवादी बना सकता था या फिर विषयिनिष्ठ आत्मप्रवंचक। यही बात अन्य सर्जकों के लिए भी है। तुलसीदास का 'चन्द्रमुखी' पद का प्रयोग केशव या देव के इस पद के प्रयोग का समकक्ष नहीं होगा।

इस विवेचन से सृजन और परिवेश के सम्बन्ध को समझा जा सकता है। एक मूर्त्तिकार मूर्त्ति-निर्माण के लिए किस पत्थर का प्रयोग करता है यह निर्धारण उपलब्ध पत्थरों से भी होगा, उसकी आकृतियों के नयन-नक्श कैसे होंगे यह एक सीमा तक इस बात पर भी निर्भर करेगा कि मूर्तिकार के चारों ओर के लोगों के नयन-नक्श किस प्रकार के हैं—मंगोल मूर्त्तिकार और भारतीय मूर्त्तिकार द्वारा कल्पित बुद्ध के नयन-नक्श एक से नहीं हो सकते। किन्तु ये सब बातें मूर्त्तिकार की सृजनात्मकता देखने के लिए प्रासंगिक नहीं होतीं। मूर्त्तिकार की सृजनात्मकता 'बुद्धत्व' के साक्षात्कार की निर्मलता में होती है, उसकी अभिव्यक्ति के लिए नयन-नक्श कैसे भी हो सकते हैं। निश्चय ही इसके लिए मूर्त्ति-निर्माण-कौशल का उत्कर्ष भी तभी सिद्ध कहा जा सकता है जब मूर्त्तिकार की शिक्षा और अभ्यास अर्थावगाही चेतना की अधीनता में पारदर्शी हो जायें। इसके लिए भी निरक्षर कबीर की व्यंजकता में अद्वितीय भाषा आदर्श उदाहरण हो सकती है, जिनके लिए शिक्षा और अभ्यास भी अनावश्यक रहे, केवल सृजनात्मक परम्परा से सृजनात्मक सम्पर्क ही पर्याप्त रहा।

किन्तु सृजन और परिवेश के परस्पर सम्बन्ध पर सम्यक् विचार के लिए पहले प्राणी और परिवेश के सम्बन्ध को समझना उपयुक्त होगा : इस सम्बन्ध को लेकर प्राणि-वैज्ञानिकों के दो परस्पर विरुद्ध मत हैं : स्टालिन-युग के रूसी वैज्ञानिकों का मत था कि प्राणी का शारीरिक विकास और उसकी चेतना पूर्णत: परिवेश से निर्धारित होते हैं और इसके विपरीत पाश्चात्य प्राणिवैज्ञानिकों का मत है कि प्राणी की देह और चेतना आनुवंशिकता और परिवेश का योगफल होते हैं। इसमें पाश्चात्य वैज्ञानिक ही सही हैं इसमें सन्देह के लिए कोई अवकाश नहीं है, क्योंकि अन्यथा तो एक परिवेश में जन्मे प्राणियों में जाति-भेद भी नहीं रहना चाहिए। किन्तु एक माँ के गर्भ से एक ही साथ किन्तु भिन्न अण्डों से उत्पन्न भाइयों में भी बहुत बार बहुत बड़ा अन्तर होता है। यहाँ यह स्पष्टीकरण आवश्यक है कि वैज्ञानिकों के ये दोनों सम्प्रदाय 'चेतना' शब्द का प्रयोग वर्जनीय मानते हैं और उसके स्थान पर 'व्यवहार' शब्द का प्रयोग करते हैं। मनुष्येतर प्राणियों के सम्बन्ध में इस प्रयोग-भेद से बहुत अन्तर नहीं पड़ता, क्योंकि पाशव चेतना प्रतिक्रियात्मक ही होती है और उसमें कोई आन्तरता नहीं होती, वह व्यवहार में ही नि:शेष हो जाती है। किन्तु मनुष्य के सन्दर्भ में इस प्रयोग-भेद से बहुत अन्तर पड़ता है, क्योंकि इससे मनुष्य में भी आन्तरता का निषेध हो जाता है। व्यावहारवादियों को यही अभीष्ट भी है। किन्तु मनुष्य में आन्तरता का प्रतिपादन करने वालों ने भी इसके समर्थन में कोई विश्वसनीय युक्ति दी हो इसका मुझे पता नहीं है। उनकी ओर से केवल यही कहा जाता है कि मनुष्य कोई बाह्य क्रिया किये बिना भी विचार और अनुभव कर सकता है। किन्तु इसके उत्तर में व्यवहारवादी इसे भी भाषा-व्यवहार कह देते हैं और भाषा का जो रूप वे समझते हैं उनके अनुसार 'भाषा' का अर्थ भाषा-व्यवहार के अतिरिक्त कुछ रहता भी नहीं। किन्तु व्यवहारवादी और उनके विरोधी दोनों की दृष्टियाँ भ्रान्त हैं। मनुष्य और अन्य प्राणियों की चेतना में एक आधारभूत संरचनात्मक अन्तर है। वह अन्तर यह है कि मानव-चेतना जबकि आत्मचेतन है, पाशव चेतना आत्मचेतन नहीं है। आत्मचेतन चेतना में आत्मा जबकि प्रेक्षक रूप में स्वरूपत: आन्तर होती है, वह अपने प्रेक्ष्य विषयों को भी आंतरता में समेटने में समर्थ होती है। इसी से भाषा भाषा-व्यवहार में निश्शेष नहीं हो सकती। इसके लिए प्रमाण यह है कि भाषा के वाच्य न केवल प्रयुक्त वाक्यों में परिसीमित नहीं होते बल्कि वे भाषा का उसकी समग्रता में भी अतिक्रमण करते हैं। यह अतिक्रमण दो प्रकार से होता है। एक इस प्रकार कि प्रत्येक वाक्य अपने वाच्य का अभिधान वाच्येतर के अपोहपूर्वक करता है और यह वाच्येतर अपरिशेष्य होता है। जैसे 'गो' शब्द में गो पद-वाच्य का अभिधान या निर्देश और अगो का अपोह रहता है और 'अगो' सम्पूर्ण सत्-असत् पर व्यापक होता है। इस प्रकार 'गो' पद अपरिसीमित : अतिक्रामी : होता है। दूसरा अतिक्रमण अतिभाषा के रूप में होता है। यह प्रेक्षक चेतना का अन्तर्लोक है जो व्यवहार में परिलक्षित तो होता है किन्तु उसके क्रम में नहीं होता। अब, चेतना

की यह आन्तरता परिवेश से उसके सम्बन्ध को भी मौलिक रूप में बदल देती है। वह अब न केवल आनुवंशिक और प्राकृतिक परिवेश का ही योगफल नहीं रहती बल्कि, कम-से-कम कुछ अव्यवस्थाओं में, अपनी सहज मानसिक योग्यता और सामाजिक परिवेश का भी योगफल नहीं रहती, वह प्रेक्षकता और संकल्प के द्वारा, कभी-कभी केवल प्रेक्षकता ही के द्वारा भी, प्रदत्त मानसिकता और परिवेश दोनों का अतिक्रमण करती है।

इस प्रतिपादन को पाश्चात्य मनोविज्ञान साधारण रूप से अस्वीकार करेगा क्योंकि वह मानवीय चेतना को कारण-कार्य की कोटि से पृथक् करके नहीं देख पाता। किन्तु चेतना के प्रेक्षकात्मक और संकल्पात्मक स्तरों पर भौतिक और प्राणिक जगत् की इस कोटि को व्यापक मानने के लिए कोई युक्ति नहीं है। आत्मचेतन चेतना या प्रेक्षकत्व का अन्तस्सार ही स्वातन्त्र्य है, वह कारण-कार्य नियमाधीनता में प्रवर्तित नहीं होती। यह बात दूसरी है कि मानव-चेतना में भी प्रेक्षकता का यह स्तर अधिकांश में जैव मानसिकता के अधीन ही रहता है और परिणामत: वह अस्वतन्त्र ही रहती है।

× × ×

किन्तु सृजनात्मकता के स्वरूप का यह विवेचन व्यक्ति विशेष के या समाजविशेष के सृजनात्मक होने को व्याख्यायित नहीं करता। क्यों ऐसा होता है कि कुछ व्यक्तियों में, और युग विशेष में कुछ समाजों में भी, सृजनात्मकता का एक विस्फोट जैसा लक्षित होता है? ऊपर हमने इस प्रकार के विस्फोटों के कुछ उदाहरण देखे हैं। व्यक्तियों के सम्बन्ध में शरीर-वैज्ञानिक और मनोवैज्ञानिक इसके कारणों की खोज का प्रयत्न करते हैं। किन्तु यह इन दोनों का अपने संस्कार-पारतन्त्र्य का ही प्रदर्शन होता है, इसमें कोई युक्ति नहीं होती। हम इस विस्फोट को अतर्क्य ही कहेंगे। 'अतर्क्य' केवल इस अर्थ में कि यह कारण-कार्य की पदावली में परिभाष्य नहीं है, अथवा कहें इसका स्वरूप कारण-कार्य-सम्बन्धात्मक नहीं है। किन्तु इस 'अतर्क्यता' का अर्थ अनवगम्यता या अबोध्यता नहीं है। इस विस्फोट के कारण उसके आर्थिक, सामाजिक या राजनीतिक परिवेश में खोजना केवल बौद्धिक कुंठितता की पराकाष्ठा का द्योतक ही होगा। किन्तु समाजवैज्ञानिक इसे किसी दूसरे प्रकार से देखने में असमर्थ रहते हैं, क्योंकि वे अपने निर्धारणों से बाहर निकलने में असमर्थ होते हैं। उदाहरणत: दो अमरीकी समाजवैज्ञानिकों ने गाँधी जी को बाह्य संस्कृति से आक्रांत संस्कृति की आत्मरक्षात्मक प्रतिक्रिया के रूप में ही देखा है। (द्रष्टव्य मैकाइवर एण्ड पेज, **सोसायटी**) किन्तु गाँधी जी राजनीतिक नेता से पहले आत्मसर्जक थे, एक ऐसे मूलगामी आत्मसर्जक जिन्होंने अपनी प्रतिमा का नितान्त मूलगामी रूप से सर्जन किया। उनका सब बाह्य व्यवहार इस आत्मसर्जन का ही अंग दिखायी देता है। इस आत्मसर्जन को समाजवैज्ञानिक की पदावली में कैसे समझा जा सकता है? उनकी इस आत्मप्रतिमा के सर्जन को यदि इस प्रकार देखें कि उन्होंने नाक की आकृति ईसा के अनुकरण में बनायी और होठों की बुद्ध के, बाहों की आकृति टालस्टाय के अनुकरण में बनायी और टाँगों की थोरो के तो इससे बड़ी उपहासास्पद बात दूसरी क्या हो सकती है? क्योंकि इससे जैसी विद्रूप आकृति बनेगी उसे कोई देखना भी पसन्द नहीं करेगा। कहते हैं दर्शन के किसी इतिहासवेत्ता ने कांट के प्रतिपादन का इसी प्रकार विश्लेषण कर उसके अंग-प्रत्यंग का मूल रूप पहले के दार्शनिकों में खोज निकाला था। इससे उस लेखक की अद्भुत विद्वत्ता तो सिद्ध होती है किन्तु दर्शन की समझ का तो अभाव ही सिद्ध होता है। क्योंकि कांट का दर्शन भानमती का कुनबा नहीं है, यह उसके दर्शन को समझने वाला कोई भी देख सकता है।

किन्तु गाँधी जी के सम्बन्ध में एक और बात देखने की है : उनके विचार या भाव में एक भी बात ऐसी नहीं है जो भारतीय परम्परा में सर्वसाधारण रूप से मान्य नहीं रही हो। वही सत्य, अहिंसा और ब्रह्मचर्य आदि। किन्तु तब भी उनमें कुछ भी ऐसा नहीं था जो नितान्त नवीन नहीं हो, जिसमें बासीपन हो। यह सृजनात्मक नवीनता उनके तत्त्व के साक्षात्कार में थी, जिस साक्षात्कार के कारण वे इनकी अपूर्व व्यापकता देख सके।

× × ×

अब मैं संक्षेप में सृजनात्मकता विषयक अपने अनुभव का विवरण देना चाहूँगा :

मेरी शिक्षा किसी कालेज या विश्वविद्यालय में नहीं हुई थी, जिसका कारण न तो मेरे पिताजी का अशिक्षित होना या विश्वविद्यालय में पढ़ाने का अनिच्छुक होना था और न मेरा मंद-बुद्धि होना ही था। मेरी आरम्भिक शिक्षा मेरे जन्मस्थान से सुदूरवर्ती एक नगर में स्थित एक गुरुकुल में हुई थी जहाँ मैं 10 वर्ष की आयु में माता-पिता के नहीं चाहने पर भी गया। वहाँ मैं असाधारण विद्यार्थी माना जाता था। वहाँ 8 वर्ष अध्ययन करने के अनन्तर मैं विश्वविद्यालय की संस्कृत, हिन्दी या अंग्रेज़ी की जिस भी परीक्षा में बैठा उसी में अनुत्तीर्ण रहा। गुरुकुल के सम्पूर्ण इतिहास में मैं एकमात्र ऐसा विद्यार्थी था जो अपने पाठ्यक्रम से बाहर की और उच्च स्तर की पुस्तकें पढ़ता था। परीक्षाओं से हारकर मैंने परीक्षाएँ नहीं देने का निर्णय किया जिससे पिताजी के सौ प्रयत्न करने पर भी मैं विचलित नहीं हुआ। अब मैंने स्वतन्त्र रूप से अध्ययन आरम्भ किया और हिन्दी साहित्य को इसके लिए चुना। 1948 से 1952 के बीच मेरे कई लेख और कुछ कविताएँ प्रकाशित हुईं। 1950 में, 22 वर्ष की आयु में, मैंने एक पुस्तक **पन्त का काव्य और युग** लिखी। यद्यपि इस बीच कुछ दर्शन-ग्रन्थ भी पढ़े किन्तु दर्शन को पहली बार मैंने हेनरी बर्गसाँ की पुस्तक **क्रिएटिव एवोल्यूशन** के द्वारा अपनाया। यह पुस्तक मैंने दो-चार महीने में सीखी अंग्रेज़ी भाषा के बल पर शब्दकोश की सहायता से पढ़ी। दर्शन का कोई भी जानकार उस नगर से कम-से-कम तीन सौ किलोमीटर से कम दूरी पर नहीं था जिस नगर में मैं रहता था। ऐसी अवस्था में मैंने अनेक भटकावों के बाद अपना रास्ता पाया। **क्रिएटिव एवोल्यूशन** पुस्तक के अनन्तर मैंने शरीर-क्रिया-विज्ञान, अनुवंश-विज्ञान, प्राणि-मनोविज्ञान आदि की पुस्तकें अपने नगर से कोई चार सौ कि.मी. दूर दिल्ली से खरीद कर पढ़ीं और 1957 में **मनस्तत्त्व** पुस्तक लिखी, जिसमें आंग्ल-अमरीकी जीववैज्ञानिकों के अनुसरण में बर्गसाँ से ठीक उलट मत का प्रतिपादन किया। इसके बाद मेरा समकालीन आंग्ल अनुभववादियों से परिचय हुआ और मैंने **दार्शनिक विश्लेषण** पुस्तक लिखी। ये दोनों पुस्तकें इन वैज्ञानिकों और दार्शनिकों के अनुसरण में लिखी होने पर भी इनके विचारों के विवरण के रूप में नहीं लिखी गई थीं बल्कि उनकी दृष्टि में सहभागी होकर दार्शनिक के रूप में लिखी गई थीं। इस दूसरी पुस्तक में इसके नाम 'दार्शनिक विश्लेषण' के साथ 'अनुभववादी परिप्रेक्ष्य की रचना' भी जोड़ा गया था और वास्तव में यही इस पुस्तक में किया गया था। यह पुस्तक 1960 में लिखी गई और 1961 में प्रकाशित हुई। इसे दर्शन के कम-से-कम तीन प्रतिष्ठित आचार्यों ने इस विषय पर विदेशों में लिखी पुस्तकों से तुलनीय कहा था। किन्तु दृष्टि का यह अनुसरण ऐसा ही था जैसा एक सम्प्रदाय के अनुयायी करते हैं, यह अनुसरण किसी विशेष दार्शनिक का नहीं था। कहना चाहिए, यह समकालीन पाश्चात्य अनुभववादी सम्प्रदाय के अन्तर्गत लेखन था। इसके स्पष्टीकरण के लिए यहाँ एक घटना का उल्लेख स्थाने होगा : इस पुस्तक के तीसरे अध्याय का विषय 'विशेष और सामान्य' है। इस विषय पर मेरे विचार में सबसे सूक्ष्म विवेचन एक अमरीकी दार्शनिक गस्टाव बर्गमान का था। किन्तु मैं इस अध्याय में, अपने विचार से, उससे अधिक गहराई में गया था। मेरे मन में यह लेख बर्गमान को दिखाने का विचार आया। किन्तु इसका अंग्रेज़ी में अनुवाद किससे कराता? मैं तो अंग्रेज़ी का एक वाक्य भी सीधा नहीं लिख सकता था? किन्तु अन्ततः मैंने रॉयल साइज़ के 22 पृष्ठों के उस लेख का अनुवाद अपनी उस भयानक अंग्रेज़ी में किया और लेख बर्गमान को परामर्श के लिए भिजवाया। बर्गमान को यह लेख इतना पसन्द आया कि उन्होंने मुझे लिखा कि यदि मैं उसकी भाषा सुधरवा कर उन्हें भिजवा सकूँ तो वे उसे **फिलॉसफी ऑफ साइंस** पत्रिका में प्रकाशित करवाना चाहेंगे। (वे उस पत्रिका के परामर्शदाता मण्डल के सदस्य थे) किन्तु किसी से उसकी भाषा सुधरवा सकने का कोई प्रश्न ही नहीं था, परिणामत: वह लेख उस पत्रिका में प्रकाशित नहीं हुआ। मैंने उस उद्देश्य से वह लेख उन्हें भिजवाया भी नहीं था।

किन्तु द्रष्टव्य है कि पाश्चात्य-अनुभववादियों का यह अनुसरण भी अन्ततः उनकी मूल मान्यता में संदेह के साथ निष्पन्न हुआ। इस पुस्तक के अन्तिम अध्याय 'दार्शनिक विश्लेषण और अनुभववाद' में मैंने इस सम्प्रदाय द्वारा 'अनुभव' को इन्द्रियानुभव तक सीमित रखने को पूर्वाग्रहमूलक कहा, यद्यपि इस विचार को मैं आगे नहीं बढ़ा पाया। मेरी तीसरी पुस्तक **ज्ञान और सत्** 1967 में प्रकाशित हुई। यह 11 लेखों का संकलन थी, यद्यपि दो-तीन लेखों को छोड़कर शेष लेख एक पुस्तक के अध्यायों के रूप में ही लिखे गए थे। इनमें अनुभव को ज्ञान में नितान्त गौण स्थान देते हुए सत्ता को अवधारणा-सापेक्ष रूप में देखा गया था। इस दृष्टि के निर्माण में अमरीकी

दार्शनिक क्वाइन का भी कुछ योगदान था। यह दृष्टि कहाँ तक क्वाइन के अनुरूप थी, यह कहना मेरे लिए कठिन है, क्योंकि इस बीच मैं अर्न्स्ट कासीरर तथा कुछ और दार्शनिकों की पुस्तकें भी देख रहा था, और सबसे बढ़कर समकालीन भारत के प्रकृष्टतम विचारक प्रोफेसर गोविन्दचन्द्र पाण्डे के सम्पर्क में आ चुका था। अवधारणात्मक सापेक्षता का यह सिद्धान्त मेरे साथ **ज्ञान और सत्** (1967) तथा**, संस्कृति : मानवकर्तृत्व की व्याख्या** (1969 तक रहा) और **विषय और आत्म** (1972) पुस्तक के साथ मैं इससे उत्तीर्ण हो चुका था।

पाण्डे जी से यह सम्पर्क, पता नहीं मेरे किन संचित पुण्यों के फलस्वरूप, लगभग प्रथम दृष्टि में ही निकट मित्रता में परिणत हो गया। उनसे प्राय: प्रतिदिन भेंट होती और बहुत बार तो घण्टों विचार-विमर्श होता। यों यद्यपि 1954 में मैंने अखिल भारतीय दर्शन परिषद् और **दार्शनिक त्रैमासिक** पत्रिका की स्थापना की थी और उनके माध्यम से देश के दर्शन के अनेक अध्यापकों से सम्पर्क स्थापित हुआ, इनमें से दो-तीन से तो अत्यन्त मधुर मैत्री-सम्बन्ध भी बने, किन्तु दार्शनिक संवाद का सम्बन्ध किसी से नहीं बना। केवल हार्दिक स्तर पर संवाद का सम्बन्ध श्री अरविन्द के अनुयायी हज़ारीलाल जी माहेश्वरी से स्थापित हुआ जिनके साथ पत्र-व्यवहार में मैं प्राय: अपनी आध्यात्मिक उद्विग्नता, कष्ट और खेद की कथा कहता और उनसे सांत्वनाप्रद उत्तर पाता था।

पाण्डे जी से विचार-विमर्श में मेरे विचार को प्रेरणा मिलना स्वाभाविक था, यद्यपि हम में गहन दृष्टि-भेद था। इस दृष्टि-भेद के फलस्वरूप ही मैंने उनसे **ज्ञान और सत्** पुस्तक का 'परिचय' लिखने का अनुरोध किया, जिससे उनकी आलोचना के प्रकाश में मेरा प्रतिपादन पाठकों के लिए अधिक स्पष्ट हो सके। पाण्डे जी द्वारा लिखित वह 'परिचय' उस पुस्तक में एक महत्त्वपूर्ण योगदान कहा जा सकता है। यद्यपि इस पुस्तक के अनन्तर क्रमश: मेरा दृष्टिकोण पाण्डेजी के दृष्टिकोण के कुछ निकट आया किन्तु मेरी दृष्टि में इस विकास का निमित्त न तो पाण्डे जी की आलोचना थी और न किसी अन्य दार्शनिक का प्रभाव ही। अब भी पाण्डे जी से यह भेद कितना और कैसा था यह 1972 में प्रकाशित मेरी चतुर्थ पुस्तक **विषय और आत्म** की उनके द्वारा **इंडियन रिव्यू ऑफ फिलासफी** के 1973 के अंक में लिखी गई समीक्षा से देखा जा सकता है। उन्होंने उसमें विषय विषयक मेरे प्रतिपादन के सम्बन्ध में लिखा था कि "मैंने विषय को एक हाथ से बाह्यता देकर दूसरे हाथ से वापिस ले ली है।" किन्तु मेरी यह 'दीठ' वास्तव में मूलगामी थी, जिसका विकास मेरे बाद के लेखन में क्रमश: हुआ। मैंने अब विषय को आत्मोन्मुख चेतना द्वारा अपने में से निष्कासित आत्मेतर के रूप में देखा। इस प्रकार पाण्डे जी के साथ मेरे संवाद का क्या रूप था यह देखा जा सकता है।

1965 में जयपुर आने पर विश्वविद्यालय के पुस्तकालय में मुझे अन्यान्य पुस्तकें देखने का अवसर मिला। अब मैंने हुस्सर्ल, डेकार्ट, कांट, फ़िख़्ते, शैलिंग, शंकराचार्य, ईश्वरकृष्ण और वसुबन्धु आदि के ग्रन्थ भी देखे, किन्तु दृष्टिकोण के निर्माण पर इन सबका प्रभाव अत्यन्त परोक्ष ही कहा जा सकता है। उदाहरणत: लगभग 1973-74 में मैंने राजस्थान विश्वविद्यालय में भारतीय दर्शन के एक अध्यापक मित्र से कहा था कि "वेदान्त दार्शनिकों में यह एक आधारभूत दृष्टि-दोष है कि जबकि उनकी तत्त्वमीमांसा वास्तव में मूल्यात्मक है, और उनका तत्त्व भावात्मक नहीं होकर भाव्यात्मक है, वे वस्तुवाचक पदावली का प्रयोग करते हैं।" यह बात वास्तव में उन सभी दार्शनिकों के सम्बन्ध में कही जा सकती है जिनका उल्लेख ऊपर मैंने किया है। किन्तु तब यह मैंने वेदान्त के सन्दर्भ में ही कहा था। ऐसा ही मुझे कुछ वर्ष बाद शंकर और ईश्वरकृष्ण को पढ़ने के बाद भी उनके सम्बन्ध में लगा। इस अध्ययन के अनन्तर मैं अपनी इस दृष्टि को लेखबद्ध करने के लिए 'आत्म और अनात्म' शीर्षक एक लेख लिखने बैठा। किन्तु मैं जैसे लिखना आरम्भ करता, वही वस्तुवाचक वेदान्तिक पदावली लिखी जाती। इस प्रकार मैंने अनेक बार एक पैराग्राफ लिख लिखकर उसे रद्द किया और तब अकस्मात् उस पदावली का आविर्भाव हुआ जो मेरे अर्थ को, मेरी 'दीठ' को, व्यक्त कर सकती थी। इसके प्रथम वाक्य के साथ ही जैसे उस सम्पूर्ण प्रतिपत्ति का सूत्रपात हो गया जिसका विकास इसके बाद अब तक मेरे लेखन में हो रहा है। यह वाक्य था, "हम जगद्भाव को प्राप्त चैतन्य हैं, किन्तु यह भाव चेतना के लिए अनिवार्य नहीं है।" यह उपलब्ध दृष्टि की अभिव्यक्ति के लिए उपयुक्त पदावली के आविर्भाव का, चेतना के लोकावतरण के लिए उपयुक्त देह के जन्मने का उदाहरण कहा जा सकता है। इसी प्रकार की एक दूसरी घटना भी मेरे साथ घटित हुई जब दृष्टि और पदावली दोनों का विस्फोट-जैसा मेरी चेतना में हुआ। मैंने 1969 में संस्कृति पर एक पुस्तक लिखी थी। इस पुस्तक में मैं

कला पर भी एक अध्याय लिखना चाहता था। इसके लिए मैंने राजस्थान विश्वविद्यालय के पुस्तकालय में कला-दर्शन पर उपलब्ध सभी पुस्तकें देखीं, कुछ थोड़ी ध्यान से पढ़ीं भी। किन्तु मैं कला पर एक वाक्य भी नहीं लिख पाया। तब इसके ठीक 10 वर्ष बाद मैं पंजाब विश्वविद्यालय के दर्शन विभाग के एक साप्ताहिक परिसंवाद में भाग ले रहा था जिसमें एक शोध-छात्रा ने कला पर एक लेख पढ़ा। उसके बाद उस पर चर्चा आरम्भ हुई और प्रश्न उठा कि कला क्या है? विभाग के अध्यापकों ने कला की जो दो-एक परिभाषाएँ दीं, जो स्वभावत: उनकी अधीत पुस्तकों से ली गई थीं, मैंने उनमें दोष दिखा दिये। तब एक अध्यापक ने कहा कि 'तो आप बताइये कला क्या है?' इस पर मैं दो क्षणों के लिए रुका और तब कला की परिभाषा दे डाली। परिभाषा थी "कला विषयिता का विषयिता-प्रत्यय के रूप में अवगमन है।" कला की यह परिभाषा मेरी जिह्वा पर जैसे कहीं बाहर से अवतरित हुई थी, न कि दृष्टि से रहित भाषा-संस्कार के रूप में, जैसाकि अधिकांश में हमारे साथ होता है।

यह दृष्टि और शब्द का युगपद् उन्मेष था जिसने स्वयं मुझे चकित कर दिया। उसके बाद मुझे कला पर लिखने में कोई कठिनाई नहीं हुई और मैंने इस दृष्टि की व्याख्या करते हुए 'कला-सर्जन' शीर्षक से एक लेख लिखा। इसके अनन्तर मैंने कला पर और लेख भी लिखे जो सब इस एक वाक्य की ही व्याख्या थे। इस प्रकार मेरे सृजनात्मक लेखन का आरम्भ लगभग 1978 में लिखे गए लेख 'आत्म और अनात्म' के साथ हुआ और कला विषयक यह लेखन उस दृष्टि के अन्तर्गत ही हुआ जो सर्वप्रथम 'आत्म और अनात्म' लेख में व्यक्त हुई थी। इसका अर्थ यह नहीं है कि इसके पहले के लेखन में सृजनात्मकता का नितान्त अभाव था—**पन्त का काव्य और युग** पुस्तक की योजना और आलोचना-विधि उधार ली गई नहीं थी और बाद के दार्शनिक लेखन में अन्यों की दृष्टियों में सह चिन्तन किया गया था, उनके चिन्तन का विवरण नहीं प्रस्तुत किया गया था। यह ऐसा ही सृजन था जैसा सम्प्रदायों के अन्तर्गत विभिन्न दार्शनिक करते हैं। वेदान्ती दार्शनिक वेदान्त-दृष्टि में सहभाग के रूप में सृजन करते हैं और सांख्य दार्शनिक सांख्य-दृष्टि में सहभाग के रूप में।

इस सब प्रतिपादन से मेरा आशय यह नहीं है कि सृजनात्मकता का परिवेश से कोई सम्बन्ध ही नहीं होता और वह उससे कोई प्रभाव ग्रहण नहीं करती। चेतना की सृजनात्मकता अपनी अभिव्यक्ति के लिए रूप, आकार और उपादान अपने परिवेश से ही प्राप्त करती है और ये उसे प्रभावित करते ही हैं। किन्तु इस प्रभाव को वह निष्क्रिय रूप से ग्रहण नहीं करती और अधिकांश में तो वह उसे निषेधात्मक रूप में भी ग्रहण करती है।

अन्यत्व और उसके विविध रूप

अन्यत्व एक प्रकार से अस्तित्वमात्र को लक्षित करता है। 'अस्तित्व' शब्द कालगत पार्थक्य का वाचक है, किन्तु यह वास्तव में देशगत पार्थक्य को भी सम्मिलित करता है और इस प्रकार यह लक्षित वस्तु के पूर्व और अपर से तथा परितः आसीन वस्तुओं से भिन्न, व्यावृत्त तथा विशिष्ट होने का कथन करता है। भौतिक प्रकृति में पृथ्वी सूर्य से और सूर्य पृथ्वी से विशिष्ट और व्यावृत्त होते हैं। यदि इस वैशिष्ट्य या व्यावर्तन को बाह्य कहा जाय तो प्रकृति में ऋणात्मकता और धनात्मकता के गुण हैं जो परस्पर वैपरीत्य से ही परिभाषित होते हैं और स्वरूपगत कहे जा सकते हैं। किन्तु जैव प्रकृति में यह व्यावर्तन एक सक्रिय अभियोजक का आयाम लेता है। जीव में दैहिक स्तर पर यह व्यावर्तकता आवयविकता के रूप में एक संकेन्द्रिकता को रचित करती है और चेतना के स्तर पर अहंकार के रूप में चित्तवृत्तियों को एक केन्द्र में अधिष्ठित करती है और राग-द्रेष के आलम्बनभूत अन्य अहंकारियों को अन्य देहों के अधिष्ठान में प्रत्युपस्थित करती है। वास्तव में अन्यता का आविर्भाव जैव अस्तित्व के इस दूसरे—राग-द्रेष के आलम्बनभूत अहंकारियों के—स्तर पर ही होता है। ऐसा एक वेद मन्त्र भी है जो इन अन्यों को, इनकी अन्यता मात्र में, भयावह घोषित कर देता है : अन्य को मित्र और अमित्र इन दो कोटियों में बाँट कर इनसे अभय की याचना करने का अर्थ है कि अन्यत्व मात्र भय का स्रोत है।[1] किन्तु यहाँ कहा जा सकता है कि इनसे अभय की याचना में इनकी भयावहता की आगुन्तकता, उसकी निवार्यता, भी आपादित है और वह निवार्यता मित्र की भयावहता की ही नहीं अमित्र की भयावहता की भी है। यही बात धर्म-नीति में भी है। राग-द्रेष अहंकारमूलक और इस प्रकार अन्यता की प्रत्युपस्थिति के भी हेतु हैं, किन्तु ये अवांछनीय और त्याज्य कहे गये हैं। जिसका अर्थ हो जाता है कि अहंकार और अन्यता दोनों औपाधिक और अवास्तविक हैं। यदि अन्य अनिवार्यतः भयावह हो तो अभयता के लिए प्रार्थना का कोई अर्थ नहीं रह जाता, यदि राग-द्रेष और अहंकार का त्याग सम्भव नहीं हो तो इनकी त्याज्यता का विधान निरर्थक हो जाता है। इस प्रकार नैतिक नियम अन्यता के अतिक्रमण का उपाय प्रस्तुत करता है। वास्तव में मित्र और अमित्र से अभयता का मार्ग भी यही है : मित्र और अमित्र-भाव का विलय, अपने भीतर से इस भेद की ही समाप्ति। यह अद्वैत-भाव ही मनुष्य का चरम गन्तव्य है : जीव-धर्म को उत्तीर्ण कर परम धर्म में प्रतिष्ठा।

किन्तु आप जानते ही हैं कि गोपियों ने ऊधव से अद्वैत का संदेश लेने से मनाह कर दिया था, क्योंकि उनके अनुसार अद्वैत हमें उस रस से भी वंचित कर देता है जिसे प्रेम कहते हैं। प्रेम के लिए अन्य का होना अनिवार्य है, और देखो, यह वह भाव है जो अन्य की अन्यता को अपने में नहीं समेटना चाहता, बल्कि अपने को अन्य में लीन कर देना चाहता है:

> पीया चाहे प्रेम रस, राखा चाहे मान।
> एक म्यान में दो खडग, देखा सुना न कान।।

किन्तु यदि लीनता सचमुच सिद्ध हो जाय, एक म्यान में दो खड्गें प्रवेश करते ही एक हो जाएँ, तो प्रेम ही नहीं रहेगा, मान के साथ-साथ रस भी चला जाएगा। इसलिए प्रेम एक असम्भव स्थिति की अपेक्षा करता है : अद्वैत में द्वैत की सिद्धि, अथवा कहें द्वैत में अद्वयता की सिद्धि। विरह की तड़प वास्तव में द्वैत की अद्वयता के

---

1. अभयं मित्राद् अभयं अमित्राद् अभयं जाताद् अभयं पुरोयः।

लिए यह तड़प ही है—भिन्न स्वकीय के प्रति अभिसार। सच पूछा जाय तो प्रेम अद्वय तत्त्व की रस-निष्पत्ति का उपाय-कौशल ही प्रतीत होता है। यदि अन्य वास्तव में ही अन्य हो, स्वरूपत: भय का आस्पद, तो प्रेम ही नहीं काम भी नहीं रह जाय : मिथुनता दैहिक सृजन के लिए देह-स्तरीय अद्वयता के द्वैधीभाव जैसी प्रतीत होती है और प्रेम मानस-स्तरीय अद्वय के द्वैधीभाव जैसा। कहा जा सकता है कि काम और प्रेम ही राग, और इस प्रकार द्वेष के भी, मूल होते हैं और परिणामत: अहंकारमूलक होते हैं। यह सही है : मनोदैहिक स्तर पर अहंकार सब प्रवृत्तियों का मूल होता है और परिणामत: इस स्तर पर अन्यता अनिवार्य और आधारभूत रूप से व्यावर्तक ही होती है। किन्तु तब भी यह प्रेम भी एक सीमित स्तर पर अहंकार के समर्पण की अपेक्षा ही करता है और यह उस सीमा तक ही चरितार्थ हुआ कहा जा सकता है जिस सीमा तक अहंकार प्रेमास्पद के प्रति क्षीण होता है। प्रेम की मूल्यवत्ता इस क्षय में ही है, अन्यथा प्रेम मूल्य नहीं हो सकता। अथवा, यह भी कहा जा सकता है कि मनोमय स्तर पर उपजा प्रेम भी अपनी पराकाष्ठा में अलौकिक ही हो जाता है और उसका आलम्बन मन:स्तरीय इच्छाओं आदि का विषय नहीं रह जाता और प्रेमी पूर्णत: निरहंकार हो जाता है। कवि ने हीर से कहलाया है : "राँझा-राँझा आखदी मैं आपै राँझा होई।" और यह हीर तब मनोदैहिक व्यक्ति नहीं रह जाती, वह राँझा-भाव ही हो जाती है, जायसी के रत्नसेन और पद्मावती के समान मनोदैहिक प्रतीक मात्र : काव्यगत प्रतीकमात्र नहीं, सत्त्वगत प्रतीक, अपनी सत्ता में ही प्रतीकभूत। अन्यता का यह एक रूप है, इसे यदि भागवत रूप कहें तो अनुपयुक्त नहीं होगा, क्योंकि इसकी चरमता राधा-भाव में ही उपलब्ध होती है, मनोदैहिक स्तर पर नहीं।

अन्यता का दूसरा रूप वह है जिसमें अन्य अजस्र भय का स्रोत होता है। यह अन्य हमारे सामने निरन्तर खड्ग-हस्त प्रत्युपस्थित रहता है और हमें ढाल और तलवार के साथ तत्पर रहने को बाध्य रखता है। अन्यता की इस कल्पना का आदर्श रूप हमें सार्त्र की पुस्तक **बींग एण्ड नथिंगनेस** में निरूपित मिलता है। अन्यता का यह रूप यों राजनीति में राज्यों के पारस्परिक सम्बन्धों को सदैव निर्धारित करता रहा है किन्तु इसे भी एक सैद्धान्तिक आधार आधुनिक युग में भूतपूर्व अमरीकी राष्ट्रपति ट्रूमैन तथा विदेशमंत्री डलस और उनके अनुयायियों ने ही दिया। पशु-जीवन में अन्यता का यह रूप पशु-जगत् में पर्याप्त व्यापक रूप में देखा जा सकता है। यह भी कहा जा सकता है कि जीव-जगत् में यह नियम ही एक ईश्वरीय योजना के रूप में जीव-जगत् का धारक भी बनता है : चिड़ियाएँ बाज से बचने के लिए समूहित होती हैं और इसी प्रकार अन्य पशु भी किसी भयास्पद अन्य से बचने के लिए समूहित होते हैं, अन्यथा वैयष्टिक स्तर पर प्रत्येक जीव अन्य से बाधित और आक्रान्त ही रहता है।

किन्तु मनुष्य ने समाज के रूप में अन्यता को विजित करने के लिए एक ऐसे उपाय का आविष्कार किया है जो आधारभूत है। इसे 'आधारभूत' कहने का अर्थ है कि इसका मूल मानव-चेतना में ही निहित है। इस चेतना के लिए अन्य एक अनिवार्य बाधक के रूप में ही उपस्थित हो यह आवश्यक नहीं होता। बल्कि, यदि यह कहा जाय कि मनुष्य के पाशव स्तर पर अन्य बाधक के रूप में और उसके मानवीय स्तर पर सहभागी के रूप में उपलब्ध होता है, तो भी अनुपयुक्त नहीं होगा। आवेगों और इच्छाओं को चेतना का पाशव स्तर और विचार तथा विवेक को उसका मानवीय स्तर कहा जा सकता है। अब, आवेगात्मक स्तर पर राग और द्वेष ही अन्य के परिभाषक होते हैं और इस परिभाषा के पद आहंकारिक अर्थों से स्थिर होते हैं। परिणामत: इस स्तर पर अहंकार अनिरास्य होता है। किन्तु विचार और विवेक के स्तर पर अहं और अन्य एक सामान्य के दो विशेषों के जैसे होते हैं और परिणामत: परस्पर विनिमेय, परस्पर स्थानान्तरणीय होते हैं। इस स्तर पर 'आत्मन: प्रतिकूलानि परेषां न समाचरेत' एक सहज बोध होता है जो वास्तव में चेतना के आवेगात्मक स्तर के लिए निर्देशक-रूप होता है, क्योंकि विचार के स्तर पर आत्म और पर में भेद के लिए स्वयं कोई आधार नहीं होता। चेतना की इस द्विस्तरता के अनुसार ही समाज का अस्तित्व भी द्वि-स्तरीय होता है। इसका एक स्तर समूहता का होता है किन्तु दूसरे, मानवीय, स्तर पर यह एक नैतिक सत् होता है। एक समग्र व्यक्ति में ये दोनों स्तर संयुक्त रहते हैं। यद्यपि ये पृथक्-पृथक् कार्य करते

हैं और इनमें प्रथम—पाशव—सहज रूप में नियामक होता है, किन्तु व्यक्ति को व्यक्तित्व उसका दूसरा स्तर ही देता है और इस प्रकार वही विवेक, दृष्टि और संकल्प का स्रोत होता है। दूसरे शब्दों में, जिसे अहंकार से भिन्न आत्मा कहा जाता है वह बहुत कुछ यही होता है। हमारे यहाँ इस आत्मा को अपने शुद्ध स्वरूप में पूर्ण ज्ञानात्मक और मुक्त कहा गया है, सुकरात और प्लेटो की मान्यता भी लगभग ऐसी ही थी। इन दृष्टियों का औचित्य हमारे उपर्युक्त विवेचन से सहज ही समझा जा सकता है। किन्तु मनुष्य में, उसकी समग्रता में, यह आत्मा अपने शुद्ध रूप में उपलब्ध नहीं होता, वह आवेगात्मक स्तर से न्यूनाधिक उपहित रूप में ही उपलब्ध होता है। परिणामतः अन्य, कम-से-कम एक सीमा तक, या तो राग से, अथवा द्वेष से परिभाषित होता है। केवल यह सीमा प्रत्येक व्यक्ति में भिन्न होती है। महात्मा गाँधी के लिए किस प्रकार उनके विरोध के प्रमुखतम विषयभूत अंग्रेज़ लोग उनके उतने ही प्रेम-पात्र थे जितने उनके अपने लोग, और परिणामतः कोई भी उनके लिए राग का भी विषय नहीं था, यह हम जानते ही हैं।

किन्तु विचार और विवेक के स्तर पर हम चाहे अहंकार का किसी भी सीमा तक अतिक्रमण कर सकें देह और क्रिया के स्तर पर हम अनिवार्यतः आत्म-सीमित और अन्य-व्यावृत्त ही होते हैं। मैं देश-काल के एक विशेष बिन्दु से ही देख सकता हूँ, मैं किसी कार्य में अपने देह से ही प्रवृत्त हो सकता हूँ, अपने विवेक में मैं अपने कार्यों का भी विवेचन कर सकता हूँ, अपने सम्यक् अथवा भ्रान्त ज्ञान का मैं ही विषयी हो सकता हूँ, और अपनी इच्छाओं या वितृष्णाओं का मैं ही कर्त्ता और भोक्ता हो सकता हूँ। यह 'मैं' अन्य के और अन्य से अनिवार्यतः प्रतिस्थित होता है और यह अनिवार्य होने पर अपनी अस्मिता में, अपने अस्तित्व में, अन्यापेक्षतया संरचित हो जाता है। उदाहरणतः उस सामने पड़े गिलास को मैं इस क्षण और इस कोण से ही देख सकता हूँ, किन्तु यह गिलास वास्तव-सम्भाव्य दर्शकों द्वारा विभिन्न क्षणों पर और विभिन्न कोणों से देखी जा रही वस्तु के रूप में ही मेरा विषय होता है। इस प्रकार यह विषयरूपेण प्रस्तुत होने के साथ मेरी विषयिता को संरचनात्मक रूप से अन्यों के साथ प्रतिस्थित विषयिता बना देता है।

अब यह द्रष्टव्य है कि जबकि यह अन्यता मेरी अस्मिता में ही निहित और रचित रहती है, इसका स्वरूप प्रसंग-भेद के अनुसार भिन्न रहता है : गिलास को मैं चुराना चाहता हूँ? इससे मात्र पानी पीना चाहता हूँ? इसे चित्रलिखित करना चाहता हूँ? अथवा इसका अस्त्र के रूप में प्रयोग करना चाहता हूँ? इन प्रसंगों के अनुसार अन्यता के रूप भी बदल जाएँगे। किन्तु जितना मैं अन्यता का रूप निर्धारित कर सकता हूँ उतना ही अन्य भी मेरी विषयिता को प्रभावित कर सकता है। वास्तव में इन प्रसंगों में अन्य का और मेरा दोनों के रूप परस्पर सापेक्षता में ही निर्धारित होते हैं। किन्तु यह अन्य उस सीमा तक ही मेरा निर्धारण कर सकता है जिस सीमा तक मैं अपने अधिकार में नहीं होता हूँ। सार्त्र ने अन्यता के निरूपण में लज्जा का उदाहरण देते हुए दिखाया है कि किस प्रकार कपड़े उतारते हुए अन्य से अकस्मात् देख लिये जाने पर हम लज्जा से अभिभूत हो जाते हैं। किन्तु किसी के इस लज्जा से उत्तीर्ण होने के निश्चय के साथ निर्वस्त्र होने पर उसे इस प्रसंग में कोई लज्जित नहीं कर सकता। हमारे दिगम्बर साधु इसके उदाहरण हैं। 'सुख-दुःखे समे कृत्वा, लाभालाभौ जयाजयौ' में अन्य की अधीनता से आत्यन्तिक मुक्ति ही अभ्रिपेत है यद्यपि अन्यता से मुक्ति अभिप्रेत नहीं है। निश्चय ही हमारे यहाँ अन्यता से मुक्ति भी अन्वेष्य रही है : 'तत्त्वमसि श्वेतकेता!' में यह मुक्ति ही अन्वेष्य है, जिसका अर्थ है कि हमारे यहाँ अन्य को अनिवार्यतः बाधक रूप में ही देखा गया है। किन्तु वास्तव में इसे एक-दूसरे प्रकार से भी समझा जा सकता है। हमने पीछे देखा कि विचार और विवेक में 'मैं' और 'अन्य' एक सामान्य के विशेषों जैसे होते हैं : न्याय में राजा और प्रजा के बीच कोई अन्तर नहीं स्वीकार किया जाता : किन्तु आवेगों और आकांक्षाओं के स्तर पर यह भेद दुर्जेय होता है। अस्तित्व के इस स्तर पर सामान्यता की सिद्धि ही एकत्व की साधना में अन्वेष्य होती है। चित्त की

इस स्थिति की साध्यता प्राय: सभी संस्कृतियों में देखी गयी है किन्तु यह अपने आत्यन्तिक रूप में तत्त्वमीमांसा और धर्म दोनों की अन्वेष्य केवल वेदान्त में ही बन पायी है।

ऊपर हमने अन्यता के प्रश्न पर प्राय: दार्शनिक सन्दर्भ में ही विचार किया। किन्तु इसके सामाजिक, आर्थिक और राजनीतिक सन्दर्भ भी हैं जो आधुनिक मनुष्य को बुरी तरह उद्विग्न कर रहे हैं। इन तीनों के आधार में एक अन्य मनोभौतिक परिस्थिति है जिसने मनुष्य के आवेगात्मक, बौद्धिक और भौतिक अस्तित्व को झकझोर कर बदल दिया है, जिसे महात्मा गाँधी ने शैतानी नाम दिया था और जिसके इस निरूपण का बाद में अन्य अनेक विचारकों ने समर्थन किया है।[1] यह परिस्थिति भौतिक विज्ञान और यान्त्रिकी के और उससे प्रेरित प्रौद्योगिकी के आसुरी माया जैसे अपूर्व कल्पित विकास और अकल्पनीय सम्भावनाएँ हैं। उसने मनुष्य की दृष्टि को आमूल बदल दिया है। सबसे आधारभूत परिवर्तन तो उसके लिए लोक के बाहरी-भीतरी अनेक स्तरों—पाताल लोक, भू-लोक तथा द्यु-लोक—का, एक ही स्तर—पार्थव और देहात्मपरक—में अपचय हो जाना है। द्रष्टव्य है कि देहात्मपरकता के इस स्तर की संज्ञा ही पहले आसुरी थी और गाँधी जी ने उसी के अनुसार इसे शैतानी संज्ञा दी थी। हम इसे अतीतयुगीन पदावली के अनुसार संज्ञापित करने से बचना चाहेंगे और केवल यह देखना चाहेंगे कि इससे अन्यता के रूप में कोई परिवर्तन हुआ है या नहीं, और यदि हुआ है तो क्या हुआ है? इससे सामाजिक आयाम में आत्मवियुक्त, अथवा कहें केन्द्र-च्युत व्यक्ति-केन्द्रिकता का, राजनीतिक स्तर पर भीड़तन्त्रवाद, अथवा उसके प्रतिपक्ष अधिनायकतन्त्रवाद का, और आर्थिक आयाम में उपभोक्तावाद-पूँजीवाद का जन्म हुआ है। अब, क्योंकि सामाजिक मनुष्य के ये तीन पक्ष एक-दूसरे से अलग नहीं होते इसलिए उन्होंने संयुक्त रूप से जिस मनुष्य को जन्म दिया है वह अत्यधिक आत्मविस्थापित, उद्विग्न, उद्देश्य की खोज में निरुद्देश्य दौड़ता हुआ, कोलाहल में तुमुल, गति में बदहवास मनुष्य है। यह स्थिति एक अविश्वसनीय, संदेहास्पद, प्रतिद्वन्द्वी और भयावह इतर को ही जन्म दे सकती है। परिणामत: यहाँ सब मार्ग संघर्ष की ओर ही ले जाते हैं : डार्विन का जीवो जीवस्य भोजनम् का, एड्लर का हीनग्रन्थि का, नीत्शे का विल टू पावर का और सार्त्र का इतर की अनिवार्य भयावहता का सिद्धान्त इतर के इस मन:स्थिति में कल्पित रूप के ही विभिन्न पदावलियों में निरूपक हैं। इस परिवर्तन को कवि और उसके श्रोता या पाठक के बीच सम्बन्ध के गत युगीन और वर्तमान रूपों में भेद के उदाहरण से देखना उपयोगी हो सकता है। गत युगों में कवि के श्रोता-पाठक को सहृदय कहा जाता था। कवि और उसका पाठक रस-सर्जन और रस-बोध में सहयोगी रूप में कल्पित थे। किन्तु आज काव्य के साथ 'रस' पद के प्रयोग को ही अनुपयुक्त पाया गया है और उसके पाठक के लिए 'सहृदय' पद का प्रयोग वास्तव में अब पूर्णत: निरर्थक हो गया है। आज कवि-कर्म की चरितार्थता रस-निष्पत्ति में नहीं आन्तर रिक्तता, द्वन्द्व और संत्रास के, अथवा बाह्य विसंगतियों, प्रवंचनाओं और अभावों के निरूपण में देखी जाती है, आज 'आम आदमी' उसका निजत्व और 'खास आदमी' उसका इतर है और द्रष्टव्य है कि ये दोनों अमूर्त्त कल्पनाओं के आविष्कार हैं। कुछ लोग इस 'आम' और 'खास' को अमूर्त्त कल्पनाओं के बजाय मानक या आदर्श वास्तविकताएँ कहना चाहेंगे और इन्हें अतीत युगीन आदर्श रूपों—राजा-रानियों अथवा देव-दानवों—से तुलनीय कहना चाहेंगे। यदि यह बात स्वीकार कर भी ली जाय तो भी इससे कोई वास्तव अन्तर नहीं पड़ता, क्योंकि महत्त्वपूर्ण बात इन दो आकारों की अन्तर्वस्तुओं की है जो अन्तर्वस्तुएँ नितान्त भिन्न प्रकारक मानसिकताओं की द्योतक हैं। **अभिज्ञान शाकुन्तलं** और **स्वप्नवासवदत्ता** एक ओर और **आक्रोश** तथा **सलाम बाम्बे** चलचित्र दूसरी ओर अतीत और आधुनिक बोधों के आदर्श उदाहरण कहे जा सकते हैं।

---

1. विशेषत: द्रष्टव्य हर्बर्ट मार्कूस की पुस्तकें : **वन डाइमेश्नल मैन** तथा एन एस्से ऑन लिबरेशन।

यहाँ मैं किसी भी प्रकार से अतीत और वर्तमान कवियों के भाव-बोधों का मूल्यांकन नहीं कर रहा हूँ : इनमें एक को उत्कृष्ट और दूसरे को उत्कृष्टतर या निकृष्ट अंकित करने के लिए कोई प्रतिमान बनाना सम्भव नहीं है। निश्चय ही प्राचीन समाज स्थिर सम्बन्धों के स्थिर आदर्शों के अनुसार एक सामरस्य में युगों से युगों तक रह रहे थे : कहा जा सकता है कि माता-पिता के संतान के प्रति और संतान के माता-पिता के प्रति, भाइयों-बहनों के छोटे-बड़े के अनुसार परस्पर और स्वामी-भृत्य के परस्पर सम्बन्ध रामायण के प्रतिमान पर स्थिर थे और परिणामत: अस्मद्-युस्मद्, अहं-इतर के बीच एक सनातन सामरस्य था। यह सामरस्य आज एकाएक ध्वस्त हो गया है और वह प्रत्येक व्यक्ति के साथ प्रतिदिन बदल रहा है। इस प्रकार आज इन सम्बन्धों के लिए कोई प्रतिमान नहीं हैं। आज व्यक्ति स्वयं और 'इस क्षण पर' प्रमाण है। प्रमाण के अन्य सब स्रोत इस पर अपनी अयथार्थता और निराधारता प्रकट कर चुके हैं। सार्त्र द्वारा मनुष्य के तत्त्व के प्रतिपादक रूप में आविष्कृत पद 'जगत् में फेंक दिया गया हुआ' इस युग में मनुष्य की मन:स्थिति का बहुत सम्यक् निरूपक कहा जा सकता है, यद्यपि मनुष्य के तत्त्व का निरूपक नहीं, जैसाकि सार्त्र समझता है। किन्तु वर्तमान मन:स्थिति का यह निश्चय ही नितान्त सम्यक् निरूपण है, ऐसा कहा जा सकता है।

किन्तु यह जगत्, जिसमें मनुष्य 'फेंक दिया जाता है', उसके लिए स्नेह, दुलार और आश्वासनपूर्ण गोद या पालना भी हो सकता है और चुनौतियों तथा ललकारों से पूर्ण पथ-हीन अरण्य भी हो सकता है। वह इनमें से क्या हो, यह भी मनुष्य को स्वयं ही चुनना होता है, और आज के मनुष्य ने दूसरे विकल्प को ही चुना है। यहाँ पुन: सार्त्र ही इस मनोवृत्ति के निरूपक के रूप में दिखायी देता है, यद्यपि वह भ्रान्त रूप से समझता है कि वह मानव-विषयक शाश्वत सत्य का बखान कर रहा है। उसके अनुसार 'अन्य' अनिवार्य रूप से आशंकास्पद और स्वातन्त्र्य का बाधक है। यहाँ स्पैंग्लर का स्मरण भी स्थाने होगा जिसके अनुसार मनुष्य एक आखेट-वृत्तिक पशु (एनिमल ऑफ प्रे) है।[1] इस मनुष्य का इतर नख-दन्त-सज्जित मानव-पशु ही हो सकता है।

यह पुन: एक मन:स्थिति है जो आधुनिक भारत पर भी क्रमश: अवतरित हो रही है, यद्यपि यह हमारे सहज विकास-क्रम में हमारे भीतर आविर्भूत नहीं हुई है। किन्तु आज हम इससे बच नहीं सकते, सारा संसार ही इस ओर दौड़ रहा है।यह मानो 'अन्तर्राष्ट्रीय मुद्राकोष' की मुद्राओं के साथ हमारे पास पहुँच रही है। हम चाहे इस का सौ विरोध करें किन्तु इससे हम बच नहीं सकते। इससे हमें बचना चाहिए या नहीं, यह प्रश्न अत्यन्त महत्त्वपूर्ण होते हुए भी यहाँ मुझे इसके सम्बन्ध में कुछ कहना नहीं है। इसके अतिरिक्त, यह अब एक ऐतिहासिक रुचि का प्रश्न हो गया है। तब भी, अन्यत्र हमने अनेक स्थलों पर बहुत स्पष्ट रूप से कहा है कि इससे हमें बचना चाहिए था।

किन्तु इसका यह अर्थ भी नहीं है कि जो हमसे पीछे छूट गया है वह नहीं छूटना चाहिए था, वह कोई बहुत स्पृहणीय स्थिति थी। कोई व्यक्ति पिता या बड़ा भाई होने मात्र से सम्मान का अक्षुण्ण अधिकारी हो, इसमें कोई युक्ति नहीं है, कोई स्वामी और कोई भृत्य हो, वह भी स्वत:सिद्ध रूप में, जन्मत:—प्रथम अपनी कृपालुता में महान् और दूसरा अपनी हीनता में महान्—इसका भी कोई औचित्य दिखायी नहीं देता। ये प्रतीक अपनी अलौकिकता खो चुके हैं, यह भी उचित ही हुआ है। किन्तु यह औचित्य अभी वैसा ही है जैसा अन्धे द्वारा किसी रास्ते को सही मानकर उस पर चलते रहने की अपनी गलती जान लेना। किन्तु तब जैसे दृष्टि के बिना आशंका और त्रास से सन्तुलन खो देने पर उसकी दशा होगी आज के मनुष्य की दशा वही है। उदाहरणत: पहले अध्यापक अपने असम्मानजनक व्यवहार के बावजूद अपने गुरुत्व की ओट में सुरक्षित था, आज उस ओट की अयथार्थता

---

1. ओस्वाल्ड स्पैंग्लर — **मैन एण्ड टेकनीक।**

विद्यार्थी ने देख ली है। किन्तु तब आज अध्यापक और विद्यार्थी किसी को भी किसी दूसरे अर्थ का भी पता नहीं है। इसी प्रकार आज सवर्णों और असवर्णों ने वर्ण की अयथार्थता और खोखलापन तो देख लिया है किन्तु तब सही अर्थ क्या है जिसमें समाज—अहं और इतर को सामरस्य में धारण करने वाली व्यवस्था—प्रतिष्ठित हो सके, यह भी किसी को ज्ञात नहीं है। यह 'बोध-हीन दृष्टि' हमें पश्चिम से प्राप्त हुई है और पश्चिम को उस रैश्नैलिटी से जिस पर उसे गर्व है। पश्चिम से सम्पर्क के आरम्भिक चरणों में एक बोधमूलक जागृति का आविर्भाव हमारे यहाँ हुआ था, जैसाकि स्वामी दयानन्द, तिलक, श्री अरविन्द, रवीन्द्रनाथ ठाकुर और भारतेन्दु हरिश्चन्द्र में हम देख सकते हैं। इन सबसे बढ़कर यह महात्मा गाँधी में हुआ था। किन्तु उनमें यह एक इस दोष के साथ हुआ कि वे विज्ञान और यान्त्रिकी के सम्मुख पूर्णत: स्व-स्थित नहीं रह सके। किन्तु तब यह श्रेय भी उन्हीं को जाता है कि विज्ञान और यान्त्रिकी के विस्थापक स्वरूप को सर्वप्रथम और स्पष्टता के साथ केवल उन्होंने ही देखा।

विज्ञान, परम्परा और नियति[1]

इन तीन पदों के अर्थ पर्याप्त अनिश्चित हैं, विशेष रूप से पिछले दो के। पहले पद का मुख्य अर्थ जबकि 'इन्द्रिय-गम्य विषयों के व्यवस्थापक नियम', अथवा 'संख्याओं और मात्राओं के रूप में निर्धार्य वस्तु-जगत् के आकलन के नियम'[2] है, इसका प्रसिद्ध अर्थ इस वस्तु-जगत् विषयक इन नियमों के आधार पर बनाये गये उपकरणों और यन्त्रों का निर्माण है, जिसे तकनीकी कहा जाता है। इस पद के अर्थ के इस पक्ष का सम्बन्ध हमारी कर्मेन्द्रियों से है। वास्तव में विज्ञान के ये दो पक्ष हैं जो अलग नहीं किये जा सकते, क्योंकि ये परस्पर निर्भर हैं। इन दोनों पक्षों के साथ एक निहित धारणा है कि ये व्यवस्थापन या आकलन के नियम यद्यपि इन्द्रियगम्य नहीं हैं किन्तु ये किसी नियामक की कल्पना या मुक्तिमूलक भी नहीं हैं, बल्कि ये आत्मप्रतिष्ठ हैं। इसी प्रकार, उपकरण या यन्त्र किसी कर्त्ता की प्रयोजन-सिद्धि के उपाय नहीं हैं बल्कि प्रयोजन—यन्त्रों के प्रयोजन—यन्त्र ही हैं। इनमें पहला पक्ष कम्प्यूटर में निदर्शित देखा जा सकता है और दूसरा रोबोट में। अब, 'परम्परा' का यहाँ क्या अर्थ है? विज्ञान की परम्परा, मनुष्य की समग्र सांस्कृतिक परम्परा, या कि हमारी सांस्कृतिक परम्परा? स्पष्टत: यहाँ 'विज्ञान की परम्परा' या 'समग्र मानव की सांस्कृतिक परम्परा' भी अभिप्रेत अर्थ नहीं हो सकता, क्योंकि ऐसी कोई वस्तु या वस्तुस्थिति लक्षित नहीं होती। इसलिए यदि कोई ऐसी वस्तु हो भी तो भी वह तत्त्वमीमांसा का अत्यन्त विवादास्पद विषय तो हो सकती है, एक पूर्वनिर्णीत प्रचलित अर्थ नहीं हो सकती। सांस्कृतिक परम्परा एक विशिष्ट समाज की ही होती है जिसका वैशिष्ट्य उसकी सांस्कृतिक परम्परा के वैशिष्ट्य से भी परिभाषित होता है और दैशिक परिधि और सम्बन्ध-संस्थान से भी। यद्यपि यह सही है कि पाश्चात्य विज्ञान के उद्भव से पहले सब सांस्कृतिक परम्पराओं में कुछ ऐसे तत्त्व भी थे जिन में एक अनुरूपता थी, किन्तु इस आधार पर उन परम्पराओं का एक वर्ग तो बनाया जा सकता है किन्तु उसे एक परम्परा नहीं कहा जा सकता। परम्पराओं के इस वर्ग को हम विज्ञान-भिन्न दृष्टि-परम्पराओं का वर्ग कह सकते हैं और वैज्ञानिक दृष्टि को इससे भिन्न वर्ग में रख सकते हैं। यह दूसरा वर्ग एक परम्परा का निर्माण कर सकता है, यदि यह एकसदस्यीय वर्ग हो तो। ऐसा इसलिए है क्योंकि एक संस्कृति एक सावयव पुरुषार्थ-व्यवस्था होती है जिसके विभिन्न अवयव एक अवयवी के अधीन परिभाषित और नियुक्त होते हैं। संस्कृति एक चैत्त अवयवी है। यह अपने लौकिक अस्तित्व के लिए एक मानव-समुदाय की उसी प्रकार अपेक्षी होती है जिस प्रकार व्यक्ति-चित्त व्यक्ति-देह का। मानव-समुदाय दैशिक सीमाओं और ऐतिहासिक परम्पराओं के आधार पर बनते हैं। अभी तक ये समुदाय और परम्पराएँ अनेक हैं। किसी सुदूर भविष्य में इण्टरनेट आदि से देश-भेद समाप्त हो जाएँ और दुर्भाग्यवश विभिन्न सांस्कृतिक परम्पराएँ एक अमरीकी परम्परा में समाहित हो जाएँ तो दूसरी बात है। किन्तु यह एक सुदूर भविष्य की बात है, वर्तमान में ऐसी कोई सांस्कृतिक परम्परा नहीं है।

इसलिए 'परम्परा' का अर्थ यहाँ भारतीय सांस्कृतिक परम्परा ही हो सकता है। अब, 'नियति' का क्या अर्थ है? क्या इसका अर्थ परम्पराओं को अतीतविषयक मानकर 'उनके भविष्य' यह किया जाना अभिप्रेत है या कि इसका अर्थ विश्व-मानव का भविष्य, या फिर ब्रह्माण्ड का ही भविष्य है? किन्तु परम्परा का अर्थ अतीतविषयक ही मानना उचित नहीं है। परम्परा किसी समाज के अतीत से सन्तत अभिनिवेश को कहना उचित है जिसमें भविष्य लक्षित रहता है। परम्परा का अतीतविषयक अर्थ केवल इतिहासकार के लिए और पुरातत्त्वविद् के लिए ही होता है, किसी मानव-समाज के लिए नहीं। अब यदि 'परम्परा' का यह अर्थ हो तब 'नियति' का क्या

---

1. इलाहाबाद संग्रहालय द्वारा 21-22 मई, 1998 को आयोजित परिसंवाद में प्रस्तुत लेख।

2. विज्ञान पर हमारी विस्तृत व्याख्या के लिए द्रष्टव्य — **संस्कृति : मानव-कर्त्तृत्व की व्याख्या** (1969) तथा **सत्ताविषयक अन्वीक्षा** (1988) के 'प्राकृतिक विज्ञान' अध्याय।

अर्थ हो सकता है? क्योंकि इस परम्परा का कोई नियत भविष्य नहीं हो सकता। यह इसलिए नहीं कि यह मानव-स्वातन्त्र्य का निषेध है बल्कि इसलिए भी कि मनुष्य अधिकांश में अस्वतन्त्र भी है। किन्तु उसकी अस्वतन्त्रता भौतिक प्रकार की नहीं होती, जैविक प्रकार की होती है—उद्दीपनों-प्रतिक्रियाओं का बाह्यत: निर्धारित क्रम। अवश्य मनुष्य में उद्दीपन और प्रतिक्रियाएँ विचार से व्यवहित रहती हैं किन्तु यह विचार सदसद् या सत्यासत्य-विवेक-रूप नहीं होता बल्कि आवेगमूलक उपाय-व्यवस्था-रूप ही होता है। ऐसे मनुष्य की ऐसी परम्परा की कोई नियति हो सकती है यह नहीं कहा जा सकता। हमारे पूर्वजों ने मनुष्य की सांस्कृतिक परम्परा या चेतना के विकास की एक नियति कल्पित की थी—सतयुग, द्वापर, त्रेता के क्रम से कलियुग के साथ प्रलय में अन्त। यह नियति मनुष्य के नैतिक ह्रास के क्रम की चरम परिणति में है।

आधुनिक यूरोप में यह क्रम चेतना की बाल्यावस्था से विज्ञान-दृष्टि-लभ्य प्रौढ़ावस्था के रूप में देखा गया, जिसका आगे का मार्ग कहीं समाप्त नहीं होता, बल्कि अनन्त प्रगति की ओर बनता और बढ़ता चला जाता है। मानव-नियति की प्रथम कल्पना में एक स्पष्ट मानवोत्तर विधि-विधान की नियामकता का स्वीकार है और मनुष्य इसके सम्मुख अवश है। इसमें एक निराशावाद भी है। किन्तु इसके समर्थकों का दावा यह होगा कि वे ऐसा किसी अलौकिक प्रत्यक्ष के आधार पर नहीं कह रहे हैं जिसे आप कल्पना कह सकते हैं, बल्कि वे केवल वस्तुस्थिति का विवरण दे रहे हैं और उसके आधार पर भविष्य का अनुमान कर रहे हैं। यही दावा वास्तव में यूरोपीय विचारकों का भी है। अन्तर केवल यह है कि इनके विवरण-सन्दर्भ और प्रतिमान भिन्न-भिन्न हैं। प्रथम का विवरण-सन्दर्भ मनुष्य का नैतिक-आध्यात्मिक बोध है और दूसरे का विवरण-सन्दर्भ भौतिक-जैविक प्रकृति के विकसिततम जीव मनुष्य के जैविक लाभ के लिए प्रकृति का नियोजन-कौशल है। इन दोनों दृष्टियों में मनुष्य की ऐतिहासिक नियति ही देखी गयी है। उसके स्वातन्त्र्य का अस्वीकार इस बात से सिद्ध है कि वह स्वतन्त्रतापूर्वक नैतिक-आध्यात्मिक ह्रास के मार्ग का वरण नहीं कर सकता। किन्तु वास्तव में स्वातन्त्र्य और 'नैतिक विवेक' पद पर्यायवाची भी कहे जा सकते हैं। इस प्रकार सतयुग से कलियुग की ओर बढ़ने के क्रम को स्वतन्त्रता खोने का क्रम भी कहा जा सकता है। यहाँ यह स्पष्ट कर देना आवश्यक है कि साधारणत: स्वतन्त्रता का अर्थ यादृच्छिकता समझा जाता है जो ठीक नहीं है, नैतिक शब्दकोश में ये लगभग विपरीतार्थक शब्द हैं। जहाँ तक दूसरी इतिहास-दृष्टि का सम्बन्ध है, उसमें मनुष्य की स्वतन्त्रता का यादृच्छिकता से भिन्न दूसरा कोई अर्थ सम्भव ही नहीं है, क्योंकि उसमें मनुष्य का जैविक के अतिरिक्त दूसरा कोई स्वरूप नहीं है। इस दृष्टि के अनुसार मनुष्य इस अर्थ में स्वतन्त्रता की ओर अवश्य निरन्तर आगे बढ़ता है कि वह भौतिक प्रकृति का अपनी यदृच्छा के अनुसार उपयोग करने में निरन्तर अधिकाधिक समर्थ होता जाता है, किन्तु वह इससे किसी भिन्न मार्ग का वरण नहीं कर सकता और केवल इसी मार्ग पर निरन्तर बढ़ती गति से बढ़ सकता है, यह उसकी नियति है। रेलगाड़ी के बाद वह वायुयान बनाये और वायुयान के बाद स्पुटनिक, इसी प्रकार बन्दूक के बाद तोप बनाये, तोप के बाद बम और तब परमाणु बमों के क्रम से आगे बढ़े, यही उसकी स्वतन्त्रता की नियति है। तब इस शस्त्र-प्रयोग में उसके संयम का आधार केवल शत्रु के शस्त्र का भय ही हो सकता है, सम्राट् अशोक के समान युद्ध की विभीषिका-जन्य वैराग्य नहीं। जापान पर बम-विस्फोट कर के ट्रूमन और डलस के आसुरी भाव में कोई कमी नहीं आयी, वृद्धि ही हुई थी। यह विज्ञान-दृष्टि की अनिवार्य नियति है। किन्तु युग-चक्र देखने वालों के बोध और विचार-तन्त्र में ऐसे कोई तर्कसूत्र नहीं थे जिनसे ऐसी, या कोई दूसरे प्रकार की भी, नियति निगमित की जा सके। वह एक आध्यात्मिक दृष्टि थी जिसने मनुष्य की अतीत सरलता में बाह्य और आभ्यन्तर सत्ता में दिव्य सत्ता के साक्षात्कार की सहज क्षमता और अनन्तर मानव-बुद्धि के क्रमिक विकास के साथ इस क्षमता का क्रमिक ह्रास देखा था जिसके आधार पर उसने मानव-इतिहास की ऐसी नियति की कल्पना की। किन्तु इस कल्पना में कोई तार्किक अनिवार्यता नहीं थी, इसी से यह कल्पना भारत में भी कोई सर्वस्वीकृत कल्पना नहीं थी। **गीता** में ही धर्म-ग्लानि होने पर धर्म-रक्षा के लिए ईश्वर के अवतरित होते रहने की दृष्टि है, बौद्ध धर्म में सिद्धार्थ केवल एक बुद्ध हैं और वे अन्तिम नहीं हैं और 'तथागत गर्भ' के रूप में ऐसी कल्पना है जिसके अनुसार जीवमात्र सम्भाव्य बुद्ध है, इसी प्रकार जैनों में तीर्थंकर निरन्तर होते रह सकते हैं, श्री अरविन्द ने इतिहास की गति चेतना के दिव्य भाव की ओर

क्रमिक विकास में देखी थी। अब, मनुष्य के इतिहास को यदि संस्कृति के इतिहास के रूप में देखा जाय तो उसके सम्बन्ध में यही दृष्टि युक्त कही जा सकती है कि वह मूल्य-सोपान पर उत्तरोत्तर ऊर्ध्वारोहण ही करेगा, क्योंकि वह आत्मचेतन चेतना होने से आत्म-विवेचन में भी समर्थ है और परिणामत: वह काल-क्रम में हेय और उपादेय में विवेक की अधिक योग्यता प्राप्त कर सकता है। बाह्य जगत् में भी, जिसके अन्तर्गत हम अस्तित्व-लाभ करते हैं, विकास की ऐसी ही प्रक्रिया देखते हैं कि जड़ से जीव और जीव में जैव से जैवोत्तर चेतना का क्रमश: विकास हुआ है। इस विकास को जगत् के ईश्वरत्व की ओर विकास का इतिहास भी कहा जा सकता है। इस प्रकार मानवीय सांस्कृतिक परम्परा की नियति ईश्वर-भाव की प्राप्ति में देखी जा सकती है। सम्भव है वैश्व स्तर पर ऐसा कुछ घटित हो भी रहा हो, किन्तु प्रकटत: ऐसा नहीं हो रहा है और अतीत में मानव-इतिहास इसके लिए कोई साक्ष्य प्रस्तुत नहीं करता है, इसमें कोई सन्देह की बात नहीं है। विभिन्न सांस्कृतिक परम्पराएँ या तो विकास के बाद ह्रास को प्राप्त होती हैं या विकसित ही नहीं हो पातीं, या वृद्धि-क्षय के आवर्ती चक्र को प्रदर्शित करती हैं। इस प्रकार प्रकटत: विभिन्न सांस्कृतिक परम्पराओं की कोई एक दिशा या हमारी सांस्कृतिक परम्परा की कोई निश्चित विकास-दिशा लक्षित नहीं होती, परिणामत: हमारी या मानव-इतिहास की किसी एक नियति की बात नहीं की जा सकती।

किन्तु इस विषय पर विचार को एक दूसरा सन्दर्भ दिया जा सकता है। वह यह हो सकता है कि आज विज्ञान ने मनुष्य की विभिन्न सांस्कृतिक परम्पराओं के ऊपर एक वैश्व परिस्थिति उत्पन्न कर दी है। यदि परमाणु युद्ध के जैसी कोई आकस्मिक विनाशक घटना घटित नहीं हो जाती तो यह परिस्थिति कौन-सी विकास-दिशा लेगी हम यह देखने का प्रयत्न करें। और भविष्य विषयक यह अनुमान क्योंकि जड़ या जैव वस्तुस्थिति के सम्बन्ध में नहीं है इसलिए इसमें यह एक अन्तर्निहित प्रयोजन है कि हम इस दिशा की वांछनीयता-अवांछनीयता का विवेचन करें, और यह विवेचन करने में यह धारणा निहित है कि मनुष्य कारण-कार्य के जड़ नियम का या प्रवृत्ति और प्रयोजन के जैव नियम का ही विषय नहीं है बल्कि वह श्रेय और अश्रेय के विवेक में समर्थ और अश्रेय की ओर प्रवृत्ति को रोककर प्रवृत्ति-विरुद्ध श्रेय का वरण करने में भी समर्थ है। दूसरे शब्दों में, कि वह एक स्वतन्त्र सत्त्व भी है। जिसका अर्थ है कि मनुष्य की एक सांस्कृतिक परम्परा तो है, जो परम्परा वास्तव में श्रेयस् के अन्वेषण और स्वातन्त्र्य की अभीप्सा की ही परम्परा है, किन्तु उसकी कोई नियति नहीं है, क्योंकि 'मानव-नियति' पद में वदतोव्याघात है। दूसरे, मनुष्य की नियति मान लेने पर इस पर विचार का कोई औचित्य ही नहीं रह जाता।

मानव-विश्व आज एक विचित्र परिस्थिति में है। इसमें यद्यपि बहुत-सी सांस्कृतिक परम्पराएँ : भारतीय, चीनी, रूसी, यूरोपीय और इस्लामी आदि : हैं किन्तु ये सभी परम्पराएँ आज विज्ञान और विज्ञान-दृष्टि से आक्रान्त हैं। अवश्य इस्लामी परम्परा इसका कुछ अपवाद प्रस्तुत करती है, किन्तु वह एक अर्थ में प्रगामी परम्परा नहीं होकर प्रतिगामी या अवरुद्ध मन:स्थिति है, सांस्कृतिक परम्परा नहीं है।

यह विज्ञान और विज्ञान-दृष्टि क्या है यह हमने व्याख्यान के आरम्भ में ही संक्षेप में देखा था, यहाँ पुन: हम, संक्षेप में ही, उस दृष्टि के संस्कृति से सम्बन्ध और उस पर प्रभाव पर विचार करेंगे।

सर्वप्रथम यह द्रष्टव्य है कि विज्ञान के लिए यह आवश्यक नहीं है कि उसे एक समग्र दृष्टि का स्थान दिया जाय। वह इन्द्रियगम्य विषयों की संख्या और परिमाण रूप में अवधारण की एक व्यवस्था है। इन्हीं विषयों का एक दूसरा पक्ष है जो सुन्दर-असुन्दर के रूप में अवधारित होता है। वास्तव में इसका यह पक्ष अधिक सहज ग्राह्य है। एक तीसरा पक्ष चिदात्मकता का है जिसमें प्राकृतिक विषय अधिष्ठातृ चेतनामय या उसके संकेत-रूप देखे जाते हैं। वास्तव में विज्ञान-दृष्टि तीनेक शताब्दी पूर्व यूरोप में आविर्भूत औद्योगिक क्रान्ति से पहले इन अन्य दृष्टियों के साथ एक पक्ष के रूप में विद्यमान ही थी, इसी के अनुसार लोग खेती-बाड़ी और चूल्हा-चौका करते थे, तिलों से तेल निकालते और पनचक्की आदि का आविष्कार करते थे, यहाँ तक कि गणित-ज्योतिष भी था। किन्तु जैसे गणित-ज्योतिष के साथ फलित-ज्योतिष भी था और दूसरा पहले के साथ उतना ही सहज रूप से था जितना वस्तुओं में वर्ण के साथ मार्दव और काठिन्य है, उसी प्रकार प्रकृति में भौतिक कारण-उनके कार्यात्मक

व्यवस्था के साथ लय-छन्दात्मक और अतिप्राकृतिक प्रयोजनात्मक या नैतिक नियमाधारित व्यवस्था भी थी। पहले उनके अनुसार प्रकृति इन तीनों से संयुक्त रूप से रचित थी। यूरोप में औद्योगिक क्रान्ति के बाद जो घटित हुआ वह यह कि विज्ञान-दृष्टि न केवल प्रकृति की बल्कि मनुष्य के अस्तित्व और सत् की भी प्रमापक हो गयी। मनुष्य का विचार, अनुभूति, विवेक और आत्मानुशीलन सब इसी दृष्टि में व्याख्येय और अन्तर्भाव्य हो गये। ऐसा नहीं है कि पश्चिम में भी इस दृष्टि का निर्बाध रूप से स्वीकार कर लिया गया हो; गोएथे, शिलर, शैलिंग, आस्तिक और नास्तिक अस्तित्ववादी, भैषज्य में हैनीमैन ये सब इस दृष्टि को अस्वीकार्य पाते थे, किन्तु तब भी इस दृष्टि की विजय-दुन्दुभी के सामने ये असहाय थे, क्योंकि इस दृष्टि ने रेलगाड़ी से हवाई जहाज तक, बन्दूक से बम तक सब कुछ बना दिया था, मनुष्य को अमीबा, मेंढक, शूकर और बन्दर की वंश-परम्परा की एक कड़ी सिद्ध कर दिया था और उसकी मानसिक रचना को मूषिक की मनोरचना का एक जटिलतर रूप मात्र दिखा दिया था। इस दृष्टि की व्यावहारिक सफलता कुछ अन्य क्षेत्रों में भी अद्‌भुत थी। जैसे प्राचीन लिपियों को पढ़ना और उनके अर्थों तक पहुँचना, तुलनात्मक भाषाविज्ञान, पुरातत्त्व इन सब में इस दृष्टि और विधि की सफलता असन्दिग्ध थी। किन्तु यान्त्रिकी और जैविकी तथा मनोविज्ञान और भाषाविज्ञान आदि जिस दृष्टि की व्यावहारिक सफलता प्रदर्शित करते हैं उस दृष्टि की प्रामाणिकता या याथार्थ्य केवल उस सन्दर्भ तक ही सीमित है विज्ञान-दृष्टि के समर्थकों ने यह नहीं देखा, उन्होंने इसे जीवन-दृष्टि और तत्त्व-दृष्टि के रूप में भी प्रस्तुत किया, जो एक नितान्त भ्रान्त बात थी। हमारे यहाँ यह दृष्टि विजेता की प्रतिष्ठा के साथ आयी थी इसलिए और अधिक प्रामाणिक थी। 'वैज्ञानिक' विशेषण हमारे देश में भी 'प्रामाणिक' या पर्यायवाची हो गया था। किन्तु कुछ मनीषी इस दृष्टि की भ्रान्तता भी देख सके थे। किन्तु इस बलीवर्द को जिसने सीधे सींगों से पकड़ कर ललकारा था वह एक ही हुआ जो सब प्रकार से अनन्यसाधारण था। वह व्यक्ति महात्मा गाँधी था। इस व्यक्ति को 'सबसे बड़े वैज्ञानिक ने सबसे बड़ा दिव्य द्रष्टा कहा, ऐसा दिव्य द्रष्टा जिसका जैव देह में रहा होना बाद की सन्ततियों को अविश्वसनीय लगेगा।' यह एक ऐसी विडम्बना है जो जादू की तरह सिर चढ़ कर बोली। किन्तु इतनी ही बड़ी विडम्बना यह है कि इस व्यक्ति को स्वतन्त्रता के बाद जितना अशेष रूप से हमने अस्वीकार किया उतना शायद और किसी ने नहीं किया होगा। गौडसे द्वारा उसका दैहिक हनन उस हनन की तुलना में बहुत नगण्य था जो नेहरू जी के नेतृत्व में आध्यात्मिक रूप से हमारे पूरे देश ने किया।

इस प्रकार कहा जा सकता है कि प्रश्न यहाँ यह नहीं है कि विज्ञान-दृष्टि को हमने स्वीकार किया या नहीं, यह भी नहीं कि इसका स्वीकार या अस्वीकार हितकर रहा या अहितकर रहा, प्रश्न यह है कि ये दो पृथक् सन्दर्भ हैं। अब, यह सम्भव है कि हम सत्य के हितकर होने पर भी उसको व्यवहार में नहीं लायें, व्यवहार ऐसे ही करते रहें जैसे मानो भ्रान्त दृष्टि ही सत्य थी, किन्तु यह जानकर कि सत्य क्या है हम उसका सत्य के रूप में निषेध नहीं कर सकते। दूसरे शब्दों में, सत्य वस्तु के सम्बन्ध में तटस्थ दृष्टि का प्रश्न है और हित-अहित कर्म द्वारा अनुकूलता-विधान का। किन्तु सत्य क्या है यह निर्णय कैसे हो? यहाँ हम गांधीजी के ही एक कथन का उदाहरण लेंगे। बिहार में भूचाल आने पर गाँधी जी ने कहा, "यह हमारे कर्मों का ही फल है। बुरे कर्म करेंगे तो बुरा फल ही पायेंगे।" गाँधी जी की इस बात पर रवीन्द्रनाथ ठाकुर बुरी तरह झल्लाये थे, कि "लोग बेचारे प्राकृतिक विपदा से इतने कष्ट में हैं और यह आदमी है, उनका नेता और हितचिन्तक, यह कह रहा है कि 'जो हुआ ठीक ही हुआ, जो बोओगे, वही तो काटोगे?' जबकि भूचाल शुद्ध रूप से एक प्राकृतिक घटना है, भौतिक कार्य-कारणों की प्रक्रिया!" मैं यहाँ भूचाल की इन दो व्याख्याओं के बीच निर्णय करने का प्रयत्न नहीं करूँगा, यहाँ केवल इतना ही कहना चाहूँगा कि गाँधी जी 'सत्य' और 'ईश्वर' को पर्यायवाची शब्द मानते थे। सो वे भी अपने विचार में सत्य ही कह रहे थे। केवल उनके लिए सत् प्राकृतिक घटनाओं तक सीमित नहीं था, बल्कि शिव से अवियोज्य रूप से जुड़ा हुआ था, बल्कि कहें उनके लिए 'सत्' और 'शिव' उसी प्रकार एक ही के वाचक दो पद थे जैसे 'सत्य' और 'ईश्वर'।

अब, सत्य और हित परस्पर भिन्न हैं या अभिन्न, या एक ही वस्तुस्थिति के दो आयाम हैं, यहाँ हम इस प्रश्न पर विचार नहीं कर सकते, यहाँ हम केवल इतना कहना चाहेंगे कि सत्य और हित दोनों के ही प्रश्न अत्यन्त गुह्य हैं और विज्ञान जबकि सत्य को बहुत ही ऊपरी सतह पर देखता है, हित के प्रश्न को अपने लिए अविचार्य मानता है। ऐसा ज्ञान जो सदसद्-विवेक को अपने क्षेत्र से बाहर माने, ऐसे बाहर नहीं कि एक पक्ष की सम्यक् समझ के लिए दूसरे पक्ष के विचार को तात्कालिक रूप से स्थगित रखता हो, बल्कि सैद्धान्तिक रूप से, तो ऐसे ज्ञान का अर्थ क्या और प्रामाण्य क्या?

इस प्रश्न पर आगे विचार करने से पहले यहाँ यह देखना आवश्यक है कि सत्य का अन्वेषण भी मनुष्य इसी कारण करता है कि वह उसे श्रेय मानता है, पुरुष के लिए अनुसन्धेय अर्थ मानता है। सत्य के अनुसन्धान के लिए निस्पृह होना, राग-द्वेष, लोभ-मोह से मुक्त होना अनिवार्य होता है। गैलिलियो ने ईसाई धार्मिक विश्वासों से मुक्त होकर इस सत्य को पाया कि सूर्य पृथ्वी की परिक्रमा नहीं करता बल्कि पृथ्वी सूर्य की परिक्रमा करती है और तब मृतयु-दण्ड से निर्भीक होकर इस सत्य को झुठलाने से इन्कार किया। निश्चय ही इस दूसरे पक्ष का विज्ञान से कोई सम्बन्ध नहीं है, किन्तु प्रथम पक्ष का है और यह प्रथम पक्ष दूसरे से इस बात में समान है कि दोनों में समान रूप से उपरति अपेक्षित है। यह उपरति मूल्यपरता का प्रथम और अन्तिम सोपान है। किन्तु विज्ञान के सत्य-सन्दर्भ में इस मूल्यपरता के लिए, निस्पृहता के लिए कोई अवकाश ही नहीं है क्योंकि उसके लिए बुद्धि और कम्प्यूटर में कोई भेद नहीं है, न मनुष्य और मूषिक के आवेग-तन्त्र में कोई भेद है, क्योंकि दोनों जैव-रासायनिक स्थिति और परिवर्तन मात्र हैं।

किन्तु वास्तव में विज्ञान का सम्बन्ध ज्ञान से नहीं होकर मूल्य से ही है, क्योंकि वह प्रकृति के स्वरूप को तटस्थ रूप से जानने के लिए प्रवृत्त नहीं होता बल्कि भोगार्थ नियोजन के लिए प्रवृत्त होता है। तकनीकी और प्रौद्योगिकी इसके प्रमाण हैं। ऊपर हमने कहा कि सदसद्-विवेक का प्रसंग विज्ञान के अन्तर्गत नहीं आता। इसके विरोध में कहा जा सकता है कि विज्ञानयुगीन यूरोप ने बहुत-से नैतिकता-चिन्तक उत्पन्न किये हैं और न्याय, मानव-कल्याण आदि की अवधारणाओं को जन्म दिया है। मानवाधिकार और सामाजिक न्याय की युक्तिसंगत अवधारणाएँ और उनके प्रति निष्ठा जैसी इस युग में देखी जाती है वैसी पहले के युगों में नहीं देखी जाती। आज मध्यकाल को तो अन्धकार-काल ही कहा जाता है। यह सब नैतिक चिन्तन और नैतिक निष्ठा इसी युग की देन है और इसका सम्बन्ध वैज्ञानिक दृष्टि से भी है। धार्मिक दृष्टियों ने सामाजिक न्याय और समाज-नीति के प्रति दृष्टिहीनता ही दी है।

इस प्रश्न पर विचार के दो पक्ष हैं, विज्ञान-पूर्व युगों के मनुष्य का और विज्ञानोत्तर युग के मनुष्य का सामाजिक व्यवहार और विज्ञान-दृष्टि तथा धर्म-दृष्टि में इस व्यवहार की अवधारणा। अब, जहाँ तक व्यवहार का सम्बन्ध है, वैज्ञानिकता की जन्म और कर्म-भूमि यूरोप ने वैज्ञानिक युग के आरम्भ से दूसरे महायुद्ध तक जो नर-संहार किये हैं, यूरोप से बाहर के समाजों के प्रति जो दुर्दान्त व्यवहार किये हैं वैसे व्यवहार की पुराण तक भी कल्पना नहीं कर सके। इस युद्ध के बाद भी वैज्ञानिक उदार-दृष्टि के अधिवक्ता अमरीका ने वियतनाम में और अब इधर ईराक में और वैज्ञानिक इतिहास-दर्शन के अधिवक्ता रूस और चीन ने स्वयं अपने समाजों में और बाहर के समाजों में जो हिंस्र व्यवहार किया है वह भी पिछले युगों के लिए अकल्पनीय ही रहा है। इनका न्याय-बोध इनके अन्तर्राष्ट्रीय व्यवहार में भी देखा जा सकता है जहाँ उचित-अनुचित केवल शक्ति के आधार पर तय होता है। जहाँ तक सिद्धान्त का प्रश्न है, जैसाकि हम पहले ही कह चुके हैं, विज्ञान में मूल्य और नैतिकता के प्रश्नों के लिए सिद्धान्ततः कोई अवकाश नहीं है, उसके लिए ये प्रश्न केवल व्यावहारिक सुविधा के प्रश्न हैं। इसके विपरीत धर्म में अन्याय, अत्याचार आदि के लिए कोई अवकाश ही सम्भव नहीं है। किन्तु तब भी कुछ धर्मों में अन्याय और अत्याचार उन धर्मों के सिद्धान्त के अंग हैं। यह सही है, किन्तु वास्तव में वह धर्म-दृष्टि के आवृत होने का ही द्योतक है, स्वयं दृष्टि का नहीं। इस प्रश्न पर यहाँ विचार करना सम्भव नहीं है, इस पर हमने

अपनी पुस्तक **समाज : दार्शनिक परिशीलन** के न्याय, नैतिकता और धर्म विषयक अध्यायों में विस्तार से विचार किया है।

आज विज्ञान और प्रौद्योगिकी ने हमें जिस मोड़ पर लाकर खड़ा कर दिया है उसमें देशों और समाजों की सीमाएँ क्रमश: धुँधली पड़ रही हैं और मनुष्य एक उपभोक्तावादी-वाणिज्यवादी असंस्कृति के अन्तर्गत एकत्र हो रहा है। किन्तु इस असंस्कृति में एकत्रीकरण के लिए 'सहनाववतु सहनोभुनक्तु' के भाव के लिए कोई सम्भावनाएँ ही नहीं हैं, इसमें केवल सामूहिक छीना-झपटी ही हो सकती है। इसमें शान्ति का आधार केवल भय ही हो सकता है, परमाणु बम यह आधार बन रहा है। इससे सन्तत किसी भविष्य में मनुष्य के लिए इससे उबरने की कोई सम्भावना दिखायी नहीं देती। यदि ईश्वर ही आगे कभी हस्तक्षेप करे, अवतार ले, तब दूसरी बात है।

किन्तु मनुष्य का भविष्य उसके वर्तमान से सन्तत ही हो, यह आवश्यक नहीं है, इसी से उसकी कोई अनिवार्य नियति भी नहीं है। मनुष्य की मनुष्य होने के रूप में तो वास्तव नियति यही है कि उसकी कोई नियति नहीं है। हम जो यहाँ विचार के लिए एकत्र हुए हैं वह यह जानने के लिए नहीं कि हम किधर जाएंगे और कहाँ पहुँचेंगे बल्कि यह जानने के लिए कि किधर जा रहे हैं और किधर जाना चाहिए। हम किधर जा रहे हैं इसकी ओर हमने ऊपर संकेत किया, किन्तु किधर जाना चाहिये, इसके सम्बन्ध में कुछ नहीं कहा। महात्मा गाँधी की आध्यात्मिक हत्या की बात हमने ऊपर कही। यहाँ प्रश्न हो सकता है कि क्या हमें गाँधी-मार्ग पर चलना चाहिए? इसके चार उत्तर हो सकते हैं। एक यह कि हाँ, उसी पर चलना चाहिए, दूसरा यह कि उसे मार्ग-निर्देश के रूप में नहीं, मार्ग-संकेत के रूप में देखना चाहिए, तीसरा यह कि वह मार्ग आदर्श तो है किन्तु आज की परिस्थितियों में व्यवहार्य नहीं है, और चौथा यह कि वह कोई अनुसरणीय मार्ग नहीं है, कम-से-कम समाज और राज्य का वह आदर्श नहीं हो सकता, व्यक्ति-विशेष उसे आदर्श मानकर चले तो उसके लिए वह भी एक विकल्प हो सकता है।

इस सब पर समुचित रूप से विचार का यहाँ अवसर नहीं है। यहाँ मैं केवल सुझाव के रूप में कुछ बातें ही कह सकता हूँ।

पिछली कुछ शताब्दियों से भारतीय समाज क्रमश: सांस्कृतिक रूप से निर्जीवता की ओर बढ़ रहा था। अंग्रेज़ों के आने के बाद इसमें अद्भुत पुनरुज्जीवन हुआ था जिसके नेता के रूप में स्वामी दयानन्द, विवेकानन्द, श्री अरविन्द, तिलक और गाँधी सामने आये। इस सांस्कृतिक पुनरुज्जीवन की पृष्ठभूमि पर हमने स्वतन्त्रता प्राप्त की। किन्तु स्वतन्त्रता-प्राप्ति के साथ ही यह प्राण ऐसे हमें छोड़ गया जैसे वह सब एक धोखा था। हमने राज्य, शिक्षा और सामाजिक पुनर्निर्माण के लिए पश्चिम को आदर्श बनाया। इस सांस्कृतिक ह्रास के पुरोधा नेहरू जी बने। हमने अंग्रेज़ों द्वारा आरोपित शिक्षा-प्रणाली केवल बनाये ही नहीं रखी, उसे और गहराई से अपनाया और उनकी जीवन-दृष्टि को अपनाने के लिए हमने अपने दर्शन, समाजशास्त्र और अर्थशास्त्र आदि के अध्यापकों को शिक्षा के लिए अमरीका और इंग्लैण्ड भेजना आरम्भ किया। उसका परिणाम यह है कि आज हमारे मानविकी के सब अध्यापक केवल यूरोमरीकी लेखकों के नाम ही जानते हैं और तब कहते हैं कि हमारे यहाँ तो विचारक हैं ही नहीं। यहाँ तक कि नीति-दर्शन में भी केवल उन्हीं की पुस्तकें पढ़ायी जाती हैं और तब कहा जाता है कि हमारी भाषा में कोई पाठ्य पुस्तकें ही नहीं हैं। जिन अंग्रेज़ों को हम हमारे पर अपनी भाषा थोपने के लिए कोसते थे उन्होंने भी चतुर्थ कक्षा तक केवल भारतीय भाषाओं को ही पठन-पाठन का माध्यम रखा था, स्वतन्त्रता के बाद हमने स्वयं अंग्रेज़ी को प्रथम कक्षा से माध्यम बना दिया। पीछे बंगाल में सरकार ने चतुर्थ कक्षा तक से अंग्रेज़ी हटायी तो भयानक हो-हल्ला मचा। अब अन्त में उन्हें फिर से अंग्रेज़ी को पहली कक्षा से ही लागू करना पड़ा, और ग़ज़ब की बात यह कि बँगला भाषा की प्रमुख उपन्यास-लेखिका महाश्वेता देवी ने इसका समर्थन किया। इसके विपरीत चीन में अंग्रेज़ी नहीं पढ़ायी जाती, वहाँ अंग्रेज़ी भाषा में केवल एक समाचार-पत्र निकलता है।

तो आज हम सांस्कृतिक रूप से इस स्थिति में पहुँच गये हैं । यह स्थिति हमें एक झटके से बदलने की प्रक्रिया आरम्भ करनी चाहिए। विज्ञान यदि दृष्टि नहीं है, केवल भौतिक प्रकृति से व्यवहार के भी केवल एक पक्ष

की नीति है, तो इसका आध्यात्मिक-धार्मिक दृष्टि से कोई विरोध नहीं है, न इससे समन्वय का कहीं कोई प्रश्न उठता है। क्योंकि विज्ञान कोई दृष्टि है ही नहीं जिससे अध्यात्म-दृष्टि के समन्वय की बात कही जाय। हाँ, उससे प्रेरित दृष्टि के निराकरण की आवश्यकता अवश्य है।

आध्यात्मिक-धार्मिक दृष्टि की एक अनिवार्य पूर्वपिक्षा नैतिक आचरण है। हमारे देश की आज सबसे बड़ी दुर्बलता हमारा नैतिक क्षय है। किन्तु यह स्थिति बदले कैसे, क्योंकि नैतिक रूप से पतित समाज स्वयं से तो इससे मुक्त हो नहीं सकता। हमारे समाज ने पहले अनेक बार यह संकल्प प्रदर्शित किया था। पहले इन्दिरा गाँधी को चुनावों में हराकर, उसके बाद राजीव गाँधी को हराकर। किन्तु जब नैतिक राज्य-व्यवस्था और नैतिक जीवन का आश्वासन देकर आये लोग भी उतने ही अनैतिक सिद्ध हुए तब इस बार के चुनावों में यह प्रश्न ही अप्रासंगिक हो गया। इससे भयानक परिस्थिति की कल्पना नहीं की जा सकती। क्योंकि व्यक्ति का, और उससे कहीं अधिक समाज का बल नैतिक भाव और आचरण होता है, अस्त्र-शस्त्र नहीं। वास्तव में शस्त्र-धारण का अधिकार भी नैतिक व्यक्ति को ही है। **गीता** में श्री कृष्ण ने अपने को वृक्षों में वट आदि बताते हुए शस्त्रधारियों में राम कहा है। यह इसलिए नहीं कि राम बाण चलाने में सबसे निपुण थे बल्कि इसलिए कि वे मर्यादा पुरुषोत्तम थे। सो, आज हम संसार के निर्बलतम देशों में से एक हैं। परमाणु बम हमें कोई बल नहीं दे सकता। यह हमें तभी बल दे सकता है यदि यह अपने धमाके से हमारी प्रसुप्त चेतना को जगा सके। आज आप देख रहे हैं कि देश में चारों ओर आतंकवाद फैल रहा है। इसके कुछ भाग को पनपाने में पाकिस्तान योगदान कर रहा है किन्तु उस भाग को भी जन्म हमीं ने दिया। हमारी 'अमर शहीद' नेता इन्दिरा गाँधी ही पंजाब और काश्मीर के आतंकवाद की जननी थी। और देश के शेष भाग में इसके जनक और इसको बनाये रखने वाले हम सब हैं। केवल आतंकवाद ही नहीं, सब ओर देखें, हमारे सारे अधिकारी अधिक वेतनों की माँग कर रहे हैं किन्तु कोई अपने से यह नहीं पूछता कि वह इसके बदले में कार्य क्या कर रहा है? महात्मा गाँधी ने कहा था कि भोजन करते समय पहले उस व्यक्ति का ध्यान करो जो भूखा सो रहा है। यदि हमने यह मन्त्र सीखा होता तो मैं आपको विश्वास दिलाता हूँ कि हमें परमाणु बम की ही नहीं, बन्दूकों की भी शायद आवश्यकता नहीं रही होती।

धर्म और विज्ञान

धर्म और विज्ञान मानव-चेतना के प्रवर्तन के अनेक आयामों में से दो आयाम हैं। इनमें से द्वितीय—विज्ञान—को इन्द्रियगम्य वस्तु-जगत् के व्यवहार का और उसके लौकिक लाभार्थ नियोजन के उपाय-ज्ञान का आयाम कहा जा सकता है और प्रथम—धर्म—को मनुष्य के आत्मस्वरूप और जगत् के दिव्य प्रतिष्ठापक तत्त्व के प्रतिभान और उससे सान्निध्य या तादात्म्य-सिद्धि की अभीप्सा का आयाम कहा जा सकता है। अन्य आयाम काव्य, चित्र-कला, पाक-कला, दर्शन, व्यवसाय और शिल्प आदि हैं। इनमें कुछ आयाम परस्पर निकट दिखाई देते हैं और कुछ परस्पर पर्याप्त दूर। जैसे काव्य और चित्र-कला में या काव्य और शिल्प में कुछ निकटता है जो काव्य और पाक-कला में तथा काव्य और व्यापार में नहीं है। इनमें कभी-कभी कुछ पारस्परिकता भी हो सकती है, जैसे कवि शब्द-चित्र बना सकता है और चित्रकार कवि-कल्पित किसी कथा या भाव का चित्रांकन कर सकता है। इसी प्रकार दर्शन और कला में भी पारस्परिकता हो सकती है, जैसे कवि, मूर्त्तिकार या चित्रकार दार्शनिक निष्कर्षों को अपनी-अपनी विधा में अनूदित कर सकते हैं और दर्शन काव्य आदि के स्वरूप पर विचार कर सकता है। इसी प्रकार विज्ञान और धर्म का भी इनसे या परस्पर सम्बन्ध या सम्बन्धभाव, निकटता या दूरी हो सकती है। ये सब आयाम अपनी-अपनी प्रामाणिकता-अप्रामाणिकता का निर्धारण नहीं कर सकते—सिवाय दर्शन के। किन्तु दर्शन भी किसी आयाम की अन्तरंग प्रामाणिकता पर टिप्पणी कर निर्णय नहीं दे सकता, केवल बाह्यत: उसके सत्यासत्य या साधारता-निराधारता आदि के सम्बन्ध में विचार कर सकता है। उदाहरणत: कोई धार्मिक व्यक्ति यदि ईश्वर में भक्ति रखता है तो उसकी भक्ति और भक्ति के विषय ईश्वर की प्रामाणिकता उसके अनुभव के बाहर किसी मानदण्ड से निर्धारित नहीं की जा सकती, किन्तु दर्शन बाह्यत: ईश्वर के अस्तित्व या स्वरूप के प्रश्न पर विचार कर सकता है। इसी प्रकार विज्ञान अपने विषय, उद्देश्य और विधि के सम्बन्ध में अपनी इंतरंग व्यवस्था में प्रमाणापेक्षी नहीं होता, उसकी विधि की प्रामाणिकता-अप्रामाणिकता उसके उद्देश्य की सिद्धि-असिद्धि से ही निर्धारित हो सकती है, अन्यत्र कहीं से नहीं। किन्तु दर्शन उसके विषय के सत्य और उद्देश्य के मूल्य पर बाह्यत: विचार कर सकता है। जैसे शांकर वेदान्त इन्द्रियगम्य लोक को उपाधि और ईश्वर को सोपाधिक ब्रह्म कह कर, ह्यूम ऐन्द्रिय संवेदन-प्रदत्त से बाहर सत् मात्र को संदिग्ध कह कर अपने-अपने ढंग से धर्म और विज्ञान दोनों के आधारों पर प्रहार करते हैं। किन्तु यदि कोई वैज्ञानिक किसी या सब धार्मिक आस्थाओं पर आक्षेप करता है तो वह अव्यापारेषु व्यापार ही होगा। इसमें ऐसे अपवाद हो सकते हैं। जैसे यदि धार्मिक लोग किसी या सब गणेश की मूर्त्तियों को दूध पीते देखते हैं और वैज्ञानिक पाता है कि मूर्त्तियाँ वास्तव में दूध नहीं पी रही हैं तो वह कह सकता है कि यह धार्मिक प्रवृत्ति का भ्रम है, या यदि वे वास्तव में दूध पी रही हैं तो वह यह खोजने का प्रयत्न कर सकता है कि इसके भौतिक कारण क्या हो सकते हैं। किन्तु दोनों अवस्थाओं में वह यह नहीं कह सकता कि देवता मूर्त्ति के माध्यम से दूध नहीं पी सकता। इसी प्रकार डार्विन अपनी खोजों के आधार पर विकासवाद के सिद्धान्त का प्रतिपादन कर सकता है और उसके सत्य होने के प्रमाण के रूप में कह सकता है कि इससे प्राणियों की दैहिक रचना को समझने के लिए वैज्ञानिक रूप से एक अधिक युक्तिसंगत व्यवस्था बनती है। किन्तु वह ईसाइयों के इस दावे पर टिप्पणी नहीं कर सकता कि ईसा ने अतीन्द्रिय साक्षात्कार द्वारा मनुष्य की अन्य प्राणियों के साथ ही उत्पत्ति को प्रत्यक्ष किया था। धार्मिकों के उपर्युक्त दोनों प्रकार के दावों की सत्यासत्यता की जाँच दर्शन का विषय है। द्रष्टव्य है कि हमारे यहाँ अतीन्द्रिय विषयों में श्रुति-प्रमाण और आगम-प्रमाण का सिद्धान्त स्वीकार किया जाता रहा है, आज यह स्वीकार नहीं किया जाता। स्वयं ये स्वीकार और अस्वीकार भी दार्शनिक परीक्षा के ही विषय हैं, विज्ञान या धर्म के नहीं। यहाँ यह उल्लेखनीय है कि डार्विन के प्राणि-विकास का

तथ्य वैज्ञानिकों में आज भी मान्य होने पर भी इसके सैद्धान्तिक आधार आज डार्विन से पर्याप्त भिन्न हैं और इस निर्णय के लिए विज्ञान के पास कोई युक्ति-विधि नहीं है कि इनमें कौन-सा सिद्धान्त ठीक है, क्योंकि इनके पीछे विज्ञान-बाह्य पूर्वग्रह काम करते हैं। इन पूर्वग्रहों की परीक्षा दर्शन के क्षेत्र में आती है।

ऐसा नहीं है कि दार्शनिक परीक्षा सर्वत्र अपेक्षित होती है। जैसाकि हमने ऊपर देखा, वह विभिन्न आयामों की अन्तरंग व्यवस्था में हस्तक्षेप नहीं कर सकती। यहाँ ईश्वर में धार्मिक आस्था को उदाहरण रूप में लिया जा सकता है। ईश्वर के अस्तित्व के प्रश्न पर कुछ पाश्चात्य दार्शनिकों ने विचार किया है। भारत में न्याय दर्शन के सिवाय लगभग किसी मुख्य दर्शन ने ईश्वर का अस्तित्व स्वीकार नहीं किया और उसे विचारणीय विषय भी उस प्रकार नहीं माना। कुछ धर्म उसे स्वीकार करके चले किंतु उनके लिए भी ईश्वर का अस्तित्व कभी विचार का महत्त्वपूर्ण विषय नहीं बना। ध्यातव्य है कि महात्मा बुद्ध से लोगों ने आत्मा के अस्तित्व को लेकर तो प्रश्न किया किंतु ईश्वर के अस्तित्व को लेकर प्रश्न नहीं किया। इसका कारण यह है कि यहाँ ईश्वर को आत्मा से और आत्मा को ईश्वर से उस प्रकार से भिन्न देखा ही नहीं गया जिस प्रकार ईसाई या इस्लाम धर्मों में देखा गया है। अब, ईश्वर के स्वरूप विषयक यह प्रश्न दर्शन के क्षेत्र में आता है। किन्तु नरेन्द्र (स्वामी विवेकानन्द) के रामकृष्ण परमहंस ने यह प्रश्न करने पर कि 'ईश्वर को मैं कैसे मानूँ, वह दिखाई नहीं देता' परमहंस का सहज भाव से यह कहना कि 'मुझे तो दिखाई देता है, ठीक वैसे ही जैसे तू दिखाई देता है' दार्शनिक तर्क का विषय नहीं हो सकता। दर्शन केवल इसे समझने का प्रयत्न कर सकता है, इस पर उँगली नहीं उठा सकता। दार्शनिक नरेन्द्र के प्रश्न का तो बेतुकापन दिखा सकता है, वह ऐन्द्रिय प्रत्यक्षगम्य की सत्यता को भी अविश्वसनीय दिखा सकता है, अनेक दार्शनिकों ने यह दिखाया ही है, किन्तु रामकृष्ण परमहंस के ईश्वर-प्रत्यक्ष को तर्क-युक्ति से संदेहास्पद नहीं दिखा सकता, क्योंकि जो युक्तियाँ ऐन्द्रिय प्रत्यक्ष को संदेहास्पद सिद्ध करती हैं वे या वैसी युक्तियाँ भी उस जैसे प्रत्यक्षों पर लागू नहीं होतीं। अवश्य मनोविश्लेषक इस प्रत्यक्ष की मनोविकार के किसी प्रकार के रूप में व्याख्या कर सकता है, किन्तु केवल यह ज्ञान नहीं होने के कारण कि स्वयं उसका सिद्धान्त अभी तक शास्त्र या विज्ञान कहलाने तक के योग्य नहीं है, क्योंकि उसका तथाकथित विज्ञान केवल मनोविकारों के लक्षणों की व्याख्या के लिए अभ्युपगम कल्पित करता है, जिन अभ्युपगमों की कोई निश्चित परीक्षा सम्भव नहीं है।[1] यद्यपि यदि वह विज्ञान कहलाने योग्य हो भी जाय तो भी उसके क्षेत्र की सीमा मनोरोगियों तक ही सीमित रह सकती है, स्वस्थ लोग उसमें नहीं आते, फिर परमहंस तो उसमें कैसे आएंगे? किन्तु मनोविश्लेषक तब भी ऐसे सभी व्यक्तियों पर निर्णय देने का अपने को अधिकारी मानने की उद्दंड मूर्खता करते हैं।

अब जहाँ तक विज्ञान का सम्बन्ध है, वह इन्द्रियगम्य विषयों की एक व्यवस्था कल्पित कर उनके व्यवहार की व्याख्या और उस व्यवहार का नियोजन तो बहुत दूर तक कर सकता है किन्तु विषयों और उनके व्यवहार के नियमों की व्यवस्था की अपनी सत्यता को सिद्ध करने के लिए उसके पास कोई भी युक्ति नहीं है यह डेविड ह्यूम ने दिखाया था। ह्यूम का आक्रमण वास्तव में चौतरफा था। उसने विज्ञान के साथ धर्म और सदसद्-विवेक के आधारों को भी खोखला बताया। इम्मेनुएल कांट ने विज्ञान और सदसद्-विवेक के आधारों की रक्षा करने के लिए एक वैकल्पिक दर्शन-व्यवस्था का प्रतिपादन किया, किन्तु ईश्वर की और इस प्रकार ईसाई प्रकार के धर्म की रक्षा में उसने रुचि नहीं ली। यहाँ कांट के धर्म और विवेक विषयक प्रतिपादनों पर विचार अवान्तर होगा,[2] किन्तु जहाँ तक विज्ञान का सम्बन्ध है उसके सम्बन्ध में उसने केवल इतना ही सिद्ध किया कि इसका आधार

---

1. द्रष्टव्य **मिन्नेसोटा स्टडीज़ इन दि फिलोसोफी ऑफ साईंस, जिल्द 1 : दि फाउंडेशंस् ऑफ साईंस एण्ड दि कांसेप्ट्स ऑफ साइकोलोजी एण्ड साईकोएनेलेसिस**, प्रकाशक यूनीवर्सिटी ऑफ मिन्नेसोटा प्रेस, 1962

2. इन पर हमने **सत्ताविषयक अन्वीक्षा** (प्रकाशक—भारतीय दार्शनिक अनुसन्धान परिषद् नई दिल्ली) तथा **मूल्यतत्त्व मीमांसा** (प्रकाशक—दर्शन प्रतिष्ठान, जयपुर) पुस्तकों में विस्तार से विचार किया है।

मनुष्य की अतीन्द्रिय चेतना की जगद्रचना-वृत्ति (ए-प्राराइ केटेगरीज़ ऑफ अंडरस्टेंडिंग एण्ड ए-प्रायराइ कंडीशंस् ऑफ इन्ट्यूशन) में है। इस प्रकार कांट ने विज्ञान, या कहें प्राकृतिक विज्ञान, को आधार तो दे दिया किन्तु किस शर्त पर? ह्यूम से अपना रास्ता अलग रख कर। किन्तु प्राकृतिक विज्ञान तो अपना आधार बाहर भौतिक जगत् में ही देखता है। ह्यूम के बाद पाश्चात्य दार्शनिक जगत् में यह भौतिक आधार विज्ञान को कोई नहीं दे सका सिवाय कार्ल मार्क्स जैसों के, जिन्होंने युक्ति का रास्ता छोड़ कर आस्था का रास्ता अपनाया। अब इन बेचारों की दयनीयता की कल्पना की जा सकती है जिन्होंने आस्था के लिए ईश्वर, आत्मा, चैतन्य, ऋत आदि जैसी ज्योतिमान सत्ताओं को छोड़कर अंधतमसमय सत्ता को चुना।

अब यहाँ द्रष्टव्य है कि ईश्वर, सदसद्, दिव्य ऋत आदि आस्था के विषय उनके लिए हैं जो इन्हें बाहर, अपने से अलग, परलोक स्थित अस्तित्वों के रूप में देखते हैं। वैदिक ऋषियों, कबीर, नानक आदि सन्तों और रामकृष्ण परमहंस आदि सिद्धों के लिए ये आस्था के विषय नहीं थे, ये साक्षात्कार के विषय थे। उनके साक्षात्कार पर ह्यूम की युक्तियाँ इसलिए लागू नहीं होतीं क्योंकि ह्यूम केवल ऐन्द्रिय प्रत्यक्ष को ही सत् के लिए प्रमाण मानता है, जिस मान्यता के लिए उसके पास कोई प्रमाण नहीं है, केवल हठ है।

यहाँ ईश्वर के अस्तित्व और धर्म के उससे सम्बन्ध के प्रश्न पर संक्षेप से विचार करना स्थाने होगा। हमने ऊपर कहा कि भारत में किसी मुख्य दर्शन ने ईश्वर को स्वीकार नहीं किया और भारत के दो प्रमुखतम धर्मों : जैन और बौद्ध : ने भी ईश्वर को स्वीकार नहीं किया। यदि थोड़ा गहराई से देखा जाय तो वैष्णव, शैव और सिख धर्म भी उस अर्थ में ईश्वर को स्वीकार नहीं करते जिस अर्थ में ईसाई और मुस्लिम धर्म उसे मानते हैं, क्योंकि सम्पूर्ण भारतीय चिन्तन में ईश्वर अन्तर्यामी है—अन्तर्यामी अर्थात् जगत् में सर्वत्र अन्तर्व्याप्त, वह जगत् से अलग खड़ा कोई अस्तित्व नहीं है। अवतारवाद को स्वीकार करने वाले भी ईश्वर को इसी रूप में देखते हैं, यह श्रीमद्भागवत महापुराण, श्रीमद्भगवद्गीता और तुलसीकृत रामचरित मानस से जितने चाहें उद्धरण देकर दिखाया जा सकता है। इससे ईश्वर का क्या अर्थ हो जाता है यह निरीश्वरवादी बौद्ध धर्म की तथागतगर्भ की अवधारणा से देखा जा सकता है। तथागतगर्भ की अवधारणा के अनुसार जगत् की वस्तुमात्र : जीव मात्र ही नहीं : तथागत तत्त्व से अन्तर्गर्भ है, उसमें यह तत्त्व आवृत रूप में और निरावृत होने की प्रतीक्षा में विद्यमान है। यह अवधारणा अद्वैत वेदान्त की जगत् को विवर्त मानने की अवधारणा से बहुत अधिक भिन्न नहीं है, कम-से-कम ईश्वर की दृष्टि से। ऐसे में जब कुछ लोग कहते हैं कि 'मैं ईश्वर में विश्वास नहीं करता' तब वे या तो यह नहीं जानते कि वे क्या कह रहे हैं या फिर 'ईश्वर' को ईसाई और मुस्लिम धर्मों के अर्थ में समझते हैं। तब भी उनसे यदि कोई पूछे कि 'आप क्यों ईश्वर को नहीं मानते?' तो वे उत्तर देंगे कि 'दिखाई नहीं देता।' किन्तु जैसाकि हमने ऊपर ह्यूम के उल्लेख से दिखाया, दिखाई तो भौतिक तत्त्व भी नहीं देता, वह भी केवल आस्था का ही विषय है, यह पश्चिम में डेकार्ट, बर्कले और ह्यूम ने और भारत में वसुबंधु ने और एक प्रकार से कांट और दिङ्नाग आदि ने भी दिखाया है। कुछ लोग इस प्रत्यक्ष की माँग के प्रतिकार के रूप में जगत् की रचना और उसके लिए किसी रचयिता के होने की युक्ति देते हैं : जगत् को कोई रचने वाला होना चाहिए। इसके विरोध में ये लोग तर्क देते हैं कि 'यदि प्रत्येक वस्तु के पीछे किसी कारण का होना अनिवार्य है तो यह प्रश्न भी उतना ही स्वाभाविक है कि ईश्वर का स्रष्टा कौन है?'[1] यह युक्ति भी केवल अविचार पर आधारित है। कारण की अपेक्षा भौतिक कार्य को होती है और इस प्रकार भौतिक सन्दर्भ में ही कारण का प्रसंग उपस्थित होता है, चेतन कारणता में यह प्रसंग उपस्थित नहीं होता। सारा सृजन-कर्म अपूर्व कारणतामूलक ही होता है। मशीन के होने पर प्रश्न उठता है कि इसे किसने बनाया, उसका

1. द्रष्टव्य मानवेन्द्रनाथ राय, **विज्ञान और दर्शन**, पृ. 10 (अनुवादक—नन्दकिशोर आचार्य, प्रकाशक—वाग्देवी प्रकाशन, बीकानेर)।

आविष्कार करने वाले के सम्बन्ध में यह प्रश्न नहीं उठता कि उसको आविष्कारक–बुद्धि का किसने आविष्कार किया? यह आश्चर्य की बात है कि ईश्वर के विरुद्ध यह युक्ति एक अकाट्य युक्ति के रूप में स्वीकृत चली आ रही है और इसके मूर्खतापूर्ण होने को किसी ने नहीं देखा। सृजन–कर्म का स्रोत चेतना में न इन्द्रियगम्य होता है और न अन्त:करणगम्य, किन्तु इससे उसका अस्तित्व संदिग्ध नहीं हो जाता। ब्रह्माण्ड का स्रोत ऐसा ही कोई सृजन–कर्म नहीं है, ऐसा कहने के लिए युक्ति क्या है[1] सिवाय इस बालिशतापूर्ण पूर्वग्रह के कि 'जो दिखाई नहीं देता उसका अस्तित्व कैसे मानें?'

ऊपर के विवेचन से यह स्पष्ट हो जाना चाहिए कि धर्म और विज्ञान के समन्वय की बात, जो बहुत–से धार्मिक लोग विज्ञान को नहीं समझने के कारण उसके प्रति सम्मान से अभिभूत होकर करते हैं, कोई अर्थ नहीं रखती। यह 'योग' को 'योगा' बना कर मेडिकल साईंस का एक अंग बनाने जैसा है। इस समन्वय से इसके नारे लगाने वालों का क्या अर्थ है यह हम संक्षेप से देखने का प्रयत्न करेंगे। क्या इसका यह अर्थ है कि धर्म को विज्ञानसम्मत होना चाहिए? या कि इसका अर्थ है कि विज्ञान को कुछ धार्मिक मान्यताओं को भी स्वीकार कर लेना चाहिए? जहाँ तक मेरी जानकारी है, इस समन्वय के अधिवक्ता इसके सम्बन्ध में कोई विचार नहीं करते, किंतु उनका निहित अर्थ यही होता है कि क्योंकि विज्ञान का हमारे में वैसा ही आतंककारी आदर है जैसा अंग्रेज़ों का। 'वैज्ञानिक दृष्टि' को धार्मिक लोग भी स्वत:प्रमाण दृष्टि ही मानते हैं इसलिए अपने–अपने धर्म–सम्प्रदाय के सिद्धान्तों को विज्ञानसम्मत दिखाना और इस प्रकार बनाना चाहते हैं। किन्तु जैसाकि ऊपर देखा, विज्ञान केवल ऐन्द्रिक सन्दर्भ में वस्तु–व्यवहार की कारगर विधा के रूप में प्रामाणिक होने के अतिरिक्त अन्य किसी भी सन्दर्भ में प्रामाणिक नहीं है, इसलिए धर्म के इससे समन्वय का कोई अर्थ नहीं बनता। इस समन्वय का नारा अंग्रेज़ों की विजय होने पर एक–दूसरे अर्थ में लगा था। तब इसका अर्थ यह नहीं था कि महात्मा बुद्ध को सम्बोधि को या उनके 'आर्य सत्यों' को विज्ञानसम्मत होना चाहिए। इसका अर्थ न धर्म–दृष्टि से अपने को विज्ञान की संगति में रखना था और न धार्मिक व्यक्ति से यह अपेक्षा थी कि वह विज्ञान–दृष्टि के विपरीत नहीं जाए। इसका अर्थ केवल यह था कि एक समाज में विज्ञान और धर्म दोनों पक्ष रहने चाहिएँ। उस समय यूरोपीय सभ्यता उत्कर्षोन्मुख थी और यन्त्रारूढ़ औद्योगिक क्रान्ति उसके विजयाभियानों की वाहक थी। उसने भारत को भी पददलित कर दिया था जबकि भारत एक उत्कृष्ट सांस्कृतिक परम्परा का उत्तराधिकारी था। यूरोप से इस पराजय का कारण हमारे तत्कालीन मनीषियों को हमारा विज्ञान में पिछड़े होना प्रतीत हुआ। इस कारण उन्होंने भारत के लिए वैज्ञानिक ज्ञानसम्पन्न होना भी आवश्यक समझा। उनका यह विचार उपयुक्त था या नहीं, यह एक अत्यधिक जटिली प्रश्न है जिस पर हमने अन्यत्र[2] कुछ विचार किया है, यद्यपि उसे पर्याप्त नहीं कहा जा सकता। यहाँ हम केवल इस प्रकार के समन्वय की इस नितान्त युक्तिसंगत प्रतीत होने वाली बात के भी संदेहास्पद होने के सम्बन्ध में महात्मा गाँधी की ओर ध्यान आकर्षित करना चाहेंगे, जिन्होंने इस यन्त्रारूढ़ यूरोपीय सभ्यता को शैतानी कहा था। स्वयं हमें भी यह सभ्यता रामायण में वर्णित सोने की लंका का ही स्मरण दिलाती है।

अब वैज्ञानिक दृष्टि के सम्बन्ध में—जिसके अभाव का कारण धार्मिक अन्धविश्वासों को कहा जाता है। निश्चय ही धार्मिक लोगों में भी अन्धविश्वास होते ही हैं, किन्तु उनका कारण वैज्ञानिक दृष्टि का नहीं, दृष्टि का

---

1. ऐसे स्रोत की सम्भावना पर हमने 'ऋत, प्राकृतिक नियम और मानवीय अनियम' (**उन्मीलन**, जुलाई, 1996) में तथा **सत्ताविषयक अन्वीक्षा** के 'प्राकृतिक जगत्' अध्याय में विचार किया है।

2. 'महात्मा गाँधी और हिन्दस्वराज' **गाँधी–मार्ग द्वैमासिक** के किसी अंक में और हमारे लेख–संग्रह **साहित्य–चिंतन और युग–चिन्तन** (प्रकाशक - राका प्रकाशन, इलाहाबाद) में, तथा 'भारतीय स्वतन्त्रता संग्राम और मूल्य विमर्श' **गाँधी–मार्ग,** सितम्बर-अक्टूबर, 1999 में तथा भारतीय स्वतन्त्रता-संग्राम और मूल्यविमर्श, सं. प्रो. गोविन्दचन्द्र पाण्डे (प्रकाशक इलाहाबाद संग्रहालय) में विस्तार से विचार किया गया है।

अभाव होता है, क्योंकि अंधविश्वासों की कमी तो विज्ञानाराधकों में भी कम नहीं होती। इसका एक छोटा-सा उदाहरण श्री एम.एन. राय की ऊपर उद्धृत पुस्तक है जिसमें विज्ञान से परिचय के और दर्शन की समझ के नितान्त अभाव के साथ विज्ञान-भक्ति और धर्म-विरोध का अतिरेक सर्वत्र दृष्टिगोचर होता है। किन्तु यूरोप में तो इससे कहीं अधिक अंधतापूर्ण पुस्तकें भी लिखी गई हैं। किन्तु यह अंधता न वास्तव में दृष्टि-सम्पन्न धार्मिकों में दृष्टिगोचर होती है और न दृष्टि-सम्पन्न वैज्ञानिकों में। प्रथम के उदाहरण रूप में रामकृष्ण परमहंस, स्वामी विवेकानन्द और महात्मा गाँधी आदि देखे जा सकते हैं और दूसरे के उदाहरण के रूप में अल्बर्ट आईंस्टीन और आर्थर एडिंग्टन आदि।

डॉ. राजेन्द्रस्वरूप भटनागर तथा डॉ. राजवीर सिंह शेखावत के प्रश्नों के उत्तर

प्रश्न–1. आरम्भ में आपकी रुचि, अध्ययन–अध्यापन और लेखन–कार्य साहित्य से सम्बन्धित रहा है। 1948 से आप हिन्दी साहित्य विषयक लेख एवं कविताएँ लिखते रहे हैं। आपके उन आरम्भिक लेखों एवं कविताओं का विषय क्या रहा है?

उत्तर—आरम्भ में मेरी रुचि और अध्ययन का विषय तो साहित्य रहा है किन्तु अध्यापन का विषय साहित्य कभी नहीं रहा। 1949 से 1965 तक मैं फरीदकोट (पंजाब) के एक हाई स्कूल में हिन्दी का अध्यापक रहा।

1948 से 1950 के बीच मैंने कुछ कविताएँ भी लिखीं, आलोचनात्मक लेख तो लिखे ही थे। 1950 में ही मैंने **पन्त का काव्य और युग** पुस्तक भी लिखी जो जनवरी, 1951 में प्रकाशित हुई। मेरी अधिकांश कविताएँ छायावाद के प्रभाव में लिखी गई थीं। इनमें से कुछ कविताएँ **विश्ववाणी, जनवाणी** और **आजकल** मासिक पत्रिकाओं में प्रकाशित हुईं। लेख सम्भवत: मैंने उस समय चल रहे विवादों के सन्दर्भ में लिखे थे। ये लेख **जनवाणी, कल्पना, आलोचना, हंस** और **साहित्य संदेश** आदि पत्रिकाओं में प्रकाशित हुए। इनमें से किसी लेख की कोई प्रति मेरे पास नहीं है, यहाँ तक कि **पन्त का काव्य और युग** की प्रति भी नहीं है।

प्रश्न–2. आपने पन्त पर भी कार्य किया है। 'पन्त का काव्य और युग' नामक ग्रन्थ लिखा है, पन्त के विषय में जो विचार अथवा राय तब थी, क्या उसे अब भी मानते हैं?

उत्तर—पन्त जी के काव्य के सम्बन्ध में जो राय मेरी तब थी वही अब भी है। केवल अब यदि उस काव्य पर लिखना हो तो वह बहुत भिन्न प्रकार से लिखा जायेगा।

प्रश्न–3. 1951 तक मुख्य रूप से आपने साहित्य विषयक अध्ययन एवं लेखन कार्य किया तथा 1952 में दर्शन–शास्त्र का अध्ययन आरम्भ किया। कृपया बतायें कि आप साहित्य से दर्शन में कैसे आये?

उत्तर—मेरी शिक्षा, अध्ययन और लेखन कुछ भी पूर्वनिर्धारित सरणियों के अनुसार नहीं हुआ। उस सब की कथा तो यहाँ नहीं कहूँगा, किन्तु दर्शन में मेरी रुचि उस समय भी थी जब मैंने साहित्यिक अध्ययन अभी आरम्भ भी नहीं किया था। मेरी शिक्षा दस वर्ष की आयु के बाद आठ वर्ष तक एक गुरुकुल में हुई। गुरुकुल के पाठ्यक्रम में दर्शन और हिन्दी–साहित्य दोनों के लिए कोई अवकाश नहीं था, वैसे भी सातवीं कक्षा के बाद विश्वविद्यालय की मध्य–स्तरीय परीक्षा की तैयारी आरम्भ कर दी थी। इस प्रकार साहित्य और दर्शन दोनों के अध्ययन अपनी रुचि से ही आरम्भ किये थे। पहली साहित्यिक कृतियाँ मैंने प्रसाद की **लहर** और **आँसू** पढ़ी थीं—1946 में, किन्तु तिलक का **गीता रहस्य** और राहुल सांकृत्यायन का **मानव–समाज** मैंने 1944 में ही पढ़ लिये थे। तब मैं गुरुकुल की छठी कक्षा में रहा होऊँगा। साहित्यिक अध्ययन और लेखन के काल में ही मैंने राहुल सांकृत्यायन का **दर्शन–दिग्दर्शन** और पंडित बलदेव उपाध्याय का **भारतीय दर्शन** और कुछ उपनिषद् पढ़े थे। किन्तु पहले मेरे लेखन का विषय साहित्य बना और 1947 से वही मेरे अध्ययन का मुख्य विषय भी बना। दर्शन मेरे अध्ययन का केन्द्रीय विषय 1851 में हेनरी बर्गसां की **क्रियेटिव एवोल्यूशन** पुस्तक के साथ बना जो दिल्ली विश्वविद्यालय की दर्शन की एम.ए. में पढ़ रहे एक मित्र से लेकर मैंने पढ़ी थी। यह पुस्तक हाथ लगना

शुद्ध संयोग था और इस संयोग ने मेरे आगे के दार्शनिक अध्ययन की दिशा निर्धारित की, किन्तु साहित्य का क्षेत्र छोड़ कर दर्शन के क्षेत्र में आना उतने संयोग की बात नहीं थी।

प्रश्न–4. दर्शन का अध्ययन आपने स्वत: किया अथवा किसी अन्य की सहायता से? यदि स्वत: किया तब आपको किस प्रकार की समस्याओं का सामना करना पड़ा?

उत्तर—साहित्य के समान दर्शन का अध्ययन भी मैंने स्वत: ही किया, किन्तु साहित्य के लिए जबकि मेरे भौतिक परिवेश में बीज, भूमि और पानी था दर्शन के लिए कोसों तक कुछ भी नहीं था—न पुस्तकें और न कोई व्यक्ति। इस कारण बर्गसां की पुस्तक पढ़कर उसके प्रतिपादन का सत्य जानने के लिए मैंने जीव विज्ञान और जीव-मनोविज्ञान की तथा भौतिक विज्ञान के दर्शन की पुस्तकें स्वयं खरीद कर पढ़नी आरम्भ कीं—उच्चतम स्तर की पुस्तकें। विज्ञान-दर्शन की पुस्तकों में उद्धृत पुस्तकों से मुझे समकालीन पाश्चात्य अनुभववादी-विश्लेषणात्मक दर्शन-सम्प्रदाय की पुस्तकों का पता चला और तब मैंने वे पढ़नी आरम्भ कीं। इस प्रकार जीव विज्ञान के अध्ययन के फलस्वरूप मैंने **मनस्तत्त्व** (1957) पुस्तक लिखी और अनुभववादी-विश्लेषणवादी दर्शन के अध्ययन के फलस्वरूप **दार्शनिक विश्लेषण** (1961) पुस्तक लिखी। द्रष्टव्य है कि ये दोनों पुस्तकें इस प्रकार 'अनुसरण' में लिखी गई होने पर भी अन्यों के मत के विवेचन या प्रस्तुतीकरण के रूप में नहीं लिखी गई थीं। **दार्शनिक विश्लेषण** की इसी रूप में भरपूर प्रशंसा भी हुई। इस पर उस समय का दर्शन का सबसे बड़ा पुरस्कार 'डॉ. भगवानदास पुरस्कार' भी मिला, सम्पूर्णानन्द जी ने इसे 'भारतीय वाङ्मय में महत्त्वपूर्ण योगदान' लिखा और दो समीक्षकों ने 'किसी भी देश में इस दर्शन-प्रणाली में लिखी जा रही सर्वश्रेष्ठ पुस्तकों में गणनीय' लिखा।

दर्शन के अध्यापकों से मेरा पहला सम्पर्क जनवरी 1956 में अखिल भारतीय दर्शन परिषद् के इलाहाबाद विश्वविद्यालय में आयोजित अधिवेशन के अवसर पर हुआ। यह परिषद् और इसकी पत्रिका **दार्शनिक त्रैमासिक** मैंने 1954 में पत्र-व्यवहार के द्वारा स्थापित की थीं। किन्तु यह सम्पर्क 'दार्शनिक सम्पर्क' नहीं था, केवल दर्शन के अध्यापकों से सामाजिक सम्पर्क था। यह सामाजिक सम्पर्क इसके बाद परिषद् के सभी वार्षिक अधिवेशनों और पत्र-व्यवहार के द्वारा निरन्तर बना रहा।

प्रश्न–5. आप किन दार्शनिकों एवं दर्शनों से प्रभावित रहे हैं? आप जिन दर्शनों एवं दार्शनिकों से प्रभावित रहे हैं उनमें से कौन-सी बातें हैं जिन्होंने आपको आकर्षित किया?

उत्तर—आरम्भ में मैं बर्ट्रेंड रसल से प्रभावित रहा, उसके बाद गस्टाव बर्गमान और क्वाईन ने विशेष प्रभावित किया। 1965 में मैं फरीदकोट से राजस्थान विश्वविद्यालय, जयपुर में आया तो यहाँ के दर्शन विभाग के लोगों से सम्पर्क हुआ, किन्तु प्रभावकारी सम्पर्क इतिहास विभाग में टैगोर पीठ के आचार्य गोविन्दचन्द्र जी पाण्डे का रहा। उनसे प्राय: ही लंबी दर्शन-चर्चाएँ होतीं जिससे मेरा विचार मुक्त और दृष्टि आत्मप्रतिष्ठित हुई।

प्रश्न–6. सामान्यतया ऐसा प्रतीत होता है कि दार्शनिक चिन्तन करते समय विभिन्न दार्शनिक विभिन्न पद्धतियों का अनुसरण करते हैं, दार्शनिक चिन्तन के लिए आपने किसी प्रचलित पद्धति को लिया अथवा किसी नयी पद्धति का प्रयोग किया?

उत्तर—प्राय: सभी दार्शनिक अन्य दार्शनिकों के सन्दर्भ में लिखते हैं, उनके मतों की आलोचना-प्रत्यालोचना के रूप में अपने विचारों का प्रतिपादन करते हैं। **सत्ताविषयक अन्वीक्षा** (1998) से पहले यही मैंने भी किया। इस प्रकार की विचार-प्रक्रिया विचार-धाराओं की भूमि पर ही प्रतिष्ठित होती है और विचार-सन्दर्भ ही उसका विषय होता है। अनुभव या वस्तु उसका विषय नहीं होते। सत्ताविषयक अन्वीक्षा में भी यद्यपि यही विचार-विधि प्रमुख रही किन्तु उसमें अन्यों के विचार-सन्दर्भ से परे 'वस्तु' को देख सकने की बात भी कुछ दूर तक रही। इसके बाद लिखी गई **समाज : दार्शनिक परिशीलन** (1992) और **मूल्यतत्त्व-मीमांसा** (1994) में अनुभव और 'वस्तु' ही प्रत्यक्ष रूप से विषय बने। इसी काल में यद्यपि नागार्जुनकृत **मध्यमक**

शास्त्र और विग्रहव्यावर्तनी : युक्ति-परीक्षा और सिद्धान्त-विमर्श पुस्तक भी लिखी (1990) और यह आलोचना की पुस्तक ही थी किन्तु इसमें आलोचना का आधार, या कहें युक्ति के लिए प्रमाण, अनुभव और वस्तु ही थे।

'विधि' का एक और अर्थ भी हो सकता है, जैसे व्याख्यात्मक, भाष्यात्मक, विश्लेषणात्मक आदि। विट्गिंस्टाईन की **ट्रक्टेटस लॉजिको फिलॉसफीकस** की एक दूसरी ही विधि है, अपने ढंग की अनूठी। एक तीसरा अर्थ हो सकता है पृथक्-पृथक् समस्याओं पर पृथक्-पृथक् विचार और इसके विपरीत समग्रात्मक विचार। मेरी विधि आरम्भ से अन्त तक विश्लेषणात्मक-समग्रात्मक कही जा सकती है।

प्रश्न-7. आपकी भारतीय दर्शन में गहरी रुचि है और आपने नागार्जुन जैसे दार्शनिकों पर लेखनी उठायी तथा आप अपने लिए एक मौलिक दिशा की तलाश करते हैं, इस दिशा को आपने किस रूप में देखा है, और इस सन्दर्भ में आपकी अपनी मौलिक स्थापनाएँ क्या हैं?

उत्तर—पहले मैंने समकालीन पाश्चात्य अनुभववादी दर्शन ही पढ़ा, उसके बाद पश्चिम के कुछ दूसरे दार्शनिक भी पढ़े, कुछ प्लेटो भी पढ़ा। उसके बाद लगभग 1975 के बाद मैंने कुछ भारतीय दार्शनिकों को भी पढ़ा। इन प्राचीन भारतीय दार्शनिकों की मूल दृष्टि मुझे अधिक गहन और सम्पन्न लगी यद्यपि शैली उतनी पैनी और परिष्कृत नहीं लगी। किन्तु भारतीय दर्शन में मेरी गहरी रुचि है या इसको लेकर मेरी कोई अपनी विशेष स्थापनाएं हैं ऐसा नहीं कहा जा सकता। मैंने अपने लेखन में सांख्य और वेदान्त विषयक कुछ विचार किया है जो कुछ विद्वानों को काफी मौलिक लगा। किन्तु ऐसा वह इसलिए हो पाया क्योंकि वह 'विद्वत्तापूर्ण' नहीं था। नागार्जुन पर मैंने लिखने का विचार उनकी **मध्यमक शास्त्र** में दी गई युक्तियों में आधारगत दोष दीखने पर बनाया, अन्यथा उनके **मध्यमक शास्त्र** और **विग्रहव्यावर्तनी** का अध्ययन लिखने के विचार से आरम्भ नहीं किया था। भारतीय दर्शन विषयक मेरे लेखन की एक विशेषता यह कही जा सकती है कि मैंने इसे पाश्चात्य दार्शनिकों के प्रकाश में नहीं पढ़ा। उदाहरणत: नागार्जुन के प्रसिद्ध विवेचक प्रोफेसर टी.आर.वी. मूर्त्ति ने **दि सेंट्रल फिलॉसफी ऑफ बुद्धिज्म** में नागार्जुन को कांट के प्रकाश में ही देखा है, उनका अपना कोई स्वतन्त्र रूप नहीं देखा है। मैंने ऐसा नहीं किया।

प्रश्न-8. आप 'सृजन' के विषय में क्या मत रखते हैं?

उत्तर—'सृजन' का विचार इधर मेरे विचार की धुरी जैसा हो गया है। इस कारण मैंने इस पर प्रत्यक्ष और परोक्ष रूप से **सत्ताविषयक अन्वीक्षा, समाज** और **मूल्यतत्त्वमीमांसा** में कई स्थलों पर विचार किया है। इधर इलाहाबाद संग्रहालय के आमन्त्रण पर 'सृजन और परिवेश' शीर्षक एक लेख वहाँ प्रस्तुत किया जिसमें सृजन पर ही विचार हुआ है। इस कारण यहाँ मैं सृजन की अपनी परिभाषा मात्र ही दूँगा, उस पर विचार नहीं करूँगा। 'सृजन' का अर्थ मेरे लिए आत्मचरितार्थन, आत्मगतत सत्य अथवा आत्मस्वरूप की सिद्धि, तथा अनात्म का, या कहें आत्मग व्यवधान का, निवारण है। **सत्ताविषयक अन्वीक्षा** पुस्तक में मैंने 'सृजन' शब्द का प्रयोग नहीं कर 'सत् की आत्म-पर्याप्तता की सिद्धि' पद का प्रयोग किया है।

प्रश्न-9. आपने 'सत्' एवं 'अस्तित्व' के बीच भेद किया है, इसे आप विशद रूप से बतायेंगे?

उत्तर—सत् मेरे लिए चित्स्वरूप है, जैसाकि वेदान्त का भी मत है। किन्तु वेदान्त से भिन्न मैं चित् या सत् को भूत-वस्तु रूप नहीं देखता हूँ बल्कि इसे अनात्म-व्यवहित, आत्म-अपर्याप्त, अवस्था के रूप में देखता हूँ। उदाहरणत: सब कृतियाँ अपने अस्तित्व में न्यूनाधिक परिष्कार्य होती हैं, सब व्यक्ति अपने-आप में न्यूनाधिक अपने संकल्प या अधिष्ठातृत्व के अनधीन होते हैं। इनकी यह अपूर्णता किसी पूर्णता की अपेक्षा से होती है जिस पूर्णता का कृति या व्यक्ति में, या अन्यत्र कहीं, अस्तित्व नहीं होता। यह पूर्णता ही उनका सत्त्व होती है।

प्रश्न-10. 'चैतन्य' एवं 'आत्मा' को आप एक ही मानते हैं या भिन्न अथवा किसी और रूप में?

किसी समाज को इस प्रकार उसकी समग्रता में समझने के दो रूप हो सकते हैं—एक तादात्म्यपरक और दूसरा बाह्यदर्शकपरक—विषयपरक। द्रष्टव्य है कि किसी समाज को जानने में इन दो अभिवृत्तियों का परस्पर प्रतिषेधक होना अनिवार्य नहीं होता, इसके लिए एक की दूसरी पर प्रधानता भी रह सकती है। हमारे आत्मविषयक ज्ञान तक में इन दोनों का यौगपद्य रहता है—हम अपने अनुभवों के अनुभविता : भोक्ता : भी होते हैं और उनके बाह्यालोचक भी होते हैं। इस बाह्यालोचन में भी आन्तरिकता और बाह्यता युगपद् रूप से रहती हैं। किन्तु अन्य के प्रति सामान्यत: बाह्यदर्शकता का प्राधान्य रहता है, यद्यपि ऐसा अनिवार्य नहीं होता, हम अन्य की विषयिता में सहभागी भी हो सकते हैं, सह-संवेदी चाहे नहीं भी हो सकते हों। किन्तु कल्पना से अपने को अन्य की विषयिता में प्रतिष्ठित किये बिना तो हम उसे सम्यक् रूप से समझ ही नहीं सकते। अब देखने विषयक इस भूमिका-भेद की दृष्टि से कहा जा सकता है कि इतिहासकार जबकि समाज को बाह्य दर्शन की भूमिका पर से देखता है महाकाव्यकार या उपन्यासकार उसे तादात्म्य की भूमिका पर से देखता है। इस प्रकार **रामायण, महाभारत** और **रामचरितमानस** तादात्म्य की भूमिका पर से लिखे इतिहास भी कहे जा सकते हैं, इसी प्रकार रवीन्द्रनाथ ठाकुर का **गोरा,** प्रेमचन्द के उपन्यास, यशपाल का **झूठा सच,** रमेशचन्द्र शाह का **किस्सा गुलाम** और टाल्स्टाय का **युद्ध और शान्ति** आदि तादात्म्य की भूमिका पर से लिखी ऐतिहासिक कृतियाँ कही जा सकती हैं। इन्हीं में पुराणों की गणना भी की जा सकती है। इस पर यह आपत्ति की जा सकती है कि काव्य और पुराण समाज के अतीतपरक और काल-निष्ठ विवरण या आख्यान नहीं होते बल्कि उसकी कालातीत आत्मकथा होते हैं। यह एक सीमा तक सही है, किन्तु वास्तव में बाह्य दर्शक की भूमिका पर से लिखा गया समग्रात्मक इतिहास भी बहुत कुछ किसी समाज की काल-यात्रा में उसकी कालातीत आत्मा के साक्षात्कार जैसा ही होता है, क्योंकि कोई भी वस्तु समग्रता में कभी इन्द्रिय-ग्राह्य नहीं होती, फिर एक समाज की तो बात ही क्या है, और इस अतीन्द्रियग्राह्य की काल-यात्रा कालातीत उस अर्थ के अन्वेषण या उसके चरितार्थन की कथा हो जाती है जो अर्थ काल का विषय नहीं होता। इसीलिए प्रत्यक्षवादी दार्शनिक समाजों को उनकी समग्रता में कभी अध्ययन का विषय स्वीकार नहीं करते, केवल वर्गों, और उनके भी कुछ अंशों को निदर्शों (सैंपल्स) के रूप में अध्ययन के उचित विषय स्वीकार करते हैं। इसी प्रकार वे इतिहास को भी केवल उपलब्ध साक्ष्यों के आधार पर, उन्हीं की सीमा में रहते हुए, अनुमेय मानते हैं। निश्चय ही ऐतिहासिक अध्ययन के ऐसे रूप भी होते हैं, और वे एक सीमा तक उपयुक्त भी होते हैं, जैसे कालिदास का जन्म कब हुआ, वे किस राजा की विद्वत्सभा के सदस्य थे, किस राजा ने कब से कब तक राज्य किया, उसकी राज्य-व्यवस्था कैसी थी आदि इसी प्रकार के ऐतिहासिक शोध हैं। किन्तु 'आर्य जाति की संस्कृति या सभ्यता का क्या स्वरूप था, उसका यह स्वरूप कहाँ तक अक्षुण्ण बचा है और कहाँ तक और किस रूप में उसका विकास या ह्रास हुआ', इन प्रश्नों के उत्तर इन्द्रिय-ग्राह्य तथ्यों से अनुमेय नहीं होते, ये इन्द्रिय-ग्राह्य तथ्यों को संकेत बनाकर उनसे साक्षात्कार्य सत्य ही होते हैं। इतिहास के इस साक्षात्कारात्मक रूप को इतिहास-दर्शन का प्रथम चरण कहा जा सकता है। इसे इतिहास-दर्शन कहने का औचित्य यह है कि वस्तुओं के प्रत्यक्षगम्य या उनसे अनुमेय तथ्य या उन पर आधारित विचार के बजाय वस्तु-तत्त्व, वस्तु-स्वभाव का स्वरूप-विचार ही दर्शन कहा जाता है और उपर्युक्त प्रकार के साक्षात्कारात्मक इतिहास में इतिहासकार विशिष्ट घटनाओं को सामान्य धर्मों और तत्त्वों के संकेतों के रूप में ग्रहण करते हुए किसी समाज के नयन-नक्श और आकार इंगित आदि को देखकर उसकी अनदेखी करते हुए देह के परे व्यक्ति के व्यक्तित्व का साक्षात्कार करते हैं।

हमारे विचार में विवरणात्मक इतिहास और साक्षात्कारात्मक इतिहास दो सर्वथा भिन्न प्रकार के इतिहास होते हैं। ऐसा नहीं है कि साक्षात्कारात्मक इतिहास में विवरण की कोई भूमिका ही नहीं होती। अन्य व्यक्ति या उसकी आत्मा की विद्यमानता की सूचना तो उसकी देह से ही मिल सकती है, व्यक्ति का चरित्र कैसा है यह उसकी चेष्टाओं और इंगितों से ही पता चल सकता है, किन्तु व्यक्ति के व्यक्तित्व या आत्मा को लक्षित करने वाले के लिए ये अपने स्वयं के सूचक नहीं होते। बल्कि वह जहाँ तक इनके प्रकट रूप से परे इनके अर्थों को देख

पाता है वहीं तक वह कुशल प्रेक्षक होता है। इस प्रकार किसी समाज की आत्मा के साक्षात्कार के लिए उसके क्रिया–कलाप ही माध्यम बन सकते हैं, किन्तु उनकी सार्थकता केवल संकेत या व्यंजक होने में ही होती है, स्वयं विषय बनने में नहीं। अब, कोई किस प्रकार के इतिहास की रचना करता है यह इस बात पर निर्भर करता है कि वह मानव–अतीत के पास किस प्रयोजन से जाता है। लोग हिटलर के कपड़ों और मूछों के बालों का भी संग्रह करते हैं और उन्हें पाने के लिए करोड़ों रुपये तक व्यय कर देते हैं। इसी प्रकार, हिटलर के किस लड़की के साथ क्या सम्बन्ध थे, उस लड़की ने उसके साथ क्या व्यवहार किया, उसके अधिकारियों ने उसके विरुद्ध क्या षड्यंत्र किये आदि तथ्यों की खोज में लोग पूरा–पूरा जीवन खपा देते हैं और इस खोज के आधार पर वे जो पुस्तक या पुस्तकें लिखते हैं वे लाखों की संख्या में बिकती हैं। यह शोध अतीत विषयक भी है और एक अत्यन्त महत्त्वपूर्ण व्यक्ति विषयक भी है, इसलिए यह ऐतिहासिक शोध ही कहा जाएगा, किन्तु इसके आधार पर लिखे गए विवरण का ऐतिहासिक कृति के रूप में मूल्य इस बात पर निर्भर करेगा कि इसका लेखक हिटलर के जीवन को कहाँ तक बृहत्तर सामाजिक सन्दर्भों और अर्थों की अभिव्यक्ति का माध्यम बना पाता है, उसे युग–प्रवृत्तियों के वाहक के रूप में देख पाता है।

किन्तु दर्शन का विषय कभी विशेष नहीं होता, बृहत् विशेष भी नहीं। इस प्रकार किसी विशेष समाज अथवा विशेष संस्कृति के इतिहास पर विचार भी दर्शन का विषय नहीं होता। दर्शन का उचित विषय संस्कृति मात्र अथवा इतिहास मात्र के स्वरूप पर विचार ही हो सकता है। उदाहरण के लिए, संस्कृति क्या है, अथवा ऐतिहासिक विकास के क्रम में संस्कृतियाँ क्या सिद्ध करने की उपक्रम हैं? अथवा इतिहास क्या है, यदि कुछ है तो? क्या यह सामाजिक स्मृति का नामांतर मात्र है या कि यह कोई अधिक गहनस्तरीय उपक्रम है जिसमें मनुष्य, या अस्तित्व मात्र केवल निमित्त बनता है? या कि यह किसी समाज विशेष के अस्तित्व का नैरंतर्य मात्र है, अथवा यह उसकी सांस्कृतिक परम्परा की संज्ञा है? यदि इतिहास कहे जाने वाले ग्रन्थों को देखें तो हम पायेंगे कि इतिहास को साधारणत: किसी समाज के अतीतमात्र के रूप में देखा जाता है, अधिक–से–अधिक अतीत घटना–क्रम के अर्थ में। इस प्रकार वह सब 'भारत का इतिहास' है जो भारत कहे जाने वाले प्रदेश के समाज में घटित को अपना विषय बनाता है। बाहर से आकर किसी राजा ने यहाँ आक्रमण किया तो वह 'भारत पर आक्रमण' कहा जाता है और यदि वह राजा और उसके सैनिक यहाँ बस गए तो वह भारतीय राजा हो जाता है और भारत के इतिहास का अंग हो जाता है। यह सब सामाजिक या सांस्कृतिक स्तर पर किसी नैरन्तर्य या परम्परा का अंग होता हो, ऐसी कोई अनिवार्यता नहीं होती, होती भी हो तो इतिहास–लेखक उसकी ओर ध्यान देता हो, ऐसा भी प्राय: नहीं होता। केवल उसका आक्रमण करना और फिर यहाँ बस जाना, इतना भी इतिहास के लिए पर्याप्त माना जाता है। यह नैरन्तर्य अभीष्ट अवश्य होता है किन्तु इतिहास–ग्रन्थों में यह अभीष्ट–सिद्धि केवल नितान्त न्यून से लेकर पर्याप्त तक ही हो पाती है, पूर्णत: नहीं हो पाती।

द्रष्टव्य है कि यह परिस्थिति इतिहास का विषय राजनैतिक घटनाक्रम तक सीमित रखने पर अधिक बनती है, सांस्कृतिक चेतना को लक्षित करने पर वैसी नहीं बनती। किन्तु यदि किसी देश के इतिहास को सांस्कृतिक नैरन्तर्य से परिभाषित किया जाय तो उस देश के इतिहास से उस देश में रहने वाला बहुत बड़ा जन–समुदाय बाहर रखना पड़ सकता है। उदाहरणत: तब भारत का इतिहास केवल उस सांस्कृतिक परम्परा के वाहक समाज का इतिहास होगा जो परम्परा वैदिक बोध और उसकी आलोचना–प्रत्यालोचना से बनी है। निश्चय ही इसमें बाहर से आने वाली विचारधाराओं का भी समावेश हुआ, किन्तु उस समावेश के लिए उन धाराओं को ही अपना चरित्र बदलना पड़ा, इसे नहीं। यही ठीक भी है, अन्यथा सांस्कृतिक नैरन्तर्य का कोई अर्थ नहीं बनता किन्तु तब भारत का राजनैतिक इतिहास किसी और सत्त्व का होगा और सांस्कृतिक इतिहास किसी दूसरे सत्त्व का, क्योंकि राजनैतिक इतिहास बाहरी आक्रमणों और उन आक्रमणकारियों के यहाँ बस जाने की ही कथा है, सांस्कृतिक रूप से चाहे ये आ बसने वाले समुदाय कितने ही अलग बने रहें। किन्तु क्या इस प्रथम सत्त्व को वास्तव में एक सत्त्व

कहना उचित भी हो सकता है? निश्चय ही पूर्ण अन्त:संवाद तो एक मानव-व्यक्ति में भी नहीं होता, अधिकांश व्यक्ति बहुत अधिक अन्तर्विभक्त और अन्तर्द्वन्द्वग्रस्त होते हैं, पर्याप्त संवादिता भी बहुत कम ही व्यक्तियों में सिद्ध हो पाती है, पूर्ण संवादिता का तो प्रश्न ही नहीं होता, किन्तु एक राजनैतिक तन्त्र में सांस्कृतिक रूप से असम्बद्ध समूहों को तो अन्तर्विभक्त एक सत्त्व भी नहीं कहा जा सकता। यह अन्तर्विभाग तो एक संस्कृति के भीतर ही भिन्न, और विरुद्ध भी, विचार-धाराओं के रूप में ही होता है, जैसे भारत में वैदिक, बौद्ध, जैन, चारवाक आदि और स्वयं इनमें भी परस्पर भिन्न या विरुद्ध सम्प्रदाय हैं। यह सम्प्रदाय-भेद परस्पर परामर्श या वाद-विवादात्मक होता है, एक ही विचार की व्याख्या के प्रयत्न अथवा कहें एक ही व्यक्ति के अपने-आपसे ऊहापोह जैसा। किन्तु भारत में मुस्लिम और ईसाई धर्म-संस्कृतियाँ सर्वथा भिन्न सांस्कृतिक सत्त्व हैं, केवल ये भारतीय राजनैतिक तन्त्र के अन्तर्गत समूहित हैं और पर्याप्त असमंजस रूप में समूहित, इसलिए इन्हें एक राजनैतिक सत्त्व के अंग भी नहीं कहा जा सकता। इसके प्रमाण हम भारत के विभाजन, पाकिस्तान के विभाजन, फ़िजी और श्रीलंका में अन्तर्संघर्ष और रूस के और योगोस्लाविया के विभाजनों में देख सकते हैं। अब, यदि इन विभाजनों के विवरणों को, जो विभाजनों के कार्य-कारणों के परिणामों तक पहुँचने के विवरण हों, इतिहास कहा जाय तो 'इतिहास' की परिभाषा बदलनी होगी। उचित रूप से इन्हें ऐतिहासिक परम्पराएँ नहीं कहा जा सकता, क्योंकि ये किसी अर्थ का वहन नहीं करतीं। इन्हें इतिहास तब कहा जा सकता है यदि ये किसी अर्थ के वहन में सहायक या अवरोधक के रूप में देखी जा सकें। किन्तु क्या इतिहास अर्थ-परम्परा के चरितार्थन को ही नहीं उसके चरितार्थन की प्रक्रिया के अवरुद्ध हो जाने या उसके क्षीण होने को भी कहना चाहिए? सम्भवत: इस प्रक्रिया को ऐतिहासिक प्रक्रिया कहना उचित नहीं होगा, इसे इतिहास के अवरोध या क्षय की प्रक्रिया ही कहना चाहिए। किन्तु इस क्षय का स्मरण, इसका अनुचिन्तन और विमर्श, विशेषत: उस समाज द्वारा जिसका वह अतीत रहा है, 'इतिहास' हो जाता है, क्योंकि वह स्मरण उस अर्थ के चरितार्थन की प्रक्रिया को पुनरुज्जीवित करने के लिए होता है—

हम क्या रहे, क्या हो गए हैं और क्या होंगे अभी,
आओ विचारें आज मिलकर ये समस्याएँ सभी।

(**भारतभारती** में मैथिलीशरण गुप्त)

ये काव्य-पंक्तियाँ उन्नीसवीं-बीसवीं शताब्दियों में भारतीय हिन्दु समाज की अवरुद्ध इतिहास-प्रक्रिया के पुनरारम्भ की द्योतक कही जा सकती हैं।

किन्तु इतिहास की यह परिभाषा स्वीकार करने पर इतिहास की चक्रिक अवधारणाएँ स्वीकार नहीं की जा सकतीं और न स्पेंग्लरीय परिभाषा ही स्वीकार की जा सकती है। चक्रिक अवधारणाएँ प्राय: इतिहास की गति अधोन्मुख ही देखती हैं, जैसे भारत में सतयुग से कलयुग तक के क्रम में देखा गया है। स्पेंग्लर ने इतिहास को संस्कृतियों के जन्म से निधन तक की जीवन-गाथाओं के रूप में देखा है। वह इसे प्राणि-देह के समान शैशव से यौवन में विकसित होते और फिर क्रमश: प्रौढ़ होकर मरणोन्मुख अग्रसर और अन्त में मृत होते देखता है। इस सम्पूर्ण आयु-क्रम को वह इतिहास ही कहता है क्योंकि इसमें एक गति-क्रम है—आरम्भ में विकास की ओर और फिर विकास के शिखर पर पहुँचने के बाद ह्रास की ओर। किन्तु पश्चिम के अधिकांश दार्शनिक मानव को निरन्तर विकास की ओर ही अग्रसर देखते हैं। उनके अनुसार एक जाति में इतिहास-वहन की प्राण-शक्ति समाप्त हो जाने के बाद उस क्रम का प्रादुर्भाव किसी दूसरी जाति में हो जाता है और इस प्रकार मानव-इतिहास का क्रम निरन्तर प्रगति के मार्ग पर अग्रसर रहता है। इस प्रकार उनके अनुसार, इतिहास का जन्म पूर्व में हुआ और ग्रीस, रोम और यूरोप के क्रम से इसका केन्द्र अब अमरीका में स्थानांतरित हो गया है।

किन्तु 'मानव-इतिहास ऊर्ध्वोन्मुख ही अग्रसर रहा है और आज मनुष्य ऐतिहासिक रूप से पहले के युगों की तुलना में ऊर्ध्वतर धरातल पर ही है, इसी प्रकार बीच के सोपान भी निर्धारित किये जा सकते हैं' ऐसा कहने

का औचित्य क्या है और धरातलों को नापने की कसौटी क्या है? इसकी इन लोगों ने दो कसौटियाँ स्वीकार की हैं—आत्मचेतना और स्वाधीनता (लिबर्टी)। अब, यदि ये कसौटियाँ युक्त स्वीकार कर भी ली जाँय तो भी यह सिद्ध करने के लिए कोई युक्त आधार नहीं है कि आज का यूरोप इन दृष्टियों से पिछले युगों से ऊर्ध्वतर सोपान पर है, क्योंकि यह स्वीकार करने के लिए 'आत्मचेतना' और लिबर्टी की परिभाषा भी उन्हीं की स्वीकार करनी पड़ेगी और सब सभ्यताओं के इतिहास का विवरण भी उन्हीं का स्वीकार करना पड़ेगा, जिसके लिए कोई युक्ति नहीं है। अब, आत्मचेतना का एक साधारण अर्थ लिया जा सकता है—"व्यक्ति या समाज का अपने भावों, विचारों और कार्यों का साक्षी और आलोचक होना।" इस साधारण अर्थ में भी आज का पश्चिम अतीत के पश्चिम या पूर्व से अधिक आत्मचेतन है यह कहना कठिन है। **स्मृतियाँ** आचरण के सम्बन्ध में आत्मचेतन होने की, व्याकरण भाषा-व्यवहार के सम्बन्ध में आत्मचेतन होने का, अन्यान्य शास्त्र उन-उन क्षेत्रों में विचारों और भावनाओं के आत्मचेतन होने के प्रमाण हैं। किन्तु एक महत्त्वपूर्ण अर्थ में इस दृष्टि से आधुनिक युग में एक बड़ा विपर्यय दिखायी देता है।

यह विपर्यय इस अर्थ में है कि आत्मा आज देहमूलक हो गई है और दैहिक सुखों की सिद्धि को ही मानव-कल्याण का पर्यायवाची माना जा रहा है। हेगल ने यद्यपि ऊहापोहात्मक बुद्धि (प्रतिज्ञा-प्रतिप्रतिज्ञा-थीसिस-एंटीथीसिस) और उससे सिद्ध विवेक (उच्चतम प्रतिज्ञा में इसके समाधान-साईंथीसिस) को आत्मा का स्वरूप परिभाषित किया था और इस आत्मा के स्वातन्त्र्य-लाभ को ऐतिहासिक प्रगति का पर्याय कहा था, किन्तु उसके बाद इस युग ने कार्ल मार्क्स के माध्यम से इसे अस्वीकार कर दिया और अर्थार्थी मनुष्य के सामाजिक विवेक को ही ऐतिहासिक प्रगति का साध्य और आर्थिक उत्पादन के साधनों की उत्कृष्टता को प्रगति का मानदण्ड घोषित किया। यह सही है कि मार्क्स ने सामाजिक विवेक का जो अर्थ प्रस्तावित किया उसे सार्वभौम स्वीकृति नहीं मिली किन्तु भौतिकोन्मुख वह दृष्टि ही मानो परस्पर प्रतिप्रतिज्ञाओं के रूप में निर्बाध आर्थिक प्रतिस्पर्धा और साम्यवादी सिद्धान्तमूलक राज्य द्वारा अर्थ-व्यवस्था पर पूर्ण नियन्त्रण के रूप में अन्तर्विभक्त हो गयी और इसका समाधान इसने उत्पादन के साधनों की अकल्पनीय उन्नति के आधार पर पनपते निर्बाध-वाणिज्य और भोग के उन्नत से उन्नततर उपकरणों के उत्पादन की क्षमता में पाया। इस संश्लेष का नेतृत्व आज अमरीका कर रहा है और इस स्थिति को पाने की होड़ संसार भर में लगी हुई है। जहाँ तक स्वातन्त्र्य या लिबर्टी का प्रश्न है, वह भी पहले युगों की तुलना में अधिक है ऐसा कहने का कोई औचित्य दिखायी नहीं देता। कुछ समाजों में किन्हीं युग विशेषों में स्वाधीनता की कमी रही हो सकती है, किन्तु यह एक साधारण परिस्थिति थी जिससे आज मनुष्य साधारण रूप से उबर गया है, ऐसा मानने के लिए कोई आधार दिखायी नहीं देता। एक आंग्ल इतिहास दार्शनिक ई.एच. कार ने अब्राहम लिंकन का एक कथन उद्धृत किया है कि "अभी सैंतालीस वर्ष पहले हमारे पूर्वजों ने इस महाद्वीप में एक नये राष्ट्र को जन्म दिया, जिसका गर्भाधान ही स्वाधीनता के विचार के साथ हुआ था कि सब मनुष्य जन्मत: समान हैं।"[1] किन्तु यह सब जानते हैं कि यह समानता केवल गोरों की गोरों के साथ ही स्वीकार की गई थी, कालों के साथ नहीं, जिसका अर्थ है कि कालों को वे मनुष्य जाति के अन्तर्गत नहीं गिनते थे। समानता का यह अधिकार पाने के लिए अमरीका के काले (नीग्रो) लोग अभी पीछे तक संघर्षरत रहे हैं। स्वाधीनता और समानता के सिद्धान्तों के आधार पर क्रान्ति करने वाले फ्रांसीसियों ने अपने उपनिवेशों में 1950-55 तक जो पशुसुलभ व्यवहार किये वह अभी वर्तमान स्मृति की बात है। इस दृष्टि से प्राचीनकाल के सब समाज और सब युग समान रूप से पिछड़े हुए थे, ऐसा कहने का कोई औचित्य दिखायी नहीं देता। केवल इतना कहा जा सकता है कि पहले पारम्परिकता अधिक थी और आज वह नहीं है। किन्तु आज की यह परम्परा की क्षीणता उतनी रूढ़ि से मुक्ति नहीं

---

1. कार, ई.एच. — **व्हट इज़ हिस्ट्री?** पेंग्विन बुक्स, 1964 संस्करण, पृ. 135

है जितनी परम्परा-हीनता है और इस परम्परा-हीनता में रूढ़ि का स्थान प्रचार-साधनों ने ले लिया है। जहाँ तक आत्मबोध का सम्बन्ध है, उन युगों में इस बोध की कमी थी, यह कहने का तो कोई औचित्य ही नहीं है। इसके विपरीत उन युगों में आत्मा को शायद ही किसी संस्कृति ने देहात्मक देखा हो। क्योंकि वे संस्कृतियाँ आत्मा को शुद्ध चैतन्य, अधिष्ठाता-चेतना या नैतिक आचरण में देखती थीं इसलिए वे उसके अन्वेषण में तदनुकूल जीवन जीती थीं। आत्मा विषयक यह विपर्यस्त दृष्टि कि देह ही है, यह केवल आधुनिक यूरोप की ही सांस्कृतिक उपलब्धि है और इसके अनुकूल उसने राजनीति-तन्त्र, समाज-तन्त्र और अर्थ-तन्त्र का विकास भी किया है, यन्त्र-विज्ञान भी उसी बोध का परिणाम है। इस प्रकार आधुनिक युग को अतीत युगों से उन्नततर कहने का कोई औचित्य दिखायी नहीं देता और न आधुनिक युग से पूर्व के युगों में बाद के युगों को उनसे पूर्व के युगों से प्रगति-पथ पर नियमत: आगे कहा जा सकता है। नियमत: और निर्विवाद रूप से जो युगों में अनुक्रमश: प्रगति देखी जा सकती है वह केवल यन्त्र-कौशल में, जिसका आधुनिक यूरोप में क्रान्तिकारी अर्थ में नया जन्म हुआ और जिसने ऐतिहासिक दृष्टि से सम्पूर्ण विश्व को एक ही वात्याचक्र में डाल दिया है। इसने निश्चय ही उन समाजों को भी ऐतिहासिक अभियान में घसीट लिया है जो पूर्व युगों में इतिहास से बाहर या उसके हाशिये पर पड़े थे। किन्तु इस अभियान में सब समाज एक ही सोपान पर हों, ऐसी बात स्पष्टत: नहीं है, इसमें भी कुछ वात्याचक्र के केन्द्र में हैं और कुछ उसके सम्पूर्णत: बाहर, किन्तु यह वात्याचक्र ऐसा है कि यह शीघ्र ही उन समाजों को भी अपने में समेट लेगा और वे अनतिदूर भविष्य में इस चक्र के अंग हो जाएंगे। किन्तु इसे मानव की प्रगति कहा जाय या मार्गभ्रष्टता, इसमें निर्णय के लिए कोई सर्वमान्य मानदण्ड नहीं बनाया जा सकता। महात्मा गाँधी ने इसे भयानक मार्ग-भ्रष्टता कहा था, जिस कथन के औचित्य के लिए हमने अपने कुछ लेखों में युक्ति दी है।[1]

किन्तु इतिहास को यदि ब्रह्माण्ड-स्तर पर देखा जाय तो उसमें एक ऊर्ध्व गति-क्रम निश्चित रूप से दिखायी देता है। इतिहास को इस स्तर पर देखने को आज के अधिकांश इतिहास-चिन्तक कल्पनाप्रवणता ही मानते हैं, क्योंकि उसके लिए उनके अनुसार, इतिहास से बाहर किसी विधाता के आयोजन की कल्पना स्वीकार करना आवश्यक हो जाता है, जिसके लिए हमारे पास कोई प्रमाण नहीं हो सकता। किन्तु तब 'मानव के इतिहास' की बात भी नहीं की जा सकती, क्योंकि उसमें भी विभिन्न समाजों के इतिहास इतिहास-विधाता के, या मानव-नियति के किसी पूर्वनिर्धारित ऐतिहासिक लक्ष्य की ओर अभियान के चरण हो जाते हैं। किन्तु 'मानव ऐसे किसी इतिहास का लक्ष्य या साधन है', यह जबकि हमें युक्त कल्पना प्रतीत होती है, 'मनुष्य का इतिहास ऐसे किसी लक्ष्य की ओर प्रगति को प्रदर्शित करता है' यह मनुष्य के इतिहास को देखने से प्रतीत नहीं होता, जैसाकि हमारे उपर्युक्त विवेचन से देखा जा सकता है। इतिहास को ब्रह्माण्ड-स्तर पर देखने पर जगत्-सृष्टि में एक स्तर-क्रम स्पष्ट दिखायी देता है। इसमें भौतिक, जैव और मानव ये तीन नितान्त भिन्न सोपान ही दिखायी नहीं देते, जैव सौपान में भी असंख्य सोपान दिखायी देते हैं। भौतिक सोपान में चेतना नितान्त प्रसुप्त दिखायी देती है, इतनी प्रसुप्त कि इसमें इसे अनुपस्थित ही माना जा सकता है। किन्तु भौतिक सोपान में चेतना की उपस्थिति इसके सब स्तरों पर संरचना और ऋत की विद्यमानता से सूचित होती है। भौतिक अस्तित्व का कोई खण्ड नहीं है जो संरचित नहीं हो या संरचना का अंग नहीं हो—परमाणु से नीहारिकाओं तक। और ये सब संरचनाएँ एक सर्वव्यापक नियम को व्यक्त करती हैं। यह नियम क्या है और इसका स्वरूप क्या है, यह मनुष्य के केवल कल्पना-गम्य ही है। सब सभ्यताएँ अपने आरम्भ काल से इन संरचनाओं और नियमों का कल्पना द्वारा अवगमन करने का प्रयत्न करती रही हैं किन्तु उनके लिए संरचनाओं और नियम की विद्यमानता कभी सन्देह का विषय नहीं रही। आधुनिक विज्ञान भी भौतिक के एक नियमित स्वरूप को पूर्वगृहीत कर ही प्रवृत्त होता है, प्रकटत: वह चाहे इसे स्वीकार नहीं करे।

---

1. द्रष्टव्य आगे संकलित 'विज्ञान, परम्परा और नियति', लेख।

किन्तु तब भी अभ्युपगम के रूप में चाहे हो, आईंस्टाइन ने ईश्वर को पूर्ण सिद्ध गणितज्ञ कहा है। इस प्रकार भौतिक में अनुपस्थिति चेतना की नहीं प्राण की ही मानी जा सकती है। भौतिक से जैव स्तर प्राण के आविर्भाव से ही भिन्न है और इस प्राण के द्वारा चेतना की अभिव्यक्ति में भी नया आयाम जुड़ जाता है। जैव सोपान में अब संरचना और नियम वेदना और प्रयत्न की अभिव्यक्ति के उपकरण बन जाते हैं। जैव सोपान कोई एक ही सोपान नहीं है, यह लगभग वेदना-शून्य वानस्पतिक से लेकर जैवोत्तर सोपान मनोमय चेतना का है जो अपनी अभिव्यक्ति के लिए मानव-देह का आविष्कार करती है। किन्तु ध्यातव्य है कि भौतिक, जैव और मानसिक इनमें चेतना केवल आरोहण की ओर अग्रसर दिखायी नहीं देती बल्कि इन सोपानों की अधिकाधिक सम्भावनाओं के क्रियान्वयन में भी उदग्र दिखायी देती है। असंख्य भौतिक संरचनाएँ और असंख्य प्राणिक संरचनाएँ इसके ऐश्वर्य की अपरिमेयता की द्योतक हैं।[1] फिर, मानव-सहित जीव-सृष्टि में अस्तित्व का नियम अव्याख्येय है—इसमें जीवों में पारस्परिकता है, किन्तु यह पारस्परिकता परस्पर की हानि, परस्पर की भोज्यता की आधार भी बनती है। भौतिक से जैव में उत्कर्ष चेतना में संवेद के आविर्भाव के रूप में होता है, जो एक ओर भोग-सुख का आस्वादक और आत्मरक्षा का साधन बनता है और दूसरी ओर परस्पर की भोज्यता की मर्मान्तक पीड़ा और आत्मनाश के भय के सहित वेद्य भी बनाता है। अस्तित्व के इस स्तर पर एक नितान्त अन्तर्विरुद्ध स्थिति का आविर्भाव होता है—एक ओर अस्तित्व के लिए परस्पर के नाश की अनिवार्यता है और दूसरी ओर आत्मरक्षा के लिए कुशलतम आयोजन है, जिसमें उपाय के रूप में संवेद और संवेग के अनेक प्रकार उद्भूत होते हैं। सम्भवत: जैव स्तर पर अस्तित्व के आधार में यह अन्तर्विरोध ही चेतना के ऊर्ध्वारोहण के लिए एक साधन भी बनता है। यद्यपि ऊर्ध्वारोहण का मूल तो चेतना में ही अन्तर्गभित होना चाहिए, किन्तु यह व्यवस्था केवल ऊर्ध्वारोहण के लिए ही है, यह नहीं कहा जा सकता, क्योंकि इतनी विपुलता और इतना वैचित्र्य इस प्रयोजन के लिए अनिवार्य है यह कहने के लिए कोई युक्ति नहीं है। यह वैविध्य और इस वैविध्य में आस्वाद का आधान मानो जैसे किसी आत्मेतर प्रयोजन से नहीं बल्कि केवल अतिशयता के सुख के लिए, भूमा के ऐश्वर्य-भोग के लिए और सब सम्भावनाओं की अपनी अभिव्यक्ति पाने की उद्विग्नता से ही प्रेरित है। तो भी, इतिहास की दृष्टि से महत्त्व गति के नैरन्तर्य और किसी लक्ष्य की ओर उन्मुखता का ही है।

इस प्रक्रिया की अब तक की अन्तिम कड़ी मनुष्य है। वास्तव में हेगल, मार्क्स आदि और उनसे पहले के ईसाई दार्शनिक इस अन्तिक कड़ी के कालक्रम की विशेष दिशोन्मुख प्रगति को ही इतिहास कहते हैं। हेगल और मार्क्स तो इस प्रक्रिया को निष्पन्न होने वाली भी मानते हैं। हेगल ने इस निष्पत्ति को अपने ही समकालीन प्रशियन राज्य में और अपने दर्शन में देखा था और कार्ल मार्क्स ने इसकी निष्पत्ति उसके काल में पूँजीवाद के अपने अन्तर्विरोधों से ध्वस्त हो जाने के बाद आने वाले सर्वहारा के द्वारा स्थापित साम्यवादी राज्य में देखी थी। इसमें इन दोनों, अन्यथा अत्यन्त महान्, विचारकों का केवल कल्पना-दारिद्र्य ही प्रकट होता है जो ये ऐतिहासिक विकास का पर्यवसान राज्य के रूप विशेष में देखते हैं। इनके विपरीत बौद्धों, श्री अरविन्द और गाँधी को देखा जा सकता है जो क्रमश: सम्बोधि, ब्राह्म चेतना में आरोहण और पृथ्वी पर ऐसे राज्य की स्थापना में देखते हैं जिसमें मानव को राममय हो जाना चाहिए। किन्तु ये अवस्थाएँ अनिवार्यत: निष्पन्न होने वाली नहीं हैं। बौद्धों और महात्मा गाँधी ने तो यह कल्पना इतिहास के रूप में भी नहीं की, किन्तु उनकी इन कल्पनाओं में, विशेषत: बौद्धों की तथागतगर्भ की कल्पना में, इतिहास-दर्शन के बीज स्पष्टत: निहित हैं। तथागतगर्भ की अवधारणा के अनुसार सृष्टिमात्र में तथागततत्व अविकचावस्था में अन्तर्गभ है जो बुद्ध की महाकरुणा से विकास-लाभक्षम है। मुख्य बात यह है कि इनके अनुसार यही एकमात्र दिशा है जिस ओर गति प्रगति कही जा सकती है, शेष गतियाँ प्रगतियाँ नहीं कही जा

1. इस पर देखें पीछे 'मृत्यु-चिन्तन', लेख।

सकतीं। इसलिए मानव के उन दिशान्तरों में आगे बढ़ने को उसकी ऐतिहासिक प्रगति नहीं कहा जा सकता, उसे केवल दिशा-भ्रष्टता ही कहा जा सकता है। आप चाहें तो उसे दिशा-भ्रष्टता का इतिहास भी कह सकते हैं।

किन्तु जैसाकि हमने कहा, महात्मा गाँधी और बौद्धों ने अपने विचार इतिहास-दर्शन के रूप में नहीं रखे। इतिहास-दर्शन की दृष्टि से उनके विचार केवल 'प्रगति' के स्वरूप पर विचार के प्रसंग में ही प्रासंगिक हैं। इनके विपरीत श्री अरविन्द ने अपना विचार 'इतिहास' के रूप में ही रखा था। वे कालातीत चित्तत्व को ही जगत् के रूप में अपने को काल का विषय बनाते देखते हैं जो चित्तत्व भौतिक, जैव और मनोमय चेतना के क्रम से विकसित हुआ है और अब इस सोपान को लांघ कर अतिमानसिक (ओवरमाइंड और सुप्रामेंटल) सोपान पर आरोहण की ओर अग्रसर है। यहाँ हम इन दृष्टियों पर आगे कोई टिप्पणी नहीं कर इतिहास-यात्रा के मानवीय चरण के स्वरूप पर ही संक्षेप में विचार करने का प्रयत्न करेंगे।

'मनुष्य के इतिहास' का अर्थ 'सामाजिक मनुष्य की सांस्कृतिक चेतना का विकास' लेना ही उचित प्रतीत होता है, जबकि मनुष्य से अवर स्तर पर यह 'जैव विकास' का वाचक ही कहा जा सकता है। जैव स्तर पर यह अधिक-से-अधिक 'विशिष्ट जीव-जातियों के विकास' का वाचक भी कहा जा सकता है, यदि हम प्रत्येक जीव-जाति में दैहिक विकास-क्रम की कोई विवरणिका बना सकें तो, अन्यथा इसका अर्थ 'असंख्य जीवजातियों को आधार बनाकर देह की कुशल से कुशलतर रचना के उपाय से अपनी अभिव्यक्ति का उत्कर्ष साधती चेतना का उत्क्रमणात्मक प्रयत्न' ही हो सकता है। किन्तु यदि मनुष्य के इतिहास को भी हम इसी अर्थ में लें तो मनुष्य के जैव स्तर से उबरने तक के जैव विवरण को ही उसका इतिहास कह सकते हैं, उसके अनन्तर के जैव विकास के विवरण को नहीं, क्योंकि जैव रूप से मानव-स्तर (मानव-देह) प्राप्त कर लेने के बाद जैव स्तर पर अभी तक उसका कोई विकास हुआ है ऐसा दृष्टिगत नहीं होता। किन्तु सामाजिक या सांस्कृतिक आयाम में उसके विकास का इतिहास बहुत अल्पकालिक होने पर भी गुण और मात्रा में बहुत बृहत् है। मनुष्य का यह इतिहास उसके आविर्भाव से पूर्व के इतिहास से सर्वथा भिन्न आयाम या सोपान : मनोमय सोपान : के विकास का इतिहास है। जैव स्तर पर जबकि चेतना की अभिव्यक्ति के सब स्तर और रूप देह-रचना के आश्रित होते हैं और परिणामत: वहाँ चेतना में कोई भी परिवर्तन या विकास देह में विकास को घटित करके ही घटित हो सकता है, मनुष्य में मानसिक विकास देह से प्राय: स्वतन्त्र रूप से ही किसी भी उत्कर्ष या दिशा में जा सकता है। उदाहरणत: जबकि मानव-व्यक्तियों में मानसिक विकास में स्तर-भेद लगभग उतने ही हैं जितने जीव-जातियों में जैव-भेद, मानव-व्यक्तियों में देह-स्तर उस प्रकार भिन्न नहीं हैं। मनुष्य में एक और आश्चर्यजनक भेद दृष्टिगत होता है। जीव जबकि अपने सभी क्रिया-व्यापार और उपाय-कौशल सहज रूप से जानते हैं, जैसे घोंसला बनाना, तैरना, प्रवास-यात्रा-मार्ग आदि, मनुष्य को प्राय: सभी कुछ सीखना और भटकावों तथा भूलों के बीच खोजना पड़ता है। और सीखने की जबकि मनुष्य में कोई सीमा नहीं है, अधिकांश जीव लगभग कुछ भी सीख नहीं सकते और कुछ थोड़े-से जीव बहुत ही कम कुछ सीख सकते हैं। अन्य जीवों से मनुष्य में यह भेद उसके जैव सोपान से यत्किंचित् विच्छिन्न होने का है, जिस विच्छेद को वह अपने प्रयत्न से किसी भी सीमा तक बढ़ा सकता है। यहाँ तक कि वह वायु, अन्न और जल तक के ग्रहण को अपने नियन्त्रण में, अर्थात् मन के अधीन, कर सकता है। बर्क्खार्ट ने इतिहास को परिभाषित ही चेतना के जैव सोपान से इस विच्छेद के द्वारा किया है। उसके अनुसार "इतिहास चेतना का आत्म-चेतन होकर अपने को प्रकृति से अलग कर लेना है।"[1] इतिहास की यह परिभाषा युक्तियुक्त प्रतीत होती है। किन्तु यदि इसे स्वीकार कर लिया जाय तो इसके उच्चतम शिखर भारत में औपनिषद और बौद्ध युगों में, पुन: शंकराचार्य और भक्त कवियों में दृष्टिगत होते हैं, ग्रीस में सुकरात और प्लेटो की चेतना में, और यूरोप में

---

1. रीफ्लेक्शंस् ऑन हिस्ट्री, यहाँ कार, इ.एच. की पुस्तक **व्हट इज़ हिस्ट्री?** पृ. सं. 134 से उद्धृत।

प्लोटाइनस, एक्वीनास आदि में दृष्टिगत होते हैं; इसी प्रकार अन्यत्र और अन्यथा भी व्यक्तियों के माध्यम से मानव-जाति इतिहास के इस शिखर का बहुत बार स्पर्श करती दिखायी देती है। किन्तु यदि इतिहास को समाज की चेतना के उस अभिनिवेश से जोड़ना हो जिससे युगों को संज्ञापित किया जाता है, तो आधुनिक युग को ऐतिहासिक दृष्टि से निम्नतम भूमि पर कहना ही युक्तिसंगत प्रतीत होता है, जैसाकि भारतीय मनीषा ने 'कलियुग' के रूप में इसे देखा है। अन्यथा प्रकृति से विच्छेद का अर्थ 'बाह्य प्रकृति पर यन्त्र की विजय' लेना होगा। द्रष्टव्य है कि 'प्रकृति पर विजय' का यह अर्थ भारतीय संस्कृति ने ही नहीं, किसी भी प्राचीन संस्कृति ने नहीं लिया था, यहाँ तक कि कांट और हेगल तक ने भी नहीं लिया था, बल्कि इसका ठीक विपरीत अर्थ ही लिया था। इसका यह अर्थ केवल आधुनिक पश्चिम ने ही लिया है। किन्तु यदि इसका यह अर्थ युक्त अर्थ हो तो 'काम पर विजय' का अर्थ कामोत्तेजक ओषधियों का आविष्कार होगा, ब्रह्मचर्य नहीं, किन्तु इसका यह अर्थ स्पष्टत: युक्त अर्थ नहीं है। निश्चय ही विज्ञान का विकास भी मनोमय चेतना के विकास की ही एक दिशा है और उतनी ही अतिप्राकृतिक जितनी योग-साधना या भक्ति, किन्तु यह चेतना की जिस वृत्ति से प्रेरित और जिस वृत्ति के अभिवर्धन में प्रतिफलित होती है वह वृत्ति प्रकृतिपरक है और मनोमय चेतना को उसी में निमग्न रखती है। यह बात इस संस्कृति को 'ऐन्द्रिक' और 'भोग-परक' विशेषण देने से स्पष्ट है।

मानव की इतिहास-यात्रा अनिवार्यत: प्रगति की ओर ही अग्रसर नहीं है, इसके समर्थन में दो आधार दिये जा सकते हैं। प्रथम आधार तो यह कि समाज अपनी इतिहास-यात्रा में जिस प्रत्यय का परामर्श, व्याख्यान या निर्वहण करते हैं उसका साक्षात्कार उनके आरम्भिक चरणों में होता है। संस्कृतियों का शेष इतिहास तो उस साक्षात्कार की व्याख्या की परम्परा ही होती है।[1] जो समाज इस प्रकार के साक्षात्कार से वंचित होते हैं, अथवा कहें जो ऐसे तत्त्व के साक्षात्कार से वंचित होते हैं जो अतलांत अर्थ-सम्पदा से रहित होता है, वे अपनी मूल अविकसित अवस्था में ही पड़े रहते हैं। असंख्य आदिम समाज इसके उदाहरण हैं। दूसरा आधार यह है कि सभी संस्कृतियाँ अपने आरम्भिक साक्षात्कारात्मक चरणों में प्राकृतिक लोक को देव-लोक की सन्निधि में और दिव्य नियम के शासन में देखती रही हैं और यही दृष्टि उस काल में उनके जीवन में सहज अन्तर्व्याप्त थी। भारतीय संस्कृति का वैदिक से बुद्ध पर्यन्त काल इसका उत्कृष्टतम उदाहरण प्रस्तुत करता है। यह दृष्टि अधिक समृद्ध, अधिक सगर्भ और जीवन को अधिक सुदृढ़ आधार देने वाली है यह देखना उतना कठिन नहीं है। प्राकृतिक दृष्टि शुद्ध इन्द्रियमूलक होती है और शुद्ध भौतिक तत्त्व अपनी उपादानरूपता में इसका अन्तिम साध्य होता है। इसके एकस्तरीय लोक (भू-लोक) में अर्थ और काम के पाशव परितोष से आगे और किसी मूल्य या पुरुषार्थ के लिए कोई अवकाश नहीं बनता। इस दृष्टि के हमारे निरूपण की सत्यता के लिए यदि प्रमाण की आवश्यकता हो तो पाश्चात्य पॉज़िटिविस्ट-एम्पीरीसिस्ट (प्रत्यक्षवादी-अनुभववादी) दार्शनिकों के प्रतिपादनों को देखा जा सकता है। इसके विपरीत वैदिक दृष्टि है जिसका परामर्श वैदिक देव-दृष्टि को ही नहीं औपनिषद, बौद्ध, जैन और पौराणिक दृष्टियों को भी प्रतिफलित कर सका और सब सम्भव पुरुषार्थों को उनकी पूर्ण गहनता के साथ आधार दे सका। किन्तु यह बात केवल वैदिक दृष्टि के लिए ही सत्य नहीं है, निज निज प्रकार से ग्रीक, चीनी, मिश्री और रोमी आदि दृष्टियों के लिए भी सत्य है।

इस पर आपत्ति हो सकती है कि यदि देवता, ईश्वर, अध्यात्म आदि विषयक धारणाओं की भौतिक के ऊपर अर्थ-विपुलता मान भी लीजाय तो भी इनके सत्य होने के लिए क्या प्रमाण है? इस सत्य के प्रश्न को लेकर ही कोंत और उत्तरवर्ती यूरोपीय चिन्तकों ने प्राचीन दृष्टियों को और इन दृष्टियों के आधार पर खड़ी संस्कृतियों को अविकसित कहा था। इन दृष्टियों के लिए ये लोग 'सुपरस्टिश्यस्' पद का प्रयोग करते हैं, जिसका अर्थ है

---

1. द्रष्टव्य है कि भारत में तो दार्शनिक वेद, उपनिषद्, बुद्ध आदि के वचनों को 'आप्त वचन' मानते ही थे, एक प्रमुख आंग्ल दार्शनिक ह्वाइटहेड ने भी सम्पूर्ण पश्चिमी दर्शन को 'प्लेटो की उद्‌भावनाओं की पाद टिप्पणियाँ' मात्र कहा है।

अनागत के आने के क्रम में होने की प्रक्रिया-रूप होती हैं जो प्रक्रिया हमारे या अन्यों के अर्थों के क्रियान्वयन की होती है। कहा जा सकता है कि अतीत, वर्तमान और भविष्यत् केवल हमारे ही नहीं होते, भौतिक वस्तुओं और जीवों के भी होते हैं। थर्मोडायनमिक्स का दूसरा नियम भौतिक जगद्विषयक ही है। इसी प्रकार जगत् की उत्पत्ति विषयक अनुमान हैं। किन्तु द्रष्टव्य है कि ये अतीत और अनागत के रूप में केवल मनुष्य के लिए ही आकलनीय होते हैं क्योंकि केवल आत्मचेतन चेतना, वह चेतना जो विषय को अपने से अलग कर उसे उसकी तत्ता में प्रतिष्ठित कर सकती है, ही अतीत को अतीतता और अनागत को अनागतता में देख सकती है।

किन्तु इतिहास को लेकर एक और समस्या है। इसका विषय वैयक्तिक अतीत नहीं होता बल्कि सामाजिक अतीत होता है। किन्तु सामाजिक अतीत के होने के लिए समाज संज्ञक कोई अस्तित्व भी होना चाहिए। अधिकांश विचारक समाज को केवल व्यक्ति-समूह के रूप में ही देखते हैं, समाज की कोई स्वतन्त्र सत्ता नहीं मानते। किन्तु यह ठीक नहीं है। समाज की, व्यक्तियों के समान ही, कैसी स्वतन्त्र सत्ता होती है इस पर हमने अन्यत्र[1] विस्तार से विचार किया है। यहाँ हम इस सत्ता की स्वतन्त्रता के लिए भाषा को प्रमाण रूप में देख सकते हैं जिसमें व्यक्ति-भाषा सागर में बूँद के समान होती है। भाषा में सर्वनामों की विद्यमानता इसका और स्पष्ट प्रमाण है कि इसमें व्यक्ति केवल परोक्षत: ही होता है—'मैं' सर्वनाम किसी भी वक्ता का निरपेक्षत: आत्मवाचक होता है और साथ ही यह 'तू' और 'वह' का अनिवार्य सहकारी होता है। इतना ही नहीं, 'तू' और 'वह' अन्य की अपेक्षा से 'मैं' वाच्य वक्ता के लिए उतने ही आत्मवाचक होते हैं जितना 'मैं' होता है, जैसाकि अन्य के द्वारा अपने को 'तू' कहे जाने पर हम इस प्रयोग के अपने सहज स्वीकार में देखते हैं। यह अन्य के लिए अपनी विषयता और अपने लिए अन्य की विषयिता के सहज अनुभव और बोध का द्योतक है। मानव-चेतना की यह योग्यता उसके आत्मचेतन होने में निहित होती है और यह योग्यता ही सामाजिकता के स्वतन्त्र अस्तित्व की आधार होती है। आत्मचेतन चेतना के लिए आत्मा स्वयं भी विषय और विषयी होता है और अधिकांशत: यह विषय-आत्मा ही 'मैं' पद का वाच्य होता है।

इस पर यहाँ कहा जा सकता है कि इससे समाज की व्यक्तियों से स्वतन्त्र सत्ता तो सिद्ध नहीं होती, क्योंकि चेतना का संवित् रूप में प्रकाश तो व्यक्ति-चित्त में ही होता है, किसी समाज-चित्त में नहीं होता। किन्तु यह सही नहीं है, क्योंकि चित्त की वैयक्तिकता और सामाजिकता चित्त के विशेषक प्रत्ययों से निर्धारित होती है, स्वयं सवित् या चित्त से नहीं। भाषा के उदाहरण से हमने इसी की ओर संकेत करने का प्रयत्न किया है। व्यक्ति को भौतिक विग्रह से परिभाषित करना दृष्टि-विपर्यास मात्र है, क्योंकि स्वयं भौतिक विग्रह (शरीर) भी अहं-प्रत्यय के माध्यम से ही वैयक्तिक बनता है।

इस प्रकार मानव-अस्तित्व को द्वि-आयामात्मक कहा जा सकता है। किन्तु वास्तव में यह अस्तित्व त्रि-आयामात्मक है। तीसरा आयाम वैश्वता का आयाम कहा जा सकता है। यदि वैश्व सत्ता को काल-प्रवाहात्मक मानें तो मानव का आविर्भाव वैश्व इतिहास में एक लघु काल-खण्ड ठहरता है, यद्यपि अत्यधिक महत्त्वपूर्ण काल-खण्ड।

किन्तु यहाँ 'विश्व' अभिधान को लेकर और भी अधिक आपत्ति हो सकती है, कि इस पद की वास्तव वाचकता के लिए क्या प्रमाण है और यदि इसकी वाचकता की वास्तवता को स्वीकार कर भी लिया जाय तो यह वस्तु किस प्रकार की है? समाज की वास्तवता को लेकर ही कठिनाई अनुभव करने वाले पृथक् वस्तुओं की संहति के ऊपर विश्व की वास्तवता को तो कैसे स्वीकार कर पायेंगे? और यदि विश्वसंज्ञक कोई वस्तु नहीं हो तो फिर मानव की वैश्वसत्ता में अवस्थिति का, या मानव के वैश्व आयाम का कोई प्रश्न ही नहीं उठता। किन्तु यहाँ प्रश्न हो सकता है कि 'विश्व' या 'वैश्व सत्ता' से हमारा क्या अभिप्राय है? यह सत्ता क्या है?

कुछ दार्शनिक 'नेचर' शब्द का एक कर्त्तृ शक्ति के रूप में प्रयोग करते हैं। कांट में और श्री अरविन्द की बहुत सी रचनाओं में, जैसे **दि आइडिया ऑफ ह्यूमन यूनिटी** में इस पद का प्रयोग देखा जा सकता है। इससे

1. **संस्कृति : मानव-कर्त्तृत्व** की व्याख्या, अ. 2 तथा समाज : दार्शनिक परिशीलन, अ.1

उनका ठीक ठीक क्या अभिप्राय है यह बहुत स्पष्ट नहीं है, कम से कम हमें वह स्पष्ट नहीं है। किन्तु वैश्व सत्ता से हमारा अभिप्राय जगत् मात्र से है, जो भौतिक, जैव और मानवीय सम्पूर्ण अस्तित्व का, उसकी भव्य सोपानात्मकता में समावेशी है। यह जगत् भी, व्यक्ति और समाज के समान, एक स्वतन्त्र सावयव सत्ता है या नहीं, यह एक विवाद का विषय हो सकता है। किन्तु जड़, जीव, चेतन, आत्मचेतन में एक विकास-क्रम एक ऐसी स्वतन्त्र आत्मकथात्मकता और आत्मान्वेषकता का द्योतक है जो व्यक्तियों और समाजों की आत्मकथाओं और आत्मान्वेषणों की समावेशी है। यहाँ कहा जा सकता है कि यदि समाज व्यक्ति का और विश्व व्यक्ति और समाज का समावेशी है तो व्यक्तियों और समाजों की आत्मकथाएँ विश्व की आत्मकथा की अंग और इस प्रकार इसकी आत्मकथा से निर्धारित होनी चाहिएँ। यह सही है, किन्तु विभिन्न आयामों का सम्बन्ध अंग-अंगी के जैसा नहीं होता। व्यक्ति में जाति द्योतित होती है और उसकी एक पक्ष में निर्धारक भी होती है, किन्तु इसी अर्थ में कि व्यक्ति के अनुसरण, उसकी आत्मकथा और अन्वेषण उसके व्यक्तिगत वैशिष्ट्य से पृथक् और ऊपर जातिगत सम्भावना-क्षेत्र के अन्तर्गत ही घटित होते हैं। एक प्रकार से कहा जा सकता है कि जाति से विश्व का सम्बन्ध ठीक वैसा ही है जैसा व्यक्ति से जाति का। मानव-व्यक्ति और जाति उस यात्रा के चरण हैं जो यात्रा विश्व-सत्ता की नियति या गन्तव्य द्वारा निर्धारित है।

इतिहास का विषय सामान्यत: समाज का अतीत ही माना जाता है। किन्तु मात्र अतीत को इतिहास या इतिहास का विषय कहने का कोई औचित्य नहीं है। किसी अतीत घटना के इतिहास होने के लिए उसे किसी बड़ी कथा का अंग और अर्थ-गहन भी होना चाहिए। आज से सौ या हज़ार वर्ष पहले 'किसी राजा ने किसी ब्राह्मण को कोई भूखण्ड दान में दिया' यह घटनात्मक रूप में वैसा ही है जैसा उस समय किसी रमेश ने किसी सुरेश को कोई वस्तु दी। किन्तु इनमें दूसरी घटना ऐतिहासिक नहीं कही जा सकती। पहली घटना ऐतिहासिक कही जा सकती है यदि वह उस समाज में उस समय के राजाओं के ब्राह्मणों से सम्बन्ध के उदाहरण के रूप में देखी जाती है। किन्तु किसी समय में किसी समाज के राजाओं का व्यवहार भी उसी रूप में ऐतिहासिक कहा जा सकता है यदि वह उस समय के समाज के चरित्र के द्योतक रूप में देखा जा सकता है। यह ऐसा ही है जैसे कोई किसी के अँगूठे की छाप को उतने मात्र के रूप में देखे और कोई दूसरा उसे उस व्यक्ति की पूरी आकृति और उसका स्वभाव समझने के लिए देखे।

किन्तु 'समाज के चरित्र' का क्या अर्थ है और उसके लिए अतीत में जाने की क्या आवश्यकता है? वह उसके वर्तमान से अधिक अच्छी तरह समझा जा सकता है और वास्तव में वही अधिक रोचक भी हो सकता है! इसका उत्तर हो सकता है कि किसी का चरित्र समझने का एक अर्थ है उस मूल पर्येषणा-अभीप्सा को समझना जो किसी व्यक्ति या समाज के सब प्रयत्नों को नियुक्त करती है, उन्हें कर्त्ता की दृष्टि में मूल्य देती है, जो उनके लिए आत्मा और अनात्म का स्वरूप तय करती है। इसे आप पुरुषार्थ-दृष्टि भी कह सकते हैं। पुरुषार्थ का अर्थ यहाँ चार पुरुषार्थों में से एक नहीं है बल्कि उस पर्येषणा मात्र से है जो किसी भी व्यक्ति को व्यक्ति के रूप में और समाज को समाज के रूप में आत्म-प्रतिष्ठा देती है और जिसके अनुसरण में असफल रहने पर वह आत्म-गर्हित अनुभव करता है। समाज के सन्दर्भ में इसे मूल सांस्कृतिक अभिनिवेश कह सकते हैं। इस सांस्कृतिक अभिनिवेश का कोई समाज अपने जीवन में कैसे क्रियान्वयन करता है, इसे समझने के लिए उस समाज की संस्थाओं को और व्यवहार में उस अभिनिवेश के निर्वहन को देखना आवश्यक होता है। यह सब किसी व्यक्ति की जीवनी समझने और लिखने जैसा होता है। व्यक्ति और समाजों की यह पुरुषार्थ-दृष्टि, उनकी यह आत्म-कल्पना, उन्हें कब और कैसे मिलती है यह कहना असम्भव जैसा होता है। व्यक्ति में हमारे यहाँ इसे पूर्वजन्मों के संस्कारों का प्रभाव माना जाता है। व्यक्ति के लिए तो एक सीमा तक उसके आरम्भिक परिवेश को भी उत्तरदायी ठहराया जा सकता है और आनुवंशिकता को भी, किन्तु समाजों के लिए तो इनमें से किसी को भी उत्तरदायी नहीं ठहराया जा सकता। भौगोलिक और अन्य बाह्य परिवेश किसी समाज की मूल आत्मकल्पना के घटक नहीं होते, बल्कि वे उस कल्पना से रचित समाज के उसके वैशिष्ट्य से विशिष्ट परिवेश बनते हैं। अब, व्यक्तियों की जीवनी और

समाजों के इतिहास को समझने के लिए उनकी मूल आत्म-कल्पनाओं को समझना आवश्यक होता है। किन्तु द्रष्टव्य है कि व्यक्तियों की जीवनियाँ और समाजों के इतिहास जबकि उनके द्वारा इन आत्म-कल्पनाओं के क्रियान्वयन के प्रयत्नों के विवरण होते हैं ये प्रयत्न अधिकांश में इस आत्मा की भ्रान्त समझ, अयुक्त क्रियान्वयन, आत्म-भ्रष्टता और अनात्मानुसरण के निदर्शक ही होते हैं। ऐसे में इतिहास किसे कहा जाय? वस्तु के पक्ष से पदे-पदे भ्रष्ट इस प्रयत्न को और विवरण के पक्ष से इस दिग्भ्रान्त होते प्रयत्न के निरूपण को? यदि समाजों के जीवन, अथवा कहें समाजों द्वारा संस्कृतियों के लोक में क्रियान्वयन को देखें तो इनका इतिवृत्त सम्यग्दृष्टि की एक कौंध के पश्चात् फिर शताब्दियों तक अन्धेरे में भटकने का इतिवृत्त ही दिखायी देता है। **गीता** में जो कहा है—"यदा यदा हि धर्मस्य ग्लानिर्भवति भारत" वह भी इसी वस्तुस्थिति का द्योतक है।

मनुष्य की सबसे बड़ी दु:खान्तिका यह है कि उसे जबकि सदसद् में भेद के बोध का वरदान प्राप्त है, वह इनमें विवेक को लेकर निश्चय के अभाव से अभिशप्त रहता है। एक प्रकार से प्रत्येक व्यक्ति और प्रत्येक संस्कृति को सद्विषयक एक अभ्युपगम कहा जा सकता है। पीछे जिसे हमने आत्म-कल्पना कहा वह सद्विषयक किसी प्रतिज्ञा पर ही प्रतिष्ठित होती है, यद्यपि प्राय: कोई व्यक्ति उस प्रतिज्ञा के सम्बन्ध में स्वल्पमपि स्पष्ट नहीं होता। वह प्रतिज्ञा उसमें अन्तर्गुहागत ही रहती है। किन्तु उस प्रतिज्ञा के सत्य को पूर्वगृहीत कर ही वह लोक-जीवन में उसके क्रियान्वयन में प्रवृत्त होता है। किन्तु वह प्रतिज्ञा युक्त है या नहीं यह जानने का तो उसके पास कोई उपाय ही नहीं होता। दुष्यन्त ने शकुन्तला के क्षत्रिय-कन्या होने से अपनी अन्त:करण-प्रवृत्ति को प्रामाणिक मान लिया। किन्तु प्रामाणिकता के लिए यह आधार युक्त है या नहीं यह जानने के लिए उसके पास क्या आधार था? **श्रीमद्भगवद्गीता** में श्रीकृष्ण अर्जुन को अपनी ओर से गुह्याद्गुह्यतर ज्ञान दे देने के बाद उसे उस पर स्वयं विमर्श कर अपनी प्रमाण-दृष्टि का अनुसरण करने को कहते हैं—यथेच्छसि तथा कुरु, (18.63) क्योंकि जो अपनी दृष्टि से प्रमाणित नहीं होगा उसकी प्रामाणिकता के अनुसरण से अधिक अप्रामाणिक दूसरा कुछ हो ही नहीं सकता। किन्तु मान लें कि आत्मसाक्षात्कृत सब प्रतिज्ञाएँ समान रूप से प्रामाणिक होती हैं क्योंकि सब साक्षात्कार निरस्तोपाधिक होते हैं, यह भी मान लें कि ऐसा साक्षात्कार सम्भव है और श्रीकृष्ण जिस अर्जुन को 'यथेच्छसि तथा कुरु' परामर्श दे रहे हैं वह ऐसी निरस्तोपाधिक चेतना ही है। किन्तु लोक में तो यह निरुपाधिक चेतना भी किसी उपाधि के माध्यम से ही उपचरित होगी! लाइब्नीज़ के ईश्वर ने भी जब जगत् रचा तब वह असंख्य सम्भव जगतों में से ही एक रच सका, वह फिर चाहे सबसे अधिक वरणीय सम्भावना ही क्यों न रही हो। इस प्रकार लोक में अवतीर्ण होने पर, अथवा कहें लोक के माध्यम से अपने को क्रियान्वित करने के क्रम में प्रवृत्त होने पर आत्मा अनिवार्यत: असंख्य सम्भावनाओं में से एक का ही क्रियान्वयन कर सकती है। किन्तु लोक में तो कोई क्रियान्वयन निर्दोष नहीं होता! तब इतिहास सिद्ध क्या करता है? केवल भटकावों के विच्छिन्न किस्से? उदाहरण के लिए भारतीय समाज को ही लें और इसका मूल वैदिक दृष्टि में मानें। अब, यह दृष्टि अपने क्रियान्वयन के क्रम में बहुत शीघ्र धूमिल दिखायी देती है। आरण्यक, ब्राह्मण और उपनिषद् इस दृष्टि की व्याख्या के प्रयत्न कहे जा सकते हैं। किन्तु इसी प्रयत्न में अनेक भ्रान्तियाँ और दोष जन्म लेते हैं। अनन्तर महावीर, बुद्ध, रामायण और महाभारत आदि में इस भ्रान्ति के निवारण का जितना प्रयत्न होता है उतनी ही यह दृष्टि व्याख्या-भेदों और ऊहापोहों में व्यामिश्रित दिखायी देती है। यदि इन व्याख्याओं को दृष्टि-विकास की युक्त परम्परा भी कहा जाय और इस प्रकार एक समाज के इतिहास के रूप में देखा जाय तो भी यह परम्परा शीघ्र ही अनेकधा विकीर्ण, धूमिल और दिग्भ्रान्त ही अधिक दिखायी देती है। (ओस्वाल्ड स्पेंग्लर ने महात्मा बुद्ध के काल को भारतीय संस्कृति का यौवन-काल कहा है, जिसके बाद उसके अनुसार इसका वार्द्धक्य की ओर क्षय का क्रम आरम्भ होता है।) इस प्रकार आगे के भारतीय समाज के जीवन को इस अर्थ में किसी विचार-परम्परा या अर्थान्वेषण की विकास-परम्परा के रूप में इतिहास नहीं कहा जा सकता। इसे अधिक से अधिक इस अर्थ में इतिहास कहा जा सकता है कि भारतीय समाज आज उस अतीत को अपना अतीत मानता है। इस अतीत में न कोई कारण-कार्यात्मक अच्छिन्नता होना आवश्यक है और न ही वैचारिक या अर्थान्वेषणात्मक परम्परा का होना आवश्यक है। अर्थात् जिन घटनाओं को कोई समाज अपना अनुकूल या प्रतिकूल अतीत कह सके वही उसका इतिहास है। बहुत कुछ व्यक्ति के जीवन के साथ भी ऐसा ही होता है। व्यक्ति उस अतीत को अपनी जीवनी का अंग मानता है जिसे वह आत्म-सम्बद्ध देखता है। उस

अतीत में कोई क्रम या शृंखला का होना आवश्यक नहीं होता, यद्यपि एक कारण–कार्यात्मक शृंखला का होना पूर्वगृहीत अवश्य रहता है। देह में यह परम्परा शैशव से यौवन और यौवन से वार्द्धक्य के क्रम से रहती है जो जीवन की वृद्धि–क्षय की परम्परा होती है, किन्तु मनोलोक में ऐसी कोई मनोमय परम्परा रहती है, ऐसा नहीं कहा जा सकता। एक संस्कार–प्रवाह या संस्कार–शृंखला रहती है यह तो अवश्य कहा जा सकता है, किन्तु यह अर्थान्वेषण में प्रगति, अनात्म–त्याग की साधना में उत्कर्ष, आत्म–अनात्म–विवेक में दृष्टि–परिष्कार की परम्परा नहीं होती जिसे ऐतिहासिक परम्परा कहा जा सके।

इधर पश्चिम के कुछ इतिहास–विचारकों ने इतिहास को मानव–चेतना के विकास के रूप में देखा है और यह माना है कि ऐसा विकास समाज–मानव के जीवन में सार्वभौम स्तर पर वास्तव में दृष्टिगत होता है। किन्तु इसे वे किसी एक समाज में घटित नहीं देखकर विभिन्न समाजों में देखते हैं जो समाज विकास के विभिन्न सोपान बनाते हैं। इनमें पहले के सोपान जबकि अन्धविश्वासमूलक या कल्पनामूलक हैं, वर्तमान सोपान वैज्ञानिक दृष्टिपरक और इस प्रकार यथार्थ ज्ञानात्मक सोपान है जिसका धारक वे अपने समाज को मानते हैं।

हेगल और मार्क्स ने इस विकास को अपने–अपने ढंग से मानव–चेतना की अनात्मबद्धता की दशा से मुक्ति की दशा में प्रगति के क्रम के रूप में देखा। श्री अरविन्द ने इतिहास को ब्राह्म चैतन्य द्वारा अपने को जगत् रूप में भौतिक, जैविक, मानसिक और अतिमानसिक के क्रम से पुनरधिगत करने की प्रक्रिया के रूप में देखा। किन्तु इतिहास–प्रक्रिया के ऊर्ध्वतर चरण—मनोमय चरण में, जो कि मनुष्य के आविर्भाव के साथ आरम्भ हुआ है, श्री अरविन्द आरम्भिक काल को आर्ष प्रज्ञा के, सत्य के अव्यवहित साक्षात्कार के रूप में देखते हैं यद्यपि मनुष्य की विभिन्न संस्कृतियों को वे सत्य को देखने के विभिन्न एकपक्षीय प्रयत्नों के रूप में देखते हैं। किन्तु ब्राह्मचैतन्य द्वारा अपने पुनरधिगमन की प्रक्रिया के इस मनोमय चरण के आरम्भिक काल को अव्यवहित साक्षात्कार के काल के रूप में और बाद के कालों को व्यवहित दृष्टि के कालों के रूप में देखना जगत् को पुनरधिगमन के क्रम–विकास के रूप में देखने की उनकी दृष्टि से कैसे संगत होगा, यह हमें समझ में नहीं आया।

हमने पीछे वैश्व प्रक्रिया को जो ऐतिहासिक प्रक्रिया के रूप में देखने की बात की है उसमें श्री अरविन्द की दृष्टि से यह अनुरूपता कही जा सकती है कि हम भी इस प्रक्रिया में चेतना की एक आत्मानुसन्धान यात्रा देखते हैं। किन्तु उनके मत से हमारे मत में यह एक आधारभूत अन्तर है कि हम इसे ब्राह्मचैतन्य द्वारा अपने पुनरधिगमन की प्रक्रिया के रूप में नहीं देखकर चेतना के वास्तव आत्मानुसन्धान की प्रक्रिया के रूप में देखते हैं। वास्तव में ऐतिहासिक प्रक्रिया चेतना के इस वैश्व स्तरीय आत्मानुसन्धान में ही देखी जा सकती है। मनुष्य के स्तर पर जैविक संघर्ष के जैसे विभिन्न संघर्ष, सांस्कृतिक प्रयत्न और अतिसांस्कृतिक आध्यात्मिक साधनाएँ ये सब किसी उच्चतर सोपान पर आरोहण के लिए वैश्व चेतना में आलोडन के रूप में देखे जा सकते हैं, किन्तु स्वयं मानव के कालगत इतिवृत्त को किसी सोपानक्रम के रूप में देखना हमें युक्तिसंगत प्रतीत नहीं होता, जैसाकि हमने अपने एक अन्य लेख में दिखाया है।[1]

1. द्रष्टव्य पीछे — 'इतिहास दर्शन–1'